LE TRIANGLE SECRET

DIDIER CONVARD

LE TRIANGLE SECRET

Tome I

Les larmes du pape

Tome II

Les cinq templiers de Jésus

ÉDITIONS FRANCE LOISIRS

Édition du Club France Loisirs,
avec l'autorisation des Éditions Mazarine/Glénat

Éditions France Loisirs,
123, boulevard de Grenelle, Paris
www.franceloisirs.com

Le triangle secret Tome I :
© Éditions Mazarine, département de la Librairie Arthème Fayard, et Éditions Glénat, 2006.
Le triangle secret Tome II :
© Éditions Mazarine, département de la Librairie Arthème Fayard, et Éditions Glénat, 2007.
ISBN : 978-2-298-02124-0

LE TRIANGLE SECRET

Tome I

Les larmes du pape

1

Le cortège

Les flammes des torches crépitaient dans le vent. L'épaisse pluie froide annonçait déjà la neige. Deux hommes et deux femmes portaient un corps enveloppé dans un suaire blanc tandis que suivaient les silhouettes d'une procession, recueillies et silencieuses.

Le cortège avançait dans une forêt de chênes. Au geste d'un très vieil homme qui marchait en tête, tous s'immobilisèrent. Les quatre porteurs déposèrent le cadavre sur le sol glaiseux. Une terre de marne grasse qui collait aux semelles des sandales. Une terre riche et parfumée.

Le vieillard vint se placer à la tête du mort, les pieds d'équerre, touchant presque le suaire. Aussitôt, ses compagnons fichèrent leurs torches en terre et formèrent cercle autour du gisant en se donnant la main.

Tous étaient unis. Tous se tenaient fortement. Le vieil homme, soulevant de ses bras cette chaîne humaine, dit ces mots :

— Puisqu'il est l'heure et que nous avons l'âge, ouvrons les travaux de notre Loge.

Hommes et femmes levèrent et abaissèrent par trois fois la chaîne de leurs bras, puis la rompirent.

Et le vieillard parla.

La pluie venait de redoubler, rabattue par le vent sur la clairière, trempant les manteaux de coton et les robes de lin.

La voix de l'orateur était faible et éraillée pour avoir trop servi, trop chanté l'amour et la fraternité à travers mille contrées et pays. Une voix lasse et désenchantée, triste. Infiniment triste.

Quand le vieillard eut achevé son oraison, trois hommes firent quelques pas et se baissèrent ensemble. Ils soulevèrent un anneau de bronze et, s'aidant de la voix, ils arrachèrent du sol une dalle de pierre qui ouvrait sur une tombe vide.

On reprit le corps du mort.

Le vieillard s'approcha de la fosse où reposait maintenant son ami. Son maître. Il plongea la main sous son manteau pour en sortir un objet qu'il tint un instant contre lui.

Il s'inclina lentement, s'agenouilla avec difficulté tout au bord du trou du noir tombeau, et pleura.

Il pleura longtemps avant de placer l'objet sur la poitrine du mort. Se redressant, il donna l'ordre de remettre la dalle en place et d'en défaire l'anneau de bronze. Puis il dit :

— Que ton Secret demeure avec toi, Maître... Maudits soient ceux qui tenteront de voler ta Parole pour la déformer ! Béni sois-tu, mon frère, pour l'enseignement que tu nous as laissé en héritage.

L'anneau lui fut donné. Malgré son poids, il souhaita le conserver dans ses mains, pareil à une relique.

Les hommes et les femmes reprirent leur chemin et s'enfoncèrent à nouveau dans l'épaisse forêt en s'éclairant de leurs torches aux flammes couchées.

Le vieillard marchait en tête. Il fut rejoint par un très jeune homme au visage brouillé de larmes et de pluie.

Il demanda à son aîné :

— Nous n'avons pas clos nos travaux, Jean... Pourquoi ?

Le vieil homme lui répondit :

— Ils ne le seront jamais plus, mon frère... Jamais ! Notre Loge s'est ouverte pour toujours, hors les murs de son temple, hors du temps. Notre travail ne fait que commencer. Pour l'éternité...

— Sans *Lui*, comment ferons-nous ?

Le vieil homme sourit et dit :

— Nous *Le* chercherons. Et ce sera notre travail. Dans les siècles des siècles, nous le chercherons, frère...

2

Le cinquième message

Didier Mosèle regarde la pluie tomber sur le boulevard extérieur. Il colle son front contre la vitre fraîche, demeure ainsi quelques secondes, pensif. Puis il quitte la fenêtre, retourne à son bureau recouvert d'un désordre de livres et de documents, cherche son paquet de cigarettes, en prend une qu'il allume pour en aspirer une bouffée à s'en brûler les poumons.

Didier Mosèle aborde la quarantaine. Des cheveux blonds et longs rejetés en arrière, un menton prononcé piqué d'une fossette, des pommettes hautes et légèrement saillantes, des yeux d'un bleu clair grisé. Grand, les épaules solides, il est vêtu d'un jean et d'un polo noirs.

Cela fait plus d'une heure qu'il passe et repasse une cassette dans son magnétophone de travail. Plus d'une heure qu'il fume cigarette sur cigarette, s'assoit, se relève, retourne à la fenêtre, revient, dérange des dossiers, tape du pied dans les livres jonchant le sol.

Et, encore une fois, il presse le bouton de lecture de l'appareil. La voix s'impose de nouveau dans son bureau. Une voix pressée, nerveuse, hachée par une respiration douloureuse :

« Mon Très Cher Didier, quand vous écouterez cette cassette, je ne serai sans doute plus de ce monde. Ceux qui me traquent vont bientôt me débusquer et il me reste trop peu de temps pour relater les derniers événements qui m'ont conduit au seuil de la mort... Les tueurs sont sur ma piste depuis bien longtemps... Je présume que vous avez reçu ma dernière lettre. Celle-ci n'était-elle pas trop énigmatique ? Avez-vous réussi à la comprendre ? Souvenez-vous... Je vous ai dit, juste avant de vous quitter, que j'emporterais cinq enveloppes avec votre adresse. CINQ ! Pour nous rappeler l'époque où nous avons été élevés au grade de compagnon dans notre Loge mère Éliah... Cinq ! Le chiffre symbolique de ce degré au cours duquel le maçon doit *voyager*... C'est ce soir-là, après notre Tenue[1], que nous avons longuement parlé... Nous voulions nous lancer dans une invraisemblable quête... Cela avait l'air, alors, d'un pari

---

1. Nom donné à une réunion maçonnique.

d'intellectuels parisiens désireux de s'offrir un dernier brin de jeunesse. Nous ignorions que nous mettions les pieds dans les pas de géants ! Ce que nous pensions n'être qu'une hypothèse de rats de bibliothèque est devenu une enquête dangereuse. Le romanesque de cette soirée peut-être un peu trop arrosée de brouilly s'est transformé en cauchemar !

Et ce voyage va me coûter la vie...

Nous étions loin de penser qu'une preuve matérielle remonterait du passé pour nous troubler au point d'accréditer d'un coup l'hypothèse sulfureuse que je me plaisais à évoquer !

Vous voyez, mon vieil ami... mon frère... Je perds du temps, encore... Je ressasse l'origine de mon malheur et ne vous parle pas de ce que vous aimeriez tant connaître... Savoir si ma théorie était juste, n'est-ce pas ?

Mais le fait même de me retrouver si près de la mort, prochainement éliminé par ceux qui cachent ce Secret vieux de tant de siècles, n'est-il pas la preuve que j'ai trouvé ? »

Mosèle coupe l'enregistrement, écrase sa cigarette à demi consumée dans un cendrier empli de mégots. Il se redresse, abandonne son fauteuil, marche dans la pièce pendant quelques minutes et revient à son bureau pour reprendre l'écoute du message dont il connaît presque par cœur le contenu :

« Abandonnez notre quête ! Je vous en conjure : fermez tous vos livres, brûlez-les tous et soufflez leurs cendres au vent ! Oubliez tout ce que je vous ai dit. OUBLIEZ ! Je me doute que vous vous arrêterez au cachet du timbre oblitéré de ce dernier envoi. Ne vous y fiez pas trop ! Restez en dehors de cette farce macabre ! »

Nouvelle pause et énième cigarette de la soirée. Mosèle se jure d'arrêter de fumer. Plus tard... Il regarde l'enveloppe en papier kraft dans laquelle il a reçu la cassette. L'envoi a été posté à la gare de Reims quatre jours plus tôt. Son adresse a bien été écrite de la main de son ami Francis Marlane, avec cette incorrigible manie d'incliner les « I » majuscules vers la droite :

Monsieur DIDIER MOSÈLE
33, avenue de la Porte-Brancion. 75015 PARIS

Mosèle reprend l'écoute :

« Didier, vous ne vous êtes contenté que de recherches livresques et vous avez eu raison. J'aurais dû m'en satisfaire moi aussi et ne pas me jeter physiquement dans une aventure pour laquelle je n'étais pas taillé.

Nous ne sommes que des nains devant cette énigme, Didier... que des enfants aveugles et impotents qui doivent être brisés pour que perdure le Mensonge...

Les hommes ne sont pas assez sages pour savoir... Le monde basculerait ; les valeurs, la morale, les lois, tout serait balayé par une tempête qui plongerait l'humanité dans l'abîme !

Je vous supplie de détruire cette cassette quand vous l'aurez écoutée. Je vous prie de ne parler de rien de tout cela à personne. Au nom de notre serment de maçons, obéissez-moi, mon frère !

Restez en dehors de cette farce macabre ! Brûlez l'enveloppe qui aura contenu cette bande. Par notre serment, par notre initiation, ne suivez pas mon exemple. Ne gardez de moi que les lettres que tout profane devenant maçon lit pour la première fois dans l'ombre du Temple... Ces lettres dont je comprends aujourd'hui le sens réel : V.I.T.R.I.O.L... qui résume cette phrase : *"Visita Interiora Terrae, Rectificandoque, Invenies Occultum Lapidem[1]"*. Ne corrigez rien, surtout, Didier ! Ne cherchez ni la pierre ni le frère ! Adieu, Mon Très Cher Frère.

Votre ami qui s'est perdu, Francis. »

Mosèle laisse la bande mourir d'elle-même en tournant à vide et en crachotant ses derniers parasites. La pluie rabattue par le vent frappe les carreaux. Bruit sourd du boulevard extérieur. Bruit de fond continuel sur lequel s'élèvent parfois une sirène de police, un crissement de pneus... C'est le soir. L'automne qui s'installe. Un soir banal.

Mosèle retire la bande du magnétophone pour la fourrer dans une poche de son jean et compose un numéro de téléphone sur son portable. Un temps, puis :

---

1. *Visite l'intérieur de la Terre et en rectifiant tu trouveras la pierre occulte.*

— Martin ? C'est Didier. Excusez-moi de vous déranger à cette heure. Je souhaiterais vous parler... Oui, au plus tôt... C'est très grave. Je préfère ne rien dire au téléphone. Je vous en prie, acceptez-vous de me recevoir ? Je peux être chez vous dans vingt minutes.

Satisfait, Mosèle referme son portable et, cigarette aux lèvres, quitte son bureau. Dans le vestibule, il décroche au passage son imperméable d'une patère.

Dehors, il peste contre la pluie qui le frappe de plein fouet. Il remonte le col de son vêtement et traverse la cour de son immeuble en quelques foulées pour déboucher sur l'avenue de la Porte-Brancion reliant le boulevard extérieur au périphérique. Sa Golf est garée en épi le long du trottoir, de l'autre côté de la chaussée. Mosèle attend que deux voitures soient passées pour traverser hors du passage protégé. Une camionnette blanche qui stationnait à quelques dizaines de mètres démarre aussitôt en accélérant brutalement. Mosèle tourne la tête dans sa direction et s'étonne :

« Ce type est fou, c'est à croire qu'il veut me... »

Il a juste le temps de se jeter de côté pour ne pas être happé par la camionnette qui le chargeait manifestement. Choc des genoux sur le sol. Contact du pavé trempé.

Le véhicule tourne à l'angle de l'avenue, se jette dans le flot de la circulation du boulevard, disparaît. Mosèle se relève ; il n'a eu que le temps de voir deux hommes à bord de la camionnette. Vision fugitive. Le passager l'a dévisagé. Infime fraction de seconde où Mosèle a lu le dépit dans ses yeux. Dépit que le conducteur ait manqué sa cible.

Mosèle gagne sa voiture en boitillant légèrement. Il ouvre la portière, se laisse tomber sur le siège et demeure un instant accroché au volant, réfléchissant... Il met enfin le contact.

« Ces dingues ont délibérément cherché à me faucher ! »

Il réalise qu'il a conservé son mégot aux lèvres. Il entrouvre la vitre et le jette d'une pichenette. Goût du tabac mouillé dans sa gorge. Âcre et gras. Poisseux comme ses pensées. Car Mosèle sait maintenant que Francis Marlane est mort. Francis, son ami. Son frère ! Francis, trente-six ans, en instance de divorce, auteur au succès modeste – mais remarqué – de nombreux ouvrages historiques, aquarelliste délicat et franc-maçon. Il a forcément été assassiné...

3

La Loge Éliah

Tout en conduisant, Mosèle se souvient.

Neuf ans plus tôt, au siège de la Grande Loge de France, rue de Puteaux... Il venait d'être initié dans la Loge Éliah en compagnie d'un jeune homme brun aux allures d'adolescent souriant, au regard perpétuellement curieux et pétillant derrière les loupes de ses lunettes qui lui donnaient un air lunaire, distrait et sympathique. Francis Marlane, tout comme Mosèle, portait un smoking. Mais il donnait l'impression de s'être déguisé ; il flottait un peu dans sa veste et son nœud papillon était fichu de guingois.

Sitôt après la cérémonie d'initiation qui avait duré plus de deux heures, le Vénérable qui officiait alors, Martin Hertz, avait invité tous les frères à descendre au Cercle écossais pour participer aux agapes.

Martin Hertz, un colosse aux allures de gros chat, avait d'emblée porté un toast :

— Mes félicitations, mes frères Didier et Francis, puisque c'est ainsi que l'on vous appellera désormais ! Bienvenue dans la Loge Éliah ! Je crois que vous vous plairez parmi nous.

Un deuxième frère avait ajouté en s'esclaffant :

— À nous de nous plaire avec vous, surtout ! Mais il paraît que les maçons sont tolérants, alors...

Mosèle se rappelle avoir alors murmuré à l'oreille de Marlane :

— La tolérance ? Une question de temps et d'habitude. Je présume que cela s'apprend !

Marlane avait souri. Timidement. Il était encore sous le coup de l'émotion éprouvée au cours de la cérémonie. Il ne cessait de regarder en tous sens, tendant son cou d'oiseau à gauche, à droite. Il s'imprégnait des lieux, du visage des frères, de l'atmosphère du Cercle, ce grand espace composé de deux vastes salles voûtées où déambulaient les serveurs en veste blanche, où la fumée des cigarettes et des cigares commençait à former un épais brouillard.

Marlane trempa ses lèvres dans la flûte de champagne. Puis il reposa son verre et demanda à Mosèle :

— Donc, si j'ai bien compris cette cérémonie, le fait d'avoir été initiés ensemble fait de nous des « jumeaux » ?

Mosèle répondit :

— Oui... Je vous avoue que je n'aurais jamais imaginé être aussi ému et captivé par un quelconque rituel !

Assis en face d'eux, Hertz s'imposa dans leur conversation en les pointant de sa fourchette :

— C'est aussi parce que ce n'est pas une cérémonie comme les autres. Celle-ci possède les indéfectibles vertus de la Tradition. Voilà le liant de la sauce !

Mosèle avait tout de suite remarqué la manière qu'avait Hertz de jouer avec ses interlocuteurs, de les prendre entre ses pattes, griffes à peine rentrées, voix suave qui miaulait. Il poursuivit :

— N'oubliez pas, surtout, que vous venez de prêter un serment ! Sous l'œil du Grand Architecte de l'Univers... Et sous le mien, surtout ! Je resterai votre Vénérable pendant un an encore. Ensuite, mon mandat achevé, je me placerai à la porte du Temple où je serai le modeste portier de la Loge qu'on appelle le frère Couvreur. Cela, durant trois ans... C'est ainsi ! La maçonnerie nous enseigne l'humilité en nous faisant descendre de charge.

Mosèle n'avait pas cru en la possibilité que Hertz devînt un jour ce frère humble qu'il évoquait. Dans le regard qu'il échangea avec le gros homme, Mosèle comprit que Hertz non plus n'était pas dupe. Il y avait trop d'orgueil dans cette bonhomie apparente. Trop d'appétit dans ses yeux, ses lèvres... Et une manière de se moquer en masquant ses véritables pensées sous un chapelet de banalités.

Le repas fut animé, chaleureux et bruyant. Le vin échauffait certains esprits. Les voix s'élevaient. Des rires fusaient parfois. Surtout ceux d'un frère rondouillard aux joues roses, un notaire qui ne cessait de porter des toasts.

Venant de se découvrir de nombreux points communs, Francis Marlane et Didier Mosèle s'étaient retranchés dans une conversation en tête à tête malgré le brouhaha de la salle.

Une vingtaine de minutes plus tard, Marlane s'exclamait :

— Les rouleaux de la mer Morte ? Vous bossez dessus ? Je pensais que vous étiez un spécialiste des manuscrits médiévaux et autres palimpsestes !

— Ce ne sont pas tous des rouleaux de cuivre. On a aussi trouvé des parchemins à Khirbet Qumrān... Certains rongés aux trois quarts par les rats qui se sont fait les dents dessus ! Des mètres et des mètres de manuscrits préfigurant les Évangiles, répondit Mosèle.

— Et votre travail, dans cette affaire ?

— La Fondation qui m'emploie, sous la tutelle de l'École biblique de Jérusalem, m'a confié la restauration de deux rouleaux numérotés 4Q456-458, précisa Mosèle. Datés par le généticien Henri Squaller de l'université de Rockefeller, ces parchemins auraient été rédigés quelques dizaines d'années après la mort présumée du Christ ; nous ne pouvons être certains à cent pour cent de la date précise. Ils ont été découverts sur le site prestigieux de la mer Morte et présentent indéniablement un intérêt inédit. Ils s'inscrivent dans la longue séquence du déchiffrage de ce trésor énigmatique, commencé en 1947 alors que Qumrān était encore sous juridiction palestinienne.

— C'est comme si vous me parliez du Graal, Didier !

— Vous êtes trop rêveur, Francis... Il ne s'agit que de longues litanies religieuses ou de sévères codex rédigés par d'austères Esséniens dans ce fameux monastère de Qumrān. J'ai abandonné pour un temps les travaux que je consacrais à la restauration d'un superbe psautier du XIVe siècle pour me vouer à cette tâche. Je ne le regrette pas !

Hertz donnait le sentiment de s'intéresser à une discussion qui s'était ouverte sur sa droite entre quelques frères au sujet des dernières décisions du Convent. En réalité, il suivait l'échange entre Mosèle et Marlane, et en recueillait chaque mot.

— Si cela vous intéresse, proposa Mosèle, je vous convie à visiter mon service, cette semaine. J'ai lu vos livres ; vous pourriez peut-être me donner un coup de main ? La caution d'un spécialiste des Saintes Écritures tel que vous réjouira ma direction.

— C'est bien vrai, vous m'avez lu ?

— En effet. Je ne souscris pas forcément à toutes vos théories, mais j'ai pris un grand plaisir à les étudier. Certaines de vos interprétations ont même fait le tour de la Fondation où vous comptez d'ailleurs quelques admirateurs. En ce qui me concerne, je ne partage pas vos hypothèses... Elles exhalent une odeur de soufre qui vous aurait conduit droit sur le bûcher en des temps différents.

Marlane rougit et se redressa pour réagir en scandant ses mots :

— Ce ne sont pas des hypothèses ! Des certitudes... Vous m'entendez : des certitudes !

Puis, après un long temps de réflexion, il ajouta :

— Jésus n'était pas ce charpentier pauvre que l'on représente barbu, blond à la peau blanche ! Vous imaginez vraiment que le Fils de Dieu ressemblait à un vulgaire acteur californien de téléfilms ? Jésus avait la peau mate, les cheveux bruns et était né dans une famille relativement riche ! Ah, bien sûr, le symbole en prend un sacré coup dans l'aile, n'est-ce pas ?

Mosèle, qui s'étonnait qu'un homme de l'intelligence de Marlane, aussi croyant en un Dieu révélé, pût tenir de tels propos, le provoqua de bon cœur tout au long du souper. Il faisait son amusement quand il s'échauffait en tentant de lui démontrer le bien-fondé de ses théories au sujet de la famille du Christ, de ses enfants, de son frère...

Marlane avait été un chrétien fervent avant de venir à la franc-maçonnerie.

— De mon côté, dit Mosèle, je peux aussi me targuer de posséder une bonne connaissance des Évangiles, que je dois aux bons pères d'un lycée privé d'Amiens où j'ai passé mon adolescence. Jean, Luc, Mathieu et Marc m'ont souvent distrait et permis de m'évader par l'imagination. Je prenais alors les exploits de Jésus pour une grande et magnifique épopée. Six heures de catéchisme par semaine ! Vous pouvez dire mieux, Francis ?

— Je m'incline. Mais revenons à votre travail actuel. Vous m'avez parlé de la Fondation ; c'est bien de la Fondation Meyer qu'il s'agit, n'est-ce pas ?

— En effet. Une énorme « usine » financée par une multitude de subventions : l'Unesco, le ministère de la Culture, deux ou trois groupes privés... J'avoue que je me soucie peu de savoir de quels tuyaux coule l'argent. En fin de compte, je dispose d'un budget conséquent qui m'a permis de m'offrir les meilleurs informaticiens du monde pour me concocter un superordinateur. Celui-ci m'aide, à partir de quelques fragments de vélin couverts de lettres à l'encre pâlie par les siècles, à emplir les espaces vacants du puzzle, choisissant la solution parmi des millions de possibilités. Mon équipe et moi avons baptisé cette bécane Largehead.

— Mais votre boulot, Didier...

— Un minutieux travail de patience, poursuivit Mosèle, appelé à trouver sa place dans la chaîne d'études amorcées par le père Benoît, le professeur John Strugnelle, le dominicain Roland de Vaux, le docteur Stafford et bien d'autres chercheurs célèbres ou anonymes qui ont consacré leur vie à reconstituer pièce par pièce des kilomètres de rouleaux déchirés, maculés ou « annotés » par de peu respectueux traducteurs ! Il y a de la place dans mon staff pour vous, si vous le souhaitez, Martin.

— Vous ne plaisantez pas, Didier ? Vous me proposeriez de rejoindre votre équipe ?

— Je suis le patron de l'unité de recherche, je peux engager qui je veux pour m'épauler dans mon job, du moment que la personne en question possède les compétences nécessaires.

— J'accepte immédiatement ! Je signe de mon sang tout contrat sur-le-champ !, s'écria presque Marlane.

Hertz se retourna alors vivement vers ses deux nouveaux frères pour dire :

— Cela s'appelle un pacte ! Vous voyez, la franc-maçonnerie distille aussi ses petits miracles. Elle vous a réunis ce soir...

— Vous avez étudié nos dossiers, Martin, remarqua Mosèle. Ne jouez donc pas la surprise. Vous vous doutiez qu'un jour ou l'autre nous évoquerions ce sujet. Vous connaissiez nos métiers respectifs et nos centres d'intérêt. Je ne vois pas là de miracle.

— Naturellement, admit Martin Hertz. Néanmoins, vous auriez pu, l'un ou l'autre, ne pas être admis par cette Loge. Cette conversation n'aurait ainsi jamais eu lieu.

— J'en conviens, reconnut Mosèle. Il n'empêche que je n'apprécie pas trop le terme de « miracle ».

Hertz eut un sourire espiègle et hocha sa grosse tête en plissant les yeux. Il dit :

— Sans doute préférez-vous le mot *hasard* ?

— Le hasard, oui... En effet !, opina Mosèle.

Martin Hertz s'apprêtait à reprendre la parole avec une mine gourmande lorsque son regard s'assombrit soudainement, comme s'il était la proie d'une brutale tristesse. Il parut d'un coup très vieux aux yeux de Mosèle.

Hertz demeurant silencieux, Mosèle se tourna vers Marlane pour lui demander :

19

— Vendredi ? Cela vous convient-il ? Je vous attends vendredi sur le coup de 10 heures à la Fondation Meyer, place d'Alleray. Je vous ferai un topo sur mon boulot et vous présenterai mon équipe... et Largehead. Vous serez surpris, Francis. Sans lui, 4Q456-458 resterait d'énigmatiques bouts de vélin gribouillés et muets. Il est devenu pour nous un collègue à part entière...

— Dans ce cas, j'ai hâte de le connaître, dit Marlane avec flamme.

Tout s'était joué ce soir-là. Mosèle venait de condamner à mort Francis Marlane en lui proposant de partager ses travaux.

Vers minuit, les frères de la Loge Éliah avaient quitté le Cercle écossais par petits groupes. Mosèle avait garé sa voiture sur le boulevard des Batignolles ; il fit quelques pas en compagnie de Marlane et de Hertz. Ce dernier avait recouvré sa bonne humeur de façade et avait accaparé la parole, semblant ne pas se soucier de la pluie qui ruisselait sur son crâne chauve.

— Vous verrez, disait-il, avec le temps, l'initiation vous ouvrira de nombreuses voies d'introspection. Pour vous, cette soirée n'aura désormais plus de fin. Moi, j'ai été initié il y a trente-deux ans. C'était hier !

— Je crois comprendre..., fit Mosèle.

Hertz salua ses deux frères en les embrassant par trois fois.

— J'ai garé ma voiture au parking.

Il s'éloigna. Mosèle et Marlane le regardèrent un instant. Il marchait avec une étonnante souplesse malgré son poids.

— Il est avocat, me semble-t-il, dit Marlane. Vous le connais-siez auparavant ?

— J'ai dû le voir deux fois...

— C'est cela. Mon parrain m'a présenté à lui l'année dernière et nous avons déjeuné ensemble au mois de juin.

— Il vous a cuisiné comme il l'a fait avec moi ?, demanda Mosèle.

— Pendant plus de trois heures ! Tout y est passé : ma vie, mes lectures, mes loisirs... Tout ! Cet homme possède un don pour vous tirer les vers du nez. Au fait, vous êtes marié, Didier ?

— Non. Disons que j'ai fait quelques tentatives infructueuses. Et vous ?

— Elle s'appelle Émylie.

Ils avaient parlé encore pendant quelques minutes puis s'étaient séparés en évoquant leur prochain rendez-vous. Ils s'étaient embrassés. Cela avait paru naturel. Trois fois... Trois baisers rituels de fraternité.

4

La Fondation Meyer

Le vendredi suivant, Francis Marlane se présenta à la Fondation Meyer. Il était dix heures précises quand il déclina son identité à la réceptionniste, dans le hall. Un badge de visiteur lui fut remis. L'hôtesse appela le professeur Mosèle par le standard. Le temps que son ami vienne le chercher, Marlane, comme à son habitude, se lança dans une observation des lieux. Un hall moderne, sans véritable cachet. Les murs blancs et verts. D'énormes plantes grasses dans des pots en grès. Deux ascenseurs gardés par un vigile. Une porte donnant sur un escalier.

Mosèle déboucha de l'un des ascenseurs et traversa le hall à grandes enjambées pour accueillir son ami. Il désigna sa montre de son index droit avec une moue admirative.

— Bonjour, Francis. Quelle ponctualité ! Voilà au moins une différence essentielle dans nos caractères respectifs !

— Je vous l'ai dit, je suis un peu psychorigide. Ma femme s'en plaint beaucoup. Je vous raconterai...

Ils prirent l'ascenseur. Mosèle appuya sur le bouton du quatrième.

— Votre vigile, en bas, commença Marlane, est une véritable armoire à glace. Cette fondation est aussi bien gardée que la Banque de France.

— Le syndrome paranoïaque de mes directeurs ! Tout cela parce que nous avons reçu quelques lettres anonymes de menace provenant sans doute d'intégristes cinglés. Souriez, vous êtes filmé !

Mosèle montra l'œil d'une caméra dans l'un des angles de l'ascenseur.

— La Fondation en est truffée, ajouta-t-il.

Ils atteignirent le quatrième étage et empruntèrent un large couloir desservant plusieurs salles vitrées baignées d'une lumière artificielle légèrement fluorescente, où travaillaient des hommes et des femmes portant des combinaisons blanches, des bonnets, des gants en plastique blanc.

— Des salles d'opérations ?, plaisanta Marlane.

— Presque. Ce sont les chambres de « dépouillage ». C'est là que les rouleaux 4Q456-458 sont déroulés, traités et identifiés par chiffres et codes avant d'être scannés. Des copies sont aussitôt envoyées à mon service chargé de reconstituer le puzzle.

Marlane s'approcha de la cloison vitrée. De l'autre côté, deux laborantins étaient penchés sur une bande de parchemin en très mauvais état qu'ils tentaient de disposer entre deux plaques de verre tout en s'évertuant à ne pas la briser. Gestes minutieux, lents… Gestes de chirurgiens.

Mosèle engagea Marlane à poursuivre leur chemin.

— Il m'a fallu, dans un premier temps, éplucher et classer les textes antérieurs à 4Q456-458. Un boulot de bénédictin… Avec l'équipe que je dirige, je me suis rendu compte que deux rouleaux numérotés Q238-239 avaient disparu, précisa-t-il.

— Disparu ? Vous voulez dire qu'ils ne figurent même pas à l'École biblique de Jérusalem ?

— C'est du moins ce que m'ont répondu les autorités de l'École biblique : Q238-239 se sont volatilisés ! Et aucun moyen de mettre la main sur le moindre fac-similé. Ils sont pourtant cités dans l'édition récente de la Nomenclature des manuscrits. Je dois me débrouiller sans eux.

— Troublant…, murmura Marlane.

— Pas autant que le professeur Moustier qui nous arrive avec son déhanchement chaloupé de femme fatale, dit Mosèle en faisant emprunter à son ami un nouveau bras du couloir.

Mosèle désigna discrètement une jeune femme blonde qui venait vers eux. Elle avançait en dansant, vêtue d'un tailleur taupe composé d'une veste croisée retenue par deux gros boutons blancs et d'une jupe droite coupée au ras des genoux.

— Je croyais que ce genre de créature n'existait qu'au cinéma. Ou dans le souvenir de mes rêves d'adolescent, dit Marlane.

Mosèle présenta son ami à la jeune femme. Celle-ci, avec un léger accent allemand, s'exclama :

— Francis Marlane... Le Marlane d'*Apologétique et théologie magique* ?

— Mince, vous avez lu ce bouquin ?, s'étonna l'historien.

— Je vous ai prévenu : vous comptez des admirateurs dans mon service, précisa Mosèle.

— Tout de même, poursuivit Marlane. L'*Apologétique* n'est pas vraiment d'une grande distraction. Une somme faisant partie de ma *période universitaire*... Un petit peu indigeste, non ?

Le professeur Moustier ne partageait pas cet avis. Au contraire, elle avait rarement lu quelque chose d'aussi captivant ! Avec un sourire tout rose et miel, elle exprima le souhait de discuter un prochain jour avec Francis Marlane et, quand Mosèle lui apprit que son ami se préparait à rejoindre son équipe, elle jura que c'était la plus merveilleuse des nouvelles. Puis elle fit un demi-tour sur ses talons hauts et, pareille à un mannequin défilant sur un podium, elle s'éloigna, laissant Marlane sous le choc.

— Hélène Moustier est un tantinet excessive, Francis. Vous l'aurez remarqué, n'est-ce pas ?

— Un brin, oui... C'est sans doute ce qui contribue à son charme.

Les deux hommes arrivèrent devant une porte rouge. La couleur étonna Marlane. Toutes les autres étaient vertes. Mosèle dit :

— J'aime à me singulariser. Et j'adore ce rouge... La direction accepte quelques-unes de mes originalités. Attention, vous êtes prêt ?

— À quoi faire ?, s'étonna Marlane.

— Mettez-vous en apnée, nous entrons dans mon bureau !

Et Mosèle ouvrit la porte rouge.

5

Le bureau

Francis Marlane émit un long sifflement. Après avoir vu les chambres de « dépouillage » et constaté leur aspect clinique, il ne s'était pas attendu à trouver un tel capharnaüm. Il ne réalisa pas immédiatement : trop de détails à absorber et analyser. Le fauteuil en cuir, d'abord. Un Chesterfield fatigué, râpé, élimé. Présence surprenante que côtoyaient des ordinateurs issus de la dernière technologie ainsi que d'antiques bécanes. Fils électriques courant partout vers d'improbables blocs de prises, de broches, de modems. Bouquins en tas, en piles, en vrac… Ouverts, béants. Des tonnes de papiers, de chemises, de documents. Des pochettes… Des photographies, un téléviseur, deux raquettes de tennis, une bouilloire, des tasses. Le tout sur des tables de travail, ou dessous, grimpant dans des armoires ouvertes ou le long d'étagères surchargées.

Et là, émergeant de ce fouillis, un crâne dégarni, couronné de crins gris. Un petit bonhomme mal fagoté en laine et velours, qui se dressa pour présenter son visage de vieil ermite souriant, tout plissé, tout ridé, avec des yeux pochés derrière de gros verres.

— Bonjour, lança le vieil homme. Je m'appelle Souffir. Norbert Souffir. Et vous devez être monsieur Marlane.

— Exact.

Marlane se retourna sur Mosèle.

— Vous vous y retrouvez, dans cette caverne ?

— Bien sûr ! Grâce à mes deux Gardiens du Temple… Le premier : Norbert Souffir, qui vient de se présenter, répondit Mosèle. Et le second : LARGEHEAD !

Mosèle fit un ample geste théâtral de la main. Marlane comprit que Largehead, qu'il s'était imaginé en machine colossale et rutilante, n'était que cet écran devant lequel se tenait Norbert Souffir. Mosèle se rendit compte de sa déception. Il précisa aussitôt :

— En réalité, Largehead est une créature tentaculaire qui ronfle au frais dans les sous-sols de la Fondation et à laquelle nous sommes reliés par des terminaux. L'ordinateur le plus patient que j'aie jamais rencontré, le plus méticuleux et le plus instruit du monde ! Il connaît toutes les langues : l'araméen, le grec, le latin… Il en connaît presque autant que Norbert. C'est dire !

Souffir tapota sur son écran et dit :

— N'empêche que Largehead nous fait une petite crise de nerfs. Il achoppe sur un texte calendaire troué comme du gruyère. Infoutu de me sortir une combinaison cohérente.

24

Mosèle expliqua à l'adresse de Marlane :

— Nous tentons de reconstituer actuellement une « bande » d'admonitions qui s'égrènent en une séquence infernale... A516, 517... et ceci jusqu'à A698 ! La moitié des textes ont été mangés par les rats de la grotte IV de Qumrān. On avance en aveugles. On redonne forme à des écrits que nous sommes actuellement incapables d'interpréter. Un jeu de patience chinois, sans limites !

— C'est une œuvre prodigieuse, plutôt, dit Marlane. Vous rendez-vous compte que vous déchiffrez les témoignages des Esséniens dont certains ont pu être les contemporains du Christ ?

Un géant roux surgit de derrière la cloison qui coupait en partie la pièce.

— Une tâche de fourmis, harassante et difficile ! Vous êtes Marlane, c'est bien cela ?

— Et voici le troisième membre de mon équipe, notre pilier de rugby : Rughters !, annonça Mosèle.

Le Rughters en question mesurait près de deux mètres et affichait sa quarantaine avec aisance : le poil ras, une barbe courte de baroudeur, le menton volontaire, et surtout une poignée de main qui brisa les phalanges de Francis Marlane. L'historien fit la grimace tout en tentant d'esquisser un sourire de circonstance.

— Quant à mon quatrième partenaire, vous venez de le croiser dans le couloir, dit Mosèle. Votre admiratrice ! Il ne tient plus qu'à vous de rejoindre l'équipe, Francis.

— Considérez que j'ai accepté. Rien ne peut me faire plus plaisir ! J'aurais tout donné pour toucher d'aussi près les manuscrits de la mer Morte. Tout... jusqu'à mon âme !

— Allons, pas tant d'emphase, dit Mosèle. Parions seulement notre peau, mais pas notre âme !

— Faudrait-il encore que nous en ayons une, protesta Rughters en riant. La science n'a rien démontré à ce propos, professeur.

Ce mercredi, Francis Marlane, si soigneux, si ordonné, se dit qu'il lui faudrait faire bien des efforts pour partager le bureau de Mosèle et de ses collaborateurs. Il était néanmoins prêt aux plus grands sacrifices. Le rêve de sa vie se concrétisait.

6

La camionnette blanche

Mosèle gare sa Golf le long du trottoir, à quelques mètres du pavillon de Martin Hertz. Il n'a pas cessé de pleuvoir durant tout le trajet. Une pluie fine, serrée, oblique.

Mosèle descend de son véhicule et claque la portière. Il se dirige vers la grille qui réclamerait une bonne couche de peinture. Il sonne. « C'est ouvert ! », miaule la voix de Hertz dans l'interphone. Mosèle entre. Il traverse un minuscule jardin pelé et grimpe les six marches d'un escalier de pierre qui le conduit sur une terrasse couverte de gravier.

Les volets du rez-de-chaussée sont clos. On devine néanmoins de la lumière par leurs interstices. « Il est dans son bureau, pense Mosèle. Le vieux bonze m'attendait. »

Plus bas, au bout de la rue, une camionnette blanche vient se garer non loin de la Golf de Mosèle. Un homme en descend, muni d'un fusil-micro. Il se rend à son tour vers la grille restée entrouverte.

Dans la camionnette, le conducteur, un écouteur dans l'oreille, s'exprime en italien dans un minuscule micro-cravate : « Lorenzo a suivi Mosèle qui va entrer chez Hertz… À Sèvres, 7, rue Jacquard… Oui, oui… Lorenzo enregistrera leur conversation… Aucun problème… Oui, désolé… On l'a manqué quand il est sorti de chez lui… On fait comme vous avez décidé… On attend maintenant d'apprendre ce que Mosèle sait… »

Puis le conducteur sort une cigarette d'un paquet de blondes. Il s'installe pour attendre, se cale sur son siège. La pluie brouille le pare-brise. L'homme tire sur sa cigarette et pense à Francis Marlane… et à Mosèle.

Il soupire en recrachant un nuage de fumée bleue. Quoi qu'il ait fait, quoi qu'il doive faire à nouveau de pire, de plus horrible, il le fera sans remords. Méthodiquement. Professionnellement. Pour que nul n'apprenne jamais…

« Jamais !, murmure-t-il. Car c'est l'avenir de l'Église qui est en jeu. »

7

Le Testament du Fou

— Entrez ! Allons tout de suite à mon bureau, nous y serons plus à l'aise et ne risquerons pas de réveiller Léa.

— Je vous demande de m'excuser... Je sais que ce n'est pas une heure pour...

— Perdez l'habitude de toujours vous excuser à propos de tout ! Donnez-moi votre imperméable.

— Vous m'avez dit que je pourrais faire appel à vous en cas de nécessité. J'ai aussitôt pensé que je devais vous parler de Francis Marlane... de sa disparition.

— Sa disparition ? N'était-il pas parti pour Jérusalem ? Je croyais que vous l'aviez envoyé en mission auprès du recteur de l'École biblique !

Mosèle s'effondre dans le fauteuil que vient de lui désigner le gros homme qui, lui, préfère s'asseoir sur une chaise qui craque aussitôt sous son poids.

Martin Hertz a passé un peignoir de velours fané, froissé, aux couleurs criardes. Une vieille chose amie. Comme une seconde peau confortable dans laquelle on aime à se glisser pour y retrouver sa propre odeur, un contact familier.

— Voulez-vous boire quelque chose ?, propose Hertz. Cognac, whisky ? J'en ai un pas trop mauvais, dans ce petit bar.

— Oui, whisky, merci. Merci, Martin.

— Vous vous excusez et vous remerciez à tout bout de champ ! Croyez-vous que vous dérangiez vos amis ?

Mosèle soupire et esquisse un fragile sourire. Peut-il dire à Martin Hertz combien celui-ci l'impressionne ? À chaque rencontre, il a le sentiment d'être en présence de la réincarnation de son père ! Il se retrouve tout petit devant lui, perdant une bonne partie de ses facultés intellectuelles à la simple pensée que Hertz possède un cerveau exceptionnel. Ou bien la timidité qu'il ressent est-elle le fait que c'est Martin Hertz, alors Vénérable de la Loge Éliah, qui l'a initié avec Marlane ?

— Cela ne vous dérange pas que je fume ce magnifique Partagas corona ? Mon degré d'attention est supérieur avec un cigare au bec…, feint de demander Hertz en sortant comme par magie un étui en cuir de l'une des poches de sa robe de chambre.

— Je vous en prie.

Rituel du cigare. Hertz ne peut jamais entamer une conversation d'importance sans consacrer un peu de temps à ce genre de préludes où il semble ne plus concentrer son attention que sur la cape colorado, le parfum mat, le toucher sensuel de son corona.

Silencieux, attentif à son propre plaisir, Hertz n'allume son cigare que lorsqu'il a achevé de lier connaissance avec lui.

Alors, écartant ses courtes jambes, fermant presque les yeux, laissant tomber son menton gras sur sa poitrine, pareil à un énorme crapaud sur le point de s'assoupir, il dit :

— Je vous écoute !

Et c'est bien en réalité ce qu'il fait. Il écoute. Il écoute de tout son corps, de toute sa chair, s'imprégnant non seulement des paroles qu'on lui confie, mais aussi et surtout des émotions qui peuvent transparaître chez son interlocuteur.

À l'affût du moindre souffle, d'un léger bégaiement significatif, d'une pause dans le discours inhabituel ou incongru, il écoute.

Mosèle commence son récit.

Tandis qu'il parle, qu'il reprend tout l'historique des événements qui ont conduit Marlane à une mort probable, Mosèle ne détache pas les yeux du visage adipeux et immobile de Hertz. Aucune expression, rien qui puisse trahir ses sentiments.

Il est près de deux heures.

Le bureau de Martin Hertz n'est éclairé que d'un simple halogène à l'éclat affaibli. Le cigare inachevé a été abandonné dans un cendrier. Mosèle, maintenant qu'il a conclu son récit, attend les réactions du vieux maître.

Hertz relève le menton. Ses petits yeux noirs fixent longtemps son ami et il y a beaucoup de douceur dans ce regard étroit.

Il dit :

— *Il* l'aurait donc fait tuer ? *Lui*… C'est *lui* qui aurait donné l'ordre d'éliminer Francis… ?

— Je le crois, Martin. Le SECRET lui appartient !

Hertz se redresse péniblement de sa chaise. Il se dirige vers la bibliothèque qui occupe l'un des murs et ressemble à l'une de ces magnifiques armoires anglaises. Là, il cherche durant quelques secondes, puis extrait bientôt un livre relié d'un cuir brun taché en maints endroits.

Tout en feuilletant l'ouvrage avec délicatesse et en revenant vers Mosèle, Hertz murmure :

— Le SECRET ! J'aurais préféré vous savoir en dehors de cette fable, mon ami !

— Ne jouez pas sur les mots. Vous savez pertinemment que ce n'est pas une fable.

Hertz se rassoit. La chaise craque de plus belle.

— Une légende demeure une légende tant qu'on n'a pas prouvé sa réalité. Vous venez de me donner la version d'une aventure que je prendrais pour un feuilleton populaire si je ne vous connaissais pas. Pourtant, de nombreux points de votre histoire sont corroborés par ce petit ouvrage. Tenez, prenez-le en main. Je vous sais suffisamment spécialiste pour savoir de quoi il retourne. Tournez les pages avec soin : il n'est plus de la prime jeunesse ! Je n'ai pas trouvé meilleur moyen de le cacher qu'en le plaçant en évidence parmi d'autres livres.

Mosèle accueille avec étonnement l'objet qui ne porte aucun titre. Il l'ouvre et reste quelques secondes à déchiffrer la phrase tracée parmi de magnifiques enluminures sur la première page.

— Ce n'est pas possible !, souffle-t-il. Non, ce livre n'existe plus… il a été brûlé par Philippe le Bel !

— La légende, Didier ! La légende veut qu'il ait été détruit ! En effet, la fable en usage affirme que Philippe le Bel, à la suite du procès inique contre Jacques de Molay, a imposé au bourreau de jeter ce livre dans les flammes du bûcher où devait périr le dernier grand maître des Templiers.

Mosèle passe la première page et se plonge dans sa lecture, déchiffrant immédiatement le texte en latin.

— Comment… ?, s'enquiert seulement Mosèle.

— Comment est-il parvenu jusqu'à moi, ou comment n'a-t-il pas été dévoré par les flammes tel que le désirait le roi Philippe ?

— Oui, comment et pourquoi cet évangéliaire de Nicolas et Agnan de Padoue – car c'est bien de lui qu'il s'agit, n'est-ce pas ? – existe-t-il encore de nos jours ? Je tiens entre mes mains un objet maudit, la pièce maîtresse d'une doctrine hérétique, « *In furorem versus* », communément appelé le Testament du Fou !

— En effet, c'est ainsi qu'on nommait cet ouvrage. J'admire vos connaissances, Didier. Peu de gens peuvent citer le Testament du Fou rédigé par le moine Nicolas de Padoue et illustré par son frère Agnan.

— Son frère ? Vous vous moquez de moi, Martin. Vous jouez au chat qui se fait plus fourbe que matois !

— Ah ?, fit Hertz en reprenant son cigare froid pour le carrer entre ses dents.

Mosèle reprend :

— En vérité, Agnan était son amant. Les deux hommes dissimulèrent leur amour derrière la façade de la fraternité.

— J'applaudis !, s'exclame Hertz. Vous m'étonnez ! Pourtant, j'aurais dû m'attendre à vos réponses. Vous êtes un historien renommé et tout ce qui touche de près ou de loin aux manuscrits de cette époque ne vous laisse pas indifférent. Je dois avouer que mon orgueil en prend un coup.

— Excusez-moi…

— Ne vous excusez plus jamais en ma présence ! Ne soyez pas si modeste et effacé. Ce que vous m'avez raconté cette nuit, la théorie que vous avez échafaudée avec Marlane, vos découvertes quittent les ombres de la légende. Vous en avez conscience tout autant que moi. Rappelez-vous la phrase d'Aristote : « Pour être acceptable en tant que connaissance scientifique, une vérité doit être induite par d'autres vérités. » Cet évangéliaire, comme vous l'appelez, est l'une des vérités qui peuvent vous permettre de reconstruire la réalité du passé. Quant à la locution latine « *In furorem versus* » qui a donné son titre à cet ouvrage, nous la retrouvons dans la Vulgate de saint Jérôme qui s'est inspiré d'un verset de Marc : « *Ce que ses parents ayant appris, ils vinrent pour se saisir de lui, car, disaient-ils, il avait perdu l'esprit* » – un verset qui parle de Jésus.

— Tout ce que nous vivons serait faux ? Nous, les héritiers du judaïsme et du christianisme, nous serions les acteurs d'une chimère ? Me donnez-vous raison sur ce principe ?

— Je n'ai rien dit de tel, précise Hertz en mâchonnant son cigare éteint. Je me contente de vous aider comme vous êtes venu me le réclamer. Il se trouve que j'ai pu acquérir ce manuscrit.

— Par quel tour de magie avez-vous mis la main sur cette merveille ? Je pensais qu'il n'en restait qu'un seul et unique exemplaire au Vatican.

— La bibliothèque pontificale en conserve en effet une copie identique, précise Hertz. En tous points semblables. Réalisée par Nicolas et Agnan de Padoue. Il y eut toujours *deux* Testaments du Fou ! Je vous expliquerai plus tard de quelle manière je suis devenu propriétaire de ce joyau...

— Soit, j'attendrai donc. Vous êtes homme de mystères et d'énigmes, Martin. Francis Marlane a évoqué une fois ce manuscrit. C'est un certain Pontiglione qui lui en avait parlé, lors d'une rencontre entre francs-maçons à Venise.

— Le professeur Ernesto Pontiglione ? Je le connais un peu. J'ai échangé des courriers avec lui. Je savais qu'il recherchait une copie du Testament du Fou pour un travail que lui avait confié le Vatican.

— Cette copie, vous la lui avez donnée ?

— Seulement quelques pages photocopiées. Dont celle que vous avez sous les yeux... Cette représentation de Dieu créateur mesurant la Terre à l'aide d'un compas. Agnan était un grand artiste, n'est-ce pas ? Que pensez-vous de cette image ?

— Nous sommes bien loin de celle du *Codex Vindobonensis* du XVIe siècle qui propose une image presque semblable, à l'exception de la Terre qui y est figurée par une patate informe... Près de trois siècles plus tôt, Agnan dessinait la Terre ronde, lui !

Après un temps de réflexion consacré à jauger le bout de son cigare, le vieil avocat décide de reposer celui-ci dans le cendrier, puis croise les mains sur son ventre.

— Vous êtes un historien talentueux, Didier ; pourtant, je pense que je peux vous apprendre la véritable origine du Testament du Fou.

— C'est à croire que vous avez voyagé dans le temps ! Nul n'est censé connaître le commanditaire de ce livre, Martin.

— Les hommes ne vivent pas assez longtemps pour conserver certains secrets. Mais les sociétés, les ordres initiatiques, les confréries préservent les traditions et les vérités ! Suivez-moi dans le passé, Didier : je vais vous raconter la naissance de ce manuscrit...

8

La mort d'Isabelle

Nous sommes en mil cent quatre-vingt-dix. Richard Cœur de Lion a convaincu le roi Philippe Auguste de l'accompagner en Terre sainte délivrer le Tombeau du Christ ; l'empereur Frédéric Barberousse et ses croisés les ont déjà devancés…

Mais cette même année, Isabelle, reine de France, doit accoucher. La malheureuse souveraine souffre le martyre, écartelée sur son lit de travail, essayant de pousser en vain un bébé mort hors de son ventre.

On s'affole auprès d'elle. Deux nonnes la maintiennent par les poignets et tentent de la réconforter.

La sage-femme, elle, s'évertue à dégager la tête du minuscule cadavre.

— Que Dieu nous vienne en aide !, implore-t-elle. Mettez plus d'ardeur dans vos prières, mes sœurs ! Ce petit mort s'accroche à sa mère…

On parvient enfin à extraire l'enfant inerte. La matrone réalise que la reine porte un deuxième bébé. La besogne reprend aux forceps. Hurlements, cris de douleur… Et c'est un second cadavre que l'on dégage de sa gangue glaireuse et ensanglantée.

— Vierge Marie !, s'exclame l'une des deux nonnes. La reine… Elle vient de rejoindre ses enfants ; elle ne respire plus !

On prévient aussitôt le roi qui patientait nerveusement auprès d'une haute cheminée en compagnie de deux de ses fidèles, les chevaliers Henri et Benoît.

— Sire… Roi Philippe ! Dieu n'a point voulu que la reine enfante de nouveau ! Elle portait des jumeaux… Ils sont morts, et l'âme de leur mère s'en est allée à leur côté, annonce une religieuse.

Le jeune roi pâlit et, pris d'un vertige, titube en balbutiant « Isabelle… ma tendre Isabelle ! ». Henri le prend par un bras, l'oblige à s'asseoir, et Benoît verse un peu de vin dans une coupe.

Philippe boit une gorgée. Il se retient de sangloter.

— Mon roi, c'est là une bien lourde épreuve infligée par le Ciel. Nous avons le cœur brisé et nul mot ne saurait vous réconforter, murmure Henri en posant sa main sur l'épaule du monarque.

— Je le sais, dit le roi avec des larmes plein les yeux. Je le sais, mes amis. Vous m'êtes fidèles dans les joies comme dans les peines. Me voici désormais prêt à me croiser et à m'en aller en Terre sainte, confiant le royaume à mon fils Louis qui n'a que trois ans. Jérusalem est aux mains de Saladin et il me faut le bouter hors de la ville.

— Votre mère Adèle de Champagne et son frère Guillaume aux Blanches Mains seront tuteurs de Louis, le réconforte Benoît.

— Je me méfie toujours du parti champenois, bien que ma mère s'en porte garant. Je ne serai fort aise de quitter le sol de France qu'après avoir imposé une saine régence.

— Cela peut sans doute attendre, hasarde Henri.

— Non, la mort a frappé ma maison et je puis être sa prochaine victime en ces pays étrangers où nous allons batailler !

Benoît précise :

— Il y a de solides dispositions et de savantes règles à instaurer, Sire. Un trône vaquant donne à certains fessiers de gourmandes démangeaisons !

Le visage chiffonné et mouillé, Philippe esquisse cependant un sourire et confirme :

— Certes, je prendrai bien soin de museler les prévôts. La douleur de mon chagrin est déjà un lourd fardeau, et je ne veux pas m'encombrer de ces inquiétudes politiques pour gagner la Terre sainte.

9

Les Templiers

La salle est vaste et vibre de la foule de ses prévôts, bourgeois, baillis et notables. Philippe, très pâle, est assis droit sur son trône fait de bois, d'or ouvragé et de velours. À sa droite se tient sa mère Adèle, alors âgée d'une quarantaine d'années, hautaine, raide, le menton pointu. À sa gauche, son oncle Guillaume, archevêque de Reims, rond et mou, semble somnoler, mais son œil de lézard étincelle parfois sous une lourde paupière.

Le roi Philippe écoute son sénéchal lire le texte qu'il a écrit sur une feuille de vélin. Philippe pense à Isabelle qu'il a portée en terre avec les jumeaux la semaine précédente. Et des larmes lui viennent encore aux yeux, brûlantes et acides.

Le sénéchal ânonne :

— Au nom de la sainte et indivisible Trinité, Philippe, par la grâce de Dieu, roi des Français, ordonne...

Puis le lecteur toussote, hausse le col et rend sa voix un peu plus grave, comme il convient en une telle occasion. Il poursuit :

— Nos baillis donneront à chaque prévôté quatre hommes sages et loyaux à qui l'on soumettra toutes les affaires des villes. Ils formeront conseil de droit et de sagesse... Interdiction faite en second à quiconque de révoquer un bailli sauf en cas de meurtre, rapt ou évidente trahison. Trois rapports seront adressés en chaque année au roi Philippe.

Dans la foule, un prévôt gras et replet se retourne vers un autre aux allures de coq et souffle :

— Philippe est un renard ! Il nous rogne les ailes...

— Cela sent l'inspiration templière, répond le second. Regarde, un « croix-rouge » veille dans l'ombre.

D'un vif coup de menton dédaigneux, l'homme désigne une silhouette immobile près d'un pilier. Une forme se tient en effet légèrement à l'écart, dans un manteau blanc frappé d'une croix rouge sur chaque épaule ainsi que sur la poitrine, le capuchon abaissé sur le visage.

La conférence est terminée, Philippe l'a signifié en se levant et en bénissant l'assemblée.

— Ma volonté vous a été rendue. Qu'elle soit parole testamentaire, ainsi soit-il.

Le gros prévôt, rouge de colère, grogne :

— Nous voici devenus prévôts sans pouvoir !

À quoi l'autre ajoute :

— Et Philippe a cousu le bec de la reine mère par la même occasion. Le roi est un habile manœuvrier.

— En effet, nul ne sait combien de temps il demeurera en Palestine. N'empêche, le roué conservera son royaume dans sa paume !

34

La salle se vide lentement. Adèle quitte son fauteuil sans un regard pour son fils. L'archevêque Guillaume se lève avec difficulté. Passant devant son neveu, il dit :

— Je ne cesserai de prier pour vous, Sire. Je demanderai que Dieu vous apporte réconfort et courage tout au long de votre entreprise en Terre sainte.

Mais la voix onctueuse et grasse sonne faux. Philippe se contente d'incliner la tête pour que son oncle dessine le signe de la croix sur son front avec le pouce.

Les deux hommes se défient ensuite du regard. Aucune affection dans celui du prélat. Rien que de la froideur ou de l'indifférence.

Les chevaliers Henri et Benoît viennent alors encadrer le souverain et l'aident à passer son manteau. La salle est maintenant vide. Ils la traversent pour sortir dans une modeste cour carrée.

— Il vous attend, dit seulement Henri.

— Oui, répond le roi.

Et Philippe regarde la silhouette du templier traverser la cour mouillée par une pluie récente. L'homme s'arrête, se retourne. Étrange présence, calme et sereine. Le vent joue un moment avec sa pèlerine blanche. Philippe le rejoint. Henri et Benoît restent légèrement en retrait.

Les quatre hommes ont gagné les écuries. En silence, ils enfourchent leurs montures et quittent le palais à l'instar de simples voyageurs. Philippe a dissimulé son visage sous une capuche.

Les pèlerins ont traversé la cité sous la pluie revenue, froide et acérée. Une pluie grise et triste, hachée.

Benoît s'inquiète alors que le roi Philippe descend de selle :

— Vous êtes trempé, Sire... Voyez comme vous tremblez.

— Ce n'est rien, je t'assure. Tu sais bien que je tremble ainsi depuis la mort d'Isabelle. J'ignore si cela me quittera un jour...

— Ne parlez pas ainsi. La vie reprend ses droits, avec le temps. Vous ferez votre deuil et la paix vous sera rendue.

Cinq marches de pierre à gravir avant d'atteindre un perron. Une haute porte en chêne, solide et massive, que le templier ouvre avec une longue clef sortie de sous son manteau. Une pièce sombre aux volets clos. Une odeur de moisi. Des relents doucereux de bois vermoulu.

— Attendez-moi ici, dit le roi à ses deux chevaliers.

Philippe disparaît dans l'obscurité au côté du templier qui lui a donné la main pour le conduire. Le templier dit :

— Sire, *puisqu'il est l'heure et que nous avons l'âge, ouvrons nos travaux.*

— Je vous suis, Renaud.

L'obscurité est l'un des éléments du rituel ; Philippe l'a compris dès la première fois, lors de son initiation. Il fait donc confiance au templier qui, leurs mains jointes, l'aide affectueusement à se diriger à pas lents.

Le roi est déjà venu là par quatre fois. Il se souvient de la distance à parcourir pour gagner une porte que le templier se contente de pousser pour l'ouvrir. Et de l'escalier en colimaçon à descendre avec prudence. Et de la cave au sol boueux… Et d'une nouvelle porte à laquelle le roi doit frapper trois coups avant qu'une voix, derrière, demande :

— Qui frappe à l'entrée du Temple ?

Et le chevalier de répondre :

— C'est le roi Philippe en ma garde et sous mon parrainage, qui espère être reçu par ses frères dans la Loge Première.

La voix ordonne :

— Qu'il entre !

La porte est ouverte, Philippe et le chevalier pénètrent dans une crypte où se tient une assemblée de dix templiers en manteaux blancs. Tous ont gardé leur capuchon sur la tête.

Trois colonnes supportent la voussure composée de gros moellons. Sur le sol aux larges dalles a été dessiné un damier fait de carreaux noirs et blancs. Trois chandeliers éclairent faiblement le lieu de leurs flammes courtes qu'un mince filet d'air couche parfois.

Dès que le roi est entré, les templiers ont formé de leurs mains une chaîne dans laquelle Philippe et le chevalier Renaud se sont aussitôt intégrés.

Un templier dit :

— Bienvenue dans notre chaîne, Philippe ! Demain, à Saint-Denis, le vicaire vous remettra la bannière aux croix d'or. Par le Saint Clou et la Sainte Épine, vous serez croisé.

Philippe précise :

— Et je deviendrai soldat de l'Église pour me rendre à Jérusalem.

— Abandonnez Jérusalem à Richard et à Barberousse. N'allez point si loin, lance un autre templier dans la chaîne.

Philippe réagit :

— Les laisser délivrer seuls le Saint-Sépulcre ? Où serait l'honneur de ma croisade ?

D'une voix douce, au phrasé lent et serein, un templier élève la voix :

— Il est temps de vous instruire d'un grand secret, Sire. Un secret que même le pape Clément doit ignorer. Nous accordez-vous toujours la grâce de nous croire ?

— J'ai régulièrement consenti à vous écouter. La prudence et l'intelligence de vos conseils m'ont épargné bien des infortunes, admet le roi.

— Il s'agit d'un certain Évangile écrit sur trois rouleaux de parchemin. La pièce centrale du mystère dont nous vous avons parlé à notre réunion précédente, précise la voix suave.

— Un cinquième Évangile ? Aucun texte n'en fait mention. N'est-ce pas là une hérésie que vous prenez pour franche parole ?, s'étonne le monarque.

— Non, Sire, précise la voix paisible. Il existe bel et bien. Du moins une copie faite de la main même de son rédacteur.

Renaud prend alors la parole :

— Les rouleaux sont à Saint-Jean-d'Acre. Dans un souterrain, sous un bâtiment appelé la Tour maudite. C'est au creux d'une grotte que l'auteur de ce cinquième Évangile a déposé son bien avant de prendre la mer... Je vous accompagnerai en Terre sainte et vous guiderai.

— Ma mission consistera donc seulement à remplir cet unique rôle ?, s'étonne Philippe. Je dois uniquement rapporter ces parchemins ?

Renaud poursuit :

— C'est de la plus haute importance, Sire. Nous vous l'avons dit, ces textes sont la clef de voûte de l'indicible Secret. Nous ne pouvons courir le risque qu'ils soient découverts par d'autres... Car nous ne sommes pas les seuls à les chercher !

La voix lente ajoute :

— Saint-Jean-d'Acre doit tomber. Vous serez l'artisan de sa chute et entrerez dans la ville pour être le premier à fouiller les soubassements de la Tour maudite. Nous savons par notre Tradition où explorer...

Après un temps, Philippe dit :

— Soit, j'agirai pour la cause de la Loge Première, bien qu'il m'arrive encore de douter de la véracité de son propos. Cela ne suffit-il pas à ce que vous me retiriez votre confiance ?

— Non, Sire, murmure Renaud. Notre confiance vous est absolument acquise et nous admettons vos doutes, qui sont bien naturels. L'enseignement religieux que vous avez reçu en est cause. Nous sommes si peu à connaître la vérité...

Le roi Philippe se tourne vers le chevalier Renaud dont le bas du visage apparaît sous l'ombre du capuchon. Une bouche fine, un mince collier de barbe noire. Un sourire amical, fraternel.

— Cette vérité, justement, articule le roi, cette vérité me brûle l'âme autant que la douleur d'avoir perdu mon épouse et mes jumeaux. Une vérité si encombrante !

La voix lente et douce conclut :

— Suspendons nos travaux, mes frères.

Les templiers lèvent et descendent par trois fois la chaîne de leurs bras avant de la rompre. Puis le chevalier Renaud pose une main sur l'épaule de Philippe.

— Venez, Sire. Remontons.

C'est ainsi que cela se passe à chaque fois. Le roi est raccompagné par son guide. L'escalier en colimaçon à gravir, la salle emplie de ténèbres à traverser en sens inverse... Et les retrouvailles avec Henri et Benoît. Aucun mot échangé entre les trois hommes. Un salut de la tête de Renaud avant de refermer derrière le roi la porte en chêne massif.

La pluie a cessé. Une clarté argentée s'accroche aux tuiles des toits. La lumière... Philippe lève les yeux vers le ciel laiteux et inspire une grande goulée d'air. Il pense au Secret. Il pense à ce que lui ont appris les templiers, le mois précédent. Il pense à la mort d'Isabelle, à celle de ses jumeaux, et craint d'être maudit.

— Cette lumière, souffle-t-il à la surprise de ses deux amis. Comme elle est belle ! Elle me transporte, pareille à une fervente prière...

Mais Philippe se garde bien d'avouer qu'il ne prie plus depuis qu'il sait... Depuis que les templiers l'ont accueilli au sein de la Loge Première afin de lui apprendre que l'Église avait bâti son empire sur une supercherie. Sur le plus effroyable des mensonges !

10

La tuerie

Le roi Philippe et son armée arrivent sous les remparts de Saint-Jean-d'Acre le vingt avril mil cent quatre-vingt-onze. Le souverain s'est fait accompagner par ses deux amis, les chevaliers Henri et Benoît, ainsi que par le templier Renaud.

Philippe est accueilli par l'évêque de Beauvais, Philippe de Dreux et les comtes de Flandres.

— Ah, mon cousin, s'exclame l'évêque, nous désespérions de vous avoir à nos côtés. Voyez, nous n'attendions plus que vous et le roi Richard pour ébranler cette forteresse.

— Et Frédéric ? Barberousse ne vous a donc point déjà rejoints ?, s'enquiert le roi.

— L'empereur s'est noyé dans les eaux du Cydnos et ses croisés n'ont plus guère de courage pour se battre. Ils ont presque tous pris le large depuis, répond Philippe de Dreux.

— C'est fâcheux, dit le roi. Il nous faudra donc compter sur les forces de l'orgueilleux Richard. Mais j'ai emmené avec moi d'ingénieux charpentiers qui construiront balistes et mangonneaux.

Philippe installe aussitôt son camp et ses architectes se mettent à l'œuvre pour fabriquer les engins de guerre. Des ouvriers charrient alors poutres, poulies, cordes. Des forgerons élèvent de grands fours en terre pour fabriquer les protections dont seront revêtues les tours d'assaut.

Le sept juin, le roi Philippe est prévenu du débarquement du roi Richard.

— À l'en croire, annonce le templier Renaud, il est impatient d'en découdre avec les défenseurs de Saint-Jean-d'Acre.

— Ce n'est pas étonnant, remarque Philippe, son désir de gloire est plus fort que sa foi.

C'est en effet un suzerain vaniteux, tout pétri de morgue et de fierté, qui soulève bientôt le jeune roi de France dans ses bras et le broie contre sa poitrine dans une naïve et virile accolade.

— Philippe ! L'auguste et sévère Philippe ! Embrassons-nous !

— Cœur de Lion, vous avez musardé en route. Assaillants et assiégés commencent à souffrir de disette.

Richard a pris le bras de Philippe et se fait inviter à visiter le camp sans attendre. L'Anglais découvre les engins de guerre qu'ont réalisés les Français et reconnaît de bonne grâce la qualité des ouvrages. Il s'émerveille surtout devant une catapulte, la « Malvoisine », ainsi qu'une tour aussi haute que les remparts de la cité. Une tour de quatre étages faite de bois, de plomb et de fer.

— Vos hommes ont accompli un fort beau travail. Nous allons pilonner la forteresse et livrerons l'assaut de concert.

— Certes, souligne Philippe. L'un à l'est et l'autre au sud. Nous avons étudié les murailles. Je crois aisé de prendre ces deux secteurs en priorité.

Philippe désigne les remparts de la cité d'Acre. Du doigt, il montre tour à tour des endroits de la forteresse qui semblent plus vulnérables et moins hauts que la plupart des murs.

— Regardez, Richard… Les remparts sont moins épais ici et là. Nous concentrerons nos forces sur ces deux points faibles. La « Malvoisine » nous ouvrira un passage en bombardant l'enceinte de grosses pierres.

— Voilà un plan qui me convient ; il a le mérite d'être simple. La guerre ne devrait jamais être compliquée. Qui est courageux et fort doit vaincre, c'est l'évidence.

— Un faible rusé peut tout aussi bien mettre à terre un rival de poids, Richard !

L'Anglais éclate de rire et donne une solide bourrade à son allié en disant :

— Ça, c'est de la politique, Philippe ! Chaque chose en son temps… Demain, nous massacrerons. Nous ferons la guerre. Une rude et belle besogne à la gloire de Dieu.

La semaine qui suit n'est que violences. Il faut plusieurs assauts pour prendre Saint-Jean-d'Acre, pour que les cadavres jonchent les ruelles où coulent des rigoles de sang, pour que le roi Philippe, après avoir envahi à la tête de ses troupes la citadelle éventrée, émerge d'un cauchemar et mesure, fiévreux, l'étendue de la boucherie. Pour que l'odeur écœurante de la mort prenne les vivants au cœur, à les faire vomir. Pour que l'on traîne des cohortes de prisonniers, mains sur la tête, hagards, fantômes idiots qui ne comprennent pas les injures et les quolibets des vainqueurs. Pour que des Français dressent l'étendard des croisés sur un monceau de corps enchevêtrés, enlacés dans une mort obscène, à demi nus, déchirés, brisés, salis…

— Tout ce sang…, murmure le roi Philippe.

— Pour le Christ, Sire !, le réconforte le chevalier Henri.

— Le Christ ?, reprend Philippe, s'apprêtant à poursuivre, mais se reprenant en voyant le templier Renaud venir à lui en enjambant les cadavres ensanglantés.

L'épée du chevalier est rougie jusqu'à la garde. L'homme paraît épuisé. Sa capuche est abaissée et l'on peut voir dans ses yeux brûler comme une fièvre.

Renaud s'assied aux pieds du roi et émet un long soupir avant de dire :

— Tuer est diantrement fatigant, Sire, bien qu'on en prenne vite l'habitude et qu'on se mette presque à en apprécier l'usage ; l'épée s'allège à chaque homme trucidé.

— J'ignorais que ce serait aussi vil, dit le roi. Aussi laid…

— Fort laid, en effet, souligne Renaud. Que la cause soit juste ou trompeuse, occire est une affreuse corvée, car cela remue d'épouvantables instincts qui nous habitent tous alors qu'on les croyait à tout jamais endormis.

— Une tâche bestiale, soupire le roi en se détournant du spectacle des corps inertes, figés parfois dans des poses grotesques, des blessés croisés que l'on étend sur des brancards au milieu des pleurs, des appels, des plaintes.

Philippe redescend vers le campement. Il traverse les ruines de la muraille que la « Malvoisine » a réduite en miettes. Il voit Richard Cœur de Lion en train de se désaltérer en compagnie de quelques-uns de ses chevaliers, et refuse l'invitation qui lui est offerte de se joindre à eux.

Philippe tremble. Toute sa chair, tous ses os tremblent, comme frappés d'un grand froid. Une main se pose sur son épaule. Une présence ferme qui le rassure autant qu'elle le réchauffe. Une voix grave lui dit :

— Nous irons dès que la nuit sera tombée, Sire. Lorsque les hommes ripailleront.

— Oui, chevalier Renaud. Nous irons chercher ces trois rouleaux de parchemin. Je connais leur prix, désormais... Celui de tout ce sang versé.

— Encore plus, Sire. Bien plus ! Ceci n'est rien et ne solderait pas même la première lettre de ce manuscrit.

Les deux hommes poursuivent de concert. Le templier a laissé sa main sur l'épaule du souverain qui peine à marcher sans vaciller.

11

Les trois rouleaux

— Voici le donjon que l'on nomme la Tour maudite, Sire. La voie est libre.

— Faisons vite... Je me sens las et le sang me chauffe.

— C'est sans doute la suette. Il n'est pas rare d'attraper cette fièvre en ces contrées.

Philippe et le templier pénètrent par une poterne dans le sombre bâtiment. Renaud se tourne vers le roi. Il lui tend la main.

— C'est ma foi vrai, vous êtes brûlant !

La nuit résonne de plaintes et de pleurs lointains que recouvrent les rires de croisés avinés et les cris de femmes que l'on viole.

Le templier ouvre la voie à l'aide de sa torche et prend la main du roi dans la sienne pour l'aider à descendre un étroit escalier aux marches grossières, disjointes, qui s'enfonce dans l'humidité et l'odeur de moisi.

Au bas de l'escalier, un couloir se présente à eux, un boyau resserré au sol de terre battue qu'on ne peut emprunter qu'en se baissant.

— Faites attention, Sire, le plafond est de plus en plus bas. Nous allons marcher ainsi durant une bonne vingtaine de pas et nous choisirons un passage parmi trois autres.

— Comment saurez-vous lequel de ces chemins il nous faudra emprunter, chevalier ?

— Voyez, répond Renaud en souriant et en désignant à l'aide de sa torche un motif gravé sur le mur. Un poisson stylisé tracé à gros traits à l'aide d'une lame.

— C'était le signe de reconnaissance des premiers chrétiens, remarque le roi.

— En effet, Sire. Ces poissons nous guideront jusqu'à une crypte où nous trouverons ce que nous sommes venus chercher.

— Tout cela tient à mes yeux du prodige !

— Non, Majesté ! Non, il n'est point question de magie ; à travers le monde, les agents du Temple renseignent les commanderies. Vous savez que nous menons certaine enquête depuis fort longtemps. La Tradition a préservé les informations relatives à ces lieux au fil des siècles.

— C'est ce genre de secret que se transmettent les frères Premiers lors de leurs assemblées ?, demande Philippe.

— Oui, Sire. Une mémoire orale que nous prenons soin de léguer sans jamais la trahir.

Le roi et le templier parviennent à la bifurcation indiquée par ce dernier. Grâce au motif gravé dans la pierre, les deux visiteurs peuvent s'engager en confiance dans l'un des goulets.

Ils progressent durant de longues minutes, pliés en deux, leurs épaules frottant les murs resserrés, les bottes pataugeant dans la boue. Ils débouchent enfin dans une minuscule crypte creusée à grands coups de pioche dans une roche vulgairement consolidée à l'aide de moellons appareillés à la hâte.

— Nous y sommes, souffle le templier en se redressant et en lâchant la main du roi qu'il a tiré derrière lui, tel un enfant apeuré.

Philippe déplie à son tour sa grande carcasse en se plaignant du dos.

— Vous vous êtes donné comme un diable durant les batailles, remarque le templier. Vous mouliniez votre épée tel que vous l'auriez fait avec un fléau au-dessus des blés.

— Il est vrai que je fauchais, précise Philippe. En aurai-je brisé, des crânes ! Et tranché, des bras ! Et percé, des poitrines !

Renaud balaie les murs avec sa torche.

— C'est ici, lance-t-il soudainement en montrant un moellon portant l'image d'un poisson. L'animal est cette fois surmonté d'une croix.

— Qui a fait ces marques, Renaud ? Et quand ?

— Vous le savez fort bien, Philippe. Un homme sage, il y a douze siècles. Tenez, prenez la torche et maintenez-la sur moi.

Renaud sort sa dague de son fourreau et entreprend de desceller la pierre. Il griffe le ciment de grès pour le réduire en poussière. Le travail est long et le roi s'impatiente ; la fièvre lui brûle les chairs et lui glace les os.

— Patience, mon roi, dit Renaud d'une voix douce. Dès que nous serons revenus au campement, je ferai venir votre apothicaire et lui soufflerai quelques remèdes qui vous redonneront un meilleur sang.

— Vous versez aussi dans la médecine, chevalier ? Quelle connaissance ne sied pas à votre esprit ?

Tout en poursuivant son ouvrage, Renaud répond en souriant :

— Je pratique les mathématiques, la rhétorique, la philosophie et m'efforce de développer les vertus théologales : foi, espérance et charité... Je me pique de connaître les étoiles principales et leurs courses... En vérité, ce sont là quelques-unes de mes qualités, outre le maniement de l'épée et deux ou trois tours de magie que je réalise loin des gens d'Église. Ah, j'oubliais...

— Oui ?, fait le roi, amusé.

— Je lis et parle couramment une bonne dizaine de langues, ainsi que divers patois et dialectes.

Philippe soupire :

— Je me sens bien sot à vos côtés, et crains de n'avoir pas assez d'une vie pour atteindre le centième de vos connaissances.

— Je ne suis qu'un modeste pion, Majesté. Un pion sur l'échiquier où vous trônez. Vous n'avez guère besoin de vous encombrer l'esprit de ces lourdes charges, puisque nous sommes quelques-uns à les porter pour vous. Sur l'échiquier, le pion doit se sacrifier de manière à préserver son roi. C'est le soldat qui porte le bagage, Sire... Le soldat ! Pas son souverain.

La lame de Renaud a défait tout le ciment qui maintenait la pierre dans le mur. Le templier peut glisser ses doigts dans les interstices pratiqués et tirer le moellon hors de son logement.

— Écartez-vous, Sire…

La pierre tombe sur le sol boueux qui éclabousse les jambes du roi. Renaud plonge le bras dans le trou qui vient d'être pratiqué. Il en dégage un premier rouleau de cuir cousu à gros points.

— En voici un, murmure-t-il en enfonçant à nouveau le bras, puis en se penchant, fouillant dans ce coffre de ténèbres avec une soudaine agitation. Éclairez-moi, Philippe !

Le roi s'incline, allonge le bras qui brandit la torche, cherche à voir dans la gueule du mur.

— Eh bien ?, s'impatiente le souverain.

— Je les ai… Oui, voici les deux autres ! Dans leurs poches de cuir, ils n'ont sans doute pas souffert du temps.

— Vous ne voulez pas vous en assurer ?, propose Philippe.

— Ce n'est ni l'heure, ni le lieu, Majesté. Cela serait prendre un bien grand risque que de sortir ces parchemins de leurs étuis. Nous devrons le faire dans les règles, dès notre retour en France. Je connais des mains expertes qui sauront les traiter avec soin.

Le roi Philippe ne cache pas sa déception :

— Par mon âme, avoir fait tout ce chemin et tué tant de pauvres gens pour s'en retourner sans avoir vu ce que contenaient ces rouleaux ! Imaginons que je meure de cette suette…

— Vous ne mourrez pas, Sire. Je vous l'ai dit, nous vous soignerons. Allons, ressortons de ce tombeau. Pouvez-vous marcher le premier, cette fois ? J'ai les bras pris avec ce paquet plaqué contre ma poitrine.

— Naturellement, vous êtes le soldat qui portez la charge, c'est bien cela ?

— Et vous êtes mon roi qui tenez maintenant la lumière, Philippe.

— N'est-ce point là une parabole censée m'instruire ?

Renaud ne répond pas. Il se contente de sourire pour lui-même, pressant contre lui les trois rouleaux qu'il dissimule sous sa cape. Il pense à celui qui a recouvert les parchemins de son écriture. Il lui adresse une prière de gratitude, comme à un frère aîné.

12

La maladie de Philippe

Durant toute la semaine qui suit, le roi Philippe demeure sous sa tente dont les rabats de toile ont été soigneusement baissés ; l'ombre y lutte contre une chaleur moite. Les deux chevaliers Benoît et Henri en gardent l'entrée comme de simples écuyers. Ils restent assis le jour à même le sol, se parlant peu, roulés la nuit dans d'épaisses couvertures, dormant à peine. Chiens fidèles, amis fervents, ils souffrent de savoir leur maître aussi malade, épiant le moindre de ses râles, questionnant sans cesse Renaud qui distribue sa médication matin, midi et soir, secondé par un apothicaire et un abbé.

Le roi Richard s'est inquiété de la santé du monarque français. Renaud en personne est venu jusqu'à son campement lui donner des informations en fin de semaine.

— Eh bien, m'apportez-vous d'heureuses nouvelles ?

— Non point, Sire ! Mon roi a maigri, a perdu cheveux et ongles ainsi que l'œil droit. De plus, sa peau part en lambeaux. C'est grande pitié de le voir dans cet état !

Richard semble sincèrement contrarié. Renaud ajoute :

— J'avoue être impuissant devant son mal et ne peux qu'adoucir ses souffrances à l'aide de drogues qui l'endorment plus qu'elles ne le soignent. Il s'affaiblit d'heure en heure et délire même parfois, parlant de sa défunte épouse et de ses jumeaux morts.

— Si je comprends bien, chevalier Renaud, vous êtes venu me préparer... Je devine ses intentions : il va me demander la permission de s'en retourner en France ?

Renaud hoche la tête et souligne :

— Ce serait en effet la meilleure décision à prendre, Sire.

Richard sort vivement de sa tente.

— Je désire me rendre compte par moi-même de son état.

Renaud et le roi Richard traversent le campement à grandes enjambées, passant par-dessus les corps allongés de croisés qui se reposent, abrutis par la chaleur, épuisés par la récente bataille et les ripailles qui ont suivi.

Parvenu au pavillon de Philippe, Richard en ouvre violemment les rabats malgré les injonctions des chevaliers Benoît et Henri, courroucés que l'on dérange le sommeil de leur maître.

Philippe gît sur sa couche, livide, le teint cireux, l'œil droit disparaissant sous un bandage, les cheveux clairsemés, suant à grosses gouttes, hors d'haleine, hagard. Le spectacle de sa décrépitude émeut Richard qui s'approche de lui sans même remarquer l'abbé, assis dans l'ombre, son livre de prières sur les genoux.

— Ma bénédiction, Philippe !, lance Richard. Je constate que vous êtes entre les mains de charlatans qui ne guériraient pas la gale d'un chien pouilleux !

La voix basse, éteinte et éraillée du malade peine à parvenir jusqu'aux oreilles de Cœur de Lion qui doit se pencher pour en recueillir tous les mots.

— C'est que je n'ai pas la gale, Richard. Sans doute quelque vilain poison qui coule dans mes veines…

Le Plantagenêt se penche encore un peu plus et examine la peau desquamée du mourant.

— Vous avez l'esprit tortueux, mon cousin. Qui aurait intérêt à vous faire mourir ?

— Quand deux rois combattent ensemble, il y en a toujours un de trop. Le Destin est peut-être l'unique responsable de mon état, souhaitant que vous soyez le seul à poursuivre notre quête et à vous rendre au Saint-Sépulcre.

Renaud intervient :

— Vous voyez, Sire Richard, Sa Majesté préfère revenir en ses terres au plus tôt.

L'Anglais semble réfléchir un instant. Il regarde la pitoyable dépouille du malade au visage secoué de spasmes douloureux, aux mains tremblantes. Une carcasse amaigrie à l'âcre odeur de sueur, d'urine et d'autres humeurs, que la chaleur de la tente rend insupportable.

Philippe lève une main fébrile, pointe un index sur la poitrine du souverain géant et massif, puis lui souffle :

— Allez, Richard… portez votre cœur de Lion jusqu'à Jérusalem.

Refrénant sa répugnance, l'Anglais s'oblige à poser une main amicale sur le front brûlant du malade pour lui répondre :

— Soit, en embrassant son sol, j'aurai une affectueuse pensée pour vous. Je prierai pour votre rétablissement. Et je mettrai tant d'ardeur dans mes suppliques que je gage que vous serez vite remis sur pied.

— J'en suis certain, ânonne Philippe. Maintenant, ayez la bonté de me laisser seul avec le chevalier Renaud. Vous aussi, l'abbé, sortez un instant...

L'ecclésiastique abandonne son tabouret et, ne cessant de marmotter quelque litanie en latin, se retire, tout en s'effaçant pour laisser sortir le roi Richard. Ce dernier jette un œil distrait aux deux fidèles amis de Philippe, les chevaliers Benoît et Henri, lesquels le saluent à peine, trop préoccupés qu'ils sont par la maladie de leur maître.

Philippe essaie dans un effroyable effort de s'asseoir sur sa couche. Renaud se précipite pour l'aider et lui caler un coussin dans le dos.

— Mon mal n'est-il pas lié à ce que nous avons fait dans la Tour maudite ?, interroge le roi. N'avons-nous pas violé un sanctuaire ?

Le templier le rassure :

— C'est moi qui ai pris les rouleaux et je n'ai subi aucun sortilège ! Je vous le répète, Sire, vous êtes atteint d'une fort vilaine suette que votre organisme fragilisé par le chagrin n'a pu repousser. Il vous faudra certainement du temps pour recouvrer vos forces, mais le traitement que je vous administre saura vaincre cette fièvre.

— En attendant, Richard va cueillir les lauriers de la prise de Jérusalem.

— La Ville sainte n'est qu'une outre creuse. Je vous l'ai dit, Sire, abandonnons l'Anglais à ses rêves de conquête et d'hégémonie. Laissons-le s'enliser dans les sables. Tant qu'il demeurera ici, il ne lorgnera pas sur votre royaume.

— Qu'y a-t-il de si important sur les parchemins que nous sommes allés chercher ?

— Vous le saurez bientôt. Les Templiers confieront ces rouleaux à deux scribes, Agnan et Nicolas de Padoue, de l'abbaye d'Orbigny, des clercs qui sauront en faire une traduction en latin. Ce sont des hommes de savoir, bien qu'ils soient invertis et sodomites. Ils se disent frères, mais ne sont que fols.

Philippe est pris d'une soudaine quinte de toux. Renaud lui sert immédiatement une coupe d'eau allongée de miel. Le monarque en a à peine avalé une gorgée qu'il se remet à tousser plus fort, la poitrine cisaillée de convulsions violentes. Une gerbe de sang âcre et noir jaillit de sa gorge et éclabousse la robe blanche du templier.

Le roi s'affaisse, une écume rougeâtre aux commissures des lèvres, les yeux révulsés.

— Henri ! Benoît ! À moi, vite !, s'écrie le templier.

Aussitôt, les deux chevaliers se ruent sous la tente. En découvrant l'état de Philippe, ils poussent ensemble cris et jurons. Renaud a recouché le malade et lui nettoie les lèvres à l'aide d'un linge humide.

— Si je dois mourir, articule avec peine le roi, que ce soit en France… auprès de mon fils. Hâtons notre départ !

— Vous ne mourrez pas, lui répond Renaud. Votre heure n'est pas venue. Vous ne mourrez pas, mon frère !

Les chevaliers Henri et Benoît s'interrogent du regard. Ils ont bien entendu : le templier a appelé le roi *frère* !

13

Le double meurtre

De retour en France, la santé du roi Philippe se stabilise et, au bout de quelques semaines, une amélioration notable rassure quelque peu ses proches. Inlassablement, les chevaliers Henri et Benoît font les cent pas devant la porte de la chambre du malade en rongeant leur frein et en manifestant leur mauvaise humeur qui, en réalité, n'est qu'inquiétude.

— Cela fait maintenant plus d'un mois que Philippe n'est pas sorti de sa chambre, peste l'un.

— Le templier Renaud lui a imposé un docteur qui lui administre drogues inconnues et remèdes mystérieux, tout en promettant une panacée magique, souligne l'autre.

La porte s'ouvre. Le docteur sort de la chambre. Il tient une cuvette emplie des glaires royales. Il manque de la renverser tant les deux chevaliers mettent d'ardeur à le presser de questions.

— Comment Philippe se porte-t-il ce matin, maître Othon ?

— Gravelle du Diable, comment ?

Le médecin leur sourit et leur répond de sa voix réconfortante :

— Mieux ! Il reprend figure humaine et son fils Louis ne craindra bientôt plus de le visiter. La compagnie du chevalier Renaud semble contribuer à son rétablissement.

Maître Othon s'en retourne, laissant les deux chevaliers à leur contrariété. Ainsi, eux, les plus fidèles amis, ont interdiction de pénétrer dans la chambre alors que le « croix rouge » y passe le plus clair de son temps !

En effet, dans l'appartement de Philippe, Renaud joue humblement le rôle de valet, changeant les linges du roi, l'aidant à se laver et à manger, aérant la pièce, lui faisant la lecture, prenant soin de tisonner régulièrement le feu de la vaste cheminée à cause de l'humidité de l'hiver...

— Vos clercs progressent-ils dans leur traduction, Renaud ?

Le templier sourit ; il attendait que Philippe lui pose enfin la question.

— Ils dorment à peine tant ils se sont voués à leur tâche, répond-il en se disant que le roi n'éprouve plus de crainte superstitieuse à aborder ce sujet.

— Bien... Je suis impatient de lire ces textes. Si vous avez financé une partie de la croisade, c'est qu'ils sont de grand intérêt, n'est-ce pas, dit le monarque en se redressant sur son lit, cherchant à caler son dos contre les épais coussins.

— En effet. Il aurait été dangereux que le roi Richard mette la main dessus par hasard.

— Mais vous ne m'avez pas encore parlé d'argent, chevalier... La Couronne vous est redevable d'une grosse somme. Je suis votre débiteur, souffle Philippe après avoir trouvé la bonne position dans ses oreillers.

— Les Templiers ne sont pas des usuriers. Nous savons attendre avant de récupérer nos fonds.

— Cela signifie que vos investissements rapportent des fruits autres que pièces sonnantes. J'aimerais lire en vous, Renaud... deviner pour quelle raison vous agissez ainsi.

— Considérez que c'est pour le bien du royaume, Sire.

Le mois suivant, après deux longues semaines de neige, cinq cavaliers chevauchent à bonne allure sur une route en partie effacée que délimitent deux rangs de peupliers. Ils se dirigent vers une petite abbaye blottie dans une brume épaisse. La cloche de sa petite chapelle sonne dix-neuf heures.

Les cavaliers mettent pied à terre presque d'un même mouvement. Le vent a soulevé le capuchon de l'un des hommes, c'est le templier Renaud. Il frappe à l'huis selon un code convenu. Les quatre autres se tiennent en retrait et l'un d'eux attache les rênes des chevaux à deux anneaux scellés dans le mur.

La porte s'ouvre sur un vieil abbé qui a passé un châle autour de ses épaules. Bossu, tout de travers, le bonhomme élève une lanterne à huile pour discerner le visage de Renaud.

— Ah... j'ai reconnu votre code, Messires. Entrez vite ; ce froid est pinçant et vous glace la moelle des os.

Les cinq chevaliers entrent dans l'abbaye. Un déambulatoire se présente à eux et dessert trois modestes bâtiments : la cure, la bibliothèque, la chapelle. Renaud s'adresse au vieil homme en lui prenant la lanterne des mains :

— Vous pouvez nous laisser, l'abbé. Retournez à vos prières.

— Ma foi, il est plutôt l'heure de dormir dans un bon lit bassiné. Je ne suis pas de la trempe des jeunes et dévoués Agnan et Nicolas, moi !

Le bossu se retire tandis que les cinq chevaliers empruntent en hâte le déambulatoire jusqu'à la bibliothèque. De la lumière filtre au travers des vantaux des étroites fenêtres.

— Je vais entrer seul, dit Renaud en confiant la lanterne à l'un de ses compagnons. Attendez-moi là et tenez-vous prêts.

Le templier pousse la porte de bois et pénètre dans une petite pièce qu'un brasero ne parvient pas à chauffer convenablement. Deux hommes, assis à leurs pupitres, tournent ensemble la tête : maigres oiseaux au cou décharné, aux yeux ronds et fiévreux, sans âge, tonsurés à la diable. Ce sont Nicolas et Agnan de Padoue. Ils portent des habits de grosse toile marron, cordon noué à la ceinture, châle sur les épaules, mitaines de laine aux mains.

Agnan quitte son tabouret et abandonne le manuscrit posé sur son pupitre encombré de rouleaux d'épais papier. On reconnaît, juste derrière lui, sur une table, les poches de cuir qui ont contenu les rouleaux trouvés à Saint-Jean-d'Acre.

— Chevalier Renaud, nous avons terminé à la date prévue le travail que vous nous avez confié, dit le premier traducteur d'une voix cristalline, traînante et étonnamment douce, au timbre d'enfant.

— Je n'ai jamais eu à me plaindre de vos services, lui répond Renaud en examinant le livre épais qu'Agnan, qui s'est rapproché, lui désigne d'un ample geste de la main.

Le livre repose sur un lutrin.

Le templier frissonne. Le froid ? Non, pas que le froid. Ce sont ces phrases qu'il lit en désordre, feuilletant nerveusement le manuscrit.

— Ce fut parfois difficile. Les langues employées étaient au nombre de trois, dont l'araméen... et... enfin..., balbutie Nicolas.

— Nous avons compris que ces textes avaient été écrits par... vous savez..., reprend Agnan en soufflant sur ses doigts et en dansant d'un pied sur l'autre.

Renaud referme le livre, passe ses doigts sur la reliure de peau, admirant le travail des deux clercs.

— Nous avons pris grand soin dans le pliage des feuilles, Messire, poursuit Agnan avec une pointe d'orgueil. Nous les avons collationnées avec grande précision avant de les battre par pincées et de les passer au laminoir pour leur donner de la souplesse, ce qui fait que les cahiers sont peu encombrants.

— Et nous avons cousu ces cahiers sur nerfs, ajoute Nicolas avec tout autant de fierté. De solides fils de lin, voyez-vous. Nous avons dissimulé leurs saillies dans l'endossure avec ce bon cuir de basane qui subira le temps sans souffrir.

— C'est du bel ouvrage, admet Renaud, le plat de la main posé sur le cuir de la couverture où les deux clercs ont gravé un poisson stylisé portant une courte croix sur son dos. Oui, un très bel ouvrage. Avez-vous réalisé un second exemplaire, comme je vous l'ai demandé ?

Agnan sort d'une étagère un second ouvrage.

— Voici l'identique copie, Messire. Semblable au premier coup d'œil à l'autre, au moindre mot près, ainsi que l'image établie à partir des textes : Dieu créant le Monde à l'aide d'un compas... La seule différence, celle que vous avez souhaitée, n'est absolument pas visible à l'œil nu.

Une ombre obscurcit le regard de Renaud. Il demeure un long moment silencieux en observant les deux manuscrits, puis se tourne vers Nicolas et Agnan de Padoue pour leur dire :

— J'aimerais rester seul pour consulter ces manuscrits.

— Naturellement. Nous vous laissons ; vous nous trouverez à la chapelle, dit Agnan de sa voix d'enfant.

Les deux clercs sortent de la bibliothèque et passent devant les quatre chevaliers qu'ils saluent d'un discret signe de la tête. Puis ils pressent le pas à cause du froid mordant qui s'est abattu sur l'abbaye, et pénètrent dans la chapelle.

Dans la bibliothèque, Renaud s'est approché du brasero, l'un des deux manuscrits dans les mains. Il l'ouvre, s'arrête à la deuxième page, admire le dessin exécuté par Agnan et Nicolas et prononce à voix haute la phrase placée juste sous l'image : « *In furorem versus* ».

— *In furorem versus*, répète-t-il.

Renaud entreprend ensuite la lecture du manuscrit, restant debout, tremblant des pieds à la tête, la gorge sèche, la respiration saccadée.

Le chevalier ne ressort de la bibliothèque qu'une heure plus tard, livide, tenant les deux livres sous sa cape, contre sa poitrine.

— Comme tu es pâle, Renaud ! On dirait un spectre, remarque un chevalier.

— Tu l'as lu ? Tu as lu *son* Évangile ?, demande un deuxième.

— Oui, répond Renaud, la voix cassée. Nul autre que le roi ne devra jamais apprendre ce que contient le Testament du Fou ! Jamais !

— Cependant... Agnan et Nicolas savent, eux !

— Que Dieu nous pardonne, murmure Renaud. Faites ce que vous avez à faire, mes amis. Et que ce ne soit pas travail de boucherie.

— Ce sera rapide, Renaud. Nous te le promettons.

Laissant Renaud près de la porte de la bibliothèque, ses quatre compagnons dégainent leurs épées, se rendent à la chapelle, y entrent.

Nicolas et Agnan de Padoue sont agenouillés au pied de l'autel. Un courant d'air glacial vient de leur mordre la chair. Les templiers ont laissé le portail ouvert. Les deux clercs se rapprochent l'un de l'autre, se prennent la main, se replient sur eux-mêmes comme de frêles oiseaux grelottant d'inquiétude. Les pas, derrière eux. Le bruit des bottes claquant sur les dalles de grès. La pointe d'une lame qui heurte un banc. Le son métallique du métal, le son mat du bois. Les pas.

— Voici venir notre mort, Nicolas.

— Il ne pouvait en être autrement… Serre-moi fort la main, j'ai un peu peur.

— Ta main est si froide.

— La tienne est douce et me rassure.

Sans passion. Juste une besogne à accomplir. Les templiers abattent ensemble leurs épées sur les deux moines. Ils sont touchés chacun à la nuque et au thorax. Leur sang gicle en abondance alors qu'ils s'affaissent lentement, sans un cri, sans un râle. Sans se lâcher la main.

L'un des chevaliers regarde la simple croix de bois pendue au mur derrière l'autel. Il s'apprête à se signer mais retient son geste et hausse les épaules. Il ne peut s'empêcher cependant de murmurer « Amen ».

Les quatre templiers rejoignent Renaud. Le premier du groupe tient la lanterne à huile. Deux d'entre eux rengainent leur épée. Le dernier marque un temps d'arrêt, se tourne vers la chapelle, comme regrettant amèrement son geste. Son épée pend au bout de son bras, rougie du sang des deux clercs.

Renaud s'adresse au porteur de la lampe :

— Le feu, Thierry… Tout doit disparaître. C'est ainsi !

— Affreuse nuit, en vérité ! Mais c'est le prix du Secret.

Le chevalier Thierry jette la lampe par la porte de la bibliothèque. Les cinq hommes attendent quelques minutes que s'embrase la pièce pour s'en retourner.

La neige s'est remise à tomber, fort, piquant la peau au travers des manteaux.

Les templiers remontent en selle. Renaud tient fermement les manuscrits sous son vêtement pour les protéger. Lorsqu'ils empruntent à nouveau la route bordée de peupliers, de hautes flammes s'élèvent déjà au-dessus de l'abbaye. Ils s'enfoncent dans la nuit sans un mot et disparaissent.

14

Le légat du pape

Le quatorze août mil cent quatre-vingt-treize, Philippe épouse Ingeburge, sœur du roi Knut VI de Danemark. Cette dernière est vite répudiée. Le monarque veut maintenant se marier avec Agnès de Méranie, fille d'un duc bavarois, au mépris des injonctions du Vatican. En mil deux cent, le pape Innocent III jette un interdit sur la France.

Le légat du pape, Pierre de Capoue, tente une ultime médiation et se rend au palais de Philippe Auguste.

— Sire, toutes les églises sont fermées et nul n'y est plus admis. Le royaume de France est plongé dans les ténèbres du fait de votre bigamie.

— Où voyez-vous des ténèbres, Monseigneur ? Auriez-vous mauvaise vue ? La lumière entre à flots dans cette pièce et je trouve sa chaleur bien douce, ce matin.

— Je perçois néanmoins l'obscurité. Les morts ne peuvent plus reposer en terre consacrée, les pèlerins ne sont plus bénis, les âmes ne sont plus confessées, énumère le légat en bougeant sur son siège qui craque sous son énorme masse.

— La France est donc devenue l'asile du démon par la seule volonté du pape ?, interroge Philippe Auguste.

Le roi a vieilli ; il s'est amaigri. Sa maladie lui a éteint l'œil droit à tout jamais et marqué la peau du visage de tavelures brunâtres.

— Sire, je vous en conjure : ne vous entêtez pas ! Le Saint-Père m'a confié la mission de vous ramener à la raison. Ne rendez pas ma tâche impossible. Vous savez bien que vous ne pouvez priver votre royaume de la protection de Dieu et faire du pape votre ennemi. Je vous en supplie, trouvons ensemble une conciliation qui contentera l'un et l'autre partis.

Après un temps, Philippe avoue :

— Je souhaite en effet regagner les bonnes grâces de la sainte mère l'Église.

Le légat se lève avec peine de sa chaise. Tout son corps semble souffrir de son poids. Il fait quelques pas difficiles pour se rapprocher du roi, souffle, grince. Baissant la voix, il dit :

— Le pape est disposé à ouvrir un concile et à lever l'interdit qui frappe vos sujets. À condition que vous repreniez l'épouse que vous avez fait cloîtrer. Et...

— Et... ?

Pierre de Capoue prend sa respiration.

— Il se murmure à Rome que vous seriez en possession d'un testament hérétique. Peut-être que si vous le remettiez au souverain pontife, le ressentiment qu'il éprouve à votre endroit s'en trouverait d'un coup amoindri ?

— Vos espions ont de bonnes oreilles, Monseigneur, ricane le monarque tout en ajoutant pour lui-même : « Et tu es tombé dans le piège tendu par les Templiers qui vont vous lancer, toi et le pape, sur une mauvaise piste ! »

Le légat attend. De longues secondes passent avant que Philippe se penche vers le gros homme en sueur pour lui dire :

— Il sera fait selon la volonté du Saint-Père. Vous lui porterez vous-même le manuscrit. Qu'il sache que je garderai le silence quant à son contenu.

Un sourire écarte les chairs adipeuses du visage cramoisi.

— Je n'en doute pas. Et puis, ce testament n'est sans doute qu'un tissu de mensonges...

Le légat est satisfait. Sa mission se solde par un succès, le Testament du Fou sera désormais propriété de l'Église et son contenu ne sera jamais divulgué. « Philippe a bien fait de s'embourber dans ses problèmes maritaux ! C'était là le meilleur levier pour l'obliger à fléchir. »

Quand il quitte le roi, Pierre de Capoue ne peut se douter qu'il emporte avec lui un exemplaire du manuscrit incomplet. Ni même qu'il en existe un second exemplaire.

15

Orient-Origine

À l'horloge du bureau de Martin Hertz, quatre heures viennent de sonner dans le silence revenu. Le vieil avocat regarde le bout de son cigare éteint depuis longtemps, puis le verre tulipe vide qu'il a rempli de cognac à plusieurs reprises au fil de son récit. Il ferme les yeux un instant, telle une grosse tortue semblant s'assoupir, mais rouvre les paupières avec une lueur amusée dans le regard.

— C'est ainsi que le pape s'appropria l'une des pierres composant le socle du Secret, conclut-il enfin.

— Vous m'avez toujours émerveillé par vos talents oratoires en Loge, Martin. Mais, cette nuit, vous vous êtes surpassé ! Par quel prodige avez-vous eu connaissance de cet épisode historique qui n'existe dans aucun livre ?

Hertz entreprend de se lever. Difficile effort. Il doit trouver un appui savant sur les accoudoirs du fauteuil, hisser son énorme derrière et tenter de trouver l'équilibre adéquat que la trop grande absorption de cognac a fragilisé.

— Vous pensez que ce récit ne repose sur aucune base solide ? J'aurais bien pu l'imaginer à partir du manuscrit ! Agnan et Nicolas de Padoue ont existé, vous en convenez ?

Mosèle l'admet :

— Que cette aventure ait eu lieu, je suis tout prêt à le croire, Mais vous, vous, mon frère, comment l'avez-vous apprise ?

Hertz soupire, hausse les épaules.

— Vous êtes trop gourmand ! Contentez-vous pour le moment de cet os à ronger. Peut-être que toutes ces informations vous aideront dans votre quête... Peut-être que Francis n'est pas mort...

— Vous mentez mal ! Francis a été assassiné ; nous en sommes persuadés, vous et moi, martèle Mosèle en allumant une cigarette et en jaugeant d'un œil contrarié le cendrier débordant de mégots.

Le gros homme s'est rendu à pas comptés jusqu'à son bureau pour en ouvrir un tiroir.

— J'ai lu plus de mille fois ce manuscrit, dit-il. Il n'est pas LA preuve de ce que vous pensez. Il est *l'une* des preuves ! Tout comme Francis et vous, j'ai échafaudé des théories plus folles les unes que les autres. Je sais ce que Marlane a trouvé. Vous le savez aussi, naturellement... Désirez-vous conserver le Testament du Fou ?

Mosèle bondit.

— Vous me l'offririez ? Vous vous en débarrasseriez ?

Hertz sourit, fouille dans son tiroir, en sort une épaisse chemise.

— Non, pas l'original. J'ai pris soin d'en faire un fac-similé. Vous y dénicherez sans doute quelque énigme que je n'ai pu éclaircir. Votre tâche sera facilitée par les notes et traductions que j'ai inscrites dans les marges. Vous remarquerez que les Templiers y ont aussi parfois consigné quelques mots.

— Je vous remercie, Martin. Oui, merci de tout cœur !, s'exclame le jeune homme en prenant le dossier que lui remet son aîné.

— Allons, je suis bien trop vieux et trop gras pour courir dans les pas de Francis, souffle Hertz. Vous pouvez le faire, vous ! Mais soyez prudent ; *Il* a souvent tué. *Il* tuera encore pour protéger le Secret !

— La vérité pourrait *le* confondre !

Hertz pose une main sur l'épaule de son ami tout en accentuant son sourire. Il pourrait être ridicule dans sa robe de chambre de bouddha excentrique ; il n'est que grave. Son sourire s'efface brutalement pour laisser place à une expression de tristesse mêlée d'une grande lassitude. Un voile semble passer sur son regard.

— La vérité..., reprend-il, parlant plutôt pour lui-même. Il faudrait trouver le Tombeau pour la faire éclater. Oui, le Tombeau... Combien de femmes et d'hommes sont-ils morts en tentant de le découvrir ? Francis Marlane, maintenant...

Doucement, comme le ferait un père congédiant son fils, Hertz pousse Mosèle hors de la pièce enfumée en lui tenant le cou. Sa main est chaude, moite. Une légère pression des doigts se veut rassurante.

Les deux hommes sont dans le vestibule. Une petite ombre toute maigre se tient au pied de l'escalier.

— Martin ?

Hertz et Mosèle se retournent vers la forme délicate, menue à s'en briser au moindre souffle. Elle fait deux pas, entre dans la lumière. Robe de chambre rose pâle, pieds chaussés de pantoufles grises, vieil oiseau fatigué au bec minuscule, toute ridée, craquelée, elle a conservé de sa jeunesse et de sa beauté des yeux très grands et profonds. La femme de Martin Hertz est la parfaite opposée de son encombrant et tonitruant mari.

— Léa ! Je t'ai dit que tu te romprais le cou à déambuler ainsi dans le noir !, tempête le vieil avocat en forçant la voix.

— Je me suis réveillée et ne t'ai pas trouvé... Mais c'est Didier ! Que complotez-vous tous les deux, en pleine nuit ?

Mosèle s'est avancé pour serrer la main que lui tend Léa en souriant dans le masque de ses rides.

— C'est ma faute, Léa, explique Mosèle. Je suis venu demander conseil à Martin pour une affaire qui me contrarie. Il a eu la bonté de me recevoir en qualité d'avocat... Un problème de droits d'auteur, une clause particulièrement délicate ; j'allais justement partir. Je suis désolé, si nous vous avons réveillée.

— Oui, oui, murmure Léa sur un ton prouvant qu'elle n'en croit pas un mot.

— Retourne te coucher et essaie de te rendormir. Prends une pilule, lui conseille Hertz.

— Les pilules ! On m'en gave pour m'endormir, pour me réveiller, pour me redonner de l'appétit... Y en a-t-il une pour rajeunir ?, raille Léa.

Hertz raccompagne Mosèle jusqu'à la grille du jardin.

— N'oubliez pas : tenez-vous sur vos gardes, Didier. Nous nous voyons à la prochaine Tenue, n'est-ce pas ?

— Oui, la semaine prochaine. Jeudi. Merci encore, Martin.

Puis Didier Mosèle, constatant avec plaisir qu'il ne pleut plus, regagne sa voiture et se laisse tomber sur le siège avant. Sa gorge le brûle et le goût persistant du tabac lui reste sur la langue, dans les narines. « Trop fumé ! Encore trop ! »

Il met le contact et démarre sans remarquer la camionnette blanche, plus loin, qui en fait autant, tous feux éteints.

De son côté, Martin Hertz, à la surprise de sa femme, rentre à nouveau dans son bureau.

— Tu ne viens pas te coucher ? Tu seras encore d'une humeur exécrable, au matin, lui reproche-t-elle.

— Je te rejoins ; j'ai encore un peu à faire… bougonne-t-il. Je ne tarde pas, promis !

Hertz referme la porte du bureau, se dirige vers le poste téléphonique fixe, pianote un numéro et attend quelques secondes, le combiné collé à l'oreille… Une voix à l'autre bout du fil :

— Allô, fait Hertz à voix basse. Je m'identifie : Orient-Origine ! Désolé de vous réveiller à cette heure, mais je dois vous parler à nouveau de ce chercheur… Mosèle. Didier Mosèle… Oui, l'ami de Francis Marlane.

16

Bethléem rayonne

Il est huit heures trente quand Didier Mosèle pénètre dans son bureau, y trouvant déjà Norbert Souffir devant l'imprimante de son ordinateur qui ne cesse de cracher ses copies. Mosèle a dormi à peine trois heures. Le café serré qu'il a avalé n'est pas parvenu à chasser le goût tenace des cigarettes qu'il a fumées sans désemparer en écoutant Martin Hertz lui conter les origines du Testament du Fou.

Souffir a étalé partout une importante quantité de bouquins, de dictionnaires, d'encyclopédies, ainsi que des photographies de rouleaux antérieurs au 4Q456-458.

— Sur le chantier de bon matin, Norbert ! Vous ne pouvez donc plus vous passer de Largehead ?, demande Mosèle.

— 'jour, Didier… Un truc me chiffonnait, hier soir. J'en suis venu à bout à l'instant.

Mosèle est intrigué par une des feuilles qu'il attrape au vol à la sortie de l'imprimante.

— C'est quoi, cela ? Ça vient d'où ?

— Largehead et moi avons réussi à traduire la séquence A530 jusqu'à A698, explique Souffir. J'avais bourré la bécane jusqu'à la gueule, hier ; elle me ressort tout son jus maintenant. Ce que vous tenez là, c'est une traduction de la séquence A538.

Mosèle la lit : « *Visite l'intérieur de la Terre, et en rectifiant, tu trouveras le frère occulte.* »

— Alors ?, interroge le vieux traducteur. Qu'en pensez-vous ?

Ce qu'il en pense… Mosèle ne répond pas. Il relit la phrase plusieurs fois. Il ne peut s'empêcher de la comparer à la maxime maçonnique : « *Visita Interiora Terrae, Rectificandoque, Invenies Occultum Lapidem* » : « *Visite l'intérieur de la Terre et en rectifiant tu trouveras la pierre occulte* »… La pierre, et non le frère ! C'est la seule et unique différence entre les deux phrases. Mais celle de la séquence A538 a été écrite par des Esséniens il y a deux mille ans !

Rughters entre à son tour en trombe dans le bureau. Il s'est à peine débarrassé de son imperméable trempé qu'il s'intéresse au tombereau de papiers que Largehead continue d'imprimer à une cadence infernale. Les mains humides, il s'empare de quelques feuilles qu'il parcourt rapidement des yeux.

— Foutu temps !, soupire-t-il. Dire que Francis est au soleil à Jérusalem ! Au fait, quand rentre-t-il de l'École biblique, Didier ?

— Bientôt… Oui, bientôt, sans doute, articule Mosèle en essayant de donner de l'assurance à sa voix.

— En tout cas, il est avare d'informations. Pas un coup de fil depuis une semaine, remarque Souffir qui vient de se servir une tasse de thé et ne voit pas que Mosèle s'est mis à pâlir soudainement.

— Bon… Norbert, de quoi s'agit-il ?, lance Rughters en désignant les centaines de feuillets.

— Regardez, commence Souffir. Ce ne sont pas vraiment des psaumes. Plutôt des prières adressées à Dieu. Non, pas des prières : des questions, devrais-je dire.

— Psaumes ou prières…, reprend Rughters.

— Cela ressemble à l'Évangile de Jean, l'Apocalypse…, poursuit le vieux traducteur. Les textes diffèrent uniquement par le fait que leur auteur interpelle Dieu. Personnellement !

Hélène Moustier, qui vient de claquer la porte derrière elle, se joint immédiatement à l'équipe masculine. Elle a jeté son imperméable couleur mastic sur le dossier du Chesterfield, peu soucieuse de tremper les cinq ou six dictionnaires posés sur le coussin.

— Passionnant ?, demande-t-elle. On peut voir ?

— Si le cœur vous en dit, répond Mosèle. Moi, le matin, je digère mal l'austère règle des Esséniens.

— Mal dormi, n'est-ce pas ?, constate Hélène en notant la pâleur de son directeur, ses joues creuses, ses cernes sombres.

Souffir poursuit, passionné, élevant la voix crescendo :

— Tenez... Ce passage est étonnant. Il témoigne de reproches que l'on ferait à Dieu. Un sage initié à Qumrān admoneste le Très-Haut ! C'est inhabituel. Écoutez : « *Seigneur, pourquoi n'as-Tu pas voulu qu'il leur soit dit ? Seigneur, pourquoi a-t-on menti aux lévites et aux prêtres ? Dis-nous, Seigneur, pourquoi le frère n'était pas le Véritable frère ? Pourquoi n'était-il pas le Prophète ? Pourquoi notre frère qui "donnait les noms" n'était-il pas le Christ ?* »

Hélène a pris la feuille des mains de Souffir et s'apprête à dire quelque chose lorsque retentit la sonnerie d'un téléphone.

— C'est mon portable, s'excuse Mosèle, plongeant la main dans une poche de son blouson pour en sortir l'appareil qu'il colle à son oreille tout en s'éloignant de quelques pas de ses collaborateurs.

Une voix féminine dans le combiné. Émylie !

— *Didier... Didier, je dois te voir au plus vite. Je viens de rentrer du ski et, au courrier, il y avait une carte postale de Francis... Il a certainement de gros ennuis...*

— Tu es sûre que c'est une carte de lui ? C'est bien son écriture ? Je... J'arrive immédiatement.

— *Je t'attends... Je t'en prie, fais vite. J'ai si peur...*

— J'arrive, répète Mosèle qui referme son portable en tremblant.

— Eh bien, qu'est-ce qui vous prend, vieux ?, s'exclame Rughters. Si vous voyiez votre tête !

— Désolé, c'était la femme de Francis. Je dois aller la retrouver... Je vous expliquerai, bredouille Mosèle en se dirigeant vers la porte et en manquant de renverser une pyramide de bouquins sur son passage.

— Ils sont séparés... doivent divorcer, non ?, interroge Souffir.

Mais Mosèle est déjà dans le couloir et se précipite vers l'un des ascenseurs. « Une carte de Francis... Qu'a-t-il pu écrire pour effrayer à ce point Émylie ? Et pourquoi lui écrire à elle ? Quand ? Bon Dieu, quand a-t-il posté cette carte ? »

Mosèle a mis trois quarts d'heure pour traverser Paris après avoir dû s'extraire du boulevard périphérique trop encombré. Trois quarts d'heure à se repasser en boucle la phrase traduite par Souffir et Largehead : « *Visite l'intérieur de la Terre, et en rectifiant tu trouveras le frère occulte.* » À fumer cigarette sur cigarette en se maudissant de n'avoir aucune volonté. À se demander mille fois pour quelle raison Francis a écrit à sa femme. Francis, qui est certainement mort à l'heure qu'il est... Francis, son frère. L'ami qu'il a trahi un an plus tôt... Avec Émylie... Oui, Émylie, si belle... Si émouvante avec son petit air éternel de gamine égarée, ses cheveux bruns coupés courts, ses yeux noisette. Vulnérable. Tellement vulnérable...

24, rue Rivay, Levallois-Perret. Il sonne à l'interphone. « Je t'ouvre. » La voix d'Émylie. Tendue. Il passe la première porte du vestibule qu'il traverse en deux enjambées, pousse la seconde porte, se jette dans l'escalier qu'il grimpe en avalant les marches. Premier étage. Émylie se tient sur le seuil de la porte de son appartement. Elle se jette dans ses bras. C'est exprès qu'il l'embrasse chastement, puis il referme la porte derrière lui.

Des valises, un sac de voyage et une paire de skis dans leur housse posés contre le mur dans l'entrée. Du courrier fraîchement décacheté sur un guéridon. Factures, cartes postales, dépliants publicitaires...

L'appartement comporte une grande pièce qui fait office de salon et de salle à manger avec sa cuisine américaine, une chambre, un bureau. Mosèle se souvient de la chambre !

— Tu sais que Francis et moi sommes séparés depuis un peu plus de quatre mois. Nous avons cependant gardé des rapports... heu... amicaux !

Mosèle chasse le souvenir qui lui pèse tant sur la conscience.

— Je n'ai jamais pris au sérieux cette idée de divorce, dit-il machinalement.

— Café ?, propose Émylie.

— Oui, merci. J'en ai vraiment besoin, j'ai à peine fermé l'œil de la nuit.

— Toujours sans sucre ?

Elle s'en souvient. Un détail insignifiant, comme tant d'autres.

— Sans sucre. Tu m'as parlé de cette carte postale...

Émylie la lui tend. Didier Mosèle ne s'attarde pas sur la vue convenue de Jérusalem, il la retourne, examine l'oblitération et constate qu'elle a été envoyée dix jours plus tôt. « Francis était encore à Jérusalem ce jour-là. » Puis il lit les trois phrases énigmatiques :

Bethléem rayonne ! Unanimes, les éblouissements tangibles ordonnent un tout dernier élan ! Mais on idéalise !

F. M.

Émylie dose le café derrière le petit comptoir de la cuisine américaine. Elle voit l'expression dubitative de Mosèle qui relit les trois phrases à voix haute.

— *Bethléem rayonne ! Unanimes, les éblouissements tangibles ordonnent un tout dernier élan ! Mais on idéalise !*

Après un temps, il s'exclame :

— Qu'est-ce qui lui a pris ? Il avait l'habitude de t'écrire des poèmes de ce genre ? Plutôt hermétique, non ?

La jeune femme allume le feu sous la cafetière. Elle précise :

— Lorsque nous étions gamins – j'ai connu Francis à quinze ans – et que nous commencions à nous fréquenter, nous avions l'habitude d'utiliser un code pour échanger des mots d'amour dissimulés dans des phrases anodines que nos parents pouvaient lire sans y trouver malice. Cela nous amusait beaucoup, alors. Nous rivalisions d'imagination sur nos cartes de vacances, nous permettant toutes les licences. Il suffisait de détacher la première lettre de chaque mot pour obtenir une phrase ayant un sens. Essaie, tu comprendras pourquoi j'ai été terrifiée en la déchiffrant.

Mosèle pointe l'index sur les premières lettres de chaque mot.

— Je prends le « B » de Bethléem, le « R » de rayonne, puis le « U »… BON DIEU ! Ça donne : « BRÛLE TOUT DE MOI ! »

Mosèle a crié. « BRÛLE TOUT DE MOI ! » Émylie le rejoint, s'assied à son côté sur le canapé crème. Tout proche de lui, à le toucher.

— Qu'est-ce que ça signifie ? De quoi a-t-il peur ? Pourquoi cet ordre ? Encore un de vos trucs de vieux scouts ? Un code de « *franc-mac* » ?, demande-t-elle. Tout brûler ! Détruire tout de lui… Il vit à l'hôtel, comme tu le sais. Chez l'un de vos frères, mais il a laissé la plupart de ses documents et son ordinateur dans son bureau, ici.

— Montre-moi ses affaires.

Émylie conduit Mosèle dans la petite pièce que Marlane avait aménagée en bureau au bout d'un couloir. Une pièce aveugle qui ressemble plutôt à un grand placard. Y flotte encore un parfum de tabac froid, une tenace odeur de cigarettes blondes qui a imprégné les livres et cahiers qui recouvrent les murs, empilés sur des étagères.

La jeune femme se baisse pour ramasser une feuille blanche qui traînait sur la moquette. Elle la remet en place sur le tas de papiers près de l'imprimante restée connectée à l'ordinateur. « Le bureau de Francis. Je n'y suis jamais entré, pense Mosèle. Émylie m'en avait juste montré la porte fermée : "C'est là qu'il travaille quand il n'est pas à la Fondation", lui avait-elle dit. » Et Mosèle avait imaginé son ami penché sur des bouquins et des cartes, imaginant comment donner corps à son hypothèse...

— Je vais chercher le café, dit Émylie. Tu n'as qu'à t'installer.

Mosèle s'assied dans le fauteuil de velours pelucheux, allume l'ordinateur. Après un court temps d'attente, l'écran s'éclaire. Une phrase le traverse aussitôt. L'un de ces gimmicks que les utilisateurs d'ordinateurs aiment à lancer avant tout programme. Un petit bonjour familier que l'on retrouve à chaque nouvelle séance de travail.

Mosèle reconnaît l'humour de son ami. Mais il n'éprouve aucune envie de sourire. Il laisse la phrase défiler de droite à gauche : « *Que la Lumière soit, et la Lumière fut* ».

Mosèle pianote sur le clavier, prend connaissance du mode de classement des fichiers, fait défiler les menus...

Émylie revient avec deux tasses qu'elle pose sur le bureau.

— Que se passe-t-il, Didier ? J'ai l'impression que tu me caches quelque chose. Tu as bien envoyé Francis en mission à Jérusalem ? et à Rome ? Il m'avait dit qu'il y ferait un tour.

— Je t'expliquerai... Je ne veux pas t'inquiéter inutilement. Patience...

Mosèle porte sa tasse à ses lèvres, avale une petite gorgée du café brûlant, âcre et amer comme il l'aime. « Ce genre de détail qu'on ne parvient pas à oublier. Nous avions passé la soirée à boire du café et à fumer avant de... » Il abandonne sa rêverie, se concentre sur l'écran.

— Avant de partir, il m'a passé un coup de téléphone bizarre. Il m'a dit qu'il était en train de remonter une piste et que ça allait faire du bruit ! De quoi parlait-il ?, interroge Émylie.

— Tu prendrais cela pour de la paranoïa... Une formidable histoire de complot à travers les siècles !

Émylie se penche au-dessus de Mosèle. Machinalement, elle pose une main sur son épaule. Elle regarde la liste des fichiers qui viennent d'être isolés : « Internet, Biblio, Historique, Compta, J.B., Éliah, M.M.M. »

— Pourquoi cliques-tu sur le dossier M.M.M. ? Ça signifie quoi ?

— Manuscrits de la mer Morte, répond Mosèle en faisant défiler des colonnes de mots.

— Tu t'y retrouves ?, s'enquiert Émylie.

— Hum... *Pannus 14... Suaire...* Et là : *Triangle de Payns. Le Chêne en son Temple... La Lionne en Lumière... Lac... Loge aux Chèvres... Bailly 2... Parfait élevé par T : 1247.* Je vais imprimer ce document. *Pannus* est un mot latin qui signifie drap ou linge... J'imagine que ces séquences de mots, de noms, de chiffres et de lettres font référence à des écrits tels que les Évangiles ou la Bible. Francis possédait une étrange mémoire ; il avait la capacité d'enregistrer des quantités invraisemblables d'informations et utilisait de petites astuces personnelles pour s'y retrouver dans ses souvenirs. Quant à Payns... Hugues de Payns ? Le fondateur de l'ordre des Templiers dont il m'a parlé dans sa dernière lettre, lorsqu'il était dans la région de Troyes.

Mosèle se détourne de l'écran pour fouiller du regard les étagères qui tapissent la petite pièce.

— Je ne vois pas ses fameux carnets rouges. Il y glissait toutes ses notes. Ils nous éclaireraient peut-être...

— Il les a emportés avec lui à l'hôtel. Le *Marly*, je crois.

Mosèle éteint l'ordinateur, plie la feuille de papier qu'il a sortie de l'imprimante, la fourre dans sa poche et prend Émylie par le poignet.

— Accompagne-moi. Sans ses carnets, nous risquons de tâtonner pendant des heures. Je connais bien Marc Leroux, qui tient le *Marly* ; il nous laissera entrer dans la chambre de Francis.

Émylie a enfilé un imperméable transparent par-dessus son pull et son jean, et s'est enfoncé un informe petit chapeau jaune sur la tête. Mosèle fulmine contre le temps, rentre le cou dans ses épaules et oblige la jeune femme à faire de longues enjambées pour atteindre sa voiture.

17

Le Marly

Le *Marly* est tenu par un frère de la Loge Éliah. C'est un hôtel sans grande classe, mais Marc Leroux, son propriétaire, se fait un honneur d'en conserver le charme vieillot et démodé, convaincu que les touristes américains en apprécient le cachet.

Depuis qu'il s'est séparé de sa femme, Francis Marlane y a installé ses quartiers au deuxième étage, dans une chambre assez vaste.

Leroux accueille Émylie et Didier avec la chaleur qui le caractérise. Il ne fait aucune remarque sur le fait de les voir ensemble, mais son œil curieux frise légèrement.

— Salut, Marc. Je te présente Émylie, la femme de Francis. Vous ne vous connaissiez pas, je crois.

— Nous nous sommes vus une fois, à un banquet de la Saint-Jean. Francis n'est pas rentré, tu dois le savoir, Didier.

— Oui. Il m'a passé un coup de fil ; il souhaite que j'aille récupérer un dossier dans sa chambre. Et Émylie doit reprendre deux ou trois affaires. Donne-nous la clef.

— Ah ? Bon... Il a gardé la sienne, mais j'ai un double pour le ménage, quand il m'aura prévenu de son retour.

Leroux les regarde prendre l'ascenseur, intrigué et déçu de n'avoir pu prolonger la conversation. Il se promet d'y remédier lorsqu'ils redescendront. Il leur lance :

— Chambre 21 !

Tandis que l'ascenseur miaule en s'élevant, Émylie dit :

— Tu es un sacré menteur, Didier ! Pas beau, de rouler un *frère* dans la farine comme tu l'as fait !

— La gentillesse de Leroux n'a d'égale que sa curiosité. Le roi du commérage !

Deuxième étage. Mosèle et Émylie sortent de l'ascenseur, empruntent un étroit couloir tapissé de bleu piqué de minuscules fleurs blanches et décoré d'une galerie d'aquarelles insignifiantes représentant les principaux monuments de Paris.

Chambre 21. Mosèle engage la clef dans la serrure, donne un tour, ouvre la porte et s'efface pour laisser passer Émylie.

Le hurlement que pousse la jeune femme retentit à tous les étages. Un long cri pointu, horrifié, qui s'achève en une sourde plainte, aussitôt suivie de sanglots.

Mosèle se rue dans la chambre alors qu'Émylie se retient au chambranle de la porte, livide, tremblant de tous ses membres.

L'odeur. Il aurait dû remarquer l'odeur âcre et écœurante. Celle d'un corps qui a commencé à se décomposer.

Francis Marlane est étendu sur son lit. Son corps nu et maigre arbore cette hideuse rigidité de cadavre qui transforme un être de chair en statue de marbre.

Les joues creuses, les lèvres entrouvertes et tirées sur les dents, il sourit en une grimace grotesque.

Des mouches bourdonnent autour du mort.

— Non… Ce n'est pas possible… Pas ça !, s'exclame Mosèle en s'approchant du lit.

Tout lui apparaît alors comme une photographie qui se révèle brutalement. Le bras droit de Francis Marlane tombe hors du lit et pend lourdement. La main ouverte. Un verre renversé sur la moquette. Un tube de barbituriques vide sur la table de nuit. Une plaquette de somnifères. Il n'en reste qu'une tablette. Les vêtements de Marlane pliés sur un fauteuil, proprement. Méthodiquement. Trop. Tout est trop bien mis en scène. « Oui, c'est cela : mis en scène ! »

Émylie a fait deux pas dans la chambre, une main couvrant son nez et sa bouche. Cette odeur épouvantable, poisseuse…

— Il… Il s'est suicidé… C'est ma faute ! Il était dépressif, depuis notre rupture, et…

— Je t'en prie, Émylie, sors d'ici ! Ça ne sert à rien de le regarder dans cet état.

Émylie quitte la chambre et demeure sur le seuil, pleurant doucement, à petits hoquets. Marc Leroux surgit, en sueur. Il a grimpé les deux étages, le souffle court, les joues rouges.

— J'ai entendu crier. C'était vous, n'est-ce pas ? Qu'y a-t-il ?

— Là, dans la chambre…

Leroux se rue dans la pièce.

— Merde ! Merde ! Merde ! Francis ! Quand est-il revenu ? Je ne l'ai pas vu…

— Tu m'as bien dit qu'il avait sa clef ?, interroge Mosèle.

— Oui. Mais il devait m'appeler la veille de son retour… Il a avalé tous ces trucs ?

— C'est ce que dira l'autopsie. Préviens la police, Marc. Maintenant.

— Tu as raison. La police, bien sûr… Oh, merde de merde de merde !

Leroux quitte la chambre, passe devant Émylie, s'arrête quelques secondes, se demande quoi lui dire, ne trouve rien, poursuit son chemin en soufflant et en jurant.

Mosèle rejoint Émylie sur le pas de la porte. La jeune femme se jette dans ses bras. Elle grelotte. Il la tient bien au chaud contre sa poitrine.

— Comme il devait être malheureux ! C'est si bête… Il n'avait qu'à me téléphoner et…

— Chut ! Tu n'y es pour rien, Émylie. Pour rien, je te le jure !

18

L'homme du Vatican

L'homme se tient bien droit, assis de l'autre côté du bureau de Monseigneur de Guillio. Il contemple les épaisses mains du cardinal. Des mains délicates, néanmoins. Soignées. Et qui s'envolent parfois, doucement, en un geste agréable, dessinant de subtiles arabesques dans l'espace. Puis se reposent pour de longs moments, à plat, comme mortes.

Là, l'homme attend. Le cardinal s'est tu et semble réfléchir.

— Je crois que le professeur Mosèle va nous poser des problèmes identiques à ceux occasionnés par Marlane.

— Nous suivons tous ses faits et gestes, Monseigneur. Il fait l'objet d'une filature constante.

— Mais vos agents en France se sont conduits fort grossièrement en tentant d'attenter à sa vie. Je pensais les Gardiens du Sang plus efficaces dans ce genre d'action. Plus subtils, aussi !

— C'est pourquoi je m'envole pour Paris dès demain matin, Monseigneur. Je superviserai personnellement toutes les opérations futures.

Les mains ne bougent plus. Aucun frémissement. D'ailleurs, le cardinal paraît lui-même figé dans la semi-obscurité de la pièce. Seule sa voix est vivante. Grave et chantante. Il poursuit :

— Nous n'avons pas trouvé ce que nous cherchions auprès de Francis Marlane. Ses carnets rouges ont disparu. Et nous savons maintenant par nos agents que s'il communiquait avec Mosèle, il n'a pas informé ce dernier de l'emplacement du Tombeau.

— Au contraire. Il a tenté de dissuader son ami de reprendre son enquête. Nous l'avons découvert en espionnant la villa de cet avocat à la retraite, Martin Hertz.

— Je sais.

Les mains se sont soudain animées. À l'évocation de Martin Hertz, pense l'homme.

— Nous savons désormais que Hertz détient le second exemplaire du Testament du Fou, précise le cardinal. Nous agirons aussi de ce côté-là. Bientôt… Il faut donner de la ligne pour mieux ramener le poisson sur la berge. Tous nos ennuis récents viennent des rouleaux de la mer Morte, ces maudits 4Q456-458 qui ont éveillé la curiosité de Marlane !

Le cardinal se lève, dressant sa stature de géant. L'homme a compris, l'entretien est clos. Il se lève à son tour.

— Je dois voir le pape Jean, annonce Guillio. Sa santé est très fragile, en ce moment.

— Que Dieu le préserve !

Guillio esquisse un rapide sourire.

— Oh, Dieu ?… Je parierais plus volontiers sur la médecine…

19

Les larmes du pape

C'est le soir. Le vieillard est assis dans son lit, calé des deux côtés par des oreillers. On peut croire qu'il dort alors qu'il n'en est rien. Il n'est plus qu'une antique écorce humaine, sèche, craquelée, dont le moindre geste, la moindre respiration ne sont que souffrance. Il économise ses paroles, ses mouvements, gagnant chaque seconde sur la mort qui le ronge. Son combat dure depuis plus d'un an, aidé par son médecin particulier et une escouade de spécialistes, de sœurs infirmières et de jeunes abbés dévoués.

Le pape Jean XXIV se retient de mourir. Il a peur de faire ce voyage vers les limbes, le néant, mais surtout il lui reste un dernier travail à accomplir. Et c'est depuis ce lit moite, cette épave humide, qu'il agit encore.

Gardant les yeux clos, il devine qui entre dans la chambre. « C'est son heure », pense-t-il.

Il compte les pas, toujours le même nombre, sur les épais tapis. Il y a un temps. Le silence. Puis la lourde chaise que l'on tire un peu, la masse imposante de Monseigneur de Guillio qui se laisse tomber, le bois qui souffre et geint. Un silence encore. Plus long.

« Il va tousser, se dit le pape Jean. Il va tousser pour faire semblant de me réveiller, car il sait que je ne dors pas. Comme chaque soir ! »

Il y a la toux, brève. Le vieillard rouvre les yeux et, sans tourner la tête, prononce la phrase rituelle :

— C'est vous, Guillio.

Ce n'est pas une question ni une constatation. Juste le refrain de leur cantilène quotidienne.

— C'est moi, Votre Sainteté.

Le pape Jean émet un long soupir de fatigue. Cette fois, il se décide à incliner la tête pour regarder son interlocuteur. Pareil à son habitude, Guillio reste dans l'ombre, immobile, imposant par sa corpulence d'athlète. Il conserve les mains posées bien à plat sur ses cuisses.

— Il a été découvert, Votre Sainteté...

— C'est ce que vous souhaitiez, naturellement ?, demande le pape à voix basse.

— Oui. Il était en instance de divorce et vivait séparé de sa femme. C'est elle et un ami, ce Didier Mosèle dont je vous ai déjà parlé, qui l'ont trouvé dans sa chambre d'hôtel, nu. L'enquête de routine a déjà confirmé qu'il s'est donné la mort en avalant une trop forte dose de barbituriques.

— Ce Francis Marlane, pourquoi a-t-il voulu savoir ?

Guillio hausse les épaules et poursuit le cours de ses pensées :

— Nous l'avons perdu alors qu'il allait localiser le Tombeau. Les Gardiens ne l'ont retrouvé qu'à Reims, presque par hasard. Il rendait sa voiture de location à l'agence de la gare. C'est là qu'il a été enlevé et...

Le pape Jean referme les yeux et s'absorbe quelques secondes dans une profonde méditation. Monseigneur de Guillio remarque le menu tremblement des lèvres du souverain pontife.

— Parlez-moi de Mosèle, dit-il.

— Nous le gardons sous surveillance. Nous avons la certitude que Marlane a communiqué avec lui à plusieurs reprises. Par contre, nous ignorons jusqu'à quel point il est avancé.

— Fasse la destinée qu'il soit moins téméraire que son ami et qu'il abandonne en chemin... ! Cela éviterait aux Gardiens du Sang d'intervenir à nouveau. Je préférerais cette solution. Vous aussi, je suppose, Guillio ?

— Décider de la mort d'un homme n'est pas un exercice agréable, Votre Sainteté. Cependant, ne dissimulons pas que cette aventure n'est pas terminée. Mosèle s'est rendu chez Martin Hertz. Ils ont évoqué l'affaire...

— Ces francs-maçons !, souffle le vieillard en esquissant un geste lent de la main comme pour chasser quelque chose dans la pénombre.

Monseigneur de Guillio reprend :

— Ce n'est pas la Loge Éliah qui nous pose problème. Celle-ci est une Loge Bleue qui travaille au Rite Écossais Ancien et Accepté de manière traditionnelle. Elle réunit ses frères le premier et le troisième jeudi de chaque mois pour ouvrir symboliquement aux trois degrés de la franc-maçonnerie : les grades d'Apprenti, de Compagnon et de Maître. Nous savons tous les deux que Martin Hertz appartient en fait à une autre Loge. C'est cette dernière que nous devons craindre. Les douze frères qui la composent connaissent l'existence des Gardiens du Sang. Ce sont eux, nos ennemis !

— Depuis le temps !, articule le pape Jean.

— En effet. C'est une vieille guerre. Le temps n'a pas effacé cette lutte que nous nous livrons mutuellement.

— Comment se fait-il que nous ne soyons jamais parvenus à infiltrer la Loge de Martin Hertz ? Nos agents ont réussi à s'immiscer dans toutes les obédiences qui recouvrent la surface de la Terre, et seule cette poignée d'individus nous tient tête !

Le souverain pontife s'est animé. Il se redresse difficilement dans son nid d'oreillers. Monseigneur de Guillio vient à son secours pour l'aider à s'installer plus confortablement.

Une horloge lointaine égrène neuf coups assourdis.

Le pape Jean s'accroche au bras de son confident d'une main squelettique qui ressemble à une patte d'oiseau.

— Mon ami, commence-t-il, je vais bientôt mourir. Derrière moi, il y a ce cardinal dont parle toute la Curie, Montespa ! Il attend que je rende mon dernier souffle pour coiffer la tiare, c'est déjà écrit. Je ne me fais aucune illusion sur le résultat du scrutin, et vous non plus. La politique ! Cette gangrène qui charrie son poison dans les artères de notre institution ! La politique veut que Montespa devienne le maître de l'Église. Sa cour piaffe d'impatience, et je m'étonne de n'avoir pas déjà été *endormi* par un épais bouillon du soir ! Faut-il que le peu de vie qui me reste soit encore utile à tous ces intrigants !

— Ils manœuvrent, Votre Sainteté ! Ils sont entrés en campagne et rencontrent parfois quelques résistances. Tous les cardinaux ne sont pas acquis à leur cause !

— Il nous reste si peu d'amis, Guillio ! Si peu…

— Suffisamment pour sauvegarder le Secret et l'enfouir définitivement là d'où nul ne pourra plus l'en ressortir.

Le pape Jean resserre son étreinte sur le bras de son interlocuteur, et dit :

— Non, non… Le cadavre remontera à la surface un jour ou l'autre. Car c'est ainsi que le Secret se présente : un vieux cadavre qui refuse de pourrir dans le sol où il a été allongé. Il y aura un nouveau Marlane, un autre Mosèle, un Hertz… Il y aura sans cesse quelqu'un de trop curieux qui reniflera l'Histoire comme un chien de chasse. Des centaines s'y sont essayé. Des milliers ! L'Église les a combattus à chaque fois. Nous avons manipulé la vérité, nous avons élevé des bûchers, rassemblé des armées, emprisonné et massacré des innocents. Toujours pour préserver le Secret ! Et c'est Montespa qui va en hériter. Devine-t-il quel tribut je vais lui abandonner ? L'Église est une effroyable charogne puante qui vomit un sang noir… Montespa devra épouser cette hideuse créature qui n'a pu survivre qu'en trahissant, en trichant et en tuant !

Le pape Jean relâche son étreinte sur le bras de Monseigneur de Guillio. Sa vieille chair tremble et ses dents claquent.

— Voulez-vous un peu d'eau, Votre Sainteté ?

— Oui. Donnez-moi de l'eau… De l'eau, alors que je mériterais du vinaigre…

Tout en le servant, Guillio dit :

— Vous devriez dormir. Si vous le désirez, je viendrai demain dans la matinée, juste après vos soins.

— Restez, mon ami. Nous avons encore à parler.

Il boit à petits traits, déglutissant avec peine, puis redonne le verre à Guillio qui le pose sur la table de nuit. Il reprend :

— Vous n'avez pas évoqué la Fondation Meyer.

— J'allais y venir. D'après mes sources, l'équipe de chercheurs se contente de recoller les pièces de 4Q456-458. Seul Marlane semble avoir débordé du cadre dans lequel il devait se maintenir. Le danger vient du fait que Marlane et Mosèle étaient liés par la franc-maçonnerie. Il n'y aurait eu que Marlane, l'affaire serait à ce jour réglée…

— Qu'envisagez-vous ?, demande le pontife.

— Ne pas quitter des yeux le professeur Mosèle et prendre en compte qu'il aura compris que son ami a été éliminé, que cela le retiendra de se lancer dans une entreprise où il risquerait de subir le même sort, qu'ainsi il se taira et ne bougera pas !

— Hypothèses !, lance le pape Jean. Trop d'hypothèses, Guillio ! D'après le portrait que vous m'avez brossé de Didier Mosèle, je ne crois pas qu'il se terrera dans un trou de souris. Je pense au contraire qu'il mettra tout en œuvre pour découvrir ce qui est arrivé à son frère. Et n'oubliez pas Hertz ! L'avocat n'entrera pas en scène ouvertement, ce n'est pas son genre, ni celui des frères de sa fameuse Loge, mais il guidera Mosèle sur le bon chemin. Il s'en servira comme d'un pion et le fera remonter jusqu'à nous… Jusqu'au Tombeau !

Le pape Jean vient de prononcer ce dernier mot dans un souffle. Après un temps, il poursuit, la voix fatiguée mais laissant percer à de certains moments des accents d'autorité :

— Hertz et les siens sont les héritiers de la Très Ancienne Confrérie, vous le savez bien. Appelons-les par leur nom, Guillio : LES FRÈRES PREMIERS ! C'est bien ainsi qu'ils se nomment, n'est-ce pas ? Une bande de renards ! Des manipulateurs ! Je peux même deviner la nature de ce que l'avocat a dit à Mosèle… Ce ne sont pas des mensonges, bien sûr. Pas vraiment.

Ce n'est pas non plus la vérité ! Toujours cette sempiternelle fable qui sort sa gueule de serpent à chaque siècle ! Nous ne parviendrons donc jamais à étouffer cette damnée hérésie ? Nous faudra-t-il encore tuer ?

— Nous ne tuons pas, Saint-Père. Ce n'est pas l'expression que nous devrions utiliser.

— Nous tuons ! Ce ne sont pas nos mains qui agissent, mais c'est notre volonté qui commande. Les Gardiens du Sang ne sont que nos instruments. Nous tuons depuis que l'Église est devenue un État pareil à tous les États du monde. Notre pouvoir est bâti sur des monceaux de cadavres...

Guillio soupire et hausse les épaules. Il esquisse un léger sourire et dit :

— Vous pensez aux Cathares, aux Templiers... Ne portez pas le poids des actes de vos prédécesseurs qui ont dû défendre l'Église contre tant d'ennemis...

— Je fais de mauvais rêves, Guillio. Oui, ces dernières nuits, mon sommeil est agité de cauchemars. La cause en est sans doute ces nombreuses drogues que m'administrent mes médecins, mais il n'empêche que ce que je vois dans ces moments de fièvre est terrible ! Je sais que vous ne croyez pas aux rêves... Je connais votre esprit cartésien, paysan. Sachez que lorsque l'on atteint mon âge, il semble qu'une mystérieuse alchimie se produise en soi. La mémoire fébrile joue ses tours et déforme à l'excès des souvenirs entassés, oubliés, pour les mettre en perspective. Mes songes sont devenus des marécages répugnants à la surface desquels apparaissent des corps en putréfaction. Tous ces morts qui tentent de revenir à la vie à travers moi, ce sont tous les papes qui m'ont précédé ! Tous, mon ami, ils jaillissent de la boue noire et, de leurs bouches devenues des trous obscènes, ils hurlent leur douleur d'avoir été maudits et rejetés par Dieu ! Ils ressemblent à des momies rongées par la vermine et sont ridicules dans leurs habits sacerdotaux mités, sous leurs tiares aux ors éteints. Moi, Jean le vingt-quatrième, je comprends leur détresse. Je les écoute me réciter tous les crimes qu'ils ont ordonnés, tous les mensonges qu'ils ont proférés, toutes les trahisons qu'ils ont commises. Chaque nuit, la longue litanie de ces papes maudits reprend... Chaque nuit monte à mes narines cette abjecte odeur de pourriture, et ces plaintes et ces pleurs assaillent mes oreilles. J'ai dans le cœur cette pointe de glace qui est la griffe de la mort et de la damnation éternelle...

Essoufflé, le pontife doit s'arrêter. Son front est en sueur. Monseigneur de Guillio fait le signe de la croix, presque par réflexe. Un geste pour conjurer le sort. Cela lui rappelle sa grand-mère, alors qu'il était petit garçon issu d'une famille pauvre de Naples. Cent fois par jour la vieille femme superstitieuse se signait et crachait sur celui qu'elle appelait son démon. Une ombre insolite sur un mur de chaux, un nuage trop bas et trop gris, un bossu qui passait, un vol de corbeaux, un volet qui battait dans le vent : elle traçait promptement sur sa maigre poitrine un signe de croix, puis crachait derrière son épaule.

— Saint-Père, murmure Guillio, vous rendez-vous compte de ce que vous dites ?

— Et ce n'est rien !... souffle le vieillard. Ce n'est rien à côté de ce que je vais vous confier maintenant...

— Ne préféreriez-vous pas que je fasse venir votre confesseur ? Ses oreilles seraient plus à même de recevoir de tels propos que celles d'un politique comme moi !

— Non, restez, Guillio. Vous êtes le seul à qui je peux parler de ce qui me tourmente. Ce qu'il me faut révéler avant de quitter cette terre ne peut être appris que par vous. Le venin qui m'empoisonne est celui qui coule dans vos veines...

Guillio pousse un nouveau soupir. Il pose ses mains bien à plat sur ses cuisses épaisses et attend. Le pape Jean, assis dans ce lit qui sent la sueur, ressemble à ces morts qu'il vient lui-même de décrire. Il les a déjà rejoints par sa décrépitude.

Il reprend de sa faible voix :

— Vous vous rappelez l'Évangile de Luc... Ce passage concernant le soir de l'arrestation du Christ... J'en connais les phrases par cœur : « *Après être sorti, il alla, selon sa coutume, à la montagne des Oliviers. Ses disciples le suivirent. Lorsqu'il fut arrivé en ce lieu, il leur dit : "Priez, afin que vous ne tombiez pas en tentation." Puis il s'éloigna d'eux à la distance d'environ un jet de pierre, et, s'étant mis à genoux, il pria, disant : "Père ! Si tu voulais éloigner de moi cette coupe... Toutefois, que ta volonté soit faite et non la mienne." Alors un ange apparut du ciel pour le fortifier.* »

Le pontife marque une pause. Il désigne du menton le verre d'eau posé sur la table de nuit, et Guillio lui donne aussitôt à boire. Après s'être désaltéré, il poursuit :

— Jésus était seul, car tous *« l'abandonnèrent et prirent la fuite »*, affirme l'Évangile de Marc. Dois-je continuer ou souhaitez-vous réciter vous-même la suite, Guillio ? Mais si vous choisissez de vous faire mon écho, donnez-moi les *véritables mots*. Pas ceux qui ont été traduits par les premiers copistes des Évangiles !

Monseigneur de Guillio hoche la tête en signe d'assentiment. Il articule lentement ce qu'attendait de lui le Saint-Père :

— *« Un jeune homme le suivait, n'ayant sur le corps qu'un suaire. On se saisit de lui, mais il abandonna son suaire, et se sauva nu dans la nuit. »*

— Merci, fit le pape, puis il ferme les yeux durant quelques secondes.

— Pourquoi me remercier, Votre Sainteté ?

— Je désirais que vous partagiez avec moi un instant cette vision... Celle du Christ que ses disciples ont abandonné au jardin des Oliviers, attendant que la cohorte vienne se saisir de lui. Le Christ qui est accompagné de ce jeune homme dont le corps maigre n'est recouvert que du suaire dans lequel il a été mis juste après sa mort...

— Mais nous savons tous deux qui est ce jeune homme, l'interrompt le cardinal.

— Là n'est pas le propos, Guillio. Ce jeune homme mort mais qui marche dans les pas du Christ, ce cadavre debout, eh bien, il m'est apparu cette nuit ! Je l'ai vu ! Je vous jure que j'ai vu son visage comme je vous vois actuellement.

— Ce n'était qu'un rêve, Saint-Père. Vous l'avez dit vous-même : les drogues que l'on vous force à prendre attisent votre imagination, et dans les rares heures où vous dormez votre esprit produit ces visions. Il n'y a rien de plus normal. Vous me donnez l'impression de croire soudainement à la tradition populaire alors que nous savons, nous, les initiés, depuis les origines de l'Église, que tout ceci n'est qu'un voile posé sur la réalité des événements.

— Vous ne me comprenez pas, Guillio ! J'essaie de vous traduire mes rêves. Je me trouve au soir de ma vie ; bientôt je partirai avec le Secret qui sera transmis à mon successeur par les Gardiens. Mon corps sera allongé auprès de ceux de mes prédécesseurs, ainsi que l'exige la Tradition. Par ma mort, le Secret sera scellé une fois encore ! Cependant, j'aurai à répondre devant Mon Juge, en sus des crimes que j'aurai commis, des crimes de tous les autres, les Pierre, Pie, Clément, Urbain... tous les autres !

Monseigneur de Guillio se penche sur le lit du pontife. Très bas, il lui dit :

— L'Église a traversé les siècles pareille à un navire, Saint-Père... Cette image est d'ailleurs de vous.

— Un navire lancé sur un océan de sang ! Écoutez la fin de ce rêve morbide dans lequel ce jeune homme m'est apparu... J'avais le sentiment d'avoir pris l'identité du Christ. J'étais en Lui, dans Sa chair et Son esprit. Je me retournai lentement sur la silhouette qui me suivait en silence. Je fus pris d'un malaise à la vue de son visage blême aux yeux profonds et sévères. Plus rien ne bougeait autour de nous. Le vent s'était tu dans le feuillage des oliviers. Il n'y avait plus aucun signe de vie. Bien sûr, je reconnus d'emblée les traits de celui qui me faisait face, désormais immobile. « Tu as trahi mon Nom », me dit-il gravement. « Tu as usurpé mon identité, homme de peu de foi qui te dit Fils de l'Homme ! Homme tu ne peux être, puisque tu es parjure ! » Il fit trois pas pour s'approcher de moi. Il ajouta : « Regarde : je suis nu sous ce suaire, car tu m'as dépouillé. Je porte ce suaire, car tu m'as tué ! »

— Mon Dieu !, souffle Monseigneur de Guillio en se signant à nouveau nerveusement.

— Vous comprenez maintenant ma frayeur ? Dans ce songe, j'étais l'imposteur ! Et lui, le jeune homme au suaire, me condamnait comme il a condamné le premier d'entre nous... puis le deuxième... et tous les autres ! Il me faisait réaliser qu'il n'avait jamais cessé de vivre en dehors de l'Église, dans son ombre, de manière occulte. Cela, grâce à ses apôtres dont on a faussé les écrits, grâce à ses missionnaires lancés à travers le monde et dont on a dénaturé les messages, grâce à Paul dont on a effacé la plupart des lettres... « Tu croyais m'avoir enseveli, reprit-il en s'avançant encore vers moi. Tu étais certain que je ne me relèverais jamais alors que j'ai le pouvoir de défier la Mort et le Temps pour me dresser devant tous ceux qui imposeront l'imposture comme règle ! » Il était si près de moi que je sentais son souffle... J'avais peur comme jamais je n'ai eu peur de ma vie... Cette angoisse que l'on ne peut contrôler et qui vous paralyse les membres... « Embrasse-moi !, me commanda-t-il. Embrasse-moi une dernière fois, mon frère. » Il posa alors ses lèvres froides sur les miennes. Son baiser avait le goût du tombeau. Sa poitrine dénudée s'était plaquée contre la mienne et quelque chose de chaud, de poisseux imprégna mon vêtement et entra en contact avec ma peau. C'était son sang ! Le sang des blessures que je lui avais infligées plus tôt. Le sang de mon frère ! « Tu voulais mes habits de roi, me dit-il quand notre baiser fut rompu. Prends-les ! Je te les donne bien volontiers ! Tu les porteras jusqu'à la fin des temps ! » Il se dévêtit de son suaire qu'il me passa sur les épaules à gestes calmes et fraternels. Mais il souriait. « Les entends-tu ? » Il avait prononcé ces mots en reculant. « Ils viennent te prendre pour te porter sur un trône d'où tu ne descendras jamais plus ! » J'écoutai... La nuit s'était d'un seul coup animée ; un vent chaud traversait les oliviers. J'écoutai... Je savais que c'était la cohorte qui venait m'arrêter, moi, le Christ... Moi, l'imposteur ! Le jeune homme avait disparu. Je crus l'entendre courir entre les arbres. Et rire aussi ! Je me mis à hurler de terreur. Je l'appelai à l'aide. Oui, j'appelai mon frère... Je ne parvenais pas à me réveiller, Guillio. J'avais beau savoir que je dormais, que tout cela n'était qu'un songe, je continuais de crier et d'implorer le pardon du frère trahi et blessé ! Les soldats romains me ceinturèrent et m'emportèrent sans ménagements, en me raillant et en m'injuriant.

Le menton du souverain pontife s'affaisse sur sa poitrine creuse. Le vieillard est épuisé. Il pleure à petits sanglots aigus, grotesques et pitoyables.

— Guillio, réussit-il encore à articuler, faites en sorte que nul ne sache jamais !

— J'y veillerai, Saint-Père.

— Le « jeune homme »...

— Oui ?

— Qu'il ne parvienne pas à sortir de son tombeau ! Pas après tous ces siècles ! Pas maintenant !

Alors le cardinal, comme on agit avec un enfant, se lève, pose sa main sur le front du pontife pour lui porter une caresse apaisante. Le vieil homme pleure maintenant en silence, ses grands yeux noyés regardant la croix d'or suspendue au mur qui lui fait face et qu'une lumière atteint de biais.

— Il ne sortira pas de terre, dit-il. Nous achèverons l'œuvre du pape Clément. Et puis, qui croirait la vérité ?

Il retire sa main du front brûlant et redonne un peu de forme aux oreillers qui maintiennent le corps en ruine.

Monseigneur de Guillio salue en s'inclinant et se dirige vers la grande porte ouvragée de la chambre.

Dans le vestibule où un prêtre demeure assis, il avale une grande goulée d'air et, se forçant à conserver sa traditionnelle silhouette droite et fière, il esquisse un sourire à l'intention des deux sœurs qui veillent le pape, puis traverse la pièce d'un pas ferme.

Dans sa chambre, Jean XXIV scrute les ombres que sa trop faible vue ne peut plus lui traduire. Il s'attend à chaque seconde qu'une de ces formes se mette à bouger. Qu'une silhouette blanche se dresse et l'appelle. Ou que celui que Marc nommait *le jeune homme* lui offre son suaire...

20

Le jumeau

« Ne corrigez rien, surtout, Didier ! Ne cherchez ni la pierre ni le frère ! Adieu, Mon Très Cher Frère.

Votre ami qui s'est perdu, Francis. »

La bande magnétique tourne maintenant à vide. Émylie fixe le dictaphone de Didier Mosèle, posé sur la table du salon encombrée de reliefs de sandwichs, de canettes de Coca entamées, de verres à whisky et de glaçons à demi fondus. Enfin le jeune homme se décide à rompre le silence.

— Je t'ai tout dit, Émylie. Tout ce que je sais. Je suis désolé... J'ai laissé Francis jouer avec le feu et je me sens coupable de sa mort.

— Alors, il ne se serait pas suicidé ? Et, si je te suis bien, ce serait… Non ! C'est impensable !

— Le crime a été maquillé en suicide. Tu as vu : les inspecteurs n'ont trouvé aucun document dans sa chambre. Ses carnets rouges ont été subtilisés.

— Pourquoi l'avoir entièrement déshabillé ?, demande Émylie qui s'est recroquevillée sur le canapé.

— Déshabillé et probablement lavé ! Pour qu'il ne subsiste aucun indice qu'un labo de la police scientifique aurait pu analyser.

— Ce n'était qu'un historien… Il faisait simplement son boulot.

Tandis que Mosèle, debout, boit son troisième whisky, Émylie s'intéresse aux enveloppes envoyées par Francis. Elle les a prises dans une main et les regarde sans vraiment les voir.

— Justement ; il s'est approché trop près de la vérité, de ce Secret que l'Église défend depuis des siècles, précise Mosèle.

— Ses lettres ne livrent pas beaucoup d'informations. On sait seulement qu'il s'est rendu à Jérusalem, à Rome…

— … à Troyes, puis enfin à Reims ! Le cachet de son dernier envoi nous l'indique. C'est certainement en Champagne qu'il a été pris, à en juger par la date, regarde !, expose Mosèle en revenant s'asseoir près de la jeune femme.

— Oui, le pli a été posté à la gare de Reims, il y a quatre jours.

Mosèle jette un coup d'œil à sa montre, note la pâleur et les traits tirés d'Émylie et lui propose :

— Tu es épuisée. Prends ma chambre et essaie de dormir.

— La situation est équivoque, tu ne trouves pas ? Francis à peine mort, tu voudrais que je dorme chez toi !

Le jeune homme hausse les épaules, la prend par la main pour l'aider à se lever du canapé et la conduit jusque dans sa chambre. Elle s'allonge aussitôt sur le lit et enlève ses chaussures. Elle se met ensuite en position fœtale pour tenter de trouver le sommeil.

Mosèle va refermer la porte. Sur le seuil, il dit :

— Ne te soucie pas des apparences. J'aimais Francis, Émylie. Je l'aimais vraiment beaucoup.

— Moi aussi, Didier. À ma manière…

Mosèle referme doucement la porte. Il regagne son bureau et s'y installe, avec cigarettes et whisky à portée de main, pour étudier le fac-similé du Testament du Fou. « Si ce vieux renard de

Martin a annoté la copie, c'est qu'il a dû débusquer quelques lièvres... À moi de suivre sa piste. »

Il feuillette le document. « Gagné ! Il a même fait la traduction des vers en latin... »

Il allume son ordinateur et se met à taper les strophes qu'il lit à voix haute.

> « *Naîtra du désordre démesuré*
> *l'Orientale Lumière*
> *Saint-Esprit à la Matière mêlé.* »

— En clair, ça donnerait : « *La Lumière d'Orient naîtra du chaos infini, le Saint-Esprit mêlé à la Matière* »... M'mm... Ça sent l'Apocalypse à plein nez ! Remettons la suite en forme.

> « *Moi Jean frère par les Douze*
> *À Patmos exilé pour l'amour de Jésus*
> *Le Secret j'ai conservé*
>
> « *Le frère Premier*
> *Fils de la Lumière et de l'Architecte*
> *À moi se présenta*
>
> « *Il était vivant et non mort*
> *Tel que le peuple l'avait pensé*
> *Trois baisers il me donna*
>
> « *Blancs sa tête et ses cheveux*
> *Comme de la laine blanche*
> *Comme de la neige*
>
> « *Celui qui a du frère pris la vie*
> *À lui usurpé la mort*
> *Occupé la place par lors*
> *De sa croix pleure le frère vrai*
> *Dans son suaire venu.* »

— Le suaire ! Bon *Dieu*, *pannus* n'est pas employé pour désigner un drap, mais un suaire ! D'ailleurs, au verset sui-

82

vant, Agnan et Nicolas de Padoue emploient le mot
« sindon »...

Mosèle déchiffre les pattes de mouche tracées en marge par
Hertz. Certains mots ont été soulignés : « *Vulgate saint Jérôme
sindon pannus lama sabachtani aleph-lamed-hé Dydime jumeau* ».

Il avale une gorgée de whisky, allume une nouvelle cigarette
et poursuit la lecture du Testament du Fou.

> « *Aux Oliviers le frère mort en son suaire*
> *À son jumeau traître fait remontrances*
> *Et le maudire aux Siècles des Siècles*
> *Au peuple mensonge donné*
> *Au Secret les Douze dresser le Temple.* »

« *Sindon* est le terme qui convient à *suaire*... Francis avait raison, on nous dupe depuis deux mille ans ! »

Il remarque alors des strophes écrites par une autre main, sans
doute celle d'un templier. Ce Renaud dont Hertz lui a conté
l'histoire ? Ce Renaud ou tout autre scripteur désireux de
compléter ce long poème. Pour quelle raison ?

> « *De la secte crucigère*
> *Orient et Occident naîtront*
> *Tandis qu'en forêt du Levant*
> *Reposera le frère en son Temple*
> *Dans la terre sera oublié.* »

La voix d'Émylie. Puis Émylie, toute froissée, les yeux
humides, la tignasse en épis.

— Je n'arrive pas à dormir, Didier. Je ne parviens pas à chasser
l'image de Francis mort sur le lit de cette chambre d'hôtel... Et
puis, cette odeur !

Mosèle n'a pas entendu.

— Émylie, Francis avait vu juste !, s'écrie-t-il, exalté. J'ignore
comment il a pu le découvrir sans le Testament du Fou. Sa théorie était la bonne. Ce n'est pas Jésus que l'on a mis en croix ! Ce
n'est pas lui que la cohorte a arrêté sur le mont des Oliviers...

Émylie s'est approchée du bureau, jette un regard brouillé sur le fatras de papiers, de notes, puis sur l'écran de l'ordinateur. Mosèle poursuit le déchiffrage des ajouts du second rédacteur :

— « *Dans leur litière mensongère Maîtres de Religion traîtres seront !* » C'est son frère ! Le frère qui lui ressemble tant qu'il est parfois appelé Didyme par Agnan et Nicolas de Padoue ! Ces deux copistes ont gardé le mot grec... Or, en grec, Didyme signifie Thomas !

— Tu es fou ! Personne ne croira une chose semblable !

> « *Sur trône maudit*
> *Car celui à la mort*
> *embrassé*
> *Charogne sera...* »

— Les « Maîtres de Religion », ce sont les papes... C'est sur une imposture que l'Église a bâti son dogme. Une supercherie qu'elle tente de préserver depuis des siècles !, scande Mosèle en martelant le fac-similé du Testament du Fou.

— Francis est mort à cause de cela ? Pour avoir découvert le plus vieux mensonge du monde ?

— Non, pas vraiment... Pour autre chose : une Vérité bien plus terrible et que des hommes ont recherchée en vain durant des siècles.

— Tu le sais, Didier ?

— Francis a trouvé le Tombeau du Christ ! Il l'a trouvé, Émylie, tu comprends ? Il a découvert le Tombeau de Jésus qui n'est pas mort en croix ! Tout ce que racontent les textes officiels n'est qu'hypocrisie... Le Testament du Fou est celui du Juste ! Fou parce que nul n'a jamais osé le croire !

21

L'enterrement

Dans la nuit de jeudi à vendredi.

Martin Hertz est dans son bureau. Il est une heure quinze. La pluie s'abat en rafales contre les volets. Une seule lampe est restée allumée et diffuse en cercle sa lumière jaune sur la table à laquelle est assis le vieil avocat. Il a sorti une petite boîte métallique de son coffre-fort. Il en regarde l'intérieur en tétant un Partagas corona avec un bruit de succion. Le Testament du Fou repose près du cendrier.

La porte demeurée entrouverte est poussée sans bruit et l'arrivée de Léa dans la pièce surprend Hertz qui referme la petite boîte métallique comme un gosse pris en défaut.

— Tu devrais venir te coucher, Martin. Cela fait des nuits que tu dors à peine. Depuis la visite de Didier Mosèle, je crois...

— J'arrive, Léa.

La voix du gros homme est sourde et triste. Il lève son énorme carcasse. « Plus voûtée qu'à l'ordinaire, remarque Léa. Il vieillit tant, en ce moment ! »

— Je remettais un peu d'ordre dans de vieilles affaires. Une manie de l'âge !, souffle-t-il en replaçant la petite boîte sur l'une des étagères de son coffre-fort.

Léa reste plantée sur place, petite bonne femme falote et faible. En bout de course. Fatiguée de la vie, de tout. Mais pas dupe de ce que veut lui faire accroire son compagnon qu'elle ne connaît que trop bien. « Il m'a toujours menti. Pour me préserver de tout. Pour me protéger de la vie même. »

— Tu cherches toujours, n'est-ce pas ? Tu *le* cherches encore ?, interroge-t-elle.

Hertz semble étonné, marque un temps avant de refermer le coffre-fort, contrarié.

— Non, plus vraiment, soupire-t-il.

— Tu vas à l'enterrement de Marlane, ce matin ? Il y aura une cérémonie maçonnique ?

— Non, pas au cimetière. Nous en organiserons une la semaine prochaine, à notre Tenue, entre nous... Tout à l'heure, il sera juste inhumé civilement.

Il range maintenant le manuscrit dans sa bibliothèque. « Qui imaginerait qu'un tel trésor se dissimule au milieu de tous ces livres ? »

— Cette boîte... ce manuscrit... Tu me les caches comme si j'ignorais ce que c'est. C'est inutile, Martin !

— Ma chérie, je veux éviter de te noyer avec moi dans cette vase. Ces reliques n'ont apporté que souffrances et malheurs. Mais je n'ai pas le droit de les détruire ! Tu le sais bien...

Il la rejoint, l'enlace de son bras épais. « Elle a encore maigri. »

— Tu as raison, couchons-nous. Tu as pris tes cachets ?

Elle lui sourit. « La question habituelle. La même ritournelle ! »

— Oui, bien sûr. Même s'ils ne me font plus aucun effet. On ne guérit pas de ce que nous avons, Martin.

— Ah ? Et qu'avons-nous ?

— Nous sommes vieux.

La pluie a cessé de tomber vers les cinq heures. Hertz n'a pas fermé l'œil de la nuit. Il s'est levé à huit heures sans réveiller Léa, a pris une douche froide, a déjeuné d'un thé et de deux biscuits, le ventre noué, un goût de bile dans la gorge. Il s'est habillé de noir. « Lambert distribuera les roses à l'entrée du cimetière », pense-t-il.

Sorti du pavillon, il est monté dans sa voiture et a roulé pendant deux heures sur le boulevard périphérique, pour passer le temps. Paradoxalement, le bruit et les soubresauts de l'intense circulation l'ont calmé.

Maintenant, il se tient comme la plupart des femmes et des hommes en noir devant le cercueil de Francis Marlane posé sur deux tréteaux mal camouflés par un dais noir frangé d'or.

Lambert, le frère Hospitalier de la Loge Éliah, a acheté la veille une brassée de roses qu'il a été chargé de distribuer discrètement à ses frères venus assister à l'enterrement. Il est en effet de coutume que les maçons jettent une rose sur le cercueil de leur frère défunt quand celui-ci est descendu dans la tombe, geste symbolique qui ne peut heurter la sensibilité religieuse des membres de la famille du défunt ni celle de ses proches.

Le service étant civil, seul un officiant des pompes funèbres règle le protocole de la cérémonie.

Les gens se sont massés par petits groupes autour du cercueil. Émylie donne le <u>bras</u> à un homme âgé d'une soixantaine d'années qui ressemble à Marlane. Se sont assemblés à leurs côtés tantes, oncles, cousins. Des inconnus aux visages baissés, reniflant dans des mouchoirs blancs. La famille.

« La famille ! », pense Mosèle, découvrant qu'il n'avait jamais imaginé que Francis eût des proches autres qu'Émylie, ses frères et les collaborateurs de la Fondation Meyer. Pourquoi n'en avait-il jamais parlé ? « Si discret. Oui, je crois qu'il a évoqué son père une fois ou deux. Ce doit être cet homme qui lui ressemble tant, à qui Émylie donne le bras. Sa mère est décédée d'un cancer alors qu'il avait une douzaine d'années. Le père ne s'est jamais remarié... »

— Je n'aurais jamais cru que Francis était homme à se suicider... Remarquez, on dit toujours cela après coup !

Mosèle se retourne vers Norbert Souffir. Le petit bonhomme parcheminé flotte dans un costume de velours noir trop fraîchement repassé. Il a noué une cravate bleu marine autour de son cou maigre, et l'une des pointes du col de sa chemise rebique. Mosèle ne peut s'empêcher de sourire.

— Vous avez raison, Norbert. Francis aimait la vie. Je n'ai jamais connu un type aussi curieux de tout.

Hélène Moustier, des sanglots dans la voix, ajoute :

— Il était si cultivé, si passionnant...

Puis, se reprenant après quelques secondes :

— Je ferais mieux de me taire ! Je ne suis pas très douée pour les éloges funèbres. On ne dit que des banalités, dans ces moments-là.

Rughters acquiesce d'un mouvement du menton. Il a les yeux rouges mais parvient à se retenir de pleurer comme un gamin. Et c'est à cela qu'il ressemble en cet instant : un énorme gosse aux yeux gonflés de chagrin, au cœur brisé.

Derrière eux, le directeur de la Fondation Meyer, quelques membres du Directoire et d'anonymes représentants du ministère de la Culture, droits dans leurs imperméables sombres ou leurs manteaux noirs, s'efforcent de donner le sentiment d'être sincèrement peinés.

Hertz se dit que c'est une belle journée qui s'installe, claire, limpide avec son ciel transparent. Et que la mort de Marlane est un effroyable gâchis, qu'il en est responsable, à sa manière. Il se souvient… Mais tout s'est enclenché comme une machine infernale et le jeune chercheur s'est fait lacérer par son mécanisme. Hacher !

Hertz regarde ses frères, Émylie, cet homme digne qui ressemble à Francis – le père –, Didier Mosèle et ses collaborateurs, des amis, des voisins. La foule en deuil. Quel gâchis !

Le vieil avocat ne se pardonnera jamais. Et voici que Mosèle est venu le trouver et qu'il lui a remis un fac-similé du Testament du Fou… « Léa a raison. Je *le* cherche toujours. Je n'ai jamais cessé de *le* chercher tout au long de ma vie… »

Le cercueil a été descendu dans la tombe. Mosèle doit sacrifier au rituel des condoléances. Il marque un arrêt devant Émylie et son beau-père.

— Je vous présente Didier Mosèle, beau-papa.

Monsieur Marlane père a la même voix que son fils. Juste un peu plus grave. Et cela déchire Mosèle. Les larmes lui viennent aux yeux.

— Francis m'a très souvent parlé de vous. Vous partagiez les mêmes passions, je crois. C'est vous qui l'aviez fait entrer à la Fondation Meyer, n'est-ce pas ?

Incapable de répondre, Mosèle serre gauchement la main qui lui est tendue, et se détourne.

Il marche seul, le regard pensif, suivant par réflexe une file de personnes qui s'en vont comme lui après avoir présenté leurs civilités à la veuve et au père de Francis.

— La tristesse n'est pas bonne à ruminer en solitaire, Didier ! Partageons-la…

C'est Martin Hertz qui le rejoint pour marcher avec lui en direction de la sortie, passant entre les tombes que la clarté inhabituelle du ciel éclabousse de lumière.

— S'il n'y avait que la tristesse, Martin ! Vous savez bien à quoi je pense, et c'est ce qui m'étouffe. Dire que tous, ici, croient que Francis s'est donné la mort. Alors que…

— Plus un mot ! Tout comme lui, votre vie est en danger. Vous devez être prudent et sans cesse sur vos gardes.

— Je sais. Mais, dans ce cas, c'est tout mon service qui est menacé. Tous ceux qui travaillent sur les manuscrits de la mer Morte numérotés 4Q456-458 ! Car c'est forcément dans les quelques fragments que nous traduisons actuellement à la Fondation que se cache la clef du Secret.

— Ce n'est pas le lieu pour en parler. Nous en discuterons jeudi, après notre Tenue. Je vous laisse, j'ai abandonné Léa groggy de somnifères. Elle dit ne jamais dormir, mais traîne au lit toute la matinée. Ses cachets lui font de l'effet mais avec retard.

Après un petit salut de la main, Hertz s'engouffre dans sa voiture.

— Vous retournez au bureau, Didier ?

Souffir vient d'apparaître, tel un sombre lutin aux gros yeux de poisson perpétuellement étonnés.

— Oui ? Je vous emmène, Norbert ? Venez, ma voiture est garée pas très loin.

— Vous avez été quelques-uns à jeter une rose rouge dans la tombe de Francis... Curieux ! Vous m'en parlerez un jour ?

— Sans doute. C'est une coutume de vieux amis très chers. Si proches qu'ils forment presque une famille.

Deux hommes, dissimulés derrière une petite chapelle, loin de l'endroit où s'est déroulée la cérémonie, ont pris au téléobjectif suffisamment de clichés de tous les participants. Ils peuvent maintenant s'en retourner satisfaits.

22

La forêt d'Orient

La porte rouge que Francis Marlane ne franchira jamais plus. La porte rouge et son bureau, avec son désordre habituel. Vide, pourtant. Vide de la présence d'un ami.

Mosèle examine les lettres déposées au courrier de neuf heures. Il les classe par ordre d'intérêt, machinalement, selon le rituel matinal qu'il s'est imposé et qu'il s'efforce de respecter.

Onze heures trente. Souffir, la cafetière à la main :

— Café pour tout le monde ?

Mosèle :

— Paperasse, paperasse et… Tiens ! Une lettre de Rome… d'Ernesto Pontiglione !

Mosèle décachette la lettre, se souvenant que le professeur Pontiglione a été cité par Martin Hertz au cours de cette fameuse nuit du lundi au mardi. On dirait qu'il y a un siècle !

Souffir remplit la tasse que lui tend Rughters. Le géant remercie d'un signe de tête, les mâchoires serrées.

Mosèle s'est assis à sa table et lit pour lui-même :

Mon Cher Ami,

J'ai appris la tragique disparition de Francis Marlane par la presse. Je dois me forcer à y croire, tant son souvenir reste présent à mon esprit. Nous avons passé cinq jours ensemble à Rome. Il revenait de l'École biblique de Jérusalem. Nous avons longuement évoqué la nature de vos recherches actuelles. Francis paraissait très intéressé par mes propres études sur le sujet. Il m'a informé qu'il avait l'intention de retourner dans la région de Troyes et de faire un crochet par Reims où il s'était déjà rendu. Il est urgent que nous nous rencontrions. Je serai bientôt à Paris. Je crois savoir que Francis vous a fait part de sa « théorie ». Je vous invite à la plus grande discrétion.

À bientôt, très fraternellement,

Ernesto Pontiglione ∴

— Votre litre de café quotidien, Didier ?

— Vous connaissez le professeur Pontiglione, Norbert ?

— De réputation, oui. Pas personnellement. J'ai lu quelques-uns de ses ouvrages. Homme érudit qui soutient des thèses originales ! Peut-être trop originales pour les académies…

Puis la journée s'étire sans âme, dans un silence inaccoutumé. Hélène Moustier, Rughters et Souffir lèvent à peine les yeux de leurs écrans d'ordinateur. Le repas de treize heures est bâclé. À quatorze heures trente, la réunion du vendredi avec les membres du service de « dépouillage » est expédiée.

Mosèle quitte le bureau à dix-huit heures, descend au parking, monte dans sa Golf. Il souffre d'une migraine qui ne l'a pas quitté depuis l'enterrement et ne parvient pas à chasser de son esprit le corps nu et hâve de Marlane allongé sur son lit de mort.

90

De retour à son domicile, le jeune homme se sert un grand verre de Coca et avale deux aspirines, s'interdisant d'allumer une cigarette. Un sourd battement aux tempes. La douloureuse pulsation de sa peine. Et cette irrésistible envie de pleurer, de s'abandonner enfin au chagrin. Mais ses yeux, quoique brûlants, restent secs.

Il n'a pas faim. Il entre dans son bureau, ouvre le tiroir qui contient les lettres et la cassette magnétique envoyées par Marlane, ces dernières semaines, au cours de sa « mission secrète ». C'est ainsi que Francis avait nommé son expédition.

Mosèle déplie la quatrième et dernière lettre, celle qui a précédé la cassette :

Cher Didier,

J'ai quitté mont Payns hier. Je suis en plein cœur de la région des fondateurs de l'ordre du Temple : Hugues de Payns, Hugues de Champagne… Et vous savez bien que le Secret est lié aux Templiers ! Je crois avoir fait un grand pas vers la Lumière, mon ami.

En traversant Troyes, j'ai remarqué que j'étais de nouveau suivi. Déjà, lors de mon séjour à Jérusalem, j'avais noté que deux hommes me surveillaient.

J'ai abandonné la nationale pour me diriger sur Courterange. Mes cerbères ont laissé un peu de distance entre leur voiture et la mienne, mais ne m'ont pas lâché.

Je cherchais mon fameux Cathare ! Je vous en ai vaguement parlé, dans mon dernier courrier. Un Cathare en pleine région templière…

J'ai interrogé un libraire qui m'a indiqué qu'il y avait effectivement une statue de chevalier non loin de Géraudot, pas très facile à trouver par des chemins de traverse dans le bois de Larivour. Il m'a précisé que dans la région, cette statue était appelée l'Homme Vert.

Ma carte d'état-major m'a particulièrement aidé, bien que j'aie dû explorer bon nombre de sentiers, mais je suis enfin tombé sur mon Cathare ! Car je peux vous assurer, Didier, qu'il s'agit effectivement d'un Cathare. Oui, en Champagne-Ardenne l Et je vous donnerai bientôt la raison de son énigmatique présence dans cette forêt.

Je pense que la statue a pris le nom d'Homme Vert avec le temps. À cause de la mousse… Je me suis demandé où étaient passés les espions à mes trousses.

J'ai pris quelques photographies et réalisé une aquarelle – dont je ne suis pas mécontent – que je collerai naturellement dans l'un de mes chers carnets rouges.

J'ai hâte de vous en dire plus.

Bien à vous, Mon Très Cher Frère,

Francis.

Mosèle se lève, fait quelques pas vers la fenêtre, y colle le front. « Francis m'avait souvent parlé de cette région. Les Templiers en avaient asséché les marais et assaini les forêts. Ils y avaient installé des fonderies et des tuileries. Avaient-ils un intérêt secret à investir cet endroit, à le maintenir en état ? Une évidence, si l'on en croit la foutue théorie de Francis ! »

Mosèle revient à sa table, prend l'atlas routier qu'il a déjà consulté à plusieurs reprises. Il l'ouvre à la page de la région Champagne, marquée par un Post-it. « Francis est passé à Courterange, au bois de Larivour, mais... » – il se rappelle les mots lus sur l'écran de l'ordinateur de Marlane, fouille dans le désordre de ses notes et de ses livres, retrouve le document qu'il avait imprimé, le parcourt nerveusement : « *Pannus 14... Suaire...* Et là : « *Triangle de Payns. Le Chêne en son Temple... La Lionne en Lumière... Lac... Loge aux Chèvres... Bailly 2...* » Il feuillette maintenant le fac-similé du Testament du Fou. Il s'intéresse essentiellement aux strophes ajoutées par le second rédacteur :

> *« De la secte crucigère*
> *Orient et Occident naîtront*
> *Tandis qu'en forêt du Levant*
> *Reposera le frère en son Temple*
> *Dans la terre sera oublié. »*

Une cigarette. En fumer une, malgré son serment. Revenant à la carte routière, il pointe l'index sur une partie de la région de Troyes.

— *La forêt du Levant !* Bien sûr ! C'est presque trop évident. Ça crevait les yeux... *La forêt du Levant,* c'est la forêt d'Orient ! Et là, la Loge du Bailly, la Loge aux Chèvres... Et le lac du Temple !

Mosèle se saisit de son téléphone portable.

—Allô, Émylie ? C'est Didier. Je peux passer ? Je viens de faire une découverte extraordinaire à partir des notes de Francis et de celles des templiers complétant le Testament du Fou. C'est en rapport avec le séjour de Francis à Troyes...

Après avoir enfilé son blouson, un porte-documents sous le bras, Mosèle se rue hors de son appartement. « On approche... On approche du Tombeau. Si jamais nous le découvrons ? Si le monde l'apprend ? »

Il monte dans sa voiture garée en face de chez lui, de l'autre côté de l'avenue. Il repense à la camionnette qui a failli le renverser, le lundi soir. Qui a *voulu* le renverser.

Moins d'une demi-heure plus tard, Émylie lui ouvre sa porte. La jeune femme a un petit visage triste, défait. Ses yeux noisette sont rougis de larmes.

—Je suis heureuse que tu sois venu, Didier. Mon beau-père vient de partir et je me sentais seule. Vidée.

—Je m'en doute ; ç'a été une journée affreuse.

Didier a traversé le salon. Il déballe ses documents sur la table, à gestes rapides et nerveux.

—Pour Francis et moi, le début de cette enquête fut un peu comme un jeu. Je l'ai laissé agir, faire cavalier seul.

—Tu ne croyais pas vraiment à ses fumeuses spéculations. Avoue-le !

Émylie verse le café sur un petit plateau : tasses, cafetière, sucre. Didier continue de vider sa sacoche, d'étaler ses papiers : feuilles manuscrites et imprimées, atlas, croquis, bribes de notes...

—Tu as raison, avoue Mosèle. Je trouvais tout cela un peu romanesque. Mais c'est ce côté rêveur que j'appréciais chez lui.

—Qu'as-tu trouvé de si important ?

Émylie sert le café. Pas de sucre pour Didier. Trois pour elle. Elle s'assoit et pose les coudes sur la table, le menton calé dans ses mains, et attend comme une écolière sage et fatiguée.

Mosèle a ouvert l'atlas routier à la page de la région Champagne-Ardenne et désigne à la jeune femme la zone de la forêt d'Orient en lui disant :

—Le Testament du Fou contient des commentaires dans certaines de ses marges, nettement postérieurs au texte tracé par Nicolas et Agnan de Padoue, et rédigés dans une écriture différente. Ce sont les Templiers qui ont annoté le manuscrit pour laisser les coordonnées localisant un endroit particulier. Regarde cette carte...

Mosèle a sorti une feuille de papier calque de son porte-documents, ainsi qu'un crayon.

— Je place un calque sur la carte et je pointe les noms que j'ai lus sur le manuscrit ainsi que dans les documents de Francis : Lionne, Bailly et Chèvres...

— Ces lieux-dits sont appelés des Loges. Un hasard ? C'est bien en loge que se réunissent les francs-maçons ?

— En effet ! Loge, Temple... Et je rassemble les trois noms pour former un triangle. Peut-être le triangle de Payns évoqué dans les notes de Francis ? Et il y a là une statue de Cathare ! Un Cathare perdu auquel Francis a rendu une petite visite. Il l'a même dessiné. Te souviens-tu qu'il en parle dans l'une de ses lettres ?

— Francis est mort pour cela : une statue, quelques pierres, des ossements et des morceaux de parchemin ? C'est absurde...

Émylie s'effondre, la tête dans ses bras, et se met à pleurer sans retenue. « Je l'aimais tout de même, articule-t-elle dans ses sanglots, la voix étouffée. Je l'aimais comme un grand frère, tu sais... Pas comme un mari. Ni même comme un amant. Nous nous étions connus trop jeunes... Je ne le reverrai plus jamais. Je ne l'entendrai plus me raconter ses interminables histoires... »

Mosèle ne peut rien dire. Sa gorge s'est resserrée, sa respiration s'est emballée et sa migraine est revenue, lui cisaillant la nuque. « Les mouches, repense-t-il. Les mouches qui bourdonnaient au-dessus de lui. Et ce sourire grimaçant qui lui déformait le visage ! »

23

Dans la nuit du vendredi au samedi

— Trois appels de phares : c'est lui.

Une voiture s'est engagée dans la rue Jacquard. La camionnette blanche est garée non loin du pavillon de Martin Hertz ;

ses deux occupants en sont descendus. Ils attendent depuis près de dix minutes sous une pluie cinglante. Il est minuit trente. L'homme qui leur donne des ordres depuis Rome est arrivé à Paris mercredi matin. Ils l'ont déjà rencontré par deux fois pour planifier leurs prochaines missions.

— Ce type me glace les sangs, derrière ses allures de fonctionnaire. Un véritable serpent, plutôt. Et voilà qu'il veut tout superviser en personne !

— C'est notre faute ; si nous n'avions pas manqué Mosèle…

La voiture se range à une vingtaine de mètres. L'homme en sort. Il vient vers les deux agents d'un pas lent, les mains dans les poches de son trench-coat au col relevé. Parvenu à leur hauteur, il se contente de poser une question muette d'un simple mouvement du menton.

— Bonsoir, Monsieur. Tout est éteint depuis une heure chez l'avocat, dit le premier Gardien en désignant la villa des Hertz.

— Parfait, je veux annoncer de bonnes nouvelles au cours de la Loggia qui se tiendra la semaine prochaine. Le Collège des Gardiens du Sang sera presque au complet.

— La chambre de Hertz et de sa femme est située à l'étage. Voici la configuration du rez-de-chaussée, avec son bureau ici.

Le second Gardien a déplié sur le capot de la camionnette un plan succinct que la pluie trempe immédiatement. L'homme y jette un coup d'œil distrait.

— Je vous fais confiance. Ne perdons plus de temps ; allons-y !

— Un autre café ?

Mosèle acquiesce sans lever les yeux de la carte routière.

— Ce frère dont Francis et toi m'avez souvent parlé et qui possède l'un des deux exemplaires du Testament du Fou, tu as confiance en lui ?, demande Émylie en remplissant les tasses. Ce Martin Hertz…

— Je n'ai aucune raison de m'en méfier actuellement. J'ai seulement la vague impression qu'il en sait plus long qu'il ne m'en a dit.

— Au moment des condoléances, au cimetière, j'ai eu le sentiment qu'il souhaitait me parler. Je pourrais jurer qu'il s'est retenu en apercevant mon beau-père.

— Sans doute voulait-il te témoigner sa peine. C'est un gros ours, tu sais... qui éprouve des difficultés à laisser paraître ses sentiments. J'en ai pris l'habitude, comme tous les frères de la Loge.

Émylie tapote la carte du doigt.

— Tu vas y aller, n'est-ce pas ?

— Je demanderai lundi un congé à mon directeur, et vendredi ou samedi prochains, je file en Champagne ! J'ai quelques jours de vacances en rab' à prendre. J'ai bien envie d'en profiter et de ne pas devoir rentrer forcément le lundi à la Fondation. Le Tombeau est là, dans le périmètre formé par ce triangle. Le tombeau de l'un des jumeaux du mont des Oliviers... L'homme qui portait un suaire !

— Tu es fou, Didier... On a cherché à te tuer une première fois ; il y en aura une deuxième !

Les deux agents ont passé la grille et atteint la porte du pavillon des Hertz. L'homme reste en retrait dans le jardin. Il a conservé les mains dans ses poches et assiste à l'action en spectateur. Après tout, l'affaire sera vite réglée ! Ensuite, il se chargera de Mosèle. Le problème Marlane a été résolu sans occasionner de remous. Un suicide. Là, cette nuit, un vieil avocat et sa femme se font simplement cambrioler.

L'homme sourit pour lui-même tandis que ses deux sbires se concentrent sur la serrure. Puis il sort la main gauche de sa poche pour consulter sa montre-bracelet. La porte devrait être ouverte dans moins d'une minute. Cela l'amuse de chronométrer le travail des deux Gardiens du Sang. Ces derniers sont vêtus d'une combinaison noire et portent des lunettes à infrarouge.

Moins d'une minute : la porte est ouverte. Satisfait, l'homme regarde les deux agents pénétrer à l'intérieur du pavillon.

Léa se redresse légèrement sur un coude. Un bruit imperceptible l'a tirée hors de son sommeil fragile. À moins que ce bruit ne vienne de son propre rêve ? C'était comme un frottement. Une semelle qui glisse sur le carrelage. Celui du vestibule ? De la cuisine ?

Martin Hertz dort sur le côté droit, pareil à un énorme phoque échoué. Un corps mort, sans respiration. Léa s'est toujours étonnée qu'un tel coffre ne produise pas de ronflements. Cela ne lui a jamais semblé naturel. Son mari glisse dans le sommeil comme on sombre dans le coma.

— Martin… Martin, murmure Léa à son oreille. Réveille-toi !

Hertz met quelques secondes avant de réagir, de bouger. Léa a perçu un second son en provenance du rez-de-chaussée. Identique au premier. Des pas. Des pas que tentent de camoufler des chaussons ou des semelles de caoutchouc… Oui, des pas.

— Réveille-toi. On marche en bas !

Elle chuchote, mais il y a de la peur dans sa voix.

Hertz ouvre les yeux sur la chambre emplie de masses d'ombres hachées par la lumière d'un lointain lampadaire filtrant par les persiennes.

— Je t'assure, Martin… Il y a quelqu'un au rez-de-chaussée.

Hertz tend l'oreille. Silence.

— Je n'entends rien.

Il se penche cependant sur sa table de nuit et, lentement, sans bruit, en ouvre le tiroir. Sa main droite saisit un revolver plat.

— Mais il est vrai que j'ai l'oreille un peu dure, ces derniers temps, articule-t-il en essayant de s'extraire du lit sans faire grincer le sommier.

Les deux Gardiens du Sang ont progressé. Ils ont traversé le vestibule et se préparent à ouvrir la porte du bureau de Martin Hertz. Ils savent que le Testament du Fou y est caché. Ils vont pour entrer dans la pièce quand l'un d'eux fait un geste en désignant l'escalier. Un léger craquement. Une latte de parquet qui se plaint. Et là, sur le palier, une ombre épaisse, haute, lourde et massive, qui se meut au ralenti dans la lunette à infrarouge. L'avocat !

Léa s'est levée à son tour au moment où son mari a entrouvert la porte de la chambre pour se rendre sur le palier. Elle aurait aimé le retenir, l'empêcher de sortir de la pièce, et s'en veut de l'avoir réveillé. Elle est effrayée pour lui. Mais tout s'est déroulé dans un silence total. Les pieds nus de Martin Hertz se sont posés sans aucun bruit sur le tapis mœlleux.

Elle se dirige vers la porte maintenant grande ouverte. La silhouette de Martin n'est plus dans son champ de vision et cette absence est une menace qui la fait trembler. Le craquement qu'elle entend alors ressemble à la brisure d'un os. Les cent vingt kilogrammes de son mari sur le parquet du palier !

Elle atteint le seuil de la chambre lorsqu'elle est surprise par un éclat de lumière et une détonation. Un coup de feu.

— Merde !, fait la voix de Hertz.

Puis un deuxième coup de feu. « Est-ce lui qui tire ? » Elle ignore le son que peut produire son revolver ; elle ne l'a jamais entendu. Pourquoi aurait-elle dû l'entendre ? « Martin ! », crie-t-elle mentalement. Car l'événement se déroule comme l'un de ses nombreux cauchemars. Elle voudrait parler, hurler, appeler ; rien ne sort de sa gorge de craie. Le temps paraît s'être dilué dans un marais d'impressions incohérentes qui se heurtent, se déchirent, atrophient la raison.

Une nouvelle lueur et sa détonation. Le bris d'un vase. Des voix qui s'élèvent. De l'italien… Des voix mécontentes.

Machinalement, loin de la réalité, Léa est sortie de la chambre pour retrouver Martin, constater qu'il est toujours debout et non allongé sur le palier, gisant dans son sang.

— Non, Léa ! Reste dans la chambre, bon Dieu, ne bouge pas !

C'est lui qui crie. Il est donc vivant. « Mon Dieu, soyez loué ! »

Le bras puissant de Hertz tente de la repousser. Elle se rejette en arrière. Elle reçoit la lueur et sa détonation en pleine poitrine. Elle jette un regard surpris à son mari, se casse en deux sous la douleur qui lui tranche la taille, tombe face contre le sol, le visage sur le parquet. Elle sent la bonne odeur de l'encaustique. Miel et châtaignier. Puis sombre dans un espace sans fin, empli de ténèbres.

Les deux Gardiens du Sang sont sortis du pavillon. L'homme se précipite à leur rencontre, impatient.

— L'avocat nous a surpris !

L'homme ne dit rien. Mâchoires serrées, yeux plissés, il attend la suite.

— Il nous a tiré dessus. Nous avons riposté… Un réflexe. C'est sa femme que nous avons touchée.

Ils se mettent tous trois à courir. Traversent le jardin.

— Imbéciles !, s'exclame l'homme. S'il fallait abattre quelqu'un, c'était Hertz et non sa femme ! *Un cambriolage tourne mal, le propriétaire est tué –*, et, au lieu de cela, vous tirez sur une innocente !

Les deux Gardiens du Sang regagnent leur camionnette. Avant de rejoindre sa voiture, l'homme leur lance :

— Déguerpissez, planquez-vous dans le squat ; je vous y retrouverai.

L'homme s'en retourne, les mains dans les poches. La pluie strie sa silhouette courtaude. Cette fois, il presse le pas.

— Ne bouge pas, ma petite chérie. J'appelle Jean-Claude ; il saura quoi faire… Ne bouge pas, ma Léa !

Mais Léa n'entend pas. Elle est immobile, une petite forme pliée en deux. Cependant, son pouls bat encore, très faiblement. Hertz place tout son espoir dans ces fragiles pulsations. Il s'est élancé dans l'escalier qu'il dévale malgré son poids. « Mon portable. Pourquoi faut-il que je le laisse en bas tous les soirs ? »

Il manque de tomber dans le vestibule, remarque que la porte d'entrée est restée ouverte sur le jardin. L'odeur de l'herbe sous la pluie… Il attrape son téléphone, appuie sur la touche d'un numéro mémorisé. « Les Gardiens du Sang ! Ça ne peut être qu'eux… »

Jean-Claude Dorest dirige une clinique à Antony. C'est un frère de la Loge Éliah. L'un de ses plus vieux amis.

Trois, quatre sonneries. « Pourvu qu'il ne se soit pas mis sur répondeur ! » Hertz regarde l'heure à l'horloge.

À la cinquième sonnerie, un *Allô* endormi en forme de question se fait entendre.

— Jean-Claude, c'est Martin… Je sais que je te réveille ! Aide-moi… Envoie une ambulance à la maison, Léa a été agressée. Elle est blessée… Aide-moi, vieux ! Une tentative de cambriolage, oui !

« Je ne peux tout de même pas lui expliquer. Lui dire que ce sont des tueurs du Vatican qui viennent de tirer sur Léa ! »

Il a raccroché. « Maintenant, appeler la police. » En composant le numéro, il pense que sa femme peut mourir d'une seconde à l'autre. Il est pris d'un vertige et d'une nausée qui lui retourne l'estomac. Sa Léa… Sa vieille amie.

— Allô, vous avez demandé la police… ?

L'odeur acidulée de l'herbe dans le jardin. Elle vient d'entrer à nouveau dans le vestibule, portée par un coup de vent. Un parfum d'herbe fauchée et de terre humide. Pareil à celui d'une tombe.

24

Révélation

Samedi, neuf heures.

Mosèle attend, assis sur une banquette de moleskine, feuilletant distraitement un magazine défraîchi. Une irrésistible envie de fumer lui tenaille la gorge. Il a compensé le manque de tabac en se servant trois cafés au distributeur automatique.

Martin Hertz ressort d'une pièce. Un médecin l'accompagne, fait trois pas avec lui, le quitte en lui tapotant chaleureusement l'épaule. Mosèle, qui voit ce geste, est légèrement rassuré. Il se lève et vient à la rencontre de son ami qu'il n'a jamais vu dans un état aussi pitoyable. Le géant paraît s'être affaissé, perdant une dizaine de centimètres. Ses épaules voûtées, ses traits tirés qui creusent son visage traditionnellement jovial, marquent cruellement son âge. Des cernes violets s'étalent sous ses yeux tristes et rougis.

Mosèle l'aide à enfiler l'imperméable qu'il tenait gauchement en boule contre lui.

— Comment va-t-elle ?, demande le jeune homme.

— L'opération semble s'être bien déroulée. Du moins c'est ce que l'on m'a dit. Dorest me l'a confirmé, tout à l'heure. À l'instant, un interne m'a expliqué qu'ils la maintenaient dans le coma. Vous la verriez... avec toutes ces transfusions... Et son petit visage bleu, à cause de la chute.

— C'est toujours spectaculaire, Martin. Vous le savez bien.

Les deux hommes ont atteint l'ascenseur. Hertz regarde fixement devant lui mais ne semble rien voir, Mosèle en est certain, et il lui prend le bras pour l'aider à monter dans la cabine.

— Pourquoi s'en est-on pris à vous, Martin ? Le Vatican a appris que vous déteniez le second exemplaire du Testament du Fou ? Car c'est bien du Vatican qu'il s'agit ?

Hertz paraît revenir à la réalité ; ses yeux se remettent à briller de leur flamme habituelle. Il dit :

— Il est temps que je vous parle des Gardiens du Sang, Didier. Ce sont eux qui traquent le manuscrit depuis des siècles.

— Les Gardiens du Sang ?, s'exclame Mosèle. Une fable sur laquelle on a écrit beaucoup d'âneries !

Hertz hoche la tête, faisant remuer ses lourdes bajoues de bouledogue.

— Ils existent pourtant, assène-t-il. Le tissu de mensonges romanesques qui les entoure leur a permis de rester dans l'ombre, dissimulés derrière un écran de fumée.

Parvenus au rez-de-chaussée, les deux hommes sortent de l'ascenseur. Mosèle remarque le pas lourd de Hertz.

— Une confrérie occulte rattachée au Vatican !, lance Mosèle.

— En effet. Cette société est chargée d'empêcher que l'on découvre le Secret. Elle tente de retrouver le Tombeau pour le faire disparaître de la surface du globe. C'est son seul but. Son unique combat ! Depuis des siècles...

Ils traversent un petit hall en silence, sortent de la clinique, débouchent dans la rue de la Providence où l'un et l'autre ont garé leur voiture.

— Cet automne est indécis, remarque le vieil avocat en levant les yeux vers un ciel clair, presque blanc.

Puis, se retournant vers Mosèle, il ajoute :

— Je suis fatigué, Didier. Si fatigué... Je vais aller dormir un peu avant de passer au commissariat où l'on m'attend en fin de matinée.

— Je voudrais au préalable vous montrer quelque chose et avoir votre avis. Ce ne sera pas long, dit Mosèle en le retenant par le bras.

— Ah ?

Mosèle fouille dans la poche de son portefeuille et en sort une lettre pliée en quatre qu'il tend aussitôt à Hertz.

— Regardez cette lettre.

— De Francis, n'est-ce pas ?

Hertz déplie la missive, la parcourt lentement, attentivement.

— Francis avait l'air de porter beaucoup d'intérêt à la statue d'un Cathare dans la forêt d'Orient, entre Courterange et Lusigny, tout près de Troyes, précise Mosèle. Cela ne vous dit rien ?

Hertz soupire et souffle avec lassitude :

— Vous seriez déçu si je vous répondais non. Pouvons-nous en discuter plus tard ?

— Bien sûr. Mais, dès lundi, je demande un congé à mon directeur et je file à Troyes… J'aimerais voir ce Cathare de plus près.

Hertz lui rend la lettre qu'il a repliée avec soin.

— Ne commettez pas la même erreur que Francis, je vous en conjure !, implore l'avocat.

— Je ne peux plus reculer. Le Testament du Fou m'a brûlé les doigts ! Mais peut-être savez-vous certaines choses qui pourraient m'aider, Martin ?

— Soyez prudent, mon garçon. Ce manuscrit ne brûle pas que les doigts. Francis en a fait l'épouvantable expérience.

— Je crois que vous ne m'en avez pas donné en vain copie. J'ai lu vos annotations et j'ai compris que vous avez cherché le Tombeau, vous aussi. Quel est votre véritable rôle, Martin ?

Un temps. Hertz regarde Mosèle droit dans les yeux et répond :

— Celui d'un ami. D'un frère…

Tandis que Martin Hertz remonte dans sa voiture, Mosèle, qui revient vers la sienne, ne peut s'empêcher de penser : « Il y a autre chose, *vieux frère* ; tu tires des ficelles et je voudrais bien connaître la marionnette qui est au bout. Est-ce moi ? »

Hertz a démarré. Tout en conduisant d'une main, il pianote de l'autre sur son téléphone. Lorsqu'il obtient la ligne, il dit :

— Je m'identifie : Orient-Origine… Ah, vous savez déjà, pour Léa ? Oui… C'est au sujet de Didier Mosèle… Il approche… Il trouvera bientôt la chapelle… grâce au Cathare !

Mosèle passe la journée du samedi plongé dans la lecture du Testament du Fou. Ou plutôt dans des dizaines de relectures, recopiant la plupart des phrases ajoutées en marge par les Templiers : « Dans l'ombre marcheras par l'arrière », ou « Le Cathare en sa Forêt, à reculons couperas le Triangle vers l'Ombre… »

Ce Cathare… Toujours la présence du Cathare !

Il appelle à deux reprises Émylie et s'attarde chaque fois au téléphone, évoquant Francis, sa personnalité, son talent d'aquarelliste – un don un peu désuet –, son enthousiasme…

Puis Mosèle s'impose vers le soir une bonne heure de culture physique dans son salon, prend une douche froide et se confectionne un repas qu'il engloutit devant la télévision.

Il se couche vers onze heures, se félicitant de n'avoir fumé que sept cigarettes.

Sa nuit est entrecoupée de cauchemars courts, séquences de douleur incompréhensible, de terreur, de chagrin, d'une insurmontable culpabilité qui gonfle dans sa poitrine comme une tumeur, en lui broyant le cœur.

Il se revoit dans la chambre d'Émylie. La pièce est sombre, pareille à un tombeau. Il est couché à côté de la jeune femme nue, sa peau d'une pâleur irréelle.

Il aimerait la prendre dans ses bras, l'enlacer à s'en étouffer, mais ne peut faire aucun geste à cause des énormes clous enfoncés dans ses pieds et ses mains. Du seuil de la porte Francis le regarde, envahi d'une infinie tristesse. Il ressemble à un gisant vertical. On croirait qu'il plaint son ami crucifié et pitoyable dans sa souffrance muette…

Le dimanche matin, très tôt, Mosèle se réveille avec un goût de boue dans la gorge et des lambeaux d'images terrifiantes flottant dans son esprit.

Il absorbe un café noir très fort, mange deux fruits et décide d'aller courir au stade Brancion.

En sortant, par réflexe, il s'assure qu'aucune camionnette blanche n'est visible. En chemin, il appelle Émylie sur son portable, désolé d'apprendre qu'il la réveille. Ils parlent quelques minutes. Échangent leurs cauchemars. Il ne peut s'empêcher d'évoquer celui dans lequel il est crucifié…

Émylie ne fait aucune allusion à l'évocation de cette scène et se garde bien de raviver des souvenirs.

Une fois arrivé au stade, Mosèle se lance dans d'interminables tours de piste, cherchant l'épuisement. Il sait que la fatigue physique chassera un temps cette nuit morbide qui lui colle au cœur.

De retour dans son appartement, il se douche, déjeune et s'enferme dans son bureau avec le fac-similé du Testament du Fou, les courriers et la bande magnétique de Marlane.

Il téléphone à Martin Hertz qui lui dit s'être rendu au chevet de Léa ; Dorest l'a rassuré à nouveau. Néanmoins, Hertz ne se montre pas convaincu et manifeste son inquiétude. Mosèle tente de le réconforter comme il peut, conscient qu'il manque de persuasion.

Lorsque Mosèle se couche à minuit trente, il redoute de nouveaux cauchemars.

Au matin, il ne se souvient pas de ses rêves, ce qui le satisfait, et il se lève avec le sentiment de s'être reposé et d'avoir recouvré suffisamment d'énergie pour attaquer la semaine qui se présente à lui. « Jeudi soir, la Loge Éliah rendra un hommage à Francis. En fin de semaine, je file en Champagne, direction la forêt d'Orient ! »

Il réalise seulement qu'il a laissé passer l'heure de son réveil habituel. Il n'a pas entendu la sonnerie. « La première fois que je vais être en retard à la Fondation ! » Il ne se presse pas pour autant, prenant soin de se préparer un grand bol de café noir.

Lorsque Mosèle passe la porte rouge de son bureau avec près d'une heure trente de retard, il découvre sa petite équipe qui se débat avec des brassées de papier sortant des imprimantes. Rughters agrafe des feuillets qu'il tend à Hélène Moustier, laquelle les classe dans des chemises tandis que Souffir frappe fiévreusement sur le clavier de son ordinateur.

Mosèle marque un temps d'arrêt. Il embrasse la scène d'un rapide coup d'œil. Le spectacle paraît le pétrifier. Il distingue des gobelets à café partout, des sachets de thé en vrac sur des dossiers, des poubelles débordant de feuilles froissées…

— Nom de Dieu ! Il y a eu un bombardement ?, s'exclame Mosèle en enjambant des dictionnaires qui jonchent le sol.

— Salut, vieux !, lui lance le géant sans s'arrêter de rassembler ses feuillets. On se débat depuis une heure avec des kilomètres de papier.

— C'est encore vous qui êtes à l'origine de ce fléau, Norbert ?, interroge Mosèle.

— Lui et Largehead ! Cet ordinateur est une calamité. Jamais vu une machine aussi bavarde, explique Hélène Moustier qui a revêtu un tailleur beige avec une jupe très courte.

— Norbert a découvert une perle dans le 4Q456-458…, reprend Rughters. Nous devons en être à la millième version possible de sa traduction. Je me demande si notre ami n'est pas un dangereux maniaque !

— J'ai déniché un passage qui n'a rien à voir avec une prière ni même avec un principe moral de la règle essénienne, précise le vieux traducteur en levant à regret les yeux de son écran.

— Ce n'est pas la première fois, Norbert, remarque Mosèle.

Souffir ouvre une chemise, en extrait un feuillet et commence :

— Écoutez, Didier : « *Les Fils de la Lumière se réunirent autour du frère dans l'Unité. Le frère qui n'avait ni plaies aux poignets ni plaies aux chevilles leur dit qu'un jour glorieux viendra où les nations ne se haïront plus…* » Le reste est du même tonneau. Vous rendez-vous compte, Didier ? « *Ni plaies aux poignets ni plaies aux chevilles…* » L'auteur précise qu'il s'agit d'un *frère* qui n'a pas été crucifié !

Mosèle suspend son blouson à une patère, dissimulant volontairement l'intérêt que suscite en lui cette découverte. Il répond :

— Du calme, Norbert. Ne nous emportons pas pour quelques mots…

Souffir, d'un rapide coup de pouce, fait glisser ses énormes lunettes sur le bout de son nez, regarde Mosèle par-dessus leur monture, lui jette un coup d'œil furieux et s'exclame en se dressant hors de sa chaise :

— *Quelques mots ?* On se tue à la tâche sur ces foutus parchemins dont certains sont sans doute contemporains du Christ, et vous balayez ce passage d'un revers de main ! Ah, si Francis vivait encore !

— Je vois à quoi vous faites allusion, Norbert. Mais Jésus n'était pas le seul condamné à s'être fait crucifier à cette époque.

Souffir soupire, hausse les épaules et fouille dans la pile de chemises multicolores numérotées par Hélène Moustier.

— Ça n'est pas tout, lance-t-il en attrapant un nouveau feuillet qu'il brandit comme un trophée. Vous avez remarqué vous-même, Didier, que tous les derniers textes dont Largehead nous abreuve sont d'inspiration johannique. Je parle naturellement ici de Jean l'Évangéliste. Nombreux sont ceux qui confondent les deux Jean. Il y a d'abord Jean le Baptiste, dont on est à peu près certain qu'il fut l'un des disciples des Esséniens, et Jean l'Évangéliste, aussi dénommé l'Aigle de Patmos et que l'on représente habituellement avec un aigle et une sphère terrestre à ses pieds.

— En effet, souligne Mosèle, il porte aussi une croix, symbole de son apostolat chrétien. Où voulez-vous en venir, Norbert ?

— Écoutez le texte que j'ai traduit : « *Seigneur, pourquoi n'as-Tu pas voulu qu'il leur soit dit ? Seigneur, pourquoi a-t-on menti aux lévites et aux prêtres ? Dis-nous, Seigneur, pourquoi Jean n'était pas le Christ ? Pourquoi n'était-il pas le Prophète ? Pourquoi baptisait-il, s'il n'était pas Élie ? Pourquoi, Seigneur, notre frère qui "donnait les noms" n'était-il pas le Christ ?...* » Et ainsi de suite durant toute une longue litanie ! Ceci dans le 4Q456-458, rouleau de manuscrits découvert à Qumrān, place forte des Esséniens !

— Je ne vois là rien de bien surprenant, Norbert ! Nous savons que l'Évangile johannique possède de nombreux accents esséniens, et ce n'est pas la première fois que les manuscrits de la mer Morte rappellent l'œuvre de cet évangéliste qui a d'ailleurs été formé aux pensées provenant de Qumrān.

— Foutaises, Didier !

Rughters et Hélène Moustier se sont arrêtés d'un coup de classer les feuillets, surpris par la passe d'armes entre les deux hommes.

— Vous n'allez tout de même pas remettre en cause le fait que l'Évangile selon saint Jean se balance dans un éternel mouvement entre l'ombre et la lumière, entre la vérité et le mensonge, l'ange de lumière, l'ange des ténèbres !, martèle Mosèle. La pensée essénienne était à cette époque extrêmement répandue et jouait de ces antinomies.

Souffir soupire pour la seconde fois, donnant l'air de regretter l'interlocuteur privilégié qu'était Francis Marlane. À moins que Mosèle ne s'amuse à jouer au candide... ?

— Soit, dit Norbert, mais les points de comparaison étaient jusqu'ici d'ordre général, si je peux m'exprimer ainsi. Justement, vous venez de le rappeler : ombre-lumière, bien-mal, etc., etc. Ça, mon ami, c'est du bla-bla ! Moi, ce que j'essaie de vous prouver, c'est cette étonnante similitude entre ce que je viens de vous lire et le début du texte de saint Jean au chapitre de la Première Pâque.

— Je ne vous suis toujours pas !, ment Mosèle, se passionnant intérieurement pour ce que lui révèle Souffir avec tant de flamme.

Norbert repose le feuillet sur son bureau et empoigne la grosse Bible qui ne le quitte jamais. Il n'a aucune peine à l'ouvrir à la Première Pâque, un signet marquant la page. Il dit :

— Ce qui m'a choqué, c'est l'esprit de ce morceau de 4Q456-458. On a l'impression que son auteur adresse un reproche à Dieu. Rappelez-vous, nous en avions déjà fait la remarque dans la séquence A530-A538. L'auteur reprend ici exactement les phrases de Jean l'Évangéliste, mais les tourne de manière à exprimer le doute. Le doute, Didier ! Un sage, initié à Qumrān, admoneste Dieu et doute de ce qu'il est convenu de penser ! Jusqu'à présent, tous les manuscrits de la mer Morte, du moins ceux que nous avons eu le droit de consulter, tous prenaient la même direction ! Je vous accorde que l'Évangile de Jean se situe dans la palette. Il en possède les couleurs ! Rien à redire là-dessus… Cette bande extraite du 4Q456-458 ne vous dérange pas, Didier ? Vous la trouvez normale, banale, de la même eau que tout, je dis bien *tout* ce que nous connaissons des écrits de Qumrān ?

Mosèle déblaie le Chesterfield et se laisse tomber dessus.

— Je devine…, lâche-t-il seulement, étonnant Souffir par la fatigue que trahit soudain sa physionomie.

Le vieil homme s'assoit à son tour. Silence, puis lecture d'un passage de sa Bible :

— « *Voici quel fut le témoignage de Jean quand les Juifs envoyèrent à Jérusalem des prêtres et des lévites pour lui demander : "Qui es-tu ?" Il confessa : "Je ne suis pas le Christ." "Quoi donc ?, lui demandèrent-ils. Es-tu le prophète ?" Il répondit : "Non."* »

Souffir s'arrête, regarde Mosèle et reprend un peu plus loin dans le texte :

— « *Ils lui posèrent encore cette question : "Pourquoi donc baptises-tu, si tu n'es ni le Christ, ni Élie, ni le Prophète ?"* »

Souffir referme le volume et croise ses mains tachetées de brun sur son cuir usé. Par ce geste familier, il paraît vouloir retenir tous les mots du Livre sacré. Les retenir pour éviter que lui aussi se mette à douter. Les maintenir dans leur coffre, enchaînés les uns aux autres, comme l'ont imposé des générations humaines.

Mais le 4Q456-458 vient d'en changer l'ordre !

Les mots ne disent plus ce qu'ils ont proclamé depuis deux mille ans.

Ils semblent se contredire.

Le vieil homme se lève et se sert une nouvelle tasse de café. Ses mains tremblent.

Mosèle repense à Francis Marlane. La voix aux accents de terreur de son ami ne quitte plus sa mémoire. Elle ne cesse de le conjurer de ne pas reprendre sa quête ! De ne pas épouser sa folie !

Comment empêcher ce renard de Souffir de s'interroger sur le mystère que le 4Q456-458 livre à la lumière un peu plus précisément chaque jour à la Fondation ?

Et les Gardiens du Sang – s'ils existent réellement, ainsi que le certifie Hertz –, de quelle manière s'y prendront-ils pour éviter qu'un curieux ne soulève la pierre du Tombeau ?

« Le Tombeau du Frère… Du Premier Frère ! »

— L'orage est passé ?, demande Hélène Moustier de sa voix chaude et maniérée, sensuelle, aux intonations germaniques un peu trop accentuées.

Norbert Souffir rajuste ses lunettes aux loupes épaisses et se met à sourire. Hochant sa grosse tête fripée, il s'excuse :

— La mort de Francis m'a retourné. J'avoue avoir perdu mon calme. Pardonnez-moi, patron.

— Vous êtes tout pardonné, Norbert, le rassure Mosèle en se servant à son tour une tasse de café.

Mais il ajoute pour lui-même : « Tout arrêter, tout brûler, détruire ce que nous savons déjà : voilà ce que nous devrions faire, comme Francis me l'a recommandé, ainsi qu'à Émylie. Comme il nous en a suppliés pour nous protéger ! Mais trop tard. »

25

La Tenue funèbre

Jeudi, dix-neuf heures quarante-cinq, rue de Puteaux, au siège parisien de la Grande Loge de France. Mosèle, vêtu d'un imperméable gris, d'un costume anthracite et d'un nœud papillon noir, un porte-documents sous le bras, pénètre dans le petit vestibule. À voix basse, comme tous les frères qui entrent dans l'immeuble, il doit murmurer les deux *mots de semestre* à l'oreille du frère Couvreur chargé de refouler des visiteurs qui ne seraient pas francs-maçons.

Après avoir déposé son imperméable au vestiaire, il s'engage dans l'atrium, vaste hall carré, blanc, baigné d'une lumière tamisée, qui accueille des expositions symboliques mensuelles, délimité par quatre colonnes et meublé de bancs métalliques sur lesquels quelques frères attendent l'heure de leur Tenue.

Tous les hommes sont habillés de sombre. Que des hommes, la Grande Loge de France n'étant pas mixte.

Mosèle aperçoit Martin Hertz qui se dirige vers l'escalier descendant au Cercle écossais, le bar-restaurant où sont organisées les agapes traditionnelles d'après la Tenue. Hertz est accompagné d'un grand homme maigre d'une soixantaine d'années à la longue chevelure blanche. Il porte un costume impeccable taillé dans un alpaga soyeux et tient une mince serviette en cuir à la main droite.

Mosèle s'approche des deux hommes. Il peut alors mieux discerner les traits de l'inconnu. Un profil volontaire au menton empâté malgré la minceur de la silhouette. Un nez fin, légèrement busqué. Des lèvres étroites et pâles. Des yeux très bleus derrière des verres de lunettes à monture métallique. Un visage qui rappelle quelqu'un à Mosèle. Une photographie ? Oui, il a certainement déjà croisé le portrait de cet homme dans une revue ou à la télévision.

— Ah, Didier !, s'exclame chaleureusement Hertz. Nous descendions boire un verre au Cercle ; nous sommes en avance. Les frères Apprentis préparent le Temple pour la Tenue funèbre.

— Bonsoir, Martin.

Hertz pose une main sur l'épaule de l'homme maigre et présente celui-ci à Mosèle :

— Voici notre frère Ernesto Pontiglione. Je vous en ai parlé, vous vous souvenez ? Il est arrivé de Rome hier.

Le professeur Pontiglione sourit à Mosèle en le prenant dans ses bras pour échanger avec lui les trois baisers fraternels. Puis, dans un français parfait, un peu chantant, il précise :

— Je me suis permis de téléphoner à Martin qui m'a dit que la Tenue funèbre en la mémoire de Francis avait lieu ce soir et que vous y seriez naturellement présent.

— Je suis très heureux de vous rencontrer, Ernesto. J'ai bien reçu le courrier que vous m'avez envoyé à la Fondation.

Les trois hommes ont emprunté l'escalier et débouchent dans le Cercle écossais enfumé où de nombreux frères boivent et parlent, par petits groupes. Ils choisissent une table libre sans avoir oublié de saluer à la cantonade les frères de connaissance.

Un serveur vient prendre leur commande : whisky pour Hertz, café pour Mosèle et Pontiglione.

— Je crois savoir que Léa vous ferait une remontrance si elle savait que vous buvez du whisky à cette heure, se moque Mosèle. Au fait, vous l'avez vue, aujourd'hui ?

Hertz hoche la tête. Sa bonne humeur de façade s'estompe.

— Oui, répond-il.

Et, après un temps, lançant un regard appuyé à Mosèle, il ajoute :

— J'ai raconté à Ernesto le drame qui nous est arrivé. Ce cambrioleur que j'ai surpris dans la nuit de vendredi… le coup de feu qui a blessé Léa à l'abdomen…

— Cette terrible nouvelle m'a beaucoup peiné, dit Pontiglione. Je me suis permis de demander à Martin si son pavillon était équipé d'un système de sécurité, et il m'a répondu par la négative.

Le hasard veut qu'à ce moment, Jean-Claude Dorest traverse l'immense salle du Cercle. Il s'arrête un instant devant leur table et échange quelques mots avec Hertz après lui avoir présenté le professeur Pontiglione sans lui donner la véritable raison de sa visite à la Loge Éliah.

— Je vous retrouve au Temple, dit Dorest en se dirigeant d'abord vers le bar.

Le serveur vient servir les boissons, se fait payer et s'en retourne. Pontiglione vérifie qu'il est assez loin pour reprendre en toute sécurité :

— Martin m'a appris qu'il vous avait remis une copie du Testament du Fou. J'en ai longuement étudié certains passages, grâce à lui d'ailleurs...

— Vous avez sans doute informé Francis du résultat de vos études ?

— En effet. Et je le regrette. Je crois lui avoir permis d'étayer sa théorie. Vous savez à quoi je fais allusion, n'est-ce pas ?

— Bien sûr, acquiesce Mosèle.

Pontiglione poursuit :

— Je lui ai aussi fait part des travaux que j'ai réalisés pour le compte du Vatican en mille neuf cent quatre-vingt-neuf. Une série d'études effectuées à partir de celles de Wright Baker, de l'université de Manchester. J'avais en effet repris les traductions de Baker, lequel avait déchiffré un rouleau de cuivre en provenance de Qumrān et daté du Ier siècle après Jésus-Christ. L'interprétation de ce rouleau ne fut pas chose aisée, à cause de la langue employée pour sa rédaction. C'était une sorte de dialecte qui s'éloignait de l'hébreu classique.

Mosèle remarque le silence de Hertz. Le vieil avocat sirote son whisky, les yeux gonflés de fatigue, apparemment distant. Mais Mosèle se doute qu'avec son esprit de chat, il ne perd pas une miette de la conversation. Cela lui rappelle d'ailleurs un moment similaire... Neuf ans plus tôt, alors que Marlane et lui venaient d'être initiés et qu'ils s'étaient mis à parler des manuscrits de la mer Morte...

Pontiglione a posé une main sur l'avant-bras de Mosèle, s'est penché par-dessus la table pour murmurer avec une impressionnante conviction :

— Quelqu'un a usurpé l'identité du Christ et a été pris à son propre jeu ! Quelqu'un qui devait lui *ressembler* au point de donner le change ! Vous l'avez compris, Didier.

Hertz se racle la gorge, élève à hauteur de ses yeux son verre de whisky pour en contempler l'ambre, semble méditer un instant, puis avale ce qui reste d'un trait. Mais il ne prononce pas la moindre parole alors que Mosèle et Pontiglione s'attendaient à l'entendre réagir.

Pontiglione sort un objet plat de sa serviette, le tend à Mosèle : une enveloppe de papier kraft.

— Tenez, Francis m'avait laissé cela. J'estime naturel que cela vous revienne.

Le jeune homme ouvre l'enveloppe et en sort un petit calepin rouge.

— L'un de ses carnets !

— Il me l'a confié à Rome pour que je réfléchisse sur certains points. Ce ne sont que quelques notes et croquis… Des aquarelles, essentiellement. Il les a faites lors de son premier passage en forêt d'Orient où il recherchait la statue d'un Cathare. Voyez, là, il a dessiné la ruine d'une petite chapelle avec ces lettres en marge : V.I.T.R.I.O.L., ainsi que les coordonnées de son emplacement.

Mosèle s'attarde à admirer les dessins de son ami. De magnifiques croquis jetés vivement sur les pages, précis et nerveux. Des plans, quelques phrases dans les marges. Des dates. Un langage ésotérique réservé à l'usage de son détenteur.

— Merci, Ernesto, dit Mosèle d'une voix étranglée.

Hertz consulte sa montre et désigne des frères de la Loge Éliah qui se dirigent vers l'escalier.

— Il est l'heure de remonter.

Puis, sans attendre, il se hisse hors de son siège. Mosèle glisse le carnet rouge de Marlane dans son porte-documents.

Les trois hommes reprennent l'escalier qui conduit à l'atrium desservant les temples du rez-de-chaussée.

Les veilleuses diffusent sur les passagers des faisceaux de lumière orange et pâle. Certains regardent un film sur leur petit écran personnel, beaucoup somnolent dans d'inconfortables positions.

La pluie frappe les hublots et y dépose de longues marques blanches qui brouillent les ténèbres du ciel. Parfois, des turbulences secouent l'appareil. L'avion sursaute, sa carlingue grince, les fauteuils tremblent. Un enfant s'inquiète, sa mère le rassure en chuchotant.

Deux hommes murmurent.

— Vous ne dormez pas, Monseigneur ?

— Je ne dors plus beaucoup, en ce moment. Vous savez pourquoi.

— Oui, je sais. L'affaire Mosèle vous contrarie. Mais pensez-vous qu'il trouvera ce que personne n'est parvenu à découvrir depuis si longtemps ? Nous-mêmes nous cherchons, nous fouillons le site mais demeurons dans l'obscurité.

Le secrétaire de Son Éminence s'est voulu rassurant.

— Quel étrange paradoxe : l'Église s'évertue à rendre ce monde plus spirituel et meilleur qu'il n'est, mais elle doit se battre pour préserver le Secret !

Son Éminence a levé la main droite pour ponctuer ses propos. On remarque à l'annulaire une grosse chevalière ornée d'un rubis brillant comme une braise.

— Ne prenez-vous pas trop de risques, Monseigneur ? Notre vieux pape pourrait apprendre que…

— Apprendre quoi ? Que je me rends avec mon secrétaire particulier à la nonciature de Paris ? Cette visite est naturelle et coutumière. Comment pourrait-il savoir que je m'oppose à lui ?

— Il peut s'en douter, dit le secrétaire. C'est un homme malade, mais remarquablement intelligent. Et Guillio lui rend visite tous les jours.

Son Éminence repose à plat ses mains sur les accoudoirs. Il regarde un instant par le hublot la pluie qui lacère la nuit hâtivement venue. Se retournant de nouveau vers son secrétaire, il dit :

— Oui, le pape… En dépit de tout, je l'aime. Il s'acharne à préserver l'unité de l'Église et à effacer la faute de ses lointains prédécesseurs. Il n'est que l'héritier d'un trop vieux combat. Je l'aime et je le plains.

Puis il sourit. Il pense à Martin Hertz. Martin qui l'attend. Il pense à ses cigares, à son cognac.

Et à Léa entre la vie et la mort. « Un vieux combat, se dit-il. Qui sacrifie des innocents depuis vingt siècles ! »

Le Temple n° 7 est tendu de noir pour la circonstance. En son milieu, deux tréteaux supportent une planche de bois figurant un cercueil, sur laquelle on a jeté un drap noir qui tombe jusqu'au sol. Au centre, on a soigneusement placé une rose rouge.

Noir. Tout est noir. Peu de lumière. Seulement celle des bougies.

— Ce cercueil…, articule Mosèle. Décidément, je ne me ferai jamais à ces Tenues funèbres !

— Ce n'est qu'un symbole, Didier. Le « frère mort » au centre du Temple. C'est Francis, vous, moi… et Hiram[1].

Noir. Et le silence lorsque les portes se referment. Puis la voix du Vénérable Maître qui a pris place en chaire :

— *Mes frères, puisqu'il est l'heure et que nous avons l'âge, nous allons ouvrir nos travaux au premier degré du Rite Écossais Ancien et Accepté…*

Le frère Maître des Cérémonies ouvre alors la Bible à la première page de l'Évangile de Jean, puis dispose dessus une équerre et un compas de manière à représenter le symbole du premier degré du rite.

Le Vénérable Maître proclame ensuite que les frères peuvent se consacrer à leur travail en toute sécurité, laissant le monde profane à la porte du Temple en *entrant dans les voies qui leur sont offertes…*

Évoquant le drame qui vient de les frapper, il préfère, ému, passer la parole au *jumeau* de leur regretté ami Francis Marlane.

Mosèle se lève de son banc et, ganté de blanc, sort d'une poche une feuille de papier qu'il déplie, puis se met à lire :

« Vénérable Maître et vous tous, mes frères, en effet, ayant été initié le même soir que Francis, je suis devenu son jumeau par la franc-maçonnerie. Nous avons tous deux suivi de conserve le même chemin, élevés au grade de Compagnon puis exaltés à celui de la Maîtrise en même temps. De plus, nous étions proches par l'intérêt que nous portions à certains sujets. Une véritable amitié était née entre nous. J'emploie à dessein le mot amitié plutôt que celui de fraternité que nous avons tendance, nous, maçons, à utiliser. La fraternité, nous la construisons à chaque Tenue par le rituel, la symbolique et le travail. L'amitié en découle souvent, certes… Mais Francis et moi serions devenus amis même si la franc-maçonnerie ne nous avait pas réunis. Je ne vous ferai pas ce soir son panégyrique. Je voudrais simplement vous

---

1. Architecte qui a construit le Temple de Salomon, figure essentielle dans la légende maçonnique.

dire, mes frères, combien la perte de cet ami m'est douloureuse...
Francis était un peu de moi-même, comme j'étais un peu de lui. À cette
différence près qu'il était plus cultivé, plus courageux et plus subtil que
moi. Par sa mort, il me rend égoïste. Égoïste au point de lui en vouloir
de m'avoir volé une partie de moi en choisissant de gagner l'Orient
éternel... »

Martin Hertz réagit à ces mots et redresse la tête. Mosèle le remarque. D'un regard, il tente de lui faire comprendre qu'il restera dans le cadre de ce qui peut être dit. Il poursuit :

— Je l'ai trouvé sur le lit de sa chambre, à l'hôtel de notre frère Marc. J'étais accompagné de son épouse ; vous savez tous qu'ils étaient en instance de divorce... Nous étions passés récupérer, à sa demande, certains documents relatifs aux travaux que nous avons entrepris à la Fondation Meyer. Nous ignorerons sans doute toujours pour quelle raison Francis a souhaité mettre fin à ses jours.

La voix de Mosèle se casse. Le jeune homme replie sa feuille de papier qu'il remet dans sa poche avant de se rasseoir.

Il cherche à nouveau le regard de Hertz, car il n'a pas menti en résumant la découverte de Francis. Pas vraiment. L'avocat cligne imperceptiblement des yeux. L'expression de son visage se veut réconfortante, tout en dissimulant mal un réel soulagement.

Pontiglione observe les signes discrets échangés entre les deux hommes. Ils n'ont pas évoqué avec lui la possibilité que les Gardiens du Sang ont certainement assassiné Marlane en maquillant le meurtre en suicide. Il n'a pas non plus cherché à en parler, comme se satisfaisant lui-même de la version officielle.

La cérémonie se poursuit. Mosèle ne parvient pas à se concentrer. L'image de son ami étendu sur le lit, mort, glacé, le harcèle. Sa mémoire ne cesse de lui rappeler le sinistre bourdonnement des mouches... Ces trois ou quatre grosses mouches noires qui tournaient autour du cadavre... Il sait qu'il gardera leur sinistre musique à l'esprit pour le restant de ses jours. Que jamais il ne parviendra à en effacer le son.

26

La visite de Son Éminence

Vendredi matin.

Martin Hertz consulte sa montre. « Il ne tardera plus. Toujours ponctuel ! Et nous boirons un café noir en fumant un cigare... Encore un rituel ! »

Le vieil avocat sort deux tasses et leurs soucoupes d'un placard, les dépose sur la table de la cuisine avec cuillers et sucre. Hertz apprécie cette pièce qui lui rappelle la maison de son enfance. Batterie de casseroles en cuivre, cocottes en fonte, couteaux soigneusement rangés dans leur râtelier, nappe vichy à carreaux rouges et blancs. Un vase et son bouquet de courtes roses jaunes. Et l'indéfinissable odeur d'épices, de miel, d'aromates que Léa conserve dans des pots en grès.

Léa lui manque déjà. Sa silencieuse présence lui manque. L'absence de ce petit animal douillet lui picote les yeux, lui serre le cœur. Il n'aurait jamais imaginé, dans son égoïsme, que sa vieille amie lui était aussi indispensable. Et c'est d'ailleurs l'égoïsme qui lui fait souhaiter qu'elle revienne au plus vite partager son existence. Mais n'est-ce pas cela, le véritable amour ? Ce sentiment de vide laissé par l'autre, qui vous afflige, tel que l'a évoqué Mosèle, la veille, en Tenue.

Il ne pleut plus depuis peu. Un vent humide s'engouffre dans la rue Jacquard, emportant les premières feuilles mortes des platanes. Une voiture noire vient se garer devant le pavillon des Hertz. Un homme en descend, portant un long manteau et un chapeau noirs. De haute taille, il gravit en quelques enjambées les marches de pierre qui mènent au jardin que l'automne embrume. Il remarque un arrosoir rouillé couché au pied d'un maigre pommier. Le minuscule potager est à l'abandon ; des plants de tomate s'y étiolent.

Parvenu devant la porte d'entrée, il note que la serrure a été récemment changée. Il sonne. Le rubis de sa chevalière accroche un éclat de lumière.

Martin Hertz ouvre. Son visage s'éclaire à la vue du visiteur. « Orient-Origine », articule celui-ci avec un fort accent italien.

— Les mots de reconnaissance sont-ils bien nécessaires entre nous, Monseigneur ?, s'étonne aussitôt Hertz en fronçant les sourcils et en souriant.

— Ils nous rattachent à nos vieilles traditions et nous permettent de nous saluer avec respect, n'est-ce pas ?, dit Son Éminence.

— Entrez, mon ami. J'ai préparé le café et nous ai choisi de superbes Partagas.

Son Éminence pénètre dans le vestibule, Hertz le débarrasse de son manteau et de son chapeau.

— Quand êtes-vous arrivé ?

— Mon avion a atterri hier soir à vingt et une heures. Ce fut un vol exécrable, avec orage et turbulences. Je loge à la nonciature.

Les deux hommes entrent dans la cuisine. C'est là qu'ils aiment à se retrouver, les très rares fois où Son Éminence rend visite à Hertz. Un lieu modeste et chaleureux.

— Je suis désolé pour votre femme, déclare l'ecclésiastique en s'asseyant à la table. Sincèrement navré ! Les Gardiens ne devraient pas agir comme s'ils étaient encore au Moyen Âge ! Ils seront bientôt incontrôlables.

— Ils le sont déjà et vous ne l'ignorez pas, reproche Hertz en versant le café dans les tasses.

Son Éminence hoche la tête.

— Oui. Ils sont en train de paniquer. L'enquête menée par Francis Marlane a réveillé leurs inquiétudes.

Hertz a pris la boîte à cigares qu'il avait préparée et mise en attente sur le buffet. Il l'ouvre et la tend à son ami qui choisit un Partagas avec un geste lent, empreint de solennité. Il le porte à ses narines, le juge avec l'expression d'un connaisseur et pratique une incision à son extrémité avec un coupe-cigares.

Le vieil avocat se comporte de manière identique. Bientôt, de lourdes volutes de fumée emplissent l'atmosphère de la cuisine, effaçant pour un temps ses odeurs coutumières.

— Le manuscrit ?, interroge Son Éminence.

— Je l'ai placé en lieu sûr cette nuit même. Il n'y a plus rien à craindre de ce côté-là.

— C'est ce Didier Mosèle qui me pose problème, reprend Son Éminence. Êtes-vous certain de le maîtriser totalement, Martin ? Ne pourrait-il pas remonter jusqu'à moi ou... ?

— Il ignore tout de vous, Monseigneur. En revanche, il a décidé de se rendre demain matin à Troyes en compagnie de la veuve Marlane. Il m'a fait part de son projet hier soir, après la Tenue funèbre donnée à la mémoire de Francis Marlane.

— Tiens ! Le petit professeur a bien progressé dans ses recherches. Vous avez prévenu le Premier ?

— Naturellement, je l'ai appelé hier. Je lui ai dit que Didier Mosèle ferait des pas de géant lorsqu'il découvrirait le Cathare et la chapelle. D'autant plus qu'il détient maintenant l'un des fameux carnets de Francis qu'Ernesto Pontiglione lui a remis.

— Pontiglione... soupire Son Éminence. Sans le savoir, il a été le déclencheur de cette affaire. Déjà, lorsqu'il était chargé d'études au Vatican, il a émis des hypothèses embarrassantes qui ont alerté et inquiété les Gardiens du Sang. Cela n'a pas porté à conséquence, car ses suppositions n'ont pas dépassé le cercle restreint d'une poignée de fanatiques des théories occultes. Une de plus, se sont dit les historiens *sérieux*. Le Vatican s'est vite privé des travaux de cet homme que beaucoup prirent pour un charlatan.

— Ses conclusions recélaient en effet une grosse part d'affabulation, ce qui a noyé les quelques vérités qui auraient pu susciter l'intérêt de la communauté scientifique, précise Hertz.

— C'était mieux ainsi, Martin. Mais Marlane était d'une autre trempe. Bien plus dangereux par la qualité de ses connaissances et la pertinence de ses observations. Nous-mêmes avons cru en lui... Et voici que Didier Mosèle se glisse dans les pas de son ami. Il ne faut pas lâcher ce garçon.

— Je pense que nous devrions demander au Premier d'ouvrir le Plan, dit Hertz en faisant tomber un peu de cendre de son cigare dans une soucoupe.

— C'est prématuré. Nous disposons encore d'une courte marge de manœuvre que nous pouvons mettre à profit dans notre intérêt. Vous êtes en contact permanent avec Mosèle qui vous tient au courant de tous ses agissements : c'est une sécurité précieuse. N'est-il pas à même de se douter que vous le contrôlez ?

— Je ne pense pas. Il s'imagine évidemment que j'en sais plus long que je ne lui en dis ; cependant, je ne le crois pas particulièrement suspicieux. C'est de l'aide qu'il est venu chercher auprès de moi en toute confiance.

Son Éminence prend un temps avant de lâcher :

— Je me demande si Mosèle n'est pas déjà condamné. Il cherche la Lumière et c'est l'Ombre qui l'attend. Nous avons perdu Marlane, allons-nous le perdre, lui aussi ?

Hertz ne répond pas. Il s'abstrait dans l'observation de son cigare, son visage exprimant une profonde mélancolie, ses yeux plissés laissant filtrer un filet de regard à la fois obscur et lointain.

27

La petite chapelle

Samedi matin.

Au cours du trajet, Émylie n'a pas cessé de parcourir le carnet rouge de Francis, s'émerveillant de son talent d'aquarelliste, de ses capacités à restituer les tons du feuillage, la couleur des pierres, la transparence du ciel dans des teintes mouillées, libres et cependant maîtrisées. Les ruines de la chapelle, avec les indications précises pour la trouver dans le bois de Larivour. La masse de lierre grimpant sur les murs éventrés. Les ronciers denses et vert sombre... Les sept lettres V.I.T.R.I.O.L. tracées à l'encre noire. Un bas-relief représentant deux cavaliers sur un cheval.

La Golf de Mosèle s'engage sur la bretelle de sortie pour Troyes.

— J'ai réservé deux chambres, dit rapidement le jeune homme.

— Deux, cette fois ?

— Je t'en prie, Émylie, ce n'est pas le moment de se remémorer ce genre de choses...

— J'y repense souvent, tu sais ! Il y a eu la première fois, dans mon appartement, puis...

Lui aussi. Lui aussi, il y repense. Néanmoins, il se refuse à en parler, ce matin. Sa mémoire est un piège encombré de regrets, de reproches.

La Golf trouve place sur le parking du *Manoir des Eaux*. Mosèle et Émylie en descendent, retirent du coffre leurs sacs de voyage et se dirigent vers le bâtiment, une ancienne ferme à colombages soigneusement restaurée.

— On se donne une demi-heure, puis on file saluer notre « Homme Vert » avant de trouver la chapelle. Tous deux ne sont espacés que de cinq à six cents mètres, ce que Francis ignorait avant de découvrir son Cathare. Le programme te convient ?

— Une petite promenade bucolique ? Ça me va.

Après s'être présentés à la réception et avoir pris leurs clefs, ils gagnent leurs chambres. Elles sont mitoyennes. Émylie en plaisante.

Dans la sienne, Mosèle déballe immédiatement le contenu de son porte-documents qu'il étale sur le lit : les notes prises à partir des fichiers de l'ordinateur de Marlane, les quatre lettres et la bande magnétique avec le dictaphone, une carte d'état-major de la région.

Il s'est à peine écoulé un quart d'heure que l'on cogne à sa porte.

— Oui, lance-t-il sans lever les yeux de ses documents.

— Didier...

Émylie entre, le visage mouillé de larmes, les lèvres chiffonnées. Didier saute à bas du lit, se précipite, la prend dans ses bras.

— Qu'est-ce que tu as ?

— Comment fais-tu ? Moi, je ne cesse de repenser à Francis, à toi et moi...

Il se sent maladroit avec ce corps mince et gracile, tout tiède, abandonné contre sa poitrine. Avec ce regard trempé qui appelle le sien, l'implore.

— Francis ne serait pas mort, nous aurions divorcé et..., bredouille-t-elle en reniflant.

— Vous n'auriez pas divorcé et nous aurions conservé notre petit secret, dit Mosèle. Oui, toi et moi, nous serions restés amis. Rien que cela.

— Nous lui avons menti. S'il avait su...

— Il n'aurait pas compris que son frère le trahisse en couchant avec sa femme. J'en aurais crevé de honte. J'en crève, maintenant qu'il est mort.

— Est-ce pour cela que tu désires achever ce qu'il a commencé ?

— Je ne sais pas, Émylie. Je te jure que je l'ignore.

Puis, après quelques secondes :

— Peut-être… après tout ?

Il n'est pas difficile de dénicher la voie forestière qui donne sur une clairière où Mosèle gare sa Golf, ni de découvrir le sentier couvert de hautes herbes qui les mène à la statue du Cathare.

Le chevalier ne mesure qu'un mètre trente. Il a été grossièrement sculpté dans une pierre grise que recouvre en partie une couche de mousse et de plantes grimpantes qui effacent la plupart des traits.

Mosèle en fait le tour avec une moue de déception. Il s'était attendu à quelque chose de plus important, de plus spectaculaire. Ce n'est qu'un fantôme minéral et végétal au regard vide.

— Une borne, murmure-t-il, pris d'une soudaine inspiration. Oui, une borne ! Et je crois que…

Il ouvre le porte-documents qu'il a pris avec lui, y plonge la main pour en sortir un feuillet.

— Francis cherchait cette borne depuis longtemps !, s'exclame-t-il. Dans le fichier que j'ai recopié de son ordinateur, il y a un élément qui s'y réfère et que j'ai laissé passer à la trappe. Regarde !

Émylie se rapproche pour lire par-dessus son épaule :

— *La Lionne en Lumière… Lac… Loge aux Chèvres… Bailly 2… Parfait élevé par T : 1247…* Eh bien ?, demande-t-elle.

— « *Parfait élevé par T : 1247* » ! Les Parfaits ! C'est ainsi que les Cathares s'appelaient, explique Mosèle. Ce Parfait a été élevé par les Templiers en 1247.

— On n'est pas un peu loin du Languedoc ?

Mosèle sourit et ajoute :

— Bien loin, en effet. Mais 1247, si mes souvenirs sont bons, c'est peu après la chute de Montségur, le dernier bastion cathare tombé entre les mains des croisés du pape. Je donnerais cher pour connaître l'histoire de ce Parfait perdu en pleine Champagne, bouffé par la mousse ! Et surtout pourquoi les Templiers lui ont accordé cette importance.

— Et maintenant ? On s'offre la chapelle ?, propose Émylie en regardant de sinistres nuages peser sur la cime des arbres. On va bientôt se faire tremper.

— Je crois, oui. On devrait la dégoter en prenant cette direction, plein est. Mais je crains que le chemin ne soit pas aussi aisé que celui qu'on vient d'emprunter. Tu as bien fait de ne pas mettre de jupe.

Il lui donne la main et l'entraîne dans le bois tout en consultant sa carte d'état-major, manifestement excité par ce jeu de piste.

L'homme est le premier à descendre de la voiture. Il fait quelques pas dans la clairière, s'approche de la Golf, jette un coup d'œil à l'intérieur et se retourne vers ses deux agents qui le rejoignent. Suivre Mosèle et la veuve Marlane ne leur a posé aucune difficulté. Les éliminer lorsqu'ils auront atteint la chapelle ne leur causera pas davantage de problème. La chapelle. Les Gardiens du Sang l'ont visitée d'innombrables fois et en connaissent la moindre pierre, ainsi que l'inscription qu'elle recèle. Ces sept lettres que les francs-maçons se sont appropriées. Mais Mosèle possède sans aucun doute maintenant des informations qui pourraient lui permettre de remonter plus haut. Jusqu'au Tombeau.

L'homme désigne le sillon d'herbes couchées qui s'engage dans la forêt. Il se dit avec satisfaction que sa mission sera terminée avant midi. Il éprouve déjà le plaisir qu'il ressentira à annoncer au cardinal de Guillio que Didier Mosèle et la veuve Marlane n'interféreront plus dans leurs affaires. Le pape Jean XXIV pourra s'endormir en paix.

Les nuages se sont déchirés et une pluie drue s'est abattue sur la forêt. Mosèle et Émylie ont pressé le pas, craignant un instant de s'être égarés. Mais, au terme d'une progression malaisée au travers d'arbres couchés par une ancienne tempête, ils ont découvert les ruines de la petite chapelle s'élevant sur un talus boueux et peu haut.

Marlane l'avait dessinée dans la clarté d'un jour de plein soleil ; elle se dresse ce matin dans l'ombre, misérable, éventrée, ruisselante. Sa toiture a presque entièrement disparu, quelques solives se maintiennent néanmoins, chevêtres pourris rongés par le temps.

Des blocs de pierre se sont entassés, l'herbe les a enveloppés. Mousse ou lichen, une écume verdâtre a gangrené ce qui reste de murs.

Trois fenêtres ont gardé les lointaines traces de leurs plombs, mais il ne subsiste plus rien de leurs vitraux, si ce n'est leurs meneaux recouverts de moisissure.

S'approchant du mur occidental, après s'être référé aux aquarelles de Marlane, Mosèle découvre un bas-relief que l'on devine plus qu'on ne le voit sous la rocelle vert-de-gris. L'image représente le blason templier. Deux cavaliers chevauchant une même monture, surmontant les lettres V.I.T.R.I.O.L.

— Il doit exister d'autres ruines telles que celle-ci dans la forêt d'Orient, remarque Émylie.

— Oui, mais regarde… Voilà ce qui a intrigué Francis. Le sceau des Templiers symbolisant leur disposition à la pauvreté : deux cavaliers sur une unique monture. Leurs détracteurs l'interprétèrent aussi comme le signe manifeste de leur homosexualité ! Et là… V.I.T.R.I.O.L. au-dessus de cette manille. À en juger par l'empreinte laissée dans la pierre, il devait y avoir un anneau…

— Qui aurait commandé un passage secret ? Tu me fais penser à un gosse, Didier.

— Une porte… donnant sur l'extérieur ? Non. Un coffre dans le mur, pourquoi pas ? En tout cas, avoue qu'il est surprenant de rencontrer l'abréviation de la maxime maçonnique près de ce blason et de ce crochet.

— Je l'admets. N'empêche : nous ne progressons pas pour autant.

Mosèle examine le sol que détrempe la pluie, et montre du doigt des empreintes de pas.

— Je jurerais que cette chapelle a été visitée il y a peu, dit-il.

— Rien de plus naturel : c'est un abri idéal pour les amoureux. Justement, j'ai l'impression que nous avons de la visite. Ta chapelle semble être un lieu de rendez-vous très fréquenté.

Elle lui indique une silhouette hachée par la pluie verticale. Une forme qui s'avance lentement, méthodiquement, dans leur direction. Puis une deuxième qui apparaît juste derrière.

Un bruit mat. Un claquement. Un morceau de pierre éclate près du visage de la jeune femme.

— Recule-toi, Émylie ! À l'abri, vite… !

Sans ménagement, Mosèle a tiré Émylie à lui. Ils se sont plaqués contre un mur. L'eau coule dans leur dos. Froide.

— C'était bien un coup de feu, n'est-ce pas ? On nous tire dessus ?, demande-t-elle avec effroi.

Mosèle se glisse prudemment contre le mur, atteignant l'une des trois fenêtres par laquelle il peut jeter un coup d'œil à l'extérieur.

— J'en vois au moins deux. Hertz avait raison : maintenant que les Gardiens du Sang nous ont mordu aux mollets, ils ne nous lâcheront plus.

— Ces types sont les tueurs du Vatican dont tu m'as parlé ?

Mosèle se détache de la fenêtre et avise la brèche dans le mur oriental. Il pousse doucement Émylie par l'épaule, prenant soin de la maintenir hors de visée des tueurs.

— On peut le voir comme ça…, se borne-t-il à répondre.

Se baissant, l'un derrière l'autre, ils grimpent sur un monticule de moellons glissants.

— On va tenter une sortie par là, indique Mosèle.

Ils enjambent la butte, sautent dans l'herbe, quand un deuxième coup de feu les frôle.

— Erreur, ils sont plus de deux. Fonçons !

Ils se mettent à courir. Une autre détonation claque dans le froissement de la pluie.

— Ces salopards sont gênés par la pluie, mais ils vont nous tirer comme des lapins, et à la longue… Cours, Émylie ! Cours, bon Dieu !

Ils s'enfoncent dans le bois, se jetant à corps perdu dans les fourrés. Des voix s'interpellent derrière eux. Des ordres sont criés. Et eux courent sans savoir où aller, terrifiés, s'attendant à chaque pas à être fauchés.

Mosèle tire Émylie, la relève quand elle tombe, ne cesse de lui parler, de l'exhorter à courir. Uniquement courir !

Ils pataugent maintenant à la lisière d'un marécage qui gagne sur la forêt, progressent dans la vase, la peau fouettée par des ajoncs tranchants.

Ils abordent un tertre d'herbe moussue planté de gros arbres noirs aux branches basses tordues. Tout en poussant Émylie pour qu'elle grimpe plus vite, Mosèle tourne la tête en arrière afin d'évaluer la distance qui les sépare de leurs poursuivants.

Mosèle a conservé son porte-documents. Il se dit que c'est idiot. Idiot de mourir avec une allure d'instituteur, sur un promontoire boueux, en compagnie de la veuve de son meilleur ami. La mort est toujours idiote, pense-t-il en voyant les trois silhouettes se reformer au travers du rideau de pluie.

Il réalise qu'Émylie s'est accrochée à son bras et le serre à lui en faire mal. Elle grelotte et cherche à parler, mais sa voix tremble tant que ses propos sont incompréhensibles.

Les Gardiens du Sang prennent maintenant leur temps. Mosèle et Émylie sont à découvert et représentent une cible parfaite.

— Ils vont nous abattre à bout portant, articule Mosèle. Un travail de professionnels. Pardonne-moi, Émylie. Pardonne-moi pour tout. Ferme les yeux et viens contre moi.

Elle est devenue une petite fille affolée qui se blottit contre l'homme qu'elle a aimé. Qu'elle n'aimera plus. Elle pense pourtant à Francis, son ami.

— Que font-ils ?, parvient-elle à demander.

— Ils approchent. Ils traversent le marécage.

Émylie attend. Elle prie pour que cela ne soit pas trop long.

L'homme ne sourit pas par sadisme. S'il manifeste du contentement, c'est plutôt par esprit de rigueur. La satisfaction du travail convenablement exécuté, de la mission honorée.

— Vous voyez, annonce-t-il à ses deux agents qui se déploient pour prendre le monticule par la gauche et la droite. Ils ont compris que toute fuite était désormais vaine. Cela semble trop facile.

L'homme regrette seulement d'avoir dû sacrifier une paire de chaussures en chevreau et s'en veut de n'avoir pas été plus prévoyant. Ses deux agents, eux, se sont chaussés en conséquence. Il se donne cependant une excuse en se disant qu'il n'est pas vraiment un homme de terrain. Il retournera bientôt à ses fonctions de cadre dans l'appareil des Gardiens du Sang et s'efforcera d'oublier cette malheureuse journée. Cette sale besogne.

Ni l'homme ni ses deux agents n'entendent celui qui les suit dans la vase. La pluie tombe si fort que le bruit de ses bottes se mêle au clapotis.

Il ressemble à un chasseur. Corpulent, il porte une longue veste en gabardine ocre, un pantalon très large, des bottes en caoutchouc marron et un chapeau de feutre verdâtre qui donne à sa silhouette une touche un tantinet ridicule. Incongrue.

Le chasseur a armé son fusil depuis longtemps. Il le tient la crosse contre son ventre, canon pointé en avant. Il se demande naïvement quel Gardien du Sang il va abattre en premier.

Sa lourde masse écarte d'elle-même la barrière d'ajoncs.

L'homme n'a pas entendu le coup de feu. À cause de la pluie… ? L'un des agents, celui qui, marchait sur sa gauche, est projeté en avant et s'effondre dans la boue qu'il rougit de son sang.

Il réalise alors que l'on vient de leur tirer dans le dos. Il se retourne, son revolver cherchant la cible.

Le deuxième agent regarde, étonné, son compagnon que la tourbe avale déjà.

— Dans les ajoncs !, aboie l'homme.

— Avec un fusil.

Un nouveau coup de feu les oblige à se baisser. Les prédateurs sont devenus des proies. Ils tirent au jugé pour couvrir leur retraite, faisant de grandes et lourdes enjambées dans la vase, fuyant pour atteindre la forêt où ils pourront disparaître.

L'homme peine à calquer sa vitesse sur celle de son agent. Mais la peur lui fait oublier sa piètre condition physique.

— Qu'est-ce qui se passe, Didier ? On dirait que…

— Nous avons un renfort providentiel. Tu peux regarder, Émylie. L'un des tueurs a été abattu et les deux autres se sont enfuis. Sans doute dans la forêt. Je ne les vois plus.

Émylie se détache du jeune homme. La pluie lui brouille le regard. La pluie et les larmes. Elle distingue vaguement une silhouette qui se précise lentement en venant vers eux.

Un chasseur ? Oui, sans doute. Elle devine le chapeau, le fusil.

Le chasseur s'oblige à de redoutables efforts pour conserver son équilibre en pataugeant dans le marais comme un ours maladroit.

Mosèle plisse les yeux, affûte son regard et se dit que l'instant est dramatiquement cocasse. En effet, il a reconnu le chasseur qui lève son chapeau dans un salut théâtral, son fusil en bandoulière.

— Martin ! Vous avez une drôle d'allure, pour un ange gardien. Mais rudement efficace dans votre nouveau job…

126

Hertz est cramoisi.

— Je n'ai plus de souffle, moi ! Trop de cigares dans les poumons !

Mosèle et Émylie quittent le tertre qu'ils dévalent en glissant, tombant presque dans les bras du vieil avocat qui les reçoit avec une fierté non dissimulée.

Puis, se retournant sur le cadavre du Gardien du Sang qu'il a abattu, il dit :

— J'espère que ce fumier est celui qui a tiré sur Léa. C'est bizarre, j'ai eu moins de peine à l'abattre qu'un sanglier.

— Vous nous avez suivis depuis Paris ?, demande Mosèle sans attendre.

— Je vous ai devancés, précise Hertz. Je savais que vous vous rendriez à la chapelle dès que vous seriez dans la région. Je me doutais aussi que les Gardiens interviendraient. Mais je me suis perdu à l'approche de la chapelle ; Léa se moque souvent de mon médiocre sens de l'orientation ! J'ai déboulé quand les trois types se sont mis à courir à vos trousses.

— Qu'allons-nous faire du cadavre ?, s'inquiète Mosèle. La police risque de se poser pas mal de questions, non ? Elle découvrira rapidement l'existence d'un couple de promeneurs et d'un chasseur !

— Cela m'étonnerait. Fouillez-le, et vous comprendrez.

Mosèle se penche sur le corps qui baigne dans la boue, le retourne, l'examine.

— Il n'y a rien sur lui qui puisse permettre de l'identifier, constate-t-il enfin. Pas le moindre papier ! Pas une marque de vêtement. Rien !

— D'ici quelques heures, ce fantôme aura disparu. Les Gardiens du Sang ne laissent jamais le corps d'un des leurs derrière eux. La police ne saura rien. Retournons à votre hôtel ; il est inutile de rester à veiller ce salaud. Ses collègues peuvent avoir l'idée de terminer leur besogne. J'ignore combien ils étaient dans le coin. Ces loups chassent parfois en meute.

Mosèle passe un bras autour du cou d'Émylie.

— Ça va ?

— Non, pas vraiment. Ça t'étonne ?, répond-elle en réprimant un sanglot.

— Où vous êtes vous garés ?, interroge Hertz.

— Je ne sais plus trop, avoue Mosèle. Dans une clairière. Pas loin du Cathare.

— Ah, le Cathare !, reprend Hertz. Nous allons retrouver votre voiture et vous m'emmènerez ensuite à la mienne que j'ai laissée sur un chemin forestier balisé. J'ai pris soin de le noter sur ma carte... Vous savez que vous avez l'air marrant, avec votre porte-documents ? Je parie que vous avez là-dedans les clefs du Graal, non ?

— Je croyais, en effet.

Ils sortent du marécage, posent pied avec soulagement sur le sol ferme de la forêt.

— Je n'ai pas eu l'impression que nous avions été suivis, et pourtant les Gardiens du Sang connaissaient exactement l'endroit où nous nous rendions, dit Mosèle. Qui savait que nous venions ici ce matin ?

Hertz ébauche une moue incrédule.

— Vous l'avez annoncé à Pontiglione et à moi-même, jeudi soir. En avez-vous aussi parlé à un membre de votre équipe, à la Fondation ? Et vous, Émylie ?

— Je ne l'ai dit à personne, affirme la jeune femme.

— Alors c'est une évidence, Didier, constate gravement Hertz. Les Gardiens du Sang sont au courant de tous vos faits et gestes.

Au bout de quelques minutes, ils parviennent à l'endroit gardé par la statue du Cathare devant laquelle Mosèle s'arrête.

— Je suis impatient d'apprendre ce que représente cet « Homme Vert ». Je parie que vous serez intarissable à son sujet, Martin. Quel lien de cousinage l'unit-il aux Templiers de la forêt d'Orient ?

De retour au *Manoir des Eaux*, après avoir pris une douche et, pour ce qui est d'Émylie et de Mosèle, changé de vêtements, ils se retrouvent tous trois dans la chambre de Didier qui a fait monter des plateaux-repas.

Hertz a endossé un peignoir de bain, le temps que sèchent ses habits trempés. Il est vautré dans un fauteuil, pieds nus, le cheveu en désordre, dévorant avec un appétit d'ogre un sandwich au poulet, qu'il arrose abondamment d'un vin rouge dont il apprécie manifestement le bouquet.

Le repas pris presque en silence et achevé, Mosèle et Émylie allument une cigarette.

— Je ne parviens pas à comprendre, commence Hertz, pourquoi vous préférez vous encrasser les poumons avec des cigarettes ! Le cigare est tellement plus délicat, plus sensuel... si suave !

— Question d'âge, peut-être, rétorque Mosèle.

— Bonne réponse, admet le vieil avocat. Parlons de notre Cathare. Cela vous aidera à reconstituer le trajet du Testament du Fou. Ou plutôt d'un morceau du manuscrit original.

Émylie et Mosèle se sont assis chacun sur un bord du lit.

— Le manuscrit a été brûlé dans l'abbaye d'Orbigny par les Templiers. Lesquels n'ont d'ailleurs pas craint de tuer les deux copistes, Agnan et Nicolas de Padoue, comme je vous l'ai déjà raconté, Didier. Oui, l'abbaye a bien été incendiée, avec sa bibliothèque, mais la suite de l'histoire révèle un rebondissement qui ne trouvera son épilogue que bien plus tard...

Puis, désignant les cigarettes de ses amis, Hertz ne peut s'empêcher de regretter que le cigare qu'il avait emporté et mis dans une poche de sa veste ait été bousillé par la boue du marécage.

— Tout de même... Un Partagas – série n° 4. Du pur miel !

— L'histoire, Martin !, s'impatiente Mosèle. Vous en savez long sur les péripéties du manuscrit maudit et vous vous plaisez à les distiller par épisodes !

— N'est-ce pas une quête, Didier ? Ne vous ai-je pas enseigné que nous ne pouvions atteindre à la Lumière d'un seul coup ? Vous avez approché le Cathare, il est donc temps aujourd'hui d'en parler.

— Me dites-vous la vérité, Martin ?, interroge Mosèle avec lassitude. Ne transfigurez-vous pas l'histoire à votre guise, pour servir vos intérêts ? M'apporterez-vous un jour des preuves ?

— La vérité !, s'exclame Hertz. La vérité est ce qu'il reste des événements tels qu'on les transmet et les conserve. Écoutez le récit d'un jeune oblat... Une des clefs du Secret se trouve dans cette chronique.

28

L'oblat

Une nuit de mil cent quatre-vingt-douze.

Tandis que la petite abbaye d'Orbigny s'abîmait dans les flammes d'un brasier qui devait la ravager entièrement, un adolescent en robe de bure fuyait l'incendie, tenant serré contre sa poitrine un objet empaqueté en hâte dans un morceau de linge. Ce garçon, dénommé Benoît Chantravelle, était l'unique survivant du drame.

Il marchait contre le vent gorgé de neige, le visage gercé par le froid, les bras enlaçant son torse pour protéger son bien. Il trébuchait souvent, tombait parfois, mais ne cessait d'avancer, hurlant *Pater* et *Credo* pour se donner courage, entendre sa voix qui le rassurait. Et il pleurait aussi, pensant aux moines qu'il ne reverrait jamais plus. À Nicolas et Agnan de Padoue, si doux et prévenants, toujours à le consoler lorsqu'il regrettait l'absence de ses parents ou qu'il doutait de sa foi.

Au petit matin, Benoît parvint à gagner le monastère de Saint-Paul, non loin de Sens. Sa robe était maculée de neige boueuse, il avait les pieds gelés et tous ses os le faisaient souffrir.

Il frappa à la porte de l'austère bâtisse et le moine qui lui ouvrit s'apitoya aussitôt sur lui en constatant son état de fatigue et ses habits souillés.

— Ce n'est guère un temps pour battre la campagne, mon garçon. De plus, c'est la saison des loups.

— Je demande votre hospitalité, mon frère. Je suis un neveu de votre prieur, Arnaud de Puhilez, et suis transi de froid.

— Entre vite. Frère Arnaud nous a souvent parlé de toi. N'es-tu pas oblat à Orbigny ? Te voici tout croûteux, couvert d'engelures.

— Pardi !, se plaignit Benoît. J'ai marché toute la nuit avec de bien vilaines chausses.

On envoya chercher Arnaud tandis qu'on lavait et soignait l'adolescent qui ne quittait pas des yeux le paquet sauvé des flammes d'Orbigny, posé près de lui sur un banc.

Arnaud de Puhilez entra dans la pièce, vit le garçon, mit un certain temps à le reconnaître tant celui-ci avait l'air épuisé, les yeux enfoncés dans leurs orbites, les lèvres blanches. Il grelottait, donnant l'impression de ne plus pouvoir s'arrêter.

— C'est toi… Benoît ?, demanda Arnaud, incrédule. Tu ressembles à un spectre ! Ton supérieur est inconscient de t'avoir laissé filer sans m'en faire avertir !

— L'abbé est mort, mon oncle. Tout comme le curé, les sacristains, les copistes, le prieur et deux oblats. Tous morts !

Arnaud vint s'asseoir sur le banc près du jeune homme. Puhilez avait une cinquantaine d'années. C'était un homme robuste, solidement charpenté, au visage ingrat, avec un long nez, des pommettes hautes et saillantes. Mais ses yeux étaient perpétuellement emplis de mansuétude et de bonté.

— Nicolas et Agnan de Padoue ?, interrogea-t-il. Tu as bien dit que les copistes aussi… ?

— Massacrés par cinq inconnus qui ont ensuite mis le feu à la bibliothèque ! L'incendie s'est rapidement propagé à toute l'abbaye.

Arnaud fit un signe de croix et s'inclina pour murmurer une prière. On avait terminé de panser les engelures de Benoît. Son oncle le conduisit dans une cellule, une chambre sans grand confort, envahie par une affreuse odeur de moisi. Une fenêtre aux volets de bois fermés. Une table avec un bol, une chandelle dans un bougeoir, une bible. Deux tabourets, une lampe à huile accrochée à une chaîne pendant du plafond, un crucifix avec une branche de buis séché coincée entre la croix et le mur, une paillasse sur un sommier de bois, une cuvette, un broc, une modeste armoire encastrée dans l'un des murs, un petit brasero où mouraient les braises de la nuit.

Benoît posa son paquet sur la paillasse.

— J'ai assisté au drame, dit-il. Je ne dormais pas et j'ai entendu les visiteurs… Je savais que Nicolas et Agnan travaillaient sur un certain manuscrit dont la traduction avait été réclamée par les cinq hommes.

— Seigneur… Quelle perte !, se lamenta Arnaud. Ces deux frères possédaient un savant esprit et parlaient plus de langues que Babel n'en a jamais entendu !

— J'admirais Nicolas et Agnan ; je leur rendais de menus services. J'avais deviné l'importance du manuscrit ; aussi, dès que les cinq tueurs ont quitté l'abbaye, je me suis précipité pour en sauver ces quelques morceaux.

Benoît déplie soigneusement le linge pour en dégager un feuillet de parchemin aux trois quarts calciné. Arnaud élève la chandelle, se penche sur le document, l'examine en le touchant à peine.

— Quel effroyable secret se cache dans ce document pour que l'on tue ainsi pour lui d'aussi braves gens, mon oncle ?

— Je ne suis pas assez docte pour déchiffrer ces mots. Lorsque tu te seras restauré, nous irons en ville où je connais un vieux scribe qui saura peut-être traduire ces textes.

Benoît mourait de faim ; il se contenta d'une grosse soupe aux fèves, d'un morceau de pain noir et de trois figues séchées. Le ventre encore douloureux, il suivit son oncle chez maître Resnais qui habitait Sens.

Maître Resnais, cassé en deux par des rhumatismes, portant mitaines et bonnet de laine, les fit entrer dans une pièce carrée encombrée de lutrins, de tables, d'étagères couvertes de grimoires, de manuscrits ou de rouleaux, d'écritoires, de plumes d'oie et de calames.

Un bon feu ronflait dans la vaste cheminée. Le jeune oblat y alla se réchauffer les mains.

À l'aide de fines pincettes, maître Resnais détacha les pages calcinées qu'Arnaud lui présenta.

— Ce manuscrit a bigrement souffert, dit-il. C'est à croire qu'il a été arraché des flammes de l'enfer !

— C'est un peu cela, maître Resnais, admit Arnaud. Il est cause de nombreuses morts. Prenez votre temps. Des mois, des années s'il le faut... Mais donnez à ce parchemin une bonne figure de latin ou de français.

— Frère Arnaud, vous venez d'aiguiser ma curiosité, fit le traducteur avec intérêt. Nous avons là un manuscrit écrit dans un idiome mort depuis des siècles !

Maître Resnais passait une langue gourmande sur ses lèvres, le nez collé aux feuilles noircies. Il émettait des petits « bien, bien, bien... » suraigus.

— Le temps qu'il faudra, souligna Arnaud.

— C'est ce que demande un tel travail, insista maître Resnais. Je devrai faire *remonter* les lettres que le feu a effacées en partie, recopier l'ensemble sur un vélin de manière à étudier le tout plus confortablement. Mais, ma foi, l'entreprise me plaît. J'espère ne pas vous décevoir, Arnaud.

— Vous serez payé en conséquence, mon ami, précisa le prieur. J'ai imposé à mon existence une pauvreté qui sous-tend ma foi ; je conserve cependant une belle fortune familiale et saurai honorer votre ouvrage.

29

Le prêcheur

Trois pèlerins pénétraient dans un faubourg d'Albi. L'un était vêtu en abbé et portait un chapeau au large bord. Une besace en bandoulière, il marchait en s'aidant d'un long bâton. Les deux autres, père et fils, s'étaient couverts d'épais manteaux car, bien que nous fussions en terre occitane, l'hiver avait imposé son règne et un vent cinglant hurlait dans les rues.

Sur leur passage, les gens qui les dévisageaient parlaient d'eux en ces termes :

— Voici le vieux comte Rodolphe Poitevin et son fils avec leur protégé, leur « bonhomme » ! Allons les écouter prêcher.

— Pas moi ! Ces trois-là sentent le fagot. N'ont dans la gorge que paroles souillées d'hérétiques. J'leur crache à la fente, à ces souriceaux du diable !

— Paroles de vérité, plutôt. Le Cathare pense juste.

On les saluait avec amitié et respect, ou on crachait dans leur direction en les injuriant. On les accompagnait fraternellement ou on les fuyait en se signant.

Bientôt, l'abbé que l'on appelait le Prêcheur s'arrêta avec ses deux compagnons sur le parvis d'une église. Une petite foule se réunit autour d'eux. Des visages connus. Des adeptes en devenir.

Le Prêcheur éleva son bâton au-dessus des badauds comme une crosse d'évêque et, d'une voix forte, empreinte d'un accent rocailleux, s'écria :

— Frères, vous êtes des moutons que le pape et ses évêques tondent sans vergogne ! Eux, les fils de l'Église prostituée, les seigneurs de la Babylone maudite, les dépravés, ils vivent tous dans la corruption et le mensonge ! L'Église est pire que le plus vil des seigneurs ! Elle encaisse la dîme pour fondre de l'or, remplir son estomac de truie, acheter comtés et palais. Obéir au pape, c'est condamner son âme à la damnation éternelle, car Dieu n'est point du côté des riches et des usuriers. Le pape est frère du démon.

Une femme rougeaude lui lança :

— Tu as mille fois raison, « triste figure » ! Les évêques ont le cul cousu d'argent !

Elle fut reprise par un homme au teint blafard qui hurla :

— Et nous avalons d'immondes brouets alors qu'ils s'engraissent de pigeons et de rôts !

Le curé de l'église apparut, voulut chasser les trois pèlerins et disperser la foule qui commençait à gronder.

— Partez tous ! Vous êtes au seuil de la demeure de Dieu !

Le comte Rodolphe Poitevin se tourna vers lui, désigna la porte de l'église d'un doigt accusateur et tonna :

— Il y a longtemps que Dieu a déserté cette bauge, curé ! Satan est ton maître et tu l'ignores. Ouvre donc les yeux : ne vois-tu pas que tu sers la fausse Église ?

Le Prêcheur s'en prit à son tour au curé en le menaçant de moulinets de son bâton, prêt à l'abattre pour frapper. Le curé reculait, tremblant et inquiet de la tournure que prenaient les événements. Avec un murmure de colère qui enflait et se chargeait de violence, la foule avait fait un pas en avant. Elle donnait l'impression de vouloir faire irruption dans l'église. Quelque chose la retenait encore. Un peu de sens du sacré, peut-être ? Quelque chose de trop fragile, cependant, pour la contenir longtemps.

Le Prêcheur reprit :

— La Bête est dans Rome comme le ver dans le fruit ! Nous ne reconnaissons pas ses sacrements. La putain chrétienne n'est qu'une vulgaire magicienne. Suivez-moi, frères...

La foule n'attendait que cet ordre. Elle s'engouffra en une vague criarde dans l'église à la suite du Prêcheur, du comte Rodolphe et de son fils Pierre. Le curé fut bousculé et raillé. Impuissant, il assista au saccage de l'autel. Le Prêcheur renversa les calices et le tabernacle en tirant violemment le linge blanc orné de dentelles sur lequel ils étaient posés.

— Ciboires et calices !, dit-il en gesticulant. Hosties et vin ! Menteries... Voici donc le « corps » du Christ ! Que du métal et de la superstition !

Un grand homme brun aux joues bleues d'une barbe rase et une jeune fille blonde aux longues tresses riaient plus fort que tous les autres. La voix de la fille grinçait, crécelle aigre. Le grand gars était en train de dénouer les cordons de sa braguette. Il gueula :

— Regarde, Brunelle... Moi, j'ai un bien meilleur vin à mettre dans ces vases !

Et, alliant le geste à la parole, sortant fièrement son sexe, il se mit à uriner dans un calice. Ce fut avec orgueil qu'il tendit à la jeune fille le vase empli à ras bord.

— Par ma foi, c'est vrai !, s'extasia la fille. Et ton outil pourrait labourer mon jardin sans peine.

— Tu n'as qu'un signe à faire et je te baptiserai de foutre chaud !

Ils furent applaudis. La foule trépignait et dansait maintenant en brandissant les tibias de quelques saints dont elle avait brisé les châsses. On se jetait les reliques, on mimait de grossières et obscènes figures avec ces os gris et froids. Les femmes se les glissaient entre les cuisses, les hommes les brandissaient comme des membres en érection.

Le curé accourut, en larmes, implorant en vain la foule impie de cesser cet ignoble sacrilège.

Deux hommes, répondant à un signe du Prêcheur, décrochèrent la grande croix de bois suspendue au-dessus de l'autel.

— Non ! Pas le crucifix !, pria le curé. Pas le crucifix...

— Pourquoi vénérer la croix ?, demanda le Prêcheur. Jésus y est mort nu et humilié. Ce sont ses paroles que nous devons honorer, non l'instrument de son supplice.

— Qu'on apporte du petit bois !, commanda le fils du comte.

— L'Église vous oblige à adorer des icônes, des reliques répugnantes, des squelettes de saints..., dit le Prêcheur. Où est l'esprit, dans l'échoppe de Rome ? Où est l'âme ?

Une femme lui répondit :

— L'âme ? Dans les bourses sèches de l'évêque qui apprécie le commerce des catins, à ce qu'il paraît !

Un bûcher fut élevé sur le parvis de l'église. La grande croix de bois y fut plantée et l'on y mit le feu.

La foule, prenant conscience de son geste, fit soudain silence. Il ne resta de ce sabbat que le crépitement des flammes, qu'une noire fumée s'élevant en volutes que le vent happait.

À ce bûcher, au catharisme naissant, l'Église répondit par d'autres bûchers bien plus terribles. Elle lança en terre hérétique ses inquisiteurs, les dominicains, puis leva une armée de croisés avec l'aide du roi de France.

Ce drame devait se conclure plus tard au sommet du pog de Montségur... Les Cathares prièrent le seigneur du château, Raymond de Perella, de renforcer les murs d'enceinte. De par sa situation géographique, Montségur allait devenir la pièce maîtresse de l'opposition occitane au roi de France et au pape.

30

La traduction

Le quinze janvier mil deux cent huit, le légat du pape, Pierre de Castelnau, fut assassiné par des Cathares fanatiques. Le même jour, en France, au monastère de Saint-Paul, Benoît Chantravelle entrait dans la cellule de son oncle qui souffrait d'une forte fièvre.

— Maître Resnais est en chemin, Benoît, annonça Renaud. Je ne rendrai mon dernier souffle que lorsque j'aurai appris ce que contiennent les parchemins que tu m'as jadis apportés.

— Je les avais presque oubliés ! Cela fait maintenant seize ans...

Arnaud s'était considérablement amaigri, il avait le teint crayeux et peinait à trouver sa respiration. Son visage habituellement laid avait trouvé dans la maladie une insolite beauté. On aurait dit celui d'un saint posant déjà les yeux sur les clartés du Paradis.

Benoît bassina le front de son oncle et lui passa un onguent sur la poitrine, remède indiqué par le moine le plus savant de leur communauté que l'on interrogeait en confiance lorsqu'on était atteint d'une vilaine fièvre.

Maître Resnais pénétra en boitant dans la modeste chambre qui empestait le camphre et le thym. Le vieillard était tout tremblant, ému, apeuré comme un chien sénile. Il tenait contre sa poitrine une sacoche de cuir à laquelle ses mains maigres s'accrochaient telles les serres d'un rapace.

Arnaud tenta de se redresser dans son lit. Benoît l'aida en lui plaçant un coussin bourré de paille sous les reins.

— Approchez, maître Resnais, souffla Arnaud. Vous avez émoussé ma patience. Suis-je récompensé de cette longue attente ?

— Renaud…, balbutia le vieillard dont les genoux claquaient. Je… Je n'aurais jamais dû me pencher sur ce manuscrit ! Jamais !

Benoît s'impatientait :

— Eh bien, saurons-nous enfin pourquoi mes frères furent tués à Corbigny ?

— J'ai usé mes yeux, brisé mes forces sur ce texte, dit maître Resnais. Et j'y ai perdu mon âme !

Maître Resnais se décida enfin. À gestes maladroits et fébriles il sortit une liasse de parchemins de la sacoche qu'il venait de poser sur la table.

Dans son lit, Arnaud se redressa sur un coude en faisant un grand effort.

— Ces feuillets évoquent un passage des Saintes Écritures. Celui du *jeune homme au suaire*, sur le mont des Oliviers. Mais le plus terrible, le plus effroyable est que ce récit a été écrit par… par…

Arnaud encouragea le vieillard à poursuivre :

— Allons, mon ami, dénouez votre langue !

— … par un proche de Jésus qui se nomme *Jean frère par les Douze* ! Une légende parlait de cet Évangile, mais nul n'y a jamais vraiment cru.

— Le second Évangile de Jean, reprend Arnaud en se laissant retomber sur son oreiller.

— Mais il y a pire, Arnaud, poursuit maître Resnais. Détenir ce texte, c'est posséder l'ineffable Secret, car Jésus n'est pas mort crucifié. C'est son jumeau, Thomas, qui a pris sa place. D'après ce que j'ai compris, Jésus s'est rendu jusqu'à Saint-Jean-d'Acre en compagnie de quelques disciples, dont *Jean frère par les Douze*. Et cela, bien après que Thomas fut mis en croix. Là, le Christ s'est embarqué sur un navire… Ce sont les dernières pages que j'ai pu reconstituer et traduire. Où s'est rendu Jésus ?, je l'ignore.

Benoît intervint brusquement :

— Êtes-vous sûr de vous, maître Resnais ?

— Que je sois damné si ce n'est pas la vérité ! Du moins celle que contiennent ces pages. Le feu en a pris de nombreux passages et j'avoue qu'il y a de grands manques, bien gênants. Par exemple, je ne suis pas parvenu à définir ce qui s'est réellement déroulé au mont des Oliviers. J'ai seulement saisi que Thomas a cru avoir tué Jésus, son jumeau, et que Jésus, recouvert d'un suaire, est alors apparu à son frère. On y parle de haine, de sang, de trahison... Mon esprit en est encore tout bouleversé.

— Saurez-vous garder ce secret, maître Resnais ?, demanda Arnaud. Si les cinq incendiaires de Corbigny apprenaient qu'une partie de cet évangile a été épargnée par les flammes...

— J'implore la mort de venir me prendre au plus vite afin de me soulager de ce fardeau, bredouilla maître Resnais. Je vous dis adieu, Arnaud ; je ne vous reverrai plus.

— Oui, nous sommes vieux et notre heure est venue. Mais vers quel Dieu adresser nos prières ? J'ai l'âme comme une outre vide, soudainement...

Une fois maître Resnais reparti, Arnaud s'allongea, tenant les documents sur sa poitrine qui se soulevait avec difficulté, dans des râles.

— Je ne serai bientôt plus de ce monde, mon neveu, et ne peux te laisser sans protection, dit-il en levant vers Benoît un regard brûlant. Tu iras trouver refuge parmi les Parfaits, les « bons hommes » d'Occitanie.

— Mais les croisés chassent les Cathares, jugés hérétiques par les dominicains !, s'exclama le jeune homme.

— J'ai un cousin, Raymond de Perella, le rassura Arnaud. Il participe à la défense de Montségur où s'abritent de nombreuses familles ayant épousé la nouvelle foi.

— Un si long voyage...

— Tu y seras en sécurité. On dit la place inviolable, plantée sur un piton rocheux. Là, tu pourras cacher ce terrible Secret. Les « bons hommes » défendront ce qui reste de cet Évangile contre le pape et le roi de France.

Arnaud tendit les feuillets à son neveu.

— Pars sans plus tarder, Benoît. Ce que tu as sauvé du feu cette nuit-là est un trésor maudit. Pars et deviens une ombre ! Disparais...

31

La trahison de maître Resnais

La salle d'audience de l'évêque de Sens.

L'évêque était confortablement assis sur un siège à haut dossier, les pieds posés sur une épaisse fourrure, près d'une cheminée où brûlait un feu généreux.

Maître Resnais se tenait debout à certaine distance de lui, intimidé, tenant à la main sa sacoche, dont il triturait nerveusement la courroie.

La salle était relativement vaste et décorée de lourdes tentures qui calfeutraient les murs de pierre. Une fenêtre aménagée dans la profondeur du mur était fermée par de gros volets de bois cloutés de bronze. Le vent venait y mourir en longues plaintes.

Le vieux scribe jetait des coups d'œil en tous sens, son regard accrochant ici un objet religieux, une icône, de l'or, de l'ivoire, là des manuscrits magnifiques…

Maître Resnais se demandait s'il avait bien fait de demander à voir l'évêque de toute urgence. Sa requête avait été acceptée rapidement et il était avéré que cette réponse favorable était due à la réputation dont il jouissait dans toute la région.

— Je vous écoute, maître Resnais. Vous m'avez demandé une audience privée pour une affaire d'importance, n'est-ce pas ?

— Certes, Monseigneur… Oui, oui… Important est-il bien le mot ! Non, effroyable, plutôt !

La voix de maître Resnais entrechoquait les mots, les écaillait. Ils sortaient de sa bouche en le brûlant, lui déchiraient la langue.

Hautain, conscient de son ascendant sur ce vieillard malingre, l'évêque goûtait en cet instant un plaisir bien peu chrétien. Mais si excitant.

— Plus de quinze ans de ma vie… Quinze lourdes années pour traduire des parchemins à la demande de frère Arnaud. Mais je ne veux pas mourir avec ce Secret… Tenez, Monseigneur. Une copie… Quinze ans de travail… Une copie que j'ai faite sans rien en dire à frère Arnaud, naturellement. Prenez, Monseigneur. Si cela pouvait me valoir quelque indulgence… Prenez donc…

Jugez par vous-même en toute connaissance de cause et avec la sagesse qui vous est coutumière.

Puis, déposant avec crainte les documents entre les mains fines du prélat, maître Resnais poursuivit :

— Je... Je ne suis pas responsable... C'était une commande ! Et d'un homme d'Église. Mes respects, Éminence...

Voilà. Se retirer, maintenant. Quitter ce lieu assailli par le vent hurlant et frappant aux volets.

Maître Resnais s'en retourna, plié en deux, pareil à une volaille effrayée. Il boitillait et craquait de toute part.

Lorsqu'il fut seul, l'évêque se pencha sur les parchemins. « Ce vieillard a l'esprit aussi confus que celui d'un simple d'esprit. Qu'a-t-il diable écrit là ? »

32

Montségur

Au pied de Montségur, Benoît pensait avoir marché avec sa mule depuis tout un siècle. L'animal l'avait certes parfois porté, mais, la plupart du temps, il l'avait accompagné, trottant à son pas, préférant amarrer ses bagages sur son échine.

Il lui avait parlé tous les jours et s'en était fait une amie dont il avait apprécié le silence et le regard curieux.

S'étant restauré dans une auberge de village, il demanda si quelqu'un pouvait le conduire au château de Montségur. Un homme lui répondit qu'il acceptait de l'emmener, mais qu'il ne pouvait répondre de l'accueil qui lui serait réservé.

— Je suis porteur d'une lettre d'Arnaud de Puhilez, cousin du seigneur Raymond de Perella, annonça Benoît. Je vous laisserai ma mule en paiement.

Car sa bourse s'était définitivement vidée avec le repas qu'il venait de prendre.

Benoît suivit l'homme. Ils allèrent tous deux à pied. Le moine regrettait déjà sa mule, trouvant que ses deux baluchons pesaient bien lourdement sur ses épaules. La voie était étroite et difficile.

Elle requérait une grande prudence pour ne pas glisser dans un à-pic profond et caillouteux.

Montségur découpait sa massive silhouette sur un ciel limpide. Des huttes et des cabanes s'accrochaient à l'extérieur de la place forte, collées aux murailles. Des cénobites y vivaient dans le dénuement le plus total, expliqua le guide qui progressait avec beaucoup d'aisance, tandis que Benoît assurait précautionneusement chacun de ses pas.

Une heure plus tard, le villageois désigna à Benoît un autre chemin de crête, plus haut. Une saillie dans la roche menait droit à la forteresse.

— Voyez comme il serait malaisé d'assiéger le château, dit-il. Il faut emprunter ce sentier qui mène au col du Tremblement.

— Effectivement, Montségur est un véritable nid d'aigle !, admit Benoît qui suait toute l'eau de son corps.

Lorsque le jeune moine eut remercié son guide et se trouva enfin devant Raymond de Perella, celui-ci lui offrit à boire une belle eau claire et fraîche. Il crut avoir atteint le jardin d'Éden et pensa avec joie qu'il y passerait désormais l'éternité.

La lumière entrait à flots dans la grande salle voûtée pour en éclabousser généreusement le sol.

Raymond lut la lettre que lui avait écrite Arnaud.

— Je suis triste de savoir mon vieux cousin souffrant. Cependant, la pureté de son âme est telle qu'il reposera sereinement dans les bras du Créateur si ce Dernier le réclame auprès de Lui. Il me parle d'un manuscrit…

— Le voici, ainsi que la traduction qui en a été faite, dit Benoît en lui tendant les parchemins.

Raymond prit avec soin les feuilles brûlées et consulta la traduction de maître Resnais cependant que Benoît lui racontait l'incendie d'Orbigny, sa fuite, son arrivée au monastère de Saint-Paul.

Raymond lut à voix haute :

« *Aux Oliviers le frère mort en son suaire. À son jumeau traître fait remontrances. Et le maudire aux Siècles des Siècles. Au peuple mensonge donné. Au Secret les Douze dresser le Temple. Lui Jésus né du ventre de Marie par Joseph enfanté a abandonné son frère damné à son supplice. De ses disciples accompagné, s'en est allé fonder le Vrai Temple en un autre lieu.* »

Raymond laissa retomber son bras. Une feuille se détacha de sa liasse et, après avoir flotté comme une plume, quelques secondes, dans la blancheur de la lumière, se posa sur le dallage. Benoît la ramassa, la remit en place. Raymond ne bougeait plus. Il regardait droit devant lui, les yeux vides, sans expression.

Puis une rougeur lui monta au front, il se mit à arpenter la pièce à grandes enjambées. L'homme était grand et maigre, noueux et cagneux, portant ses cheveux blancs très longs et une barbe poivre et sel taillée en pointe.

Il frappa l'espace de ses poings et s'exclama avec rage :

— Rome nous ment depuis douze siècles ! La vile putain torture et brûle les Parfaits au nom d'une croyance qui n'est que tromperie !

— Dieu veuille que le pape n'apprenne jamais l'existence de cette copie, dit Benoît en regardant une tourterelle se poser sur le rebord d'une des fenêtres.

Le jeune moine ne comprit pas pour quelle raison la vue de cet oiseau le terrifia subitement, comme un signe néfaste.

La tourterelle se mit à roucouler.

33

Les dominicains

Juin mil deux cent neuf.

Une troupe armée composée d'une quinzaine de cavaliers se présenta au monastère de Saint-Paul. En tête de la colonne chevauchaient deux dominicains dans leurs robes bleues. Légèrement en retrait, se tenant droit sur sa selle, un homme habillé de brun demeurait le visage dissimulé dans l'ombre d'un capuchon.

Seuls les deux dominicains entrèrent dans l'enceinte du monastère. Le Père supérieur, qui les accueillit, trahissait une légère inquiétude. Par l'une des fenêtres de son bureau, il venait de voir la cohorte de soldats.

— Il est urgent que nous entendions le frère Arnaud de Puhilez et son neveu, commanda le premier dominicain d'un ton sans appel.

— Frère Arnaud a rendu son âme à Dieu il y a trois mois, répondit le Père supérieur. Quant à Benoît, il a quitté le monastère en janvier de l'année dernière.

Le second dominicain avait une voix plus suave et cauteleuse que celle de son compagnon.

— Pourriez-vous avoir l'obligeance de nous dire où il s'est rendu, mon frère ?

Le frère supérieur détesta cette voix. Et sa question. Mais il avait peur et cela ne se voyait que trop. Il transpirait dans l'affreuse robe de bure rêche qui lui martyrisait la chair.

Le premier dominicain reprit :

— Il est suspecté d'hérésie et de commerce avec le démon. Nous cacher des informations à son sujet vous rendrait aussi coupable que lui.

— Au nom de la Vierge Marie, je vous certifie que j'ignore quel chemin Benoît a pris… Peut-être que le frère économe saurait vous renseigner ?

— Conduisez-nous à lui, fit la voix doucereuse.

Le frère supérieur devança les deux visiteurs et les entraîna vers les communs où il savait trouver le frère économe. On croisa quelques moines qui s'effacèrent avec respect et crainte devant les inquisiteurs.

Ils entrèrent dans une pièce parfaitement rangée où étaient entreposés les vivres du monastère, rigoureusement disposés sur des étagères : farine et grains dans des coffres et des paniers, flacons, bouteilles, pots, sacs, huches…

La salle était claire et sentait bon. Mille arômes en composaient l'atmosphère. Le frère économe était un agréable vieillard aux joues roses. Aux questions des dominicains, il répondit sans malice :

— Je lui ai donné vivres et baluchons. Frère Arnaud lui a payé une mule. J'ai cru comprendre que Benoît se rendait en terre occitane. Je lui ai souhaité bon voyage et j'ai prié qu'il ne lui arrive pas malheur en route. À ce qu'il m'a semblé, Arnaud avait un cousin occitan… Je n'ai guère prêté attention à ce que Benoît me disait. J'étais alors occupé à rédiger mon inventaire ; l'hiver était rude et je craignais de manquer de provende pour en atteindre la fin sans pleurer famine.

En ressortant du monastère, le premier dominicain lança :

— La vermine se terre dans la pourriture.

Les deux inquisiteurs vinrent rendre compte de ce qu'ils avaient appris à l'homme en brun qui prenait toujours soin de ne pas montrer son visage.

— Arnaud est mort et son neveu doit déjà se cacher en pays cathare, Messire.

— L'idée est moins folle qu'elle y paraît, constata l'homme. Ce Benoît est hors de la juridiction du roi, mais risque de périr sur un bûcher s'il se fait indiscret. C'est à nous, Gardiens du Sang, de déloger cette vipère.

34

L'initiation

Avril mil deux cent dix.

On fit entrer Benoît dans une très grande salle où se tenait en silence une importante assemblée de femmes et d'hommes de tous âges. Blancs les murs, blanche la table recouverte d'un drap, blanche la lumière de la forêt de cierges. Mais noires les robes des diacres et des officiants campés derrière la table sur laquelle furent déposées une bible, une cruche et une vasque remplie d'eau.

Benoît portait encore sa bure de moine. Une jeune fille le suivait, tenant dans ses bras la robe noire qu'on lui passerait plus tard.

Dans l'assistance, Raymond de Perella et son fils Jordan s'étaient placés aux côtés du comte Rodolphe Poitevin et de son fils Pierre.

En s'approchant de la table, Benoît remarqua qu'on avait posé sur la bible ouverte les feuilles calcinées du parchemin qu'il avait offertes à son cousin.

Ils étaient trois derrière la table. Ils attendirent que Benoît se fût approché assez près pour que l'un d'eux, un Parfait d'une quarantaine d'années, le visage tavelé, les yeux sombres, annonçât :

— Benoît, les « bons hommes » te reçoivent en ce temple pour t'accueillir dans leur foi et t'initier à leurs mystères. Nous allons te transmettre le *consolamentum*. *Benedicite parcite nobis.*

Après avoir marqué un temps, il demanda à l'impétrant :

— Acceptes-tu d'abjurer la foi catholique, ses sacrements et ses dogmes, et ne plus recevoir d'oraison que de Dieu et non de l'Église ?

— Je m'y engage, articula Benoît sans chercher à dissimuler son émotion.

Pater poster... L'assistance avait scandé ces deux mots d'une seule voix. Ils résonnèrent dans l'immense salle et firent vibrer la flamme des cierges.

— Promets-tu de ne plus manger aucune nourriture animale, de ne jamais avoir de rapport charnel, de conserver ta foi nouvelle, quoi que l'on fasse subir à ton corps ?

— Je le promets.

Pater noster.

Le Parfait s'empara du Livre saint qu'il referma, enserrant entre ses pages les feuilles écrites par *Jean frère par les Douze*. Il posa le livre sur le front de Benoît tandis que les deux diacres se placèrent de chaque côté du moine, lui prirent les mains de leur main gauche et appliquèrent leur main droite sur sa poitrine.

— Je dépose sur ton front le Livre qui contient désormais la Juste Parole ; par ce sacrement, qu'Elle entre en toi ! Tu es désormais une créature nouvelle, née de l'Esprit.

Recueilli, Benoît ferma les yeux. Il s'imprégna du contact du cuir de la bible contre son front. Il imagina de soigneux et méticuleux copistes en train d'en tracer les milliers de mots. Et le parchemin dont il avait sauvé quelques morceaux dans l'abbaye d'Orbigny en flammes.

— Au commencement était le Verbe et le Verbe était avec Dieu et le Verbe était Dieu, dit le Parfait.

Pater noster.

Le Parfait retira le livre du front de Benoît et embrassa chaleureusement celui-ci sur la joue droite.

— Reçois le baiser de paix, frère.

La jeune fille qui tenait l'aube noire s'approcha et la remit à l'un des deux diacres qui la présenta au nouvel initié en lui disant :

— Tu porteras toujours cet habit noir, car désormais tu es un « revêtu », et cette vêture est le symbole de ton appartenance à l'humble famille des Parfaits.

Le Parfait désigna ensuite le fils du comte Rodolphe qui s'avança de quelques pas en souriant. Benoît, tenant la robe noire contre sa poitrine, se tourna vers le jeune homme.

— Nous te confions à Pierre, qui sera ton *socius*, dit le Parfait. Il t'accompagnera sur le chemin de notre religion. Considère-le désormais comme un frère jumeau.

— Je suis honoré de devenir ton apprenti, Pierre, avoua sincèrement Benoît, les larmes aux yeux.

35

Le pape Honorius

Rome, douze août mil deux cent vingt-trois.

Le pape Honorius profitait d'une belle journée ensoleillée. Installé dans l'un des jardins de son palais, il déjeunait sous une tonnelle, assis dans un confortable fauteuil. Habillé d'une robe blanche parée d'or, il dégustait de petits pigeons dont il détachait méticuleusement les pattes à l'aide d'un couteau. Dans une aiguière finement ouvragée brillait un vin rosé qui avait déjà apporté quelques couleurs aux joues du souverain pontife.

Tout en s'appliquant à détacher délicatement les membres de l'oiseau, il s'adressait au Gardien du Sang qui se tenait debout de l'autre côté de la table, vêtu de brun des pieds à la tête, et qui venait de rabattre son capuchon :

— Seigneur Gauthier, cela fait maintenant quinze ans que vos hommes fouillent en vain le moindre village occitan, et vous n'avez pas encore retrouvé le moinillon... ce Benoît Chantravelle !

— J'en suis désolé, Saint-Père. La Loggia vous demande encore de la patience. Toute la région, du comté de Toulouse au marquisat de Provence, a été gangrenée par les Cathares. L'hérétique se cache dans cette ratière et bénéficie de la protection des seigneurs languedociens. Nous avons la preuve que les Cathares ont pris connaissance du Testament du Fou.

— Ah ?, fit le pape avec dédain en essuyant un peu de gras aux commissures de ses lèvres.

— Nos quelques espions infiltrés dans leur secte ont noté de sensibles transformations dans leur rituel d'initiation. Jean l'Évangéliste paraît maintenant avoir autant d'importance pour eux que Jésus-Christ.

— C'est tout ?

Le pape claqua du plat de la main sur la table. Le vin rosé dansa dans sa carafe.

— Non, Saint-Père, poursuivit Gauthier. Chaque *senhor*[1] qui officie prononce des phrases telles que celles-ci : *Aux Oliviers le frère mort en son suaire. À son jumeau traître fait remontrances. Et le maudire aux Siècles des Siècles. Au peuple mensonge donné.*

— Le venin est dans la chair ! Dieu m'est témoin que nous avons tout mis en œuvre pour extirper l'hérésie de ces terres renégates. Combien devrons-nous brûler de Parfaits pour que cesse de se répandre ce poison ? Je suis las d'attendre, seigneur Gauthier. Et cela m'ennuie !

Il faisait chaud. Gauthier suait à grosses gouttes dans ses vêtements, son dos était trempé. Lui aussi était fatigué. Sans doute bien plus que le pape qui mangeait à l'ombre tandis que lui restait planté en plein soleil, crevant de soif. Mais boire, boire ne parvenait pas à chasser l'épouvantable odeur de chairs brûlées qui avait pris possession de ses narines, de sa gorge, de son estomac. Boire et boire encore n'effaçait jamais, n'effacerait jamais plus l'infecte pestilence des bûchers.

Honorius III le considérait en silence d'un œil curieux. Pouvait-il imaginer les corps se tordant d'une effroyable douleur dans les flammes, femmes, hommes et enfants qui hurlaient, hurlaient, hurlaient ? Et ces bébés à peine sevrés qu'on jetait dans les

---

1. Nom donné au ministre qui reçoit le néophyte. Signifie « l'Ancien ».

brasiers, tels de vulgaires chiffons ? Et ces prières folles que clamaient les suppliciés dont les chairs se gonflaient, se déchiraient, éclataient ? Et cette fumée que le vent rabattait parfois sur vous, imprégnant tous les pores de votre peau, s'insinuant jusqu'à votre âme ?

Honorius se servit un peu de vin. Il porta la coupe à ses lèvres et ferma les yeux le temps de la dégustation. Puis, lorsqu'il eut dégluti, rouvrant à peine les yeux, il ordonna :

— Retournez en terre hérétique, seigneur Gauthier… Faites-vous reconnaître par Louis et poursuivez votre chasse. Mais, je vous en conjure, trouvez ce qu'il reste du Testament du Fou. *Dominus vobiscum*[1].

— *Et cum spiritu tuo*[2], repartit Gauthier.

Le Gardien du Sang prit congé du pape et rejoignit hors du jardin un groupe de six hommes vêtus de brun comme lui, qui l'avaient attendu sur leurs chevaux.

— Eh bien, Gauthier, le souverain pontife semble t'avoir contrarié, remarqua l'un d'eux.

— Honorius est encore plus impatient que ne l'était son prédécesseur Innocent III, souligna Gauthier. Rome possède une copie du Testament du Fou, les Templiers en ont une seconde… Et…

— Besogne mal faite !, s'exclama un autre. Un vulgaire moine a arraché quelques feuillets au feu il y a plus de trente ans et mis le Secret en péril. Le pape et les Templiers n'en sont plus les seuls dépositaires.

Gauthier remit son capuchon. L'ombre le soulagea un instant. Un réconfort de courte durée. Lorsqu'il remonta en selle, les cris qui l'accompagnaient désormais en permanence se remirent à lui taillader les tympans. Les cris de toutes les femmes, tous les hommes et tous les enfants tourmentés qu'il avait fait conduire aux bûchers.

Gauthier mourrait avec les plaintes de ces damnés, de tous ces fantômes aux squelettes carbonisés.

---

1. Le Seigneur soit avec vous.
2. Et avec votre esprit.

36

Les derniers Cathares

Décembre mil deux cent quarante-trois.

La plupart des places fortes cathares étaient tombées sous la poussée des croisés. Seul Montségur résistait encore. Mais dix mille hommes assiégeaient maintenant le château. Cette imposante armée était commandée par Hugues des Arcis qui avait déployé son camp au pied de la forteresse, à même les rochers.

On avait dressé une multitude de tentes sur ce terrain escarpé. Les bivouacs fumaient. Les hommes tuaient le temps dans l'attente du combat. Malgré ce siège impressionnant, Montségur, qui dominait le cantonnement de sa masse grise, semblait encore imprenable. Pourtant, la seule arme de défense importante dont disposaient les assiégés était une barbacane de bois montée sur la tour est.

Face à elle, les croisés, sous l'impulsion de l'évêque d'Albi, habile ingénieur, avaient eux aussi dressé une catapulte. Plus grande, certainement plus efficace, elle s'érigeait sur une petite plate-forme où peu d'hommes pouvaient prendre pied.

Sous sa tente, Hugues des Arcis avait réuni dix de ses lieutenants et consultait avec eux des plans récemment établis.

— Nous fermons le col du Tremblement, dit-il. De la sorte, les occupants de Montségur ne peuvent plus atteindre la vallée. Nous leur interdisons toute possibilité de ravitaillement.

— Oui, Hugues, reprit l'un des chevaliers. Mais le siège dure déjà plus longtemps que prévu !

Hugues ne le savait que trop. Homme du nord, il avait laissé femme et enfants sur ses terres humides qu'il appréciait tant. Les brumes lui manquaient. Ces belles brumes plates qui glissaient sur l'herbe et les gras labours...

— Certes, soupira-t-il. Les récents renforts de l'archevêque de Narbonne et de l'évêque d'Albi, ainsi que l'aide des Basques vont nous permettre de les étrangler.

— Ces hérétiques sont de véritables scorpions et peuvent rester des mois à jeûner !

Hugues fit un geste de la main comme pour chasser une mouche importune.

— Nous les écraserons tous ! Ils ne sont qu'une poignée, alors que nous comptons près de dix mille hommes. Nous tenons la montagne. Toutes les gorges et les routes sont coupées. Le plus étroit des sentiers est sous notre surveillance. J'ai envoyé une petite troupe de Basques au pied de la muraille est. Ils profiteront de la nuit pour grimper jusqu'à la tour et s'emparer de la barbacane.

En effet, la nuit suivante, une bande d'une dizaine de soldats, armés légèrement d'épées et de couteaux, mirent à profit les anfractuosités des rochers pour s'approcher de la tour. Véritables acrobates, ils faisaient corps avec la pierre. Ils atteignirent bientôt la muraille qu'ils escaladèrent.

Dès qu'ils mirent le pied sur la plate-forme, surprenant les quelques gardes cathares qui se réchauffaient autour d'un brasero, les Basques passèrent à l'attaque. Ils égorgèrent et éventrèrent la poignée de « bons hommes » en moins de trois minutes. Juste quelques cris que deux sentinelles cathares en poste perçurent cependant de la tour opposée. Elles donnèrent aussitôt l'alerte en soufflant à s'époumoner dans des cornes.

Les Basques mirent le feu à la barbacane et redescendirent sans plus tarder vers leur campement.

Tandis que des Cathares formaient une chaîne pour se passer des seaux d'eau et tenter de maîtriser l'incendie, l'évêque Bertrand Marty, Pierre-Roger de Mirepoix et Jordan de Perella improvisaient une conférence.

— Ces damnés fils de Satan viennent de nous prouver que Montségur n'est pas imprenable !, tempêta Pierre-Roger de Mirepoix.

— Répondons-leur en prenant leur barbacane comme ils ont fait pour la nôtre, proposa Jordan de Perella.

— Une aventure bien périlleuse, remarqua l'évêque.

— Qu'avons-nous à perdre, Monseigneur ?, demanda Jordan. Allons-nous attendre qu'ils nous bombardent sans relâche et qu'ils envahissent le château ? Je commanderai l'expédition.

On ne réfléchit pas plus longuement à l'opération que Jordan dirigea dans l'heure qui suivit. Une quinzaine d'hommes et de femmes rampèrent jusqu'à la plate-forme où se dressait la barbacane de l'évêque d'Albi, défendue par une petite escouade de croisés.

Les insurgés progressaient sur les roches recouvertes d'une herbe rase. La nuit s'était éclaircie, une pleine lune brillait bien trop vivement. Des croisés les aperçurent. Le bivouac s'éveilla aussitôt.

— Par saint Georges, les rats sortent de leur trou ! Regardez... Là !

— Aux armes ! Aux armes ! Tue ! Tue !

Les Cathares de Jordan se redressèrent pour livrer combat. Ils durent achever l'escalade sous une volée de flèches.

— Au nom de mon défunt père Raymond de Perella, pour notre foi, à l'assaut, compagnons !, lança Jordan, le ventre noué d'une peur soudaine.

Se doutait-il que son expédition était déjà vouée à l'échec ? Il voyait tomber ses sœurs et frères. Mais il poursuivait néanmoins en hurlant pour se donner courage, car la mort sifflait à ses oreilles. Les flèches des archers croisés transperçaient de traits aigus cette nuit si belle.

Parvenus sur le promontoire de la barbacane, ils furent fauchés, écharpés. Les corps ensanglantés roulaient sur les pierres, tombaient dans le précipice, se brisaient sur la falaise.

Jordan entendit un camarade lui crier :

— Fuyons, Jordan ! C'est cause perdue... Vois comme ils nous étripent !

Les survivants lancés dans la mêlée parvinrent à renverser ou assommer deux ou trois soldats ; cela ne suffisait pas pour prétendre prendre l'avantage. Il était vain de poursuivre et Jordan se replia avec les quatre compagnons que les flèches et les épées n'avaient pas atteints.

— Montségur est perdu... Perdu, n'est-ce pas, Jordan ?

— Nous tiendrons encore un peu, mon ami... Puis nous mourrons dans la paix de Dieu. Les flammes du bûcher nous délivreront de nos corps !

Dans la nuit du seize mars précédant la reddition de Montségur, Pierre-Roger de Mirepoix confia à Amiel Aicart et à ses amis Hugo Dominiac, Pierre Poitevin et Benoît Chantravelle la mission de sauver le trésor des Cathares. Ce trésor qui intrigua tant les historiens au cours des siècles suivants n'était constitué que de quelques morceaux d'un manuscrit secret.

Les quatre Parfaits profitèrent de la nuit pour entreprendre leur évasion. Benoît était déjà bien âgé pour se jeter dans une telle aventure. Son *frère* Pierre n'était guère plus vaillant. Ils s'encordèrent pourtant et, aidés d'Amiel et de Hugo, plus jeunes, ils descendirent le long de la muraille nord de Montségur. Plus haut, sur les remparts, des compagnons retenaient fermement les cordes et les observèrent glisser dans l'ombre.

Peinant sous l'effort, Benoît craignait que son cœur ne le lâchât. Celui-ci cognait violemment dans sa poitrine en feu et ses battements lui remontaient dans la gorge avec un goût de bile.

En bandoulière il portait une sacoche de cuir soigneusement fermée de cordons, contenant des pages sauvées d'un incendie, cinquante ans plus tôt : les fragments du Testament du Fou.

Les quatre hommes posèrent enfin le pied sur la caillasse encore tiède d'une journée de soleil. Amiel aida Benoît à se défaire de sa corde. Le vieux moine était essoufflé, tous ses membres étaient douloureux. Tandis qu'il reprenait sa respiration, Hugo surveillait la montagne. Rien ne bougeait. Les croisés ne les avaient pas vus.

Puis les quatre évadés s'enfoncèrent dans la forêt qui léchait les flancs du mont, Pierre donnant le bras à *son frère*.

Les Cathares se rendirent cette nuit-là.

Le matin, au sud-ouest de Montségur, les croisés délimitèrent un champ clos par des palissades. Dans la nuit, les soldats avaient dû travailler dur : monter une enceinte de pieux dans un endroit praticable, entasser des falourdes, des branches en quantité, y verser de la poix. C'est qu'on ne brûle pas deux cents personnes aussi facilement !

Hugues des Arcis et ses chevaliers assistèrent au trépas de leurs victimes. Au travers des flammes et de la fumée qui s'élevaient haut dans le ciel, les corps se tordaient, se repliaient, craquaient.

Dans les cris et les prières, l'odeur de la chair calcinée, les Cathares moururent avec la consolation d'avoir pu sauver quelques-unes des paroles du Christ recueillies par Jean...

Benoît se retourna sur l'énorme colonne de fumée qu'on aper-cevait malgré la distance. Elle paraissait figée. Si loin, le mouve-ment s'abolissait.

Une fumée noire, épaisse et lourde, retenue au-dessus de la cime des arbres. Dans le silence des bois, le vieux moine imagina les appels et les clameurs des torturés. Il les connaissait tous par leurs noms. Il les aimait tant.

— Allons, dit Pierre en lui posant une main sur l'épaule. Viens, Benoît ! Viens, mon frère.

— Comment des hommes peuvent-ils faire cela à d'autres hommes ? Au nom de quel Dieu ? Faut-il que ce Dieu soit bien cruel pour accepter un tel tribut de chair et de sang ! Désormais, je sais qui sont les hérétiques. Je sais qui sont les enfants du Mal !

Benoît se détourna du lugubre spectacle et reprit le bras de Pierre. Les quatre compagnons, les derniers Cathares se remirent en chemin, tête basse, psalmodiant de monotones litanies.

Ils marchèrent longtemps et entrèrent dans la légende.

37

La cynique réalité

Amiel Aicart, Hugo Dominiac, Pierre Poitevin et Benoît Chantravelle, les derniers Cathares survivants de Montségur, décidèrent de se séparer pour brouiller leurs pistes et gêner l'enquête lancée contre eux par les hommes du pape. Benoît trouva naturellement refuge auprès des seules personnes qui pou-vaient le protéger : les Templiers. Il entra en contact avec le Grand Maître Guillaume de Sonnac qui le dirigea vers une commanderie près de Troyes. Le Cathare rapportait aux Tem-pliers un fragment de l'original du manuscrit prouvant que Jésus n'était pas mort sur la croix. Étrange boucle de l'histoire, n'est-ce pas ? Car les Templiers regrettaient le geste de leurs prédéces-seurs qui avaient incendié l'abbaye d'Orbigny et, à la mort de Benoît, ils élevèrent une statue de chevalier cathare dans leur forêt en mémoire des « bons hommes » persécutés.

— La chapelle ?, demande vivement Mosèle. La maxime V.I.T.R.I.O.L... Et cet anneau qui manque ? Vous connaissiez l'existence de cette ruine depuis longtemps, Martin ?

— Bien sûr, admet Hertz. Quelques traqueurs de légendes en ont fait mille fois l'inventaire. Quant à l'anneau, oui, je vous en parlerai plus tard, car je...

Mais il est interrompu par la sonnerie de son portable, laissé dans sa veste pendue à un cintre où elle achève de s'égoutter. Il se précipite et colle l'appareil à son oreille, le front soudain sillonné de rides profondes.

— Nom de Dieu !, s'écrie-t-il. Le nécessaire a été fait, n'est-ce pas ? Et maintenant ? J'arrive. Je veux la voir.

Émylie et Mosèle se sont levés. Ils comprennent. Attendent.

— C'est l'hôpital, commence Hertz. Léa fait des complications. Son cœur s'est arrêté un court instant et... Il faut que je rentre à Paris.

— Vos vêtements sont encore trempés, objecte Émylie.

— Vous allez attraper la crève, ajoute Mosèle.

— Je m'en contrefous !, tonne le vieil avocat en attrapant ses affaires et en allant s'enfermer dans la salle de bains pour s'habiller.

Émylie ouvre la fenêtre pour aérer la chambre emplie de fumée de cigarettes. La pluie tombe, fine, grise et droite, donnant le sentiment de ne plus jamais vouloir s'arrêter.

Mosèle rejoint la jeune femme. Leurs épaules se touchent, ils ne bougent pas pour autant. Ils écoutent sans rien dire la pluie crépiter sur le gravier du parking du *Manoir des Eaux*. Ils repensent l'un et l'autre à l'histoire de ce jeune oblat parvenu à s'évader de l'incendie de l'abbaye d'Orbigny, devenu ce même moine vieilli, initié aux mystères du catharisme, fuyant de nouveau. Fuyant le bûcher de Montségur. Fuyant encore les flammes. Le feu, toujours, dans son dos.

Hertz ressort de la salle de bains en finissant d'enfiler sa veste. Les deux jeunes gens se tournent vers lui. Mosèle ne peut réprimer un sentiment de tristesse en le voyant si pâle, mal fagoté dans ses vêtements mouillés et crottés. Le gros homme a perdu de sa superbe. Les épaules lourdes, le dos voûté, la tête en avant, il traverse la pièce, vient se planter devant Émylie et Mosèle pour leur conseiller :

— Ne jouez pas trop aux aventuriers, tous les deux. Les Gardiens du Sang ne resteront pas sur un échec. L'enjeu est trop important. Je vous conseille de quitter la région.

— Bientôt, oui, promet Mosèle.

Hertz ouvre la porte, leur lance un dernier coup d'œil et disparaît. La pièce semble soudain vide.

— J'ai vraiment peur, Didier, avoue Émylie au bout d'un moment. Nous avons mis les pieds dans un véritable cauchemar. Nous nous battons contre des ombres.

— Hertz nous aide. J'aimerais savoir ce qu'il cherche vraiment, de son côté. Quel jeu joue ce vieux chat.

— N'avons-nous pas de preuves pour faire intervenir la police ?, demande Émylie. Ou même la presse ?

— Du vent... Des morceaux de papier, des fables, des fantômes de l'histoire ! Rien ! Francis s'est *suicidé*, et tu verras, Martin a raison : on ne retrouvera pas le corps du Gardien dans la forêt.

— Et si nous arrêtions tout ? Francis avait raison de nous interdire de suivre son exemple. Jamais nous n'aurions dû...

— Trop tard. Sans le vouloir, Francis nous a entraînés dans ce piège. Parce qu'un frère a voulu en tuer un autre il y a deux mille ans. Parce que le Christ n'est pas celui que l'on imagine.

— Cela, tu pourras le démontrer par tes travaux ?, interroge Émylie, cherchant à se rassurer. Par le Testament du Fou ainsi que par les rouleaux de la mer Morte que tu traduis actuellement à la Fondation Meyer ?

— *Un jeune homme avec un suaire qui gravit le mont des Oliviers pour maudire son frère...* Non, je n'ai aucun moyen de démontrer la véracité de ce conte. Mais les Gardiens du Sang vont tout mettre en œuvre pour m'empêcher de poursuivre.

— Et si c'était Francis qui avait eu tort ? Si toi et Hertz vous vous trompiez, Didier ?

— Hertz sait, lui ! Il lui manque seulement quelques pièces du puzzle pour trouver le Tombeau. Tous les éléments du Secret sont disjoints, mais il suffit de les réunir pour reconstituer la pièce maîtresse.

Émylie retourne s'asseoir sur le lit. Elle s'y met en boule, frileuse. Mosèle reste près de la fenêtre. La fraîcheur humide lui fait du bien, le ramène à la réalité. Il doit quitter les images de batailles, de bûchers. Il doit se contenter de la vérité, de ce qui est incontestable, de ce qui peut être prouvé. C'est un historien pragmatique. Il l'était du moins jusqu'à ce que Marlane lui envoie la cassette contenant son ultime témoignage.

— À quoi penses-tu, Didier ?

Il est bien en peine de le lui expliquer.

— Je pensais que je gobe ce que me chante Hertz tout en me demandant comment il l'a appris. Je me dis tantôt que je me dois de le croire, tantôt que c'est du bidon.

— Tu as sans doute envie d'y croire.

— Oui. J'en ai envie. Pour supporter la mort de Francis. Pour lui donner un sens. Pourquoi chercherait-on à nous éliminer s'il n'y avait pas une part de vérité dans cette affaire ? Nous gênons l'institution de l'Église. Nous remuons la boue de son histoire...

— Nous ouvrons la porte du placard dans lequel l'Église a planqué un cadavre, c'est cela ?

Mosèle vient s'asseoir près d'Émylie.

— En l'occurrence, remarque-t-il, ce sont les Templiers qui ont caché un cadavre. Celui de Jésus. Ils l'ont déposé près d'ici. Pas loin de la statue du Cathare et de la chapelle en ruine, au centre d'un triangle que Francis était parvenu à délimiter. Là, dans la forêt d'Orient.

— Et si tu le trouvais, Didier, qu'en ferais-tu ?

— Si je le trouve, il nous sauvera la vie. Les Gardiens du Sang auraient alors perdu la bataille et ne pourraient plus s'attaquer à nous en toute impunité. Je révélerai cette fabuleuse découverte au monde, Émylie. Elle éclatera comme une bombe.

Il la regarde droit dans les yeux. Il est si grave.

— Si nous voulons vivre, dit-il, nous devons à tout prix le trouver ! En découvrant le Tombeau de Jésus, nous nous protégeons.

Elle vient se lover contre lui, toute frissonnante.

— Nous sommes condamnés ?, demande-t-elle dans un murmure plaintif. Sans espoir ?

Il lui répond par un rapide baiser sur le front. Comment parviendrait-il à la rassurer ? L'angoisse qui s'est répandue en lui est alors si froide, si prégnante que sa voix le trahirait.

Mosèle confie au silence le soin de les apaiser tous deux.

Hertz s'est retourné vers la façade du *Manoir des Eaux* avant de monter dans sa voiture. La fenêtre de la chambre de Mosèle est restée ouverte. Il aperçoit le jeune homme de dos parlant sans doute à Émylie.

Martin Hertz a mis le contact.

Il roule maintenant en direction de l'autoroute. Il devrait penser à Léa, mais ne peut chasser de son esprit l'image des deux jeunes gens. Au bonheur qui a illuminé leur visage lorsqu'ils ont réalisé qu'ils ne mourraient pas sur le promontoire aux arbres noirs, au milieu du marécage…

« Ils ne sont pas morts aujourd'hui, se dit-il. Pas aujourd'hui parce que j'étais là. Mais il s'en est fallu d'un cheveu. Je me suis égaré dans cette foutue forêt. Depuis combien de temps n'étais-je pas venu ? Douze ans ? Plus ? La dernière fois, c'était avec le Premier. Nous étions persuadés d'avoir atteint notre but. Nous nous trompions encore. Comme les fois précédentes. Et Marlane est apparu… Je lui ai raconté ce que je savais. »

Hertz passe une main sur son front en sueur.

« Ça n'aura donc jamais de fin ! Défendre cette vieille cause… »

Son cœur se serre en s'avouant cette effroyable évidence : « Il ne fallait pas que Mosèle meure aujourd'hui. C'était trop tôt. »

Il regrette sincèrement d'avoir eu cette pensée, sachant au plus profond de lui-même qu'elle est néanmoins l'expression d'une implacable et cynique réalité.

Triste et désabusé, son esprit vole alors vers Léa.

38

Macchi

Samedi, dix-huit heures.

Le pape Jean XXIV est assis près de la fenêtre. Il ne parvient pas à contrôler le tremblement de ses mains qu'il a posées sur ses cuisses. La canule du goutte-à-goutte plantée dans son bras droit le brûle. Mais c'est encore un peu de vie qui coule dans ses veines. Pour combien de temps ? Son corps usé et décrépit est attaqué de toutes parts par le cancer. Les dernières séances de chimiothérapie l'ont laissé harassé.

— Que s'est-il passé en France ?, demande-t-il. Ce matin... dans la forêt d'Orient, Monseigneur de Guillio ?

Le cardinal lui fait face, assis dans un second fauteuil. Entre eux, sur une petite table basse, sont posés deux verres d'eau, des calmants et un livre de prières que le pape consulte régulièrement.

Guillio sait pertinemment que le souverain pontife a été informé précisément des récents événements par l'un de ses agents. Le rituel instauré entre les deux hommes impose que le cardinal fasse lui-même le résumé de l'opération désastreuse. Il lui raconte... Les trois Gardiens du Sang qui se sont rendus à la chapelle et ont tenté d'abattre Émylie Marlane et Didier Mosèle... L'intervention d'un chasseur – probablement Martin Hertz – qui a tué l'un des trois sbires...

Le pape soupire avec lassitude.

— Le nécessaire a-t-il été fait en ce qui concerne le Gardien tué ?

— Oui, Saint-Père. La police française ne saura jamais rien et ce ne sont ni Hertz ni Mosèle et la veuve Marlane qui en parleront. Le cadavre a été récupéré vers les quinze heures. Nous avons aussitôt organisé un scénario de manière à rendre son décès plausible pour sa famille.

— Suicide ?, raille le pape.

— Une agression. *Notre homme a été tué sur une aire d'autoroute par un agresseur qui voulait lui voler sa voiture.* Il avait été préalablement lavé et habillé de nouveaux vêtements. Ses papiers d'identité avaient été remis dans ses poches ainsi que quelques affaires personnelles : briquet, cigarettes...

— Quelle était sa couverture ?, interroge le pape.

— Représentant commercial de la société « In Fine ». Aucun problème de ce côté-là. Il en existe une succursale en France et il avait rendez-vous lundi avec l'un de ses responsables pour traiter d'un contrat. Le calendrier de son ordinateur de poche le confirmera.

Le pape tente de chasser la fatigue de ses yeux en les frottant d'une main agitée.

— Avez-vous avancé au sujet de la Loge Première ? Car c'est elle qui règle le jeu dans l'ombre, n'est-ce pas ?

Guillio se doutait qu'il lui poserait cette question. Il répond :

— Nous n'avons aucune certitude quant à son existence actuelle. Hertz agit peut-être seul en manipulant ce jeune professeur, Didier Mosèle.

— Non, non…, dit le pape en s'emportant. La Loge Première est bien vivante ! J'en ai l'intime conviction… C'est contre elle que nous livrons cet antique combat. Contre ses membres qui se disent les héritiers du *jeune homme au suaire*…

— Une secte d'illuminés !

— Mais ils détiennent le second Testament du Fou. À ce propos, nos chercheurs – les dominicains – ont-ils progressé dans leurs travaux ?

La voix est impatiente. Malgré sa faiblesse, Jean XXIV trouve encore des accents d'autorité qui rappellent l'époque récente où il était un homme respecté, craint et admiré. Où tout ce qu'il prononçait alors était paroles gravées dans le marbre.

— Je m'apprêtais à descendre au laboratoire, dit Guillio. Je souhaitais d'abord voir comment vous vous portiez.

— Vous pouvez le constater : comme un mort assis qui ne ressent même plus la chaleur du soleil sur sa peau racornie.

— Je pense que vous vous rétablirez, Saint-Père. Le traitement semble avoir des effets très positifs. Depuis combien de temps n'aviez-vous pas quitté votre lit ?

Le pape sourit dans une pitoyable grimace qui lui déchire le visage.

— Il faudra vous corriger de votre principal péché, mon ami : le goût du mensonge !

C'est à regret que le cardinal de Guillio abandonne le pape à la solitude de sa chambre. Le souverain pontife se rassure en se disant qu'il sera bientôt l'heure de ses soins et qu'il prendra un certain plaisir à houspiller infirmières et médecins. Il se plaindra de ses brûlures d'estomac ; on le réconfortera passagèrement. Puis ce sera l'heure de souper et de se coucher. Ce sera la nuit, avec ses cauchemars morbides, ses spectres hideux se relevant de leurs charniers et cherchant à l'entraîner dans les béances d'un enfer de ténèbres.

Guillio s'attarde dans les jardins. La soirée s'annonce douce et lumineuse. Le soleil qui a tapé toute la journée sur les lauriers et les pins a répandu dans l'atmosphère une petite note suave, sucrée.

Le cardinal marche lentement, s'arrêtant même parfois sous le coup d'une réflexion. Il se dirige vers la « Casina de Pie IV » que l'on appelle plus volontiers l'Académie pontificale des sciences.

Il entre dans le bâtiment ; le garde qui le reconnaît appuie aussitôt sur le bouton d'un commutateur dissimulé dans les ornements d'une moulure murale. Un pan de mur s'escamote pour découvrir un ascenseur que Guillio emprunte.

La descente dure à peine trente secondes ; le prélat sort de l'ascenseur, s'engage dans un couloir qu'éclairent des barres de néon à la lumière crue.

Une vaste salle vitrée. Il y règne une activité feutrée, studieuse. Six dominicains y travaillent, penchés sur l'écran de leurs ordinateurs ou sur les fac-similés de vieux manuscrits.

Sur l'un des murs opaques, une grande carte de la région Champagne-Ardenne a été tendue. Au centre d'une table, dans un coffre en verre, repose le Testament du Fou que le roi Philippe Auguste offrit au légat Pierre de Capoue au XIIᵉ siècle.

Le plus âgé des dominicains, un petit homme maigre au front dégarni, portant de larges lunettes, une cigarette aux lèvres, accueille Guillio avec un sourire légèrement moqueur.

— Vos visites sont de plus en plus fréquentes, Monseigneur. Sa Sainteté s'impatienterait-elle ? Croit-elle que nous allons percer demain un secret qui dort depuis des siècles ?

— Le temps nous manque, Macchi, marmonne Guillio. Vous le savez bien.

Macchi ôte ses lunettes pour les essuyer à l'aide de son mouchoir, les replace sur son nez en prenant soin de bien les y caler et dévisage son interlocuteur de ses yeux globuleux.

— Bien d'autres choses nous manquent !, s'exclame-t-il. Les notes du professeur Marlane, celles de Hertz et, surtout, l'exemplaire du Testament du Fou que celui-ci possède. Les Templiers ont laissé en marge de ses pages des informations qui nous font défaut.

Guillio fait trois pas vers la carte murale et désigne un point dans la forêt d'Orient.

— Pourtant, nous avons progressé à pas de géant, ces derniers mois, grâce à nos agents, remarque-t-il.

— Nous connaissions déjà le périmètre dans lequel nous devons chercher. Mais il est vaste ! Malgré ce que vous en pensez, Monseigneur, nos espions ne nous ont pas beaucoup plus éclairés !

Guillio réagit :

— Que faites-vous des événements qui se sont produits ce matin ? C'est là, non loin de la petite chapelle des Templiers, que Mosèle et la femme de Francis Marlane ont été repérés.

— Nos enquêteurs ont fouillé mille fois cette chapelle, Monseigneur. En vain…

Se retournant vers les cinq autres dominicains à leurs pupitres, Macchi reprend :

— Regardez… Nous ne cessons pas de lire et relire toutes les minutes de l'Inquisition traitant du Secret et rouvrons le Testament jour après jour ; il n'y a rien dans toute cette paperasse qui puisse nous conduire au Tombeau. C'est un puzzle. Nous détenons certaines pièces et nos ennemis en possèdent d'autres.

— Francis Marlane avait trouvé, lui !, s'étonne Guillio.

Macchi écrase dans un cendrier le mégot jauni qui pendait à ses lèvres, puis rallume sans plus tarder une nouvelle cigarette, malgré le regard réprobateur du cardinal.

— Peut-être devrions-nous fureter plus près, du côté des francs-maçons ?, se demande le dominicain.

— Pourquoi me dites-vous cela ?

— Leurs mythes, leurs légendes… Après tout, ils pourraient être proches de la Vérité, de par leur Tradition, si *celui* que nous cherchons est bien le Premier frère ! Marlane a réuni toutes les pointes du triangle : celles des manuscrits de la mer Morte, du Testament du Fou et de l'ésotérisme maçonnique. Il ne peut en être autrement.

— Je comprends, dit Guillio en revenant à la carte murale. Ce qui signifie que le prochain qui saura à nouveau tracer ce triangle sera en mesure de découvrir l'emplacement du Tombeau ?

— Et vous pensez comme moi à quelqu'un de précis, naturellement ?

— En effet, admet le cardinal. Didier Mosèle !

39

Réflexions

De sa lampe-torche, Mosèle balaie la nuit noire et profonde. Le faisceau de lumière jaune repousse les longues ombres des arbres loin devant, parmi les hautes herbes tranchantes.

Le jeune homme pense qu'il n'aurait pas dû revenir seul à la chapelle des Templiers. Cette expédition nocturne réveille en lui des peurs enfantines. L'endroit ne ressemble plus à ce qu'il en avait vu dans la journée. Tout est sinistre, menaçant. Tout bruisse d'une invisible pluie qui le perce jusqu'aux os.

La ruine s'élève enfin, comme surgie soudainement, dessinée à grands traits noirs inachevés.

Il avance. Ses pas s'enfoncent dans le sol détrempé avec de furtifs bruits de ventouse. Il avance. Puis se fige sur place. Son cœur manque un temps. Violente et rapide douleur dans la poitrine. « Didier... Didier ! », appelle une voix qu'il reconnaît. « Didier ! », répète la voix sourde.

Lentement, suant d'angoisse, Mosèle se retourne et braque sa lampe sur les troncs moussus, cherche, fouille la nuit.

« Didier ! »

Il s'oblige à faire quelques pas dans le sous-bois. La voix le guide. Elle n'est qu'un murmure soutenu. Il en perçoit cependant toutes les intonations, l'accent mis sur la dernière syllabe qui se meurt en plainte :

« Didier, par ici... ! »

Plus il avance, plus le son de la voix s'échappe, l'attirant dans les bois, dans ses profondeurs humides, son odeur de feuillage, de glaise et de lichen.

Il parvient à une clairière circulaire défendue par de gros chênes aux denses frondaisons gorgées de pluie.

« Didier... Didier, je suis ici ! »

Mosèle fait tourner sa lampe-torche autour de lui. L'angoisse lui noue le ventre et lui donne la nausée. Il devrait *le* voir, maintenant. La voix est si proche.

« Didier... Viens... Didier... »

Mosèle recule d'un bond, affolé. Ses jambes se dérobent, il manque de tomber. La voix provient du sol que le cône de lumière de sa lampe-torche sonde en vain.

Puis quelque chose de glacé le saisit aux chevilles, s'y agrippe. La terre devient meuble. Mosèle s'enfonce. Il bat des bras, va se noyer. Il hurle de terreur. Il est aspiré. Enlisé jusqu'à la taille, il tente de se retenir désespérément en griffant la terre de ses doigts. Ses ongles se brisent. Sa lampe a roulé et l'éclaire en pleine face. Il ne cesse d'être attiré.

Il étouffe. Il s'est totalement envasé. Un goût infect lui pénètre dans la gorge. Et il sent contre lui la présence d'un corps. Un cadavre nu, maigre et limoneux.

C'est une tombe ! Le mort qui y loge cherche à enlacer Mosèle et celui-ci lutte, le repousse, s'emmêle dans ses membres décharnés. Mais le mort l'épouse de manière abjecte, obscène. Il cherche à l'embrasser sur les lèvres.

Un souffle fétide exhalé en son rauque.

Une lueur… Mosèle voit le visage tout contre lui et découvre ce qu'il savait déjà. Ce qu'il redoutait tant.

« Francis ! »

Marlane le regarde intensément de ses prunelles noires. Mosèle déploie tout ce qu'il lui reste d'énergie pour se libérer du cadavre de son ami, le repoussant avec répugnance, gêné cependant dans ses mouvements par la terre molle qui contrarie ses gestes.

« Tu n'as pas suivi mon conseil, Didier… Je t'avais prévenu… C'est ta mort que tu traques ! Tu ne dois pas connaître la vérité ! »

Mosèle se hisse hors de la fosse et s'extrait du sol dans un ultime coup de reins. Il ouvre grand la bouche pour happer l'air de la nuit. Il est au bord de l'asphyxie, de la folie.

Il est là, aspirant l'air à grosses goulées, étonné mais rassuré de se retrouver dans sa chambre d'hôtel. Le *Manoir des Eaux*…

Un coup d'œil à sa montre. Cinq heures. Il se lève, se rend à la fenêtre, en écarte les rideaux. Il éprouve une irrésistible envie de lumière. De réalité. Il ouvre la fenêtre, reçoit sur sa peau la réconfortante fraîcheur du jour qui point vaguement sur les cimes des arbres du parc.

« Stupide cauchemar. Et si limpide, pourtant ! De quoi faire le bonheur d'un psy débutant… Tellement évident ! Le Tombeau secret dans la forêt… Francis prend la place du Christ et me rappelle qu'il m'a mis en garde… Et puis il y a ma foutue culpabilité… J'ai couché avec sa femme et j'ai lu dans ses yeux qu'il le savait. Je déteste ce genre de rêves ! Ils me rappellent mes frousses de môme. »

Mosèle éprouve le besoin de marcher dans le petit matin, marcher pour se vider l'esprit, marcher et assister au lever du jour. Bouger, vivre !

Il s'habille en hâte, quitte sa chambre sans bruit et descend l'escalier. À la réception, une jeune fille lui adresse un petit signe auquel il répond d'un mouvement du menton, et sort de l'hôtel.

Dehors, le parfum tourbé des bois proches le saisit de plein fouet ; il s'en remplit les poumons avec satisfaction. La prégnance du cauchemar est si forte qu'elle lui a laissé en bouche l'ignoble goût du tombeau de Marlane.

Mosèle traverse le parking et se plaît à entendre ses pas sur le gravier. Vivre ! Vivre le lever du jour et réfléchir calmement, imposant de la cohérence à sa raison. Reprendre tous les points de l'enquête, retrouver leur chronologie, les comparer, les soupeser…

Un chemin. Il décide de l'emprunter. Un sentier parsemé d'ornières et de flaques d'eau avec une bande d'herbe en son milieu. Le plaisir de la solitude : se sentir seul au monde dans la fraîcheur d'une fin de nuit.

Ainsi, lentement, graduellement, les images malsaines de son cauchemar s'estompent, se diluent, bannies par la réflexion qu'il tisse méthodiquement.

« Premier point : Francis a découvert l'emplacement du Tombeau du Christ. Jésus, après avoir quitté la Palestine en compagnie de quelques disciples – ou de sa famille – est venu en France, y est mort, a été enterré en forêt d'Orient. Ses restes y sont toujours.

Deuxième point : Les Gardiens du Sang ont appris que Francis avait remonté la piste des Templiers. Comment ?

Troisième point : Les Gardiens du Sang ont assassiné Francis, ont ramené son corps au *Marly* et camouflé le meurtre en suicide.

Quatrième point : Les mêmes Gardiens ont su que je reprenais les investigations de Francis.

Cinquième point : J'ai essuyé deux tentatives de meurtre.

Sixième point : Les Gardiens du Sang se sont introduits chez Martin Hertz. Que cherchaient-ils ? Le Testament du Fou ? Là aussi, comment ont-ils su que Hertz le possédait ?

Septième point : Hertz dévoile l'histoire du Testament du Fou, les avatars qu'il a subis, le chemin qu'il a emprunté au cours de l'Histoire : Templiers, Cathares, puis Templiers à nouveau... Et maintenant, c'est lui qui le détient. De quelle manière se l'est-il approprié ?

Huitième point : Ernesto Pontiglione a rencontré Francis. Le professeur avait étudié un passage du Testament du Fou ; il a fait part à Francis de ses réflexions.

Neuvième point : Francis a évidemment rassemblé un grand nombre de déductions chaotiques issues de plusieurs sources, puis il leur a donné une architecture, un ordre. Et la Vérité lui est apparue. *"Ordo ab Chao."*

Dixième point : Quel véritable rôle Hertz joue-t-il ? Avait-il eu connaissance de l'enquête menée par Francis ? »

Ce dernier point contrarie Mosèle. Il lui apparaît en effet que la place de Hertz dans ce jeu sinistre est prépondérante. Le vieil avocat était présent, neuf ans plus tôt, à la soirée au Cercle écossais où Mosèle avait proposé à Marlane de rejoindre son équipe à la Fondation Meyer. Il savait quel genre de travail on y réalisait. Il avait suivi toute leur conversation. Puis Mosèle avait évoqué plus tard avec lui, à plusieurs reprises, la progression des traductions du 4Q456-458... Hertz écoutait le jeune homme d'un air distrait. Il ne posait que de rares questions, donnant l'impression que le sujet ne l'intéressait que superficiellement.

Mosèle, qui se remémore ces brefs entretiens dispersés dans le temps, réalise alors qu'à sa manière, avec une innocence habilement affichée, Hertz lui soutirait des informations capitales.

Le jeune homme en a maintenant la certitude : Hertz, l'ancien Vénérable Maître de la Loge Éliah, celui qui les a initiés, Marlane et lui, a toujours suivi attentivement les études menées à la Fondation Meyer.

Parce qu'il était le détenteur du Testament du Fou ?

Ce soir-là, il y a neuf ans, juste après la cérémonie d'initiation, Mosèle et Hertz avaient croisé le fer pour la première fois sur le thème du hasard. Un hasard qui avait fait se rencontrer trois des acteurs du drame actuel : Hertz, Marlane et Mosèle.

Ce n'était peut-être pas le hasard, songe à présent Mosèle avec angoisse.

« Onzième point, donc : Hertz est-il un manipulateur ? Dans l'affirmative, pour le compte de qui agit-il ? Le sien ?... »

40

Le sixième message

Demain lundi il livrera la lettre.

Il est en robe de chambre. La nuit a été très courte, agitée dans ses rares moments de torpeur par des rêves charriant des flots de souvenirs déformés.

À son réveil, il s'est préparé une tasse de café et s'est rendu dans son bureau. Il avait hâte d'ouvrir le petit coffre de bois pour en sortir la sixième enveloppe.

Maintenant il la tient entre ses mains, la regarde pensivement. Sur le papier bistre, un prénom et un nom ont été tracés en lettres capitales :

DIDIER MOSÈLE

C'est l'écriture de Francis Marlane.

Mosèle a marché pendant près de deux heures d'un pas rapide. Il est retourné au *Manoir des Eaux*, les chaussures crottées de boue, est monté dans sa chambre, a pris une douche et a allumé sa première cigarette de la journée.

Vers huit heures, Émylie lui a passé un coup de fil pour lui demander s'il souhaitait prendre son petit déjeuner.

— Je meurs de faim, a-t-il répondu. J'ai fait une grande balade dans les bois. Un cauchemar – encore un – à chasser !

Ils se sont rendus dans la salle à manger. La jeune fille de la réception est venue prendre leur commande avec un petit sourire fatigué.

— Tu me racontes ?, demande Émylie.

Mosèle lève le nez, sort de ses pensées.

— Quoi ?

— Ton cauchemar.

À regret, obligé de replonger dans les images gluantes de la nuit, il lui en fait un résumé rapide. Lorsqu'il a terminé, la jeune femme siffle entre ses lèvres :

— Francis te hante. Comme il me hante. J'ai aussi rêvé de lui, mais c'était plutôt sympa, au début. Nous étions gosses... Tu vois, j'ai l'impression qu'il prend plus de place dans mon esprit mort que vivant.

— J'ai éprouvé ce sentiment-là quand j'ai perdu mes parents.

— Est-ce parce que tes parents et Francis sont morts brutalement ? Tu crois que c'est pour cette raison ?

— On pense épisodiquement aux vivants. On les appelle au téléphone de temps à autre, on les invite à dîner, à partager un court moment de notre existence. C'est à peu près tout. Par contre, les morts nous envahissent, s'emparent de notre mémoire. Peu après l'accident de voiture de mes parents, j'ai réalisé qu'ils ne quittaient plus mon esprit. Je ne cessais de me remémorer d'infimes détails, des choses de peu d'importance, d'infimes événements. Ils étaient là, en moi. Il m'arrivait même parfois de leur parler, de les interroger, et je m'imaginais leurs réponses. Je réinventais leurs voix. Car c'est cela que nous perdons en premier : leurs voix.

— Tu as raison, admet Émylie. J'ai oublié celle de ma mère. Quant à mon père, ce ne sont pas les trois coups de fil qu'il me passe dans l'année qui me le rendent très présent. Je redécouvre chaque fois sa voix.

— Tu l'as prévenu, pour Francis ?

— Il m'a appelée. Il avait vu l'avis de faire-part dans *Le Monde* et lu l'article dans *Libération*. Mais il ne s'est même pas déplacé pour assister à l'enterrement. C'est peut-être mieux : je n'avais pas très envie de le revoir.

La jeune fille de la réception dépose deux plateaux sur leur table : café, thé, coupes de fruits, croissants, petits pains ronds au sésame, pots de confiture, de miel et de beurre.

— Ton cauchemar était vraiment affreux, reprend Émylie en se versant une tasse de thé.

— Le plus épouvantable, le plus répugnant, c'était le contact avec les membres glacés de Francis. On aurait dit qu'il m'attirait à lui. EN lui ! Comme si nous ne devions plus être qu'une seule et même personne dans la mort.

— La Fraternité, Didier…

— Je pense plutôt que je ne suis pas en paix avec Francis, et tu devines pourquoi, n'est-ce pas ?

— Oui, Didier. Bien sûr.

Émylie pose sa main sur celle de Didier. Douce et rassurante, toute chaude sur les doigts glacés du jeune homme.

— Quand souhaites-tu que nous retournions à Paris ?

— Passons au moins ce dimanche à jouer aux touristes dans Troyes. On rentrera demain matin. Je ne sais trop si je repasserai à la Fondation. Mardi ou mercredi, peut-être… J'appellerai Martin tout à l'heure pour prendre des nouvelles de sa femme.

Émylie retire sa main de celle de Mosèle.

— Didier…

— Oui ?

— Je ne t'ai pas tout dit au sujet de mon rêve, avoue-t-elle.

— Je t'écoute.

— Au début, nous étions adolescents. On faisait du vélo… D'un seul coup, nous nous sommes retrouvés adultes dans un décor inconnu. Francis me tournait le dos et je lui en ai fait la réflexion, vexée qu'il ne s'intéresse pas plus à moi. Je me disais que c'était stupide, qu'il était vivant et qu'il refusait de me regarder. Il s'est enfin décidé à se retourner. Il avait ton visage ! Mais j'étais certaine que c'était bien lui. Enfin, je crois…

Le goût de terre dans la gorge. Mosèle rééprouve fugitivement cette impression d'étouffement qui l'a fait suffoquer, cette nuit.

41

Les « I » inclinés

Deuxième semaine, lundi matin.

Mosèle est parvenu à garer sa Golf non loin du 33, avenue de la Porte-Brancion.

— Juste un café et après je te reconduis chez toi, dit-il.

— J'ai une tonne de papiers à remplir. Les assurances de Francis…

Ils passent devant la loge de la gardienne alors que celle-ci sort distribuer le courrier.

— Une lettre pour vous, Monsieur Mosèle, dit la femme. On l'a mise dans ma boîte, comme ça… Pas d'adresse, voyez.

Mosèle prend distraitement l'enveloppe.

— On a dû la déposer tôt ce matin, précise la gardienne.

— Merci, Madame Lournel.

Puis Mosèle et Émylie traversent la cour pour se diriger vers le bâtiment 2 où Didier habite, au cinquième étage.

La lettre. Le papier bistre de son enveloppe. Mosèle sent son cœur battre brutalement à lui faire mal. Comme s'il s'apprêtait à lui déchirer la poitrine.

— Nom de Dieu !, s'exclame-t-il en regardant son prénom et son nom écrits sur l'enveloppe.

— Qu'est-ce que tu as ?, s'étonne Émylie. C'est cette lettre ?

— Regarde, Émylie. Regarde qui a inscrit mon nom sur cette enveloppe !

Les lettres capitales : les « I » légèrement penchés alors que tous les autres caractères sont droits. Émylie ne veut pas y croire. Ne veut rien savoir.

— C'est lui, souffle cependant Mosèle sur le ton du constat.

— Francis ?, demande-t-elle en cherchant le doute alors qu'il ne peut en subsister aucun.

Aucun : Francis avait l'habitude d'user de capitales dans son écriture. Et l'inclinaison des « I » était sa marque.

Ils ont pris l'ascenseur sans un mot. Mosèle a examiné l'enveloppe en la faisant tourner entre ses doigts. Émylie a compris qu'il avait peur de l'ouvrir.

Ils sont entrés dans l'appartement méticuleusement rangé et soigné, Mosèle n'appréciant le désordre que dans ses bureaux.

— Qu'est-ce que ça signifie ?, se décide à demander Émylie. Francis nous aurait fait une farce macabre ? Ou est-ce encore l'un de vos trucs de « franc-macs » ?

— Non, je ne m'attendais pas à recevoir ce sixième message. Enfin il décachette l'enveloppe. Émylie se penche par-dessus son épaule.

— C'est bien une lettre de lui, dit Mosèle.

À haute voix, il la lit :

Mon Très Cher Didier, si l'on vous remet cette lettre, c'est que je suis mort et que vous n'avez pas obéi aux recommandations que je vous ai faites. Mais l'espace et le temps n'ont pas d'importance entre nous ; je demeure fidèlement à vos côtés. Je devine que vous vous êtes rapproché du Tombeau.

N'avancez plus, Didier ! Je vous aurai mis en garde. Vous ignorez qui sont nos véritables ennemis. Je vous le répète : ne vous perdez pas. V.I.T.R.I.O.L. est un piège !

Votre ami fraternel, Francis.

— C'est complètement fou !, s'écrie Émylie. Il aura rédigé cette lettre en imaginant que tu suivrais sa piste. Mais qui l'a déposée chez ta gardienne ?

— Quelqu'un qu'il a mis dans la confidence, suggère Mosèle. Il y a donc un inconnu qui nous épie, qui sait que nous poursuivons les recherches de Francis et qui a été chargé par lui d'être son messager !

La jeune femme frissonne.

— Même mort, il ne lâche pas cette affaire..., articule-t-elle faiblement.

Cela fait plus d'une heure trente qu'il est rentré chez lui. Il a quitté son imperméable et a enfilé sa robe de chambre. Il s'est effondré dans un fauteuil, y a somnolé quelques minutes, s'est dirigé ensuite vers son bureau. La bouche pâteuse, nauséeux, il s'est assis à sa table, a regardé le petit coffre de bois duquel il a sorti hier la sixième lettre. Celle du dessus, couvrant la petite liasse des autres enveloppes.

Puis il a attendu. Sans savoir au juste ce qu'il devait attendre. Il a attendu comme la veille, l'avant-veille... Il a écouté les bruits de la rue, s'attardant à les répertorier, à les identifier tous. C'est ainsi, quand on attend en vain, condamné à suspendre le temps, on laisse errer son esprit comme un animal égaré. On tente de retrouver quelques repères.

Et son esprit a cherché son chemin.

Émylie s'est assise sur le canapé. Mosèle ne peut plus rester en place. Il arpente la pièce en frappant du talon et en fumant nerveusement.

— Tu ne trouves pas étrange que le professeur Pontiglione t'ait remis le carnet de Francis qui nous a conduits, comme par hasard, à la chapelle des Templiers ?, s'étonne la jeune femme.

— Et qu'aujourd'hui nous recevions cette lettre ?

— Pontiglione est tombé du ciel au moment opportun, non ? Tu m'as bien dit que Francis et lui avaient souvent correspondu et s'étaient ensuite longuement rencontrés à Rome ?

— C'est exact.

— Comme Hertz, ce Pontiglione, tout franc-maçon qu'il est, te cache certainement pas mal de choses !

— Tu as sans doute raison. Martin Hertz lui avait envoyé des fac-similés de certains feuillets du Testament du Fou pour lui permettre d'affiner ses recherches.

— Francis lui aura livré le résultat de son enquête, suggère Émylie. Il lui a même peut-être laissé la totalité de ses précieux carnets. Ceux-ci n'auraient pas été volés par les Gardiens du Sang.

— Une possibilité, en effet. D'après toi, Pontiglione pourrait être mon ange gardien ? Avant de mourir, Francis lui aurait confié la mission de me protéger…

— En tout cas, le bonhomme requiert qu'on fouine un peu de son côté, non ?, propose Émylie.

— Il est descendu dans un hôtel non loin de la Loge, près du boulevard Pereire, indique Mosèle. Je crois qu'une visite *fraternelle* s'impose avant qu'il ne s'en retourne en Italie. Mais je veux voir au préalable Martin Hertz.

— Je t'accompagne. Je resterai dans la voiture, tandis que tu lui parleras.

Émylie abandonne le canapé et s'étire.

— J'ai mal partout, se plaint-elle. J'ai dû attraper froid dans le bain de boue que nous avons pris en forêt d'Orient.

Avant de quitter son appartement, Mosèle se rend dans son bureau pour ranger le sixième message de Francis Marlane avec les précédents.

« Qui me l'a remis : Pontiglione ? Hertz ? »

171

42

La présence inconnue

— Tu es certaine de ne pas vouloir venir ?

Mosèle a ouvert la portière et reste penché sur Émylie.

— Oui, répond-elle. Tu seras plus à l'aise pour lui parler. Vous autres francs-maçons, vous aimez bien être entre hommes, non ? Votre goût pour le secret ! J'écouterai de la musique, en t'attendant.

Mosèle traverse la rue Jacquard et parcourt une dizaine de mètres avant d'atteindre la grille du pavillon des Hertz. La porte est entrouverte. Il la pousse sans prévenir le vieil avocat par l'interphone.

Il grimpe les six marches de l'escalier de pierre, parvient au jardin en friche, se dirige vers la porte à la serrure récemment changée, et sonne.

N'obtenant pas de réponse, il se dit que Hertz est peut-être déjà parti pour l'hôpital. Il sonne à nouveau. Des bruits de pas, enfin. Lourds et lents.

— Didier... Je ne m'attendais pas à...

— Puis-je entrer, Martin ?

Hertz s'écarte pour laisser le passage au jeune homme.

— Bien sûr ! Vous auriez dû me prévenir... me passer un coup de fil !

« Il a un sourire forcé ! », constate Mosèle en pénétrant dans le vestibule.

— Désolé. Je sortais et j'ai fait un crochet par chez vous, dit-il.

— C'est sympathique de votre part. Entrez donc.

Hertz referme la porte derrière lui, donne une tape amicale, un peu trop appuyée à Mosèle. Un geste paternaliste qu'il affectionne et qui se veut chaleureux. Mais il y a quelque chose en lui de différent. De peu naturel.

— Je ne parviens pas à chasser de mon esprit la mort de cet homme... de ce Gardien du Sang !, dit Mosèle.

— Je comprends. Mais c'est moi qui l'ai tué, Didier. Après tout, ce n'était qu'un fantôme ! Son cadavre a déjà disparu.

Une fois dans le bureau, Hertz allume la lumière. « Il n'était pas dans cette pièce », pense Mosèle. « Il devait être dans sa chambre lorsque j'ai sonné et c'est pourquoi il a mis tant de temps à venir m'ouvrir. »

Ils s'assoient dans les profonds fauteuils.

— Je me demande parfois si nous ne sommes pas paranoïaques, dit Mosèle ; si nous n'inventons pas des événements imaginaires rien que pour satisfaire nos fantasmes.

— J'ai bel et bien tué cet homme, et Francis est mort empoisonné. N'est-ce pas concret, cela ?

— Oui, et une camionnette a bien cherché à me renverser. Et on a tiré sur votre femme. Au fait, comment va-t-elle ?

— Elle a repris connaissance et m'a même dit quelques mots, hier soir. Les médecins ont bon espoir...

— J'en suis heureux pour vous, Martin. J'espère sincèrement qu'elle ne gardera aucune séquelle de cette agression.

Hertz sourit et fait un geste de la main pour accompagner une pensée qu'il garde pour lui. Pensée ou prière ?

Mosèle se décide :

— J'ai reçu une nouvelle lettre de Francis, ce matin. En réalité, quelqu'un l'a remise dans la boîte aux lettres de ma gardienne.

— C'est singulier, fait le vieil homme. Votre gardienne a-t-elle vu qui l'a déposée ?

— Non, malheureusement.

— Vous me l'avez apportée ?

— J'ai préféré la laisser dans mon bureau. En substance, elle m'intimait l'ordre de ne pas poursuivre sur la voie de Francis et s'achevait par cette mise en garde : « *V.I.T.R.I.O.L. est un piège !* »

— Je devine à qui vous pensez, Didier. Je suis sur votre liste de *suspects*. C'est bien cela ?

— Ce qui m'étonne surtout, c'est la méthode employée par Francis. Cette mise en scène... Cela ne correspond pas à sa personnalité. Et puis, je croyais avoir été son seul confident dans cette aventure.

— On ne connaît jamais vraiment son *frère*. Même *son jumeau !* C'est cela qui vous contrarie, n'est-ce pas ?

Mosèle doit l'avouer :

— En effet. Je suis venu chercher conseil auprès de vous, Martin. Vous étiez notre Vénérable lorsque nous avons été initiés à la Loge Éliah, Francis et moi. Vous m'avez toujours guidé et...

— Et je suis votre *vieux maître*, bien sûr.

Hertz remue dans son fauteuil son énorme postérieur ne pouvant y trouver ses aises. « Il est nerveux. Il a regardé par deux fois sa montre et donnerait cher pour que je parte. Il ne m'a pas proposé à boire et lui-même s'interdit son café comme il aurait dû s'en servir à cette heure, selon sa manie. »

— Je sais que la fraternité n'est pas un vain mot entre nous, reprend Hertz. Bientôt, je vous dirai...

— Vous me direz quoi ?

— C'est prématuré. Mais il faudra bien que je vous parle prochainement d'une certaine autre Loge.

— Je ne suis plus sûr d'apprécier vos petits secrets, Martin.

Le ton de Mosèle s'est fait coupant, Hertz l'a noté et une expression de tristesse a envahi son visage bouffi. Il se lève, prenant appui sur les accoudoirs, dressant sa masse de géant au-dessus du jeune homme.

— Ah, Didier ! Si j'étais libre... Réellement libre ! Laissez-moi, maintenant. J'ai à faire. Le seul conseil à vous donner est de vous montrer prudent. De ne point trop parler.

« Il me congédie comme un instituteur le ferait d'un élève. »

Mosèle quitte son fauteuil et se dirige vers la porte du bureau. Il entend Hertz soupirer dans son dos, puis articuler :

— Ne m'en veuillez pas. Je devine ce que vous me reprochez.

Dans le vestibule, le vieil avocat poursuit :

— Vous me reprochez de garder certains silences. Vous vous méfiez de moi et je ne peux vous donner tort. Mais je vous ai sauvé la vie, Didier. Ainsi qu'à Émylie !

— Je vous en remercie. Mais, justement, vous êtes présent au moment précis où vous devez l'être. Vous jaillissez comme un diable de sa boîte ! Vous jouez au magicien qui sort la bonne carte à l'instant crucial. Je déboule chez vous un soir, vous parle de la disparition de Francis, de la tentative d'assassinat fomentée contre moi, et vous me fichez le Testament du Fou sous les yeux. Vous me mettez dans les mains le livre le plus secret de l'Histoire de France, la plus improbable des preuves templières relative à l'énigme de la mort du Christ ! Et, pour donner du poids au paquet-cadeau, vous me débitez l'histoire secrète de Philippe

Auguste, son appartenance à une Loge antique, le tour qu'il a joué au pape... Puis vous ajoutez une bonne pincée de Cathares pour faire bon poids !

Nouveau soupir de Hertz qui se passe rapidement une main sur les yeux, puis prend une longue inspiration avant de lâcher :

— Je vous promets de donner bientôt toutes les réponses à vos questions, Didier. Laissez-moi encore un peu de temps. Juste un peu. En attendant, n'oubliez surtout pas que je suis votre ami. Je vous adjure de me croire, mon garçon.

La voix miaulée émeut Mosèle. Il a envie de le croire, en effet. Une impérieuse envie de lui conserver sa confiance. Il attendra donc.

— Je vais cependant rendre visite à Ernesto Pontiglione à son hôtel avant qu'il reparte pour Rome, annonce-t-il. Peut-être aura-t-il des renseignements à me communiquer sur Francis ?

— Faites lui mes amitiés, lui dit seulement Hertz.

Lorsque Mosèle le quitte, le vieil avocat demeure un instant sur le seuil pour le regarder traverser le jardin. Soucieux, il referme la porte, traverse le vestibule, entre dans la cuisine, tête basse, assommé de lassitude et de contrariété.

— C'était Didier Mosèle, annonce-t-il à Son Éminence attablée devant deux tasses de café et un cendrier dans lequel achève de se consumer un cigare.

— Oui ?

Hertz a repris sa place face à Son Éminence, observe le cigare qu'il a abandonné pour aller ouvrir à Mosèle, fait un geste pour le reprendre mais se ravise. Il n'a plus le cœur à fumer. Son foie le fait souffrir, de la bile lui remonte dans la gorge.

— Oui ?, répète Son Éminence.

— Mosèle a reçu une lettre *post mortem* de Marlane.

— Vous avez lu ce message ? Que contenait-il ?

— Je ne l'ai pas lu. Habituellement, Mosèle m'aurait permis de le faire ; il m'a seulement fait part d'une nouvelle mise en garde de Marlane : « *V.I.T.R.I.O.L. est un piège !* »

Son Éminence a conservé son cigare allumé, prenant soin d'attiser la légère braise à son extrémité par des succions rapprochées. En soufflant un mince filet de fumée, il précise :

— *V.I.T.R.I.O.L. !* La formule alchimique et maçonnique. Celle de la chapelle templière de la forêt d'Orient...

— Je vous en prie ; intercédez auprès du Premier pour que l'on ouvre le Plan, implore Hertz, penché sur la table. Ne croyez-vous pas qu'il est temps que la Loge redevienne opérationnelle ? Mosèle risque sa vie à tout moment.

— Si je vous suis, vous proposez que la Loge reçoive Didier Mosèle en Tenue obscure afin qu'il apprenne son existence et son rôle ? Est-ce bien prudent ?

Son Éminence examine son cigare qu'il tient délicatement entre ses doigts. À son annulaire brille le rubis.

Hertz ajoute :

— Nous ne pouvons indéfiniment utiliser Mosèle comme appât sans l'éclairer au sujet de notre quête. Il a décidé de rencontrer à nouveau Pontiglione, ce matin. Vous voyez, cela recommence ! Il va faire exactement le chemin qu'a emprunté Marlane. Allons-nous répéter notre erreur, Monseigneur ?

Mosèle a rejoint Émylie. Celle-ci baisse le son de l'autoradio.

— Tu ne démarres pas ?, s'étonne-t-elle après un temps, voyant Mosèle les yeux rivés sur le rétroviseur.

— On attend, lui répond-il. On attend… Ce vieux roublard de Martin Hertz avait de la visite. Lorsque j'étais dans le vestibule et que j'allais le quitter, j'ai entendu une chaise remuer dans la cuisine.

— Et alors ?

— C'est peut-être idiot, mais je veux m'en assurer. Il avait l'air tellement gêné ! Tu l'aurais vu se tortiller sur son fauteuil ! Si cela n'avait pas d'importance, pourquoi ne m'a-t-il pas dit qu'il était avec quelqu'un et que je le dérangeais ?

— Effectivement. Tu as des sandwichs, des Donuts, des gobelets de café ? C'est ce dont disposent les flics en planque, non ?

Sur le pas de la porte du pavillon, Son Éminence dit à Hertz :

— Je parlerai au Premier. À bientôt, Martin. Je prierai pour Léa.

— Merci. J'attends de vos nouvelles.

Le vieil avocat semble soulagé. Les deux hommes se donnent l'accolade et Son Éminence s'en retourne dans son manteau gris anthracite, coiffé de son chapeau noir.

Hertz referme la porte. La maison est vide. Il ne parvient pas à l'emplir de son énorme carcasse. Vide de Léa, des bruits matinaux, des paroles banales échangées entre vieux époux.

Il remarque un éclat brillant sur le tapis, se baisse difficilement pour s'en saisir et constate que c'est un morceau du vase brisé par l'une des balles échangées lors de l'attaque. Une petite esquille blanche que la balayette et la pelle ont oubliée.

Hertz retourne à la cuisine pour jeter l'éclat du vase à la poubelle et se laisse tomber sur une chaise au risque de la démantibuler.

« Le danger ne cesse de se rapprocher de Didier... De nous tous ! Les Gardiens du Sang nous tiennent aux mollets ! Le moment n'est plus éloigné où je devrai me rendre au cimetière... Oui, je crois que ce serait plus prudent ! Comme le firent mes aînés qui veillèrent sur le Testament du Fou ! »

Son Éminence regagne sa voiture, une Peugeot noire aux vitres teintées, garée dans la rue Jaquard à une trentaine de mètres derrière celle de Mosèle. Il ne s'écoule que quelques secondes avant que le prélat ne passe devant la Golf.

Mosèle met le contact, se dégage lentement de sa place de stationnement et n'accélère que lorsque la Peugeot amorce son virage au bout de la rue Jacquard.

La Peugeot noire prend la direction de la porte de Saint-Cloud. Mosèle la suit discrètement en laissant une bonne distance entre les deux véhicules, aidé par la circulation qui se densifie à l'approche de Paris.

— Tu as vu ?, demande Émylie. Voiture de ministre, vitres fumées... Et le type : manteau gris, chapeau noir...

— Cheveux blancs, poursuit Mosèle. Un mètre quatre-vingt à peu près, belle gueule d'aigle, de soixante-cinq à soixante-dix ans. Je pencherai plutôt pour les soixante-dix bien conservés et entretenus. Gymnastique, fitness, golf et régime alimentaire... Tout le contraire de Hertz.

— Un frère ?

— Jamais vu.

La filature de la Peugeot noire dure près de quarante minutes ; de nombreux bouchons encombrent Paris. Elle s'arrête enfin au 10, avenue du Président-Wilson, dans le 16ᵉ arrondissement, devant la grille d'un bâtiment gardé par deux policiers. Un drapeau aux armes du Vatican flotte sur l'élégante façade.

— La nonciature apostolique !, s'exclame Mosèle. Notre homme est donc une huile de l'Église !

— Tu penses ! La nonciature est une ambassade du Vatican, précise Émylie. C'était la raison pour laquelle Hertz ne voulait pas te présenter à son mystérieux visiteur.

— Qu'est-ce que cela prouve ? Martin a le droit d'avoir les amis qu'il veut. Je me vois mal lui dire que j'ai suivi l'un d'eux alors qu'il sortait de chez lui. N'empêche…

La large grille s'ouvre pour donner accès à la Peugeot noire et se referme immédiatement derrière elle.

— N'empêche, reprend Mosèle, le vieux chat reçoit en secret un ponte de l'Église alors que le Vatican cherche à éliminer ceux qui s'intéressent de trop près à un évangile capable de balayer l'apologétique chrétienne.

— Une visite qui n'a certainement rien d'innocent. Et tu m'as dit que c'est dans la cuisine que l'inconnu se trouvait ?

— Oui. J'en suis à peu près certain.

— Pas mal, le degré d'intimité entre Hertz et ce type ! Tu recevrais un cardinal ou un évêque dans ta cuisine, toi ?

— Hertz m'a dit, parlant de Francis, qu'on ne connaît jamais vraiment son frère. Il avait raison : je sais maintenant que je ne connais pas Martin Hertz.

43

Le « T »

Le Gardien du Sang ne quitte pas des yeux l'homme mince assis sur un banc du square Paul-Paray.

En se levant ce matin, Ernesto Pontiglione a loué le Ciel qu'il ne pleuve pas. Il déteste Paris sous la pluie alors qu'il l'apprécie tant quand le moindre rayon de soleil permet de longues flâneries au hasard.

Là, dans le petit square Paul-Paray, le professeur Pontiglione a choisi de faire une halte avant de regagner son hôtel. Il a sorti de la poche de sa gabardine le *Cagliostro* de V. Bellachi, s'est assis sur un banc et s'est mis à lire.

Bien sûr, ce n'est pas Rome. La clarté, le bruit des moteurs, les appels de sirènes, l'atmosphère gorgée de gaz d'échappement, rien n'est semblable. Pourtant, l'instant est agréable avec son air presque tiède qui rappelle un été effacé depuis peu, cherchant à s'attarder encore dans cet automne mal affirmé.

Le Gardien du Sang s'est assis sur un banc et a étendu ses jambes comme le ferait un promeneur fatigué. Il a déplié un journal français avec les gestes les plus naturels et a commencé à parcourir les titres. Son regard ne lâche cependant pas Ernesto Pontiglione. Ce dernier n'a pas fait attention à lui. De sa place, il ne peut voir l'écouteur logé dans son oreille droite et le minuscule micro accroché au revers de son col roulé.

Le téléphone portable du professeur vibre contre sa cuisse. Il l'extrait de sa poche et le plaque contre son oreille, un tantinet contrarié d'être dérangé dans sa lecture.

— Allô.

— Ernesto ? C'est Didier Mosèle. Je me propose de passer vous voir à votre hôtel. Je suis avec Émylie Marlane et nous aimerions vous parler.

Sa mauvaise humeur s'efface immédiatement et Pontiglione répond avec sincérité :

— Excellente idée ! Je suis actuellement dans un petit square en train de bouquiner. Je rentre et serai à l'hôtel dans cinq minutes à peine.

Il referme son livre et se lève de son banc. Il a gardé son portable à l'oreille.

— J'ai certaines choses importantes à vous dire, Didier. À Rome, Francis m'a beaucoup parlé de ses recherches. Il était très avancé, vous savez… À tout de suite, donc !

Il referme son portable, le remet dans la poche de son pantalon et quitte le square. Il passe devant un homme qui lit son journal, jambes allongées, pieds croisés.

Le Gardien du Sang attend quelques secondes, replie son journal et se lève à son tour. Après avoir marché quelques mètres assez loin derrière Pontiglione, baissant légèrement le menton, il prononce tout bas dans son col :

— Il vient de sortir du square Paul-Paray. Il prend la rue de Saussure et se dirige vers le boulevard Pereire. Je pense qu'il retourne à son hôtel. Je répète son signalement : gabardine ocre, pantalon bleu foncé, chaussures en daim beiges, lunettes à monture de métal. Tenez-vous prêts !

Le message est reçu à plus de cinq cents mètres de là, à bord d'une camionnette blanche. Son conducteur dit en s'esclaffant :

— Les Gardiens ont bien fait de ne pas lâcher le professeur d'un cheveu depuis Rome. Nous avons toujours su sa position. Une souris dans son piège ! Je me demande cependant pourquoi nous devons d'un coup brusquer les événements. Le savez-vous, monsieur ?

Le passager répond :

— La politique, Lorenzo ! Le pape mourra bientôt et Guillio devra passer la main. La politique ! Les temps sont en train de changer, au Vatican.

Cette fois, l'homme est confiant. Aujourd'hui, il n'y aura pas de providentiel Martin Hertz pour sauver le professeur Pontiglione. Car il est avéré que c'est bien le vieil avocat qui a abattu l'un de ses agents dans la forêt d'Orient.

Mosèle gare sa Golf à une vingtaine de mètres de l'hôtel Tocqueville, rue Cardinet, une place venant tout juste d'être libérée par un camion de livraison.

— Tu n'as pas vraiment le droit de stationner là, remarque Émylie en lui désignant les zébras sur la chaussée.

— Je prends le risque, dit Mosèle avec un haussement d'épaules. Je n'ai pas envie de tourner une heure dans le quartier.

— Tu as l'air rudement pressé !

— J'ai hâte de soumettre ce cher Pontiglione à la question.

Le Gardien du Sang suit le professeur Pontiglione à une distance de quatre à cinq mètres. Le grand homme maigre s'apprête à traverser la place Cardinet à hauteur de la fourche constituée par les rues Jouffroy et Cardinet quand elles viennent se jeter dans le boulevard Pereire.

Pontiglione attend que le feu passe au rouge.

« Vous devriez bientôt voir l'objectif, murmure le Gardien du Sang dans son col. Il va traverser.

— Cible repérée, lui est-il répondu dans son oreillette. Nous sommes à quinze mètres au plus. »

Mosèle et Émylie remontent la rue Cardinet. Ils ne sont plus qu'à quelques pas de l'entrée de l'hôtel Tocqueville lorsque le jeune homme aperçoit le professeur Pontiglione traversant la place.

— Tiens, c'est lui ! Là, le grand type en gabardine.

— Belle allure, note Émylie.

Pontiglione vient de reconnaître Mosèle et lui fait un signe en pressant soudainement le pas. Il est souriant. Il va parler de Francis Marlane, évoquer la mémoire de ce jeune chercheur intelligent et perspicace…

« C'est réellement une belle journée. Ce n'est pas Rome, évidemment, mais tout de même ! »

Mosèle est paralysé, livide.

— Nom de Dieu, Ernesto !, s'écrie-t-il à la surprise d'Émylie.

— Quoi ?, demande la jeune femme.

Mosèle s'est mis à hurler en direction du professeur. Ce dernier se fige, cherche à comprendre. Une seconde. Une à deux secondes… La camionnette blanche que Mosèle a vu déboîter de la file des véhicules attendant au feu rouge fait crisser ses pneus sur la place. Des passants qui traversaient se retournent, s'écartent. La camionnette ne les vise pas, eux. Son objectif est cet homme grand et mince qui semble alors se mouvoir au ralenti, regardant fondre sur lui ce bolide en s'en étonnant à peine.

Le choc est d'une effroyable violence. Des cris de panique et d'horreur accompagnent la sinistre chorégraphie par laquelle le grand homme est soulevé du sol, bras et jambes désarticulés. Les clameurs le portent un instant, puis il retombe sur le dos, sa tête heurte le pavé, du sang coule de son nez.

Le *Cagliostro* a jailli de la poche de sa gabardine et s'est ouvert. Quelques feuilles en sont tournées comme si la mort se plaisait à achever vivement le livre en lieu et place de sa victime.

La camionnette a poursuivi sa course, manquant de heurter un cyclomoteur avant de disparaître dans la circulation du boulevard Pereire.

Coups de Klaxon, cris, appels et rumeur. Et pitié. Pitié pour le malheureux gisant qui suffoque, le visage bleuissant déjà.

Quelqu'un appelle police secours sur son portable.

Mosèle, indifférent à l'activité fébrile alentour, s'est rué sur Pontiglione et s'est agenouillé près de lui malgré l'interdiction qui lui en est faite par une femme. Il sent même une main le retenir, tenter de l'arracher du sol.

— Vous êtes médecin ?

— Oui, s'entend-il répondre. Oui, je suis médecin !

On le lâche. Il peut prendre le visage du mourant entre ses mains, lui offrir cette ultime caresse fraternelle.

Hébété, Pontiglione reconnaît Didier Mosèle au travers d'un épais voile rouge. Il s'accroche à lui par son regard qui se noie, l'appelle muettement. Il doit lui dire… Mais parler est si difficile, la respiration lui fait défaut, ses poumons sont en cendre. Et il y a cette douleur glacée au bas de sa colonne vertébrale. Ce manque, aussi : ses jambes qu'il ne sent plus, qui n'existent plus.

Alors il ne lui reste plus que cette ultime solution. Sa main droite… L'élever. Elle est en sang. L'élever à hauteur de la poitrine du jeune homme.

Pontiglione pose l'index sur le pull clair de Mosèle que le blouson ouvert laisse apparaître.

Dans un dernier sursaut, il marque le pull de Mosèle d'un « T » sanglant en soufflant un unique mot et en fermant les yeux : « Payns. » À peine un râle.

La main est retombée. Mosèle tente de trouver le pouls du professeur à la gorge. En vain. Il se redresse, cherche Émylie du regard, la voit dans la foule sur le trottoir.

— Alors, docteur ?

Mosèle met quelques secondes avant de comprendre que c'est à lui qu'on s'adresse. Il se retourne vers la femme.

— Il est mort, dit-il.

— Vous avez vu votre pull ?

La sirène d'une voiture de police puis celle d'une ambulance accaparent providentiellement l'attention de la femme et de tous les badauds. Mosèle rejoint Émylie qu'il entraîne rapidement en direction de sa Golf : « Inutile qu'on nous remarque sur les lieux de l'accident. »

Assis dans la voiture, Mosèle tarde à mettre le contact. Il va lui falloir se dégager de la rue Cardinet, de l'engorgement de la place. Risquer de se faire reconnaître par la femme à qui il a laissé croire qu'il était médecin.

Émylie écarte le blouson de son ami.

— Dans quel but a-t-il tracé ce « T » sur ta poitrine ?

— Je l'ignore. En même temps, il a prononcé le mot « Payns »... Hugues de Payns, le fondateur de l'ordre des Templiers. À moins qu'il ne s'agisse du village près de Troyes ? Il aura voulu me délivrer un ultime message. Il avait conscience qu'il mourait et il a dû puiser en lui ce qui lui restait d'énergie pour dessiner ce « T » et me mettre sur une piste. Mais laquelle ? Est-ce le même « T » que nous avons trouvé dans les notes de Francis : « T » pour templier ?

44

La conférence

Lundi matin, deuxième semaine.

Mosèle ne pensait pas retourner si tôt à la Fondation Meyer, mais il a ressenti l'impérieuse envie d'informer lui-même son équipe de l'enquête menée par Marlane et du décès du professeur Pontiglione. La presse allait bientôt entrer en scène et risquer de souligner certaines coïncidences. Mosèle trouve plus honnête de s'entretenir avec ses collaborateurs, regrettant maintenant de les avoir laissés dans l'ignorance alors qu'ils risquent certainement leur vie tout autant que lui.

La porte rouge du bureau est violemment ouverte et Mosèle passe la tête par l'entrebâillement pour lancer :

— Tout le monde dans la salle de réunion ! Immédiatement ! Je vous attends.

Puis il disparaît comme il est apparu. Souffir abandonne son ordinateur, Rughters déplie ses deux mètres de muscles et de graisse, Hélène Moustier rajuste la jupe de son tailleur bleu électrique en quittant sa chaise.

— Qu'est-ce qui lui prend ?, s'inquiète-t-elle. Je ne l'ai jamais vu dans cet état. Une crise d'autorité ?

— 'sais pas, souffle Souffir. Front barré et voix blanche : mauvais signe.

Traînant les pieds, le vieux traducteur abandonne un segment de texte calendaire qui allait enfin s'éclairer grâce à la sagacité de Largehead, et se dirige vers la porte restée entrouverte.

Il s'efface pour laisser passer Hélène dont les talons aiguilles claquent sur le dallage. La jeune femme le gratifie d'un sourire dont elle seule a le secret.

Les trois collaborateurs rejoignent Mosèle dans la salle de réunion, une grande pièce moderne avec, en son milieu, une table vitrée ovale autour de laquelle sont disposés dix fauteuils beiges. Un écran blanc au mur, ainsi qu'une carte de la Palestine. L'emplacement de la mer Morte, de Qumrān. Des rayonnages supportant d'innombrables dossiers parfaitement classés. Un petit meuble avec une cafetière, des tasses, du sucre.

Mosèle est en train de servir le café.

— Installez-vous. Café pour tout le monde ?

— On ne se permettrait pas de déroger au rituel, dit Hélène avec un faux air sérieux. Sans sucre, pour moi.

La jeune femme s'installe et croise les jambes, n'ignorant pas que la jupe de son tailleur remonte ainsi insidieusement sur ses cuisses. Elle se plaira à observer les regards furtifs mais admirateurs de Rughters tout le long de la conférence. Elle s'amusera de le voir rougir parfois, trouvant touchante cette gêne de vieil adolescent.

Souffir pose les coudes sur la table et cale son menton dans ses mains. Il donne l'impression de supporter sa grosse tête toute chiffonnée. Derrière ses loupes, ses énormes yeux de lézard clignent plusieurs fois comme s'il allait s'endormir.

Rughters, qui vient d'entrevoir de l'autre côté de la table un magnifique genou rond et une superbe cuisse dorée, se maudit de sentir les joues lui chauffer. « Damné rouquin ! », se jette-t-il à lui-même avec colère. Mais il a beau se concentrer, chercher à s'apaiser, le feu lui dévore le visage. Hélène lui sourit à la dérobée.

Mosèle repose la cafetière sur la desserte et s'assoit à son tour.

— Ce matin, j'avais rendez-vous avec le professeur Pontiglione qui avait été en relation avec Francis, commence-t-il.

Vous vous souvenez, Norbert : j'ai reçu une lettre de lui, le jour de l'enterrement de Francis. Il m'apprenait qu'il venait à Paris et souhaitait me rencontrer.

Mosèle ne peut leur parler de la Tenue funèbre. Il doit faire l'impasse sur cette cérémonie. Travestir la vérité.

Il poursuit :

— Nous nous sommes vus une première fois dans un restaurant. Nous devions nous retrouver ce matin à son hôtel. Mais Ernesto Pontiglione est mort sous mes yeux, renversé par une camionnette folle, place Cardinet.

Les rougeurs de Rughters disparaissent de ses joues. Il frappe du plat de la main sur la table.

— Mince !, lance-t-il. Désolé, Didier. C'est moche…

Mosèle reprend aussitôt :

— Je crois qu'il est de mon devoir de vous faire part d'événements qui touchent de près notre travail actuel sur le 4Q456-458 et d'une certaine enquête que suivait notre ami Francis… Disons qu'il s'agissait d'une enquête discrète. Je ne vous en avais pas informés, pensant que vous nous auriez pris pour des cinglés ou des charlatans.

Souffir dresse un sourcil broussailleux.

— Une enquête ?, s'étonne-t-il. Un travail privé ?

Mosèle est manifestement mal à l'aise pour répondre :

— Pas vraiment… Francis développait une théorie que l'on aurait pu qualifier d'*hérétique* il y a quelques siècles. Une théorie partagée néanmoins par certains historiens, dont le professeur Pontiglione. Il avait cru trouver la preuve de ses spéculations dans les manuscrits que nous traduisons depuis près de dix ans.

— Je commence à deviner, articule lentement Souffir en sortant sa pipe.

— Vous n'avez pas l'intention de fumer, Norbert ?

La voix d'Hélène arrête net le geste du vieil homme qui se contente de soupirer en remettant sa pipe dans sa poche. Mosèle aurait volontiers allumé une cigarette. Il est au supplice et avale d'un trait son café pour compenser le manque de tabac. Hélène leur livre une lutte implacable, au bureau : Souffir et lui doivent sortir pour fumer près des toilettes lorsqu'ils ne sont plus capables de supporter ce sevrage obligatoire.

Souffir répète tout aussi lentement que la première fois :

— Je commence à deviner.

— J'en suis certain, souligne Mosèle. Francis pensait que le Christ n'était pas mort sur la croix mais que c'était un imposteur qui avait pris sa place. Quelqu'un qui lui ressemblait au point de passer aisément pour lui.

— Puis Jésus aurait séjourné à Qumrān, c'est cela ?, propose Hélène Moustier, devenue soudain professionnelle.

Souffir s'adresse plus particulièrement à elle pour dire :

— Rappelez-vous la phrase que j'ai dénichée la semaine dernière : *Le frère qui n'avait ni plaies aux poignets ni plaies aux chevilles leur dit qu'un jour glorieux viendra où les nations ne se haïront plus…*

— Entre autres petits détails, observe Rughters. Le mot *maskil* qui revient sans cesse…

— En effet, souligne Souffir. En hébreu, *maskil* désigne un instructeur. Mais, dans nos rouleaux, ce maître est aussi appelé le Premier ou le Frère.

— Le premier de deux frères ? Jésus ?

Rughters ne s'intéresse plus aux genoux d'Hélène, si ronds soient-ils, non plus qu'à ses cuisses, si dorées soient-elles. Il se lève brutalement et apostrophe Mosèle :

— Vous tournez autour du pot, Didier. Quel lien doit-on établir entre le suicide de Francis, la mort de Pontiglione et nos découvertes ? Car là est le nœud du problème, non ?

— J'apprécie votre sens pratique, Rughters.

Le géant s'est déplacé près de la carte murale : Jérusalem, Hérodium, Bethléem, Qumrān… Il frappe la carte de son gros index à la hauteur de Qumrān et s'exclame :

— Sans le savoir, nous aurions réveillé des forces obscures endormies depuis des siècles ! Nous subirions une malédiction comme celle qui frappa les profanateurs de sépultures égyptiennes ? Parce que vous croyez encore à ce genre de fables, Didier !

— Je n'ai pas le cœur à plaisanter, Rughters, rétorque sèchement Mosèle.

— L'équipe n'a jamais été dupe, confie Hélène. Aucun d'entre nous n'est passé à côté des révélations contenues dans le 4Q456-458. Celles-ci sentent le soufre. Et après, qui serait gêné par la divulgation de ces mystères ?

Souffir se penche vers la jeune femme.

— Vous ne voyez pas ? Moi, je crois savoir !

Rughters revient s'asseoir, penaud d'avoir contrarié son supérieur.

— Vous ne voyez pas ?, demande à nouveau le vieux traducteur en roulant des yeux.

C'est Rughters qui répond tout bas en regardant ses énormes mains aux phalanges couvertes de poils roux :

— L'Église ! Comment l'Église pourrait-elle admettre que le dogme sur lequel elle a bâti ses assises s'effondre sous le coup d'une telle vérité ? Voyez-vous des millions de fidèles découvrir que Jésus n'a jamais ressuscité et que c'est un imposteur qui est mort sur la croix à sa place ?

Hélène s'indigne :

— Didier, assurez-moi que je n'ai pas bien compris : on ne cherche pas à dire dans cette pièce que l'Église est en train de tuer d'innocents chercheurs ? Nous ne sommes plus au XIIIe siècle ! Nous savons tous que la Terre est ronde, qu'elle tourne autour du Soleil, que notre Univers a été accouché dans le big-bang il y a quinze milliards d'années, que l'on a le droit de penser que Dieu est blanc, noir, rouge ou jaune, ou qu'il n'existe pas, et que l'on n'a plus élevé de bûchers sur la place de Grève depuis un bail !

— Mais que les protestants se foutent encore sur la figure des catholiques pas très loin de chez nous, et vice versa !, scande Rughters. Voulez-vous que je vous parle aussi des Arabes, des Juifs ?

— Les Juifs, je peux en parler, le coupe Souffir. Mon père a porté l'étoile jaune pendant la guerre, son frère est mort de faim au camp du Struthof, sa sœur a été pendue à Dachau. Ce ne sont pas les Arabes qui les ont torturés !

— C'était la guerre, dit Hélène. C'était épouvantable, Norbert, mais c'était la guerre. Il y a plus de soixante ans !

— C'est toujours la guerre pour les orthodoxes, les intégristes, les fondamentalistes et les extrémistes à tout crin... N'est-ce pas, Didier ?

— Je pense que Francis ne s'est pas suicidé et que le professeur Pontiglione a été assassiné, prononce-t-il froidement. Je ne dispose d'aucune preuve, mais j'en suis convaincu. Je vous demande de ne rien dire à la direction : je passerais pour un fou et je crois bien qu'on nous retirerait l'étude du 4Q456-458.

Il se garde de leur apprendre qu'il a fait lui aussi l'objet de deux tentatives de meurtre.

De grosses mouches noires ne cessent de bourdonner dans sa mémoire.

45

Quelques carnets rouges

Il n'a pas quitté sa robe de chambre de la journée. Il a un peu dormi après avoir pris un rapide déjeuner constitué d'une assiette de pâtes, d'un morceau de fromage et d'une compote de pommes, le tout arrosé d'un verre de vin blanc.

En se levant de sa sieste, il s'est senti la tête lourde, encore nauséeux, souffrant d'une légère douleur dans la poitrine, du côté gauche. Il a avalé deux aspirines et est retourné dans son bureau.

Il a attendu. Il attend.

Il allume la radio. Dix-sept heures viennent de sonner à l'horloge du salon. La vieille comtoise qu'aimait tant sa femme.

La voix du speaker :

«... Le professeur Ernesto Pontiglione avait défrayé la chronique en mil neuf cent quatre-vingt-cinq avec son livre *Jésus ou la seconde hypothèse*. Cet historien romain s'était alors attiré des reproches de la part des autorités ecclésiastiques... »

Il monte le son d'une main tremblante. Le speaker poursuit :

« ... Une enquête est donc en cours sur les circonstances de sa mort à Paris. La camionnette qui l'a renversé a été volée huit jours plus tôt dans une petite entreprise d'électricité. Elle a été retrouvée abandonnée dans Courbevoie peu de temps après le drame. De nombreux témoins affirment que le véhicule a intentionnellement percuté le professeur, ne lui laissant aucune chance d'éviter l'impact... »

Il éteint le poste, se met à arpenter son bureau de long en large. Une boule de colère lui bloque la respiration. La haine, aussi. Une haine qu'il ne pourra bientôt plus maîtriser. Une haine qui lui enserre le cœur, le broie dans un étau, l'empêche de battre régulièrement.

Épuisé, haletant, il se laisse lourdement tomber dans l'unique fauteuil de la pièce, une grosse chose en cuir usé, craquelé, dans laquelle il s'enfonce et s'abandonne.

« Ils vont s'en prendre à tous ceux qui savent, pense-t-il. Tous ! Les Gardiens du Sang vont les éliminer les uns après les autres. »

Ses yeux se posent sur une série de photographies encadrées au mur qui lui fait face. Il apprécie particulièrement l'une d'elles, représentant Émylie en robe légère et fleurie, ses longues jambes bronzées au soleil, ses cheveux courts en épis, souriant au photographe. La jeune femme ne pose pas, elle avance avec naturel dans la ruelle d'une ville marocaine. Il ne se souvient plus du nom de la ville. Il l'a su, pourtant. Peu lui importe aujourd'hui. Émylie est rayonnante en cet instant d'éternité et mérite d'être protégée, d'être sauvée. Afin que revienne sur son visage ce sourire d'insouciante jeunesse.

Il sait qu'il devra certainement tuer pour que se réalise ce vœu. Il le fera avec toute la colère et la haine accumulées dans sa poitrine douloureuse.

Il abandonne son fauteuil crapaud, se traîne jusqu'à son bureau, ouvre un tiroir et en sort trois carnets rouges. De petits calepins au dos toilé.

Il les feuillette distraitement, regardant leur écriture serrée, parfois constituée de mots en lettres majuscules aux « I » inclinés : « LIONNE, CHÈVRES et BAILLY. TRIANGLE DE PAYNS. CHAPELLE... », assortis de dessins à l'aquarelle rehaussés aux crayons de couleurs.

Quelques notes jetées en désordre : « Rappeler PONTIGLIONE pour infos sur TESTAMENT DU FOU... HERTZ et PREMIER, lundi... TENUE OBSCURE... »

Après de longues minutes, il remise les carnets rouges dans leur tiroir. « Avec ces carnets, Didier Mosèle trouverait le Tombeau plus facilement, lui..., pense-t-il. Mais j'ai promis ! J'ai promis de les conserver. Et pourtant... »

Il se demande s'il aura la force de tenir son engagement, s'il ne préférera pas plutôt forcer le Destin. Pour atteindre plus rapidement les Gardiens du Sang.

Ce lundi à vingt heures, Mosèle sonne à la porte de Martin Hertz. Il vient de l'appeler sur son portable pour lui proposer de passer la soirée ensemble. Il apporte une bouteille de gevrey-chambertin, une bonne portion de saint-nectaire et un pain de campagne.

Le vieil avocat a appris la mort de Pontiglione tôt dans l'après-midi. Un frère de la Loge Éliah qui avait regardé le journal télévisé sur France 2 l'avait aussitôt prévenu.

— Vous savez, pour Ernesto Pontiglione, Didier ? Vous deviez le rencontrer ce matin, n'est-ce pas ?

Mosèle dépose ses victuailles sur la table de la cuisine. Il y est entré d'office, sans y avoir été convié.

— J'ai vu l'accident, Martin. En fait, j'ai assisté à un crime. C'est la même camionnette blanche qui a foncé sur moi, l'autre soir, qui a renversé le professeur.

Le jeune homme lui raconte la scène en détail. Tout en l'écoutant, Hertz sort un tire-bouchon du tiroir d'un buffet et se charge de la bouteille de gevrey-chambertin, le front creusé de longues rides. Son regard sombre ne s'éclaire vivement que lorsque le bouchon, dégagé du goulot, émet un petit « pet ».

— Les Gardiens du Sang…, commence le vieil avocat. On dirait qu'ils se hâtent. Ils nous ont pris dans leur nasse et nous étoufferont bientôt tous.

— Qui, « nous » ?

— Vous, Émylie Marlane, moi. Et même vos collaborateurs à la Fondation Meyer.

— Un complot contre la Vérité !

Hertz hausse les épaules et hoche sa grosse tête de chat fatigué. Il attrape deux verres qu'il remplit de vin.

— Belle couleur !, juge-t-il en portant le verre à hauteur de ses yeux. Si nous portions un toast, Didier ?

Mosèle allait s'asseoir et se ravise. Il prend son verre qu'il lève à son tour.

Hertz poursuit :

— Je souhaiterais que nous ayons une pensée pour notre frère Ernesto Pontiglione. Nous avons coutume de dire qu'un frère qui nous quitte rejoint l'Orient éternel, formule commode pour combler évasivement le vide laissé par la perte d'un proche. Une phrase de notre rituel… que nous répétons sans trop de conviction.

— Où voulez-vous en venir, Martin ?

— Excusez-moi. Je voulais seulement dire qu'au-delà des messes de toutes sortes que nous pouvons célébrer en souvenir de nos défunts ceux-ci ne vivent leur éternité que dans notre mémoire. Il n'y a que là – il pointe l'index sur sa tempe – qu'ils demeurent !

Ils dressent tous deux leur bras droit, montant très haut leur verre, selon les usages en vigueur lors des agapes données à la fin de chaque Tenue, et lancent ensemble d'une même voix :

— Buvons !

Puis ils boivent en effet à longs traits, recueillis, pensant l'un et l'autre sincèrement à Ernesto Pontiglione auquel ils consacrent cette eucharistie païenne.

Ils s'assoient. En tirant sa chaise, Mosèle a fait le même bruit que celui entendu le matin même alors qu'il traversait le vestibule.

Hertz se racle la gorge ; Mosèle comprend qu'il a l'intention de lui communiquer quelque chose d'important, et remarque son trouble. Enfin il se décide :

— Nous en sommes au point où je ne peux plus faire autrement que de vous parler plus précisément de la Loge Première.

— Ce mythique atelier maçonnique ?

— Attendez... Hugues de Payns ne s'est pas contenté de fonder en mil cent dix-huit les « Pauvres Chevaliers du Christ », qui devinrent les Templiers, reconnus dix ans plus tard par le concile de Troyes et dont saint Bernard édicta les règles.

— Cela, tout le monde le sait !, s'impatiente Mosèle.

Léger sourire de Hertz qui reprend aussitôt :

— Ce que vous ignorez, c'est que Hugues de Payns présidait aussi une antique Loge dont certains secrets s'étaient perdus avec le temps. Constituée de frères appelés les Premiers, la Loge tentait de réunir les mystères épars de sa Tradition.

— Cette Loge a été fondée par Jésus, ajoute Mosèle, se souvenant de la lecture des strophes du Testament du Fou : « *Le frère Premier, Fils de la Lumière et de l'Architecte...* »

— En effet. Et lorsque Jésus mourut, il fut enterré dans ce que l'on nomme aujourd'hui la forêt d'Orient. On pense à ce propos que Hugues de Payns mit les restes de Jésus en lieu sûr avec ce que contenait la tombe. Le prophète avait été enterré avec un certain objet.

— Je crois deviner...

— Payns fit construire un sépulcre inviolable sur ses propres terres, poursuit Hertz. Seuls les membres de la Loge Première partageaient son secret. Je vous ai conté comment, ensuite, les Templiers récupérèrent le Testament du Fou. Puis l'épisode des Cathares, avec la fuite de Benoît Chantravelle qui trouva refuge dans la commanderie de Bonlieu. Là, il fut initié dans la Loge Première en raison du présent qu'il apportait aux Templiers : un vestige de l'un des trois rouleaux composant le Testament du Fou. Un morceau du rouleau qui nous intéresse ; celui écrit par *Jean frère par les Douze*, dans lequel se trouve la preuve que le Christ n'est pas mort sur la croix. Cette relique fut vénérée par la Loge Première sous le nom de Fragment Sacré !

Hertz s'arrête, reprend un peu de vin et propose :

— Ne voulez-vous pas que nous dînions un peu, pendant que je vous raconterai une histoire ? Préparons-nous quelques sandwichs, cela risque d'être long.

— Vous ne m'ennuyez jamais, Martin, quand vous m'entraînez dans le passé. Vous êtres doué pour donner corps à vos récits. Je vous l'ai déjà dit : c'est à croire que vous possédez la faculté de voyager dans le temps, ou que vous êtes pourvu d'une incomparable imagination !

— Allons, Didier... Ne me faites pas l'affront de penser que je vous raconte des fables !

Le vieil avocat brise le pain en deux morceaux égaux. Il tend l'un à Mosèle avec un sourire affectueux. Le jeune homme comprend la portée symbolique du geste.

— Merci, Martin.

C'est ainsi qu'il est pratiqué aux Tenues de saint Jean l'Évangéliste et de saint Jean-Baptiste, les deux saints que les maçons honorent aux solstices d'hiver et d'été. Le pain y est rompu par le Vénérable Maître et distribué aux participants en une fraternelle chaîne eucharistique.

— Je vous écoute, dit Mosèle.

— Oui, oui, fait Hertz en se préparant une généreuse tartine de fromage. Eh bien, retournons ensemble jusqu'à une certaine nuit. Celle qui marqua la dissolution temporaire de la Loge Première, la perte du Secret ainsi que l'oubli de l'emplacement du Tombeau du Christ. Imaginez la forêt d'Orient avec quatre cavaliers portant de longs manteaux blancs... Pardonnez mon côté légèrement emphatique et théâtral, Didier : je connais mes défauts ! Donc, cette nuit-là...

46

Une nuit de trahison

Jacques de Molay, le Grand Maître de l'ordre des Templiers, souffrait de rhumatismes. Monter à cheval constituait pour lui un épouvantable supplice. Il était âgé de soixante-quatre ans, avait une longue chevelure, portait une barbe et une moustache blanches qui lui conféraient la physionomie d'un vieux sage. Ou d'un druide. On le disait peu cultivé, mais pétri de bon sens. Simple et généreux, il exerçait sur l'Ordre une sereine et respectable autorité.

Jusqu'à cette nuit tiède de fin d'été...

Il était accompagné de trois cavaliers, son ami intime Geoffroy de Charnay et deux compagnons, Odon Lanvoisier et Gilbert Neuillette. Tous trottaient du même pas sur un chemin bordé d'épais ronciers. La terre sèche craquait sous le sabot des chevaux. L'ombre avait envahi la forêt.

— Avons-nous pris la bonne décision, Jacques ?, demanda Charnay. Apaiserons-nous le pape Clément et le roi Philippe ?

— Je le crois, Geoffroy, répondit Molay. Certes, nous leur restituerons le Testament et le Fragment Sacré, mais nous ne leur livrerons jamais l'emplacement du Temple et du Tombeau. Jamais !

L'allure prise par la petite troupe était devenue trop rapide, mais Molay ne voulait pas se plaindre, bien qu'il maîtrisât difficilement sa monture. Odon et Gilbert étaient de jeunes hommes qui ne pouvaient comprendre la vieillesse ni envisager un seul instant que l'âge n'est rien d'autre qu'une malédiction divine.

Le vieil homme avait hâte que s'achève cette nuit-là. Il n'en aimait ni l'odeur ni les sons. Trop parfumée. Trop bruyante du cri rauque des oiseaux nocturnes.

— C'est une bien belle nuit, Bernard... Que Dieu nous pardonne ce que nous allons faire !

— Il nous pardonnera, Armand ! C'est pour Lui que nous œuvrons en sauvant le Testament et le parchemin.

Bernard de Josse et Armand de Griet attendaient devant la petite chapelle. En retrait, autour d'une torchère fichée en terre, six chevaliers parlaient à voix basse. Leurs longues ombres dessinaient une étoile sur le sol.

Les chevaux, attachés plus loin aux branches basses des arbres, restaient silencieux.

Josse huma l'air, son petit nez rond levé vers le ciel. En temps ordinaire, il se révélait un compagnon enjoué et bavard. Ce soir, il devait se forcer à animer la conversation en émettant des banalités qui sonnaient faux. Armand ne l'aidait guère, piétinant sur place, la main droite sur le pommeau de son épée, frappant le sol de ses bottes et marmottant d'indistinctes litanies pour lui-même.

Il y eut un bruit de galop. Enfin.

— Les voici !, s'exclama Armand, s'étonnant que sa voix fût aussi anormalement aiguë.

« J'ai si peur ! », pensa-t-il.

Tous regardèrent en direction du chemin qui débouchait de la forêt. Quatre silhouettes apparurent.

— Approchez la torche, commanda Josse.

Le flambeau fut arraché du sol et apporté à hauteur d'Armand de Griet et de Bernard de Josse qui venaient de faire quelques pas pour accueillir les voyageurs.

Josse aida le Grand Maître à descendre de cheval aussi affectueusement qu'un fils l'aurait fait pour son père. Le vieil homme ne le remercia pas. Il demeurait grave, les traits tirés, de la douleur dans le regard.

— Nous étions inquiets, frère..., dit Josse. Tu vois, nous t'attendions tous avec impatience.

— Tu craignais donc que je ne vienne pas ?, répliqua le vieillard. À moins que tu ne l'aies plutôt espéré ? Nous avons clos le débat à notre dernière Tenue, tu le sais. On nous accuse d'apostasie... On nous prend pour des idolâtres et des sodomites ! Nous sommes voués aux fagots si nous ne plions pas l'échine.

— Mais notre Loge n'est-elle pas plus importante que l'Ordre ?

— Nous sommes aussi des Templiers ! Et j'en suis le Grand Maître. Je connais le roi Philippe et peux me fier à sa parole. Il épargnera la Loge et le Temple.

— Ce n'est pas parce que tu es le parrain de son fils que le Bel ne te trahira pas. L'ange a une double face, frère.

Molay soupira. De fatigue et de contrariété. Soit, ils reprendraient le débat cette nuit et tenteraient enfin de le conclure. Pour toujours.

Les douze templiers se mirent en route pour emprunter une sente à peine marquée entre épineux d'un côté, ajoncs de l'autre.

Ils longèrent des marécages où venaient mourir des étangs noirâtres dans un clapot lugubre, régulier et monotone. Molay pensait aux travaux colossaux qu'avait réalisés autrefois dans cette forêt le premier Grand Maître de l'Ordre, Hugues de Payns. De nombreux lacs avaient été asséchés grâce à une ingénieuse organisation de digues, d'estacades et de canaux. D'immenses surfaces avaient été ainsi transformées en terres cultivables.

Mais cette partie-là des bois avait volontairement été laissée en friche : lieu sauvage et malsain qui n'était jamais fréquenté, hormis par ces quelques templiers qui venaient parfois se réunir dans le Temple secret de la Loge Première.

Le cortège parvint à un gros mur de pierres qui retenait les eaux d'un étang. L'édifice s'accrochait à une pile faite d'énormes moellons et disparaissait presque totalement dans la masse dense des roseaux.

Leurs manteaux maculés de boue, les templiers progressèrent le long du môle jusqu'à un renfoncement où s'opacifiait l'ombre de la nuit. L'homme portant la torche éclaira Jacques de Molay qui pénétra dans l'encoignure. La lumière mouvante de la flamme permit au vieillard de trouver l'interstice dans lequel il glissa la main droite.

Ses doigts découvrirent le levier métallique et l'enserrèrent. Il tira fortement. Le mur grinça, sembla se déchirer, bougea. S'ouvrit alors lentement une porte étroite et basse constituée de pierres plates plaquées sur une armature de bronze.

L'homme à la torche précéda ses compagnons dans le puits ainsi libéré. Il prit grand soin de tâter de la pointe du pied les premières marches où suintait l'humidité.

— C'est bon, lança-t-il. Je vais allumer les torchères aux murs. Faites attention à ne point glisser.

Geoffroy de Charnay donna le bras à Jacques de Molay pour le soutenir. Odon et Gilbert les suivaient. Josse et Griet fermaient la marche.

Leur descente achevée, les templiers s'engagèrent dans une étroite galerie au plafond si bas qu'ils devaient avancer voûtés. Le guide avait allumé sur son passage des torchères accrochées aux murs ; une odeur de poix avait envahi le couloir et prenait à la gorge.

Puis ils arrivèrent devant une porte de bois cloutée de fer encadrée par deux grands volants de bronze sortant du mur. Josse les regarda rapidement avant d'échanger un imperceptible coup d'œil avec Griet.

La porte fut ouverte, les douze hommes pénétrèrent dans le Temple. C'était une large crypte. Trois solides piliers en supportaient la voûte. Son sol était composé de dalles noires et blanches, ses murs couverts de salpêtre étaient ouverts par endroits de hautes et étroites meurtrières ; une bouche d'aération permettait à l'air de la surface de s'introduire dans la salle.

Le Temple avait été ordonné comme une église. On y entrait par l'occident. À l'orient se trouvait naturellement l'autel. Ce dernier n'était constitué que de deux grosses pierres cubiques supportant un tablier de marbre sur lequel reposaient deux châsses, l'une contenant le morceau de parchemin écrit de la main *de Jean frère par les Douze*, sauvé par Benoît Chantravelle des flammes de l'abbaye d'Orbigny et restitué aux Templiers, la seconde abritant le Testament du Fou. Une croix de bois achevait de décorer ce modeste autel.

Sur le mur oriental, en son milieu, les sept lettres V.I.T.R.I.O.L. avaient été gravées dans la pierre à grands coups de ciseau, sans souci artistique.

Cinq chandelles furent allumées par l'homme à la torche. Jacques de Molay vint prendre place devant l'autel, et, les bras en croix, prononça la phrase rituelle :

— *Puisqu'il est l'heure et que nous avons l'âge, ouvrons nos travaux, mes frères.*

Charnay remarqua avec tristesse que ses frères avaient formé deux groupes distincts. Au nord, lui-même, Odon et Gilbert. Au sud, Bernard de Josse et ses proches.

Le Grand Maître se pencha sur l'autel, ouvrit la châsse contenant le Testament du Fou, se pencha sur le cuir de sa couverture et dit :

— Au nom de tous tes frères, je baise tes lèvres, Toi qui fus le Premier. Tu vis en nous par ton enseignement.

Puis, d'un geste vif, il cracha sur la croix de bois.

— Et je crache sur toi, l'usurpateur... Je te renie et te maudis !

Il se tourna vers l'assistance pour observer ses frères l'un après l'autre, triste de les voir séparés. Bernard de Josse et Armand de Griet baissèrent les yeux. « La honte, pensa le vieillard. C'est cela : ils ont honte de s'opposer à moi. Ils s'entêtent, cependant. »

Molay souffrait. L'humidité de la salle réveillait ses rhumatismes et une douleur tranchante saillait de tous ses os comme autant de clous. Il prit une longue inspiration avant de dire :

— Guillaume de Nogaret, l'âme damnée de Philippe, a déjà instruit les baillis et les sénéchaux des griefs dont on nous accuse... Si nous rendons le Testament et le Fragment Sacré, nous pouvons encore protéger l'Ordre.

Il vit deux des compagnons de Bernard de Josse se diriger vers la porte du Temple. « Que font Grégoire et Fos ? », se demanda-t-il. Et, revenant à Armand de Griet : « Est-ce une attitude pour un frère que de garder la main sur le pommeau de son épée lors d'une Tenue ? »

Josse prit la parole en pointant Molay de l'index :

— Nogaret ne retiendra jamais son venin contre nous, mon Maître ! Ce petit-fils de Cathare a administré le comté de Champagne et enquêté sur notre Loge depuis longtemps. C'est lui qui nous a livrés au roi. Il était au fait de nos secrets. C'est grande faiblesse que de nous démunir de nos reliques. Philippe a décidé de sacrifier les Templiers pour renforcer son pouvoir ; de plus, il ne nous rendra jamais l'or que nous lui avons avancé. Le souverain convoite toutes nos richesses et le pape guigne le Testament !

Josse s'était échauffé tout en parlant. Ses compagnons s'ébrouèrent derrière lui, hochèrent la tête et approuvèrent.

— Philippe m'écoute encore, répondit Molay en se voulant rassurant. Il se contentera d'entériner la volonté du Saint-Siège qui souhaite fondre notre Ordre dans celui des Hospitaliers.

— Un leurre, Jacques !, s'exclama Josse. Tu nous livres nus à nos bourreaux !

À la porte, les deux templiers tirèrent leur épée de leur fourreau. Cela fit un bruit métallique qui éveilla l'attention de Geoffroy de Charnay. Se retournant, il vit en effet Grégoire et Fos défendre la porte, le visage buté.

— Nous sommes tombés dans un piège, souffla-t-il à Odon, tout proche de lui. Bernard de Josse a conquis la plupart des frères à sa cause.

— Ils ne vont tout de même pas tenter un coup de force !, s'étonna Odon. Nous sommes liés par notre initiation, par notre serment.

— La Fraternité me semble bien fragile, cette nuit !, constata Charnay.

Le Grand Maître comprit. Il voyait tous ses frères, malgré l'ombre. Leurs regards. Leurs échanges muets. Quelque chose allait éclater. Quelque chose d'effroyable qu'une Loge n'aurait jamais dû accueillir. Pas en un tel lieu sacré. Pas ici !

À entendre la voix de Geoffroy de Charnay, forte, brutale, Molay sursauta et la douleur de ses os se fit brûlure.

— Fermons nos travaux sur-le-champ, Maître ! Et quittons le Temple avec les reliques, l'épée en main !

Molay implora plaintivement :

— Seigneur ! Tu m'as trahi, Bernard ? Tu m'as trahi ?

Tous dégainèrent leur épée. Tous sauf Molay, paralysé devant l'autel, statue de tourment et de chagrin, des larmes dans les yeux.

— Tu te méprends, dit Josse. C'est moi qui suis resté fidèle au Premier. Tu as donc oublié que nous étions ses héritiers ?

— Nous connaissons la Vérité, articula laborieusement le vieillard. Peu importent ces quelques parchemins !

Josse s'avança. Molay ne bougeait toujours pas. Il défendait l'autel de sa maigre carcasse malade, pensant que sa seule personne arrêterait le félon. Mais l'épée de Bernard de Josse venait de se lever, pointe en avant. Et Armand de Griet s'approchait lui aussi.

— Je t'en conjure, frère, laisse-moi passer…, pria Josse. Tout serait aisé si tu acceptais de t'écarter. J'emporte le Testament et le Fragment Sacré, puis nous…

— Nous ne valons donc guère mieux que nos ennemis ?, s'insurgea Molay.

Les chevaliers Grégoire et Fos sortirent vivement de la crypte et se postèrent devant les deux volants de bronze.

— Soyons prêts à ouvrir les vannes quand Bernard nous en donnera l'ordre, car l'affaire tourne mal, dit Grégoire.

— J'ai pourtant prié pour que Jacques recouvre la raison, soupira Fos avec regret.

Charnay désigna la porte en s'exclamant avec fureur :

— Ils veulent inonder le Temple !

— Les judas !, s'écria Odon. Ils avaient préparé leur affaire et sont en nombre !

Il voulut s'élancer ; trois chevaliers de la partie adverse lui coupèrent le chemin. Tout se passa alors très vite. Ce semblait être le résultat d'un plan longuement mûri et répété. Bernard de Josse se jeta sur le Grand Maître qu'il bouscula afin de s'emparer du Testament du Fou tout en menaçant de son épée Gilbert, venu s'interposer.

— Ne te mets pas sur mon chemin, frère Gilbert ; tu n'es pas de taille !, lui conseilla sèchement Josse.

— Le *mot frère* pue l'urine dans ta bouche !

— Mon pauvre petit Gilbert !, dit simplement Josse en lui passant son épée au travers du corps.

Le jeune homme s'écroula sur lui-même, ouvrant de grands yeux enfantins, comme surpris de ne ressentir aucune douleur. Rien qu'un peu de froid dans la poitrine, là où aurait dû battre encore son cœur. C'est ainsi qu'il mourut : un grand silence en lui, autour de lui, accompagné dans son trépas par le regard effaré de son Grand Maître.

Charnay intervint et obligea Josse à battre en retraite. Les épées tranchaient l'espace en sifflant et se heurtaient avec violence dans des éclats d'éclairs.

— Le Fragment, Geoffroy…, balbutia Molay. C'est notre dernière chance !

Josse parvint à s'enfuir, soutenu par ses hommes qui le couvraient. Ils se dirigèrent tous vers la porte qu'ils franchirent en hâte pour la refermer aussitôt derrière eux, interdisant à Geoffroy de Charnay de les suivre.

— La porte !, cria celui-ci. Ils mettent les verrous…

Odon se releva. Il lui semblait avoir perdu connaissance l'espace de quelques secondes. Son épaule gauche était ensanglantée… Il se souvenait. Il avait livré un âpre combat contre trois des frères du parti de Bernard de Josse. Il découvrit alors seulement que Gilbert gisait dans une mare de sang au pied de l'autel. Que le Grand Maître se tenait debout, pareil à un mort dressé hors de son tombeau. Que Charnay frappait du pommeau de son épée contre le bois épais de la porte en lançant des jurons et des anathèmes aux renégats.

À l'extérieur, Armand de Griet demanda à Bernard de Josse :

— Tu n'as pu prendre que le Testament ? Cela signifie donc que…

— Oui, l'eau achèvera notre besogne. Allons, qu'on en finisse au plus vite ! C'est le genre d'ouvrage qu'il faut expédier sans trop réfléchir…

— Ma foi, cela n'allégera pas mon âme, qui me pèse comme une chape de plomb, se plaignit Griet.

Bernard de Josse s'adressa aux deux chevaliers préposés à l'ouverture des vannes, mains sur les volants de bronze :

— Ouvrez les vannes, compagnons. Il ne doit plus rien rester de cette nuit. Rien !

Tout en s'exécutant, Fos ne put s'empêcher de remarquer :

— Dire que c'est Jacques en personne qui a inventé ce mécanisme pour le jour où nous aurions dû *démolir* la Loge en cas de danger ! Et nous retournons le gluau contre lui !

— Je crains fort que nous soyons damnés pour cela, remarqua Grégoire.

Les volants tournés, les templiers entendirent un mécanisme complexe se mettre en branle sous leurs pieds : des roues dentées, des chaînes, des engrenages… Un bruit implacable qui faisait vibrer le sol et les murs du souterrain.

— Allons, fit Josse. Retournons à la chapelle.

Derrière la porte cadenassée, Charnay avait cessé d'invectiver les traîtres.

47

L'anneau

L'homme à la torche ouvrait le chemin. Les sept templiers longèrent à nouveau les marais, déchirèrent le bas de leurs capes aux épines des ronciers, s'engouffrèrent dans la forêt et retrouvèrent la petite chapelle.

Josse tendit le Testament du Fou à Armand de Griet en lui disant :

— Mets le Testament dans les fontes de mon cheval. Il me reste encore une chose à accomplir à l'intérieur de la chapelle.

— Hâte-toi, Bernard. J'aimerais être loin d'ici. J'ai l'impression d'entendre nos frères hurler sous terre.

La nuit était claire, encore tiède, son ciel clouté d'étoiles nombreuses. Josse poussa la porte de la chapelle ; il dut laisser ses yeux s'accoutumer à l'obscurité avant de la traverser et de se rendre jusqu'au mur sur lequel étaient gravées les lettres V.I.T.R.I.O.L., près du blason représentant les deux chevaliers chevauchant une unique monture.

Il y avait aussi un anneau de bronze accroché à une manille, juste au-dessous des sept lettres. Josse le défit de son attache. Il ne put réprimer un frisson en le prenant entre ses mains. Un reste de superstition… ? Mais combien d'hommes l'avaient-ils touché ? Très peu, en vérité, pensa le chevalier. Jésus lui-même qui, très âgé, l'avait fait confectionner pour ouvrir et refermer un jour sa propre tombe, *Jean frère par les Douze*, puis quelques disciples… Jusqu'à ce que Hugues de Payns le place dans la chapelle après avoir parachevé les travaux dans la forêt et avoir déplacé le corps du Christ pour le déposer dans son nouveau tombeau, à l'abri des Gardiens du Sang.

Josse savait que l'anneau était la pièce indispensable à l'accomplissement du plan des frères Premiers. Sans cet objet, il était impossible de pénétrer dans le sépulcre de Jésus.

Bernard de Josse ressortit de la chapelle. Ses six compagnons étaient déjà en selle. Armand de Griet avait donné l'ordre d'emmener les chevaux de Jacques de Molay et de ses amis : il ne devait subsister aucune trace de leur passage en ces lieux.

Josse enfourcha sa monture et, sans un mot, l'obligea à avancer de deux coups de talon dans le flanc. Les six chevaliers le suivirent, le visage sombre, les yeux baissés.

Ils s'enfoncèrent dans la forêt où s'épaississait la nuit. La torche avait été éteinte et l'on allait de mémoire, se fiant à l'adresse des chevaux qui faisaient claquer leurs sabots sur la terre durcie.

Ils traversèrent une clairière que la lueur de la lune animait de longues ombres. Ils passèrent devant la statue du Cathare, se retournèrent vers lui, gardien immobile d'un passé de feu et de cendre.

Josse fit marquer un temps d'arrêt à son cheval et, fixant la statue, il pensa : « *Non nobis, domine, non nobis, sed domini tuo da gloriam*[1]. »

Puis la troupe retrouva la noirceur des bois avec leur odeur lourde, leurs cris d'oiseaux.

Armand de Griet rompit le silence pesant qui s'était emparé des hommes.

— Tu ne nous as pas encore dit où l'on cachera désormais le Testament du Fou, Bernard, dit-il.

— Là où le pape ne pourra jamais le trouver. Là où ses chiens de chasse, les Gardiens du Sang, ne viendront pas le chercher.

Ce fut tout ce qu'ils se dirent en chemin.

48

L'évasion

Une eau boueuse jaillissait à grands flots bruyants des meurtrières pratiquées dans les murs de la crypte ; elle avait déjà atteint les genoux de Jacques de Molay, Geoffroy de Charnay et Odon Lanvoisier.

— Nous voici coincés dans la souricière, mon Maître, dit Charnay. Nous allons y périr noyés en moins d'une heure, n'est-ce pas ?

---

1. Non pour nous, Seigneur, non pour nous, mais pour la gloire de Ton nom.

— En effet, admit Molay. Tout l'étang du Buy est en train de se déverser dans le Temple. Je suis malheureusement le mieux placé pour savoir qu'il n'y a aucun espoir à envisager, ayant moi-même conçu ce mécanisme.

Odon intervint, le visage rouge d'excitation :

— Il nous reste peut-être une chance à tenter. Essayons de nous hisser vers la surface par cette bouche d'aération.

Il leur désigna l'étroit orifice dans le mur nord et ajouta :

— Sa taille est suffisamment grande pour qu'un homme puisse s'y glisser.

— Ce n'est qu'un étroit goulet, Odon !, s'exclama Molay. Un cul-de-sac dans lequel nous péririons étouffés.

Charnay posa une main sur le bras de son ami et dit :

— Mais nous l'avons renforcé autrefois de quelques solides moellons. Essayons et sauvons le Fragment Sacré que tu remettras au pape.

Le Grand Maître mit la relique dans sa chemise. Odon se dirigeait déjà vers la gueule noire du conduit d'aération. Il lui fallut écarter le corps de Gilbert qui flottait devant le mur.

— Ton épaule tiendra-t-elle ?, demanda Charnay.

— Il le faudra bien, répondit Odon. Je me doute que ça monte sec, non ?

— Par mon âme, dit Molay qui se mit à trembler, ce puits monte à pic. Je me demande si…

Charnay comprit aussitôt.

— Tu ne te demandes rien, Jacques, coupa-t-il sèchement. Je te devancerai et te donnerai la main. Odon te suivra et te poussera aux fesses s'il le faut, mais je puis t'assurer que tu monteras et que dans moins de temps qu'il n'en faut à un abbé pour réciter un *confiteor*, tu respireras le bon air de la nuit !

— Je suis un vieil homme, Geoffroy !

— Tu fus un rude gaillard et tu dois t'en souvenir, mon ami.

Charnay s'engagea dans l'orifice en se plaignant :

— J'ignorais avoir tant grossi. Je jeûne pourtant tous les vendredis et suis bien discipliné lors du carême, comme le veut l'usage des bonnes gens !

Molay sourit.

— Tu es à l'âge de la maturité, mon cher Geoffroy. C'est une époque où le gras s'empare des muscles. Il te manque sans doute de faire un peu de sévères exercices. Dois-je te faire remarquer que si tu restes coincé, nous allons mourir noyés, Odon et moi, alors que tu demeureras le cul dans l'eau à respirer sottement par cette gaine ?

— J'avoue que la posture ne serait pas digne d'un chevalier, dit Charnay en déployant de violents efforts pour se glisser dans la chatière.

Il y parvint cependant au terme d'une patiente reptation, après avoir tortillé des fesses comme un damné. L'eau arrivait maintenant aux cuisses des hommes et n'allait pas tarder à envahir le puits.

— À ton tour, dit Odon à Jacques en l'aidant à se plier et à passer la tête et les épaules par l'orifice.

Les os et les chairs du vieillard n'étaient plus qu'une sourde douleur. Le mal se répandait dans tous ses membres, dans chaque articulation, rayonnait dans les artères, la poitrine, les tempes. Et il battait, battait dans la nuque où il avait élu son siège. C'était une torture.

Charnay se hissa contre la paroi en s'agrippant à une pierre saillant à peine du mur de terre. Il tendit sa main valide au Grand Maître qui l'empoigna tout en ne pouvant réprimer une plainte. Les os de son poignet craquèrent.

Puis vinrent des réflexes. Un pied trouva un fragile support, les doigts s'accrochèrent à une aspérité, les hanches s'élevèrent. Molay gagna un mètre, un autre. Certes, l'ascension était périlleuse, on manquait de glisser à chaque instant, on s'arrêtait pour reprendre haleine, la poitrine collée contre la pierre et la glaise mouillée, on repartait en se donnant courage de la voix, on commençait à croire en la Providence.

Ils avaient presque atteint leur but quand Charnay s'écria :

— Ne sentez-vous pas la douceur de la nuit ?

Molay reçut en effet sur le visage la légère caresse d'un air chargé du suc des bois.

— Une bénédiction, reconnut-il. Aurais-je pu penser que ma vieille ossature me porterait jusque-là ? Eh bien, Odon, n'es-tu pas heureux ?

— Frères…

Odon les appelait. Une plaintive prière : « Frères… Je glisse ! »

Son épaule blessée, trop longuement sollicitée, l'empêchait maintenant de se retenir aux arêtes des pierres enchâssées dans le mur de glaise. Le poids de son corps ne pouvait être supporté par une seule main. Son bras gauche d'où suintait le sang pendait désormais le long de sa cuisse, inutile.

— Je vais te donner la main, lui dit Molay.

Odon leva la tête vers le Grand Maître qui tentait de le sauver. Ses doigts s'engourdissaient, ripaient sur l'arête d'un moellon. Ils finirent par lâcher prise et le jeune homme chuta, se fracassant contre les parois resserrées.

— Ne regarde plus en arrière, conseilla Charnay à son ami. Dégageons-nous de ce goulet, nous prendrons plus tard le temps de prier pour Odon et Gilbert.

Les deux rescapés parvinrent à s'extraire du puits et débouchèrent dans une grotte basse et terreuse où ils durent ramper quelque temps avant de gagner l'air libre de la forêt.

Épuisé, Molay s'affala dans l'herbe, face au ciel étoilé, les bras en croix, la respiration difficile.

— Voici donc tout ce qu'il reste de la Loge Première ?, remarqua-t-il amèrement. Un vieillard et son fidèle ami…

— Pense à l'Ordre et à tous ses chevaliers que tu sauveras en remettant le Fragment Sacré à l'Église.

— Des milliers de vies en échange d'un morceau de vélin ! Mais cela suffira-t-il ? L'épiscopat n'admettra jamais que subsiste un exemplaire du manuscrit maudit. Il craindra sans cesse que la Vérité éclate un jour et ruine son influence. Peut-on imaginer qu'il arrête et condamne ceux qui l'ont tant servi ?

— Notre Ordre est trop puissant, Jacques. Nous sommes devenus d'encombrants banquiers.

Molay se redressa sur un coude. Sa respiration s'était enfin calmée.

— Alors, peut-être que notre frère Bernard de Josse ne nous aura pas trahis en vain ?, dit-il d'une voix plus claire. Qui sait si ce n'est pas lui qui a eu raison, cette nuit ?

— Nous l'apprendrons bientôt. Viens… Viens, mon Maître.

Et Charnay lui tendit la main. Molay se releva. La douleur ne l'avait pas quitté, mais s'était cependant légèrement estompée, comme neutralisée par la peine d'avoir été trahi et d'avoir perdu deux de ses plus fidèles compagnons, Gilbert et Odon. Elle se réveilla lorsqu'il se remit en marche, grimaçant sous les assauts du mal qui le rongeait et l'assaillait à chaque pas.

— Appuie-toi sur mon bras, Jacques.

— Il m'est doux de conserver un ami tel que toi, Geoffroy.

— Quant à moi, je suis fier de t'avoir pour Maître.

— Ton amour est aveugle, soupira de Molay. Qu'ai-je apporté à notre sainte Loge, sinon sa destruction ? Vois ce que j'ai fait de l'héritage de Jésus !

— Tu n'es pas responsable et il est inutile de te mortifier. Josse a raison sur un point : le roi Philippe est un renégat. Tu joues un jeu dangereux avec lui et avec l'Église. Je persiste néanmoins à penser que tu pourras apaiser leur ressentiment contre l'Ordre en leur remettant le Fragment Sacré. Ce geste devrait prouver ta bonne foi et leur montrer que nous nous soumettons. Il n'y a point d'humiliation dans la volonté de sauver ses frères.

Respectant son engagement, Jacques de Molay remit le Fragment Sacré au roi Philippe le Bel, à charge pour lui de le transmettre au pape afin de récolter les lauriers de cette délicate affaire. Mais le pape n'en voulut pas. Il avait un tout autre projet pour ce qui concernait cette relique. Il en fit part au monarque...

Un mois après leur évasion de la crypte immergée, le 13 octobre 1307, Jacques de Molay, Geoffroy de Charnay et tous les templiers de France étaient arrêtés, et leurs biens placés sous séquestre.

49

Le bûcher

Sept ans plus tard, au soir du dix-huit mars mil trois cent quatorze, un bel homme de quarante-six ans se tenait assis près d'une fenêtre donnant sur l'île des Javiaux où venait de naître la rumeur d'une foule qui ne cessait plus de grossir. Les points de feu des torches dansaient au-dessus d'une marée de têtes, des bras se levaient, des chants montaient dans la brise flottant sur la Seine, des clameurs grondaient.

La pièce était plongée dans l'ombre. Seul un candélabre diffusait une faible clarté ; ses bougies fondaient en pleurs brûlants, leur cire gouttant sur le sol de grès.

Le bel homme au profil délicat, au grand front légèrement bombé, était assis sur une chaise à haut dossier, le menton posé dans une main. Sobrement vêtu, une cape passée sur les épaules, il attendait.

Le roi Philippe respira longuement l'air du soir que colorait un soleil rouge parti se noyer dans une forêt de toits. Il entendit un frottement derrière lui et se retourna à peine, devinant de qui il s'agissait. Car la présence qui était silencieusement entrée dans la salle lui était familière. Il en connaissait les coutumes.

— Ah, c'est vous, Nogaret... Vous et votre manie de sortir de l'ombre comme un chat !

Guillaume de Nogaret s'approcha du roi à pas feutrés, glissant plus qu'il ne marchait, exécutant de ridicules petits pas de danse maniérés sur ses maigres mollets.

— Je suis venu vous dire, Sire...

Il ménageait ses effets. Il se comportait toujours de la sorte. Commençait une phrase. S'arrêtait net. La reprenait un ton plus bas, comme délivrant chaque fois un secret.

— Tout a été exécuté selon les ordres du pape Clément, conclut-il dans un murmure.

— Le Saint-Père est ainsi comblé ! Nous avons fait arrêter jadis Jacques de Molay alors qu'il nous avait remis le Fragment Sacré. Fallait-il agir ainsi pour préserver la monarchie et la papauté ?

La voix du roi Philippe était envahie d'une indicible tristesse. Nogaret feignit de ne pas le remarquer et reprit :

— Le Fragment n'aura jamais existé ! On l'a accroché au cou du Grand Maître. Le feuillet brûlera avec lui et Geoffroy de Charnay. Mais ni l'un ni l'autre, malgré la torture, n'ont avoué l'emplacement du Temple de leur Loge. Quant au manuscrit, mes espions pensent que c'est Bernard de Josse qui l'a placé en lieu sûr il y a quelques années...

Guillaume de Nogaret était un étrange personnage. Il s'était acharné sur les Templiers après avoir humilié le prédécesseur du pape Clément, qu'il détestait. C'était un légiste retors, implacable. Son âme avait déteint sur sa peau qu'il avait grise et fripée. Ses petits yeux ronds n'exprimaient jamais aucun sentiment. On eût dit deux agates mortes que la lumière était incapable de traverser.

Il poursuivit :

— Bernard de Josse est introuvable. Il est à craindre qu'il ait réveillé sa secte.

Le roi Philippe eut un faible sourire.

— Je vous fais confiance, Guillaume : vous chercherez... Puis d'autres après vous. Sans cesse ! Je vous en prie, laissez-moi maintenant. J'entends les tambours, le supplice ne saurait tarder.

Nogaret disparut dans l'ombre de la pièce, ses pas fuyant sur le dallage en lents sifflements. Le roi Philippe reprit l'observation de l'île des Javiaux. Les tambours s'étaient tus et leurs roulements monotones et funèbres avait laissé place au glas. La foule exhala un long souffle qui se transforma bientôt en grognement.

« J'avais un vieil ami sincère et dévoué... Ce malheureux Jacques ! Dire qu'il a cru en ma parole... »

La voix hystérique de la foule lui disait que Jacques de Molay et Geoffroy de Charnay venaient d'être amenés sur le lieu de leur supplice. De sa fenêtre, il ne pouvait voir les détails de la scène, mais se les imaginait aisément.

Il eut soudain froid.

Une foule imposante s'était réunie pour assister au martyre des deux derniers templiers. Des hommes en armes conduisaient les condamnés, malmenés, tiraillés et insultés par une populace excitée et avinée.

Jacques de Molay et Geoffroy de Charnay n'avaient pas les mains entravées. Ils se défendaient piteusement en se protégeant le visage des crachats ou des projectiles divers qu'on leur lançait pour les humilier : des légumes, des cailloux, des morceaux de pain imbibés d'urine.

Railleries, quolibets, injures. La foule se libérait de cette animalité que tout homme garde chevillée à l'âme et qui ne demande qu'à s'exprimer lors de cérémonies honteuses.

En tête du convoi, un dominicain portant une grande croix marchait cérémonieusement, pénétré de son rôle.

Des enfants assistaient à la scène. Ils étaient sans doute les seuls à ne pas exulter, impressionnés et terrifiés par un tel déversement de haine. Horrifiés de voir leurs parents s'abandonner à des sentiments aussi bestiaux. Mais ces gosses deviendraient à leur tour des adultes...

La foule.

Molay parlait à Charnay tandis qu'on les faisait monter sur l'estrade où avaient été entassés des fagots bien serrés qu'un bourreau et ses deux officiants enduisaient de poix. Les torches qui allumeraient le brasier étaient prêtes et attendaient, fichées dans leurs portiques en fonte.

— Déchire ta chemise avant qu'on ne te lie au poteau, Geoffroy. Offrons notre cœur aux flammes, et partons sans regret.

— Certes, j'abandonne bien volontiers ce monde de traîtres et de tueurs.

Un des officiants prépara les cordes. Molay déchira sa chemise avant qu'on ne l'attache au pieu de bois rêche.

— Je veux que tous voient le Fragment Sacré pour lequel nous nous sommes perdus, prononça le vieil homme.

La foule massée aux pieds des deux hommes ne l'entendait pas.

Une femme demanda :

— Qu'a-t-il au cou, le vieux ?

Un homme répondit :

— Sans doute la liste de ses péchés, qu'il va emporter en enfer.

Un autre reprit :

— Ils doivent être écrits bien petits, car on dit que les fautes des templiers sont nombreuses.

— Sûr, ils ont le cul large, à ce qu'il paraît !

— Ils crachent sur la sainte Croix et se prosternent devant des idoles hideuses.

On achevait de lier les deux hommes. L'un et l'autre se laissaient faire avec dignité ; ils savaient depuis longtemps que leur sort avait été scellé par le roi et le pape, et ils s'étaient habitués, tout au long de leur captivité, à l'idée de mourir. Mais Molay, tournant son visage maigre et pâle vers l'officiant qui lui prenait les mains pour les ligoter, lui demanda :

— Qu'on me laisse joindre les mains et adresser au Vrai Dieu ma prière. Je ne meurs pas... Je m'en retourne visiter la terre pour m'allonger auprès de mon frère Premier.

Sa requête fut acceptée par le dominicain, convaincu de prouver par là sa magnanime indulgence et sa pieuse pitié.

Ainsi Molay put joindre les mains sur sa poitrine. Ce geste ébranla les premiers rangs de la foule, qui se turent. Comme une vague, le silence roula sur l'assemblée et s'en empara, laissant d'un coup apparaître toute l'horreur de l'événement. On allait brûler deux hommes dont l'un était un vieillard noueux, hâve, qui semblait dormir debout, figé dans une intense prière.

Le bourreau et ses aides saisirent les torches et commencèrent d'enflammer les premiers fagots. Le feu gagna assez rapidement les grosses bûches soigneusement empilées et suffisamment aérées pour que le brasier prenne bien.

Le dominicain éleva sa grande croix en direction des deux templiers.

Les flammes grimpèrent sur le monticule de bois dans une spirale d'épaisse fumée qui obligea la foule à effectuer un mouvement de recul. Une femme attira son gamin dans ses jambes. Les faces hilares s'assombrirent, marquant une expression de dégoût. Le drame était devenu tangible. Il contribua à chasser ce qui restait de bestialité dans le cœur des curieux.

La foule avait honte. Dégrisée, c'est sans joie qu'elle s'obligea à demeurer au spectacle des deux malheureux hérétiques qui toussaient et reniflaient piteusement dans l'âcre fumée.

À la fenêtre du Palais-Royal, Philippe le Bel vit la lueur du bûcher s'intensifier dans le soir bleuté. Une lueur d'un jaune presque blanc, pareille à une lumière surnaturelle. Sans doute était-ce le silence anormal qui rendait cette clarté aussi mystérieuse.

Il ferma les yeux un instant. Quelques longues secondes, comme une éternité noire et glacée. Il les rouvrit, humides et piquants.

« J'avais un vieil ami sincère et dévoué… », répéta-t-il à voix haute.

Jacques de Molay et Geoffroy de Charnay étaient à présent noyés dans les flammes qui attaquaient leurs jambes, léchaient leur poitrine, leur voilaient les yeux d'une eau rouge sang.

210

La cordelette de chanvre passée au cou du vieillard, à laquelle avait été accroché le Fragment Sacré, était en train de se rompre en émettant de fines flammèches.

Molay serait bientôt libéré des douleurs de son corps sénile, ravagé de rhumatismes. Libéré aussi de son chagrin.

Ce fut alors qu'une vision le saisit. Une succession de brèves images qui l'éblouirent. La révélation d'un futur proche. Tout son être en fut dulcifié. Sa peau, qui cloquait en d'épouvantables plaies, ne fut plus qu'une insignifiante meurtrissure.

La cordelette de chanvre allait bientôt lâcher. Le feuillet de parchemin était attaqué à son tour par le feu.

Jacques de Molay, dernier Grand Maître de l'ordre des Templiers, leva sa tête auréolée par l'éclat du brasier vers le ciel assombri et lança d'une voix forte et rauque :

— Pape Clément ! Et toi, roi Philippe ! L'année ne sera pas achevée que vous comparaîtrez devant le tribunal de Dieu !

L'écho de sa malédiction résonna dans l'esprit de la foule tremblante et effrayée.

Le Fragment Sacré quitta la poitrine du vieillard et s'envola telle une flamme follette, passant au-dessus du dominicain épouvanté. Le parchemin donnait le sentiment de posséder une vie propre, de vouloir s'enfuir de ces lieux et de cette époque…

Il survola la foule et celle-ci regarda passer ce petit oiseau de feu avec une inquiétude mêlée de superstition. Il se désagrégea dans la nuit, éclatant en minuscules points de lumière.

— Seigneur !, s'exclama une femme avec terreur. On dirait l'âme des Templiers qui s'envole !

50

Le Tau

« Clément V et Philippe le Bel moururent effectivement dans l'année ! », précise Mosèle.

Hertz sourit en plissant les yeux à cause de la fumée du cigare qu'il a allumé au cours de son récit. Pain et fromage ont été mangés. La bouteille de vin a été vidée. Le vieil avocat a le feu aux joues et un peu de sueur perle à son front.

— Vous avez raison, Didier. Le pape ne survécut pas aux atteintes d'une dysenterie mal soignée. Le roi Philippe fut victime d'un accident de chasse. De crédules paysans virent dans le sanglier qui déchira la royale couenne la réincarnation de Jacques de Molay, revenu d'entre les morts sous cette apparence pour exécuter sa sentence. Une légende veut aussi que des templiers qui avaient évité l'emprisonnement aient organisé un traquenard pour piéger le Bel.

— On dit parfois que le pape Clément aurait été empoisonné, renchérit Mosèle. Encore un coup des Templiers, d'après vous ?

Le sourire de Hertz s'accentue.

— Nul ne saurait le jurer. C'est possible, après tout. À moins que la mort de l'un et de l'autre ne soit que pure coïncidence ? Pourquoi glisser de la magie là où il n'y a que du hasard ?

Le vieil avocat tire longuement sur son cigare, y éprouvant un plaisir sensuel qu'il ne cherche pas à dissimuler mais que rompt Mosèle en demandant :

— Nogaret ne put donc apprendre où se situait le Tombeau du Christ ?

À regret, émergeant de la fumée, Hertz répond :

— Vous avez compris que les Templiers qui annotèrent le Testament du Fou avaient laissé en marge quelques repères pour des successeurs initiés... Mais le conflit entre les Premiers, puis la mort de Jacques de Molay effacèrent le Secret de Hugues de Payns.

— Pourtant, le manuscrit a été retrouvé ! Et cette Loge Première, qu'est-elle devenue ? A-t-elle été reformée plus tard ? Et quand ?

Hertz regarde la pointe incandescente de son cigare qu'il fait rouler entre pouce et index.

— Vous ne boiriez pas un petit marc ?, propose-t-il. Ou un cognac ?

— Vous ne voulez pas me répondre, *mon frère* ? Si vous connaissez tous ces événements que l'Histoire officielle n'a pas retenus, c'est que...

Mosèle n'a pu s'empêcher de marquer son impatience. Il n'est pas dupe du jeu de ce gros chat madré.

— Plus tard, vous ai-je déjà dit...

Cependant, Mosèle insiste :

— La Loge Première existe toujours, n'est-ce pas ? Et vous... QUI ÊTES-VOUS, MARTIN ? Pourquoi détenez-vous le Testament du Fou ?

— Ah, le Testament ! Je l'ai mis en sécurité. Il n'est plus ici depuis que les Gardiens du Sang ont tenté de me le dérober. Quant à vous, avez-vous progressé sur la copie que je vous ai donnée ?

— Je n'en ai pas eu beaucoup le temps. Il m'est néanmoins apparu comme une évidence que le narrateur qui se nomme *Jean frère par les Douze* n'est autre que l'Évangéliste. Mais je ne vous apprends rien.

— Naturellement.

— Il aurait d'ailleurs vécu bien vieux, puisque l'on situe sa mort à Éphèse aux alentours de l'an 101. Il aurait eu quatre-vingt-dix-huit ans.

— Je ne suis pas certain qu'il soit mort à Éphèse, rectifie Hertz. Je pense plutôt qu'il est resté avec le Christ en forêt d'Orient et qu'il y est demeuré après le décès de celui-ci.

Mosèle reprend :

— Il aurait écrit deux Évangiles, le Testament du Fou éclairant le premier et précisant son Apocalypse ?

— C'est évident, Didier. Rappelez-vous justement un passage de l'Apocalypse où Jean, exilé par l'empereur Domitien à Patmos, reçoit la vision du Christ, tout de blanc vêtu, qui lui impose « d'écrire ce qu'il a vu, le présent et ce qui doit arriver plus tard ». Dans l'Apocalypse, il ne s'agit que d'une apparition, alors que dans le Testament il est question de la visite réelle de Jésus, qu'il relate ainsi :

> *« Il était vivant et non mort*
> *Tel que le peuple l'avait pensé*
> *Trois baisers il me donna.*
>
> *Blancs sa tête et ses cheveux*
> *Comme de la laine blanche*
> *Comme de la neige... »*

213

— Vous connaissez donc le Testament du Fou par cœur, Martin ?

— Je l'ai tant lu ! Je le connais en effet comme si je l'avais écrit de ma propre main.

— Mais il a fallu attendre la mort de Néron pour que l'on permît à Jean de quitter son exil.

— L'histoire officielle, Didier ! Je suis enclin à croire la parole même de Jean dans le Testament plutôt que celle de divers chroniqueurs. Il est possible que l'Évangéliste ait effectivement abandonné l'île de Patmos alors qu'il y serait volontiers resté, adopté par la population qu'il avait convertie à ses idées et qui l'appréciait. Il aurait suivi cet homme, « la tête et les cheveux comme de la laine blanche, comme de la neige... ».

— Jésus... Un Jésus âgé revenu chercher son plus fidèle apôtre. Ainsi, il n'y a plus à en douter, le Testament est la preuve irréfutable que Jésus n'a pas été crucifié !

— En doutiez-vous ?, demande Hertz en se levant de table et en ajoutant : J'ai un excellent marc. Je vais nous en servir une goutte.

Mosèle allume une cigarette, aspire une goulée de tabac blond et regarde pensivement son vieil ami ouvrir la porte d'un placard, en sortir une bouteille sans étiquette, déjà grandement entamée. « Un gros chat, oui ! Et je suis la souris avec laquelle il s'amuse. Dans quel but ? »

Hertz a pris deux petits verres qu'il remplit, se rassoit et consacre quelques longues secondes à humer l'alcool avant de le laper.

— Goûtez-moi cela, Didier. C'est un ami qui produit dans l'Yonne ce délice. Il y a des gens décidément très utiles sur terre ! Des bienfaiteurs...

Mosèle trempe ses lèvres.

— Mince, dit-il. C'est une *boisson d'homme* !

— Léa n'apprécie pas trop que j'en boive ; elle est persuadée que je mourrai d'une cirrhose. Je crois bien que je m'en moque. Cirrhose, cancer du poumon, diabète...

Mosèle repose son verre. Sa gorge le brûle, les muqueuses enflammées d'un puissant goût de fruit poivré, cuit et recuit.

— Qui est mort sur la Croix, Martin ?

— Cela aussi, vous le savez, Didier. Thomas et Jésus se détestaient. Thomas, le frère jumeau du Christ, a tenté d'assassiner ce dernier et l'a laissé pour mort.

— Bon Dieu !, s'exclame Mosèle. Les proches mêmes de Jésus pensèrent qu'il était mort. Il fut déposé dans un suaire, n'est-ce pas ? Et...

— Et ?

Hertz est penché par-dessus la table. Sa grosse tête aux joues flasques et rouges, ses yeux quasiment clos, un sourire en biais, il attend.

Quelques phrases d'une strophe du Testament du Fou s'imposent à l'esprit de Mosèle. Nettes, semblables à une vision :

> *« Aux Oliviers le frère mort en son suaire*
> *À son jumeau traître fait remontrances*
> *Et le maudire aux Siècles des Siècles... »*

La satisfaction se peint sur le visage de Hertz qui reprend sa place, puis lâche un long soupir pareil à celui d'un sportif après l'effort. Il se passe une main sur le front pour en chasser les gouttes de sueur.

Mosèle poursuit :

— La cohorte n'a pas arrêté Jésus sur le mont des Oliviers. Elle a arrêté son jumeau. Le Christ a laissé condamner son frère !

— Cela a toujours été la théorie de Pontiglione.

— Je me demande encore...

— Oui, Didier ?

— Je m'interroge : est-ce une croix ou un « T » que le professeur a dessiné de son sang sur ma poitrine ? Lorsque j'ai quitté mon pull, j'ai noté que la barre verticale de la croix dépassait à peine du bras transversal.

Pourquoi Mosèle s'imagine-t-il soudain que Hertz lui joue la comédie ? Le vieil avocat roule les yeux et, faisant mine de réfléchir intensément, prononce :

— Mais... oui ! Bien sûr : le T... Le T grec ! Le TAU ! Je crois en effet que c'est « TAU » qu'il voulait vous faire comprendre.

— La potence des crucifiés était en forme de Tau, précise Mosèle, contrarié, certain que le vieil avocat n'attendait que cet instant pour lui confirmer cette découverte.

— Naturellement. Un Tau et non une croix. Vous m'avez bien dit que Francis s'était rendu à Reims alors qu'il enquêtait en solitaire ?, interroge Hertz de sa voix mielleuse.

— En effet. Mais il ne m'a pas précisé où exactement.

— J'ai pensé à la lettre grecque en raison du palais du Tau, accolé à la cathédrale de Reims. Si mes souvenirs sont exacts, il me semble que l'on y conserve pieusement quelques rares écrits de Hugues de Payns.

— J'ai parfois l'impression d'être un chien au bout d'une longue laisse que vous tenez en main, Martin.

— Non. Vous êtes un ami à qui je donne la main... Vous êtes ma jeunesse. Reprenez de ce marc, il est excellent, ne trouvez-vous pas ? Il aide à la réflexion et stimule l'esprit !

51

La lettre de Hugues de Payns

Reims. Mardi, quatorze heures vingt.

Didier Mosèle a garé sa Golf place du Cardinal-Luçon et entre dans la cour de l'ancien palais de l'archevêque de Reims, le palais du Tau, dont les bâtiments dessinaient autrefois un « T », jusqu'à ce que le monument, au XVIIᵉ siècle, soit fortement modifié par l'architecte Robert de Cotte. L'édifice subit encore de graves dommages en 1914-1918, puis sa restauration ne s'acheva qu'après la Seconde Guerre mondiale. Il abrite aujourd'hui un musée où l'on peut admirer le Talisman de Charlemagne, le « calice » avec lequel était célébrée la communion des rois de France durant la cérémonie de leur sacre, ainsi que les dix-sept tapisseries illustrant la vie de la Vierge, jadis propriété de la cathédrale. Le palais du Tau fait partie du Patrimoine mondial établi par l'Unesco.

Dans la matinée, Mosèle a pris rendez-vous par téléphone avec le conservateur Georges Lamblin, un homme d'une cinquantaine d'années, petit et sec, mais d'allure d'emblée sympathique. Crâne dégarni, lunettes, costume bleu sombre et cravate nouée à la hâte, il est manifestement enchanté de rencontrer Didier Mosèle et en témoigne par une poignée de main aussi vigoureuse que chaleureuse.

— Je vous remercie, monsieur le conservateur, d'avoir accepté aussi rapidement de me recevoir.

— Mais c'est un honneur, professeur... J'ai lu et apprécié tous vos articles, tous vos ouvrages ! J'ai même assisté à l'une de vos conférences... Vous l'aviez donnée en Sorbonne il y a une petite dizaine d'années. Si je me souviens bien, le titre en était : « *Courant naturaliste dans l'enluminure parisienne.* » C'est bien cela, n'est-ce pas ?

— N'avais-je pas été trop barbant ?, sourit Mosèle.

— Passionnant, plutôt !, répond avec enthousiasme le conservateur, entraînant Mosèle dans la salle du Goliath qu'il l'oblige à traverser au pas de charge pour le conduire dans un couloir privé desservant bureaux et salles d'archives.

Mosèle aurait aimé s'attarder un peu et admirer les trésors du musée tout en se faisant la réflexion qu'il ne lui était jamais venu à l'esprit de le visiter.

Poussant une porte donnant sur un nouveau couloir, le conservateur reprend :

— Comme je vous l'ai dit au téléphone, c'est aussi avec plaisir que j'ai reçu à plusieurs reprises le professeur Marlane. Je... Enfin, j'avoue que je partageais l'originalité de ses thèses !

— Francis est venu souvent au palais du Tau ?

— En effet. Trois ou quatre fois. Quelle étrange et macabre coïncidence : son suicide... Puis la mort du professeur Pontiglione, avec qui je correspondais parfois.

— Vous connaissiez aussi Ernesto ?, s'étonne Mosèle.

— Lui et Francis Marlane s'intéressaient de près à une lettre de Hugues de Payns envoyée à Bernard de Clairvaux qui, comme vous le savez, devint saint Bernard. Une missive surprenante de la part d'un homme simple comme ce chevalier !

— Me permettriez-vous de jeter un coup d'œil à ce parchemin ?

— Naturellement ! J'ignorais cependant que le vieux démon médiéviste vous avait repris. Je pensais que vous ne vous consacriez plus qu'aux rouleaux de la mer Morte.

Mosèle hausse les épaules, esquisse une mimique coupable :

— Quand la passion vous tient...

Le conservateur sort une carte magnétique de sa poche, la fait glisser dans la fente d'un petit boîtier mural pour commander l'ouverture d'une épaisse porte métallique.

— Nous sommes ici dans la salle des Annales, annonce-t-il avec une évidente fierté en donnant de la lumière. Une hygrométrie parfaite, idéale pour la conservation des parchemins ; je ne vous apprends rien, professeur.

— Avez-vous beaucoup de pièces rares que vous ne présentez pas au public ?

— En fait, nous référençons un peu plus de deux mille cotes dont la plupart ne présentent pas de véritable valeur. Ce sont essentiellement des codex, des livres d'heures, des courriers seigneuriaux ou des fragments de manuscrits qui n'intéressent que les universitaires ou les chercheurs tels que le regretté Francis Marlane. Tous ces morceaux de *veau poli* ne peuvent prétendre rivaliser avec les richesses du musée !

La pièce est haute et étroite. Une sorte de couloir étranglé par deux murs de casiers métalliques numérotés. Le conservateur et Mosèle s'engagent dans cette faille baignée d'une lumière crue après avoir enfilé chacun une paire de gants blancs en caoutchouc.

Un tiroir marqué H-P 2. Le conservateur l'ouvre pour en sortir délicatement une feuille de parchemin couverte d'une écriture fine et irrégulière qu'il vient déposer sur le plateau en verre d'une table lumineuse.

— Voici la lettre. Elle aurait été écrite en 1128, peu après le concile de Troyes.

Mosèle ne peut s'empêcher de l'effleurer, même avec ses gants. Toucher cet écrit du fondateur de l'ordre des Templiers, ce vélin épais et grossier sur lequel le bec de la plume a accroché à maintes reprises, comme en témoignent l'empâtement de certains caractères et quelques éclaboussures d'encre.

Mosèle lit le document à voix haute :

« *Par votre sainteté et amitié sincère, Bernard, vous devez savoir qu'en terre d'ombre repose dès lors notre frère Premier. Par mes soins en grande sécurité a été mis, pour les siècles, étendu entre Orient et Occident. Pour l'éternité Il sera la Lumière dans l'Ombre. Les deux Jean sur Lui veilleront du Midi au Minuit.* »

— Avouez qu'il y a moins hermétique, n'est-ce pas ?, remarque le conservateur. Ce frère Premier correspond-il à l'un des premiers templiers fondateurs de l'Ordre ? Le professeur Marlane ne m'a guère éclairé à ce sujet.

— Un propos bien obscur, en effet, admet faussement Mosèle. Puis-je avoir une copie de cette lettre ?

— Évidemment. Il y a une photocopieuse au fond de cette salle. Je vais d'abord placer le document entre deux plaques de verre pour le transporter. Comme vous l'avez remarqué, cette pièce est cassante et je ne veux pas prendre le risque de l'endommager.

« Il sera la Lumière dans l'Ombre. *Les deux Jean sur Lui veilleront du Midi au Minuit.* » Les deux Jean, pense Mosèle : Jean l'Évangéliste et Jean le Baptiste, patrons des francs-maçons célébrés au solstice d'hiver, le vingt-sept décembre, et au solstice d'été, le vingt-quatre juin. « Se peut-il que la parenté entre les Templiers et la maçonnerie soit aussi forte ? »

— Voici, professeur, dit le conservateur en tendant la photocopie à son visiteur. C'est étrange, j'ai l'impression de revivre la même scène qu'avec Francis Marlane. Nous étions là, l'un et l'autre, devant cette photocopieuse... Il me parlait de ses recherches. J'ai le sentiment qu'il enquêtait sur – comment dire ? – un secret historique ! Oui, un secret lié aux Templiers, enraciné aux alentours de Troyes. Il est surprenant qu'il se soit suicidé avant d'avoir achevé son étude. Mais, la dernière fois que je l'ai vu, je l'ai trouvé nerveux, anxieux... Comme aux abois !

— Dépressif !, le reprend Mosèle. La dépression est en effet probablement la cause de son geste.

Le conservateur hoche la tête en signe de dénégation.

— Non, pas dépressif... Effrayé, plutôt !

Une fois revenu à sa Golf, Mosèle, avant de mettre le contact, téléphone à Martin Hertz.

— Vous aviez raison, Martin. C'était bien du palais du Tau que Pontiglione voulait me parler. Surtout d'un document écrit par Hugues de Payns. Terriblement maçonnique ! Il y est aussi question du frère Premier dont le corps a été mis en sécurité.

Un blanc au bout du fil. Mosèle poursuit :

— D'autant plus que le Premier apparaît dans le 4Q456-458, ainsi que dans le Testament du Fou. Ce qui confirme que si Jésus n'a pas été supplicié, ce Premier ne serait autre que lui ! Mais je parie que vous savez tout cela depuis belle lurette ! Je ne fais que tourner autour d'un piquet comme une chèvre !

La voix de Hertz, lasse, mais se voulant chaleureuse :

— Nous en discuterons bientôt, Didier. Je suis à l'hôpital...

52

Le réveil de Léa

Le visiteur referme son portable et pénètre dans la chambre de Léa au moment où une infirmière en sort.

— Bonjour, Monsieur Hertz. Vous voyez, votre épouse s'assoit presque ; nous sommes en progrès !

— C'est donc une belle journée.

Le vieil avocat tire une chaise pour prendre place tout près du lit. Léa le regarde avec un sourire craquelé. Les yeux éteints, embués, elle lui parle muettement.

Il prend sa main froide et tachetée de brun qu'il place entre ses deux grosses pattes. Depuis combien de temps n'a-t-il pas eu un geste d'une telle tendresse pour sa compagne ?

Il se penche. Elle s'étonne en arquant un sourcil. Il lui dépose un baiser long et appuyé sur les lèvres.

— Ma chérie... Ma vieille amie !

Léa a perçu le rapide sanglot dans la voix. Une fêlure.

Bon, il doit lui dire... Il se secoue, se redresse contre le dossier de sa chaise et se lance :

— Tu devines que j'ai repris mon bâton de pèlerin et mon épée de chevalier, hein ?

Elle abaisse les paupières en signe de confirmation. Puis elle lui adresse une réprimande affectueuse et complice :

— J'ai toujours su que tu n'abandonnerais jamais, Martin. Tu poursuis un vieux rêve...

— Je suis désolé. Tu as failli en être la victime, alors que j'ai toujours tout fait pour t'éloigner du danger. Tu ne peux pas imaginer comme je le regrette. J'ai cru que je te perdais.

— Tu es persuadé qu'*Il* n'est pas mort sur la croix ? La belle affaire ! Cela ne change rien. Lui ou un autre…

— Mais la Vérité, Léa ! Tous ces crimes commis pour empêcher qu'on apprenne la Vérité ! Toutes ces persécutions, ces bûchers, ces tortures !

— La Vérité…, soupire-t-elle. Est-ce elle qui sauvera Didier Mosèle ?

— Pourquoi dis-tu cela ?, s'insurge Hertz.

— L'autre soir… Il est venu te voir et vous avez passé une bonne partie de la nuit à parler. Il m'a débité un mensonge que je n'ai pas cru. Comme le faisait Francis Marlane avant lui, lorsqu'il te rendait visite.

— Léa !

— Laisse-moi parler, Martin ; j'en ai la force. Tu m'as dit que Francis s'était empoisonné comme cela a été annoncé aux infos et dans la presse. J'ai fait semblant de le croire, mais je sais que c'est faux… Je t'ai entendu téléphoner à quelqu'un ; tu pensais que je dormais. Tu parlais à cette personne du meurtre de Francis. Tu semblais effondré… Coupable !

— Léa !, répète Hertz, mal à l'aise, pris d'une soudaine sudation qui lui colle la chemise à la peau.

— Dans quelle mesure es-tu responsable de la mort de Francis ? Dis-le-moi, Martin. J'ai besoin de savoir…

Les petites mains fragiles de la vieille femme tremblent dans celles, énormes, de son mari.

Il ne sait que répondre. Il laisse passer un long silence avant de se décider à lui dire :

— Je l'ai tué ! Oui, à ma manière, je l'ai tué.

Le menton de Léa s'affaisse sur sa poitrine et elle émet un râle plaintif en murmurant :

— Je m'en doutais. Comment ? Tu ne l'as pas forcé à prendre des médicaments. Comment ?

— En lui révélant certaines choses. En le soutenant dans sa quête…

— Et tu recommences avec Didier Mosèle ?

— C'est différent, cette fois. Je ne reproduirai pas la même erreur. Je ne lâche plus Didier d'une semelle.

— Tu n'es pas seul, n'est-ce pas ? Tu n'agis pas que pour ton compte. Qui sont les *autres* ?

— Allons, tu te doutes bien que je ne peux pas t'en parler.

— Même à moi, ta femme ?

— Justement à toi, Léa. Moins tu en apprendras, mieux cela vaudra.

— Soit, fait-elle, surprenant Hertz en ne cherchant pas à poursuivre plus avant cet interrogatoire.

— Comment te sens-tu ?, s'enquiert le vieil avocat.

— J'ai mal dans la poitrine. Mais je suis vivante et je te vois… Je te vois en train de te tortiller sur ta chaise, suant comme un bœuf, une tonne de pensées te traversant le regard. Nous sommes vivants l'un et l'autre. Je m'en contente ! Pour combien de temps ? Quelle sera la prochaine fois ? Quand m'annoncera-t-on que tu t'es *suicidé*, ou que tu as été renversé par une voiture, ou que tu as péri dans l'incendie de notre maison ? À moins que nous ne soyons tués ensemble lorsque je serai sortie de l'hôpital ?

— Il ne se passera rien de tout cela, chérie.

— Menteur !

Hertz baisse le regard comme un gosse pris en faute. Menteur… C'est ce qu'il est en effet. Un menteur qui progresse dans un jeu d'apparences et de masques, lançant au feu des premières lignes de la bataille des innocents tels que Marlane, sa femme, Pontiglione ou Mosèle.

53

Un jeune homme dans l'ombre

Le pape s'est légèrement redressé. Son attention vient d'être attirée par l'ombre qui semble s'animer dans le fond de sa chambre.

Une silhouette s'est formée dans les ténèbres. Celle d'un homme maigre, ombre sur ombre. Ineffable manifestation onirique que la raison du malade ne parvient cependant pas à repousser.

« La voici venue, l'heure du Fils de l'Homme... »

La silhouette est presque nue, enveloppée dans un suaire souillé de sang. Elle se meut lentement, se dégageant de sa gangue de nuit. Ce n'est qu'un rêve, mais plus réel que s'il était fait de chair et d'os. Ce n'est qu'un songe répété, inlassablement redouté.

— Tu viens me reprendre ce que je n'ai pas..., dit le pape en ânonnant. Non, Seigneur... Ton secret repose avec tes os dans la terre. Poussière... Tu es poussière dans un tombeau oublié. Cesse de me hanter !

La silhouette campée au pied du lit contemple le Saint-Père. Dans le visage sombre et indécis, seuls les yeux, fiévreux et d'une noirceur intense, témoignent de la vie. Jésus n'éprouve pas de haine. Seulement de la pitié et du dégoût pour ce vieillard sénile qui tremble de tout son corps en claquant des dents et en pleurnichant.

Le pape hurle pour briser le cauchemar, chasser ce fantôme.

La porte de la chambre s'ouvre sur la lumière du vestibule. Deux sœurs apparaissent. L'une se précipite vers le Saint-Père qui rejette encore de la main une forme imaginaire qu'il discerne toujours au pied de son lit.

— Oh, Saint-Père, je vous en prie... Vous nous reconnaissez, n'est-ce pas ?

— Je l'ai vu... Encore ! Toutes les nuits *Il* apparaît ! Je... Je ne peux plus supporter ce supplice !

La première sœur a atteint le lit et s'est penchée sur le vieillard qui s'accroche à son épaule. La seconde avance à pas plus lents, effrayée.

— Ce ne sont que des cauchemars. Ils ne devraient pas vous mettre dans cet état.

— Pire que des cauchemars ! Je sens l'odeur putride du tombeau dont *Il* sort...

— Je vais appeler votre médecin, Saint-Père, cela me semble plus prudent, propose la seconde sœur, restée non loin de la porte.

— Pour qu'il m'assomme de nouvelles drogues ? Non... Allez réveiller le cardinal de Guillio ; il comprendra. Je ne veux voir que lui. Lui seul !

— Je vais faire mander Monseigneur sans attendre.

— Oui… Allez ! Sortez toutes deux, je vous prie. Je suis un si effroyable spectacle !

Froufrou des robes des religieuse. Parfum d'eau de Cologne. Le pape est à nouveau seul, mais la porte de sa chambre est restée entrouverte sur le monde extérieur dont témoigne la lumière orangée du vestibule.

— Vous voyez, je suis accouru au plus vite, mon Père.

A-t-il dormi ? Le cardinal de Guillio est là, assis dans le fauteuil, tout près du lit. Oui, le sommeil a dû le surprendre l'espace de quelques secondes.

— Mon ami, souffle le pape. Dans mes bras, j'ai besoin de votre chaleur… De votre vie ! La Mort était là, dans cette chambre. Elle l'avait envoyé… LUI… Vous savez ?

Le cardinal s'incline sur le corps décharné.

— Votre imagination. Uniquement cela !

— Non, Guillio ! C'est bien la Mort qui me visite sous les traits du frère trahi. Celui dont nous recherchons les restes depuis des siècles, et pour lequel nous avons tant tué. Parlez-moi des Gardiens du Sang.

— Les Gardiens ? Ils agissent plus vite que je ne l'aurais souhaité.

L'une des mains du cardinal s'est envolée, a dessiné un geste vague dans l'espace.

— C'est qu'ils sont tirés par d'autres ficelles que les vôtres !, s'exclame le pape. On prépare déjà le prochain conclave, car je suis presque réduit à l'état de cadavre.

— Nous devons compter avec les intrigues de Montespa qui se voit déjà porter la tiare.

Guillio remplit un verre d'eau et aide le malade à en boire quelques gorgées.

— Je vous le répète, mon ami, reprend le pape. Réglons l'affaire avant mon trépas. Il faut que l'Église de demain soit irréprochable et qu'elle en ait fini avec toutes ces guerres occultes.

— Ne pensez pas tant à votre fin, mon Père, lui reproche Guillio avec affection.

— Au contraire, ne pensons qu'à cela ! Je veux être le pape qui enterrera définitivement le Secret de Jésus. Qui libérera enfin l'Église ! Dussé-je me salir les mains jusqu'à mon ultime souffle…

— Tout sera bientôt réglé, le rassure le cardinal.

Le pape secoue sa tête d'oiseau écorché :

— J'ai deviné que les Gardiens du Sang agissaient désormais hors de votre juridiction. Ils représenteront bientôt une entité autonome, totalement incontrôlable !

— Je veillerai à ce qu'il n'en soit pas ainsi, affirme Guillio. À présent, vous allez dormir. Il faut vous reposer, Saint-Père.

— J'ai si peur de la solitude, Guillio.

— Dans ce cas, je vais attendre auprès de vous que vous vous soyiez assoupi et je quitterai alors votre chambre.

— Vous m'aimez donc tant ?

Le cardinal ne répond pas. Il pose juste sa main avec délicatesse sur le front du malade et l'y laisse en une caresse immobile, qui se voudrait rassurante.

Mercredi, huit heures quarante.

Macchi reçoit Guillio sans chercher à dissimuler son impatience.

— Monseigneur, nous n'attendions plus que vous.

— Je suis retourné auprès du Saint-Père tôt ce matin, avant ses soins ; il a passé une très mauvaise nuit. Je l'avais laissé la veille en proie à ses cauchemars.

Les deux hommes traversent le laboratoire souterrain de l'Académie pontificale des sciences, ne prêtant nulle attention aux dominicains absorbés dans leur travail devant leurs ordinateurs. Ils empruntent ensuite un austère couloir aux murs blancs chichement éclairés de quelques lampes.

— Dans quel état d'esprit se trouvent leurs *Éminences ?*, demande Guillio d'un ton moqueur.

— Ne vous attendez pas à un accueil chaleureux de leur part, Monseigneur.

Ils s'arrêtent devant une porte métallique ; Macchi pianote sur les touches d'un boîtier mural pour en commander l'ouverture.

— L'ambiance de fin de règne, dit Guillio avant de franchir la porte. Et notre opération en France qui nous pose problème !

« Visages fermés ! Un cénacle de crapauds ! », pense Guillio en regardant tour à tour les cinq cardinaux qui l'attendaient dans leurs fauteuils de cuir. Cinq vieillards dont un obèse avachi, les traits disparaissant dans un amas de graisse rosée dégoulinante de sueur.

Le style de la pièce rompt avec celui, dépouillé, du laboratoire et du couloir. Les murs de ciment sont tapissés de tentures de velours, le sol est recouvert d'un large tapis, l'éclairage est doux et chaud. Sur la table basse autour de laquelle sont disposés les fauteuils ont été déposés des verres ciselés, des tasses, une cafetière, une bouteille d'eau minérale, un cendrier.

Une odeur de tabac et de café mêlés à laquelle s'ajoute celle de la sueur. « Le gros Monetti ! Il transpire dès le lever du jour ! »

Tandis que la lourde porte blindée se referme derrière Macchi, Guillio s'assied dans l'un des fauteuils restés libres. Il est immédiatement pris à partie par le cardinal obèse :

— Ah, Guillio, enfin ! Nous avons appris le décès du professeur Pontiglione à Paris. Je croyais que nous devions seulement le garder sous surveillance...

Un autre poursuit, comme dans une comptine enfantine, de sa voix fluette :

— Les Gardiens du Sang l'ont éliminé, c'est cela ?

— De leur propre initiative ?, fait mine de s'étonner un troisième en se redressant comme un coq dans son fauteuil, cou tendu, bec en avant.

— En effet, dit Guillio, légèrement excédé. Les Gardiens ont toujours été émancipés, mais, jusqu'à présent, ils avaient respecté nos consignes. L'agent que j'ai dépêché à Paris a pris la situation en mains.

— Parce que le pape mourra bientôt !, souffle douloureusement l'obèse que le moindre effort épuise. Le malheureux est dans l'incapacité de gouverner la Curie. Cette carence ne peut s'éterniser sans causer d'irréparables dommages à l'Église.

Macchi intervient tout en allumant une cigarette :

— Mais aucun pape n'a jamais démissionné depuis Célestin V !

— Chaque jour, les rangs de Montespa se renforcent, précise l'obèse. Beaucoup voient en lui le pontife providentiel qui apportera les réformes dont a besoin le Saint-Siège.

— Je me demande si vous aussi, mes amis, vous ne commencez pas à succomber au charme de Monseigneur Montespa ?, interroge Guillio avec un sourire.

— L'Église est devenue un navire sans capitaine, Guillio, s'insurge l'un des prélats. Tout s'arrangerait si Dieu se décidait enfin à accueillir près de lui notre Saint-Père !

— La mort abrégerait ses souffrances et ce ne serait que clémence, renchérit un autre.

Les doigts épais du cardinal de Guillio se crispent sur les accoudoirs de son fauteuil. Leurs jointures en deviennent blanches.

— Vos intentions sont si peu nuancées que je ne les comprends que trop nettement, articule-t-il en marquant chacune de ses syllabes. Vous voudriez hâter le trépas du pape !

L'obèse prend un air offusqué, ses joues et ses oreilles s'empourprent.

— Non, non !, s'exclame-t-il. Nous n'avons rien dit de semblable !

— Je préfère ne pas en entendre davantage, lance Guillio en se levant soudain. Au revoir !

« Des vieillards pressés, apeurés, manœuvriers ! », pense Guillio s'en retournant vers la porte pour quitter le salon. Macchi l'a devancé et pianote déjà sur le boîtier électronique.

L'obèse tend un bras court en direction du cardinal qui prend congé. Le geste ressemble à un avertissement.

— Au revoir, Guillio… Mais n'oubliez pas que le professeur Mosèle risque de précipiter l'Église dans le chaos ! Mosèle vivant constitue une menace pour nous tous !

Reparcourant le couloir, Guillio ne parvient pas à éteindre sa colère.

— Quand en aurons-nous fini avec ces intrigues ? Même mes proches m'abandonnent.

— La cause de tous nos maux vient de la découverte faite par le professeur Marlane, lui répond Macchi.

— Marlane n'est pas entré dans le Tombeau. Il s'est contenté de le localiser. Du moins est-ce à cette certitude que je veux m'en tenir. Il n'a pas vu…

— Sans doute, mais son ami Didier Mosèle ne s'arrêtera pas en chemin. Les Gardiens devront l'exécuter à son tour…

— Je crains surtout que les Gardiens du Sang ne veuillent détruire l'exemplaire du Testament du Fou que détient Martin

Hertz. Ce manuscrit corrigé par les Templiers nous aurait aidé dans nos recherches.

— Nous savons que le second exemplaire de ce texte a toujours été la propriété des frères de la Loge Première, et que son fondateur était...

Guillio s'emporte :

— Une légende, Macchi !

— Allons, Monseigneur... Une légende qui a la peau dure, celle de la Vérité ! La preuve que le Christ n'est pas mort sur la croix se tient sous nos yeux. Là, dans ce Testament...

— Et si cet Évangile était une imposture ? Nous aurions combattu pour rien !

— Il nous manque en effet une ultime preuve, admet Macchi. Ce qui a été déposé dans la tombe de ce *frère Premier* serait la preuve irréfutable !

— Les Templiers ont pu retirer ce... cette *chose* de la forêt d'Orient, suggère Guillio sans conviction.

— Cette *chose* y est toujours, scande Macchi. Toutes mes études me poussent à l'affirmer. Celui qui la découvrira possédera alors la clef de la plus étonnante énigme de tous les temps !

— Mon Dieu, je dois avouer que la mort de Francis Marlane nous a donné un peu de répit, soupire Guillio.

— Mais il y a son ami Mosèle... Et la Loge Première !

— Oui. Martin Hertz, surtout. Ce vieux renard s'y entend comme pas un au jeu de la manipulation. Un ennemi aussi habile qu'intelligent !

54

La septième lettre

Il se regarde dans le miroir de la salle de bains. Il a ajusté ses fausses moustaches brunes, dissimulé ses yeux derrière une paire de lunettes aux verres teintés à grosse monture d'écaille, et s'est coiffé d'un chapeau. Il porte un imperméable gris serré à la taille par une ceinture.

Il est méconnaissable.

Pâle. Livide, plutôt. Les lèvres agitées de tics qu'il ne parvient pas à contrôler. Prendre un cachet de Bromazépam… Encore un, le troisième de la matinée. C'est ce qui lui donne souvent cette irrésistible envie de dormir. Mais le calme tant.

Un verre d'eau. Avaler le cachet. Déglutir.

Son corps, tout son organisme lui est étranger, il se contente de transporter son esprit brouillé, déchiré de chagrin. Son corps n'est plus qu'un véhicule douloureux.

Sortir de la salle de bains, se rendre dans le bureau, prendre l'enveloppe qu'il a préparée la veille en la posant bien en évidence sur la table.

L'écriture de Francis :

« DIDIER MOSÈLE »

Mettre l'enveloppe dans l'une des larges poches de l'imperméable, sortir de l'appartement, descendre les escaliers.

Trouver dehors la pluie fine qui picote le feutre de son chapeau, se diriger vers sa voiture, s'installer au volant, mettre le contact. Démarrer. Conduire dans la dense circulation de Paris. Conserver son calme.

Mais tout l'effraie. Tout est menace, danger. « Je fais une dépression nerveuse. C'est ainsi… Chaque geste, chaque geste simple est devenu souffrance. »

Freiner en débrayant. Attendre à un feu rouge. « Je remplirai ma mission. J'en ai fait le serment, je le respecterai. »

Feu vert. Redémarrer. Éviter de pleurer. Se contenir.

Atteindre enfin l'avenue de la Porte-Brancion. Chercher une place de stationnement. Descendre de son véhicule, retrouver le cliquetis des gouttes de pluie sur son chapeau, gagner le n° 33 de l'avenue, déposer la lettre dans la boîte de la gardienne.

Mais la gardienne est dans la cour. Elle rentre les poubelles dans leur réduit et l'aperçoit. Ne pas se trahir. Paraître naturel. Se diriger vers elle, lui tendre l'enveloppe, lui dire quelques mots. « Merci… Excusez-moi. » Puis repartir.

Mais voici Didier Mosèle qui débouche de son hall ! La gardienne l'apostrophe. Partir. S'enfuir. Oui, s'enfuir sans hâter le pas. Disparaître, le cœur martelé de palpitations étouffantes.

L'avenue. Regagner sa voiture. Plonger dedans comme dans une coquille d'œuf. S'y enfermer, les doigts étreignant le volant pour ne pas sombrer, ne pas se noyer. Rester encore un peu dans la réalité. Le temps d'accomplir sa mission.

Car c'est bien d'une mission qu'il s'agit.

— Monsieur Mosèle, tenez ! On vient de me remettre cette lettre pour vous. Bien pressé, le type !

Mosèle arrache littéralement l'enveloppe des mains de la gardienne.

— Quand ?, demande Mosèle.

— À l'instant. Un moustachu avec de grosses lunettes. Un ami à vous ?

Le jeune homme regarde l'écriture en capitales :

« DIDIER MOSÈLE »

— À l'instant, dites-vous ?

— Il y a moins d'une minute. Il avait l'intention de la mettre dans ma boîte et s'est ravisé quand il m'a vue.

— Comment était-il habillé ?

— Un imperméable gris noué avec une ceinture, un chapeau noir. Et, je vous l'ai dit, il portait d'énormes lunettes...

Mosèle laisse la gardienne en plan. Il se rue hors de la cour. Il a peut-être une chance de le retrouver. Pour savoir, enfin. Il examine attentivement les quelques passants et ne voit à l'horizon ni imperméable gris ni chapeau noir. Déçu, il traverse l'avenue entre les voitures qui le klaxonnent. Il monte dans sa Golf.

Il s'installe au volant et se force à attendre avant de déchirer l'enveloppe. Légère appréhension. « Mon vieux Francis, tu continues de jouer les mystérieux ! Si je ne t'avais pas enterré, je jurerais que tu es encore vivant. » Il se décide à décacheter le pli pour en sortir un feuillet. Celui-ci ne comporte que quelques phrases. Une nouvelle mise en garde de son ami :

Très Cher Didier,

Je suis mort et ce sera bientôt votre tour si vous persistez dans cette quête effroyable. Ceci est ma septième lettre. J'en ai écrit neuf. Je souhaite que vous abandonniez maintenant et ne receviez jamais les deux suivantes. Je vous le répète, ne cherchez plus !

Votre frère Francis qui vous aime
et tente de vous protéger.

Mosèle téléphone aussitôt à Émylie :

— Je viens de recevoir une septième lettre de Francis. Ma gardienne a aperçu son messager.

Il lui en donne la description en lui demandant si ce signalement lui rappelle quelqu'un.

— Tu ne vois pas ?

— Non, pas du tout. Désolé, Didier. Le seul moustachu que je connaisse est un cousin breton qui a une vue excellente et ne porte donc pas de lunettes. Au surplus, s'il avait un chapeau, ce serait plutôt un capuchon de ciré jaune !

— Tant pis... Je me rends au boulot. Je te rappelle bientôt. Au fait, pas trop courbaturée ?

— Cette virée en forêt d'Orient m'a transformée en petite octogénaire. Je suis encore au lit, gavée d'aspirine, des douleurs dans tous les os. Mais ça tombe bien, je n'ai pas vraiment envie de me lever. Le cafard...

— C'est mauvais, le cafard, Émylie. J'aurais dû te forcer à venir avec moi à Reims, hier ; je n'aime pas te savoir seule à te morfondre.

— J'ai commencé à m'y habituer du jour où Francis a pris cette chambre à l'hôtel. Je devrais chercher un travail, tu ne crois pas ? J'attendrai ton coup de fil. Bises.

— Bises, Émylie.

Mosèle referme son portable.

Se redresser. Jeter un coup d'œil par la portière. Vérifier que la Golf démarre, s'insère dans le trafic, tourne à droite au carrefour en direction de la Porte d'Orléans.

Se rassurer. Mosèle ne l'a pas vu, il en est persuadé. Il est monté dans son véhicule au moment précis où le jeune homme tournait la tête dans sa direction. Mais il ne l'a pas vu, à cause du platane qui coupait son champ de vision.

Rentrer chez lui. Se jeter dans son fauteuil, se laisser aller. S'enfoncer dans le cuir et dormir. Surtout, ne pas rêver.

Ne pas penser.

La porte rouge.

Mosèle n'a pas fait deux pas dans le bureau que Norbert Souffir, ses cheveux de crin blanc dressés sur le haut du crâne, ses gros yeux de poisson roulant derrière leurs loupes, le tire par la manche pour le conduire devant l'écran de son ordinateur.

— Venez voir, patron…

Rughters et Hélène Moustier les rejoignent. La jeune femme porte ce matin-là un pantalon de velours côtelé marron et une chemise canadienne aux couleurs criardes. Mosèle y prête à peine attention.

— Notre cher ordinateur Largehead est au bord de l'indigestion, annonce-t-elle. Il faut dire que Norbert l'a sérieusement gavé, hier après-midi, pendant votre absence ! Je vous croyais d'ailleurs en vacances, Didier ?

— Pas vraiment. Je prends quelques demi-journées par-ci, par-là. Je me suis entendu avec le directeur.

— Nous avons enfin reconstitué la séquence A699 du 4Q456-458, indique Rughters.

— Et d'après le peu que j'en ai traduit, c'est explosif !, s'exclame Souffir. On n'y coupera pas ; nous devrons bientôt communiquer nos petites trouvailles.

— Patience…, conseille Mosèle. Voyons d'abord de quoi il s'agit. Allez-y, Norbert, montrez-moi.

Souffir fait apparaître un texte à l'écran. Mosèle se penche et lit :

« *Le Maître revenu était vivant. Il dit être le Premier et le Dernier. Il nous dit de le croire, car il était le frère de Vie. Celui qu'on avait dit mort en croix.* »

— Le Maître…, commence Souffir. Le Premier… Vivant ! C'est de Jésus qu'il s'agit. Jésus qui est passé à Qumrān. Ou qui y est retourné ! Francis avait mille fois raison.

— Je le crains, dit Mosèle en quittant son imperméable.

— Alors ?, demande Hélène Moustier à Mosèle.

— Alors quoi ?

— N'est-il pas temps d'établir un rapport sur cette découverte ? Nous devrions au moins en faire part au Directoire.

— Trop tôt, Hélène. Je vous demande à tous de me faire confiance et de retenir ces informations. Mais je vous assure que nous prendrons une décision collégiale ; je ne déciderai pas tout seul.

Souffir quitte l'écran de son ordinateur et vient se planter devant Mosèle. Le petit bonhomme mal accoutré, qui paraît encore plus tassé devant son supérieur, dit :

— Je vais faire une copie de cette dernière traduction sur une clef USB et nettoyer le disque dur. Je connais bien Largehead, il ne me résistera pas.

— Merci, Norbert.

Décoller la fausse moustache, ôter la paire de lunettes à monture d'écaille, reprendre un cachet de Bromazépam et avaler un verre d'alcool. Puis attendre le soir.

Ce soir, il ira à la Fondation Meyer. Il s'y introduira par le parking dans lequel il pénétrera grâce à un passe magnétique officiel : celui de Francis Marlane.

55

Le visiteur

L'homme compulse distraitement des documents : photographies prises au cimetière lors de l'enterrement de Francis Marlane. Cartes routières... Il ne parvient pas à s'accoutumer à l'odeur de moisi de la planque des Gardiens du Sang. À ses murs humides et pelés. À ses volets métalliques rouillés, sans cesse fermés. À la lumière sinistre diffusée par la lampe à pétrole. « Une base arrière minable ! »

Mais il doit s'avouer que l'endroit constitue un refuge parfait. Un petit immeuble dévasté qui n'attend plus que le bulldozer, dans un quartier misérable d'Ivry.

Ils sont trois dans ce réduit à tuer le temps en buvant du café, à attendre les ordres de leur supérieur, à garder l'oreille collée au poste récepteur installé sur une table.

— Écoutez !, fait l'un d'eux. Écoutez...

L'homme se penche sur le récepteur. Le troisième avance sa chaise.

— Hertz est dans son bureau… Il téléphone.

— Montez le son, commande l'homme.

La voix étouffée du vieil avocat s'insinue dans la pièce :

— L'abbé ? C'est Martin. Comment te portes-tu, frangin ? Oui, oui… Léa va de mieux en mieux et les toubibs m'ont assuré qu'elle sortira prochainement de l'hôpital. Dans un mois ou deux… Je t'appelle juste pour te dire que je passe à Villery, vendredi en début d'après-midi, récupérer le Testament et l'anneau… J'espère que Didier Mosèle et Émylie Marlane accepteront de m'accompagner. Je suis impatient de te les présenter, je t'ai tellement parlé d'eux… Je t'embrasse, l'abbé… À vendredi !

Hertz raccroche. Aux bruits, on devine qu'il fait quelques pas dans son bureau, puis rouvre la porte et sort.

L'homme se renverse en arrière, croise les mains derrière sa nuque et sourit.

— Notre toile est parfaitement tissée, dit-il avec satisfaction. Nous les tenons tous. Tous sans exception sont sous notre contrôle.

— Hertz, Mosèle et son équipe…, énumère l'un des deux autres.

— Ce serait plus facile si nous ne devions pas craindre la Loge Première, précise l'homme. Qu'attendent donc ses frères pour réagir ? Je n'aime pas trop savoir des ennemis confinés dans l'ombre.

— Ils n'ont peut-être plus de griffes ?

— J'en doute, Lorenzo. Mais ils ont conservé les manies des Templiers. Ils progressent sous leurs capuchons. Ce sont des spectres de l'Histoire. Des masques de nuit !

Lorenzo déploie une carte routière, cherche du bout de l'index.

— Villery… Dans l'Yonne. Nous savons que Hertz y possède une maison de campagne. Ainsi, c'est là qu'il aurait caché le Testament !

— Sous la garde d'un abbé, raille l'homme. Si je ne manquais pas d'humour, j'en rirais volontiers ! Qu'en pensez-vous, Carlo ? Ne trouvez-vous pas que la situation vaut son pesant de cocasserie ?

Carlo hoche la tête en signe de dénégation. Le front buté, il n'éprouve aucune envie de rire. Il repense à son ami tué dans la forêt d'Orient. La détonation crevant le mur de pluie, la chute du corps dans la vase.

— Nous avons un sérieux compte à régler avec ce salopard de Hertz, lance-t-il.

— Je vous comprends, dit l'homme. Jusqu'à présent, ce n'était pas une affaire personnelle, on faisait son job, c'est tout. Hertz sera mort à la fin de la semaine. Il ne peut se douter qu'il est pris dans un tel maillage de surveillance. Imaginerait-il qui a posé les micros chez lui ?

— Impossible, précise Lorenzo.

— En effet, impossible, répète l'homme.

« N'empêche, pense-t-il, je donnerais cher pour savoir ce que sont devenus les frères Premiers. À un moment ou à un autre, ils vont réagir. Obligatoirement. Mais quand ? Et si c'était Hertz qui nous attirait dans un piège ? »

L'homme en a oublié quelques minutes l'odeur de moisi. Elle lui remonte aux narines, à l'en écœurer, mêlée aux relents gras du pétrole qui se consume.

Il ne peut même pas aller à la fenêtre prendre l'air, respirer autre chose que ces remugles de crasse. Il doit rester cloîtré dans ce gourbi jusqu'à la fin de l'opération. Il jette un coup d'œil maussade vers son sac de couchage et l'idée de passer deux nouvelles nuits dans ce taudis le désespère.

Il ferme un instant les yeux et se transporte en esprit dans son bureau confortable de Rome, dont il goûte les gravures aux murs, l'éclairage délicat et chaud, les fauteuils moelleux, l'opéra *Lucia di Lammermoor* de Gaetano Donizetti diffusé en permanence par sa chaîne hi-fi… La magnifique scène de l'acte III. Les prouesses de la soprano colorature.

Mais il est en France dans une ratière puante. Car il n'existe pas. Il ne possède aucune identité.

Mercredi, vingt heures, au siège de la Grande Loge de France.

Mosèle pénètre dans l'atrium. Hertz qui l'attendait, assis sur l'un des bancs, lève le nez de son journal qu'il replie aussitôt en apercevant son ami.

— Merci d'avoir accepté mon invitation à dîner au Cercle, Didier. Nous avions perdu l'habitude de nos soupers en tête à tête. Dommage !

— Votre femme, le boulot, la fatigue…, énumère Mosèle. Et l'aventure que nous sommes en train de vivre !

— Bien sûr.

Ils empruntent l'escalier conduisant au restaurant. Ce dernier est quasiment vide. Il ne s'emplira que vers vingt-deux ou vingt-trois heures, lorsque les frères quitteront leurs ateliers après leurs Tenues.

Ils choisissent néanmoins une table à l'écart du bar, s'y installent et étudient la carte du jour. Ils ont toujours procédé de la sorte. Ce n'est qu'après avoir choisi ce dont ils souperont qu'ils entameront leur conversation.

— Ce sera une andouillette marchand de vin et une salade pour moi, annonce Hertz d'un air gourmand. Salade ou frites ? Oui, des frites plutôt. Nous boirons bien un peu de vin, n'est-ce pas ?

Mosèle ne peut s'empêcher de sourire.

— Vous me faites le même coup à chaque fois, Martin ! Bien sûr, nous prendrons du vin, et je parie ma chemise que vous allez porter votre préférence sur un morgon.

— Vous pouvez garder votre chemise, ce sera effectivement un morgon. Et un peu d'eau, si nous avons soif !

— Va pour l'andouillette, approuve Mosèle.

Le garçon vient prendre la commande. Quand il s'en est retourné, Hertz déplie sa serviette d'un ample geste et dit :

— J'aime beaucoup ces moments-là. Me trouver face à face avec vous, ici… Oui, j'apprécie ces instants. En aurons-nous énoncé, des vérités, dans ce club ? Combien de fois avons-nous refait le monde ?

— Depuis neuf ans, Martin. Des milliers de fois.

— C'est vrai, fait l'avocat, pensif. Neuf ans… Je vous recevais alors dans la Loge Éliah. Vous et Francis. C'est étrange…

— Oui ?

— Nous avons peu dîné à trois, vous, Francis et moi, au cours de ces neuf ans. Je le regrette maintenant.

— Francis était plus introverti que moi. Plus secret, aussi, je pense.

— Et si sérieux !, ajoute Hertz. Nous aurions dû l'obliger à se joindre à nos soupers.

Mosèle sort d'une poche la photocopie de la lettre de Hugues de Payns et la fait glisser sur la nappe jusqu'à Hertz en disant :

— Dans son message à saint Bernard, Hugues de Payns nous livre certainement une piste. Regardez...

Hertz prend le document qu'il déchiffre rapidement à voix haute :

« ... En terre d'ombre repose dès lors notre frère Premier. Par mes soins en grande sécurité a été mis, pour les siècles, étendu entre Orient et Occident. Pour l'éternité Il sera la Lumière dans l'Ombre. Les deux Jean sur Lui veilleront du Midi au Minuit. »

— Jean-Baptiste et Jean l'Évangéliste, nos deux patrons en franc-maçonnerie, dit Mosèle. Quelle coïncidence ! Le fondateur des Templiers a placé la dépouille du Christ sous la surveillance de ces deux Jean.

— Je connaissais l'existence de cette lettre, avoue le vieil avocat. L'Évangéliste fut un adepte du Baptiste avant de suivre Jésus dont il fut le *disciple bien-aimé*. Nous en avons déjà parlé, Didier. L'enseignement des deux Jean a toujours inspiré et éclairé la franc-maçonnerie.

— Je sais, mais les deux Jean ne définiraient-ils pas plutôt un lieu géographique ? Un emplacement situé dans la forêt d'Orient, au cœur du triangle de Payns découvert par Francis... ? La Lionne, le Bailly et les Chèvres ! Les trois lieux-dits que les Templiers ont notés en marge du Testament du Fou...

Le serveur dépose les plats sur leur table. Hertz contemple l'andouillette généreuse et la magnifique portion de frites qui l'accompagne. Puis il relève le menton, regarde fixement Mosèle et déclare :

— C'est peut-être bien une piste. Mais si vaste ! Un champ d'investigation si large que des siècles n'en sont pas venus à bout...

— Francis a élucidé l'énigme, Martin. Ce qu'il a fait, je dois pouvoir le répéter.

La petite voix sourde et fluette de Léa résonne dans l'esprit de Hertz pour lui reprocher de mettre Didier Mosèle en danger comme il l'a fait avec Francis Marlane.

Souffir, dans une gabardine informe, un porte-documents sous le bras, pénètre dans le hall de la Fondation Meyer. Il passe devant le comptoir de la réception où un gardien feuillette un magazine.

— Vous avez l'intention de faire des heures supplémentaires, professeur ?, demande le gardien.

— Une séquence reconstituée ce matin me tracasse, répond Souffir en lui lançant un rapide salut de la main. Je suis revenu consulter Largehead.

— Belle conscience professionnelle. Bon courage !

— Merci, André.

Le vieux traducteur emprunte l'un des deux ascenseurs en sifflotant, parvient au troisième étage, s'engage dans le couloir faiblement éclairé par les veilleuses, se rend à la porte rouge, qu'il ouvre.

Deux pas dans le bureau sombre. Une silhouette courbée sur l'ordinateur allumé de Mosèle se retourne à l'entrée de Souffir.

— Merde !, s'exclame Souffir en reculant d'un pas. Qu'est-ce que vous foutez là ?

Imperméable, chapeau, moustaches et grosses lunettes, la silhouette se redresse, une clef USB à la main.

— Vous copiez des fichiers ! ? !

Fuir. Il ne doit pas être arrêté. Pas maintenant. Il enfourne la clef USB dans une poche de son imperméable, s'élance en direction de la porte. « Ce vieil homme a autant peur que moi... »

La silhouette bouscule violemment Souffir qui perd l'équilibre, manque de tomber, se retient au chambranle de la porte, se ressaisit.

Le couloir. Courir. Courir ! Mais il a les jambes si lourdes ! Regagner le parking.

Souffir a laissé son porte-documents dans le bureau et s'est lancé à la poursuite du visiteur. Ce dernier est en train de disparaître à l'angle du couloir.

Ouvrir la porte marquée ESC-P, dévaler l'escalier métallique. Atteindre le parking, bon Dieu !

À son tour, se tenant à la rampe, Souffir dégringole l'escalier au risque de se rompre le cou à chaque marche. Le visiteur a pris beaucoup d'avance, on l'entend dévaler les marches, bien plus bas. « Ce type connaît la maison ! Il descend au parking... »

Le parking. La voiture. Grimper dedans, mettre le contact, accélérer. Vite. Sortir de ce piège. Freiner devant le guichet électronique, glisser la carte magnétique dans sa fente. Attendre que la lourde porte se relève, accélérer de nouveau, s'arracher...

Souffir débouche dans le garage, le souffle court, la poitrine en feu. « Fichues jambes et mauvais poumons ! Je l'ai laissé filer, évidemment ! »

Ils en sont au dessert quand le portable de Mosèle sonne.

— Excusez-moi, Martin, dit le jeune homme en portant l'appareil à son oreille. Norbert ? Oui... ? Dans notre bureau ? J'arrive...

Mosèle referme son portable, contrarié. Il repousse son assiette.

— Un problème ?, demande le vieil avocat.

— Souffir est repassé à la Fondation faire mouliner Largehead... Il s'est trouvé nez à nez avec un cambrioleur !

— Je croyais que la Fondation était une véritable place forte !

— Justement ! Désolé, mais je dois m'y rendre sur-le-champ. La police est déjà sur les lieux.

— Je comprends. Je vous appelle plus tard, Didier. Je voulais vous inviter chez moi ce week-end à la campagne. Vous n'êtes jamais venu, n'est-ce pas ?

— On verra... On verra. Bonsoir !

Mosèle va pour quitter la table. Hertz le retient quelques secondes par le bras pour lui dire :

— Vous ne gobez pas cette histoire de cambriolage, Didier, n'est-ce pas ?

— Vous pensez aux Gardiens du Sang ? S'il s'agissait d'eux, Souffir serait mort à l'heure qu'il est...

56

Monseigneur

Le lieutenant Janvert est un homme tout en rondeurs, court sur jambes, le crâne recouvert d'un duvet blond, aux yeux minuscules sans cesse en mouvement. Lorsque Mosèle pénètre dans le hall de la Fondation, il le trouve en pleine discussion avec le directeur et Souffir.

Une équipe de la police scientifique, composée de deux hommes et d'une femme en tenues blanches, portant des mallettes métalliques, s'engouffre dans les ascenseurs.

— Ah, lieutenant, voici le professeur Mosèle, dont je vous parlais. Il est le responsable du service qui a été cambriolé, annonce le directeur.

Souffir se précipite sur Mosèle.

— Didier ! Le type est passé par le parking pour entrer et ressortir... Un habitué de la Fondation !

— D'autant plus qu'il devait obligatoirement disposer d'une carte magnétique, remarque Mosèle en serrant la main du directeur et du lieutenant de police.

Ce dernier demande aussitôt :

— Vous affirmez que seuls les membres de ce centre possèdent un passe ?

— Naturellement, répond le directeur. En règle générale, dans la journée, les visiteurs se présentent à l'accueil. Il n'y a aucun autre moyen de pénétrer dans la Fondation.

— De toute manière, le bâtiment est truffé de caméras, précise Mosèle. Vous n'aurez aucune peine à voir à quoi ressemblait ce visiteur, il suffira de visionner les bandes vidéo. Au fait, Norbert, avez-vous vu distinctement ce type ? Le reconnaîtriez-vous ?

— Facile ! Un véritable espion de cinéma. Pas très grand... Imperméable, chapeau, moustache brune et lunettes.

Mosèle encaisse le coup sans que rien n'en paraisse : « Le messager de Francis ! »

— Montons jusqu'à votre bureau, professeur, propose le lieutenant à Mosèle. Sans doute constaterez-vous que quelque chose a disparu ?

L'équipe scientifique a déjà investi la pièce dont le désordre naturel saute immédiatement aux yeux du lieutenant : les livres, les dossiers, les cartons débordants, le fauteuil Chesterfield encombré, les tasses à café en équilibre instable sur des piles de documents, une raquette de tennis, un pneu de bicyclette dans l'attente d'une réparation.

— C'est vraiment un bureau, ça ?, raille Janvert. Félicitations si vous trouvez ce qu'on vous a volé !

— Un coup d'œil suffira.

Un technicien tend une paire de chaussons blancs en plastique à Mosèle et lui recommande de ne toucher à rien : « À cause des empreintes. »

Ses pantoufles aux pieds, le jeune homme pénètre dans le bureau, se rend à son plan de travail et désigne son ordinateur allumé.

— Regardez, c'est ce que contient mon ordinateur qui intéressait l'inconnu, dit-il.

Sur le pas de la porte, Souffir remarque :

— Mais il lui a été impossible d'accéder au terminal de Largehead sans votre code.

— Mes fichiers personnels lui suffisaient. Le bonhomme a la curiosité sélective.

Norbert ajoute :

— Il avait une clef USB à la main, quand je l'ai surpris. Je jurerais qu'il venait de la dégager de sa prise. Il a eu le temps de réaliser une copie de ce qui l'intéressait.

— C'est donc vous et vous seul qui étiez visé, professeur, remarque le lieutenant. Des choses importantes, dans votre bécane ?

— Des notes personnelles concernant les derniers travaux en cours à la Fondation… Et des bricoles.

— Bref, ça pourrait être un proche. Un maniaque qui aimerait partager votre intimité ! En clair, quelqu'un qui circule à son aise dans les bureaux, possède un passe et visite votre ordinateur quand ça lui chante.

— Résumé succinct mais précis, lieutenant.

Mosèle ressort du bureau, ôte ses chaussons qu'un technicien lui reprend afin de les glisser dans une pochette transparente qu'il scelle aussitôt.

Janvert se passe une main sur le crâne pour y caresser son duvet blond. Ses yeux roulent du bureau à Mosèle, de Mosèle à Souffir, puis reviennent à Mosèle, s'y fixent dans un regard hypnotique.

— C'est étrange, professeur, commence-t-il, j'ai le vague sentiment que vous êtes naturellement plus bavard et que je m'y prends mal pour vous pousser à la confidence. Avec le temps, peut-être ?

— Oui, peut-être.

Il a ouvert son ordinateur portable, a glissé la clef USB dans l'une de ses prises. Les lunettes à monture d'écaille reposent sur la table, le chapeau a été jeté sur le fauteuil, l'imperméable gît à même le sol.

Ses mains tremblent, sa bouche est agitée de tics qui déforment ses lèvres. Depuis qu'il est rentré, il lui est impossible de se calmer. Il a avalé deux cachets et bu un verre de whisky, sans résultat. La peur. Une panique rétrospective qui lui donne la nausée, se transforme en angoisse, l'envahit comme un mal glacé.

« Le temps presse… Pas de vengeance sans prise de risques ! Et puis, apprendre ce que sait Mosèle… Les rapports existant entre les manuscrits de la mer Morte et le Testament du Fou ! »

Il fait défiler sur l'écran les dossiers prélevés dans l'ordinateur de Mosèle. Les ouvrir tous. Fouiller. Ne dormir qu'après.

Mourir plus tard, quand tout sera fini.

Les bandes vidéo de surveillance de la Fondation Meyer ont été visionnées rapidement avant que le lieutenant Janvert et son équipe ne les placent sous scellés pour les emporter.

On y voit distinctement l'homme à l'imperméable et au chapeau dans le parking. Lunettes à monture d'écaille et moustaches. Pour Janvert, il paraît probable que l'intrus s'est attifé d'une manière aussi caricaturale, dans le but de ne pas être reconnu.

L'équipe scientifique a aussi interrogé la borne commandant l'accès du garage. Sa mémoire a conservé l'empreinte de la carte magnétique ayant permis au visiteur d'entrer et ressortir de la place. L'inconnu a utilisé le passe possédant le matricule M-27 : celui qui était attribué au professeur Francis Marlane !

Vers vingt-trois heures, Mosèle et Souffir se sont rendus dans une brasserie d'où ils ont téléphoné à Rughters et à Hélène Moustier pour leur faire part de l'incident. « Quelqu'un utilise le laissez-passer de Francis pour vadrouiller à sa guise dans la Fondation et consulter les ordinateurs. Ce qu'il recherche ne peut être que de peu d'importance, à moins qu'il ne détienne aussi le code donnant accès à la mémoire de Largehead ! Mais nous avons vérifié au central : Largehead n'a pas été interrogé… »

À onze heures quarante, Mosèle est remonté dans sa voiture. Son téléphone a sonné.

— Ah, c'est vous, Martin ! Excusez-moi encore de vous avoir laissé en plan, tout à l'heure. Je vous raconterai.

La voix lente du vieil avocat :

— J'aimerais que vous convainquiez Émylie de vous accompagner vendredi jusqu'à Villery... Je souhaiterais lui montrer le véritable Testament du Fou ; je crois qu'elle a mérité de le voir. Un week-end à la campagne nous ferait du bien à tous.

— Je passe chez elle ; je le lui proposerai.

Mosèle s'en est voulu d'avoir dit qu'il se rendait chez la jeune femme. Mais Hertz n'a pas relevé et a repris :

— Je vous parlerai de la Loge Première. Je prends sur moi de vous dévoiler certains secrets. Vous êtes trop engagé dans cette affaire pour que vous n'en appreniez pas un peu plus long.

« Le vieux chat me tend un appât de luxe, s'est dit Mosèle. Il sait bien que je ne refuserai pas ce genre de proposition. Il attise ma curiosité et n'a pas son pareil pour souffler sur les braises. »

— Je vous passe un coup de fil demain matin, a conclu Mosèle avant de refermer son portable.

Émylie ouvre la porte et remarque d'emblée les traits tirés de son ami.

— Oh, ta tête ! Je ne l'aime pas du tout, constate-t-elle. Mine triste et fatiguée de chien battu.

— Chien crevé, plutôt.

Le jeune homme entre, son imperméable trempé sur le bras. Émylie le lui prend, l'accroche à une patère en disant :

— Si les frères apprenaient que tu me rends visite à une heure pareille...

— Il y en a certains qui comprendraient. D'autres qui se feraient un malin plaisir de bâtir un roman-feuilleton ! Le canapé est libre ?

— Il t'attend...

— Une tonne de trucs à te dire.

Mosèle se laisse tomber parmi les coussins bariolés, étend les jambes, émet un long soupir.

— Tu veux boire quelque chose ?, demande Émylie.

— Pas de café, surtout. Je suis bon pour le tilleul-menthe, ce soir. J'ai le palpitant qui me fait un mal fou. J'ai trop fumé. Et un peu picolé, tout à l'heure, avec Hertz.

Émylie passe derrière le comptoir de la cuisine américaine. Bruit de l'eau coulant dans une casserole.

— Je n'ai que de la verveine.

— Très bien. Un grand bol.

En attendant que l'eau frémisse, elle prépare un plateau avec deux bols, une coupelle de sucre en poudre, deux cuillers. À peine deux minutes plus tard, elle revient au salon, dépose le plateau sur une table basse, s'assied sur le canapé puis s'y love en chien de fusil.

Mosèle meurt d'envie de la prendre par la taille, mais se retient.

— Nous sommes invités à passer le week-end dans la maison de campagne de Martin. Il aurait des révélations à nous faire.

— Le Maître des Énigmes ! Il me fait un peu peur. Je n'arrive pas à savoir de quel côté il est vraiment. J'ai l'impression qu'il porte parfois un masque. Et s'il se servait de toi pour atteindre le Tombeau du Christ ?

Didier se veut rassurant :

— Non, je crois surtout qu'il met tout en œuvre pour nous protéger.

Émylie laisse tomber sa tête sur l'épaule de Mosèle. Il se tourne légèrement vers elle. Il la regarde, les cheveux ébouriffés, les paupières encore gonflées de pleurs, les lèvres entrouvertes.

— Je t'ai promis de te résumer ma journée…

Elle lui pose un index sur les lèvres pour le faire taire.

— Chut ! Nous avons tout le temps. On est bien comme ça, non ?

Le poids de sa tête se fait plus insistant sur l'épaule de son ami. « On est bien à ne rien se dire. À oublier un peu… »

L'homme a sorti la clef de l'une de ses poches, l'a glissée dans la serrure de la petite porte en bois et s'est introduit dans l'église.

L'ombre. La fraîcheur de la pierre. L'odeur d'encens.

Il consulte sa montre. Une heure moins sept. Trois minutes à attendre ; il sait que Monseigneur est ponctuel. Il s'assoit sur l'un des bancs. Ses yeux s'habituent à l'obscurité ; il regarde le crucifix au-dessus de l'autel. Une médiocre représentation du Christ dans un plâtre grisâtre. Un corps décharné se tordant de douleur sur les deux montants de sa potence. « Une imposture ! »

244

Puis un bruit sur sa droite. La petite porte de bois que l'on pousse et que l'on referme rapidement. Des pas. La silhouette de Monseigneur qui approche.

L'homme se lève.

— *Dominus vobiscum*, dit Monseigneur.

— *Et cum spiritu tuo*, répond l'homme.

— Vous faites actuellement un excellent travail. Vous vous rachetez du fiasco de la forêt d'Orient.

— Je vous remercie, Éminence. Le pape tarde encore à mourir... Nous devons précipiter les événements. Le Testament du Fou est à Villery.

— Oui. Et Mosèle ainsi que la veuve Marlane y ont été invités par Martin Hertz. Rien de ce qui concerne l'avocat ne m'est inconnu. Vous êtes venu prendre vos ordres...

— De vos lèvres et de vos lèvres seulement, Monseigneur.

— Les Templiers incendièrent autrefois l'abbaye d'Orbigny pour effacer toutes traces de leur passage après avoir assassiné Nicolas et Agnan de Padoue... par le feu ! Les héritiers des Templiers périront eux aussi par le feu !

— Je comprends, fait l'homme. Le jeu est néanmoins dangereux. Les pièces à abattre sur l'échiquier sont bien lourdes. Vous ne pensez pas que Guillio risque de réagir ? C'est lui qui a dirigé l'opération jusqu'à présent.

— Les Gardiens du Sang n'ont toujours eu qu'un but : reprendre l'exemplaire du Testament du Fou de la Loge Première et empêcher que l'on trouve le Tombeau du Christ. Je m'y emploie. C'est moi, désormais, qui dirige la Loggia et qui lui donne les ordres de vive voix.

— Pour le bien de notre confrérie... et de la sainte Église, Monseigneur, je le sais. Cependant, j'ai peur que nous ne puissions continuer de nous attaquer à Martin Hertz sans nous attirer des réactions des Premiers.

— Attendons qu'ils se réveillent ! Pour l'heure, ces mystérieux frères restent terrés dans leur tanière.

L'homme aimerait dire à son interlocuteur ce qu'il pense réellement du silence des frères Premiers, lui faire part de son inquiétude, de ses intuitions... Mais l'entretien est manifestement clos. Monseigneur semble s'impatienter.

— Je sors le premier, Éminence.

— Allez...

L'homme regagne la petite porte latérale de l'église.

Monseigneur apprécie la solitude qui lui est alors offerte. Il regarde le Christ en croix qui tente de s'extraire de l'ombre, arquant son corps amaigri et torturé. « Le Testament du Fou doit disparaître ! Tout sera effacé... Cette histoire n'aura jamais été écrite ! »

Il demeure un long moment immobile face à l'autel, ses pensées allant d'un condamné cloué sur une croix à un homme à demi nu dans un suaire. Une forme fantomatique, trébuchante, livide. Un jeune homme gravissant le mont des Oliviers...

Il se décide enfin à ressortir de l'église. Dehors, la pluie le saisit brutalement, lui giflant le visage, le forçant à presser le pas pour regagner la voiture noire, garée le long du trottoir, quelques mètres plus loin, à bord de laquelle attend son secrétaire.

Ce dernier se précipite pour lui ouvrir la porte arrière. Monseigneur s'engouffre dans le véhicule. « Je devrai vivre désormais avec ce poids supplémentaire sur la conscience, marmonne-t-il. De nouveaux meurtres ! »

— Pardon ?, demande son secrétaire.

— Non, rien... Je me parlais à moi-même.

57

La seconde maison de Hertz

Vendredi, treize heures quarante-cinq.

Le cimetière de Villery est adossé à une église romane lourde et ventrue. Il est fermé de hauts murs recouverts d'une épaisse vigne vierge que l'automne roussit. Ses tombes s'y alignent, modestes, dans une herbe rase. Seule une petite chapelle élève une flèche grêle, faussement gothique.

Martin Hertz se tient devant une pierre tombale encore récente. Une simple dalle de quartz, sans croix. Juste une plaque portant ces noms :

LÉA ET MARTIN HERTZ

La pluie a cessé, dégageant un ciel blanc profond. Un vent coulis glisse au ras du sol et mord les mollets.

Dans son épaisse canadienne de cuir, Hertz, énorme mono-lithe immobile, regarde la tombe qu'il partagera avec Léa et se demande qui des deux quittera la vie en premier. Qui abandon-nera l'autre.

« Je ne me ferai jamais à tes goûts un peu morbides, Martin. » Hertz a reconnu la voix. Il se retourne en souriant.

— Tu m'as donc vu arriver, l'abbé ?

Le prêtre est à peine plus jeune que l'avocat. C'est un homme long et noueux, au visage osseux strié de rides profondes, aux yeux charbonneux, aux cheveux blancs. Il porte un costume gris, un pull noir passé sur une chemise bleue dont le col rebique. Il tient à la main droite une sacoche de cuir brun.

— J'étais certain que tu viendrais directement ici, dit-il. J'ai aperçu ta voiture depuis le presbytère. Rien de tel pour le moral, n'est-ce pas ? Toujours content de ton petit lopin de terre pour votre éternité à Léa et à toi ?

— Léa a bien failli me devancer… À cause des Gardiens du Sang.

— Ils deviennent de plus en plus dangereux et tu les crains beaucoup, vieux frère ?

— Oui, Jacques. Je les redoute. Ils me cernent comme des loups. M'acquitterai-je de ma tâche ? Saurai-je préserver le Tes-tament du Fou contre leurs attaques ?

L'abbé tend la sacoche de cuir à son ami en disant :

— Le voici. Avec l'anneau. J'ai veillé sur eux depuis que tu es venu me les confier. Je dormais même avec. Sous mon oreiller ! Je t'aiderai à faire comme tu dois, Martin. Tu sais que tu pourras toujours compter sur moi.

— Naturellement ! Allons, rendons-nous à la maison pour y attendre Émylie et Didier. Je leur ai donné rendez-vous vers quinze heures. Tu n'as pas d'obligations, cet après-midi ?

— Aucune, répond l'abbé Jacques. Ni mariage ni enterrement. Je t'aiderai à faire les pluches. Tu as besoin de quelque chose ?

— J'ai fait des courses avant de partir.

Les deux amis sortent du cimetière. Le géant et le fluet marchent cependant du même pas. De ce pas que l'âge entrave.

Le ciel blanc arrache des éclats au quartz lisse de la tombe des Hertz.

La maison de campagne des Hertz se situe en dehors du village. Il faut emprunter un étroit chemin de terre et de caillasse pour y accéder. On la découvre alors, s'imposant au milieu d'un grand pré bordé de saules. Ancienne ferme, elle est composée de deux bâtiments d'un étage et, malgré ses diverses réfections, ressemble à ce qu'elle a toujours été : une demeure paisible qui absorbe les époques en faisant mousser un peu plus les tuiles plates de ses toits, en flétrissant ses crépis de torchis, en s'alourdissant sous l'ombre d'un chêne plus que centenaire.

L'automne l'a endormie. Hertz et Jacques ouvrent les volets. La semaine précédente, le vieil avocat est venu remettre le Testament du Fou et l'anneau à son ami sans même se rendre dans sa maison fermée depuis août.

L'air entre par les fenêtres et chasse rapidement l'odeur de renfermé.

Hertz pense à Léa. Il lui téléphonera lorsqu'il aura fini d'aérer les pièces, de préparer les lits à l'étage… Il pense à Léa. Il n'a jamais tant pensé à elle, si ce n'est lorsqu'ils étaient jeunes et amoureux. Tellement amoureux !

Le temps transforme l'amour en habitudes, en rituels. En une amitié pareille à celle qui lie des voyageurs lors d'une croisière. Car c'est ainsi que passe la vie : un long voyage où l'un s'accommode des manies de l'autre. Une entente polie, respectueuse, distante.

Prononce-t-on encore des mots d'amour lorsque l'on approche des soixante-dix ans ? Hertz se pose la question pour la première fois. Et s'en veut de ne pas se l'être posée plus tôt.

Léa aurait pu mourir…

Il aurait pleuré sa vieille amante tel un chien perdu, un enfant que sa mère abandonne. Cet égoïsme, toujours. Cette angoisse de rester seul, mutilé. Amputé de l'autre.

Il regarde la rangée de saules inclinés sur un fossé au creux duquel coule un maigre ru, tout au bout de son pré. N'était leur caveau conjugal, au cimetière, il aurait aimé qu'on y disperse ses cendres, plus tard.

Dans ses jumelles, l'homme a vu Hertz et l'abbé ouvrir les volets de la maison. Au rez-de-chaussée, puis à l'étage. Il a zoomé sur l'avocat qui s'est attardé à regarder dans sa direction. Il s'est instinctivement baissé ; Hertz semblait le fixer.

Il s'en est voulu d'avoir été victime de cette illusion qui a emballé son rythme cardiaque un court instant. Le temps de se maudire de n'avoir su se contrôler.

Cette fois, il a troqué son imperméable et ses élégantes chaussures contre un blouson et des bottes. Il ressemble un peu à Carlo et Lorenzo, et se dit qu'il est en train de se transformer à son tour en homme de terrain. Ce qui ne lui interdit pas de regretter son bureau romain. Le regretter au point de désirer ardemment que cette opération soit enfin terminée.

C'est avec une intense satisfaction qu'il découvre la Golf de Mosèle pénétrant dans le champ de ses jumelles.

— Mosèle et la veuve Marlane !, murmure-t-il.

L'homme voit les deux jeunes gens descendre de voiture, sortir leurs bagages du coffre, Hertz ouvrir la porte de la maison, l'abbé apparaître à son tour...

« Ils seront tous morts bientôt. Effacés, plutôt. »

Jacques plaît aussitôt à Émylie et à Mosèle par son regard direct et franc, malgré le noir charbonneux de ses yeux, par son sourire généreux qui plisse ses joues maigres, par toute la bonté qui émane de lui.

Il a pris les mains d'Émylie dans les siennes pour lui dire :

— Madame Marlane, j'ai appris le deuil qui vous a frappée. Les mots sont bien inutiles en pareilles circonstances. Mais les témoignages d'amitié suffisent parfois à vous aider...

— Je vous remercie, répond Émylie. Oui, l'amitié est toujours un réconfort.

Puis, se tournant vers Mosèle :

— Professeur Mosèle, je vous connais de réputation et suis enchanté de vous rencontrer enfin. J'ai lu votre dernier ouvrage, *Le Psautier de Canterbury*.

— Je soupçonne Martin de vous l'avoir conseillé ! C'est mon meilleur agent commercial.

— En effet, ajoute l'abbé. Il me l'a prêté et je n'ai pas regretté sa lecture. Ce serait mentir que vous avouer que j'en ai tout retenu.

— Vous me rassurez, dit Mosèle en souriant.

Hertz invite ses amis à entrer et propose à Émylie et Mosèle de porter leurs bagages dans les chambres qu'il leur a réservées à l'étage tout en s'excusant : « Je me suis occupé de tout. Sans ma Léa, je suis un peu manchot. »

Mosèle s'était demandé à quoi pouvait ressembler la maison de campagne du vieil avocat. Une copie de son pavillon ? Un décor un peu suranné composé de tapisseries, de doubles rideaux en velours, de massifs fauteuils en cuir, de meubles en acajou, le tout baigné d'odeurs de cire et de cigare froid ?

Mais ce n'est pas le cas. Immédiatement et non sans surprise, il apprécie le musée qui s'offre à lui et le charme. Une bibliothèque anglaise en bois blond emplie de centaines de livres. Une énorme table avec ses bancs pour accueillir les ripailles d'une douzaine de chevaliers affamés. Des fauteuils aux bras usés par d'innombrables siestes accomplies les pieds posés sur la pierre d'une vaste cheminée. De fines et délicates aquarelles aux murs, la statue d'une Vierge à l'Enfant taillée à grands coups de ciseaux dans une pierre noire, des vases géants vomissant des brassées d'ajoncs séchés, des tapis crème jetés sur des tomettes rouge brique. Un escalier en chêne clair qui monte à l'étage. Au fond de la pièce, une volée de quelques marches descendant en contrebas vers une porte de bois cintrée. Et la lumière : une belle lumière blanche qui se brise en éclats sur les arêtes des meubles, s'enfourne dans les recoins, s'épand sur le sol en longues effilochures. Et le parfum doucereux des prés à l'entour, que l'automne jaunit et chiffonne en foin.

Une maison où l'on se sent bien. Où l'on doit laisser s'écouler le temps, sans télévision ni poste de radio apparents.

Les chambres sont à l'identique, regorgeant de livres, de statuettes, de gros lits hauts sur pattes. Bois, pierre et paille. Des fantômes d'odeurs. De celles que la ferme de jadis déversait à chaque saison et qui en a imprégné les murs.

— Cela vous convient-il ?, demande Hertz tandis que Mosèle dépose son sac de voyage sur le sol.

— Magnifique, reconnaît le jeune homme qui vient de découvrir sa chambre. Une maison hors du temps, Martin !

— Et vous n'avez encore rien vu.

Émylie apparaît sur le seuil de sa chambre.

— Que devons-nous voir ?

— Mon temple !, annonce Hertz avec l'emphase qui lui est si particulière.

— Un temple ?, fait Émylie.

— Au sous-sol, poursuit le vieil avocat. Je vous propose d'y boire le café. Ou du thé... Ou de l'alcool, si le cœur vous en dit. Finissez de vous installer et rejoignez-moi en bas. Je vous y attends avec l'abbé.

— L'abbé ?, s'étonne Mosèle.

— Ah, j'ai oublié de vous préciser que Jacques est prêtre. Oui, il possède deux singularités : être mon meilleur et plus vieil ami, et exercer son saint ministère ! L'une et l'autre en font un personnage extrêmement tolérant et prouvent que je ne suis pas forcément un mauvais homme.

Hertz adresse à Mosèle un clin d'œil pareil à un furtif coup de griffes. Et le vieux chat redescend l'escalier de son pas pesant.

Du palier, Émylie et le jeune homme entendent l'abbé dire à Hertz :

— Il faut être sacrément intime avec toi pour avoir le droit de pénétrer dans ton univers secret !

— Toi, tu en es un fidèle, lui répond Hertz. Combien d'heures y avons-nous passées en vieux bavards gâteux ?

58

La bibliothèque

Hertz devance ses amis. Porteur de la sacoche de cuir contenant le Testament du Fou et l'anneau, il descend les quatre marches qui mènent à la porte de bois cintrée.

— Attention à la tête, conseille-t-il en s'inclinant lui-même de manière théâtrale.

Il engage une clef dans le solide verrou.

— Attendez...

La porte grince. Mosèle se dit qu'il ne pouvait en être autrement, et sourit.

— Je vous donne de la lumière et vous pourrez entrer.

251

Petit clic d'interrupteur. Lumière trop jaune. Déception d'Émylie et de Mosèle qui se retrouvent dans une sorte de vestibule cimenté aux murs couverts de gaines électriques. Mais Hertz se dirige déjà vers une deuxième porte qui leur fait face. Celle-ci est blindée et ne se commande que par un boîtier électronique sur lequel le vieil avocat compose un code, le nez sur les touches.

Tandis que la porte blindée s'ouvre lentement, Hertz recommande à ses amis de veiller à ne pas glisser dans le nouvel escalier qui s'offre à eux. Un étroit colimaçon aux parois râpeuses.

Jacques dit :

— J'ai bien failli me briser la colonne, une fois, tu t'en souviens, Martin ?

— Bien sûr. C'était l'hiver dernier ; nous avions un peu trop arrosé notre dîner et Léa nous en avait fait reproche. N'était-ce pas un morgon que nous avions avalé ?

— Comme d'habitude, précise l'abbé.

Une troisième porte. Sans clef, sans code. Il suffit de la pousser.

Hertz fait un pas dans l'ombre, presse un interrupteur et lance :

— Soyez les bienvenus dans mon temple, Émylie et Didier !

Mosèle émet un bref sifflement d'admiration. L'avocat a aménagé une gigantesque bibliothèque dans une vaste cave au plafond constitué de trois voûtes en plein cintre prenant assise sur les solides abaques de gros trumeaux. Les murs, très hauts, sont couverts de longues étagères en bois ; un rail sur lequel coulisse une échelle permet d'accéder aux niveaux supérieurs.

Les ouvrages contenus dans cet espace extraordinaire sont de superbes in-folio, des manuscrits originaux, des parchemins roulés. Parfois, de petites plaques de cuivre, sur les montants de bois, précisent la provenance d'une pièce.

Pour parfaire la décoration, entre certains livres Hertz a placé un objet rare : statuettes de bois, figurines en os, masques, fétiches, coffrets précieux qu'il dit avoir arrachés de haute lutte à de pugnaces antiquaires.

C'est une véritable chapelle. Un temple, effectivement, dédié aux livres, au savoir, à la connaissance.

Le sol est fait d'un bon gros plancher recouvert d'un tapis circulaire griffonné d'abscons motifs noirs et blancs.

L'éclairage discret, diffusé par d'invisibles lampes halogènes, a été savamment étudié. La salle baigne dans une lumière chaude et douce qui abandonne à l'imagination quelques recoins d'ombre où s'élance un pilier, où se tapit un gros meuble vitré empli d'autres livres, où luit une armure.

L'avocat se tient en maître des lieux sur le seuil de son sanctuaire, la poitrine gonflée d'un orgueil qui lui rosit les joues, lui fait briller les yeux. Jacques connaît bien cette attitude ; il n'en tient plus compte. Les péchés mignons de son ami participent aussi du bonheur partagé et de leur vieille affection. Après tout, comment ne pas ressentir de la fierté devant un pareil trésor, admet l'abbé.

Mosèle est redevenu le chercheur, le spécialiste, l'historien. Il arpente à pas lents ce péristyle en connaisseur, en savant et en amateur gourmand.

Hertz s'en amuse, s'en rengorge de plus belle, regardant du coin de l'œil le jeune homme passer d'un codex du comte Gaston Phébus daté du XIVe siècle à une Vie de saint Denis tracée et dessinée en mil trois cent dix-sept, d'un calice d'Ardagh à la mitre brodée d'or d'un évêque mort depuis une éternité, d'un apologétique anonyme à un *Muldenfaltenstil* offert autrefois à Alphonse X de Castille...

— C'est magnifique !, s'étonne Mosèle. Stupéfiant ! C'est la bibliothèque du Vatican ! Les lectionnaires de Cologne, la *Synopsis evangelica* de Lagrange, le Codex de Missant ! Quelles splendeurs, Martin !

— Une vie entière de collectionneur, fait Hertz en miaulant. Ma matrice... Ma mémoire...

Émylie n'écoute pas. Elle suit Mosèle en silence, se contentant d'effleurer des doigts la tranche des ouvrages, le cuir, l'ivoire ou l'or d'un objet. Le chaud du papier cartonné, cuit par le temps, le froid de l'os ou du métal. Elle passe ainsi de la sensualité à la frigidité de ces trésors accumulés, rangés soigneusement, classés par un maniaque, inlassable artisan d'une folie, d'un amour invétéré pour ce que les hommes ont laissé s'endormir entre des peaux tannées, des feuilles de papier tendre. Dans l'encre, le sang noir de leur mémoire. Dans l'étain martelé, la corne gravée, le cuir buriné.

— Martin, je ne peux pas croire que vous ayez déniché tout cela chez des antiquaires !, dit Mosèle.

— Cela fait près de cinquante ans que j'achète, Didier. Un demi-siècle à traquer mes proies et à me ruiner pour les obtenir. À corrompre certains, je le confesse. L'argent ouvre les portes de tous les coffres. De toutes les âmes ! J'ai été un avocat puissant et riche, comme vous le savez. J'avais alors à mon service quelques agents qui sillonnaient le monde pour mon compte. Je les avais lancés sur les pistes de ces fabuleux objets que vous admirez avec tant de respect.

Hertz s'avance alors dans la salle, vient déposer sa sacoche sur la table et reprend :

— Jacques, Léa et un autre ami dont je vous parlerai bientôt ont été les seuls à pénétrer dans cette bibliothèque. L'État et le fisc ignorent cette fortune amassée. Quand je parle de fortune, j'entends : la richesse artistique et intellectuelle que représente cette collection.

Émylie intervient :

— Dans ce cas, pourquoi nous avoir permis de partager votre secret ?

Hertz se tourne vers l'abbé.

— Dis-leur, Jacques…

Le prêtre s'approche d'Émylie et de Didier. Son visage creusé de rides s'éclairant d'un beau sourire, il dit :

— Je crois que Martin cherchait comment vous prouver à tous deux que vous pouviez avoir confiance en lui. Il n'a pas trouvé meilleure preuve que celle-ci… Vous ouvrir les portes de sa bibliothèque. Ou, si vous préférez : vous ouvrir son cœur !

L'homme abaisse ses jumelles.

— Je ne comprends pas, annonce-t-il. Je les ai vus s'éloigner au fond de la pièce d'où ils n'ont pas reparu.

— Ils sont sans doute passés dans une autre pièce, avance Carlo. Un salon, une cuisine…

L'homme réfléchit durant quelques secondes en se mâchonnant la langue.

— Allons-y !, décide-t-il soudain en se redressant. Allons pointer notre canon-micro sur l'une des fenêtres.

Les trois Gardiens du Sang quittent le fossé dans lequel ils avaient établi leur planque depuis plus de trois heures. Les membres rouillés, ankylosés, ils écartent les branches basses d'un buisson et s'aventurent à découvert dans le pré. Lorenzo a posé la main sur la poche intérieure de son blouson où il garde son Ruger GP100. Carlo tient serrée contre sa hanche la lourde sacoche qu'il porte en bandoulière.

Le cœur de l'homme s'est mis à battre plus fort. Il éprouve pour la seconde fois ce sentiment nouveau, fait d'excitation et de peur. Il a découvert cette étrange impression dans la forêt d'Orient, ce misérable jour de pluie où il a perdu l'un de ses agents. L'ivresse de l'action. L'angoisse. L'une et l'autre sensations s'épousant au creux de sa poitrine, dans le battement de ses tempes, la fébrilité de ses gestes.

Une haine froide, aussi. Entièrement dirigée vers Hertz, l'ennemi à abattre. « Par le feu, se répète-t-il. Par le feu ! Il périra ainsi avec ses amis. »

La maison de Hertz tangue au rythme de ses pas saccadés. Elle se rapproche. « C'est une guerre, tente-t-il de se convaincre. On y sacrifie des innocents. »

Il pense à Émylie Marlane, à ce prêtre…

« Je ne fais qu'exécuter les ordres de Monseigneur. Je suis son bras armé. »

Le souffle court et brûlant, il a atteint la maison. Imité par Carlo et Lorenzo, il se plaque contre le mur. Son cœur lui fait mal, lui poignardant les côtes à grands coups secs, puis lui remontant dans la gorge. Mais il en retire un plaisir particulier, malsain. Il en a oublié son confortable bureau romain.

— Vous aurez tout le temps de vous émerveiller devant ces joyaux, dit Hertz à Mosèle qui doit abandonner à regret l'examen des rayonnages de la bibliothèque.

Le jeune homme vient s'asseoir à la table où se sont déjà installés Jacques et Émylie. Le vieil avocat a ouvert un bar ingénieusement dissimulé dans un buffet ; il en sort une cafetière électrique, des tasses, des verres, une bouteille de Cardhu et une boîte à cigares.

— Café pour qui ?, demande-t-il.

Émylie et Mosèle répondent d'une même voix qu'ils acceptent bien volontiers un café, tandis que Jacques opte pour le whisky partagé avec Hertz.

Quelques minutes plus tard, les boissons sont servies et Hertz ouvre la sacoche pour en dégager avec soin le Testament du Fou et l'anneau. Il présente le manuscrit à Émylie, lui permettant de le feuilleter sans omettre de lui recommander d'en prendre grand soin. Mosèle regarde attentivement l'anneau et revoit aussitôt en pensée la manille accrochée à l'un des murs de la petite chapelle de la forêt d'Orient. Il devine qu'une explication lui sera bientôt fournie par le vieil avocat. En temps utile. Il sait maintenant que ce dernier distille ses informations avec parcimonie, selon sa propre mesure, en chef d'orchestre accompli.

Alors qu'Émylie tourne lentement les pages du précieux évangile, Hertz dit :

— L'abbé m'a aidé à parfaire la traduction du Testament du Fou. J'avoue que son secours m'a été précieux.

— Depuis les Templiers, personne n'avait fait un bon coup de ménage dans l'œuvre de Nicolas et Agnan de Padoue, précise Jacques avec modestie.

Un temps. Mosèle boit son café à petites gorgées, Jacques déguste son whisky tandis que Hertz le lape avidement.

Émylie referme le livre, pose ses mains sur le cuir moucheté de la couverture et les y laisse posées religieusement.

— Vous savez donc !, dit-elle, s'adressant au prêtre. Jésus a laissé crucifier son frère à sa place. Il n'y a pas eu de résurrection !

— C'est ce que l'on peut déduire de ce manuscrit, en effet, admet Jacques.

— Si l'Église apprenait que vous cautionnez cette thèse..., avance Mosèle.

— Je lui serais redevable de quelques comptes, articule l'abbé en souriant. Mais, vous savez, je suis un prêtre de terrain. Un vieux curé de campagne, de ceux dont le moule est brisé. Je n'intéresse pas les instances supérieures !

Émylie repousse le Testament du Fou sur la table, le redonnant à Hertz en murmurant tristement :

— Francis aurait tant aimé avoir cet exemplaire entre les mains ! Ne serait-ce qu'une fois.

— Je regrette qu'il ne se soit pas confié à moi, se plaint Hertz ; j'aurais peut-être pu éviter le pire.

Sa voix sonne faux. Mosèle en a conscience. Cette impression décale la réalité du moment, la transforme en acte de théâtre pourtant mise en scène avec une évidente précision. De fait, il y a quelque chose de factice dans l'atmosphère. « Tu joues encore, Martin, pense-t-il. Tu joues ton rôle dans un décor choisi pour la circonstance. Et tu mens ! Tu mens encore lorsque tu évoques Francis ! »

À l'extérieur, Carlo a braqué le canon-micro sur l'une des fenêtres de la façade principale. Un doigt sur le minuscule récepteur logé dans son oreille, il fronce les sourcils, tendu et attentif.

— J'entends leurs voix, mais elles sont lointaines, dit-il.

— Une pièce à l'écart... Fais le point, s'impatiente l'homme.

— Ce n'est pas si facile. C'est excessivement sourd. Quasiment imperceptible. J'ai vraiment de la peine à distinguer ce qu'ils disent ; il doit y avoir plusieurs murs entre eux et nous.

— Dans ce cas, il va nous falloir entrer dans la maison. À toi d'intervenir, Lorenzo. Pratique une ouverture dans la vitre et tourne la crémone de la fenêtre.

Lorenzo fouille dans le sac que Carlo a déposé à leurs pieds.

— Ce ne sera pas long, assure-t-il.

— Lorsque nous serons dans la place, précise l'homme, nous n'interviendrons pas tout de suite. Je veux apprendre ce qu'ils se racontent afin de le rapporter à Monseigneur.

Hertz a fini son whisky et s'en sert un nouveau. « Juste une larme ! » Mais sa grosse patte se fait lourde et généreuse.

— Jusqu'à leur scission, commence-t-il, les Templiers qui détenaient le Testament se donnaient rendez-vous dans la chapelle de la forêt d'Orient, avant de se rendre ensemble à leur sanctuaire secret, non loin des marécages.

— Le lieu n'a jamais été révélé, dit Mosèle. Et comme il était souterrain, je gage qu'il n'en reste plus grand-chose aujourd'hui.

— Ce temple nous importe peu car il n'abritait pas le Tombeau du Christ », expose le vieil avocat en dépliant une carte d'état-major de la région Champagne-Ardenne qu'il vient d'extraire de la sacoche. Puisant un cigare dans son coffret, il s'en sert pour dessiner la base d'un triangle imaginaire reliant les trois points des lieux-dits précisés par les Templiers et plus récemment par Francis Marlane. « C'est dans ce triangle que Hugues de

Payns aurait caché les restes du Messie, poursuit-il. Nous en avons désormais la certitude, grâce aux indications figurant en marge du Testament.

— Dans les profondeurs de la Terre !, fait Émylie.

— C'est ce dont nous informe V.I.T.R.I.O.L., la formule hermétique de la chapelle, précise Jacques.

— *Visite l'intérieur de la Terre et en rectifiant tu trouveras la pierre occulte.* Ou le **FRÈRE** occulte ! Le Christ..., dit Mosèle.

Carlo pratique une ouverture dans la vitre à hauteur de la poignée de la fenêtre. Il a placé un disque ventouse sur le carreau, autour duquel il fait glisser la pointe d'un diamant.

Ses deux acolytes le regardent faire en épiant le moindre de ses gestes, appréciant sa dextérité et sa rapidité d'exécution.

— Lorsque vous nous avez raconté la fin dramatique des Templiers, reprend Mosèle, vous nous avez dit qu'une poignée d'entre eux avaient formé la légendaire Loge Première.

Hertz émet un soupir et hoche sa grosse tête aux bajoues flasques.

— Vous demeurez sceptique, Didier. Pourtant, c'est la vérité ! Cette Loge traverse le temps, préservant le Testament du Fou et cet anneau.

— L'anneau qui se trouvait autrefois dans la chapelle, sous V.I.T.R.I.O.L., n'est-ce pas ?, remarque Mosèle. J'en ai relevé l'empreinte dans la pierre. Cela aussi, vous l'avez ! À quoi servait-il ?

Hertz retrouve son sourire et se redresse :

— C'est l'anneau qui ferma le Tombeau du Christ. Il fut remis au plus fidèle des amis de Jésus... À l'un de ses frères...

— Vous voulez dire que...

Mosèle s'arrête net. Ce qu'il avait imaginé ces derniers jours, l'hypothèse improbable, éclate alors dans toute sa vérité.

Hertz achève :

— ... que le fondateur de la Loge Première n'était autre que Jésus ! Et que cette Loge vit encore. Existe toujours !

Le vague soupçon qui assaillait l'esprit de Mosèle se confirme. Ce doute qui l'irritait tant en mettant à mal les supputations qu'il échafaudait trouve sa résolution dans cette cave, cette sublime caverne, ce temple !

Mosèle croise le regard félin de son vieux maître et en soutient l'intense éclat doré. Hertz semble se métamorphoser… Un effet de son imagination ? La peau de son visage paraît s'affermir, ses lèvres habituellement molles précisent soudain leur trait volontaire, un sourire bon et sévère à la fois. Une transformation à peine perceptible, à coups de petits riens, qui bouscule néanmoins l'image traditionnellement débonnaire et désuète. Là, maintenant, le vieillard qui s'est redressé sur sa chaise s'impose en géant rajeuni.

— Et vous… ?, souffle le jeune homme, connaissant d'avance la réponse.

— Oui, j'appartiens à cette Loge mythique. L'abbé le sait déjà et si je me confie à vous deux, c'est parce que votre mari, Émylie, a été tué par ceux qui veulent maintenant ma mort. Ma mort, la vôtre, celle de Didier et de tous ceux qui ont approché le Secret.

Les trois Gardiens du Sang ont pénétré dans la maison. Carlo balaie la pièce de son canon-micro et parvient à localiser les voix : elles proviennent de la porte basse à laquelle mènent les quatre marches de pierre.

L'homme fait un signe. Lorenzo, son Ruger en main, se dirige vers la porte restée entrouverte. Il s'avance prudemment dans le vestibule encore éclairé. Face à lui, la porte blindée. Refermée.

L'homme et Carlo rejoignent Lorenzo. Nouveau geste de l'homme. Carlo pointe son canon-micro sur la porte métallique.

Hertz s'interdit à contrecœur de se resservir un troisième verre de whisky. Mais il doit garder les idées claires pour poursuivre :

— À la suite de l'agression que j'ai subie de la part des Gardiens du Sang, je suis venu remettre ces objets à l'abbé Jacques pour qu'il les garde, en attendant que je les place définitivement en sécurité. Jacques connaît et partage beaucoup de mes petits mystères. C'est aussi un frère !

— J'ignorais que l'on pouvait être prêtre et franc-maçon, s'étonne Émylie.

L'abbé lui répond avec son sourire coutumier, tout brouillé de rides :

— Il y eut bien des *abbés philosophes* dont l'un, d'ailleurs, fut le parrain en maçonnerie de Voltaire.

Se désintéressant manifestement d'un débat qu'il ne souhaite pas voir s'instaurer, Mosèle revient à Hertz pour lui demander :

— Vous venez de nous dire que le Testament et l'anneau seront placés par vos soins dans un lieu sécurisé, Martin. Un tel lieu existe-t-il ? Vous avez habilement donné le change en plaçant le manuscrit parmi de vulgaires bouquins dans votre bibliothèque, à Sèvres, mais maintenant, qu'allez-vous faire ?

— Dans la Loge Première, répond Hertz, un frère est chargé de veiller sur le Testament et l'anneau. On l'appelle le Dépositaire. Lorsque ces deux reliques sont en danger, le Dépositaire les cache dans sa tombe. La mienne les attend.

— Judicieux, admet Mosèle. Un abri en principe inviolable.

— Les Gardiens du Sang ont cependant profané la tombe de l'un des nôtres... Cela remonte au XVe siècle. Ils en furent néanmoins pour leurs frais ! Un vieux Juif du nom de Jérôme leur tendit un piège ingénieux. Une histoire éloquente dans laquelle le sinistre Torquemada joue un rôle important !

Mosèle allume une cigarette.

— Je pense que vous avez l'intention de nous la raconter, dit-il en regardant Hertz dont les yeux viennent de se mettre à briller comme ceux d'un chat rusé.

Hertz se tourne vers Jacques pour s'excuser :

— Tu vas devoir m'entendre radoter encore, l'abbé ! Combien de fois t'aurai-je parlé de Jérôme le Juif ?

— De lui, des Cathares, des Templiers... Tu as d'avance toute ma clémence, Martin.

— Soit, reprend Hertz. Plongeons-nous alors dans l'Espagne de mil quatre cent dix-huit. À Burgos, plus précisément...

59

Le supplicié

Une chambre de torture empestant la sueur et l'urine.

On livrait à la question un homme d'une cinquantaine d'années, nu, les bras liés dans le dos, assis sur un petit tabouret, ses chevilles ensanglantées coincées dans des brodequins.

Deux dominicains se tenaient de part et d'autre du prisonnier épuisé. Derrière une table, sous un grand crucifix en bois accroché au mur de pierre, un clerc transcrivait les dépositions du supplicié. Près de lui, une silhouette massive, silencieuse et immobile, se tenait volontairement hors de la lumière de l'unique lampe à huile. On aurait cru une statue que rien ne pouvait émouvoir. Ni les cris, les râles et les pleurs du témoin, ni le bruit sec des os que l'on martyrisait.

Le sixième homme présent dans cette pièce basse était le bourreau. Il n'avait pas trente ans et possédait un visage angélique aux traits féminins, aux yeux verts, à la chevelure brune et épaisse qui lui coulait jusque dans le cou.

Sur une tablette, il avait soigneusement classé les coins de bois de différentes épaisseurs qu'il devait engager dans les brodequins à l'aide d'un maillet pour comprimer la chair et briser les os.

Au sol, une cuvette pleine d'eau, une éponge et un flacon de vinaigre pour ranimer la victime.

Les deux dominicains s'adressaient à leur prisonnier :

— Oui... Nous t'écoutons. Libère enfin ton âme et tu soulageras ton corps !

— Les plaies de l'esprit son bien plus laides que celles de la chair !

Hagard, le blessé vacillait, aux limites du coma. Il s'était évanoui par trois fois déjà et gardait dans la gorge l'infect goût du vinaigre qu'on lui avait fait ingurgiter pour le ramener à la conscience.

— Je vous l'ai dit, bredouilla-t-il. Le templier Bernard de Josse s'empara du Testament du Fou et se mit sous la protection d'amis juifs qui fuyaient la répression de Philippe le Bel...

— Cela, c'est de la vieille histoire !, réagit le premier dominicain. Il y a près de deux siècles que les Templiers ont été brûlés.

Le regard de l'homme était noyé de larmes ; il voyait les dominicains derrière une brume sombre et leurs silhouettes dansaient, à l'en écœurer. Il grelottait. Il avait tellement froid. De honte et d'humiliation. Car il avait pissé sous lui.

— La famille Casmaran qui recueillit Josse s'installa en Castille, poursuivit-il. Où elle le fit passer pour l'un des siens.

— Mais après ? Le templier et ces marranes reformèrent la Loge Première, n'est-ce pas ? Cette secte existe toujours, et tu t'es lié à elle ?

Le premier dominicain avait aboyé. Sa voix criarde lui déchirait les tympans depuis des heures.

— Je l'avoue !, fit le supplicié. Par saint Jean, je l'admets… Pitié ! Pitié ! De l'eau… Donnez-moi un peu d'eau.

La silhouette massive qui demeurait dans l'ombre ouvrit la bouche pour la première fois et commanda :

— Que notre charité apaise ses tourments. Faites-le boire.

Le bourreau abreuva le prisonnier en pressant l'éponge trempée au-dessus de ses lèvres craquelées. L'homme accueillit l'eau en fermant les yeux, ne prêtant plus attention qu'à cet infime réconfort. Désaltéré, il mit tout son honneur à se redresser. Le cou décharné, les joues amaigries, les pommettes saillantes, il esquissa même un misérable rictus à l'adresse de l'inquisiteur inconnu assis à côté du clerc.

— Tu nous as fait de piètres aveux, reprit la silhouette. Ce que tu nous as dit a été consigné mille fois dans les minutes de la Suprême. Tu sais qui nous cherchons : Jérôme le Juif !

— Trop tard !, lança le supplicié dans un cri de victoire.

— Tu veux dire qu'il a fui la Castille ?, scanda la silhouette. Nous ne l'ignorons pas. Faut-il enfoncer un nouveau coin pour te demander où il s'est réfugié ?

— Grâce… Je ne peux le révéler !

Et l'homme s'effondra à nouveau, tassé sur lui-même. La douleur de ses os brisés se réveilla et tout son corps se remit à craindre de prochaines tortures. Pitoyable, anéanti, apeuré, il se mit à sangloter.

— Épargne-toi un martyre inutile, lui souffla le second dominicain. Nous désirons connaître la tanière de ce *converso*. Où est Jérôme Casmaran ?

La silhouette dans l'ombre fit un geste. Le clerc, resté le nez dans ses registres qu'il emplissait d'une écriture fine et serrée, ne put s'empêcher de grimacer, comprenant ce que cet ordre silencieux signifiait.

Le bourreau enfonça un coin épais dans l'un des brodequins d'un coup de maillet sec et précis.

L'homme hurla. Une douloureuse décharge le souleva de son tabouret. Un mal né dans la cheville, grimpant dans la jambe, brûlant la vessie, crevant l'estomac, enflant dans la gorge et explosant entre les tempes comme une boule de feu.

Une bête blessée : c'est tout ce qu'il était désormais. Un animal méprisable, nu, souillé. Une loque avilie dégoûtée par sa propre odeur. Et qui urina encore.

Son menton retomba sur sa poitrine. Suffocant, il abdiqua :

— Mon Maître Jérôme... Il est en France... apothicaire... dans la ville de Troyes... Les dernières nouvelles que j'ai de lui sont mauvaises... On le disait mourant cet hiver... Le printemps l'a peut-être emporté...

Puis une voix lointaine dans le tunnel de la souffrance... Celle de l'un des dominicains :

— Si cet hérésiarque est mort, qui a hérité des reliques maudites ?

— La Tradition..., balbutia le supplicié. Jérôme fera placer le Testament et l'anneau dans un coffret de bronze que l'on mettra dans sa tombe... Un refuge inviolable... Le temps que la Loge élise un nouveau Dépositaire. Peut-être tout cela a-t-il été déjà accompli...

— Sacrilège !, jeta le second dominicain.

Derrière la table, la silhouette massive se pencha sur le clerc pour lui demander :

— Avez-vous bien transcrit toutes ses paroles, Maître Viana ?

— Fidèlement, frère Tomas. Il vous appartient dès lors de prononcer l'*ordenamiento*.

La silhouette se leva et apparut dans la lumière de la lampe à huile.

Tomás de Torquemada.

Un vieillard superbe, solidement charpenté, chauve, le visage large, avec un nez d'aigle et des yeux profonds où se dissimulait une intelligence aiguë, sa voix grave et douce à la fois détachant chaque mot comme pour les peser tous.

Il prononça :

— Qu'il soit écrit qu'en vertu de l'article 15 du Code, le prisonnier devra renouveler sa confession dans trois jours. S'il s'y refuse, il sera soumis de nouveau à la torture et remis au bras séculier.

Torquemada quitta la table où le clerc achevait de rédiger l'acte de justice, s'appliquant à sacraliser l'instant par l'attention extrême qu'il portait à cette tâche.

Le bourreau ouvrit la porte au Grand Inquisiteur qui allait quitter la pièce. Ce dernier invita les deux dominicains à le suivre :

— Frères Tendilla et Pacheco, accompagnez-moi.

Les trois hommes sortirent, ne s'intéressant déjà plus au prisonnier effondré qui pleurait misérablement en émettant des hoquets saccadés.

Dans le couloir, deux officiants attendaient avec une civière ; ils entrèrent dans la chambre de torture pour se charger du supplicié.

— Verra-t-on enfin un jour la fin de ces *aljamas*[1] qui colportent l'infâme mensonge souillant Notre-Seigneur Jésus-Christ !, murmura Torquemada comme se parlant à lui-même.

— Du pus !, ponctua frère Tendilla. De la pourriture née dans l'esprit d'illuminés.

— Il convient d'agir sans tarder si nous ne voulons pas que cette damnée suppuration gangrène la sainte Église catholique, reprit Torquemada. Troyes est sous la juridiction de l'archevêque de Reims. Je vais faire remettre à celui-ci une condamnation contre Jérôme le Juif. Une lettre portant la mention *in memoria*[2], dans le cas où ce porc serait déjà mort.

— *In memorial* !, s'exclama frère Pacheco.

— Je vous charge de conduire cette affaire, mes frères, ordonna Torquemada. Rapportez-moi le coffret de bronze, mais jurez de ne pas l'ouvrir. Préservez votre âme ! Je serai celui qui détruira ces reliques.

---

1. Communautés juives.
2. Condamnation posthume.

— Nous le promettons. Cependant, devons-nous prendre pour or comptant les fables de ce Juif relaps ?

— Je sais, fit gravement Torquemada, accompagnant sa pensée d'un geste de la main. *Quaestiones sunt fallaces et inefficaces*[1]. Néanmoins, nos enquêtes se recoupent toutes. Nous sommes les Gardiens du Sang et nous œuvrons en tant que tels. Allez, maintenant. *Dominus vobiscum.*

— *Et cum spiritu tuo*, répondirent d'une même voix les deux frères.

Les dominicains, accompagnés d'un clerc et de deux *criados*[2], quittèrent Burgos le soir même. Dans la nuit, le supplicié fit une syncope dont il mourut.

60

Jérôme le Juif

Troyes.

Le laboratoire de Jérôme le Juif était un pittoresque capharnaüm dans lequel s'opposaient d'innombrables parfums, suaves ou épicés, onctueux ou acérés. Aigres parfois. Acides et rouillés, prenant à la gorge, faisant tousser, suscitant des vertiges. Veloutés, aussi. Huiles délicates engourdissant l'esprit, délivrant des rêves calmes.

C'était une vaste pièce encombrée d'armoires vitrées contenant des fioles, des pots étiquetés, des vases fermés par d'épais bouchons de liège. Dans la gueule d'une large cheminée de pierre, un athanor pendait à une crémaillère ; des braises rougeoyantes en chauffaient le culot, aidant une décoction à achever sa réduction. Des étagères ployaient sous le poids de gros livres et de rouleaux de parchemins.

Tout était en désordre. Tout avait cependant sa place assignée et Jérôme, le vieil homme malade, conservait en mémoire la forme et l'usage du moindre objet.

---

1. Les tortures sont trompeuses et inefficaces.
2. Domestiques.

Il était alors courbé sur une table de travail éclairée par l'aube qui filtrait au travers des volets de bois ajouré de l'unique fenêtre, ainsi que par quelques grasses bougies.

Jérôme le Juif s'était confectionné un masque chargé de le préserver des émanations toxiques de certaines de ses mixtures : une cagoule en toile cirée, munie de deux gros verres ronds pour y voir aisément, et d'un long nez pointu au bout en fer grillagé aux mailles serrées. L'apothicaire ressemblait ainsi, avec son tablier et ses gros gants de cuir noir, à un hanneton géant occupé à quelque savante besogne qui accaparait toute sa vigilance.

Il achevait d'emplir méticuleusement une ampoule d'une poudre jaune dont l'élaboration lui avait pris la nuit.

Après avoir bouchonné l'ampoule qu'il posa avec soin sur un linge, il ôta son masque. Il regarda les sept pochons qu'il avait alignés sur la table, la veille, et dans lesquels il avait puisé la matière nécessaire à sa chimie. Son visage blême et hâve, ravagé par la fièvre, manifestait néanmoins une intense satisfaction. L'homme avait dû être corpulent, autrefois, mais l'âge et la maladie lui avaient pris toute sa graisse, ne lui laissant sur les os que de la peau en trop grande quantité, flasque et tombante. Rides et bajoues lui donnaient la gueule d'un vieux chien fatigué. Des cheveux blancs en couronne lui tombaient sur la nuque. Mais il avait un regard magnifique, enfantin et tendre.

Ses lèvres bleuies souriaient.

— Ne suis-je pas récompensé d'une nuit de labeur ?, demanda-t-il au crâne qui l'avait regardé agir durant des heures de ses orbites d'ombre.

Jérôme sourit de plus belle ; il avait tracé jadis à l'encre rouge les sept lettres V.I.T.R.I.O.L. sur le front blanc de ce mort anonyme.

Des pas légers descendaient l'escalier de bois qui desservait les pièces à l'étage.

— C'est toi ?, dit Jérôme. Je devine que tu vas me sermonner ! Tu peux entrer sans inquiétude ; j'en ai terminé. Il n'y a plus rien à craindre.

Rita, l'épouse du potard, avait seulement passé un grand châle sur sa chemise de nuit. Nettement moins âgée que son mari, elle avait su conserver sa beauté mate, ses formes amples, ses cheveux bruns et souples, à peine effilochés de blanc.

Elle vint se planter devant le vieil homme et hocha la tête en examinant sa mine chiffonnée.

— Tu as travaillé toute la nuit dans ces infectes vapeurs, le sermonna-t-elle. N'as-tu donc pas plus de raison qu'un enfant ?

— Le temps presse, Rita. Il m'en reste si peu !

Elle posa une main à plat sur sa joue, délicatement, amoureusement, et lui dit :

— Ta science est grande, mon chéri, et tu trouveras bien quelque remède pour te guérir.

— C'est sans espoir, nous le savons tous deux. Et puis, il y a ces deux dominicains venus de Castille pour m'arrêter. Notre ami le bailli m'a dit qu'ils ne tarderont plus maintenant.

Rita eut une expression de colère.

— Cela signifie que nous avons été trahis !, cria-t-elle presque.

— L'un de nos frères aura parlé sous la torture, dit Jérôme. La langue se délie lorsqu'on vous broie les os ou qu'on vous déchire les chairs sur un chevalet.

— Dans ce cas, le Saint-Office sait désormais que tu détiens le Testament du Fou et l'anneau du Tombeau.

Le vieil homme haussa les épaules et soupira :

— Sans aucun doute ! Tomás de Torquemada préside la Suprême et appartient aux Gardiens du Sang. Il traquera les reliques jusqu'à la fin de ses jours.

Jérôme entreprit de ranger sa table de travail. Rita remarqua alors les sept pochons et fut prise de terreur en lisant les noms inscrits sur leur toile.

— Mon Dieu, qu'as-tu fait cette nuit, Jérôme ?

Elle se pencha et énuméra :

— *Veratrum album, If, Thymus, Ricinus communis, Iris, Opinella rustica, Linuae tuttiverda...* Ce ne sont là que poisons !

Elle se jeta dans ses bras au risque de le faire tomber et lui souffla avec effroi :

— C'est la Mort ! Tu as fabriqué de la poussière de mort... C'est bien cela ? Est-ce pour toi ?

Il lui passa une main dans les cheveux. Et lui souriait toujours de ses lèvres sèches, crevassées par l'herpès.

— Non, amour, dit-il. Le mal qui me dévore n'a pas besoin d'aide.

Puis il la poussa gentiment vers l'escalier en lui demandant :

— Va t'habiller et réveille notre commis ; je souhaite aller en forêt d'Orient une dernière fois.

— Pourquoi dis-tu une dernière fois ?, s'inquiéta-t-elle.

Elle se tenait sur la première marche de l'escalier, tournée vers lui, attendant qu'il lui répondît avant de monter. Elle le regarda se rendre à la fenêtre pour en ouvrir les volets. Le jour se répandit dans le laboratoire et illumina le vieillard qui aspira l'air avec gourmandise.

— C'est une belle journée, claire et paisible, fit-il. Une belle journée pour régler ses affaires !

61

Les reliques

Reims.

Dans son bureau au palais du Tau, demeure épiscopale mitoyenne de la cathédrale, l'archevêque Guillaume Briçonnet, duc et premier pair ecclésiastique régnant sur de nombreux diocèses, recevait en audience les deux dominicains venus de Castille. Ces derniers s'impatientaient.

Assis à sa table, Guillaume n'avait pas daigné faire asseoir ses hôtes, lesquels demeuraient debout avec un respect de circonstance et une aigreur mal dissimulée.

Le prélat faisait mine de fouiller dans les documents qui encombraient sa table. Yeux plissés, babines retroussées, il s'amusait au détriment des inquisiteurs.

— Monseigneur, dit frère Tendilla, cela fait plus d'une semaine que nous attendons la permission signée de votre main ; permettez-nous d'insister !

— Je sais, je sais, marmonna l'archevêque. Votre ordonnance... comment dites-vous ? L'*ordenamiento*... Mes clercs l'ont enfin rédigée.

Il poursuivait sa comédie, soulevant un feuillet, en déplaçant un autre. Lors de leur première entrevue, il avait pris plaisir à faire croire aux dominicains qu'il comprenait mal leur français et les avait exhortés à s'exprimer en latin. À leur deuxième rencontre, il leur avait dit, après réflexion, préférer le français, malgré leur épouvantable accent.

Cette fois, il jouait au distrait, savourant l'agacement des deux visiteurs dont il n'appréciait pas le commerce. Il dut pourtant mettre un terme à cette parodie en trouvant enfin, pliée et scellée, la lettre tant convoitée qu'il tendit au frère Pacheco, se gardant bien de se lever, obligeant ainsi le dominicain à se baisser et à allonger le bras pour s'en saisir.

— Voici le pli, dit-il. Ce petit apothicaire de Troyes relèvera désormais de votre justice. Faut-il qu'il soit bien dangereux pour vous avoir obligés à faire ce long voyage !

Les dominicains ignorèrent la raillerie. Frère Pacheco répliqua :

— Il l'est, Monseigneur. Un faux chrétien qui pratique le rite judaïque.

— Ah… Naturellement !

Frères Tendilla et Pacheco prirent congé de l'archevêque. Les vexations dont ils avaient fait l'objet ne les contrariaient déjà plus. Ils avaient en leur possession l'acte qui conduirait Jérôme le Juif au bûcher.

Rita et Alain, le commis, cheminaient au rythme du pas de l'âne qui portait Jérôme.

L'employé des époux Casmaran était un grand adolescent sans cesse gêné par ses trop longs membres. Il tenait fermement la bride de l'animal, soucieux de le conduire hors des ornières afin d'éviter au vieillard de douloureux soubresauts.

Alain aimait ses maîtres. Orphelin, il avait trouvé auprès d'eux la compassion et la tendresse que son cœur exigeant réclamait.

Il regardait à la dérobée Rita qui marchait au côté de la bête, tenant la main de son mari. Il pensa avec chagrin qu'elle serait bientôt veuve ; Jérôme s'étiolait un peu plus chaque jour, donnant le sentiment de s'effacer inéluctablement. Se chassant lui-même de la vie, discrètement.

Il avait remarqué que son maître avait passé une dague dans sa ceinture, sous son manteau, et que l'on avait accroché un panier d'osier au flanc de l'âne. Pour quelle raison ?

Mais il ne posa aucune question. D'ailleurs, il retenait trop de sanglots dans sa gorge serrée pour parler. La vision de ce vieillard mourant, courbé sur l'échine de son âne, de cette femme aimante qui retenait ses larmes, cette scène-là le faisait souffrir à lui déchirer l'âme.

La forêt était verte, ensoleillée. Verte de son feuillage gorgé de la sève du printemps récent. Déjà chaude de l'été qui s'annonçait clément et nourricier. Le blé et la vigne donneraient. On ferait du pain en quantité et du vin pour l'accompagner. Ce vin blanc un peu rêche qui picotait la langue en y déposant son sucre.

Alain, tout à ses pensées, ne vit pas Jérôme chanceler, tanguer. Pris d'un malaise, le vieil homme serait tombé de son âne si Rita ne l'avait retenu. L'adolescent s'en voulut d'avoir été si peu attentif et aida du mieux qu'il put l'apothicaire à reprendre une meilleure assise.

— Ce n'est rien, murmura Jérôme. Un léger vertige. Rien qui vaille que vous tiriez une figure pareille.

Rita et Alain tentèrent de lui sourire. Il feignit d'apprécier le masque de leur assurance bienveillante.

Ils arrivèrent enfin à la clairière où s'élevait la petite chapelle templière abandonnée ; elle était en partie recouverte de lierre torsadé. De hautes herbes folles se lançaient à son assaut par brassées désordonnées et se jetaient à l'intérieur par la porte vermoulue restée entrouverte.

Alain porta Jérôme pour le faire descendre de l'âne.

— Ma foi, dit l'apothicaire avec contentement, il est bon de retrouver la terre ferme. Cette carne me jouait un branle d'enfer qui me retournait l'estomac !

Il fit quelques pas, la main de sa femme dans la sienne. Puis, avec malice, il se tourna vers Alain pour lui dire :

— Attends-nous, Alain. Profite de ce bon air empli des subtils parfums d'*Athyrium filix-femina* et de *Platycerium* !

— Heu… Oui, Maître, certainement !

Sur le seuil, il marqua un temps d'arrêt pour annoncer :

— L'heure est venue, Rita.

— Vraiment ? Voilà que mon Juif d'époux me conduit à l'église comme une jeune mariée !

En entrant, ils dérangèrent quelques colombes qui prirent leur envol pour s'enfuir par les fenêtres aux vitraux brisés.

270

— Toute cette herbe, remarqua Jérôme avec regret en désignant les dalles disjointes par une verdure conquérante.

Il retira sa dague de sa ceinture. Rita voulut le retenir.

— Est-il nécessaire de sortir ces objets-là aujourd'hui ?, demanda-t-elle. Cela ne peut-il attendre ?

— C'est ainsi. Aide-moi...

Ils s'agenouillèrent sur le sol. Jérôme engagea la pointe de la lame entre deux dalles.

— Bernard de Josse a confié ce trésor à mes ancêtres, commença-t-il. Il n'y avait pas meilleure place pour les cacher ! Grâce à eux, la Loge Première a survécu. Elle doit vivre éternellement.

— Presque tous nos frères sont restés en Castille.

— Quand je ne serai plus de ce monde, tu en initieras de nouveaux. Et la chaîne ne sera jamais rompue.

— Tu parles comme un vieux rabbin gâteux, le gronda-t-elle en soulevant la pierre que Jérôme venait de desceller.

Les mains maigres et noueuses du vieillard plongèrent dans la cache pour en dégager un grossier sac de cuir contenant les reliques de la Loge Première, le Testament du Fou et l'anneau du Tombeau de Jésus.

Cette simple besogne avait épuisé l'apothicaire qui s'assit, le dos contre le mur tout proche du blason des Templiers. Toujours agenouillée, Rita le réprimanda en lui passant une main sur le front pour vérifier sa température.

— Tu es brûlant. Tu vois, tu n'aurais pas dû sortir. Tu irais mieux si tu t'étais couché après avoir pris un bon bouillon maigre...

Jérôme tenait le sac de cuir contre sa poitrine.

— Il est juste que je me sente las... si fatigué, ma tendre.

Elle s'assit à son tour, dos collé au mur, l'épaule contre celle de son mari. Comme des enfants que de longs jeux ont épuisés. De vieux enfants surpris par l'âge.

— Tu es une bonne épouse, Rita ! Mais une mauvaise comédienne. Tu sais pertinemment que je suis au terme du chemin.

— Une bique comme toi ne tombe pas à la première ornière !

Il déplia le sac de cuir sur ses genoux. Le Testament du Fou était protégé par une seconde enveloppe de peau tannée qu'il ouvrit, constatant que le manuscrit n'avait pas souffert du temps.

Il referma le sac, croisa dessus ses mains tachetées de brun, et dit à l'oreille de Rita :

— Allons, tu vas m'écouter attentivement. Tu devras suivre à la lettre mes recommandations, car je devine ce que feront les inquisiteurs quand ils m'auront trouvé.

— Soit. Je suis prête à t'entendre.

Elle avait envie de pleurer. Cela lui brûlait les yeux comme du mauvais poivre. La Mort qui pointait sa face au-dessus d'eux était en train de les divorcer.

Alain attendait en tressant des herbes. Il jetait parfois un coup d'œil en direction de la chapelle et tendait l'oreille, ne percevant que des murmures. C'était la voix sourde de Jérôme, monocorde.

L'adolescent aurait pu s'approcher doucement de la porte. Il aurait su... Mais son maître lui avait ordonné de rester là. Il obéissait malgré la curiosité qui le taraudait.

Une des colombes qui s'étaient échappées par l'un des vitraux s'était perchée sur la branche d'un arbre proche et roulait son chant de gorge, couvrant parfois la voix de Jérôme que rien ne semblait plus pouvoir faire taire.

Rita se releva. D'une main, Jérôme lui confia le sac de cuir, de l'autre ; il désigna l'inscription gravée dans le mur : V.I.T.R.I.O.L.

Il regarda sa femme avec une grande tendresse et non moins de tristesse.

— Tu as tout compris ?, s'assura-t-il. Tu feras comme je t'ai dit ? Alors, laisse-moi seul un moment, que je médite encore sur cette formule.

— Ne tarde pas, tu es si pâle.

Rita ressortit de la chapelle. La voyant seule, Alain s'en étonna :

— Que fait mon Maître, dame Casmaran ?

— Il se recueille un instant.

Elle vint déposer le sac contenant les reliques dans le panier d'osier que portait l'âne. Et elle attendit à son tour.

Le temps passant, le ciel se teintant de blanc, les bruits de la forêt se multipliant, elle ne put patienter plus longtemps. Midi devait approcher.

Elle appela :

— Jérôme ! Jérôme !

Comme son époux ne répondait pas, elle entra de nouveau dans la chapelle, Alain sur ses talons.

Elle se rassura en le voyant tel qu'elle l'avait laissé, assis dos au mur, les yeux clos, le torse légèrement affaissé.

— Ah, tu t'es endormi, mon pauvre ami !

Mais Alain fut pris d'appréhension devant le corps immobile, il s'agenouilla pour prendre le poignet de son maître afin de chercher si le cœur battait encore dans les veines bleu-noir qui maillaient sa peau transparente. Au bout de quelques secondes, il se retourna vers Rita. Il avait le visage ruisselant de larmes.

— Heu... Il ne dort pas ! Il n'a plus de pouls, Madame.

Rita, très calme, esquissa de la main un large geste pour envelopper les lieux et dit :

— C'est donc ici qu'il souhaitait mourir. Dans la chapelle des Templiers.

Et, s'inclinant sur son mari apaisé par la mort, elle pensa : « A-t-il découvert ce qu'il cherchait ? V.I.T.R.I.O.L. *Visita Interiora Terrae, Rectificandoque, Invenies Occultum Lapidem.* »

Alain chargea le corps de Jérôme sur son épaule. Le vieillard ne pesait pas plus qu'un gros lièvre. Il fut mis en travers de l'âne, et l'adolescent trouva que c'était là grand dommage que d'offrir à son maître un pareil cortège funèbre.

62

L'exhumation

Jérôme le Juif reposait déjà depuis cinq jours au cimetière Saint-André, dans le Carré des Juifs situé au cœur du faubourg sud de Troyes, lorsque les dominicains Tendilla et Pacheco, escortés de leur clerc, d'un notaire, de six hommes armés et de deux fossoyeurs munis de pelles, écartèrent une population grondante pour se diriger vers sa tombe toute fraîche.

Tendilla, l'ordonnance à la main, s'adressa à la foule :

— Jérôme Casmaran, *converso* relaps, ne peut reposer en terre consacrée et doit être condamné *in memoria* après avoir été reconnu coupable de dépravation hérétique et d'apostasie, ainsi que pour avoir exercé secrètement en Castille la profession d'apothicaire, en dépit de l'interdiction qui en est faite aux Juifs.

Pendant que les fossoyeurs creusaient la terre encore meuble, un bourreau et deux aides entassaient des fagots au pied d'un pieu dressé juste à la sortie du cimetière. Ils confectionnaient à la hâte un modeste bûcher. Après tout, il ne s'agissait que de brûler un mort !

Dans la foule maintenue à l'écart par les hommes armés, Alain implorait Rita de ne point regarder un tel spectacle. « Au contraire, Alain... Ces juges ignorent que Jérôme peut encore les combattre ! » Et la veuve, au grand étonnement d'Alain, souriait.

— Charognards qui déterrent nos morts !, lança Alain qui bouillait sur place, poings serrés, ses grandes jambes maigres toutes tremblantes.

— Ne bouge pas, lui conseilla la femme. C'est inutile...

La tombe fut rapidement éventrée. Les dominicains s'étant approchés, les deux fossoyeurs exhumèrent le cercueil qu'ils déposèrent sans ménagement sur le sol. Ils en fendirent le bois pour en dégager le cadavre.

La mort avait commencé de travailler les chairs de Jérôme en lui tirant la peau sur les os, en lui creusant les joues, en lui marbrant de stries vertes le cou et les mains.

Le Juif tenait un coffret de bronze sur sa poitrine. À sa vue, l'un des fossoyeurs s'exclama :

— Le vilain a emporté ses économies avec lui !

— Tais-toi et donne-nous vite cette boîte, lui ordonna le frère Pacheco avec dégoût.

« Dieu, que cette chose est froide ! » Pacheco emballa l'objet dans un sac de toile.

Puis les deux fossoyeurs transportèrent la dépouille de Jérôme jusqu'au poteau où il fut lié de six bons tours de corde pour le maintenir à la verticale.

« C'est peine à voir ! Et forte honte... », souffla Alain qui voyait son maître transformé en un mannequin hideux et grotesque.

Les citadins assemblés en demi-cercle devant le misérable bûcher assistaient à la scène en maugréant. Mais nul n'avançait d'un pas, les soldats ayant pointé leurs lances en avant.

La corde passée autour du front du mort lui maintenait la tête droite. Il semblait regarder la foule, hébété, comme au sortir d'un cauchemar. Les trous noirs et profonds de ses yeux étaient fixés sur un point précis.

Du moins Rita se l'imagina-t-elle ainsi.

Tandis que le bourreau et ses deux assistants enflammaient leurs torches, le notaire, un petit homme courtaud et ventru, s'avança en déroulant un document, se planta devant le cadavre attaché et lui lut sa sentence :

— Jérôme Casmaran, en vertu des pouvoirs que les Sacrés Canons nous ont conférés, nous te condamnons à être brûlé publiquement, tes cendres jetées au vent, ton nom effacé de la mémoire des hommes !

Un peu de soleil éclaira la face cireuse de Jérôme et dessina un sourire sur ses lèvres tendues, ses dents gâtées. Mais n'était-ce pas là encore une vision de Rita ?

Le bûcher fut allumé, les brassées de javelles sèches craquèrent aussitôt, de hautes flammes s'emparèrent des habits et des rares cheveux du condamné.

Une très vieille femme dit :

— C'est bien la première fois qu'un malheureux ne hurle ni ne danse sur le bûcher !

Le spectacle était atroce. Le corps muet ne se tordait pas, ne se défendait pas. Il se laissait dévorer par le feu qui le prenait comme un vulgaire sarment.

Certains firent un signe de croix. D'autres baissèrent les yeux. On entourait Rita, on lui prenait le bras pour lui témoigner affection et compréhension. On la crut folle ; elle souriait toujours et répétait sans cesse ce mot étrange : « V.I.T.R.I.O.L. ».

63

Le piège

Le seize septembre mil quatre cent quatre-vingt-dix-huit, au couvent Saint-Thomas-d'Aquin, à Avila, où Torquemada était en retraite, il reçut dans sa cellule les deux dominicains, les frères Tendilla et Pacheco, qui lui rapportaient le coffret de bronze extrait de la tombe de Jérôme le Juif.

En déposant l'objet sur une petite table, Tendilla dit :

— Nous avons fait selon vos ordres, frère Tomas, et nous vous remettons ce coffret afin que vous l'ouvriez vous-même comme vous nous l'avez demandé.

— Vous avez œuvré pour le salut de notre sainte mère l'Église, les remercia le Grand Inquisiteur, manifestement satisfait.

Il examina la boîte durant quelques secondes, son imposante carcasse penchée en avant. « J'ai enfin déjoué les plans de la Loge Première, pensa-t-il. Je lui ai arraché ses reliques. Je l'ai vaincue ! »

L'orgueil lui chauffait agréablement les sangs et colorait ses pommettes. Ce que les Gardiens du Sang qui l'avaient précédé n'étaient pas parvenus à obtenir en tant de siècles, il l'avait acquis en l'espace d'un éclair. En brisant seulement quelques os...

Il s'empara d'un couteau et s'employa à faire sauter la fragile serrure qui maintenait le coffret fermé.

Le cadenas lâcha sans effort. Torquemada ouvrit la boîte. Il parut d'abord surpris. Le rose de ses joues s'effaça et une pâleur soudaine envahit tout son visage. Il lui sembla qu'il se vidait de son sang. « Seigneur ! », s'écria-t-il.

Les deux dominicains reculèrent en même temps. Du coffret béant s'élevait une très fine poussière jaune. Des millions de grains minuscules que la lumière d'une chandelle faisait briller dans l'enclos sombre de la cellule.

Tendilla et Pacheco portèrent les mains à leur nez, à leur bouche. La pièce était envahie d'une odeur infecte. Une exhalaison putride, écœurante, un brouillard immonde que le Grand Inquisiteur venait de respirer.

Les deux dominicains s'échappèrent de la pièce, fuyant l'infection.

« La Mort ! », se dit Torquemada, les yeux révulsés, la bave lui venant aux lèvres, le souffle lui manquant.

Il se tenait la poitrine, les doigts tétanisés sur sa robe de bure. Il chancela, perdit l'équilibre, s'effondra.

Écumant, un feu glacé lui fouissant les poumons, il mourut du poison confectionné par sa victime, Jérôme le Juif.

Dans le couloir, Tendilla et Pacheco tremblaient de tous leurs membres, n'osant revenir vers la cellule de Tomas de Torquemada. La tête leur tournait un peu et ils ressentaient quelque peine à respirer. Mais ils étaient sortis à temps, le poison les épargnerait.

Il fut dit que Tomás de Torquemada était mort d'un mal inconnu. En réalité, c'est un poison volatile qui le foudroya, une toxine composée des plantes Veratrum album, If, Thymus, Ricinus communis, Iris, Opinella rustica et Linuae tuttiverda. En détachant l'initiale du nom de chacune, on obtenait la formule : V.I.T.R.I.O.L.

64

Par les flammes

Hertz n'y tient plus, il se sert un troisième verre de whisky, alourdissant même la main pour que la dose soit à la hauteur de sa soif.

— Torquemada était donc un Gardien du Sang !, s'exclama Mosèle, incrédule.

— Comme de nombreux dominicains, précise Hertz en portant son verre à ses lèvres.

— Cela ne vous arrange-t-il pas ?, demande Émylie. Cette idée d'un vaste complot courant à travers les siècles ne sert-elle pas vos intérêts ?

L'avocat paraît contrarié. Il avale une nouvelle gorgée d'alcool.

— C'est pourtant l'exacte vérité, assure-t-il avec une conviction irritée. Le complot est né en même temps que la Loge Première. Le jour même où le Christ fut enterré en forêt d'Orient. L'Histoire n'a retenu que la surface des événements, lissée, polie, lustrée. Les milliers de petits faits buissonniers qui l'ont nourrie ont été conservés par des poignées de femmes et d'hommes, parci, par-là. La Loge Première et les Gardiens du Sang, qui se sont toujours opposés, ont cependant contribué à réunir tous les fragments de ce gigantesque puzzle.

Jacques n'a pas bronché. Il s'est contenté d'afficher sur son visage parcheminé un sourire patient.

— Vous n'apportez aucune preuve, Martin, objecte Mosèle. Vous évoquez la Tradition avec un grand « T », dans laquelle on peut fourrer toutes les balivernes historiques qui nous passent par la tête.

— Des preuves !, s'emporte Hertz. Le Testament du Fou, d'après vous, ce n'est pas une preuve ? Les rouleaux de la mer Morte que vous décryptez à la Fondation Meyer, ce ne sont pas des preuves ?

— J'admets que Jésus n'est pas mort sur la croix, reprend le jeune homme. Je sais aussi que des types essaient de nous faire taire et ne reculent pas à tuer pour cela, mais Torquemada, Philippe le Bel et autres Cathares ou Templiers que vous nous servez en bonne grosse soupe jouent des rôles totalement ignorés de l'Histoire. Vous en faites les acteurs d'un drame occulte que seuls de rares initiés sauraient déchiffrer. Je n'y peux rien, Martin : je demeure sceptique... Perplexe, si vous préférez.

Hertz émet un long soupir, reprend son verre pour en avaler d'un trait le contenu.

— Soit, fait-il. Je mérite votre jugement, après tout ! Je n'ai pas dû être suffisamment convaincant.

— Au contraire, le reprend Émylie. Sans doute même trop !

— Je comprends, poursuit le vieil avocat. J'aurais dû vous dire que les frères de la Loge Première reçoivent oralement une Tradition ancestrale lors de leur initiation, et que vous, Didier, seriez à même de comprendre ce mode de transmission d'une connaissance. La franc-maçonnerie n'a-t-elle pas toujours fonctionné de la sorte ? Qu'il s'agisse de l'équerre, de la perpendiculaire, du compas ou du niveau, ces outils primitifs nous relient encore une fois à la

Tradition. Ils évoquent les bâtisseurs égyptiens de Deir el-Medineh ou les constructeurs de cathédrales. Ils viennent d'une mythologie riche en allégories. N'est-ce pas le dieu Thot, détenteur de la Connaissance, qui enseigna aux constructeurs l'utilisation du compas et de l'équerre, de la perpendiculaire et du niveau, afin que soient dressés des temples selon les divines proportions ? Et dans le Testament du Fou, n'est-ce pas le Grand Architecte qui est représenté en train de créer l'Univers à l'aide d'un compas ? Les questions que nous posons aujourd'hui seront reprises par d'autres qui, enrichis d'un nouveau savoir, d'une science plus précise, trouveront peut-être l'esquisse d'une réponse.

— J'en conviens, dit Mosèle. Cependant, ce que délivre la maçonnerie lors des initiations n'est qu'un enseignement symbolique. Il n'y a rien d'historiquement avéré dans son rituel. Elle véhicule un mythe dont l'objet consiste uniquement à éclairer l'impétrant dans ses recherches spirituelles et personnelles.

Hertz semble réfléchir un instant. Il se prépare à poursuivre quand Jacques le devance :

— Et si la franc-maçonnerie se contentait de répéter inconsciemment un rituel originel ? Une messe désincarnée, privée de sa véritable essence... Si ses gestes, ses paroles, sa pensée n'étaient rien d'autre que les vestiges d'une tradition sans grand « T » ? La rémanence d'une vérité profondément enfouie dans la mémoire humaine ?

— Je vois où vous voulez me conduire, remarque Mosèle. Le véritable fondateur de la franc-maçonnerie ne serait autre que le Christ lui-même ! Et il ne subsisterait de son œuvre que la Loge Première... Tout le reste, toute la franc-maçonnerie, hors cette Loge, ne serait qu'une coque vide !

Jacques accentue son sourire en regardant Mosèle droit dans les yeux et ajoute :

— Oui, ce serait épouvantable, n'est-ce pas ? Tout serait faux : l'Église, la maçonnerie... L'une et l'autre élevées sur de la vase, se maintenant à la surface de l'Histoire grâce à des coutumes sans âme. Ce serait sans espoir, n'est-ce pas ? À moins que...

Le sourire de Jacques disparaît brutalement. Sa physionomie se fait grave ; le moindre de ses traits se transforme, ses rides se creusent. Il se penche sur la table et pointe un index sur le Testament du Fou.

— À moins que la seule, l'unique Vérité soit contenue dans ce manuscrit ! Je prie tous les jours pour que cette Vérité m'illumine. Je prie Dieu ou le Grand Architecte de l'Univers. Je crois bien d'ailleurs qu'ils se ressemblent comme des jumeaux !

— C'est bon, souffle l'homme en ôtant l'écouteur de son oreille. Ne perdons plus notre temps avec leurs fumeuses théories pseudophilosophiques ! Placez les explosifs.

— Un pain de plastic au pied de cette porte, un second en haut de l'escalier, précise Carlo en se mettant immédiatement à l'ouvrage, aidé de Lorenzo.

Un détonateur est incrusté dans chacun des deux blocs d'explosifs. La mise à feu se fera de l'extérieur à partir d'un émetteur réglé sur la fréquence des déclencheurs.

Les Gardiens du Sang remontent l'escalier pour revenir dans la pièce principale du rez-de-chaussée. Là, Carlo, qui a sorti de son sac un tube, en répand délicatement le contenu – une sorte de gel transparent, un produit hautement inflammable – sur les meubles, le chambranle de portes, les premières marches de l'escalier conduisant à l'étage.

Puis les trois hommes sortent de la maison en repassant par la fenêtre pour regagner leur cache dans le fossé.

— Ces salopards !, dit l'homme. Nous avons au moins appris où ils cachaient autrefois le Testament et l'anneau. Cette fois, nous ne leur laisserons pas le temps de les planquer.

— Une tombe !, dit Lorenzo. Ça ne m'étonne pas de ces francs-maçons. Eux et leur culte de la mort...

— Passez-moi la télécommande, demande l'homme à Carlo.

Ce dernier la lui tend. L'homme regarde l'objet pendant de longues secondes, souriant de contentement ; il ne lui reste plus qu'à presser une touche, et le Testament du Fou, la Loge Première, le Secret de Jésus ne seront plus qu'une légende.

— Adieu, très chers frères !, dit-il en appuyant sur le bouton de la télécommande.

Deux déflagrations, le bruit de l'une couvrant l'autre.

La lourde porte blindée est arrachée de son cadre et projetée dans la bibliothèque. Une vague brûlante, assourdissante, s'engouffre dans la cave, son souffle arrachant livres, calices et masques de leurs étagères, déséquilibrant Hertz et ses amis.

Deux secondes à peine, et une boule de feu envahit la cave, cherchant aussitôt son combustible dans le papier et le bois.

— Nom de Dieu !, hurle Mosèle.

— Les Gardiens du Sang !, lance haineusement Hertz qui réalise avec effroi que tous les trésors qu'il a mis une vie à collecter vont disparaître dans les flammes. Qu'il ne peut l'empêcher. Que toute son existence se désagrège en cet instant précis, dans l'écho de l'explosion.

Mosèle a pris Émylie dans ses bras pour l'attirer le plus loin possible du brasier. Mais tous les murs sont couverts de livres et de manuscrits. La pièce ne sera bientôt plus qu'une fournaise.

— Reculez-vous tous !, ordonne-t-il à l'intention de Hertz et de l'abbé qui demeurent paralysés sur place. En arrière, vite !

— Tous tes livres, Martin ! TES LIVRES !, hurle Jacques.

D'épaisses volutes de fumée tournoient en rampant au ras du sol.

Les livres flambent par dizaines, par centaines. Leurs pages s'envolent en papillons de feu. Ce que d'anonymes copistes ont tracé soigneusement à la lueur des chandelles, s'usant les yeux sur de méticuleuses rédactions, ce que les premières presses ont imprimé, leur encre grasse empâtant de riches vélins, toutes ces richesses du savoir et de l'art, tout disparaît dans un autodafé géant. Magnifique et épouvantable, ce bûcher où meurt une partie de la connaissance humaine appelle sans cesse de nouvelles proies pour s'en repaître. Ogre infernal, sa gueule avale les siècles que Hertz a retenus si minutieusement, amoureusement. C'est son âme qu'on est en train de brûler.

Le vieil avocat entend Mosèle. Que dit-il ? Que demande-t-il ? Car il l'entend au travers du crépitement de ses livres... Oui, que veut-il ?

— Impossible de sortir !

Si, pense Hertz, revenant à la réalité, des larmes plein les yeux.

— Il existe une autre issue, mais il va falloir la dégager ! Venez !, dit-il en recouvrant la raison.

Il leur désigne le fond de la salle.

— Une porte, derrière ces étagères. Je l'avais condamnée pour gagner de la place. Elle donne sur une remise...

En hâte, Émylie, Mosèle et Hertz déblaient les rayonnages alors que Jacques reste en retrait, incapable de participer à l'action, ne cessant de répéter : « Tes livres, Martin ! Tes livres… »

L'incendie gagne du terrain, la chaleur devient suffocante, elle prend à la gorge. Le brasier s'étend, son souffle envahit la pièce. Un long râle de bête insatiable.

Hertz et Mosèle piétinent les livres jetés au sol pour défoncer les étagères à grands coups d'épaule, les faisant voler en éclats afin de libérer une porte en bois munie d'un gros verrou que le temps a grippé. Hertz doit tirer dessus de toutes ses forces.

— Merde !, lance-t-il avec hargne. Cette foutue porte n'a pas été ouverte depuis un demi-siècle !

Le feu attaque les chaises, s'enroule autour des pieds de la table. « Le Testament du Fou ! », s'exclame l'abbé en découvrant que celui-ci y est resté avec l'anneau.

Le verrou saute enfin ; Hertz et Mosèle tirent ensemble sur la poignée de la porte qu'ils parviennent à ouvrir malgré le bois gauchi par le temps.

Hertz pousse Émylie en avant et lui dit :

— La remise à traverser, un escalier au fond et une porte en haut, qu'il vous suffira de pousser. Allez, allez… Vite !

Mosèle s'élance à son tour, passe devant Hertz qu'il interroge du regard.

— J'arrive, dit le vieil avocat. Puis, se retournant sur l'abbé : Que fais-tu, Jacques ? Dépêche-toi !

— Mais, Martin… Le Testament !

— Tout est perdu ! Tout… Viens !

— Avance, je te suis.

Hertz traverse la remise. Un établi, des outils sur leur râtelier, des caisses, une tondeuse… La lueur des flammes danse sur les murs en ciment.

Il gravit l'escalier, le souffle court. Chaque marche réclame un effort. Il débouche enfin à l'air libre, retrouve Émylie et Mosèle.

— Votre ami ?, demande le jeune homme, inquiet.

— Il est sur mes talons, articule Hertz en suffoquant, ployé en deux à chercher sa respiration.

Il est soudain pris d'un doute : « Jacques ! » Il se redresse, se retourne vers la porte, attend, refusant la pensée qui enfle dans son esprit.

Mais Jacques réapparaît en hurlant, brandissant le Testament du Fou de ses deux bras tendus : « Martin ! Le manuscrit, il brûle ! »

Il brûle. Comme le prêtre, devenu une torche humaine. Les flammes lui dévorent le dos, les jambes, les bras.

— Didier, fais quelque chose !, crie Émylie, hystérique.

Jacques n'est plus qu'un brandon. Il titube, s'effondre à deux genoux dans l'herbe, tenant toujours le manuscrit qu'il semble vouloir offrir à Hertz. Le tenant toujours plus haut pour le protéger, dans un geste dérisoire et sacré.

Mosèle s'est dépouillé de son pull qu'il utilise pour tenter d'étouffer les flammes. Un vain combat, pitoyable et navrant.

Jacques s'affaisse lentement en avant, pareil à un arbre qui se couche. Il lâche le Testament du Fou dans sa chute.

Mosèle s'acharne :

— Je n'arrive pas à étouffer les flammes ! Je n'y arrive pas !

Hertz tire à lui Mosèle dont le pull commence à brûler. Il l'oblige à reculer et à abandonner le corps du prêtre allongé sur le gazon vert tendre. Les chairs ont explosé, ce sont les os que les flammes rongent à présent. Jacques ne bouge plus.

Émylie piétine ce qui reste du Testament du Fou. Elle le fait avec rage. Pour éteindre les flammes. Pour le fouler tout en le maudissant.

De la ferme, c'est le bâtiment principal tout entier qui s'embrase dans un énorme craquement. L'air s'assèche brutalement.

— Les Gardiens du Sang m'ont tout pris, dit Hertz. Tout ! Mon vieil ami, mes livres... Et le Testament du Fou... Regardez, il n'en reste plus que quelques pages calcinées !

Il se met à sangloter. Ses larges épaules sont secouées, son menton tombe sur sa poitrine, ses jambes fléchissent. Mosèle le retient :

— Pardon, fait le vieil homme.

Vieux. Comme s'il avait traversé les siècles avec son fardeau, marchant inlassablement. Comme s'il avait été ce templier venu chercher le roi Philippe pour le conduire à Saint-Jean-d'Acre, ou ce jeune oblat témoin du meurtre de Nicolas et Agnan de Padoue, ou encore Jérôme le Juif...

Aujourd'hui, il a deux mille ans. Dépositaire de la Loge Première, il a perdu la guerre contre les Gardiens du Sang.

65

Le crime

Les sapeurs-pompiers sont intervenus rapidement, parvenant à sauver le second bâtiment de l'ancienne ferme. Le corps central, lui, a été totalement ravagé. Les poutres et les lambourdes soutenant le premier étage se sont effondrées, entraînant avec elles la majeure partie de la toiture.

Aussitôt prévenus, les gendarmes ont constaté l'origine criminelle de l'incendie en découvrant les restes des deux détonateurs.

Le corps de l'abbé Jacques a été transporté à la morgue de Sens. Sa famille a été prévenue de son décès par Hertz. Les obsèques auront lieu le lundi.

Un sapeur-pompier a retrouvé l'anneau dans les décombres de la cave. C'est tout ce qui a pu être repris aux cendres. Ainsi que deux épées et une armure.

Le soir de ce vendredi, Monseigneur Monetti, vieillard obèse au pas lent et appuyé, passe devant la petite fontaine qu'il apprécie tant, près de la station de radiodiffusion du Vatican. Il s'arrête même un instant pour tremper une main dans l'eau fraîche du bassin. Puis il s'en retourne en promeneur las que chaque pas épuise.

Au croisement de deux allées l'attend la silhouette menue d'une sœur en imperméable qui ne cesse de regarder par-dessus ses épaules, tantôt à gauche, tantôt à droite, pareille à une poule désorientée.

Le cardinal s'approche d'elle et lui tend vivement un petit objet qu'elle enfourne aussitôt sous son surplis.

— Quatre gouttes, chuchote Monetti. Quatre gouttes suffiront.

Puis il repart de son allure traînante tandis que la sœur s'en retourne dans la direction opposée.

Le ciel gris est à l'orage, électrique, tendu à en craquer d'est en ouest, grondant dans le lointain au-dessus de Rome.

La pluie se met à tomber quand Monetti pénètre dans le bureau où patientent quatre cardinaux. On entend le vent claquer en violentes bourrasques contre les hautes fenêtres, malgré leurs épais doubles rideaux.

— J'ai bien failli me faire surprendre par ce grain, dit Monetti en prenant place sur une chaise avec d'infinies précautions.

Il considère les quatre prélats. Physionomies fermées, yeux fuyants. Cette fois, Monseigneur de Guillio n'a pas été convié à leur assemblée. Sans doute se trouve-t-il actuellement au chevet du pape... La sœur devra attendre pour apporter la boisson au Saint-Père.

— C'est fait, lance Monetti dans un soupir.

— Que Dieu nous pardonne, murmure le plus âgé.

Un grand homme maigre se lève pour se rendre à l'une des fenêtres ; il en écarte le double rideau et demeure un instant à observer la pluie avant de prononcer :

— *Non nobis, domine, non nobis, sed nomini tuo da gloriam.*

— L'opération ne peut plus être arrêtée, désormais, dit Monetti. Nous avons enfin réussi à détruire l'exemplaire du Testament du Fou que détenait Hertz... Certes, nos agents de France auraient préféré effacer les derniers acteurs encombrants de cette lamentable affaire.

— Nous, Gardiens du Sang, qui avons fait le serment de préserver le Secret, n'avons que trop tardé, précise un cardinal.

— Parce que nous étions jusqu'à présent soumis à Guillio, ajoute un autre. La Loggia a été bien avisée de se soustraire à sa tutelle.

— Nous sommes entrés dans un siècle qui nous interdit de renouveler les erreurs du passé, poursuit le grand homme maigre de l'endroit où il se tient, tout en ne cessant de regarder au dehors.

La nuit est venue avec l'averse.

D'autorité, Monetti se verse un verre de la liqueur ambrée que les quatre autres cardinaux ont déjà entamée.

— Quelque chose m'intrigue, avance un cardinal. Je me demande comment réagira la Loge Première, notre si vieille ennemie ! Nous lui avons porté un rude coup en brûlant le Testament.

— Patience, mon ami, dit Monetti. Laissons ces frères sortir de terre pour les attraper un à un ! *Monseigneur* se chargera bientôt d'eux en France.

Puis le silence s'installe dans la pièce. Le temps semble s'être figé. Pour une longue attente.

Le gros cardinal Monetti suçote son verre de ses lèvres charnues à petits baisers obscènes.

Tous pensent au souverain pontife qu'ils ont condamné.

— Bonsoir, sœur Antonietta. Un temps épouvantable, n'est-ce pas ?

— Exécrable... Bonsoir, sœur Carla.

Sœur Antonietta vient d'entrer dans une petite pièce attenante aux appartements du pape, un vestibule transformé en vestiaire depuis la maladie de ce dernier. Les sœurs infirmières s'y changent, revêtant une blouse blanche et des chaussons.

Antonietta a ouvert son armoire personnelle pour y pendre son imperméable. Cachée par la porte métallique, elle fait rapidement glisser dans la poche de sa blouse le flacon que lui a remis Monseigneur Monetti.

— Je redoute toujours le moment de prendre mon service, dit sœur Carla. Je me dis que ce sera peut-être cette nuit que Dieu rappellera à Lui notre Saint-Père.

— Cette nuit... le matin prochain ? Qui sait ?

La voix de sœur Antonietta a légèrement tremblé. Sœur Carla n'a cependant rien remarqué.

Une fois prêtes, les deux femmes quittent la penderie, empruntent un bref couloir et parviennent à une antichambre meublée d'un bureau très sobre, de trois fauteuils et d'une comtoise qui égrène ses secondes métalliques.

D'une porte sortent deux autres religieuses, celles que sœurs Carla et Antonietta viennent relever.

— Monseigneur de Guillio est dans la chambre, annonce l'une. Il a demandé qu'on le laisse seul avec le Saint-Père pendant un quart d'heure. Au fait, vous n'oublierez pas de parapher le registre avant de partir, demain matin.

— Ce sera fait, promet sœur Carla en souriant. Ce n'est pas parce que nous avons oublié de le signer une fois que nous répéterons cette étourderie.

— J'y compte bien, la sermonne la plus âgée d'entre elles. Bon courage à toutes deux. La feuille de soins est dans la chambre, sur

le meuble à médicaments. Ne craignez pas de le faire boire, surtout. Même s'il refuse !

— Oui oui, dit sœur Carla. Nous savons tout cela.

Jean XXIV est assis dans son lit, le dos calé entre deux gros
oreillers. Il achève de signer les documents que lui tend un à un
Monseigneur de Guillio.

— Je mourrai donc en signant des monceaux de papier !

— Vous en signerez bien d'autres avant de mourir, mon Père.
Avouez que vous vous portez mieux.

— Allons ! Vous savez bien que les sœurs me maquillent,
Guillio. Sur votre ordre ! Je me présenterai bientôt à mon Créateur fardé comme une momie égyptienne !

Guillio reprend les documents qu'il glisse dans une chemise,
ne remarquant pas qu'il en oublie un sur la table de nuit.

— Je vous laisse dormir, dit-il doucement au malade. Je vous
ai assez ennuyé avec ces bricoles administratives.

Le pape le retient par la manche.

— Au contraire, vous m'avez distrait un peu, Guillio. C'est
étrange… votre présence m'apporte toujours du réconfort. C'est
un peu de vie qui entre avec vous dans cette pièce. Je vous
remercie pour cela.

Guillio quitte à regret la chambre, laissant le vieil homme à
ses douleurs, à ses terreurs nocturnes, à sa solitude. Passant
devant les sœurs Carla et Antonietta, il leur lance :

— J'ai appris que son médecin avait augmenté sa dose de som-
nifère ; cependant, s'il lui arrivait de faire un cauchemar, je vous
demande de bien vouloir m'appeler aussitôt.

— Nous n'y manquerons pas, Monseigneur, lui promet sœur
Carla.

— Je vais d'ailleurs m'assurer qu'il les prend bien, annonce
sœur Antonietta en entrant aussitôt dans la chambre.

Rassuré, le cardinal se retire, ses dossiers sous le bras.

— Ah, c'est vous, sœur Antonietta… Toujours ce parfum de
violette !

— Oui, c'est bien moi.

Le pape a les yeux fermés. Il n'a pas bougé depuis le départ du cardinal de Guillio. Il se sent même presque bien, sa souffrance s'apprivoisant avec l'habitude, la peur de la mort se dissipant avec les prières.

Immobile, goûtant pleinement cet engourdissement léthargique, en apesanteur entre la vie et la mort, il écoute sœur Antonietta entrechoquer un verre et un flacon. « Mes médicaments du soir ! »

En quelques gestes vifs et précis, elle a sorti la fiole de la poche de sa blouse et versé quatre gouttes dans le sirop journalier.

Elle s'est approchée du lit et, de sa voix aiguë, elle dit :

— Vous devez prendre ce médicament, Saint-Père. Vous allez sans doute me répéter qu'il est amer. Et je vous répondrai que vous me l'avez déjà fait remarquer hier et avant-hier.

— Je crois que je n'aurai bientôt plus que des produits chimiques dans les veines !

Sœur Antonietta se penche, le verre à la main. Le verre proposé aux lèvres du vieillard qui n'y boit pas encore. Il rouvre les yeux. Sa pupille est dilatée.

— C'est vrai que vous sentez bon ! Cela me change des relents de la maladie.

— Buvez, Saint-Père.

— La violette…, poursuit le pape. Ce n'est pas habituel. C'est un parfum un peu démodé, ne trouvez-vous pas ? Ce n'est pas un reproche, je m'en garderais bien. Au contraire, cela me rappelle…

Mais le souvenir accroché un instant à son esprit vient de lui échapper. Le pape soupire. Inutile de chercher, de fouiller sa mémoire. Ce parfum de violette venu de son enfance n'appartient plus qu'à un fantôme du passé. Et à sœur Antonietta.

— Buvez, Saint-Père.

La voix est impatiente.

La religieuse jette des coups d'œil furtifs à la porte, craignant que sœur Carla n'entre à tout instant.

Le pape avance ses lèvres craquelées, blanchâtres. La sœur incline le verre.

Guillio se dirige vers ses appartements. Machinalement, tout en marchant, il consulte les documents qu'il a fait signer au pape.

288

Soudain, il s'arrête, réfléchit, fait le compte de ses dossiers. S'y reprend. Et réalise qu'il en a oublié un dans la chambre du Saint-Père.

« Le document que je dois transmettre demain matin aux Affaires générales ! »

Il rebrousse chemin, contrarié de devoir déranger à nouveau le vieillard. « Il dort peut-être déjà », pense-t-il.

— Voilà… Buvez. Buvez tout !

— Mais pourquoi tremblez-vous autant, ma fille ? Êtes-vous malade ?

— Non, Saint-Père. Non, je vous assure. C'est plutôt que je suis désolée de vous voir dans cet état.

— Je vous fais donc peur ?

Antonietta ne répond pas. Elle se redresse. Le pape a bu tout le contenu du verre. Il fait d'abord une grimace à cause de l'amertume du breuvage, puis il est pris de violents hoquets et de spasmes qui lui déforment le visage. Ses doigts maigres, ses serres blanches s'accrochent aux draps tandis qu'il tente de recouvrer la respiration qui lui fait défaut.

La porte s'ouvre et la silhouette massive du cardinal de Guillio s'encadre sur le seuil.

Sœur Antonietta a eu le temps de dissimuler le flacon dans sa blouse, elle réprime une soudaine envie de vomir et, alors que Guillio fait quelques pas dans la chambre, elle lance :

— Ah, Monseigneur. Je crois bien que notre pauvre Saint-Père se sent mal ; il a soudain perdu connaissance tandis que je lui donnais son traitement.

Guillio se rue vers le lit. Il découvre avec horreur l'état du malade, la tête renversée en arrière, une bave épaisse coulant de sa bouche béante.

— Seigneur Mon Dieu ! Vous auriez dû sonner ! Quelle perte de temps !

Le pape Jean respire à peine. Il se noie.

— Appelez son médecin immédiatement. Regardez, il suffoque…

Guillio s'est jeté sur le lit et, dans un geste filial, a enlacé le mourant, l'attirant à lui, contre sa poitrine, comme pour le soustraire aux ténèbres.

— Non ! Je vous en prie… Accrochez-vous encore, Saint-Père !

Mais le pape n'entend plus. Ne voit plus. Il râle. Là réside le dernier signe de vie qui subsiste encore en lui : ce petit sifflement rauque, plaintif.

À pas nerveux, pointillés, sœur Antonietta quitte la chambre en emportant avec elle un peu de son parfum de violette.

La chambre est maintenant plongée dans l'ombre. Seule la veilleuse de la table de nuit diffuse autour d'elle un cercle de lumière sinistre. On entend juste le ronronnement et la soufflerie du moteur du respirateur ambulant. Le pontife respire encore un peu derrière le masque à oxygène translucide. Mais sa poitrine décharnée s'anime à peine. Il repose, tel un gisant, dans les ors éteints de sa chambre, sous une œuvre de Fra Angelico, un épisode de la Vie de saint Nicolas dont seuls quelques visages parviennent à se détacher de la pénombre.

Le médecin personnel de Sa Sainteté hoche la tête ; Guillio comprend.

— Il respire, se plaît-il à répéter depuis quelques minutes, s'accrochant à ce constat.

— Seuls ses poumons et son cœur le maintiennent en vie, explique le médecin. Mais voyez vous-même, il est plongé dans un profond coma. Les scanners confirmeront mon pronostic, je le crains : il ne recouvrera jamais plus la raison.

— Il n'y aura pas de scanner !, réagit Guillio avec fermeté. Le pape ne sortira plus de cette chambre. Vous nous avez promis votre dévotion, docteur, ne l'oubliez pas. Tant que notre souverain pontife possédera un souffle de vie, il gouvernera !

— Je me suis effectivement engagé, Monseigneur. Mais combien de temps un cadavre pourra-t-il tenir l'Église ?

Guillio s'est rapproché du médecin pour le lui dire :

— Le temps de parer aux attaques de nos nombreux ennemis. Juste le temps d'empêcher le cardinal Montespa d'organiser les élections à son profit. Nous allons mentir, docteur… Et, pour plus de sécurité, je vais réduire l'équipe médicale chargée des soins de notre Saint-Père. Il nous faudra exercer de nombreux stratagèmes pour prouver au monde entier que Jean XXIV dirige encore les affaires de l'Église, poursuivant son apostolat malgré sa grande fatigue.

Le bruit de soufflet de la machine respiratoire envahit la chambre. Les deux hommes contemplent le vieillard cadavérique, sa peau blanchâtre.

Ils sentent aussi l'odeur si particulière des corps qui se putréfient d'eux-mêmes avant que ne s'en charge la terre.

— À quoi peut-il rêver ?, demande Guillio. Où son esprit s'en est-il allé ?

— Je l'ignore, Monseigneur. Son électroencéphalogramme est plat… Médicalement parlant, je me contenterai de penser qu'il n'éprouve plus rien, qu'il a perdu contact avec la vie, et que cet état est irréversible !

— Êtes-vous réellement croyant, docteur ?

— Je le suis. Certainement à ma façon, car je suis un homme de science, mais je peux vous assurer que je crois en un dieu révélé. Celui que vous servez me convient parfaitement.

— Oui, celui que je sers et pour qui je transgresse Ses propres lois. Mentir, trahir, cacher…

— Dieu n'a jamais dicté de lois, Monseigneur. Ce sont les hommes qui les ont faites.

Le bruit de la machine respiratoire. Les notes aigrelettes d'un moniteur sur l'écran duquel s'inscrivent des diagrammes. Des messages montrant ce qui reste de vie dans la misérable dépouille de Jean XXIV.

Et puis, à peine perceptible, flottant dans l'atmosphère saturée d'odeurs pharmaceutiques, un soupçon de violette.

66

Le secret de Dieu

Troisième semaine.

Lundi, quinze heures trente.

Les obsèques de l'abbé Jacques ont été célébrées dans le petit cimetière de Villery en présence de sa famille et de la totalité des habitants du village qui, après les condoléances, sont tous venus trouver Martin Hertz pour tenter de le réconforter par quelques phrases amicales, des tapes sur l'épaule, gestes gauches mais sincères, compatissants et chaleureux.

Hertz, avant de s'en retourner à Sèvres, souhaite passer par sa propriété et demande à Émylie et Mosèle de l'accompagner.

Lorsqu'ils arrivent sur les lieux, ils découvrent une équipe de la police scientifique fouillant dans les gravats que les lances d'incendie ont transformés en une boue noirâtre, coagulée depuis lors.

Devant ce spectacle, Hertz vacille, se met à trembler comme s'il était pris d'une fièvre subite. Émylie et Mosèle lui donnent chacun le bras. Il avance en titubant, sur le point de pleurer.

— Je n'ai pas encore osé dire à Léa ce qui s'est passé, avoue-t-il. Je l'ai appelée ce matin. Je pensais l'emmener en convalescence ici et...

— Vous ne lui avez pas même appris la mort de Jacques ?, s'étonne Mosèle.

— Je n'ai pas eu le courage. Elle m'en a tellement voulu de poursuivre cette affaire. Francis, Ernesto, Jacques... Tous les trois tués par les Gardiens du Sang. Plus rien... Tous mes livres brûlés ! Bon Dieu, je ne peux pas croire que c'est le Vatican qui tient les commandes. Le pape est mourant. Pour qui les Gardiens agissent-ils maintenant ? Qui ?...

Le lieutenant de l'équipe scientifique vient vers eux. Un petit homme sans âge, aimable et compréhensif :

— Nous aurons sans doute terminé les relevés et les prélèvements dans la soirée, Monsieur Hertz ; vous pourrez alors déménager ce qui a été épargné.

— Oui, répond Hertz. Un ami du village m'a proposé de s'en charger. Mais il ne reste plus rien qui présente un quelconque intérêt à mes yeux. Ce à quoi je tenais se trouvait dans le corps de bâtiment qui a entièrement brûlé.

— Je comprends, compatit le lieutenant. Nous aurons sans doute besoin de vous au cours de notre enquête. Soyez assuré que nous ferons le nécessaire pour découvrir le criminel qui a mis le feu à votre maison.

— Je n'en doute pas, fait machinalement le vieil avocat.

Il ne parvient pas à détacher son regard des ruines. Les murs souillés de suie, les poutres jonchant le sol, les tuiles répandues...

— Venez, Martin, lui conseille Mosèle. Il est temps de rentrer. Vous monterez avec moi, Émylie conduira votre voiture.

— Didier a raison, souligne Émylie. Vous n'êtes pas en état de prendre le volant.

Hertz acquiesce d'un signe de tête et se laisse emmener vers les deux voitures laissées à l'entrée de la propriété. Parvenu à leur hauteur, l'avocat semble recouvrer un peu de volonté et de vie.

— Votre coffre, Didier. Ouvrez-le, je vous prie.

— Je devine pour quelle raison, Martin.

— Je veux le voir, le toucher. Je vous en prie !

Mosèle se résout à ouvrir le coffre de sa voiture. Hertz se penche. Il est là. L'objet sacré. Ce qui reste du Testament du Fou se trouve dans un vulgaire sac en plastique, à côté de l'anneau noirci par le feu.

Hertz se saisit de la pochette en plastique, l'ouvre, en sort délicatement le manuscrit dont il ne reste que la couverture épargnée par les flammes, ainsi que quelques pages racornies.

Émylie s'est approchée.

— Inutile de vous tourmenter ainsi, Martin. Vous n'êtes pas responsable.

— J'étais le Dépositaire de cet Évangile... Je devais le préserver !

Tandis qu'Émylie remet d'autorité le manuscrit dans son sac, Mosèle fait monter son ami dans la voiture :

— Allez, on rentre !

Une fois installé, Hertz demande à Mosèle qui met le contact :

— Ne pensez-vous pas que j'aurais dû dire à cet enquêteur que j'avais déjà été victime d'une agression au cours de laquelle ma femme a été blessée ?

— Il l'apprendra vite, Martin. La police possède des ordinateurs suffisamment intelligents pour établir ce genre de recoupement. Des ordinateurs qui relieront quelques points : vous connaissiez Francis et il est mort, vous connaissiez Ernesto et il est mort, vous me connaissez et mon bureau a été visité ! La police tissera bientôt un maillage serré autour de vous. Mais il se peut aussi qu'elle passe à côté de certaines évidences.

— Il nous faut l'espérer, lâche Hertz. Comment répondre aux questions que les enquêteurs ne manqueraient pas de nous poser ?

— Avouer que nous cherchons le Tombeau du Christ et qu'une société secrète rattachée au Vatican nous élimine les uns après les autres ? Non, nous ne pourrions rien dire de ce genre sans passer pour de dangereux mythomanes. Je devine alors que ma carrière à la Fondation Meyer s'achèverait du jour au lendemain. Nous sommes seuls. Vraiment seuls ! À moins que la mythique Loge Première que vous évoquez puisse nous venir en aide ?

Hertz se renfrogne, la tête dans les épaules, le front strié de rides profondes.

— Vous ne répondez pas, Martin ?

— Je n'ai pas autorité pour prendre une décision. Je peux cependant vous affirmer que j'ai fait une requête vous concernant, et que j'attends la réponse.

— Une Loge bien secrète ! Si secrète que j'en viens à douter de son existence. Ne serait-elle pas plutôt un simple club dans lequel une poignée d'initiés débattent du sexe des anges ?

— Vous n'êtes guère charitable avec cette confrérie fondée par Jésus, Didier. Et à laquelle j'ai l'honneur d'appartenir !

— Je suis désolé. Sa filiation avec le Christ reste hypothétique à mes yeux. J'avoue avoir été troublé par les récits que vous nous avez faits. Il n'empêche que je m'étonne que cette Loge ne soit pas parvenue à transmettre son principal secret, et qu'il lui faille aujourd'hui résoudre cette potentielle énigme en décortiquant un Évangile occulte…

— Je vous l'ai dit, reprend Hertz. La Loge Première a souffert d'une scission sous le règne de Philippe le Bel. Cette division a entraîné la perte d'une grande partie de sa Tradition. Nous pensons que seuls les Grands Maîtres de la Loge se confiaient oralement le Secret. Celui-ci a probablement été emporté dans la tombe par Jacques de Molay. Cependant, nous sommes certains que les Templiers avaient indiqué l'emplacement du Tombeau dans le Testament du Fou.

— Dans une énigme, un rébus, quelque chose de ce genre ?, raille Mosèle.

— Pourquoi pas ?

— Cependant, Francis aurait découvert le lieu, à en croire ses lettres et la cassette qu'il m'a envoyées, remarque le jeune homme.

— Je pense qu'il existe plusieurs chemins pour atteindre au but. Nos aînés, les Templiers, étaient prudents ; ils ont manifestement laissé quelques pistes derrière eux à l'usage de leurs héritiers. Les actuels frères Premiers ont peut-être sous les yeux cette vérité qu'ils ne voient pas.

— Justement, renchérit Mosèle, c'est bien cela qui me tracasse ; étant vous-même un Premier, Martin, et possédant le Testament du Fou, comment se fait-il que vous ne soyez pas parvenu à résoudre ce mystère ?

— Mes pas m'ont toujours conduit à la petite chapelle en forêt d'Orient. C'est là, toujours là que je me suis arrêté, que le chemin s'est brisé. Le sépulcre est tout proche, forcément dans la partie marécageuse, l'endroit que Hugues de Payns a investi des années durant pour y réaliser de nombreux travaux. Oui, je me dis que Jésus repose bien dans ce périmètre...

— Au cœur d'un triangle, souligne Mosèle.

— Un triangle ayant pour sommets les Loges du Bailly, aux Chèvres et de la Lionne.

Hertz a proposé à Émylie et Mosèle de passer le restant de la journée en sa compagnie à Sèvres. Le vieil avocat a avoué craindre la solitude et désirer partager son chagrin.

Dans le bureau, la pièce qu'il affectionne, celle qui lui ressemble le plus, il s'est servi whisky sur whisky. La nuit tombée, Émylie et Mosèle sont restés de peur de le voir s'effondrer.

Mosèle tente de le raisonner :

— Je ne suis pas certain que vous soyez apte à supporter un nouveau verre, Martin.

Mais Hertz est homme de défi et répond d'une voix pâteuse, l'œil fiévreux :

— À votre place, je ne parierai pas, Didier... Ce... ce soir, je crois que je suis bien capable de descendre un litre de ce single malt !

Le vieil avocat se retient à la table, gesticule en moulinant l'espace d'arabesques hasardeuses et répète avec insistance qu'il est capable de boire deux bouteilles comme celle, généreusement entamée, qui n'attend plus que d'être vidée.

Il ne se passe que très peu de temps avant qu'il ne se resserve un grand verre.

— Il y a là-dedans de… de quoi chasser l'image de mon vieux Jacques en train de brûler sous nos yeux !

— Mais son souvenir vous reviendra dès que vous serez dégrisé, lui remontre Émylie. Dans quel état serez-vous alors ?

La réponse ne vient pas tout de suite. Hertz préfère boire et prouver qu'il n'a besoin d'aucun support pour garder l'équilibre. Aussi lâche-t-il la table pour faire un pas. Seulement un. Ce qui constitue déjà une victoire. Laquelle le transporte d'une fierté hilare et grotesque.

Mosèle se prépare à intervenir, à bondir de son fauteuil pour lui prêter secours en cas de chute. Le gros chat titube sur place, les joues cramoisies, la sueur au front, les sourcils arqués.

Hertz pointe un doigt en direction d'Émylie et s'adresse à elle :

— Vous… Vous pensez à Francis, n'est-ce pas ? C'est ce… ce foutu manuscrit qui l'a tué… Qui nous tuera les uns après les… les autres ! Lui et sa maudite Vérité… Grillée, la Vérité ! Envolée en fumée, la Vérité !

La crainte de Mosèle se justifie aussitôt. Hertz tangue d'avant en arrière, le sol se dérobant sous lui. Il cherche à se rattraper au vide. « Hé, merde ! », s'exclame-t-il en renversant le contenu de son verre sur le Testament du Fou retiré du sac en plastique et posé sur la table au côté de l'anneau.

Émylie et Mosèle ont bondi de leur fauteuil. Le premier se précipite sur les restes calcinés du manuscrit trempé d'alcool, la seconde retient tant bien que mal cent vingt kilogrammes de chair et d'os, leur prêtant une épaule pour leur éviter de s'étaler sur le sol.

— Désolé, s'excuse-t-il. Passagère perte de contrôle !

— C'est stupide, se désole Mosèle. Peut-être pouvions-nous encore sauver quelques textes…

Le jeune homme regarde avec dégoût la loque de vélin qui dégoutte d'un liquide brun. « De la bouillie ! »

Aidé d'Émylie, Hertz se traîne jusqu'à un fauteuil où il s'effondre misérablement, débraillé et transpirant. Il réalise seulement qu'il vient de parachever l'œuvre des Gardiens du Sang, lui, le Dépositaire de la Loge Première !

Ce constat l'a un peu dégrisé. Il regarde Mosèle ouvrir le piteux oripeau, en tourner méticuleusement les pages afin de les décoller à gestes lents de chirurgien.

Soudain, le jeune homme s'arrête. Médusé. Il se penche un peu plus près, le nez à toucher la relique : « Mais, nom de Dieu ! »

Il n'a pas crié. Il ne s'est pas exclamé. Il a juste juré pour lui-même, d'une voix inhabituelle, une expression étrange illuminant son visage. Un mélange d'émerveillement et de stupeur.

— Quoi ?, demande Émylie, impatiente.

— Eh bien, Didier, reprend Hertz, vous venez de voir le diable vous faire la grimace dans ce morceau de charbon ?

Mosèle se retourne vers ses amis en souriant.

— Pas le diable, Martin, dit-il. Mieux que cela : un beau petit miracle, plutôt ! La page contenant le dessin d'Agnan de Padoue ! L'image de Dieu Créateur... Un motif est apparu dans la trame du papier.

— Que veux-tu dire ?, s'étonne Émylie en se levant, suivie d'un Hertz aux jambes encore fragiles.

Tous deux se rapprochent de la table et se penchent à leur tour sur les restes du Testament du Fou. Sur la page calcinée, rongée, trempée, où Agnan de Padoue dessina autrefois le Dieu Créateur mesurant la Terre à l'aide de son compas.

L'enluminure a presque totalement disparu, ses rouges, ses bleus et ses ors dévorés par les flammes. Mais, en sous-impression, un motif bleuté est en train de poindre, de s'imposer comme par prodige dans la trame noircie du parchemin.

— On dirait un négatif photographique, avance Émylie.

— Regardez, Martin. Voici la seconde raison pour laquelle les Templiers tuèrent Nicolas et Agnan de Padoue. Ils leur avaient imposé de dissimuler ce plan sous l'image réalisée par Agnan.

— Un plan !, lance Hertz en reprenant pied dans la réalité. Un tracé occulte ! Voilà ce que nous avions sous les yeux et que nous ne pouvions voir ! Voilà pourquoi Philippe... Philippe Auguste offrit au pape l'autre exemplaire... Celui-là ne contient pas ce message laissé par les Templiers.

— Comment ont-ils procédé ?, interroge Émylie. Quel phénomène chimique ont-ils utilisé ?

— Une encre composée de sels métalliques, propose Mosèle. Sulfate de cuivre ou chlorure de cobalt... Sous l'effet conjugué de la chaleur et de l'alcool, les sels métalliques se sont colorés dans les fibres du papier. Il faut à tout prix que j'étudie ce document au labo.

— Est-ce la clef qui nous manquait ?, hasarde Émylie.

— Ne nous emballons pas, dit Mosèle. Cette épure me paraît bien hermétique et risque de nous demander un gros travail technique pour la rendre parfaitement lisible. L'abbé Jacques ne s'est pas sacrifié en vain, Martin. En sortant le Testament de la cave en feu, il a sauvé ce message que les Templiers nous ont envoyé à travers le temps.

— Un petit réconfort, Didier, avance Hertz. Et quelle ironie du sort... Ce... ce sont les Gardiens du Sang eux-mêmes qui ont contribué à la révélation de ce prodige !

— Il s'agit maintenant de faire parler ce schéma et de le confronter aux précédentes énigmes : les indications notées en marge du manuscrit et la lettre de Hugues de Payns. Je pense que j'aurai besoin des lumières de Norbert Souffir. Il n'a pas son pareil pour décrypter ce genre de devinette. De plus, il n'est pas dupe ; il a compris ce que je cherchais.

— Votre vieux traducteur..., approuve Hertz. Bo... bonne idée !

Malgré Émylie qui tente de le retenir, Hertz se ressert une nouvelle rasade de whisky et s'écrie :

— Instant solennel qui... qui exige une dose de Cardhu... Trinquez avec moi, mes amis... À la mé... mémoire de Jacques !

— Très mauvaise initiative, lui lance la jeune femme.

Confiant en sa résistance, Hertz ingurgite d'un trait un plein verre, cou tendu, yeux au plafond. Il demeure ainsi durant quelques secondes, le regard perdu. Puis s'effondre à la renverse.

Il gît sur le sol, adressant une grimace de douleur à Émylie et Didier, et annonce :

— Désolé... La baleine s'est lamentablement échouée... Pari perdu, Didier... Je ne tiens plus l'alcool ! L'âge, sans doute...

Didier a reposé le manuscrit sur la table et s'emploie à relever le vieil avocat. Émylie lui donne un coup de main, la tâche s'avérant des plus difficiles.

— Je vais vous aider à monter dans votre chambre, dit Mosèle. Je ne vois qu'une bonne nuit de sommeil pour effacer une gueule de bois pareille !

— Ou un quintal de somnifères !

Dans leur repaire, les trois Gardiens du Sang ont écouté sur leur récepteur la scène qui vient de se dérouler dans le bureau de Hertz.

L'homme compose un numéro sur son téléphone portable. Deux sonneries. Son interlocuteur décroche.

L'homme fait un rapide récit de l'événement.

— Non, Monseigneur, conclut-il. Ils n'ont pas décrit le dessin. Ils ont juste évoqué un plan. Tout de suite ? Oui, j'arrive.

L'homme referme son portable, attrape son trench-coat suspendu à un clou et se dirige vers la porte écaillée.

— C'est bizarre, dit-il en se retournant. J'aurais cru que Monseigneur entrerait dans une colère noire, alors qu'il a semblé plutôt amusé par ce que je lui ai appris.

— Il vous a donné rendez-vous ?, interroge Carlo.

— Oui, je file. Cet événement impose sans doute une réaction immédiate de la Loggia. Restez à l'écoute…

Puis il sort, descend l'escalier de bois vermoulu, veillant à ne pas poser le pied sur les quelques marches branlantes, et se rend vers sa voiture. « Un plan, pense-t-il. Les Templiers avaient dissimulé un dessin sous l'enluminure ! Il aura fallu cet étonnant concours de circonstances – le feu et l'alcool – pour le révéler. Comme le négatif d'une photo, a dit la veuve Marlane… »

67

La huitième lettre

— Vous pourriez y mettre du vôtre, Martin !

— J'essaie… Je… je ne savais pas que j'avais autant vieilli.

— L'âge n'a rien à voir avec l'état d'ivrognerie dans lequel vous êtes ! Tenez la rampe et ne la lâchez plus, je vous pousse aux fesses ! Je n'ai pas envie que vous m'emportiez avec vous dans votre chute.

L'ascension de l'escalier menant à l'étage se révèle une tâche périlleuse ; Hertz souffle comme un bœuf et s'arrête à chaque marche, pris de vertige, le cœur au bord des lèvres.

Du vestibule, Émylie observe la lente et laborieuse escalade, ne pouvant s'empêcher de sourire devant le comique de la situation. Mosèle est en train de perdre patience ; il a beau jeter toutes ses forces dans l'entreprise, Hertz ne se hâte pas pour autant. Dès qu'il a posé le pied sur une nouvelle marche, il se lance dans un discours, évoquant pêle-mêle la mémoire de Francis Marlane, celle d'Ernesto Pontiglione et celle de l'abbé Jacques, ponctuant ses propos de sanglots ou de rires nerveux.

Enfin, au terme d'efforts répétés, d'encouragements et de marques de réprobation, Mosèle parvient à faire atteindre le palier à son ami.

— Quand les… les frères de la Loge Première apprendront qu'en se consumant, le Testament du Fou nous a certainement dévoilé son plus grand mystère…

— C'est le principe même de l'alchimie, observe Mosèle. Mourir pour renaître dans la pleine lumière.

— « *Et la lumière luit dans les ténèbres* », cite le vieil avocat… C'est… c'est ce qu'a dit Jean l'Évangéliste.

— Une formule appliquée par les Templiers pour camoufler leurs précieuses indications.

Le danger de chute étant écarté, Émylie, rassurée, revient dans le bureau. Elle n'a pas fait trois pas qu'elle découvre une silhouette qui l'épie derrière la fenêtre. Une ombre penchée sur le carreau et qui la regarde derrière de grosses lunettes. Un homme portant un chapeau, qui s'écarte soudainement et se dissout dans la nuit.

— Oh, Didier !, crie-t-elle. Didier…

— Qu'est-ce qu'il y a encore ?, demande Mosèle depuis le palier du haut.

— Ce type, l'homme au chapeau !

Mosèle impose à Hertz de s'asseoir sur la marche supérieure et de l'y attendre.

— Ne bougez pas, Martin. Accrochez-vous aux barreaux et ne tentez rien !

— En… entendu. Aucune initiative…

Mosèle dévale l'escalier, traverse le vestibule, surgit dans le bureau. Émylie, blême, lui désigne la fenêtre par laquelle elle a entrevu la silhouette.

— Il était là ! Le nez collé au carreau. Il a fichu le camp lorsqu'il s'est rendu compte que je l'avais aperçu.

— Toujours lui !, souffle Mosèle. Il portait des lunettes, une moustache ?

— Je crois, oui. Cela s'est passé si vite ! Il m'a fichu une de ces frousses...

— Je comprends, je suppose que j'aurais éprouvé la même trouille, admet Mosèle en ouvrant la fenêtre pour en enjamber le rebord.

— Je me demande depuis combien de temps il était là à nous observer.

Le jeune homme saute dans l'allée de gravier, traverse le minuscule jardin, descend la volée de marches qui mène à la grille et se retrouve à arpenter en vain la rue Jacquard. « Tu parles ; le messager d'outre-tombe a eu le temps de déguerpir. Qu'est-ce que j'imaginais ? Un spectre, ça va, ça vient... Rien de plus naturel par une nuit pareille. »

Éclairage blafard des lampadaires. Brume de pluie qui tronque les perspectives. Mosèle jette un dernier coup d'œil et se décide à revenir sur ses pas. En passant devant sa Golf, il remarque une lettre coincée dans l'un des essuie-glaces. Il sait déjà de quoi il s'agit. Il s'en empare. « DIDIER MOSÈLE » est écrit de la main de Francis Marlane. Les « I » sont légèrement inclinés. « La huitième lettre ! Cela aussi, j'aurais dû le prévoir ! »

Il revient vers le pavillon, retrouve Émylie à qui il montre l'enveloppe.

— Le type a disparu, comme à son habitude, mais il m'a laissé du courrier coincé sous l'essuie-glace.

— Un mot de Francis... Quelle idée morbide il a eue de rédiger ces lettres avant de mourir ! Et comme il devait t'aimer pour l'avoir fait !

Mosèle déchire l'enveloppe et en sort la feuille de papier bistre ; Émylie s'est rapprochée. Ils lisent d'une même voix :

Très Cher Didier,

Puisque vous lisez cette lettre, c'est que vous persistez dans votre quête. Je ne peux vous aider qu'en vous suppliant :
NE CHERCHEZ PLUS À DÉVOILER LE MENSONGE !
Oubliez ce que je vous ai dit sur le Christ. La vérité est la Mort.
Votre frère Francis.

La voix tonitruante de Hertz retentit dans tout le pavillon. Un beuglement impatient :

— Didier ! Vous allez me laisser dormir dans l'escalier ?

— C'est vrai, j'oubliais mon job de papy-sitter...

Mosèle fourre la lettre dans la poche arrière de son jean et grimpe jusqu'à l'étage où Hertz l'attend, assis sur la dernière marche, s'agrippant des deux mains à un barreau de la rambarde.

— Il est rare qu'un sherpa abandonne son client en pleine ascension. Que s'est-il passé ? Pourquoi Émylie a-t-elle crié ?

— Elle a surpris le postier de Francis qui m'a apporté une nouvelle mise en garde.

— Cet... cet inconnu ne vous lâche plus d'une semelle. Il savait donc vous trouver chez moi.

— C'est ce qui m'étonne ; il n'ignore rien de nous. Rien !

La chambre. Mosèle soutient Hertz pour y entrer, le conduire jusqu'au lit sur lequel il le laisse s'affaler. Le sommier ploie sous sa masse. Le jeune homme allume une des deux lampes de chevet. Il éprouve un sentiment étrange. Le parfum, d'abord. Celui, doux et sucré, de l'eau de Cologne et du linge frais repassé. Du linge en piles dans l'énorme armoire de bois roux, rangé par Léa comme devait le faire sa mère. Les meubles, les tapis, l'édredon, le traversin, les aquarelles aux murs. Un univers figé. Un petit monde désuet dans l'intimité duquel Mosèle fait irruption avec l'impression de le violer.

— Seigneur, comme je suis fatigué !, se plaint Hertz, les bras en croix sur le lit, s'enfouissant dans l'édredon qui l'absorbe.

— Justement, vous devez dormir, lui conseille Mosèle en délaçant ses chaussures. Pensez à Léa. Il faut que vous soyez fort pour elle.

— Léa... Les Gardiens du Sang ont failli la tuer, elle aussi. J'ai l'impression que c'est moi qui attire la mort.

— Là, vous dites des conneries, Martin.

Les chaussures retirées sont jetées sur la carpette, puis Mosèle aide son ami à se glisser entre les draps sans même chercher à entreprendre un improbable déshabillage.

— Je vous borde, vieux frère, et je rejoins Émylie.

— Merci, Didier...

— J'emporte ce qui reste du Testament du Fou pour l'examiner avec Souffir.

— Si vous voulez, balbutie Hertz au bord de l'endormissement. Vous savez, cet inconnu… c'est le fantôme de Francis.

— Dormez, Martin.

Attendre… attendre que les battements de son cœur se calment, que se dissipe sa tension, que ses mains cessent de trembler. Il repartira après. Il mettra le contact et retournera sur Paris.

Il s'est couché sur le siège avant de sa voiture, le temps que Mosèle parcoure la rue à sa recherche. Comme l'autre fois, il y a un siècle. L'autre fois, avenue de la Porte-Brancion, quand il a failli être surpris.

Attendre…

« Il ne reste plus qu'une lettre. La neuvième ! »

68

Conciliabule

Cette fois encore, l'homme est le premier à rentrer dans l'église. Il se fait un honneur de devancer Monseigneur pour l'accueillir. Comme la fois précédente, tout se passera très vite. Quelques phrases. Puis Monseigneur donnera un ordre.

Il ne s'est pas écoulé une minute que la petite porte occidentale grince, qu'une grande forme pénètre en silence dans l'église, ses pas semblant glisser sur le dallage. Dans un long manteau noir, Monseigneur s'approche de l'homme et prononce les mots rituels :

— *Dominus vobiscum.*

— *Et cum spiritu tuo.*

Les yeux profonds et sombres se fixent sur l'homme qui peine à soutenir ce regard et préfère entamer sur-le-champ la conversation. Parler. Parler pour se donner contenance, se soustraire à cet examen intimidant. Il dit :

— Nous pensions en avoir fini avec l'exemplaire du Testament du Fou hérité des Templiers par la Loge Première. Comment aurions-nous pu prévoir ce rebondissement ?

— Ne vous faites pas de reproches. Cette découverte providentielle risque de servir nos intérêts.

— Je ne vois pas de quelle manière.

— Vous rêviez de faire sortir la Loge Première de l'ombre, répond Monseigneur en souriant, eh bien, vous allez atteindre votre but ! Toutes les cartes de la partie seront prochainement retournées.

— Les Premiers ont probablement une longueur d'avance sur nous. De plus, cette confrérie est si secrète que nous ne sommes jamais parvenus à l'infiltrer ! Nous savons juste que Hertz est l'un de ses membres.

— C'est suffisant.

— Nous nous doutons aussi qu'il entretient des relations avec certains cardinaux. Pensez-vous que le pape pourrait apprendre que… ?

— Nos agents italiens ont écarté le Saint-Père de cette affaire qui le dépassait.

— Cependant, Guillio ne doit pas être considéré comme un pion négligeable, insiste l'homme.

— Ce n'est plus qu'une pièce hors de son échiquier. Je contrôle désormais toutes les Loggias des Gardiens du Sang.

— Nous aurons bientôt achevé notre combat ; le Secret demeurera scellé dans ce millénaire comme il le fut dans les deux précédents.

— Les mouches sont néanmoins nombreuses à tourner autour du cadavre !

Monseigneur fait quelques pas, laissant croire à son interlocuteur que cette conversation l'ennuie. Il se dirige vers un cierge allumé dont la petite flamme tremblote dans un courant d'air. D'un geste rapide, il passe une main au-dessus de la flamme et s'exclame :

— Je sais… Oui, je sais ! Nous devons donc écrire les tout derniers chapitres de cette histoire. Vous ai-je déjà parlé des quatre éléments ?

— Non, je ne pense pas, avoue l'homme en s'approchant.

— Pour être initié, un franc-maçon doit subir les épreuves de la terre, de l'air, de l'eau et du feu.

— Je comprends. Vous m'aviez ordonné d'utiliser le feu pour détruire le Testament.

— Êtes-vous prêt à recevoir un nouvel ordre ?

— De vos lèvres, et de vos lèvres seulement, Monseigneur.

Ils ont tiré la porte derrière eux, préoccupés chacun de savoir Martin Hertz seul, abruti par un semi-coma éthylique. En montant dans sa voiture, Mosèle, pour se rassurer ou s'absoudre, dit :

— Je lui passerai un coup de fil demain de bonne heure, quitte à le réveiller.

— Tu me ramènes chez moi ?, demande Émylie.

— Tu as tes bagages dans mon coffre, non ? Entre nous ne trichons pas : tu peux passer la nuit à mon appartement. Et même la fin de la semaine, si tu veux. Entre amis !

— Entre vieux amis !

Émylie s'installe, gardant soigneusement sur ses genoux le Testament du Fou glissé dans une large enveloppe de papier kraft. Mosèle le désigne du menton en mettant le contact :

— Rudement malins, les Templiers... Et prévoyants ! L'édition du Testament du Fou que possède le Vatican ne contient donc ni ce plan ni toutes les annotations que les frères Premiers – si c'est ainsi qu'il faut les nommer –, mirent en marge au cours des siècles.

— Ce qui nous donne une certaine avance sur les Gardiens du Sang, n'est-ce pas ?

— Enfin une ouverture rassurante ! On devrait pouvoir les prendre de vitesse et sauver notre peau en faisant la plus fantastique des découvertes historiques. Je te parie que le plan apparu par magie sous l'enluminure donne l'emplacement du Tombeau. À condition d'en comprendre les arcanes.

La fausse moustache et les lunettes aux verres épais sont posés sur le bureau à côté du petit coffret qui ne contient plus qu'une lettre. Il est minuit dix et il ne parvient pas à dormir. Il a pris deux cachets de Bromazépam et un comprimé de Stilnox – en vain. Il s'est rabattu sur le cognac. L'alcool lui brûle l'estomac car il n'a rien mangé de la journée.

Il a ouvert l'un des carnets rouges. Il examine une page de notes en désordre figurant un diagramme complexe fait de traits unissant des noms. Une sorte d'arbre dont la branche principale porte le nom de JÉSUS avec, juste en dessous, le nom de JEAN, doublé. Puis, un peu plus bas, le mot PREMIERS auquel est accordé l'ensemble LOGE PREMIÈRE, immédiatement suivi de HUGUES DE PAYNS, puis une grande ligne droite qui conduit à HERTZ que Francis Marlane a entouré de rouge. Trois croquis sans doute ajoutés ultérieurement se superposent à l'ensemble et forment un triangle : une tête de chèvre, une de lion et un fléau de justice. En bas de page, enfin, la copie de la lettre de Hugues de Payns envoyée à son cousin Bernard ; certains mots en sont soulignés :

Par votre sainteté et amitié sincère, Bernard, vous devez savoir qu'en terre d'ombre repose dès lors notre frère Premier. Par mes soins en grande sécurité a été mis, pour les siècles, étendu entre Orient et Occident. Pour l'éternité Il sera la Lumière dans l'Ombre. Les deux Jean sur lui veilleront du Midi au Minuit.

Il se prend la tête entre les mains. Il sent les larmes venir. Il va sans doute pleurer. Encore. Encore pleurer... Il ne parvient plus à se retenir et cela lui arrive même quand il se trouve à l'extérieur. Pleurer. Il aimerait tant être plus fort !

« Comment faire ? Je suis seul... Si Émylie se doutait que je la dupe ainsi ? Ils doivent abandonner ! Avant la dernière lettre... Ils le doivent ! »

Se lever. Aller se passer le visage sous l'eau.

Mais, une fois debout, il s'effondre en sanglots, tente de se cramponner à son bureau qui ne le soutient pas, et bascule avec lui dans les ténèbres.

Dormir...

Il est allongé sur le sol. Il vomit une bile mêlée d'alcool sans même s'en rendre compte.

Mosèle dépose leurs bagages dans l'entrée.

— J'aurais imaginé un retour de week-end plus romantique, dit la jeune femme. Moins morbide !

— J'ai le sentiment que nous sommes en sursis. Avec une menace planant en permanence au-dessus de nous ! Lorsque j'ai aidé Martin à se coucher, celui-ci m'a dit qu'il attirait la mort. Il m'a donné le sentiment d'y croire pour de bon.

— Il y a de quoi, non ?

— Oui. Inutile de refaire le calcul. On meurt en effet beaucoup autour de lui.

Émylie défait ses chaussures et se rend dans le salon, place le Testament du Fou sur une petite table basse et se laisse tomber sur le canapé.

— Tu sais, Didier, commence-t-elle, j'ai vraiment l'impression que ton vieux « franc-mac » de Hertz est au centre de toute cette affaire ; tu n'as pas tort quand tu dis que c'est *autour* de lui que les gens tombent ! Ses amis, surtout... Tous ceux qu'il entraîne dans son rêve.

— Intéressant, sourit Didier. Et tu as une petite idée de la nature de son rêve ?

— Le même que le tien. Le même que celui de Francis. Et peut-être le mien aussi, maintenant. Chacun ayant ses raisons propres. Chacun fourrant dans ce rêve ses fantasmes personnels.

— Continue, miss Freud !

— Ce rêve est le syndrome du miroir.

— C'est nouveau pour moi.

— Normal, c'est de mon invention. Cela consiste à se regarder dans le miroir et de s'y voir à l'endroit. Tu comprends ? Voir ton reflet non inversé. Être ton propre jumeau. Découvrir ce que tu ne vois jamais de « toi ».

— Chercher le Tombeau du Christ serait donc un symptôme de ce syndrome-là ?

— Chercher la Vérité, Didier. Et accepter de mourir pour cela. De tout perdre. Tel Hertz qui a tout perdu.

69

Le Premier

La Fondation Meyer, mardi, sept heures quinze.

Les yeux vissés aux œilletons d'un traceur isotopique, Mosèle, seul dans le laboratoire du « dépouillage », examine l'image apparue sous l'enluminure du Testament du Fou.

Lorsque, derrière lui, quelqu'un pousse la porte, sans même se retourner il fait un geste de la main.

— Bonjour, Norbert, merci d'être venu… J'ai fait du café !

— Vous êtes un drôle de type, Didier ! Hier, vous étiez injoignable alors que nous avions besoin de vous ici, et vous me réveillez à cinq heures du matin pour me demander de vous retrouver toutes affaires cessantes !

Souffir referme la porte derrière lui et se rend directement à la cafetière électrique tout en poursuivant :

— Où étiez-vous passé ? Pas moyen de déclencher votre balise Argos ? Le directeur a piqué une sacrée colère. Vous aviez oublié que nous avions une réunion avec les huiles du Directoire et le secrétaire d'État ?

— J'espère que vous avez tenu votre langue, s'inquiète Mosèle.

— Naturellement. On leur a fait avaler quelques bobards enrobés dans un discours scientifique qui les a endormis. Vous auriez vu Hélène faire son numéro de charme ! Je crois bien que son jeu de jambes a été pour beaucoup dans le renouvellement de l'intégralité de nos subventions.

— J'imagine… Venez jeter un coup d'œil là-dessus.

Souffir remonte ses lunettes sur son front et se penche à son tour sur le traceur.

Mosèle se ressert une tasse de café tout en observant les réactions du vieux chercheur. Ce dernier demeure plus d'une minute à examiner le document. Quand il se redresse, sa physionomie trahit sa curiosité. D'un coup de pouce, il replace ses lunettes sur son nez et demande :

— De quoi s'agit-il ? D'où provient ce dessin ?

— J'ai achevé de le révéler chimiquement. Il était dissimulé sous la peinture d'une enluminure du XIIᵉ siècle.

Mosèle retire avec une extrême délicatesse le Testament du Fou brûlé aux trois quarts et le porte jusqu'à la table de scannage.

— Pourquoi moi, Didier ? Pourquoi m'avoir fait venir ? Vous auriez pu demander à Rughters, à Hélène…

— Vous le savez fort bien, Norbert. Qui mieux que vous serait en mesure de me donner un coup de main pour déchiffrer un tel mystère ? D'autant plus que vous avez deviné de quoi il s'agissait, n'est-ce pas ?

Mosèle s'installe devant l'écran de contrôle du scanner et entreprend le paramétrage des réglages.

Souffir s'est placé en face de l'appareil ; il regarde Mosèle peaufiner ses derniers ajustements et dit :

— La quête de Francis, la mort du professeur Pontiglione... Ce foutu secret qui tue tous ceux qui l'approchent !

— Vous avez quasiment traduit la totalité de 4Q456-458, et vous avez été le premier à comprendre que Jésus n'est pas mort sur la croix.

— Nous en avons parlé, et ensuite ? Ce *maskil* apparaissant dans les manuscrits de la mer Morte est certainement le Christ qui aurait d'ailleurs bien pu mourir de vieillesse à Qumrān !

— Jésus a voyagé, Norbert. Venez jeter un coup d'œil sur cet écran.

Souffir rejoint Mosèle à son pupitre. Le jeune homme tapote sur le moniteur en disant :

— Son Tombeau est quelque part dans ce labyrinthe, pas très loin de nous.

Le tracé qu'Agnan et Nicolas de Padoue ont dissimulé à la demande des Templiers dans la trame du parchemin représente un triangle rectangle, base en haut. Chacune de ses pointes possède un petit écusson, le premier contenant la tête stylisée d'un lion, le deuxième incluant la tête d'une chèvre, le dernier une balance symbolisant la Justice et évoquant le lieu-dit la Loge du Bailly. Sur la ligne transversale réunissant la figure de lion à l'écusson de la balance, les copistes ont dessiné un labyrinthe complexe, circulaire, accompagné à gauche et à droite de deux cercles vides.

— Oui, son tombeau est là, reprend Mosèle.

— Je vous connais bien, Didier, vous n'avez jamais énoncé de théories sans les avoir étayées auparavant ; cela signifie que celle-ci doit être prise au sérieux, n'est-ce pas ?

— M'aiderez-vous à décrypter ce tracé ?

Mosèle a terminé l'opération de scannage, il retire le Testament du Fou de l'appareil et retourne le replacer dans sa serviette tout en l'ayant préalablement recouvert d'une feuille de plastique.

— M'aiderez-vous, Norbert ?

— Naturellement. Retrouvons-nous ce soir chez moi ; j'ai un excellent whisky que je me refuse à boire seul.

— Je croyais être parvenu à dissimuler ce petit péché. Au fait, je serai sûrement accompagné d'un ami que j'aimerais vous présenter.

Léger sourire de Souffir.

— Il a un rapport avec cette histoire ? Ne s'agit-il pas de Martin Hertz, dont vous m'avez parfois parlé ?

— Vous êtes un vieux renard, Norbert.

— La maison de campagne d'un certain Hertz a brûlé dans l'Yonne, vendredi. Un incendie criminel… Et ce matin vous me sortez du lit pour me montrer un parchemin calciné avec un dessin mystérieux apparu dans le carbone ! Ce Hertz n'était-il pas à l'enterrement de Francis ? Ne connaissait-il pas le professeur Pontiglione ? J'ignore qui est réellement cet homme, mais je jurerais qu'il n'est ni historien ni archéologue.

— Excusez-moi, dit Mosèle, je n'avais pas compté avec vos remarquables facultés intellectuelles.

— Laissez tomber ce genre de flatterie, je n'en ai aucunement besoin pour m'intéresser à ce bout de parchemin. Donnez-m'en une épreuve ; je la fourre dans mon cartable et ne toucherai mot à personne de notre petit secret.

— Merci, Norbert.

— Je fais cela pour vous, Didier. Car je vous apprécie, et vous le savez bien, mais je fais cela aussi en mémoire de Francis.

— C'est pour cette raison que je vous ai remercié.

Huit heures trente.

Hertz vient de garer sa voiture devant le perron de l'imposante maison bourgeoise. Il rentre le cou dans le col relevé de son manteau, à cause de la pluie fine qui s'est mise à tomber. Il gravit six marches et se présente à la large porte qui s'ouvre sans qu'il ait eu besoin de sonner. Un homme d'une cinquantaine d'années apparaît sur le seuil.

— Bonjour, Maître.

— Bonjour André, répond Hertz en souriant et en pensant que le majordome n'a jamais pu se défaire de sa manie : lui donner du « maître » à chaque fois qu'il le voit.

André s'efface pour le laisser passer.

Hertz quitte son manteau et le tend à André qui désigne l'escalier monumental en disant :

— Il vous attend à l'étage, dans le salon bleu.

Hertz traverse lentement le hall, prenant le temps d'apprécier sa décoration et ses tableaux, un petit Diaz de La Peña en particulier : la pochade rapide d'un chemin s'enfonçant dans un sombre sous-bois. Il ignore pourquoi ce sentier de craie disparaissant progressivement parmi d'épaisses frondaisons l'inspire autant, réveillant en lui des souvenirs d'enfance parfumés de tourbe…

Il se dit toujours, en l'admirant, qu'il aimerait que sa mort ressemble à ce tableau. Une ultime promenade vers une mystérieuse forêt.

Passant devant un fauteuil roulant positionné dans l'attente de son propriétaire, il s'engage dans l'escalier équipé d'un siège pour infirme fixé à une crémaillère le long du mur.

Parvenu au palier, Hertz marque une nouvelle halte devant une marine d'Eugène Isabey au ciel embrasé d'un coucher de soleil d'été. Puis il emprunte un couloir dont les murs déclinent d'innombrables gravures au trait du XIXe siècle.

Toute la demeure semble immobilisée dans un passé qui n'en finit pas de s'éterniser, accroché aux tapis anciens, aux lourdes tentures, aux boiseries. Tout y est immuable, suranné.

Hertz pénètre dans le salon bleu uniquement éclairé par la lumière du jour qui traverse la seule des trois fenêtres à n'être pas obturée par des doubles rideaux bleus.

Devant cette fenêtre se tient de dos un homme, dans son fauteuil roulant. Il fait un geste de la main droite à l'intention de son visiteur, l'invitant à le rejoindre. Le bras gauche ne bouge plus depuis quatre ans. Séquelle d'une congestion cérébrale.

— Orient-Origine, prononce Hertz.

— Entrez, Martin, lui répond une voix faible. Venez vous asseoir à côté de moi.

Tout en parlant, l'infirme a légèrement fait pivoter son fauteuil dans la direction de son avocat en le commandant à partir d'un boîtier électrique placé sur l'accoudoir droit.

Hertz s'approche et s'assoit sur la chaise libre qui l'attendait manifestement et qui craque légèrement en le recevant.

L'homme est un vieillard décharné, flottant dans un impeccable costume noir. Il a les joues creuses, les orbites sombres, les lèvres fines et sèches, le cou grêle et les cheveux blancs, abondants malgré son âge. Il garde en permanence la tête penchée sur son épaule droite, le visage douloureux, à demi paralysé.

Il dit :

— Notre frère le cardinal m'a un peu forcé la main pour vous recevoir en dehors d'une Tenue. Je ne suis pas certain que cela soit bien prudent.

— Les événements l'exigent, frère Premier, répond Hertz.

— Ne m'avez-vous pas déjà tout dit au téléphone, ce matin ? Le Destin s'est joué des Gardiens du Sang en nous dévoilant le secret du Testament du Fou. Au fait, vous êtes venu me montrer ce qu'il en reste ?

— Je l'ai laissé à Didier Mosèle..

— Je vois. Vous avez bien fait. Toujours votre manière d'agir... subtile, féline !

— Justement. Je suis fatigué, mon frère. Fatigué de dissimuler, de mentir... Fatigué de mes veilles ruses.

— Nous sommes tous les deux fatigués, Martin. Il nous faut néanmoins tenir encore un peu.

L'avocat aimerait s'allumer un cigare, en sentir l'odeur de miel et de cuir. Mais le Premier ne supporte pas le tabac.

— Nous aurions dû lui dire, pour Francis Marlane, reprend Hertz. Oui, nous aurions dû le dire à Didier Mosèle.

— Surtout pas ! Francis ne lui a rien avoué pour le préserver ; nous ferons de même, conformément à notre serment.

— Nous nous servons de lui comme nous avons utilisé Francis, proteste Hertz en élevant la voix.

— Je ne vois pas les choses ainsi, Martin. L'un et l'autre ont fait un choix. En conscience. Francis a eu le tort de jouer cavalier seul alors qu'il approchait du but. Et nous l'avons perdu ! Cette fois, c'est différent, vous maîtrisez Mosèle. Le hasard a voulu qu'il vienne à vous.

Hertz hausse les épaules.

— Le hasard ? Je lui ai donné un sérieux coup de pouce ! Et avec l'autorisation de la Loge Première. Avec sa bénédiction, devrais-je même dire. Il n'y avait que Mosèle pour reprendre l'enquête de Francis. Tous les Premiers en étaient persuadés.

Le silence s'installe alors entre les deux hommes qui regardent tomber la pluie sur le parc de la propriété. Le Premier se passe la main droite sur le front et rabat en arrière une mèche de sa chevelure de neige. C'est lui qui rompt le silence :

— Vous souhaitez que l'on ouvre le Plan pour Mosèle ?

— En effet...

— Le recevoir en Tenue obscure ?

— Ne répétons pas l'erreur que nous avons commise avec Francis Marlane, insiste Hertz.

312

— Je comprends… Vous pensez que le Plan pourrait être complété par celui que vous avez découvert sous la gravure des frères de Padoue ? C'est cela que vous avez en tête, n'est-ce pas ?

— C'est exact. Notre quête touche à sa fin. Une quête qui a coûté bien des vies. Ne sommes-nous pas responsables de certaines morts ?

— Nous avons cru pouvoir tout diriger dans le secret, mon ami. Nous pensions être les plus habiles dans ce complexe jeu d'ombres. Plus subtils que les Gardiens du Sang… Justement, d'après ce que vous m'avez relaté, j'en suis arrivé à ce constat : il existe une présence entre nous et les Gardiens… Quelqu'un qui a été lié à Marlane ! Quelqu'un qui sait beaucoup de choses… L'inconnu au chapeau ?

— Je ne l'ai jamais vu personnellement. Didier Mosèle a failli le surprendre par deux fois. Ce type se volatilise, tel un fantôme. Aucune idée à son sujet… Disons : pas d'idée rationnelle. C'est à croire que c'est le double de Francis Marlane qui poursuit son œuvre. Je crains qu'il ne me reproche beaucoup de choses.

— Vous êtes très romanesque, Martin. Un étrange manipulateur qui verse facilement dans la culpabilité.

— Non, je suis un vieil homme qui rêve de découvrir la Parole Perdue avant de mourir. Tout comme vous, mon frère…

— Je vais prendre en considération votre demande ; vous avez raison, il est temps de recevoir ce jeune professeur en audience… Je vous informerai.

Hertz quitte sa chaise, se penche sur le vieillard infirme et l'embrasse par trois fois.

— Merci, prononce-t-il.

Le Premier esquisse un demi-sourire.

— Nous veillerons sur Didier Mosèle, Martin. Je crois bien que vous l'aimez comme le fils que vous n'avez jamais eu.

— C'est vrai, avoue Martin, je l'aime. Mais vous vous trompez : j'ai eu un fils… Il est mort quelques minutes après sa naissance.

70

V.I.T.R.I.O.L.

Dix-neuf heures.

Une arrière-cour du 14e arrondissement de Paris. Des pavés brillants de pluie. Deux maisons basses se faisant face, volets fermés. Au fond, une imprimerie aux rideaux de fer baissés. Un local abritant les poubelles. Quelques pots de géraniums jaunis, recroquevillés.

Norbert Souffir habite l'un des deux bâtiments. À l'intérieur, sur les murs, partout, la vie du vieil homme se raconte en photographies. La plupart sont des clichés en noir et blanc. Ils témoignent d'un passé déjà lointain, figeant leurs témoins pour toujours dans des poses apprêtées. Une famille. Le père, la mère, les deux sœurs et lui, le petit Norbert. En France, avant la guerre, devant une mercerie, à l'intérieur de la mercerie, à la campagne, à la plage, à la fête foraine. Le père et sa première voiture. Puis quelques photos de l'épouse de Norbert. En couleur, celles-ci. Une femme au sourire joyeux, aux grands yeux emplis de chaleur. Et, au milieu du mur, dans un cadre un peu plus grand que les autres, l'image de déportés squelettiques à la libération de leur camp par les Américains. Des spectres hagards qui sourient comme des morts à l'objectif.

Souffir est dans son bureau, penché sur la photocopie du tracé apparu sous l'enluminure de Dieu créant l'Univers. Il a étalé des monceaux de livres sur son plan de travail et à même le sol. Il griffonne des croquis, les rature, les reprend.

Le labyrinthe circulaire. Le vieil homme le compare à celui de Saint-Vital de Ravenne, quoique ce dernier possède une entrée alors que celui des Templiers paraît totalement clos, tournant sur lui-même en un double chemin. Ne faudrait-il pas plutôt le rapprocher du labyrinthe de la cathédrale de Chartres ?

À la réflexion, le vieux traducteur se dit que ce lacis fermé recèle une singularité : les deux cercles énigmatiques qui l'accompagnent à gauche et à droite doivent forcément le compléter.

Le vieil homme se lève pour se dégourdir les jambes et se redresser le dos. Toutes ces journées passées plié en deux face à un écran d'ordinateur ou sur des dossiers lui ont infligé une douloureuse scoliose.

Il tisonne le feu de la petite cheminée, redonne vie aux braises à grands coups de soufflet, se frotte les mains au-dessus des flammes. Jamais il n'a souhaité installer de chauffage électrique dans son bureau, trop heureux de goûter au plaisir qu'offrent de bonnes bûches craquantes, leurs exhalaisons de résine et d'écorce.

Mosèle est passé chercher Hertz à Sèvres. Ils roulent maintenant sur le boulevard périphérique.

— Vous ne m'avez encore rien dit au sujet de Léa, Martin ?

— Oui, oui... Je l'ai vue cet après-midi et je lui ai tout raconté. Elle a fait une crise de nerfs et un interne a dû lui administrer un calmant.

— Désolé.

— Elle m'en veut beaucoup et estime que c'est par ma faute que l'abbé Jacques est mort. La malheureuse ; j'ai bien cru que son cœur allait lâcher. Elle a mille fois raison de me reprocher le décès de Jacques... Elle l'appréciait beaucoup et je crois bien qu'il était son seul confident. Elle l'appelait chaque fois qu'elle replongeait dans la dépression. Il savait l'écouter durant des heures et la réconfortait comme je n'ai jamais su le faire.

Mosèle jette un coup d'œil à son ami. Il remarque son allure de vieux chien battu et affligé : bajoues pendantes, yeux flous. Est-il sincère ?

— Et votre gueule de bois ?, demande le jeune homme.

— Je m'en suis remis, mais j'en ai conservé un mal de tête effrayant.

— Vous en mourrez un jour, Martin.

— Je redoute le jugement d'Émylie ; je me suis donné en spectacle et ce n'était pas reluisant.

— Elle a admis que vous aviez des circonstances atténuantes. Je vous conseille de ne pas trop boire ce soir chez Norbert : un peu d'eau vous ferait grand bien. Je ne souhaite pas que tous mes amis vous prennent pour un vieil alcoolo excentrique.

— Vous faites des progrès, Didier.

— Ah ? Quel genre de progrès ?

— Il y a deux semaines, vous ne vous seriez jamais permis de me balancer de telles remontrances à la figure.

— Il y a deux semaines, j'ignorais que nous deviendrions aussi intimes. Je ne vous ai pas froissé, j'espère ?

— Je le méritais.

Souffir consulte sa montre. Didier Mosèle et son ami ne tarderont plus. Il tente de remettre un peu d'ordre dans ses documents.

Un léger bruit attire son attention. Un cliquètement. La serrure de la porte d'entrée...

— Didier !, crie-t-il. Je viens vous ouvrir !

En se retournant, il fait tomber un gros livre, se penche pour le ramasser, entend des pas dans le couloir, se redresse.

— C'est vous, Didier ?

Et, pour lui-même : « J'aurais juré avoir fermé la porte à clef. »

Une inquiétude soudaine, irraisonnée, le frappe au ventre. S'il s'agissait de Didier, il répondrait...

Il s'empare de la photocopie du tracé des Templiers qu'il froisse vivement et jette dans les flammes de la cheminée. Puis se retourne.

Il ne comprend pas d'emblée. Son esprit perd une ou deux secondes pour intégrer la scène. Un premier homme est entré brutalement dans le bureau, aussitôt suivi d'un deuxième. Tous deux portent des masques à gaz, ce qui les rend grotesques et menaçants.

Souffir recule, terrorisé. Il se plaque le dos au mur. Quelques cadres chutent sur le tapis. L'un se brise. Pourquoi se sent-il obligé de regarder les photographies qui jonchent le sol ?

Les spectres hallucinés d'un camp de concentration.

L'un des deux inconnus maintient Souffir contre le mur d'une prise à la gorge. Le vieil homme peine à respirer, à déglutir sa salive. Il voit son propre visage déformé par la panique dans la visière du masque à gaz de son agresseur. Le reflet de sa peur.

Le deuxième homme a brandi une petite bombe aérosol et en pointe le bec sur Souffir.

Le vieux traducteur ne peut pas crier, sa gorge étranglée l'en empêche. Il a compris qu'il va mourir. Il pense à Mosèle, à Marlane...

Il reçoit un jet de gaz du vaporisateur. Il a le temps de voir que sa mort est de couleur jaune. Un nuage jaune. Puis il s'effondre, son dos glissant le long du mur, arrachant d'autres photos. Il demeure accroupi, la tête en avant, une bave épaisse sortant de sa bouche tordue.

Un troisième masque apparaît. L'homme regarde le corps sans vie de Souffir et sort un gros stylo-feutre rouge d'une poche de son trench-coat.

Après avoir trouvé difficilement une place de stationnement, Mosèle et Hertz se dirigent vers le n° 17 de la rue Daguerre. La pluie est tombée sans répit toute la journée, amenant une nuit précoce.

— C'est ici, dit Mosèle en poussant l'un des deux battants d'un lourd portail.

Ils traversent la cour pavée.

— À gauche, précise le jeune homme. Je ne suis venu qu'une fois chez Norbert, mais je me souviens que c'est un décor qui vous plaira.

Hertz ne répond pas. Il repense à sa crypte, à son musée. À ses collections. Aux flammes qui ont emporté sa vie en l'espace de quelques minutes.

— Merde !, fait Mosèle.

— Quoi ?

— La porte de Souffir est restée ouverte... Nom de Dieu, elle a été forcée !

— N'entrons pas, Didier.

— Au contraire, suivez-moi, Martin !

Mosèle s'est jeté dans le vestibule. Pas un bruit. Il emprunte le couloir en appelant : « Norbert ! » L'avocat demeure légèrement en retrait. Avance cependant.

Le bureau. Souffir est assis à même le sol, la tête tombée sur la poitrine, de l'écume mouillant le col de sa chemise, une main portée à son cœur.

— Les fumiers l'ont tué ! Lui aussi !

— Vous sentez ? Cette odeur...

— Ce sont eux, n'est-ce pas ?, demande Mosèle d'une voix blanche. Les tueurs du Vatican !

— Ne le touchez pas !, commande Hertz. Ne laissez aucune empreinte !

Mosèle obéit à l'injonction. Il s'arrête net alors qu'il se préparait à redresser le buste du vieux chercheur pour lui donner la dignité que la mort lui a arrachée.

— On dirait qu'il a succombé à une crise cardiaque. A-t-il été battu ?

— Ils n'ont pas eu besoin de le faire, Didier. C'était inutile. Venez… Il est imprudent de rester là. Les Gardiens du Sang ont en effet signé leur crime pour vous faire comprendre qu'ils s'en prendront à tous vos amis si vous n'abandonnez pas la partie.

— Qu'ont-ils signé ? Et comment ?

Hertz incite Mosèle à se retourner. Celui-ci se laisse faire, anéanti, ne comprenant pas ce que son ami attend de lui. Puis il découvre l'inscription à droite de la porte, tracée distinctement, en lettres suffisamment grandes pour être vues au sortir du bureau :

« VITRIOL »

— Pourquoi ces salopards ont-ils inscrit l'abréviation de notre devise maçonnique ? Pour se foutre de nous ?

— Je vous expliquerai, dit Hertz d'une voix douce tout en le prenant par les épaules pour l'obliger à quitter la pièce.

Dans le couloir, Mosèle réalise d'un coup :

— L'odeur ! Je l'ai remarquée aussi en entrant. Je n'y ai pas porté beaucoup d'intérêt, sur l'instant. Elle était par contre très prononcée, dans le bureau.

— Il s'agit du poison volatile que Jérôme le Juif utilisa pour assassiner Tomás de Torquemada. Les Gardiens du Sang ont tué votre ami en usant du même gaz. Une manière de se venger !

— Comment font-ils pour connaître autant de choses sur nous ?

— Je l'ignore, dit Hertz. N'empêche qu'ils sont manifestement renseignés sur tous nos faits et gestes. C'est à croire qu'ils ont appris l'existence de ce tracé en même temps que nous !

Dehors. La pluie. Les pavés. Hertz a reconquis son ascendant sur Mosèle qui marche comme un automate. Le vieil avocat le prend sous son aile, le réconforte par son contact. Inutile de parler. Les deux hommes pensent pareil. Plus que jamais ils savent que le temps leur est compté.

71

Le message de Dieu

Émylie s'étonne de voir revenir Mosèle si tôt :

— Déjà de retour ? Ah, vous êtes là aussi, Martin.

Les deux hommes pénètrent dans l'appartement, défont leurs imperméables, se rendent au salon.

— Je reviens sur ce que je vous ai conseillé tout à l'heure, dit Mosèle. Nous allons prendre une bonne cuite au whisky.

— Quoi ?, demande la jeune femme. Qu'y a-t-il ? Vous en faites, des têtes, tous les deux ! Que s'est-il passé ?

— C'est Norbert Souffir…, commence Mosèle. Il est mort ! Les Gardiens du Sang sont passés chez lui et l'ont gazé !

— Gazé… ?

Hertz intervient :

— Ils lui ont fait subir le sort que Jérôme le Juif avait infligé à Tomás de Torquemada. Une manière de nous faire comprendre qu'ils nous ont espionnés toutes les fois que nous étions ensemble, alors que j'évoquais les péripéties qu'a subies le Testament du Fou au cours des siècles.

Mosèle sort une bouteille de Cardhu – douze ans d'âge – et deux verres qu'il remplit aussitôt.

— Vous avez prévenu la police ?, interroge-t-elle.

— Non, répond Mosèle. Martin et moi sommes tombés d'accord sur le fait qu'il était inutile de donner du grain à moudre aux enquêteurs. On va les laisser patauger un peu en attendant qu'ils nous posent des questions. Trop de drames sont intervenus autour de nous. Ils vont recouper tous les événements, c'est évident !

— Le meurtre de Souffir se veut une double menace, dit Hertz. En premier lieu, il signifie que les Gardiens du Sang élimineront tous les proches de Didier liés de près ou de loin à l'affaire. En second lieu, c'est une véritable déclaration de guerre contre la Loge Première, par sa nature même.

Mosèle semble absent, le regard perdu fixant un point imaginaire. Émylie le remarque :

— Didier ! Tu es avec nous ?

Pour toute réponse, il se lève et traverse le salon pour se rendre dans son bureau. On l'entend proférer des « nom de Dieu ! » répétés.

— Allons voir, Martin, suggère Émylie.

Le vieil avocat garde son verre de whisky à la main et suit la jeune femme. Dans le bureau, Mosèle pianote nerveusement sur le clavier de son ordinateur, les restes du Testament du Fou près de lui.

Parvenus à sa hauteur, Émylie et Hertz découvrent ce qu'il a affiché à l'écran. Deux images : l'une représente l'enluminure originelle de Dieu créant l'Univers et mesurant la Terre à l'aide de son compas, la seconde propose le tracé des Templiers apparu en négatif dans le carbone du parchemin.

— Saloperie de dessin qui a coûté la vie à Norbert !, gronde Mosèle.

— Je constate que vous en avez révélé tous les traits, dit Hertz.

— Regardez, reprend Mosèle, il nous indique la Lionne, les Chèvres, et là, cette balance symbolisant le Bailly... Les trois lieux-dits qui forment le triangle de la forêt d'Orient.

Hertz désigne l'écran.

— Où voulez-vous en venir, Didier ?

— Tout se tient, Martin ! Ce que les Templiers ont inscrit en marge du Testament, la lettre de Hugues de Payns et ce tracé... Nom de Dieu de nom de Dieu, bien sûr ! Tout se tient ! Tout se complète en se superposant !

Émylie passe derrière le jeune homme et pose les mains sur ses épaules. Elle fixe l'écran.

— C'est l'effet du whisky, ou tu viens d'avoir une révélation ?

Mosèle s'enflamme.

— Une illumination, Émylie... ! Plusieurs clefs pour une seule serrure ! Sans le tracé, jamais nous n'aurions pu comprendre !

— Il fallait donc détruire le Testament du Fou pour approcher la Vérité ?, observe Hertz.

— Naturellement !, s'écrie Mosèle en tapotant du doigt le tracé des Templiers sur son écran. L'alchimie intellectuelle liée à celle de la matière... Plusieurs éléments composent l'œuvre ! Prenons le plan de la page calcinée que j'ai numérisé ce matin, je suis certain qu'il se réfère à l'une des phrases mises en exergue du Testament du Fou : « *Dans l'ombre marcheras par l'arrière.* »

Mosèle allume une cigarette et poursuit :

— « *Le Cathare en sa Forêt, à reculons couperas le Triangle vers l'Ombre.* »

— Nous avons trouvé la statue du Cathare, dit Émylie, et Martin nous a exposé la raison de sa présence dans cette forêt. Et après ?

— Le Cathare est un repère, précise Mosèle. En partant de lui « *à reculons, (tu) couperas le Triangle vers l'Ombre* ». C'est le dos de la statue qui indique le chemin à prendre, pas ce qu'elle regarde ! Ce qu'elle cache, plutôt...

Puis, faisant apparaître à l'écran un nouveau fichier, il ajoute :

— Rappelez-vous la lettre de Hugues de Payns que j'ai trouvée au palais du Tau sur les indications de Pontiglione.

— Je commence à vous suivre, Didier, fait Hertz, le rouge lui montant aux joues, les tempes dans l'étau d'un épais mal de tête.

Mosèle lit la lettre du fondateur de l'ordre des Templiers :

« Par votre sainteté et amitié sincère, vous devez savoir qu'en terre d'ombre repose dès lors notre frère Premier. Par mes soins en grande sécurité a été mis, pour les siècles, étendu entre Orient et Occident. Pour l'éternité Il sera la Lumière dans l'Ombre. Les deux Jean sur Lui veilleront du Midi au Minuit... »

— En franc-maçonnerie, les deux Jean sont le Baptiste et l'Évangéliste, précise Hertz à l'intention d'Émylie. Ils figurent l'Ombre et la Lumière. La Lune et le Soleil !

Mosèle fait reparaître le tracé des Templiers sur l'écran en répétant : « *Les deux Jean sur Lui veilleront du Midi au Minuit* », et ajoute :

— Les informations transmises par les Templiers ont toutes été fragmentées pour raisons de sécurité. Mais elles sont là, éparses sous nos yeux. Toutes les pièces d'un jeu de construction à rassembler, à imbriquer les unes dans les autres selon un ordre imposé.

— Sans aucun doute, dit Hertz, mais où chercher ? Le périmètre délimité par ce triangle est très vaste.

— Il faut fouiller, fouiller encore !, scande Mosèle. Trouver ces deux Jean.

Émylie propose :

— Plutôt que du whisky, vous ne préféreriez pas un bon café bien fort ? Si vous souhaitez garder votre lucidité, ce serait certainement plus efficace, non ?

— Tu as raison, admet Mosèle. Un litre pour moi. Et solide !

— Autant pour moi, acquiesce Hertz.

Émylie se rend à la cuisine. Le vieil avocat prend une chaise et vient s'asseoir près de Mosèle qui ne cesse de frapper l'écran de l'index en tournant autour du labyrinthe circulaire.

— Ce qui est évident n'est pas toujours visible, dit-il. Pourtant, ceci est le plan d'une partie de la forêt d'Orient... Et ce triangle coupe le labyrinthe situé entre ces deux sphères.

— Il me semble avoir découvert ce que signifient ces deux cercles, Didier.

— Oui ?

— N'avons-nous pas les mêmes en Loge ? Derrière le Vénérable Maître, dans son dos ! Accrochés au mur.

— Bien sûr ! La Lune et le Soleil sont symbolisés par deux disques. La Lune et le Soleil. L'Orient et l'Occident...

— Les deux Jean !, ponctue Hertz en souriant. Il est probable que ces deux cercles sont des bornes censées nous informer sur la situation géographique du labyrinthe.

— Les frères de Padoue ont reçu l'ordre de dissimuler ce plan – car ce n'est rien d'autre qu'un plan – sous l'enluminure. C'est dans la fibre même du document qu'ils ont dessiné le tracé...

— Ensuite ?, demande Hertz, de plus en plus curieux, suivant avec passion le cheminement de Mosèle.

Le jeune homme poursuit :

— La Terre est ronde sur l'enluminure. La Terre, Martin !

— La Terre a toujours été ronde, que je sache !, dit Émylie en apportant les tasses à café sur un plateau.

— Pas à cette époque, plaisante Mosèle. Affirmer une telle chose te conduisait illico au bûcher. Néanmoins, Dieu mesure sa Création. Il l'évalue comme le ferait tout architecte.

— Ce qui est logique, reprend Émylie. Il s'assure que son œuvre est irréprochable.

Mosèle fait glisser la souris sur son bureau, saisit à l'écran le tracé des Templiers qu'il superpose à l'image colorée de l'enluminure. Le plan vient se placer en transparence sur le dessin, lui offrant des lignes de force qui le recouvrent dans d'identiques proportions. La Terre est de même taille que le labyrinthe.

— Ronde comme le labyrinthe, dit Mosèle. Voyez, quand on les superpose, les deux images s'intègrent parfaitement. Du coup, que fait Dieu ? Que nous montre-t-Il avec son compas ?

Un silence. D'un même mouvement, Émylie et Hertz se sont penchés sur l'écran de l'ordinateur.

Hertz se racle la gorge. Sa salive est crayeuse. Il réalise. Il en pleurerait, s'il était seul. Le rêve de toute une vie se matérialise si soudainement. Avec une évidence trop brutale. La tête lui tourne et sa migraine redouble, à lui en donner la nausée. Sous l'œil interrogateur de Mosèle, il avale le contenu de sa tasse de café sans l'avoir sucré ni en avoir apprécié la chaleur. Ses mains tremblent. Celle de Mosèle se pose sur son poignet. Le jeune homme dit :

— Oui, Martin. Oui, Dieu désigne avec son compas un point précis sur la Terre. SUR LE LABYRINTHE CIRCULAIRE ! Les deux images devaient être lues ensemble.

D'une voix enrouée, Hertz lance :

— Dieu nous indique l'endroit où chercher !

— « *Visite l'intérieur de la Terre et en rectifiant tu trouveras la pierre occulte* », récite Mosèle. La pierre occulte est le Christ. Nous le trouverons en rectifiant… Mais que rectifier ?

— Tu penses vraiment… ?, hasarde Émylie.

— J'en suis convaincu. En revanche, je me demande… Je me demande comment Francis a découvert cela tout seul. Il ne possédait pas le tracé des Templiers, puisque celui-ci était caché par la peinture de Nicolas et Agnan de Padoue. Bon Dieu, qui lui a tenu la main ?

— Peut-être cet inconnu ? L'homme au chapeau et aux lunettes ?

— À moins qu'il ne se soit inspiré d'autres sources ?, suggère Mosèle. Ou qu'il se soit arrêté au Cathare ? Saurons-nous jamais où sa quête s'est achevée ?

72

Le rubis

Mercredi, treize heures quinze.

Il feuillette les carnets rouges. Il ne se lasse pas de contempler les aquarelles, légères touches d'eau colorée, notes de lumière et masses d'ombres.

Le téléviseur est allumé. Il écoute les nouvelles sans vraiment y prêter attention. Il se détache de la réalité un peu plus chaque jour.

« L'autopsie pratiquée ce matin confirme que le professeur Souffir a inhalé une substance toxique gazeuse en grande quantité. Il est encore trop tôt pour définir la nature exacte de cette drogue. On sait seulement qu'elle était essentiellement composée d'extraits de plantes... »

Il referme les cahiers, les replace dans leur tiroir, se lève pour arpenter la pièce devenue sa cage. Il marche tête baissée, martelant le sol de ses pas nerveux, saccadés. Il traverse sa prison en tous sens.

«... Pour les enquêteurs, il ne fait maintenant plus aucun doute que l'on a contraint la victime à absorber le poison qui a rapidement paralysé toutes ses fonctions respiratoires. La Fondation Meyer où travaillait le professeur Souffir vient donc d'être cruellement touchée pour la seconde fois. On se souvient en effet du suicide du professeur Marlane, dont le corps a été retrouvé dans une chambre d'hôtel à Paris, il y a trois semaines... »

Il revient à son bureau. Ouvre un tiroir. En sort un revolver.

«... Mais, cette fois, il s'agit incontestablement d'un meurtre, et l'on s'interroge au sujet du mot "VITRIOL", tracé en rouge sur le lieu du crime. Précisons néanmoins que ce mot résume une formule alchimique du XVe siècle que l'on retrouve encore de nos jours dans la tradition maçonnique... »

Il soupèse l'arme. L'examine. L'admire. En apprécie le contact glacé. Un froid mat et noir.

« … À la Fondation, le professeur Mosèle, qui dirige le service auquel appartenaient Francis Marlane et Norbert Souffir, se refuse à tout commentaire… »

Il s'est remis à tourner dans la pièce. Mais il a gardé son revolver qu'il laisse pendre contre sa cuisse, le bras droit ballant. Il passe devant des photographies accrochées aux murs. Il les connaît par cœur, pourrait les redessiner toutes de mémoire.

Il s'arrête devant un miroir. Il se fait face, se défiant du regard, détestant cet autre qui ne lui ressemble plus. Les tics de ses lèvres l'ont repris ; il se voit sourire dans une grimace mécanique.

Il porte lentement le revolver à sa tempe, appuie le canon contre l'os. Si peu de peau le protège d'une mort possible. Car il se sent épuisé. Il n'aurait qu'à presser la détente. Juste assez de courage pour s'extraire de ce cauchemar.

Son index esquisse le geste. Quelques millimètres le séparent des ténèbres, du silence et du repos. Quelques millimètres d'acier à presser.

Mais il abaisse l'arme, se détache du miroir. Abandonnant ce lâche sosie au front couvert de sueur. Il dépose le revolver sur le bureau, près du coffret contenant la neuvième et dernière lettre.

Il se demande pour quelle raison les frères de la Loge Première n'interviennent pas.

Il s'assoit de nouveau, les épaules affaissées, puis se met à pleurer.

Martin Hertz se tient prostré, avachi dans un fauteuil. Il vient de refermer son téléphone portable. Son ami Jean-Claude Dorest l'a appelé depuis l'hôpital pour lui apprendre que Léa avait fait une nouvelle crise de nerfs, ce matin, aux alentours de six heures. Il a fallu lui administrer une forte dose de Valium. « Inutile que tu te déplaces maintenant, Martin ; elle est sonnée et restera quatre ou cinq heures dans les vapes. Tu pourras passer en fin d'après-midi. Tu sais, elle a vraiment eu du mal à encaisser la mort de Jacques et l'incendie de votre maison de campagne.

— Tu penses qu'elle s'en remettra ?, a demandé Hertz.

— De quoi ? De sa blessure ou de son traumatisme mental ? Je crois qu'elle se sortira plus facilement de sa blessure. Tu devras te montrer très patient, attentionné. Tu comprends ?

— Oui, oui. Attentionné, j'ai compris.

— Je vais demander à un collègue psychiatre de passer la voir ce soir.

— Je te remercie, Jean-Claude. »

Hertz regarde son téléphone d'un œil embrumé de larmes qui peinent à se former, mais qui lui font plus mal que des sanglots. Il a achevé Léa. Il n'a plus que cette pensée à l'esprit. Il l'a tuée.

Son téléphone sonne de nouveau. En portant l'appareil à son oreille, il pense que Jean-Claude a dû oublier de lui dire quelque chose. Il est surpris d'entendre la voix de Mosèle.

— Ah, Didier...

— Martin, j'ai trouvé ! J'ai bossé toute la nuit et je crois avoir décrypté le message de Hugues de Payns. Je sais où se situe la « terre d'ombre » qu'il évoque dans le courrier envoyé à saint Bernard ! Le fondateur de l'ordre des Templiers était un fieffé malin... Les deux « Jean » dont il parle sont en fait deux pierres, deux monolithes qui figurent sur la carte d'état-major sous les noms de Jeune et Vieille... La Jeune se situe à l'orient, dans la lumière, et incarne l'Évangéliste ! La Vieille symbolise saint Jean-Baptiste et représente l'Ancienne Parole. « *Étendu entre Orient et Occident. Les deux Jean sur lui veilleront du Midi au Minuit.* » Oui, entre l'ancienne et la nouvelle Tradition repose le Christ... Comme en témoignent la Lune et le Soleil qui l'encadrent sur la plupart des enluminures médiévales. Le tracé des Templiers précise exactement l'emplacement de son Tombeau : sous la pointe du compas de Dieu. À la perpendiculaire d'une ligne passant par les deux pierres...

— Une hypothèse, l'interrompt Hertz. Ce n'est qu'une savante mais simple spéculation !

— Non, Martin. J'ai appelé le directeur de la Maison de la forêt d'Orient, monsieur Pinchon... Un érudit comme vous les aimez. Je lui ai posé quelques questions. Eh bien, savez-vous ce qu'il m'a appris ?

— Je vous écoute.

— Une partie des marécages se situant géographiquement sous la pointe du compas de Dieu, exactement sous la pointe, était appelée autrefois Umbra. C'est notre « terre d'ombre », Martin ! Située à équidistance des deux « Jean ». Sans le savoir, les maçons qui célèbrent encore aujourd'hui les fêtes de la Saint-

Jean aux solstices d'hiver et d'été ne font que prolonger une coutume née dans cette forêt. Émylie et moi nous partons demain pour Troyes nous assurer que ma piste est la bonne. Vous excuserez mon absence auprès de nos frères à la Tenue.

— Nom de Dieu, ne bougez surtout pas !, s'exclame Hertz. Vous savez bien que vous ne pouvez plus faire un pas sans que les Gardiens du Sang soient au courant !

Le vieil avocat est sorti de sa léthargie. Léa a quitté brutalement le centre de ses pensées. Il s'entend dire : « Didier, je vous en conjure : ne retournez pas dans la forêt d'Orient... ! Cette aventure vous dépasse ; vous ne pouvez plus agir seul, dorénavant. Accordez-moi encore un peu de temps pour vous aider. Je peux insister pour que la Loge Première vous place sous sa protection. »

Mosèle réplique :

— Vous ne pensez pas que vos mystérieux frères Premiers auraient pu intervenir plus tôt ? Après tout, ne sont-ils pas les héritiers directs des Templiers ? Et même de Jésus, si je dois vous en croire... Émylie et moi avons pris notre décision. L'endroit indiqué par Dieu – ou le Grand Architecte de l'Univers – sur l'image de Nicolas et Agnan de Padoue se trouve sous l'eau du Lac de la forêt d'Orient ! Nous allons plonger et le sonder.

— C'est pure folie ! Une folie dont je me sens responsable. Je sais ce que vous avez en tête, Didier : votre seule chance de vous dépêtrer de ce piège est de découvrir le Tombeau. Vous seriez alors intouchable... C'est ce que vous croyez, n'est-ce pas ?

— En effet, Martin. Je suis désolé de ne pas vous emmener avec nous, mais je gage que vous n'êtes pas un fervent adepte de la plongée sous-marine. Vous préférez naturellement la chasse. Je vous tiendrai au courant.

— Didier...

Mais Mosèle a raccroché. Hertz compose aussitôt un numéro, de mémoire. Un numéro dont il effacera immédiatement la trace, une fois la conversation terminée.

Deux sonneries. Son interlocuteur décroche.

— Allô, dit Hertz. Orient-Origine... Nous atteignons au but... Enfin, Didier Mosèle est en train d'y accéder ! Il se rend de nouveau dans la forêt d'Orient... Oui, oui, dans le triangle de la Lionne, des Chèvres et du Bailly !

— Le moins de mots possibles, Martin. Faites vite.

— Cette fois, nous pouvons trouver la PAROLE PERDUE... Elle dormirait au fond de l'eau...

— Dans l'eau ? La théorie est plaisante et s'accorde avec ce que nous connaissons des ruses de Hugues de Payns. Nous devons être plus rapides que les Gardiens du Sang... Je me charge de contacter tous les frères Premiers... Je vous rappelle rapidement.

L'entretien n'a pas duré trente secondes. Hertz efface le numéro de son portable.

Ses pensées, dans le silence revenu, le hantent à nouveau. Léa... Jacques... Francis Marlane.

De son bras valide, le Premier a reposé le téléphone. Il fait pivoter son fauteuil roulant. Il peine à redresser le menton, à lever les yeux sur la grande et mince silhouette de Son Éminence qui lui dit :

— J'ai cru comprendre...

— Oui, Monseigneur, le Tombeau est à portée de main. Martin Hertz avait vu juste : seul Didier Mosèle était capable de poursuivre l'enquête de Francis Marlane.

— La chance l'a quelque peu aidé, ne trouvez-vous pas ?

— J'en conviens. Resterez-vous en France jusqu'au dénouement de cette affaire ?

Son Éminence esquisse un geste vague.

— Je l'espère. Mais la mort du Saint-Père pourrait me contraindre à regagner le Vatican d'un instant à l'autre.

Le vieillard refrène une quinte de toux et se met à hoqueter. Son Éminence lui tend immédiatement un verre d'eau. Le Premier en boit une petite gorgée et poursuit d'une voix étranglée :

— Je devrais me réjouir à la pensée que le vieil ennemi de notre confrérie quitte la scène en vaincu ; je n'en retire cependant aucun plaisir.

— Sans doute parce qu'il fut un excellent pape, avance Son Éminence avec toute la suavité de son accent italien.

— Un redoutable adversaire !, corrige le Premier. Aussi acharné que tous les précédents. Il est heureux que nous exhumions les restes du Christ et ses écrits avant l'élection du prochain pontife. Vous nous aurez bien aidés dans cette entreprise, Monseigneur.

— J'appartiens avant tout à la Loge Première et je n'ai fait que mon devoir, mon frère. Au fait, Martin m'a demandé d'intercéder à nouveau auprès de vous pour recevoir Didier Mosèle en Tenue obscure.

— Nous en avons parlé. Je lui ai répondu par l'affirmative.

— Bien. Je pense que c'est une bonne décision. Ce garçon mérite de mieux nous connaître.

Son Éminence prend congé du Premier.

Il traverse l'allée de gravillons pour regagner sa voiture noire aux vitres fumées. Sur le siège du conducteur, son secrétaire l'attendait en écoutant de la musique. Il coupe le son.

— Non, vous pouvez laisser la radio, dit Son Éminence en se retournant vers la grande bâtisse.

À l'étage, un rideau a été tiré. On devine derrière la vitre la silhouette chétive et instable du Premier.

— Allons, retournons à la nonciature.

— J'ai entendu un flash d'informations, Monseigneur. Le pape est au plus mal ; ne devriez-vous pas rentrer à Rome ?

— Pas déjà. Je suis informé quart d'heure par quart d'heure. J'ai appris qu'il régnait une étrange animation autour des appartements de Sa Sainteté. Il semble qu'il se remette difficilement du malaise survenu dans la nuit de vendredi à samedi. Seul son médecin particulier est autorisé à lui prodiguer des soins, ce qui me conduit à réagir rapidement... Je n'ai pas encore tout à fait achevé ma mission.

Son Éminence réalise qu'il est plus nerveux qu'il ne le croyait. La manie dont il peine à se défaire l'a repris sans qu'il s'en rende compte. De sa main gauche il joue avec la chevalière qu'il porte à l'annulaire droit et en caresse le rubis.

73

La défaite

Le Vatican, vingt-deux heures trente.

Monseigneur de Guillio consulte des dossiers, ses mains lourdes brassant les feuillets. Il est seulement éclairé par une lampe de bureau qui modèle les traits charpentés de son visage. Tout le reste de la pièce demeure baigné dans une ombre confortable qui isole le cardinal du monde extérieur et l'aide à se concentrer.

La porte s'ouvre soudain sur son secrétaire particulier, manifestement en proie à une excitation inhabituelle. Le jeune vicaire s'agite dans sa robe noire, suivi à deux pas par une sœur au visage livide.

— Monseigneur de Guillio, il se passe quelque chose dans les appartements du pape ! Vous devriez venir.

Guillio se lève, abandonne ses dossiers et fait quelques pas en direction de son secrétaire et de la sœur qui se tord les mains sur sa poitrine. Elle balbutie d'une voix haletante :

— Ils... ils ont pénétré dans la chambre de notre Saint-Père que je veillais selon vos ordres et... et ils m'ont congédiée en disant que c'était maintenant leur affaire...

— Qui a fait cela ?, demande sèchement de Guillio.

— J'ai seulement reconnu Monseigneur Monetti, répond la religieuse en baissant la tête.

— L'un des plus dévoués à la cause de nos ennemis !, s'exclame le cardinal en s'emportant à son tour et en se ruant hors de son bureau, manquant de renverser la sœur, oisillon bleu et blanc.

Le secrétaire sur ses talons, le prélat s'est élancé dans le lacis de couloirs qui mènent à l'appartement papal et débouche bientôt dans un vestibule investi par une demi-douzaine de cardinaux. « La garde rapprochée de Montespa presque au grand complet, avec Sa Majesté Monetti en tête ! »

En quelques enjambées, Guillio est venu se planter devant son homologue obèse suintant de sueur et de graisse.

— Que signifie toute cette agitation ?, s'inquiète Guillio. Le pape aurait-il eu un nouveau malaise ?

— Allons, Guillio... vous voici bien innocent, alors que vous nous avez fait mystère de l'état épouvantable dans lequel avait sombré le pontife !

Guillio remarque alors la présence d'un inconnu, un homme en blouse blanche portant une large mallette, qu'un cardinal fait d'ailleurs entrer furtivement dans l'appartement du pape.

— Voyez, dit Monetti de sa voix d'eunuque, nous sommes quelques-uns à avoir considéré que de nouveaux praticiens pourraient aider notre vieux pape dans sa douloureuse épreuve.

— Ça n'est plus de médecins que le Saint-Père a besoin, réplique Guillio, mais de prières !

Insidieusement, profitant de sa masse énorme, Monetti repousse progressivement le cardinal de Guillio hors de l'antichambre. Les cardinaux assistant à la scène arborent tous des visages blafards sous la lumière crue du plafonnier. Figés en un tableau insolite, pareils à des spectateurs indifférents et hautains, ils donnent l'impression d'avoir toujours été là. Et de vouloir y demeurer à jamais.

— Prier, reprend Monetti en souriant, en vérité voilà une pieuse intention ; aussi vous conseillerai-je de le faire pour son âme, tandis que nous nous chargerons de son corps. Vous pouvez aller, Guillio.

— Ne puis-je le voir quelques secondes ?

— Impossible ! On lui dispense actuellement des soins.

— En quelque sorte, vous me congédiez ?, s'emporte Guillio.

— Je ne dirai pas cela ainsi, mon ami. Nous vous déchargeons de la tâche dont vous vous êtes acquitté en fidèle serviteur de notre cher malade. Le temps est venu de vous reposer.

Guillio bat en retraite.

— Votre mansuétude me touche, *Monseigneur*.

Tandis qu'il s'en retourne, escorté par son secrétaire et la sœur, Guillio croise deux nouveaux personnages en costume sombre, portant chacun une grosse valise métallique.

Ne décolérant pas, il s'enferme seul dans son bureau, ouvre une armoire basse et en sort un verre et une bouteille de cognac. « Manœuvre de renard ! La clique de Montespa achève de me rogner les quelques pouvoirs qui me restaient encore. » Après avoir avalé un plein verre d'alcool, il se rend à la fenêtre et en écarte les rideaux. L'éclairage de la place Saint-Pierre dessine un demi-arc de cercle en pointillé dans la nuit noire.

« Montespa ! Toujours invisible, laissant ses sbires exécuter la basse besogne. Il surgira au moment propice pour se faire élire pape. Car c'est bien ainsi que cela se passera. S'il libère enfin l'Église de son fardeau, la Curie viendra lui picorer dans la main. Oui, s'il clôt définitivement cette enquête… Une enquête datant de deux mille ans ! »

Ils entourent le lit du pape : un cardinal au faciès de dogue, l'homme en blouse blanche, les deux autres en costume foncé.

Monetti les rejoint sans omettre de refermer la porte à clef derrière lui.

Le respirateur artificiel a été débranché. Ses moniteurs sont éteints, son moteur ne livre plus aucun son. Pourtant, la chambre bruisse : les valises métalliques que l'on déverrouille, le gros Monetti qui se déplace en respirant fort, une housse en plastique que l'on déplie, des outils que l'on prépare, des seringues que l'on remplit...

Le cardinal à tête de chien, les bajoues tremblantes, les paupières flasques, s'adresse à Monetti :

— Guillio croyait se jouer de nous en maintenant le Saint-Père en vie, se réservant la possibilité de l'utiliser comme une carte maîtresse.

— Mais il est toujours en vie !, dit Monetti en souriant. La carte a seulement changé de mains. Tant que Montespa le souhaitera, Jean XXIV vivra ! Même mort, il vivra !

Le Saint-Père gît, la tête renversée en arrière, le cou tendu à craquer, la peau de son visage diaphane, les yeux enfoncés, clos. Il est ainsi depuis près de vingt minutes. Mort, étouffé par le poison qui lui a été administré. Mort après une agonie comateuse.

— Messeigneurs, commence l'homme en blouse blanche, nous allons procéder au traitement. L'opération ralentira le processus de décomposition, mais ne remplacera pas un embaumement.

— Ce que nous voulons, piaille Monetti, c'est retarder l'annonce officielle de son décès de quelques heures. Un ou deux jours, tout au plus !

S'étant rapproché de Monetti, le second cardinal demande tout bas :

— Sommes-nous certains que les Gardiens du Sang sauront conclure cette affaire dans les temps ?

— Il n'y a plus aucun doute. Ils finissent de défricher la voie qui conduira Montespa sur le trône de saint Pierre ! Guillio a été bien présomptueux de croire qu'il pouvait encore maîtriser les événements. En nous emparant de la dépouille du pape, nous le privons de sa dernière arme.

Un bruit de succion. Une aspiration obscène. Monetti détourne la tête. Les trois officiants ont entamé leur ouvrage sur la dépouille du pontife. Le second cardinal a placé un mouchoir sur son nez et l'y maintient en roulant des yeux effarés.

— Vous allez devoir vous habituer à cette odeur, très cher, raille Monetti. Peu de temps, en réalité. Tout n'est plus qu'un banal problème d'horlogerie.

— J'insiste, Monetti : notre plan repose désormais sur la réussite des Gardiens du Sang. Un plan tracé au cordeau, si ténu que le moindre faux pas nous conduirait vers le plus effarant des scandales. Le Vatican ne s'en relèverait pas.

— Les Gardiens n'obéissent plus qu'à un seul homme... Et cet homme sera bientôt pape !

— Il nous reste néanmoins une dernière manche à livrer, reprend le dogue. Celle qui nous opposera aux frères de la Loge Première.

— J'en conviens. N'oublions pas non plus le cas Mosèle, qu'il nous faudra régler simultanément.

Par l'interphone, le cardinal de Guillio a appelé son secrétaire. Le jeune vicaire est aussitôt apparu dans un bruissement de robe, son crâne prématurément chauve brillant de sueur.

— Asseyez-vous, Constant. Tout compte fait, je n'aime pas boire seul. Voulez-vous du cognac ?

— Vous savez bien que je refuserai, Monseigneur.

— Oui, j'essayais une nouvelle fois de vous tenter. Je vous sers donc un jus de fruits.

Guillio remplit le verre de son secrétaire.

— En vérité, dit-il, j'avais envie de parler. Et vous êtes le seul interlocuteur qui m'écoutera et ne me trahira pas. La junte de Montespa a réussi à m'isoler et à me démunir de tous mes pouvoirs. Cette soudaine effervescence prouve que les choses ont évolué en France. Je dois admettre que Montespa s'est montré habile stratège. Il s'est d'abord emparé de toutes les Loggias, puis il a muselé l'ensemble de la Curie. Et maintenant il règle même la mort du pape !

— Un intrigant et un redoutable politicien qui manœuvre depuis longtemps pour coiffer la tiare, Monseigneur !

— Je croyais m'en être soigneusement méfié, et j'ai perdu. Il obtiendra facilement la majorité des deux tiers des cent vingt électeurs du conclave. Le tour est joué, Constant. Voyez-vous, ce qui me tourmente, c'est...

— Oui, Monseigneur ?

Guillio fait voleter ses mains dans l'espace. Il dessine, comme à son habitude, une forme sphérique avec laquelle il semble se distraire un instant avant de la laisser s'envoler définitivement. Alors ses mains retombent, inertes.

Il reprend :

— C'est que lui et moi agissions pour défendre la même cause : sauver l'Église !

Il se ressert un verre de cognac qu'il avale d'un trait, comme le précédent. Enfin, paraissant soudain fatigué, il soupire :

— La vie va me paraître tellement vide, désormais... J'ai perdu un si bon ami !

— Vous parlez du Saint-Père, Monseigneur ? Croyez-vous qu'il soit mort ?

Guillio regarde le jeune vicaire avec une expression de grande tristesse.

— Il est mort. À n'en pas douter, Constant. Et, avec lui, notre amitié s'en est allée. La mort est toujours une défaite, mon garçon.

74

La terre d'ombre

Jeudi, douze heures quarante.

— C'est la troisième fois que tu vérifies ce matériel, Didier. Tu ne nous ferais pas une petite poussée de maniaquerie aiguë ?

— Ça peut paraître idiot, je sais...

État des combinaisons – Néoprène 7 mm –, masques et produit antibuée, bi-bouteilles 2 × 10 litres 200 bars, détendeurs et détendeurs de secours, palmes, torches de plongée, deux appareils photo avec flash, couteaux...

— Je veux que la check-list soit OK. Depuis quand as-tu plongé ?

Émylie réfléchit, compte mentalement.

— Cinq… Non, six ans. C'était avec Francis et toi, quand nous avons passé ces vacances en Grèce… Il y avait aussi ton amie du moment, une grande brune bodybuildée avec des lèvres de mérou !

— Je ne m'en souviens pas.

— Menteur ! Elle ne t'embrassait pas, elle t'aspirait !

Mosèle referme les sacs et se redresse. Il sourit à Émylie, faussement candide.

— Non, vraiment, dit-il, elle m'est sortie de la tête. Viens, on va casser la croûte ; je te fais des lasagnes au gratin, on se boit la bouteille de sangiovese di romagna qui me reste, et on file sur Troyes ! Mais on plongera de nuit pour éviter de se faire surprendre par un touriste ou n'importe quel quidam de passage. Je n'aimerais pas tomber sur un cueilleur de champignons !

Il a tourné durant plus d'une heure dans le quartier, les mains moites crispées sur le volant. À emprunter le boulevard des Maréchaux encombré, à revenir vers le périphérique par la rue Antoine-Mercier, à tourner autour du square Brancion, à vouloir rebrousser chemin, puis à se reprendre et à chercher une place où se garer.

Se garer juste en face de l'immeuble où habite Didier Mosèle. Voir celui-ci et Émylie en sortir, le matin à neuf heures. Attendre. Les voir revenir à onze heures sept exactement.

Mosèle porte deux gros sacs de sport manifestement très lourds. Émylie, elle, n'en emmène qu'un.

Attendre encore.

Ouvrir la boîte à gants dix fois, vingt fois. Toucher le revolver qu'elle contient, se rassurer. Dix fois, vingt fois penser la même chose. Tuer et mourir. Tuer…

Accomplir sa vengeance.

Émylie vit maintenant chez Mosèle. Elle pense sans doute qu'il parviendra à la protéger, alors que lui, lui seul est en mesure de la défendre.

Didier Mosèle a réservé une chambre dans l'unique hôtel de Vandeuvre, situé à seulement sept kilomètres de la « terre d'ombre ».

— Nous y établirons notre camp de base, précise-t-il à Émylie qui examine la carte Michelin.

— Je croyais que nous rentrerions sitôt après notre plongée.

— Nous respecterons notre programme ; j'ai pensé que nous aurions besoin d'un endroit pour prendre un bain et nous changer avant de rentrer à Paris. Et puis nous serons peut-être crevés ; nous pourrons faire la sieste.

— J'ignorais que tu possédais un tel sens de l'organisation.

— Moi aussi !

— Quand cette histoire sera terminée, tu m'emmèneras en vacances ? De vraies vacances ?

— Promis ! Loin des psautiers, des testaments et autres manuscrits de la mer Morte… Sur la Lune !

Il est près de dix-sept heures lorsqu'ils traversent Vandeuvre pour gagner le modeste hôtel pompeusement baptisé *Aux Armes Royales*, un bâtiment sans cachet, massif et gris, s'élevant à la sortie du village, qui les surprend néanmoins quand ils pénètrent dans une vaste salle cosy aux bonnes odeurs de cire et de cuisine, aux vaisseliers ventrus et généreux, aux armoires et buffets d'un style indéfini mais tous rutilants.

Ils sont accueillis par une femme bien en chair, la figure rose semée de taches de rousseur, qui les reçoit comme s'ils étaient des pensionnaires coutumiers.

Leur chambre se trouve au premier étage. On y monte par un escalier au bois noir brillant comme du marbre.

Mosèle est à peine entré dans la pièce qu'il se précipite à la fenêtre pour en écarter les rideaux et regarder à l'extérieur.

— Un problème ?, demande la jeune femme. La vue ne te convient pas ? Qu'est-ce que tu guettes ?

— Ça te paraît stupide si je réponds que je n'en sais rien ? Une des conséquences de ma paranoïa ! Depuis quelques kilomètres, j'avais la même voiture dans le rétro. Elle nous a suivis dans Vandeuvre. En y réfléchissant, j'ai l'impression qu'elle était déjà là à la sortie de Paris.

Émylie se rend à son tour à la fenêtre, jette un coup d'œil. Le soir tombe dans une bruine laiteuse. Sur le pré transformé en parc de stationnement, il n'y a que la Golf. Plus loin, la route étroite se perd entre les silhouettes de maisons récentes, impersonnelles.

— Tu penses à qui ?, s'inquiète-t-elle. À Hertz ? Il est le seul à savoir que nous sommes dans ces parages. Si je te répète que je me méfie encore de lui, je crains que tu ne me ressortes ton couplet sur la maçonnerie, la fraternité et le reste...

Mosèle se détourne de la fenêtre, tire le rideau. Ouvrant son sac, il lance :

— Au travail ! Dernière révision des cartes d'état-major et des chemins de grandes randonnées !

Émylie n'est pas dupe, Mosèle ne parvient pas à donner suffisamment le change en jouant la décontraction et en arborant un sourire enjoué. Il semble effectivement contrarié, soucieux.

— Tu penses réellement que Francis a vécu cette aventure avant nous ? Tout seul ? Sans l'aide de personne ?

Mosèle paraît en douter.

— Je me pose sans cesse la question. Il a dû localiser le Tombeau, mais ne s'est certainement pas aventuré dans une expédition sous-marine. Je le vois mal en homme-grenouille !

— Moi non plus, admet Émylie en souriant. Tu te rappelles, en Grèce, justement ?

— Cela, je m'en souviens ; il aimait plutôt lire sur le pont du bateau que plonger avec nous.

— Et en compagnie de ta blonde ! Tu vois, la mémoire te revient... Avec un petit effort, tu seras bientôt capable de retrouver son nom.

Vingt heures.

Non loin de la statue du Cathare, Mosèle a garé sa voiture sous un gros arbre, en bordure d'une sente forestière à peine carrossable. Il sort du coffre les sacs à dos et le havresac contenant le matériel de plongée.

Du havresac il retire une lampe-torche et une carte qu'il déplie aussitôt pour la consulter et se remémorer le parcours une énième fois.

— Nous allons prendre ce chemin ; nous devrions tomber sur nos deux « Jean », dit-il en désignant du menton une direction.

— J'admire ta confiance. Elle a un arrière-goût d'adolescence attardée.

Ils s'engagent dans la forêt. Mosèle ouvre la marche, sa torche pointée en avant, brisant son rayon sur des troncs volumineux, des entrelacs de branchages, des ronciers.

— Localisons d'abord sur cette carte les deux pierres appelées la Vieille et la Jeune, dit-il.

— En souhaitant que ta théorie soit exacte !

— Si ce n'était pas le cas, cela signifierait que mon hypothèse ne reposerait que sur un faisceau de coïncidences. De telles correspondances, si nombreuses, seraient du domaine de l'improbable. Le hasard ne s'amuserait pas à dérouler autant de similitudes.

Le chemin se fait sentier étroit, sinuant en bordure des marécages, de maigres et nombreuses lambourdes effilochées sur sa droite, d'épais taillis enchevêtrés sur sa gauche.

La progression devient plus hasardeuse, les pas s'alourdissent sur un sol amolli.

— La première pierre n'est plus très loin, annonce Mosèle. Ça va ?

— On ne peut pas parler de terre ferme... Mais ça va !

La forêt s'évase alors, offrant aux marécages la possibilité de se répandre en gagnant sur les terres.

Le cône de lumière jailli de la torche de Mosèle accroche bientôt les arêtes d'une pierre grise dressée dans la boue.

— La voici !, s'exclame Mosèle. La Vieille !

— Je m'attendais à quelque chose de plus spectaculaire.

Un petit monolithe grossièrement taillé, patiné, érodé par le vent, la pluie, la glace, recouvert en partie d'une mousse grise.

Mosèle examine la carte d'état-major sur laquelle il a reporté le tracé des Templiers au feutre rouge.

— La Jeune est forcément droit devant nous, en lisière de ce marécage qui devrait bientôt donner sur l'un des nombreux étangs bordant le lac de la forêt d'Orient.

— La topographie a sans doute changé depuis les travaux de Hugues de Payns, remarque Émylie.

— Certainement, convient Mosèle. Poursuivons cependant selon une ligne droite joignant les deux Jean. À mi-parcours, nous prendrons la perpendiculaire qui devrait nous indiquer la *terre d'ombre*...

Ils se remettent en route, marchant dans une boue de plus en plus grasse, devant fournir d'incessants efforts pour ne pas perdre l'équilibre.

De temps à autre, un oiseau de nuit émet un appel. Plus à droite, de petits animaux clabaudent en bordure de l'eau, froissant les feuilles rêches des ajoncs.

— Je déteste me balader en forêt la nuit, lance Émylie. Je déteste les marais, les paluds, les tourbières ! Je déteste tout ce qui est humide et pue la vase !

Ne pas les perdre de vue.

Il avance à tâtons, pataugeant dans la terre limoneuse, se griffant les mains et les joues aux fines branches épineuses qui le fouettent à chaque pas.

Mais, s'il progresse au jugé, il n'en fixe pas moins le trait de lumière que dessine la torche de Mosèle dans cette nuit humide et poisseuse. Lui, n'a pas pris de lampe électrique. Plus tôt, il est descendu de sa voiture quand il a vu Mosèle se garer sous un énorme chêne. Il suivait la Golf depuis l'hôtel *Aux Armes Royales*, tous feux éteints, roulant presque au pas. Il a juste sorti son revolver de la boîte à gants et s'est élancé sur les traces des deux jeunes gens.

Ne pas les perdre de vue.

Un faux pas, cependant. Il s'affale de tout son long dans la glaise trempée.

Se relever. Tâtonner pour retrouver son chapeau.

Ne pas les perdre de vue…

« Nom de Dieu, je ne vois plus la lumière de leur torche ! »

Ne pas paniquer… se rappeler leur dernière localisation. Là, dans cette trouée entre les deux masses d'arbres. Leurs silhouettes se découpaient sur une étroite bande de ciel.

La seconde pierre, quasiment identique à la première, émerge des roseaux, lesquels forment une mince barrière entre la forêt et le marais. Un arbre pelé à la ramure torturée lance ses branches au-dessus du monolithe et semble le protéger.

— La Jeune !, s'exclame Mosèle. Les Templiers assimilaient les deux Jean à Janus, ce dieu latin qui possédait deux visages : celui d'un vieillard et celui d'un jeune homme. Janus figurait le passé et l'avenir. Et, au centre…

Émylie et Mosèle se retournent d'un même mouvement. Au travers du rideau de roseaux s'étend l'étang d'Umbra, épais, laqué de nuit, bordé d'une minuscule plage moussue. À une vingtaine de mètres de la berge, dans le faisceau de la lampe-torche, s'élève un monticule informe que recouvrent de hautes herbes.

— La terre d'ombre ne serait que ce malheureux îlot ?, s'étonne Émylie.

— Il y a de grandes chances pour que ce soit en effet tout ce qui reste des terres noyées par Hugues de Payns et les siens. Cette île correspond exactement à l'emplacement du labyrinthe circulaire dans le tracé des Templiers. Nous ne pouvons plus en douter, Émylie, nous sommes tout proches du Tombeau de Jésus. Tout proches !

Elle repense à Francis. Elle l'imagine seul, au bord de cet étang, contemplant cette modeste saillie de terre noire, convaincu qu'elle cache le secret pour lequel les hommes se battent depuis deux millénaires.

Elle regarde Mosèle qui a ouvert les sacs et entrepris de déballer le matériel de plongée. Il tremble un peu, ses gestes sont nerveux.

Il s'est accroupi. Il a aperçu deux nouveaux faisceaux de lumière. Un court instant, il a cru avoir retrouvé la trace de Mosèle et Émylie, mais il s'est immédiatement figé en découvrant son erreur. Il a compté trois silhouettes.

Il s'est baissé, le cœur battant soudain très fort, un goût de sang lui remontant dans la gorge.

L'angoisse. Une peur incontrôlable, brûlante. Toute sa chair électrisée de terreur.

Il a entendu les trois inconnus chuchoter, parlant en italien. Il les a observés quelques secondes lorsqu'ils sont passés près de lui.

Puis il a attendu qu'ils se soient éloignés pour se redresser, se remettre en marche, les jambes cotonneuses, le cœur douloureux.

Sa main droite serre la crosse glacée du revolver dans la poche de son imperméable.

75

Le carnage

Mosèle vérifie l'ajustement des sangles supportant les bouteilles d'oxygène d'Émylie.

— Tu me broies les épaules !, se plaint-elle. Je ne risque pas de perdre mes bonbonnes !

— Si je pouvais te les greffer sur les poumons… Pas d'imprudence, surtout !

— Ne t'inquiète pas ; j'ai plongé dans des endroits nettement plus profonds et dangereux que cette mare aux canards !

Mais, après un temps, elle se reprend :

— N'empêche qu'à la réflexion, je dois avouer que ce n'est pas très engageant. Je crois bien n'avoir jamais plongé de nuit. Et dans un tel marigot, surtout…

— La cachette idéale ! Je présume que les Templiers ont aménagé une chambre étanche pour y conserver les restes de Jésus. Il ne peut en être autrement.

Mosèle a fixé l'appareil photographique à sa ceinture. Les deux torches de plongée sont allumées.

— Tu ne ressens pas une petite appréhension, Didier ?

— Une grosse, oui ! Énorme… La trouille de ma vie !

Ils font face à l'étang, n'osant encore s'y engager, écoutant les bruits de la nuit. Le vent dans les roseaux. Un hululement. Le clapot de l'eau mourant sur la grève. Quelques froissements de feuilles dans leur dos.

Un premier pas. Mosèle s'est avancé et tend la main à Émylie. Unis, ils s'enfoncent lentement dans l'étang, s'y immergent totalement, pincés par le froid de l'eau malgré l'épaisseur de leur combinaison.

Le bouillonnement des bulles autour d'eux. Les ténèbres qui s'écartent à leur passage, ouvertes par les torches. De longues algues serpentines qui ralentissent leur progression. Des rochers saillants à éviter.

Émylie a lâché la main de Mosèle. Celui-ci lui ouvre le chemin, nageant deux à trois mètres en avant, ses palmes battant à rythme régulier.

L'homme abaisse ses lunettes à infrarouge :

— Ça y est ; ils ont plongé ! On voit d'ici le halo de leurs torches sous l'eau.

— Rien de plus commode pour les repérer, souligne Lorenzo. Ils deviennent ainsi des cibles idéales.

— Décidément, Monseigneur a dû signer un pacte avec le diable pour nous dire exactement comment remonter la pelote jusqu'à la veuve Marlane et à Mosèle !, reconnaît Carlo. Les conversations de Hertz que nous avons enregistrées ne suffisaient pas à les pister de manière aussi précise.

— Il a de bien meilleures antennes que les nôtres !, reprend l'homme. Ou des cornes !

— Je donnerais cher pour apprendre qui le renseigne de la sorte, soupire Lorenzo.

— Monseigneur aurait pu donner des leçons à Machiavel. Je me doutais bien qu'il ne se contenterait pas du micro qu'il a placé dans le bureau de Hertz ! Il peaufinait son plan depuis longtemps.

L'homme sourit. « Depuis très longtemps, pense-t-il. Depuis des années. Des dizaines d'années, peut-être. Un travail méthodique, imparable ! Une solide amitié à bâtir avec celui qui serait sa victime : avec Hertz... »

Le soubassement de la terre d'ombre forme un large mur de pierre circulaire. Mosèle et Émylie s'en approchent, se débattant contre des écheveaux d'herbes collantes.

Les torches balaient l'appareillage de gros moellons dans les interstices desquels poussent des algues courtes et pustuleuses. Les deux phares lèchent le mur et, soudain, s'arrêtent sur un motif gravé en creux. Un dessin apparaît, érodé, mais compréhensible. Un grand cercle contenant un triangle.

Émylie et Mosèle s'entre-regardent, se parlent avec les yeux. La surprise en premier lieu. Puis, sitôt après, l'émerveillement. Cet enchantement qui naît habituellement dans les rêves et que refuse la réalité.

De sa main libre, Mosèle épouse le cercle géant pour en suivre le contour granuleux, caressant cette pierre abrasée que les Templiers ont marquée de leur sceau dix siècles plus tôt.

Maintenant, il sait.

Il se retourne vers Émylie, retenue en arrière par l'émotion. La peur, aussi. Il lui fait signe d'approcher. Ses yeux rient. Emplis de larmes, ils rient, pareils à ceux d'un illuminé. Ils rient de cette légende qui vient d'accomplir sa mue en vérité.

Tout à son euphorie, Mosèle prend quelques clichés de la paroi. Les grosses pierres, le cercle et son triangle…

La joie d'Émylie est brutalement retombée. Une image s'est imposée à son esprit : « Francis. »

Le grand gars au cou trop maigre, à la tête trop lourde, aux yeux de myope, toujours habillé à la hâte, mal boutonné, le col fichu de travers, le pull pris à moitié dans la ceinture d'un pantalon poché aux genoux, ce grand type dont elle pensait se séparer la hante en cet instant tel un fantôme. Francis lui manque plus que jamais.

Mosèle l'appelle d'un nouveau signe. Elle lui répond d'un bref geste de la main et désigne de l'index une masse blanchâtre à demi dissimulée dans un lit d'algues qu'elle vient de découvrir sous elle, à deux ou trois mètres de profondeur. S'en approchant d'un coup de reins, elle révèle dans la lumière de sa torche une pierre plate et carrée dépassant d'une dizaine de centimètres du sol boueux, comportant en son centre une encoche circulaire.

Émylie pense d'emblée à l'anneau. Après quelques secondes d'examen, elle est persuadée que cette gorge et l'anneau sont de même circonférence.

« Une serrure ! »

Elle en fait plusieurs clichés et s'apprête à rejoindre Mosèle lorsqu'un bruit lui déchire les tympans. Une déflagration, accompagnée d'un éclair éblouissant. Une explosion qui génère une bulle énorme, la repoussant violemment en arrière dans les algues qui se referment sur elle.

Lorenzo vient de réarmer son lance-grenades et s'apprête à viser l'une des sources de lumière flottant entre deux eaux. Carlo l'arrête en lui posant une main sur le bras : « Attends ! »

Carlo braque sa lampe électrique sur les roseaux.

— Qu'y a-t-il ?, demande l'homme.

— Le vent est tombé depuis quelques minutes, fait Carlo.

— Eh bien ?, s'impatiente l'homme.

— Eh bien, poursuit Carlo, il n'est pas normal que les roseaux s'agitent.

L'homme hausse les épaules.

— Rien qu'un ragondin ou une bestiole de ce genre. Il n'y a personne. Personne d'autre que nous.

— J'ai horreur de tout ce qui se faufile dans la nuit, insiste Carlo. De la vermine prête à vous bouffer les mollets !

— Qu'on en finisse !, décrète l'homme. Les petites bizarreries de Monseigneur sont cocasses : vouloir faire périr ses ennemis par les quatre éléments dénote une charmante attention. Ces damnés maçons sont initiés par l'air, le feu, l'eau et la terre... Nous avons déjà utilisé l'air et le feu ; cette nuit, l'eau de ce cloaque sera leur tombe. *Dominus vobiscum.*

— *Et cum spiritu tuo*, conclut Lorenzo en expédiant une deuxième grenade.

Aussitôt l'étang s'enfle et un geyser en jaillit.

— Leurs torches se déplacent, remarque l'homme. Ils cherchent à fuir !

— Ils n'en auront pas le temps, assure Lorenzo en visant pour la troisième fois.

La déflagration a déchiqueté la combinaison de Mosèle en le projetant contre le mur du tombeau. Inconscient, il coule vers le fond de l'étang. Il a lâché sa torche qui s'est perdue dans un amas de longues herbes. Son appareil photographique est retenu par sa dragonne à son poignet.

Il tombe.

Émylie, qui s'extrait de son fouillis d'algues, le voit descendre, bras en croix, pantelant, s'enfonçant dans l'ombre. Elle a besoin de lumière pour le rejoindre et lui porter secours. Il va bientôt disparaître dans la nuit glacée de l'étang.

Mais les tueurs se fient aux torches pour projeter leurs grenades. Si Émylie se déplace, elle est perdue. Si elle éteint sa lampe, Mosèle est condamné, car elle sera incapable de le trouver dans ces ténèbres.

Tuer !

Se décider enfin. Se décider à sortir des roseaux. Vaincre sa peur. Les tuer tous les trois.

Il était à genoux dans la boue ; il se redresse et écarte les joncs d'une main, son revolver fermement serré dans l'autre, pointé droit devant lui.

Lorsqu'il apparaît à découvert, l'un des intrus l'aperçoit et crie en italien. L'homme au lance-grenades retient son tir, se retourne à son tour, surpris. Il emporte son étonnement dans la mort : une balle lui traverse la gorge et un flot de sang gicle de sa blessure, décrivant un arc de cercle noirâtre qui accompagne sa chute.

Tirer à nouveau. Rapidement.

Voir le deuxième homme tressauter sur place, porter une main à son front en un geste hébété, comprendre qu'une partie de sa tête a éclaté et s'affaisser lourdement dans la boue.

Tout va si vite. Actions syncopées, comme hors de la réalité. « Les effets conjugués des calmants, de l'alcool et du jeûne », pense-t-il.

Le troisième homme, celui au trench-coat, a sorti vivement une arme de sa poche, qu'il a pointée dans sa direction.

Il le sait, il n'aurait pas dû penser. Temps perdu. Ce temps dont profite l'homme au trench-coat pour le viser, presser la détente.

Douleur dans l'aine. Une pointe de glace qui lui traverse chairs et os du côté droit. Qui le déséquilibre.

Mais il ne tombe pas. Il reste lucide, dans sa folie. Une lucidité qui lui est propre, qui détache chaque nouveau geste du précédent, annihile les sons, décompose les événements en milliers de clichés autonomes.

Pas de bruit. Le silence de sa haine. Jouir de voir qu'il vient d'atteindre son adversaire, lequel se casse en deux, hoquète et fracasse le plat de l'étang de son dos. L'homme dans sa chute a perdu son arme.

Lui, avance en boitant, ne ressentant qu'une infime douleur, alors que sa blessure à l'aine mouille de chaud son pantalon comme s'il avait pissé dedans.

Il avance, déterminé, la gueule du revolver pointée en avant. Jusqu'à l'homme à demi allongé dans l'eau, son vêtement ensanglanté, qui tend le cou pour chercher à deviner ses traits. Que voit-il ? Un chapeau, un éclat sur un verre de lunettes, une lueur sur une pommette, une moustache grossière.

— Qui êtes-vous ?, demande l'homme dans un français parfait. Dites-moi au moins qui vous êtes, avant de m'achever.

Il le toise, goûte cet instant, s'en délecte avec un contentement malsain qui lui instille une impression de toute-puissance. Lui, l'inconnu qui s'est immiscé dans l'équation des Gardiens du Sang et des frères de la Loge Première…

— Mon nom doit vous rappeler quelqu'un que le pape a fait tuer, répond-il. Un certain Marlane !

L'homme au trench-coat éclate d'un rire idiot. Il repense sans doute à ses dossiers, aux fiches de renseignements produites par ses agents, et se dit alors qu'il aurait dû deviner… Son corps tressaille sous les balles qui le criblent. Il meurt dans un ricanement étouffé, la bouche vomissant bile et sang.

« Je suis seulement quelqu'un qui se venge ! »

76

La dernière lettre

Les explosions ont cessé. Peu importe la raison. Émylie met à profit ce répit pour rejoindre Mosèle qu'elle a réussi à localiser au fond de l'étang, gisant sur le dos.

Coinçant sa torche dans le harnais de sa combinaison, elle passe ses bras sous les aisselles de son ami pour le remonter à la surface.

C'est un poids mort qu'elle hisse avec difficulté, palmant de toutes ses forces dans l'eau boueuse. Craignant que les tueurs ne l'attendent sur la berge, elle poursuit cependant son ascension, faisant montre d'une volonté qu'elle n'a jamais cru posséder. Survivre, ne serait-ce que quelques minutes. Survivre en arrachant une poignée de temps à la mort.

Il ne lui reste plus que deux à trois mètres à gagner pour s'extraire de cette fange glacée. Quelques derniers battements de palmes… Elle heurte de la tête un objet à la lisière de la surface. Un visage. Un visage la regarde en grimaçant, les lèvres tendues par un rictus grotesque. Elle doit repousser le cadavre de l'inconnu pour sortir de l'eau, tirer Mosèle sur la grève limoneuse, reprendre sa respiration.

Elle arrache son masque et son détendeur. Et découvre alors que deux autres hommes sont allongés sur le sol. L'un a la moitié de la tête arrachée, l'autre s'est vidé de son sang par une blessure à la gorge.

Puis elle devine une présence et reconnaît cette silhouette. Celle de l'homme au chapeau, aux moustaches et aux lunettes d'écaille. L'homme qu'elle a surpris l'autre nuit à la fenêtre du bureau de Martin Hertz.

Il ne bouge pas en la voyant. Il se tient de biais, déhanché. Émylie remarque l'importante tache de sang sur son pantalon. Un revolver pend au bout de son bras droit.

— Ah, c'est vous !, trouve-t-elle seulement à dire, comprenant qu'il a commis ce massacre pour les sauver, Mosèle et elle.

Il ne répond rien, ne bouge toujours pas. Il semble attendre, indifférent.

Émylie se penche sur Mosèle.

— Aidez-moi. Il est inconscient…

Elle souhaiterait remonter le blessé sur l'herbe, l'y étendre pour l'examiner, car il a encore les jambes dans l'eau.

— Pourquoi ? Pourquoi ne parlez-vous pas ? Vous craignez que je reconnaisse votre voix, c'est bien cela ?

Aucune réponse. Aucun signe de vie de la part du spectre. Émylie se résout à puiser en elle de nouvelles ressources pour haler le corps inerte de Mosèle. Elle s'est débarrassée de ses palmes, ses pieds nus s'enfoncent dans la vase, glissent, anéantissant chacun de ses efforts.

— Je suis fatiguée de vos secrets, de tous vos mystères !, s'exclame-t-elle. Je vous demande juste de m'aider à le porter…

Il se décide. La voix d'Émylie au bord des sanglots l'a sorti de ce rêve éveillé qu'il faisait, aveugle et sourd. Il se décide à aider la jeune femme. Tête baissée, se gardant bien de montrer son visage, il s'approche en claudiquant, pareil à un automate endommagé. Il enserre les poignets de Mosèle et le tire sur l'herbe.

Lorsque sa besogne est achevée, l'inconnu fait deux pas en arrière, remonte le col de son imperméable pour dissimuler le bas de son visage et se fige à nouveau.

Émylie débarrasse Mosèle de son masque, ouvre sa combinaison déchirée, découvre des marques de brûlures et plaque son oreille contre sa poitrine, épiant les battements du cœur.

— Il respire. Il faut le transporter jusqu'à la voiture. Je vous en conjure, donnez-moi un coup de main ! Qui que vous soyez, aidez-moi encore !

Mais l'inconnu se retourne vivement vers les roseaux. Émylie lève les yeux. Des lumières. Plusieurs faisceaux convergent dans leur direction, fouillant la nuit.

— D'autres Gardiens du Sang ?

Émylie est épuisée, découragée. Elle serait parvenue à remonter Mosèle du fond de cet étang pour se faire abattre là, à quelques mètres du Tombeau de Jésus ? Elle prend la tête de son ami entre ses mains, la soulève pour la poser sur sa cuisse et lui caresser les cheveux.

Les roseaux se froissent, les torches se rapprochent. L'inconnu semble réfléchir, s'agite nerveusement, fait un pas en avant, réfléchit encore, fait un deuxième pas. Un troisième, enfin, pour être suffisamment proche d'Émylie et lui tendre une enveloppe hâtivement sortie de sa poche.

Émylie le regarde. Elle n'ose comprendre. Elle scrute les pupilles brouillées par le verre des grosses lunettes. Elle prend la lettre. « La neuvième ! »

Les yeux de l'inconnu sont emplis d'une immense tristesse et d'une effroyable détermination. Ce sont ceux d'un homme brisé par un chagrin qui l'a rendu fou.

Il tourne les talons et se sauve en claudiquant dans la direction opposée à celle des étrangers qui couchent les roseaux pour avancer.

Il a disparu quand Émylie entend non sans surprise qu'on les appelle, elle et Mosèle. Et que, parmi ces voix impatientes, elle en reconnaît une : un gros miaulement inquiet.

Alors, émergeant des joncs, précédées par les cercles éblouissants des torches électriques, sept silhouettes apparaissent. Elles avancent en formant une ligne, d'un pas régulier et lent. Martin Hertz se détache du groupe et s'approche d'Émylie qui tient toujours la tête de Mosèle évanoui sur sa cuisse.

L'avocat est le seul à ne pas porter de tulle noir sur le visage ; tous les autres, en effet, dissimulent leurs traits sous un voile.

— Ne craignez rien, dit Hertz, n'ayez pas peur, nous sommes tous des amis.

Baissant sa torche afin de ne pas l'éblouir, le vieil avocat ajoute :

— Toujours fidèle ! Pareil à un vieil ange gardien un peu collant ! Mais... Didier est blessé ?

— Assommé, répond Émylie. Groggy ! Les tueurs nous ont lancé des grenades alors que nous étions sous l'eau, et nous serions morts sans l'intervention de *l'inconnu au chapeau*...

— Le messager de Francis a fait sa petite virée postale et en a profité pour s'offrir ce carnage ? Un travailleur solitaire qui s'est enfui à notre arrivée ?

— Oui, il vous a pris pour des Gardiens du Sang. Tout comme moi, d'ailleurs.

— Relevez-vous, Émylie. Mes amis vont prendre soin de Didier.

— Ce sont des frères de la Loge Première ? C'est pour cette raison qu'ils portent ce voile noir sur le visage ?

— Un peu théâtral, j'en conviens. Je vous demande de les excuser : ils préfèrent conserver l'anonymat. Croyez-moi : ils prennent déjà un très gros risque à faire ce qu'ils font cette nuit.

Hertz saisit Émylie par un bras et l'aide à se redresser tandis que deux frères Premiers auscultent Mosèle.

Du menton, Hertz désigne la lettre qu'Émylie tient dans sa main droite.

— Si je compte bien, dit-il, d'après Francis cette lettre serait la dernière. Elle ne devait vous êtes remise que dans une situation d'extrême gravité. Vous... vous ne voulez pas l'ouvrir ?

— Pas maintenant. Elle est adressée à Didier et je souhaite que ce soit lui qui la lise en premier. Quoi qu'elle contienne de terrible...

— Ma curiosité doit être moins disciplinée que la vôtre, Émylie. Moi, j'aurais déjà déchiré cette enveloppe !

Puis, montrant l'étang, il demande :

— Qu'avez-vous vu là-dessous ?

— C'est vrai que vous êtes un vieux chat, Martin. Têtu, buté, rusé... Je me demande même si la santé de Didier vous préoccupe. Tout ce que vous voulez savoir, c'est ce que nous avons trouvé !

— Les chats sont souvent constants en amitié. Ne vous ai-je pas prouvé la mienne à plusieurs reprises ? Quant à Didier, je suis certain qu'il se remettra vite de cette mésaventure. Il ne m'a fallu qu'un rapide coup d'œil pour constater qu'il ne souffrait d'aucune blessure grave, ni même de contusion. Nous en aurons rapidement la confirmation.

— J'ignorais que vous possédiez aussi des aptitudes médicales, raille la jeune femme.

Les frères Premiers ont maintenant décrit un demi-cercle. Ils surveillent les alentours en balayant la nuit de leurs lampes-torches.

— Qu'avez-vous trouvé ?, répète Hertz, patelin, quémandant une réponse.

— Il est fort probable que nous ayons découvert le Tombeau de Jésus. Dans la pierre d'un grand mur incurvé, adossé à la paroi d'une grotte, nous avons vu un motif gravé : un triangle dans un cercle… À l'endroit exact indiqué par Hugues de Payns et par le tracé découvert dans le Testament du Fou.

Les Premiers les ont entendus, ils ne réagissent pas pour autant et continuent de sonder les roseaux et les bois.

— Comment se fait-il que le Vatican ait su que nous fouillerions précisément cette partie de la forêt d'Orient ?, interroge Émylie. Qui renseigne les Gardiens du Sang depuis le début ?

— Je ne sais pas, Émylie, répond Hertz. Je vous jure que je l'ignore.

Hertz s'adresse à ses frères :

— Regagnons les voitures. Que l'un d'entre nous reste à surveiller les lieux ; nous reviendrons bientôt déplacer les corps et effacer toutes traces de notre passage. Prenez les sacs avec toutes les affaires d'Émylie et de Didier, il ne doit rien s'être passé ici cette nuit.

Émylie a noté la transformation soudaine de Martin Hertz. Sa rondeur, sa jovialité, son ton habituellement affable se sont effacés pour laisser transparaître une personnalité moins débonnaire, rigide : celle d'un homme habitué à commander et à se faire respecter.

Se tournant vers Émylie :

— Vous vous changerez plus tard. Ne tardons plus.

Les deux frères qui examinaient Mosèle le prennent par les jambes et les bras tandis qu'un troisième se charge de lui soutenir la tête.

— Jamais de traces !, dit Émylie. Des masques, des événements effacés, des morts anonymes !

— Oui, Émylie. L'enjeu est si grand que nous combattons dans l'ombre depuis les origines de cette affaire. C'est l'édifice de deux mille ans d'Histoire dont nous sapons les bases !

Le cortège s'est mis en route. Les lampes-torches allongent leurs faisceaux entre les roseaux.

— Didier a bien fait de me téléphoner, hier, pour m'informer de votre décision, commence Hertz. J'ai immédiatement alerté mes frères et nous avons *réveillé* la Loge Première. J'espère cependant que nous ne sommes pas tous tombés dans un piège !

— Vous pensez que nous aurions pu servir d'appâts, Didier et moi ?

— Notre Loge a toujours cru maîtriser ou prévoir les intentions du Vatican que l'un de nous est parvenu à infiltrer... Néanmoins, les Gardiens du Sang nous collent aux fesses comme des bouses !

La procession pénètre dans la forêt lorsque Mosèle reprend conscience. Il ne parvient pas à identifier d'emblée les voix qui conversent à quelques pas de lui, ni ne réalise qu'il est porté. Ses tympans sont encore douloureux et sa raison tarde à reformer la réalité. Impression de froid, de peur.

— Émylie ?

— Je suis là, Didier.

On le dépose délicatement sur l'herbe. Il s'assied, reconnaît Martin Hertz qui se penche sur lui pour prononcer d'un ton qui se veut rassurant :

— Pas d'inquiétude : vous êtes resté dans les pommes quelques minutes, mais vous ne semblez pas avoir de blessure grave.

— Que fichez-vous ici ? C'est quoi, ce cirque ?

Il vient d'apercevoir les silhouettes masquées.

— Calme-toi, lui conseille la jeune femme. On va tout t'expliquer.

— Vous qui désiriez tant connaître la Loge Première, fait Hertz, vous pourriez vous montrer plus respectueux envers ses frères ! Savez-vous qu'il est très rare que ceux-ci prennent le risque de s'aventurer en groupe hors de leur Temple ?

— La Loge Première ?, souffle Mosèle. Désolé !

Le jeune homme se redresse, secouru par les deux frères qui le portaient et qui l'aident à recouvrer son équilibre.

Hertz reprend :

— Nous ne sommes plus très loin de nos voitures où nous attendent d'autres frères. Nous allons devoir vous bander les yeux à tous deux. Faites-nous confiance.

— Comment pourrions-nous faire autrement, Martin ?, s'étonne Mosèle. N'est-ce pas vous qui maîtrisez le jeu et qui nous avez sorti de ce mauvais pas ?

— Émylie vous racontera... Mais, cette fois, ce n'est pas moi qui ai abattu les Gardiens du Sang qui vous bombardaient.

— C'est l'inconnu, poursuit Émylie. L'homme qui nous communique les lettres de Francis...

Un bandeau noir sur les yeux, Émylie et Mosèle se laissent conduire par les frères Premiers.

Le groupe débouche dans une clairière où sont stationnés sept véhicules, dont un 4 x 4 Mitsubishi. À l'arrière de celui-ci, le frère Premier et Son Éminence voient réapparaître avec satisfaction leurs frères, encadrant Émylie Marlane et Didier Mosèle.

Trois autres frères non masqués qui attendaient à proximité des voitures se précipitent au devant des arrivants. L'un d'eux est médecin ; il prend aussitôt Mosèle en charge.

— Je vous laisse un instant entre les mains d'un excellent praticien, Didier, annonce Hertz. Il ne vous parlera pas, car vous ne devez pas entendre sa voix.

Mosèle sourit.

— J'ai appris les vertus du secret à votre contact, Martin.

Il est conduit à l'arrière d'une voiture. Émylie est amenée dans un autre véhicule tandis que Hertz gagne le 4 x 4. La vitre en est baissée. Son Éminence se penche vers l'avocat qui demeure à l'extérieur.

— Alors, Martin ?

Celui-ci résume brièvement ce qu'il a appris.

— Mon Dieu, ils auraient trouvé ce que nous cherchons depuis des siècles !, s'exclame le cardinal.

— C'est à peu près certain, Monseigneur, confirme Hertz.

Le Premier se penche à son tour, tendant son visage émacié vers lui, et dit :

— Cette fois, nous n'avons pas rompu le fil qui nous reliait à Mosèle, comme nous avions cassé celui qui nous unissait à Francis Marlane. Cela, grâce à vous, Martin.

— Que proposez-vous dans l'immédiat ?, demande Son Éminence à Hertz.

— Déplacer les corps des trois Gardiens du Sang pour ne pas attirer l'enquête de police sur le site, et convier Didier Mosèle à une Tenue obscure dès qu'il sera en état d'y participer.

— Vous nous avez parlé de cette neuvième lettre..., avance Son Éminence.

— Je crains qu'elle ne révèle ce que nous aurions aimé garder à tout jamais scellé dans le silence.

— Vous pensez que Francis Marlane y a décrit les rapports qu'il entretenait avec nous ?, s'inquiète le Premier.

— Un dernier aveu, naturellement !, précise Hertz. Une demande d'absolution adressée à son ami Didier pour ses mensonges.

— Nous avons tous des fautes à nous faire pardonner par ceux que nous aimons et qu'il nous arrive de trahir, souligne le cardinal. Nos victoires sont à ce prix.

La douleur lui mord le côté droit et ankylose sa jambe qu'il doit traîner comme une charge encombrante. Il est cependant parvenu à suivre de loin la procession des lampes-torches.

Il s'est adossé à un arbre, non loin des véhicules. Il voit que l'on conduit Mosèle, les yeux bandés, à l'arrière d'une voiture, et Émylie dans une autre. Il reconnaît Martin Hertz qui s'adresse à deux silhouettes restées à bord du 4 x 4.

D'où il se trouve, il ne peut entendre ce qui se dit, mais il se refuse à avancer plus avant de peur d'être repéré. Il devine en quel endroit les Premiers vont se rendre.

Regagner sa voiture... Ignorer la souffrance... Puiser son énergie dans la satisfaction d'avoir tué ces trois Gardiens du Sang. Et achever sa mission.

77

Les aveux de Francis Marlane

Après avoir roulé près de trois heures, Émylie et Mosèle sont invités à descendre de voiture et, toujours guidés à cause du bandeau qu'ils portent sur les yeux, sont conduits à l'intérieur de la grosse maison bourgeoise du Premier.

Deux frères aident l'invalide à s'extraire du 4 x 4 et le portent jusqu'au fauteuil roulant qu'André, le majordome, vient d'amener sur le perron.

Tous les frères quittent les véhicules. Ils ont ôté les voiles de tulle noir qui masquaient leurs traits. Si trois d'entre eux n'ont manifestement pas quarante ans, tous les autres ont largement dépassé la soixantaine. Son Éminence camoufle ses soixante-dix années derrière sa taille élancée, ses longs cheveux blancs rejetés en arrière, son regard vif, clair et vert. Un regard d'eau.

Le cardinal voit le ciel bleuir au-dessus des arbres du parc et consulte sa montre. Le jour va bientôt se lever. Il se sent un peu las ; l'humidité des marécages de la forêt d'Orient a rouillé ses articulations.

— Nous allons boire un bon café brûlant, lui dit un frère en parvenant à sa hauteur.

— Et fumer un cigare, pour ce qui me concerne !

Il se retient de dire qu'il aimerait partager ce moment avec Martin Hertz. Échanger avec lui ses impressions sur un Cohiba ou un Hoyo de Monterrey. Un double corona qu'ils soupèseraient d'abord entre leurs doigts avant d'en sectionner le bout, qu'ils allumeraient religieusement, aspirant à petites bouffées leurs premiers arômes, qu'ils laisseraient enfin fondre entre leurs lèvres, s'abîmant l'un et l'autre dans d'indolentes rêveries. Mais Son Éminence sait qu'ils n'en auront pas le temps. Il va leur falloir préparer la Tenue obscure qui accueillera Didier Mosèle. Ensuite ils se sépareront. Pour toujours, cette fois. Il quittera son vieil ami. Il abandonnera son frère déjà condamné.

Vendredi, cinq heures quarante.

Émylie et Mosèle ont été conviés à prendre une douche, à s'habiller et se restaurer. Sans jamais voir un autre frère que Hertz qui les a chaperonnés avec ces airs paternels dont il aime user en ce genre d'occasion.

Ils sont maintenant dans une vaste chambre au papier peint jauni, aux doubles rideaux fanés, aux meubles lourds et sombres.

L'odeur du café dissipe celles des boiseries moisies, des vieux plâtres, de la poussière accumulée.

Mosèle a été rassuré sur son état. Il souffre cependant d'un fort mal de tête ; quelques ecchymoses aux coudes lui rappellent que le souffle de la grenade l'a violemment projeté contre le mur du Tombeau.

— Maintenant, pouvons-nous apprendre où nous sommes ?, demande Émylie.

— Près de Paris, répond Hertz. Dans un abri où vous n'avez plus rien à craindre.

— Le repaire des frères Premiers ?, ironise Mosèle.

— On peut le voir de cette manière, dit Hertz. Considérez-vous cependant comme des invités, puisque personne ne vous empêchera de partir si vous le désirez. Néanmoins, vous avez besoin d'un peu de repos, Didier.

Le vieil avocat remplit à nouveau les trois tasses d'un épais café noir et fumant, en ajoutant :

— Portons un toast à ce mystérieux personnage qui veille sur vous, pareil à un fantôme attentionné ! Sans lui, vous ne seriez plus de ce monde, à cette heure.

— Tu m'as bien dit que tu l'avais vu, Émylie ?, interroge Mosèle.

— En une seconde, la torche que j'avais glissée dans ma ceinture a éclairé le haut de son visage et je... j'ai accroché son regard.

— Eh bien ?, s'impatiente le jeune homme.

— Ce n'est qu'une impression... absurde ! J'étais paniquée... Enfin, j'ai vu ses yeux... On aurait cru ceux de Francis !

Une créature glacée plante ses griffes dans le crâne de Mosèle. Le retour d'un cauchemar.

— Ça s'explique, parvient-il à articuler. Francis ne cesse de nous hanter et s'impose à nous par les messages qu'il nous adresse par-delà la mort.

— Justement, fait Émylie. Ouvre enfin cette enveloppe.

Hertz renchérit :

— Ouvrez cette foutue lettre, Didier ! C'est à croire que vous redoutez d'apprendre ce qu'elle contient...

— En effet, admet Mosèle en extrayant la lettre de son enveloppe.

Il s'est assis sur le bord du lit, Émylie a choisi un fauteuil près de la fenêtre aux rideaux fermés, Hertz demeure debout, accoudé à une commode.

Enfin Mosèle se met à lire. La chose glacée est restée accrochée à son cerveau. Elle le lacère.

Mais il lit d'une voix mal assurée le dernier message de son frère Francis Marlane :

Mon Très Cher Didier,

Je redoutais votre entêtement et c'est pourquoi je vous ai mis en garde à tant de reprises. Mais vous lisez cette dernière lettre et cela prouve que vous êtes en grand danger, que vous avez même peut-être atteint ce que vous pensez être la Vérité !

Me pardonnerez-vous de vous avoir caché le plus important ? Vous avez toujours imaginé que je travaillais seul sur la base des travaux du professeur Pontiglione et des manuscrits 4Q456-458 de la mer Morte que nous reconstituions à la Fondation Meyer.

Il existe cependant une Loge mythique et occulte que l'on dit héritière de Jésus. Celui-ci l'aurait fondée avec Jean. Cette confrérie, ayant appris mes recherches, m'a approché par l'intermédiaire de l'un de ses membres : notre ami Martin Hertz !

— Vous saviez !, s'écrie Émylie.

— Francis vous rapportait tout, n'est-ce pas ?, demande Mosèle. Vous en aviez fait votre agent ? Vous l'avez manipulé comme vous m'avez manœuvré !

— Poursuivez, Didier, conseille Hertz. Ce n'est pas tout à fait cela.

— Belle fraternité hypocrite !, lance Émylie.

Mosèle reprend la lecture :

Un soir, après l'une de nos Tenues à la Grande Loge, Martin Hertz m'a abordé. Il m'a convié à achever la soirée chez lui. Nous avons passé toute la nuit à parler de mes études, des troublantes similitudes existant entre les manuscrits de la mer Morte et l'Évangile de Jean. Ce genre de discussion s'est répété pendant plusieurs mois jusqu'à ce que Martin me parle de la Loge Première et de l'intérêt que j'aurais à y être initié, pouvant ainsi accéder à certains de ses secrets. En unissant nos efforts, Martin espérait que nous serions en mesure de reconstituer l'énigme du Testament du Fou... Car la Loge Première était dépositaire de ce manuscrit légendaire !

Mosèle laisse éclater sa colère.

— Vous vous êtes bien foutu de moi, avec vos silences et vos mensonges ! Vous avez jeté Francis dans cette affaire pour m'y précipiter ensuite après l'avoir perdu !

— Vous êtes injuste, Didier, se défend Hertz. Au contraire ! Francis a choisi de son libre-arbitre et accepté de conjuguer ses intérêts avec ceux des frères Premiers. Une véritable fièvre et une quête mystique l'animaient. Il devait être guidé et protégé pour ne pas tomber sous les coups des Gardiens du Sang que ses recherches avaient alertés.

— C'est pourtant ce qui est arrivé !, lui reproche Émylie.

Hertz fait mine de ne pas avoir entendu. Il s'adresse à Mosèle :

— Poursuivez la lecture, Didier.

Il m'était interdit de vous révéler les liens que j'entretenais avec la Loge Première dans laquelle j'aurais été bientôt initié si, par orgueil, je n'avais pas joué la dernière partie de mon aventure en solitaire. À l'heure où je vous écris, je me sais traqué. Je ne renonce pourtant pas, car le désir de savoir est plus fort que tout !

— Oui, Francis a cessé de me tenir au courant de l'avancée de ses investigations, dit Hertz. Je l'avais perdu jusqu'à ce que vous veniez me trouver chez moi, cette fameuse nuit. Vous étiez affolé...

— Et vous m'avez donné le même os à ronger que celui que vous lui aviez jeté plus tôt : LE TESTAMENT DU FOU !

— Il fallait bien achever le travail interrompu !, jette Émylie avec mépris. Maçonnique jusqu'au bout, Martin... Quand un frère tombe, on le remplace aussitôt par un suivant. Comme à la guerre !

— Nous cherchions tous la même chose, reprend Hertz. À notre manière ! J'ai menti, Francis a menti ! Et après ? L'avons-nous fait par amitié ou par intérêt ?

— Les deux à la fois, certainement !, souffle Mosèle, la voix cassée.

Le temps me manque, Didier. J'ai enregistré une cassette, écrit ces lettres, et je me prépare à disparaître. Je vous conjure de tout faire pour rester en vie. Émylie aura besoin de votre amitié. Savoir que vous serez près d'elle me permet de partir en paix. Adieu, vieux frère !

Émylie ne parvient pas à retenir ses larmes. Elles lui coulent sur les joues et viennent saler ses lèvres.

— Il donne l'impression de me confier à toi et de s'effacer, remarque-t-elle.

— Je crois bien que Martin a raison, admet Mosèle. Francis était dévoré par sa passion, par son rêve !

— La Vérité l'effrayait, précise Hertz. Il l'a pourtant traquée de toutes ses forces.

— Comportement suicidaire !, sanglote Émylie. Mon pauvre Francis… Aurais-je jamais pu l'imaginer en don Quichotte ?

— Un tout petit pion que les Gardiens du Sang ont éliminé sans pouvoir gommer tout à fait son ombre, dit Mosèle en se levant du lit pour se rapprocher d'Émylie et poser ses mains sur ses épaules.

La jeune femme est secouée de petits hoquets.

Hertz s'approche à son tour. D'un geste empreint de tendresse, de ces gestes qu'il a si peu distribués au cours de son existence, il prend le menton de la jeune femme dans sa grosse patte pour lui relever le visage. Pour qu'elle le regarde droit dans les yeux. Car lui aussi pleure la mort de Francis Marlane.

— Francis nous donne le sentiment d'avoir vaincu la mort grâce à ses messages, Émylie.

Elle lui sourit. Triste, mais un sourire tout de même. Reconnaissant. Pour le remercier des larmes qu'il verse sur Francis, ce vieil adolescent qu'elle a perdu.

Il descend de sa voiture, sa jambe droite raide et sans vie. Il se traîne difficilement jusqu'à la grille qui clôture une partie de la demeure du Premier. Chaque pas le fait grimacer de douleur.

Il voit les voitures garées devant le perron. Il remarque que la Golf de Didier Mosèle a été ramenée de la forêt d'Orient.

Rien ne bouge. Les Premiers sont tous à l'intérieur.

Il poursuit son chemin. La grille est bientôt remplacée par un mur de meulières qui ceinture le parc. Malgré sa blessure, il lui serait possible de grimper sur le faîte du mur, puis de se laisser glisser de l'autre côté.

Il évalue mentalement l'effort qu'il lui reste à accomplir.

Le Premier pénètre dans la chambre, manœuvrant son fauteuil roulant avec adresse. Ne portant pas de masque, il explique à Émylie et Mosèle qu'il ne craint pas de se montrer à visage découvert.

— C'est la moindre des choses, pour un hôte !

— Dois-je vous appeler Vénérable Maître ?, demande Mosèle. Est-ce vous qui présidez la Loge Première ?

— J'ai actuellement cette responsabilité et serais honoré de vous recevoir en Tenue, ainsi que nous l'avons fait pour notre regretté frère Francis. Mais, avant de prendre cette décision, je souhaiterais savoir si vous vous engagez à collaborer avec nous. Vous et Émylie, naturellement ! Nous avons grand besoin les uns des autres.

Émylie et Mosèle s'interrogent du regard.

— Oui, Didier... Seuls, nous serions perdus, dit la jeune femme.

Mosèle tend son appareil photographique à l'infirme qui le prend de sa main valide pour le déposer entre ses genoux, sur le plaid qui recouvre ses cuisses.

— Tenez, lui dit Mosèle. Cet appareil contient des clichés du Tombeau où vos prédécesseurs ont déposé les restes du Christ. Nous avons découvert le mécanisme d'ouverture. Une serrure circulaire devait accueillir l'anneau que vous conservez depuis l'inhumation de Jésus.

— Ainsi, dès l'origine, les Premiers possédaient tous les éléments qui leur auraient permis d'atteindre le Saint-Sépulcre...

— Mais tous ces éléments étaient épars, corrige Mosèle.

Le Premier conclut :

— Pareils aux éclats d'une parole brisée... À une vérité éclatée !

78

La porte verte

Ce vendredi, il s'est remis à pleuvoir, vers six heures, et le vent s'est levé, arrachant aux arbres du parc leurs feuilles les plus rousses.

Émylie et Mosèle ont été laissés seuls pendant près d'une heure. Lorsque Hertz revient, il annonce au jeune homme :

— Tous nos amis sont prêts et vous attendent pour vous recevoir en Tenue obscure, Didier.

— À cette heure ?

— Les frères doivent prendre une décision ce matin même.

— Je présume que je ne suis pas conviée à votre petit *symposium* ?, demande Émylie. On n'y reçoit que des maçons, n'est-ce pas ?

— C'est juste, Émylie, s'excuse Hertz. Nous sommes désolés. Je sais que vous nous comprenez ; votre mari était des nôtres et…

— … et il me répétait la même chose, dit Émylie d'une voix railleuse. Le secret du rituel, le respect de la Tradition ! Tous ces trucs de boy-scouts à cause desquels il est mort !

Mosèle et Hertz sortent de la chambre. Le Premier les attend dans le couloir. Les trois hommes se dirigent vers l'escalier et croisent André, porteur d'un plateau chargé d'une solide collation.

— André, dit le Premier, lorsque vous aurez servi Émylie et que vous vous serez assuré qu'elle ne manque plus de rien, ayez l'obligeance de développer la pellicule que nous vous avons confiée tout à l'heure.

— Je m'y mets aussitôt.

Puis Mosèle et Hertz soulèvent l'infirme de son fauteuil pour lui faire prendre place sur la chaise à crémaillère du large escalier.

— Le Temple se situe au sous-sol, explique le Premier. Vous verrez, c'est une cave aménagée… disons : d'une manière très symbolique !

La chaise se met à glisser le long du mur avec un petit bruit mécanique.

— Vous serez sans doute un peu surpris, ajoute Hertz. Le lieu n'a qu'un lointain rapport avec les ateliers maçonniques tels que vous les connaissez.

— Nos frères sont déjà installés, précise le Premier.

— Je vais entrer sans tablier ni gants ?, s'étonne Mosèle.

— Non, pas de tablier, pas de gants, sourit Hertz. Ni non plus de grande cape blanche marquée de croix rouges !

— Juste de l'ombre, souligne le Premier. Et un peu de lumière...

Parvenus dans le vestibule, Mosèle et Hertz doivent à nouveau soulever l'infirme pour l'installer dans un fauteuil roulant plus modeste et non motorisé que le vieil avocat va pousser jusqu'à une porte verte.

Hertz remarque la pâleur de Mosèle.

— Je ne me rappelle pas vous avoir déjà vu aussi intimidé, Didier.

— Je n'avais jamais admis que tout cela pouvait avoir une quelconque réalité, avoue Mosèle. Jusqu'à présent, ce que vous représentez appartenait pour moi au domaine de la fable...

Hertz tend le bras vers le pommeau de la porte.

— Vous allez pénétrer dans la Loge Première, dit-il cérémonieusement. Celle-là même qui a été fondée par Jésus !

— La Loge de la Parole Perdue !, complète le Premier.

Hertz ouvre la porte verte qui donne sur un plan incliné permettant au Premier de descendre vers le Temple.

Il s'est maladroitement réceptionné en se laissant tomber du haut du mur. La douleur lui a mordu le flanc droit et il n'a pu retenir un cri.

Il suffoque, pleure et geint.

Ce n'est qu'après de longues minutes qu'il se décide à traverser le parc pour se diriger vers la grande bâtisse.

Sa jambe droite est de plomb. Il la hale comme un fardeau, ratissant les feuilles mortes qui recouvrent une mousse imbibée de pluie.

Il lui faut trouver un endroit où se reposer un peu. S'asseoir au sec. S'asseoir et s'assoupir un moment de manière à oublier temporairement la souffrance de son corps.

79

La Loge Première

Hertz a demandé à Mosèle d'attendre sur le seuil du Temple et a poussé le fauteuil roulant du Premier derrière un autel éclairé de trois bougies.

Le jeune homme se familiarise avec ce décor fait d'apparences discrètes, de silhouettes immobiles. Une ombre enveloppante, épaisse, contourne de rares sources de lumière. De chaque côté du Temple, au nord et au sud, s'élèvent des stalles en bois dans lesquelles sont assis les frères Premiers. Onze sièges, dont un vide : celui que Martin Hertz n'utilisera pas.

L'ombre interdit à Mosèle de voir les visages des participants à la cérémonie. Il n'aperçoit que leurs mains posées pour la plupart sur les accoudoirs. À l'une d'elles un rubis brille comme une minuscule étoile.

Sur le sol, un damier de carreaux noirs et blancs recueille quelque clarté.

Règne un étrange mélange de mystère, de sobriété et de sérénité. Un silence solennel qu'anime parfois le souffle d'une respiration.

Sans bruit, Hertz revient auprès du jeune homme. Il lui prend le bras et le guide jusqu'au milieu de la salle. C'est alors que la voix du Premier rompt la quiétude qui enveloppait Mosèle, chassant toute crasse nocturne de son esprit.

— *Puisqu'il est l'heure et que nous avons l'âge, ouvrons les travaux de notre Loge.*

Le Premier a levé sa main valide en direction de l'autel. Un frère – le Maître des Cérémonies – se lève et approche. Mosèle remarque seulement maintenant qu'un livre repose sur l'autel.

— Qu'apparaisse le Livre !, lance le Premier.

Le frère Maître des Cérémonies ouvre aussitôt le livre et Mosèle découvre avec étonnement que ses pages sont blanches. La voix du Premier résonne, forte, détachant nettement chaque syllabe :

— Le Livre est vide, car sa Parole a été perdue. L'Ombre a chassé la Lumière. L'Imposteur a pris la place de son frère.

Hertz souffle à l'oreille de Mosèle :

— Je reste à côté de vous, Didier.

— Tout est fait de manière à ce que je ne discerne pas le visage de nos frères, chuchote Mosèle.

— Il en va toujours ainsi. Vous ne devez pas les connaître avant qu'ils ne vous aient initié. Je vous l'ai dit, c'est différent pour le Premier et moi.

Le regard de Mosèle ne cesse d'être attiré par l'éclat du rubis brillant dans la troisième stalle du mur sud. Le détenteur de cette bague l'impressionne par son immobilité totale tandis que ses frères changent parfois de position, remuent une main, pianotent sur leurs accoudoirs... Lui ne bouge absolument pas. Sa main sortie de l'ombre, pâle et figée, est comme un animal à l'arrêt. Une blanche araignée dont seul l'œil unique reste aux aguets.

Le Maître des Cérémonies vient de déplacer le livre blanc pour placer sur l'autel un bac plat.

« De la cendre ! », murmure Hertz à l'oreille de Mosèle.

Le Premier dit :

— Nous traçons le Plan tel que nous l'ont transmis nos aînés. Notre mémoire en a conservé le dessin. Nous savons son épure incomplète depuis que notre frère Jacques de Molay a été trahi.

Le Maître des Cérémonies plonge l'index droit dans la cendre et se met à tracer quelques lignes.

— Il dessine dans la cendre !, marmotte Mosèle.

— Après Francis, vous êtes le deuxième « invité » de cette Loge à avoir le droit d'assister à ce geste. Vous saisissez, maintenant ? Tous les éléments du Secret étaient épars. Vous les avez rassemblés !

Le Maître des Cérémonies complète l'image représentant un triangle surmonté de deux sphères couronnant la lettre « J ».

Le Premier reprend :

— C'est une partie de la Lumière qui est déposée dans cette cendre. Un écho de la Parole Perdue. *« Écrivez donc les choses que vous avez vues, et celles qui sont, et celles qui doivent arriver ensuite. »*

Mosèle comprend que le Plan transmis par la Tradition était jusqu'à présent amputé du tracé des Templiers. L'incendie de la maison de campagne de Martin Hertz, qui a détruit presque entièrement le Testament du Fou, puis le verre de whisky renversé sur l'enluminure des moines copistes de Padoue ont révélé le chaînon qui manquait aux frères Premiers. « Francis, grâce à son intelligence hors du commun, à son flair de chien de chasse, est parvenu à décrypter l'énigme sans recourir au tracé... »

Le Premier poursuit :

— Nous, Loge Première, héritière du Plan, dépositaire du Testament du Fou et de l'anneau, nous sommes engagés à retrouver la Vérité de nos maîtres passés pour la révéler au monde. Notre combat contre le mensonge n'aura jamais de fin.

Le frère Maître des Cérémonies, dont Mosèle n'a jamais pu discerner les traits, retourne s'asseoir à sa place.

— Le rituel a été dit et accompli, dit le Premier. Entrons dans le débat, mes frères. Et que l'Ombre seule soit témoin de ce qui sera prononcé dans cette enceinte.

Hertz prend la parole pour dire :

— Nous répétons ce rituel et dessinons le Plan depuis des siècles, conscients que l'un et l'autre bordaient le chemin de notre quête vers le Tombeau. Mais c'est grâce au sacrifice de Francis, grâce à son travail et à celui de Didier Mosèle, que nous savons enfin, cette nuit, où le corps du Christ a été caché après avoir été déplacé par Hugues de Payns...

Au rez-de-chaussée de la propriété, dans une buanderie transformée en laboratoire, André développe la pellicule argentique que Mosèle a impressionnée dans l'étang d'Umbra. Il travaille sous la lumière rouge d'une ampoule vissée au plafond pour la circonstance.

La pellicule est traitée dans une cuve contenant du révélateur, lavée à grande eau au bout de deux minutes, placée ensuite dans la cuve de fixateur.

André a obturé l'unique fenêtre du labo improvisé. Aucune lumière ne filtre de l'extérieur.

Il ne peut donc voir un inconnu traverser l'étendue de gravillons d'un pas traînant, juste devant la fenêtre.

Il n'est distrait que par l'averse qui frappe aux volets.

Émylie a mangé les deux oranges qu'André lui a apportées avec des fruits secs et des petits pains aux raisins auxquels elle n'a pas touché. Elle se sent fatiguée. Elle a envie de dormir vraiment, sans cauchemars.

Elle s'allonge sur le lit lorsqu'une sonnerie retentit dans la pièce. Celle de son téléphone portable, laissé dans le havresac. Elle bondit.

Deuxième sonnerie. Elle fouille parmi ses affaires enfournées en vrac.

Troisième sonnerie. Elle porte l'appareil à son oreille, attend, ne perçoit qu'une respiration syncopée.

— Allô ?

La respiration, encore. Plus forte. Puis une voix d'homme et ces mots : « Je suis dans le parc. »

L'interlocuteur raccroche.

Émylie repose son portable sur la commode. Elle tremble des pieds à la tête. Elle tremble à en perdre l'équilibre. Elle fait deux pas, s'assoit sur le bord du lit, cherche à se calmer, puis se relève, enfile un pull et traverse la chambre.

Elle a reconnu la voix de l'inconnu : le messager de Francis.

Sortant de la chambre, empruntant le couloir sombre, elle repense aux yeux de l'homme au chapeau, au bord de l'étang. À son regard éploré.

80

L'inconnu

Émylie est sortie de la maison. La pluie hachée par les rafales la gifle au visage et trempe aussitôt son pull.

Elle cherche l'inconnu du regard. Et l'aperçoit, se détachant du tronc d'un arbre auquel il s'appuyait. Il ne porte plus son chapeau, son imperméable n'est plus qu'une loque de boue et de sang. Il avance en titubant, traînant sa jambe droite, pantin pitoyable.

Émylie court jusqu'à lui. On croirait qu'il n'attendait que cet instant, que tout ce qui lui restait d'énergie était tendu vers ce moment où il s'écroule dans les bras de la jeune femme. Comme si cela avait été écrit.

— Êtes-vous seuls ?, demande-t-il en larmes.

— Oui, ne craignez rien... Vous êtes couvert de sang !

— À l'étang, j'ai été touché... à l'aine, je crois. Mais... mais je les ai tués ! Ils ont payé... Les autres paieront aussi... Tous les autres...

Il bredouille, mêle les syllabes, marque de longs temps d'hésitation.

— J'ai commencé de venger mon fils ! Et j'ai voulu vous protéger... Je... je l'avais mis en garde, mais...

— Oui. Vous saviez tout, n'est-ce pas ? Francis se confiait à vous. À vous plus qu'à moi ou à Didier. Vous êtes épuisé, beau-papa... Appuyez-vous sur moi.

Marlane père se ressaisit, se redresse, arrache sa fausse moustache et ses grosses lunettes d'un geste brusque. Il jette ces accessoires au sol et prend Émylie par les épaules pour ne pas tomber, tant il est exténué.

— Francis... Il me tenait au courant de ses recherches... Il ne voulait plus s'arrêter... Il... il se serait damné pour découvrir la Vérité... Il ne supportait pas que l'Église mente depuis deux mille ans... Nous parlions souvent... J'étais devenu son confident... Il avait une confiance aveugle en moi...

— Calmez-vous. Vous êtes brûlant de fièvre ! Vous ne pouvez pas rester dans cet état. Je vais vous conduire à l'intérieur de la maison.

— Non ! Non... Conduisez-moi dans cet abri de jardin, là-bas.

Le Premier dit :

— Hugues de Payns et ses Templiers, aidés par saint Bernard, ont protégé le Tombeau. Ils ont accompli de lourds travaux dans la forêt d'Orient, laissant accroire qu'ils conquéraient ainsi des terres cultivables qu'ils irriguaient grâce à des lacs artificiels...

Dans une stalle, une voix demande :

— En réalité, ils dissimulaient au cœur de leur ouvrage un aménagement censé recevoir les restes du Christ ?

Une autre :

— Nous n'avions jamais imaginé qu'ils avaient immergé le Tombeau.

Soudain, à la surprise de Mosèle, la main au rubis s'anime. Juste un léger mouvement qui lui fait quitter l'accoudoir, l'espace de quelques secondes. L'homme parle alors avec un accent italien :

— Et l'anneau... Cet anneau qui a scellé la dalle de la tombe de Jésus est passé de main en main, au cours des temps, au sein même de notre Loge. D'après notre frère Didier, Hugues de Payns et ses ingénieurs s'en sont servis pour en faire la clef devant ouvrir le Tombeau !

— En effet, souligne Hertz. Voilà toute l'ironie de notre cheminement ! Nous aurions pu atteindre notre but depuis longtemps. Mais nous étions aveugles ! Nous possédions pourtant toutes les pièces du Plan.

Mosèle poursuit :

— Elles ont été fragmentées, disséminées çà et là, éparpillées lors des combats historiques que vous a livrés le Vatican. Néanmoins, sans vraiment le savoir, vous les conserviez toutes... dans la Tradition de votre Loge.

Émylie installe Marlane du mieux qu'elle peut, le faisant asseoir sur un sac de jute, à même le sol, l'adossant contre une cloison en bois.

La cabane est emplie d'un bric-à-brac d'outils de jardinage, d'arrosoirs, de pots en terre vides, de boîtes de graines... des caisses, une petite serre, un tuyau d'arrosage enroulé comme un serpent lové sur lui-même.

— Comment avez-vous fait pour rester debout ? Pour marcher ?

— Vous aider... Veiller sur vous et Didier... Francis redoutait que ses ennemis s'en prennent aussi à Didier...

Émylie a écarté les pans de l'imperméable de Marlane ; son pantalon rougi de sang est troué dans le creux de l'aine. L'étoffe s'est collée à la périphérie des chairs déchirées.

— Vraiment... Je dois aller chercher du secours, René.

— Non ! Surtout pas !

— Pourquoi ? Vous tenez donc tant à mourir ?

— Je suis le dernier témoin anonyme du drame... Le dernier lien entre mon fils et la Vérité... Méfiez-vous *d'eux* aussi...

— Qui ? De qui parlez-vous ?

Il porte la main à son front. Il doit d'abord prononcer les phrases mentalement avant de les laisser sortir de sa bouche. Trouver les mots, les ordonner. De qui parle-t-on ? *Eux* ? Il se souvient de ce que lui disait Francis.

— De qui parlez-vous ?, répète Émylie.

— Des frères Premiers ! Francis pensait que... enfin... Des rapports étroits entre *eux* et l'Église... Du moins certains d'entre eux... Je... je ne sais plus... Je suis si fatigué !

— Nous devons prendre une décision ce matin, dit le Premier. Nous assurer que la découverte faite par Didier n'est pas un leurre laissé par les Templiers.

— De combien de temps disposons-nous ?, interroge Hertz. Les Gardiens du Sang nous talonnent !

L'homme à la chevalière au rubis ajoute :

— Nous craignons désormais l'empressement du Vatican à régler cette affaire. Hâtons-nous, en effet. Trop de gens sont morts de part et d'autre dans ce conflit.

— Je suis résolu à retourner plonger dans l'étang d'Umbra le plus tôt possible, à la recherche de la preuve irréfutable qui me permettra enfin de clamer la Vérité, intervient Mosèle.

— De venger la mémoire de Francis et de tous ceux que les Gardiens du Sang ont abattus, murmure Hertz à la seule adresse du jeune homme.

Marlane lève des yeux vagues, vitreux. Il semble voir au-delà des murs de bois de la cabane. La sueur ruisselle sur son visage aux traits marqués, aux joues creusées.

— Francis m'a dit... Je devais suivre Didier, le surveiller... J'ai fait au mieux... Avant de partir pour Jérusalem, il m'a laissé ses carnets, ses disquettes, son « passe » de la Fondation Meyer... Il se doutait...

— J'ai compris tout cela, beau-papa. Et vous avez repris son enquête de votre côté !

— Je ne souhaitais que remonter la piste des tueurs… Tout en respectant ses intentions… Délivrer les messages qu'il avait écrits alors qu'il se savait menacé…

— En agissant de manière à cacher votre identité aux Gardiens du Sang. Si vous saviez comme nous nous sommes interrogés, Didier et moi, sur cet *inconnu* qui ne nous lâchait pas d'une semelle !

— Désolé, ma petite Émylie… Ce n'était plus vraiment moi… Je n'existe plus depuis la mort de Francis !

Il s'affaisse sur lui-même et la jeune femme, agenouillée près de lui, le prend contre elle comme un enfant malade.

— Je suis devenu Francis !, articule-t-il.

— Pouvons-nous considérer que vous avez pris une décision définitive, Didier ?, demande le Premier.

Mosèle répond aussitôt :

— Oui. Je tiens à le faire !

— Dans ce cas, je vous accompagnerai, précise Hertz. Personne d'autre que moi ! Vous plongez, vous vous assurez que l'anneau ouvre bien le Tombeau, et vous remontez !

— Cela risque de ne pas suffire, dit Mosèle.

— En effet, souligne le Premier. Nous devons êtes certains que le Tombeau n'est pas une coquille vide.

— J'y pénétrerai et en rapporterai suffisamment de photographies pour faire la plus extraordinaire des communications au monde entier !, s'exclame Mosèle.

— Restez là et attendez-moi.

— Ne retournez pas dans cette maison ! Appelez Mosèle et… FUYEZ !

Marlane s'est tendu, hurlant presque. Il s'accroche aux épaules d'Émylie, l'oblige à demeurer agenouillée.

— Nous n'avons plus rien à redouter, tente-t-elle de le rassurer. Je vous assure. Ce sont des amis.

— Francis ne leur faisait plus confiance… Il m'en avait parlé… Plus confiance… Tous manipulés… Nous sommes tous manipulés, Émylie !

— Vous délirez, René.

— Aucune importance… Fuyez ! Pour l'amour de Francis, fuyez !

— Vous n'ignorez pas que nous devions divorcer ; nous étions séparés !

— Il vous aimait encore… Il vous aimait tant !

Elle aurait préféré qu'il ne lui dise pas ça. Pas maintenant, pas ainsi. Elle s'est crispée, a fermé les yeux quelques secondes. Francis lui est apparu : son sourire, sa calvitie précoce, son regard toujours en éveil, vif et curieux.

Marlane poursuit sa litanie :

— Fatigué… Partons… Avec Mosèle…

— Je ne peux pas le joindre maintenant. Il est actuellement en réunion avec les frères Premiers.

Elle s'est emportée et le regrette aussitôt. Elle se relève.

— Où allez-vous ?, s'inquiète-t-il.

— Je vais essayer de trouver de quoi désinfecter votre plaie et la panser. Il n'est pas question que vous restiez dans cet état.

Elle sort de la cabane. La pluie la saisit de plein fouet.

81

Montespa

André accroche son dernier agrandissement à un fil tendu entre deux murs de l'appentis. Il examine les vingt clichés. Le mur sous-marin avec son motif. Un cercle enserrant un triangle. Les algues entre les pierres…

Il retire ses gants de caoutchouc et allume la lumière pour nettoyer et ranger son matériel. Il s'apprête à ouvrir le robinet d'eau quand il entend marcher à l'étage, juste au-dessus de lui. Le vieux parquet craque derrière la mince couche de plâtre du plafond. « Dans la salle de bains », pense-t-il.

André ouvre la porte et sort. Dans le vestibule, il remarque des traces de pas humides conduisant vers l'escalier. D'autres empreintes sur le tapis recouvrant les premières marches.

Partageant certains secrets du Premier, maçon lui-même, André s'inquiète aussitôt pour la jeune femme restée dans sa chambre. « Quelqu'un vient de pénétrer dans la maison ! Émylie Marlane est seule à l'étage… »

Il traverse en hâte le vestibule, se rend dans la cuisine, ouvre un vaisselier, lance sa main au-dessus d'une pile d'assiettes et s'empare du revolver qui a toujours été caché à cet emplacement.

Maintenant, tenant cette arme qui le rassure, il peut gravir l'escalier. Monter rapidement, sans bruit, déboucher dans le couloir, atteindre la porte entrouverte de la salle de bains.

Il demeure un instant le dos plaqué au mur, écoutant les bruits de flacons qu'on entrechoque.

Pousser la porte silencieusement.

Il s'étonne. Émylie Marlane est en train de piller l'armoire à pharmacie : alcool à 90°, gaze, pansements…

— Que cherchez-vous dans cette armoire, Madame Marlane ?, demande-t-il en se rapprochant.

Émylie se retourne, les bras chargés.

— Vous m'avez fait une peur !

Il abaisse son arme, fait encore un pas.

— Bon Dieu, vous vous êtes blessée ? Qu'avez-vous fait ?

— Ce n'est pas mon sang, dit Émylie. Je vais vous expliquer.

— Je l'espère bien. Si ce n'est pas votre sang, à qui appartient-il ? Qui vous apprêtiez-vous à soigner ?

— Laissez-moi… Faites-moi confiance !

— Je regrette, Madame Marlane ; vous allez devoir me fournir quelques informations qui m'inciteront à avoir confiance en vous. Parlez-moi de ce sang sur vos vêtements.

Émylie tente de battre en retraite, esquisse un pas de côté, mais André lui ferme le passage.

— Je ne peux rien vous dire. Je dois voir Didier ! C'est urgent. Il en va de la vie d'un homme.

— Je pourrais certainement vous aider si vous m'expliquiez de quoi il retourne. Ne trouvez-vous pas que la situation réclame certains éclaircissements ? À en juger par les pas que vous avez laissés dans le vestibule, j'en déduis que vous êtes sortie dans le parc pour en revenir tachée d'un sang qui n'est pas le vôtre.

Émylie s'avoue vaincue.

— Il s'agit de mon beau-père, commence-t-elle. Il a reçu une balle dans l'aine, au côté droit...

Quelques minutes plus tôt, le Premier, aidé par le frère Maître des Cérémonies, a suspendu les travaux de la Loge Première.

Le Maître des Cérémonies a remué la cendre du bac d'un revers de main cependant que tous les frères ont prononcé en chœur cette phrase : « *Nous effaçons le Plan et le gardons dans notre mémoire et notre cœur où il témoignera de notre fidèle et incessante recherche de la Vérité.* »

Puis les trois bougies ont été mouchées. Dans une obscurité presque totale, les frères Premiers se sont levés pour se diriger vers l'orient du Temple. L'un d'eux a dévoilé une porte derrière une tenture noire.

— Une seconde issue !, s'est exclamé Mosèle. Pour que nos frères se retirent discrètement... comme des conjurés !

— Il est préférable que vous ne les connaissiez pas, Didier, a répondu Hertz. Pas déjà.

Le Premier s'est approché dans sa chaise roulante et a dit :

— Quant à nous, remontons. Nous devons mettre au point les derniers détails de votre nouvelle expédition en forêt d'Orient.

— Le plus tôt possible !, a déclaré Mosèle. J'ai hâte d'en avoir terminé.

— Curiosité compréhensible !, a souligné Hertz. Après tout, les tueurs du Vatican ayant été éliminés, nous sommes désormais les seuls à connaître l'emplacement du Tombeau. Et nous en possédons la clef.

Mosèle, Hertz et le Premier passent la porte verte au moment où Émylie et André redescendent l'escalier.

Didier remarque aussitôt le pull maculé de sang de la jeune femme. Il se précipite.

— Émylie, que t'arrive-t-il ?

— Il faut intervenir immédiatement, il risque de mourir.

— Mais de qui parles-tu ?

— L'*inconnu*, commence-t-elle. Il s'est réfugié dans la cabane du jardin. Il ne voulait pas que je vous prévienne... Il a été blessé en nous portant secours, hier soir.

Elle parle vite, la voix chargée d'angoisse.

Mosèle découvre alors qu'André a passé un revolver dans sa ceinture et porte une boîte à pharmacie.

— Qui est-ce ?, s'impatiente Mosèle.

Émylie répond en se rendant à la grande porte du vestibule :

— C'est René Marlane, le père de Francis ! Aidons-le, je t'en prie. C'est pour toi et moi qu'il a agi de la sorte, en mémoire de son fils... Je crois même qu'il en a perdu la raison.

Les yeux de chat de Martin Hertz se sont mis à briller.

— Qu'attendez-vous, Didier ?, commande-t-il. Suivez Émylie !

Le Premier se tourne difficilement vers le vieil avocat planté derrière son fauteuil en factotum serviable :

— Je peux rester seul. André, sortez ouvrir la grille à nos frères. Martin et Didier vont se charger de ce *visiteur*.

Tous sont sortis. Un instant, le Premier se croit réellement seul. Puis il perçoit une présence derrière lui. Sans doute un frère resté sur le seuil de la porte verte, dans l'ombre. Silencieux.

La présence s'approche lentement. Ses pas discrets ne font que peu de bruit sur le carrelage. Ils glissent jusqu'au fauteuil roulant.

Deux mains viennent se poser sur les épaules de l'infirme dans un geste fraternel.

Le Premier incline légèrement la tête, voit le rubis de la chevalière.

— Vous n'êtes pas parti, dit-il. Vous avez entendu ?

La réponse est donnée par la voix à l'accent italien, presque indolente :

— Un nouveau masque est tombé. C'était donc cela : un père qui venge son fils.

— Pareil à un fantôme.

— Madame Marlane a certainement raison, ajoute Son Éminence, la douleur a dû le rendre fou. Je peux regagner Rome l'esprit plus clair ; j'avoue que cet inconnu m'a longtemps intrigué.

— Car c'était une pièce de l'échiquier que vous ne maîtrisiez pas, Monseigneur. Désormais, tout est accompli ! Le Tombeau est à notre portée...

Son Éminence retire ses mains des épaules du Premier.

— La vieille Église est morte, en effet, reconnaît-il. Elle ne se relèvera pas de cette dernière attaque.

— Demain, le Vatican aura perdu le combat... Comment l'Église aurait-elle pu se douter que l'un de ses plus fidèles serviteurs travaillait à l'œuvre des frères de la Loge Première ?

Son Éminence se porte à la hauteur du Premier de manière à ce que celui-ci puisse le voir. Il semble méditer quelques secondes, puis dit :

— Que serais-je d'autre qu'un traître aux yeux de mes condisciples ? Un espion vendu à l'ennemi ? Traître, mystificateur... Tel Thomas l'imposteur qui aima son frère Jésus tout en le haïssant.

— Vous avez choisi le camp de la Vérité. Vous avez été l'un des principaux artisans de notre victoire, Montespa.

Le grand homme mince, tout de noir vêtu, à la silhouette élégante, imposant par son regard d'eau verte et ses longs cheveux blancs jetés en arrière, porterait avec une évidente autorité et beaucoup de grâce la robe blanche du prochain pontife.

Le cardinal Montespa a conscience, à cet instant précis, qu'il coiffera la tiare pour succéder à Jean XXIV, le pape empoisonné sur son ordre. Sacrifié comme le furent Francis Marlane, Norbert Souffir et tant d'autres.

Avant de s'en retourner, Son Éminence adresse un ultime mensonge à l'infirme qui l'admire et le respecte depuis plus de quinze ans :

— Je suis satisfait que Didier Mosèle et Martin Hertz soient parvenus à échapper aux Gardiens du Sang.

Puis, comme le rapportent les seuls Évangiles crédibles et autorisés, ainsi que Judas le fit à Jésus, il se penche pour déposer un baiser sur le front du Premier.

Il sait qu'il ne le reverra jamais plus.

82

La dispute

Pendant que le Premier s'entretenait avec le cardinal Montespa, Émylie, Mosèle et Hertz se rendaient au petit cabanon tandis qu'André ouvrait la large grille du parc aux frères remontés dans leurs voitures.

La pluie avait redoublé, lourde et oblique, frappant brutalement au visage et au torse. Émylie fut la première à entrer dans la cahute pour constater que son beau-père en avait disparu. Elle enragea contre André qui l'avait retardée. Malgré la présence de Hertz, elle ne put s'empêcher de dire :

— Il était effrayé à l'idée que je fasse appel à l'aide des frères de la Loge Première. Francis lui avait conseillé de ne pas se fier à eux.

Mosèle se pencha.

— Regardez ce qu'il a laissé sur le sol. Un des carnets de Francis ! Nous les avons cherchés en vain alors que c'est à son père qu'il les avait confiés.

Il ramassa le calepin rouge abandonné près de la toile de jute sur laquelle s'était assis Marlane père. Le carnet était ouvert. Sur une double page venait d'être écrit au crayon feutre noir, traversant l'aquarelle d'un retable, ce simple mot : « FUYEZ ! »

— Mon beau-père cherche encore à nous protéger, dit Émylie.

— Vous êtes en sécurité, la rassura Hertz. Ne doutez plus de la fidélité des frères Premiers et ne vous laissez pas gagner par la paranoïa de cet homme.

— Nous sommes en effet condamnés à nous en remettre entièrement à vous, Martin, remarqua Mosèle.

— Je sais, admit Hertz, vous êtes en droit de nous adresser certains griefs. Nous vous avons utilisés pour atteindre notre but.

— Comme vous avez utilisé Francis !

Les véhicules des frères quittaient la propriété en cortège. André saluait chaque conducteur d'un petit signe de tête. Lorsque la dernière voiture fut passée et qu'André eut refermé la grille, celui-ci se dirigea vers la cabane du jardin où il fut informé que Marlane s'était enfui.

— Il n'est sans doute pas bien loin, à nous épier, dit Émylie. Il est réellement diminué, sa blessure m'a paru sérieuse.

André chercha aux alentours du cabanon, appelant Marlane d'une voix forte, sans résultat.

Émylie tenta de le joindre sur son téléphone portable. En vain. La jeune femme laissa un message sur son répondeur.

À regret ils se résolurent à rentrer au sec.

Mosèle pourrait jurer que la porte verte a claqué au moment précis où, avec ses amis, il pénètre dans le hall. La porte donnant sur le Temple… Pourtant, pense-t-il, tous les frères semblent être partis, André ayant refermé la grille.

Le Premier n'a pas changé de place. Il se tient toujours dans son fauteuil à l'endroit où il a été laissé quelques minutes plus tôt. Le buste tordu, malgré un corset, le visage à demi paralysé, une moitié grave, l'autre arborant un rictus figé.

Hertz lui apprend la disparition de Marlane et la découverte de l'un des carnets rouges de Francis.

Le Premier invite Émylie, Mosèle et Hertz à se rendre dans son bureau afin d'examiner les clichés qu'André a développés.

Le vieil avocat et Mosèle le portent et l'installent dans la chaise à crémaillère. Il commence à gravir l'étage, les jambes flottant dans le vide, pareil à un pantin en apesanteur.

Mosèle perçoit alors un bruit de moteur venant du parc, puis le crissement du gravier sous des pneus. Il est désormais persuadé qu'un frère de la Loge Première s'est attardé.

Sans qu'il puisse se l'expliquer, ce constat le contrarie.

— La ligne est sécurisée, n'est-ce pas ?, demande le cardinal Montespa.

— Bien sûr, lui est-il répondu dans le haut-parleur de sa voiture.

— Les nouveaux agents sont-ils arrivés ?

— Ils ont atterri cette nuit à Paris et ont déjà exécuté une partie de vos instructions. Deux Gardiens du Sang sont postés près de l'immeuble de Mosèle. Deux autres devant celui d'Émylie Marlane. Un troisième planque devant le pavillon de Hertz. La Fondation Meyer est sous contrôle. Les derniers attendent que vous définissiez leur mission.

— Je le ferai ce soir. De votre côté, êtes-vous prêt, Monetti ?

— Vous parlez de Monseigneur de Guillio ? Le problème sera réglé dès cette nuit. Les modalités ont été arrêtées.

— Et le pape ?

— Nous avons changé les membres de l'équipe médicale ainsi que les sœurs qui se chargeaient de sa toilette et de ses soins. N'entrent plus dans sa chambre que de très rares personnes qui nous sont totalement dévouées. Nous nous employons néanmoins à étouffer les rumeurs qui circulent dans la presse.

— Tenons encore un jour ou deux. Moins, peut-être... Je l'espère. Quant à l'*inconnu* qui a abattu nos trois agents dans la forêt d'Orient...

— Oui ?, piaille le gros Monetti à l'autre bout de la ligne.

— Il s'agit d'un électron libre qui a failli renverser notre édifice par sa folie et sa haine. C'est le père de Francis Marlane.

— Ah ! Ne pensez-vous pas que l'intervention de cet élément nous soit dommageable ?

Montespa ne répond pas d'emblée. Il réfléchit, laissant son esprit aller et venir au gré du mouvement des essuie-glaces. Des trombes d'eau s'abattent maintenant, ralentissant la circulation sur l'autoroute. Les automobilistes ont tous allumé leurs feux de croisement.

— Monseigneur, vous êtes toujours là ?, s'inquiète Monetti.

— Je suis là. J'étais en train de me demander si Marlane père devenait une priorité... Je n'apprécie pas les impondérables de ce genre. Cet homme risque en effet de perturber le final de notre opération. Il agit en loup solitaire, insaisissable. Imprévisible ! Un comportement aussi irrationnel peut nous nuire à tout instant. Nous disposons de bien peu de prise sur un dément ! Il nous faudra néanmoins circonscrire le moindre début d'incendie qu'il pourrait provoquer.

— Ou le prévenir ?, raille Monetti.

— Si nous parvenons à le trouver. Lorsque j'ai quitté le Premier, je venais d'entendre rapporter qu'il avait disparu de la cabane de jardin où il s'était réfugié. Marlane père en sait beaucoup trop long sur nous. Plaçons son domicile sous surveillance.

Dans le bureau du Premier, les clichés d'Émylie et de Mosèle ont été étalés sur la table. Hertz et son frère les manipulent comme s'il s'agissait de reliques sacrées.

Mosèle feuillette le carnet rouge abandonné à leur intention par le père de Francis. Près de la fenêtre, ne cessant de regarder le parc dans l'espoir d'y discerner la silhouette de son beau-père, Émylie appelle ce dernier une nouvelle fois sur son portable. En vain.

— Vous avez déniché quelque chose dans ce carnet, de nouvelles révélations ?, demande Hertz sans quitter des yeux les clichés.

— Pas vraiment. Quelques notes sans grande importance et de superbes aquarelles qu'il a dû peindre dans les environs de la forêt d'Orient. Essentiellement des églises, des statues de saints, des retables.

— C'était bien lui !, fait Émylie. Un promeneur à l'ancienne pour qui la photographie était trop moderne ! Mon pauvre Francis a chaussé de bien grandes bottes d'aventurier.

Le Premier abandonne l'examen des clichés et dit :

— Comment imaginer qu'il tenterait de résoudre seul cette enquête ? Après l'avoir reçu en Tenue obscure, nous étions persuadés qu'il garderait un lien avec Martin.

— Il aura douté de vos intentions !, lance Émylie avec suffisamment d'acrimonie dans la voix pour que ni Hertz ni le Premier ne se méprennent sur ses sentiments à leur égard.

— Quel gâchis !, se lamente Hertz. Quel épouvantable gâchis…

— Eh bien, réparons nos fautes !, dit Mosèle. Finissons ce que Francis a entrepris. Faisons parler ces clichés.

Le jeune homme s'approche de la table et désigne de l'index l'un des clichés particulièrement précis de l'encoche circulaire découverte par Émylie au fond de l'étang d'Umbra.

— Nous sommes maintenant persuadés que cette gorge est une serrure, avance-t-il. J'en aurai le cœur net lorsque j'y mettrai la clef, c'est-à-dire l'anneau.

À ces mots, Émylie a bondi. Elle abandonne la fenêtre pour venir se planter devant Mosèle qui recule d'un pas, surpris par sa réaction.

— Qu'est-ce que tu as dit ?, lui demande-t-elle. J'ai bien compris ? Tu as l'intention de replonger dans l'étang d'Umbra ? C'est ça, votre idée ? C'est ce que vous avez décidé au cours de votre foutue réunion de « cagoulards » ?

Le Premier tente de l'apaiser :

— Nous avons en effet voté ce…

Émylie ne le laisse pas achever sa phrase et élève le ton :

— Voté ! Je me fiche de vos votes, de vos délibérations, de toutes vos résolutions ! Vous allez immédiatement repasser le bébé à la communauté scientifique, oui !

C'est au tour de Hertz de s'interposer :

— Non, Émylie, non. Nous allons d'abord voir ce que contient le Tombeau, et ensuite nous ferons une communication.

— Je partage l'avis de Martin, dit Mosèle.

Émylie est au bord des larmes. Elle parvient cependant à se contenir. Sa colère est un rempart contre le désarroi. Un fragile bouclier qui risque de se désintégrer d'une seconde à l'autre. Elle a perdu Francis qu'elle pensait ne plus aimer. Elle redoute de perdre Didier qu'elle pourrait aimer.

— Tu es comme Francis, jette-t-elle à son ami. Vous êtes tous comme lui ! Aussi orgueilleux...

— Les restes de Jésus appartiennent légitimement à la Loge Première, explique Hertz en adoucissant sa voix autant qu'il peut. Il nous revient le droit de présenter la Vérité au monde, Émylie.

— Quelle prétention, Martin !, lui reproche-t-elle. C'est seulement votre guéguerre contre le Vatican qui vous anime ! Nous ne savons pas quel piège peut receler ce sépulcre immergé. Vous n'avez pas pensé un seul instant que les Templiers ont pu le truffer de chausse-trapes ? C'est de la folie ! Il faut plutôt charger une équipe spécialisée de plonger... Une dizaine de types super entraînés !

— C'est ça !, la tance Mosèle. Et comment je lève ce commando ? Quel dossier monter ? À qui je le soumets ? Qui me délivre les fonds ? Je me pointe au ministère de la Culture et je balance : « Bonjour, monsieur le Ministre, voilà, je suis chercheur à la Fondation Meyer et franc-maçon... Je vous annonce que le Christ n'est pas mort sur la croix et qu'il repose au cœur de la forêt d'Orient... Des preuves ? Pardi... Entre les lignes des Évangiles, dans les manuscrits de la mer Morte, dans le Testament du Fou qui a été brûlé, dans le dessin de Nicolas et Agnan de Padoue... » Je lui parle ensuite de la mort de Francis, de Pontiglione, de Souffir, d'un méga-complot qui dure depuis deux mille ans, et tu t'imagines qu'il ne m'envoie pas à l'asile ?

Émylie retient encore ses larmes. Elles vont sous peu déborder. Elles lui brouillent déjà la vue. Aussi se rue-t-elle vers la porte du bureau pour s'enfuir en jetant :

— C'est à croire que tu cherches à mourir, Didier ! Pour te faire pardonner quelle faute ?

Elle claque la porte derrière elle, abandonnant Mosèle pétrifié, les bras ballants, tout bête.

Hertz lui conseille :

— Allez la rejoindre, mon ami. Elle est fatiguée, à bout de nerfs. Tout comme vous. Faites la paix avec elle.

Il reste planté au milieu du bureau, donnant l'impression de ne pas avoir entendu le vieil avocat, puis il se décide. Il sort à son tour, reprend le sombre couloir aux nombreuses gravures, se dirige vers la chambre où Émylie vient de s'enfermer. Cette maison lui paraît sinistre. Tout y est endormi, empoussiéré.

Il pénètre dans la chambre. Émylie, en pleurs, est en train de remettre de l'ordre dans le havresac. Il feint l'étonnement :

— Qu'est-ce que tu fais ?

— Tu vois, mes affaires ! Je rentre à Paris ; j'en ai marre ! Tes *frangins* ont ramené ta voiture, non ?

— Oui… mais je croyais que…

— Si tu n'as pas envie de me reconduire, appelle-moi au moins un taxi.

— Ça peut attendre, non ? On pourrait dormir ici cette nuit, et on rentrerait ensemble demain matin.

— Parce que tu crois que je vais rester une minute de plus dans cette baraque ? Je veux retrouver mon beau-père pour le faire soigner. Pour qu'il me parle de Francis.

Elle a empoigné le havresac et s'apprête à quitter la pièce. Mosèle la retient par le bras.

— Attends-moi, lui dit-il, je viens avec toi. C'est vraiment trop con de se disputer, non ?

— Je suis lasse, Didier, lasse de toute cette histoire, avec tous ces morts ! Je n'en peux plus.

— Moi aussi, Émylie. C'est pour cette raison que je désire y mettre un terme. Nous nous reposerons ensuite.

— Laissons cela aux autres…

Elle laisse tomber le havresac à ses pieds, regarde Mosèle à travers ses larmes et plonge, plonge vers les bras qu'il lui tend, s'y jette pour étouffer d'énormes sanglots trop longtemps contenus.

Se laisser fondre ainsi la soulage. C'est seulement maintenant qu'elle pleure réellement Francis. Que toute sa chair, tout son esprit ont pris conscience de sa perte définitive.

Mosèle la console avec une brassée de mots qu'il trouve stupides dès qu'ils ont franchi ses lèvres.

Un quart d'heure plus tard, il annonce au Premier et à Hertz qu'il a décidé de ramener Émylie à Paris. Le vieil avocat lui montre alors sur une carte routière la situation géographique de la propriété et l'itinéraire à suivre pour atteindre l'autoroute.

— Pas de bandeau sur les yeux, cette fois ? Plus de mystère ?, demande Mosèle.

Hertz lui sourit en répondant :

— Cette mise en scène est superflue, nous vous l'avions imposée essentiellement pour vous empêcher de voir le visage des frères de notre Loge. Vous avez tout retenu ? Vous allez jusqu'à Montrail ; là, vous prenez l'autoroute. Paris n'est qu'à une trentaine de kilomètres.

— Je trouverai, merci.

Hertz accompagne les deux jeunes gens jusqu'à la Golf. Il porte un petit paquet en tissu qu'il glisse dans le havresac sitôt que Mosèle l'a jeté dans son coffre.

— Je mets l'anneau dans votre sac. Vous m'appelez dès que vous aurez décidé de retourner en forêt d'Orient. Vous me le jurez, n'est-ce pas ? Je tiens à être à vos côtés.

— Oui, Martin. Mais, me confier l'anneau…

— Tout repose sur vous désormais, Didier.

— Un épilogue qui abattra deux mille ans d'imposture et de mensonge… La plus grande découverte de toute l'histoire de l'Humanité !

Maussade, Émylie s'est engouffrée dans la voiture, Mosèle s'est installé au volant. Il va pour refermer la portière quand Hertz la retient encore un instant et poursuit :

— En effet, quelque chose qui ressemble à un effroyable séisme ! C'est le prix que paiera l'Église pour tous nos morts : Templiers, Cathares, nos frères…

— Si le Tombeau n'est pas vide, précise Mosèle. Seulement s'il n'est pas vide !

Le vieil homme hoche la tête et laisse son ami fermer la portière, mettre le contact et démarrer.

André est à la grille. Il lance un bref salut à Mosèle au passage de sa voiture.

La grille est aussitôt refermée. Hertz demeure un moment dans l'allée, la pluie lui crépitant sur le crâne.

— Vous devriez rentrer, Maître, lui conseille le majordome, parvenu à sa hauteur.

Hertz remonte à l'étage rejoindre le Premier qui a conduit son fauteuil roulant jusqu'à la fenêtre.

— Je vous ai vu faire, dit-il lorsque Hertz rentre dans la pièce.

— Oui, l'anneau a quitté la Loge. Pour le bien de celle-ci.

— Je devrais être satisfait, mon ami ; pourquoi suis-je d'un coup si inquiet ?

— Sans doute parce que c'est la première fois dans sa longue histoire que notre Loge n'a plus d'ennemis.

— En êtes-vous bien certain ?

— Disons que nous leur avons rogné les griffes et que nous avons pris sur eux une sérieuse longueur d'avance. Nous avons résolu tous les secrets de cette antique énigme.

Hertz s'est à son tour approché de la fenêtre. Il mêle son regard à celui du Premier. Ils pensent à l'unisson, cheminant dans le passé à travers les traits de pluie qui s'abattent sur le parc.

Pourquoi parler ? Que dire ? L'un et l'autre se connaissent depuis si longtemps, jumelés par l'initiation pratiquée dans cette Loge marginale, intemporelle. Ils sont plus que frères. Ils s'aiment de cet amour que soude leur quête commune.

Ils s'aiment comme ils aiment leurs dix autres frères. Montespa, auquel ils distribuent à l'envi du *Monseigneur* ; Losterlack, qu'ils appellent *le Potard* ; Granvel, *le Maître des Cérémonies*, si sérieux, trop silencieux ; Sellas, *le Secrétaire*, toujours aimable, souvent obséquieux ; Hertig, *le Trésorier*, affectueux et drôle, serviable et généreux comme un saint ; Coward, *l'Anglais*, discret et fragile, tout en os, tout en angles ; Delacroix, *l'Historien*, vieux morceau de bois à l'écorce tannée, fouilleur, fouineur, farceur et bavard ; Bosser, *l'Étymologiste*, discret, mesuré et faussement modeste ; Goldstein, *l'Ébéniste*, rigoureux et précis comme une mécanique ; Armand, enfin, qu'ils surnomment *Kipling* sans plus savoir pour quel motif, peut-être en raison de sa magnifique paire de moustaches à l'ancienne...

Hertz rompt le silence :

— Il me semble raisonnable de nous reposer un peu. Je voudrais que Léa ne me trouve pas trop moche, tout à l'heure.

— J'en ai oublié de vous demander comment elle allait, se reproche le Premier, sincèrement désolé.

— Son état est stationnaire. Les calmants y sont pour beaucoup. J'aimerais tant faire encore un bout de chemin avec elle.

— Je vous trouve bien mélancolique ; ce n'est pas dans vos habitudes.

— Nous sommes parvenus à notre but. J'ai passé la plus grande partie de ma vie à chercher le Tombeau de Jésus... Tout ce temps m'a dévoré chair et âme !

— Étonnant paradoxe, n'est-ce pas : vous vous sentez démuni au moment de concrétiser votre rêve !

— Allons, dit Hertz, nous sacrifions à la philosophie de bazar ! Nous sommes fatigués, l'un et l'autre.

— C'est que nous sommes vieux, Martin. Vieux, avec des rêves trop lourds !

83

Retour à Paris

Vendredi, vingt-deux heures cinquante-cinq.

— Dans cinq minutes tu dors, Émylie. Et tu ne discutes pas : tu prends mon lit après avoir avalé deux comprimés de cette saloperie que j'ai mise sur la table de nuit.

— Ça devient une habitude. Une manie, plutôt ! Tu ne vas pas passer le reste de ta vie sur le canapé ?

— Il n'en est nullement question. Je te vire dès que je deviens célèbre, après avoir communiqué au monde entier la découverte du tombeau d'un brave type mort il y a un bail, enterré avec son testament.

Émylie offre un malheureux petit sourire de circonstance à Mosèle.

— J'ai l'impression qu'il s'est écoulé un siècle depuis que nous avons quitté cet appartement. Je me demande où se cache mon beau-père, et pourquoi il ne répond pas sur son portable.

— Nous verrons plus tard. J'exige que tu te reposes. Viens !

Il la pousse vers la chambre.

— Tu ne penses pas qu'il faudrait alerter la police ?, s'inquiète-t-elle. Lancer un avis de recherche ?

— Ce serait la pire chose à faire, et tu le sais bien. René Marlane ne souhaite pas plus que nous que les flics remuent ce merdier. C'est trop tôt !

Elle s'assied sur le lit, se prend la tête entre les mains, soupire.

— Tu as peut-être raison. Mais la police n'en enquête pas moins sur le meurtre de Norbert Souffir.

— Avant qu'elle n'intègre cette pièce dans le puzzle, j'espère que tout sera réglé.

Il lui tend un verre d'eau et deux comprimés.

— Avale-moi ces cochonneries, et dors.

Elle s'exécute docilement. Redressant le buste, elle interroge Mosèle de son regard noisette.

— Qu'y a-t-il ?, demande le jeune homme.

— Tu ne te méfies donc pas ? Et si tu n'étais que l'instrument de vengeance de la Loge Première ?

— Je t'en prie, ne recommence pas avec ça !

Émylie le prend par le cou. Il se penche pour avoir le visage tout près du sien.

— Excuse-moi, murmure-t-elle. Embrasse-moi et couche-toi aussi.

Il l'embrasse. Doux petit coup de bec sur les lèvres. Elle a fermé les yeux.

Mosèle regagne son bureau. Il allume une cigarette dont la première bouffée lui brûle la gorge, étale les clichés pris la veille dans l'étang, la photocopie du tracé des Templiers, les cartes d'état-major...

Il a allumé son ordinateur et passe de son écran aux documents. Il balaie du regard tous les éléments en présence, les interroge encore, sans cesse, obstinément. « C'est ce foutu labyrinthe qui me pose problème... Évident qu'il défend le Tombeau ! Pas d'entrée ni de sortie indiquées sur ce plan... Quel genre de mauvaise surprise me réserve ce truc ? »

Montespa a gravi l'escalier aux marches instables de l'immeuble désaffecté qui sert de base aux Gardiens du Sang.

L'endroit empeste l'humidité, le plâtre pourri, le bois vermoulu, une épaisse odeur qui fait suffoquer.

Son Éminence pénètre dans la pièce où l'attendent six
hommes. De jeunes types sportifs aux cheveux ras ou coupés en
brosse, nuques épaisses, mâchoires serrées, larges épaules.

Les six Gardiens du Sang appartiennent à la section *Forza* de
l'organisation. Des mercenaires, de modernes croisés. Suréquipés,
tels des G.I. en mission. De toutes nationalités. Parlant tous plusieurs langues, dont le français. Une troupe que le cardinal Montespa regrette de n'avoir pas jetée plus tôt dans l'opération. Mais
celle-ci avait été engagée par Guillio quand il en tenait encore
les rênes.

— *Dominus vobiscum,* prononce le cardinal.

— *Et cum spiritu tuo,* répondent les six voix en un chœur
grave.

Montespa jette un rapide coup d'œil alentour. Il remarque le
récepteur qui a servi à piéger Martin Hertz et se rappelle le
moment où il a lui-même placé le micro dans le bureau de son
ami.

Son ami...

— Vous connaissez la plus grande partie du dossier pour avoir
été briefés par Monseigneur Monetti avant votre départ de
Rome ; je compte sur vous pour achever cette malheureuse
affaire qui a coûté la vie à quatre des nôtres.

— Nous savons que nous devons agir rapidement, dit l'un qui
se détache du groupe et répond au matricule Forza-1.

— Très vite !, souligne Montespa. L'annonce de la mort du
pape sera prochainement communiquée ; nous ne pourrons
maintenir longtemps le secret. Oui, très vite ! Toutes vos missions sont consignées dans ce dossier.

Il sort une épaisse chemise de sa serviette en cuir qu'il dépose
sur la table. Les Gardiens du Sang s'approchent en formant un
cercle. Forza-1 ouvre la chemise et en extrait onze fiches.

— Voici les cibles, lâche le cardinal.

Onze fiches. Onze noms. Des photographies de face et de profil de chaque cible humaine. Des plans, des rapports comporte-
mentaux, des numéros de plaques minéralogiques, de téléphones,
de digicodes d'immeubles...

Hertz, Losterlack, Granvel, Sellas...

Tous les onze défilent sous les yeux de Son Éminence. De face, de profil. Des morts, déjà.

— Et le cas Mosèle ?, demande le lieutenant.

— Il est lié à celui des Marlane père et belle-fille. Voici une note à leur propos.

Montespa sort de sa serviette une seconde chemise, plus mince que la précédente, qu'il tend à Forza-1.

— Comme vous le savez, commence-t-il, l'anneau a été remis à Mosèle. Lequel a regagné son domicile avec la veuve Marlane, ce matin ; ce soir, ils n'avaient pas bougé. Dès que l'un ou l'autre sort, il fera immédiatement l'objet d'une filature. Certains d'entre vous devront intervenir en soutien. Nous ignorons à l'heure actuelle quand Mosèle et Hertz retourneront en forêt d'Orient.

— Nous restons à l'écoute, précise Forza-1. Hertz a passé un coup de fil à Mosèle vers treize heures avant de se rendre à l'hôpital voir sa femme. Nous avons enregistré la conversation bien qu'elle ne présente pas grand intérêt.

— Je l'écouterai cependant, précise Montespa. L'entretien peut avoir été codé ; nous ne devons surtout pas sous-estimer nos ennemis.

— À propos de Madame Hertz ?, interroge un Gardien, Forza 4. Ne fait-elle pas partie des cibles ? Il n'y a aucune fiche à son sujet.

Léa… Montespa revoit mentalement la frêle silhouette de ce petit bout de femme dont seuls les yeux n'ont jamais vieilli. La fidèle et docile compagne de ce gros ours de Martin.

Léa…

— Elle ne fait pas partie des cibles, énonce Son Éminence.

Il ne s'attarde pas à leur en donner la raison. Que leur dire ? Que cette femme ne pourra jamais leur nuire et qu'il serait vain de la sacrifier ? Ce ne serait qu'un crime gratuit et inutile qui alourdirait le solde de tous ceux qu'il a déjà été tenu de commander.

Les cibles sont réparties entre les Gardiens du Sang tandis que Montespa se fait repasser l'enregistrement de la dernière conversation entre Hertz et Mosèle.

Après deux écoutes, n'ayant rien remarqué d'anormal, rassuré, il enjoint aux Gardiens du Sang de former la Loggia.

Les hommes se rapprochent un peu plus de la table où sont étalées les fiches relatives aux onze frères de la Loge Première. Montespa étend le bras au-dessus des documents, les doigts parfaitement joints. Les Gardiens du Sang lui répondent par un geste identique dirigé vers le bras tendu du cardinal.

— C'est pour la Gloire de la sainte Église et sa Gloire seule que nous agissons, prononce Montespa.

Il croise alors les mains sur sa poitrine, les Gardiens baissent leur bras et inclinent la tête en signe de révérence.

— C'est pour la Maison de Dieu et son Royaume, poursuit le cardinal. *Cum fortis armatus custodit atrium suum, in pace sunt ea quae possidet*[1].

Puis, de la main droite, il trace une croix dans l'espace au-dessus de la tête des Gardiens et ajoute :

— *Salvum fac populum tuum, Domine, et benedic hereditati tuae*[2].

— Par la Croix !, clament six voix frappées d'une intense conviction.

84

Dernier acte au Vatican

Le cardinal Rozzero est de petite taille. Tout en lui, du reste, est petit : les mains naines, les bras trop courts, les jambes cintrées. Il est laid comme peuvent l'être les rats. Mais c'est un homme fidèle en amitié, respectueux en religion, accommodant en politique. Ces trois vertus ont fait de lui un personnage de qualité dans l'organisation des Gardiens du Sang. C'est pourquoi il a été chargé de veiller un pape mort que d'aucuns s'évertuent à faire seulement passer pour mourant.

Assis, la tête rentrée dans les épaules, ses yeux ronds sont d'hypnotiques billes fixées sur le cadavre de Jean XXIV. Ils ne clignent que rarement, comme attirés par le gisant.

---

1. *Lorsqu'un homme fort et bien armé garde sa maison, tout ce qu'il possède est en sûreté* (Évangile selon saint Luc, XI).

2. *Sauvez votre peuple, Seigneur, et bénissez votre héritage.*

Quand la porte de la chambre s'ouvre, Rozzero sort à regret de sa torpeur morbide, tourne légèrement sa tête au museau pointu.

— Ah, c'est vous, Monetti, dit-il.

— Vous devriez dormir un peu, Rozzero. Vous vous acquittez de votre tâche avec trop de sérieux. Que craignez-vous ? La chambre est solidement gardée par des hommes de confiance. Est-il bien utile de vous morfondre en présence de cette dépouille ?

Le gros cardinal s'est approché du lit. Il tient un dossier noir contre sa panse.

— Les thanatopracteurs ont fait là du bel ouvrage, souffle-t-il. Et cette odeur de formol est devenue presque supportable !

— Cette comédie n'a pas été montée pour durer. Si le secret de la mort du pape venait à sortir de ces murs...

Monetti émet un jappement bref.

— Justement, je peux vous rassurer ; je viens de recevoir des nouvelles de France. La Loge Première s'est réunie tôt ce matin en Tenue obscure pour y recevoir Didier Mosèle ; je vous résumerai l'état de la situation.

— Ces francs-maçons ont dû célébrer comme il se doit la mort de nos trois agents dans la forêt d'Orient !

— Nous avons appris qui a tué ces Gardiens du Sang, explique Monetti. C'est le père de Francis Marlane. Regardez...

Il tend le dossier noir à Rozzero. Celui-ci l'ouvre sur ses genoux pour en extraire une photographie.

Monetti vient pointer un énorme index sur le cliché et dit :

— C'est lui, là. Avec Émylie, sa belle-fille. Cette photographie a été prise lors de l'enterrement de Marlane par nos premiers agents en France. Qui aurait pu se douter... ? Nous aurons bientôt fait place nette, Rozzero. Juste encore un peu de sang à verser, et nous coifferons Montespa de la tiare en toute tranquillité !

— Vous expédiez aisément la besogne, Monetti !

— Les dés sont jetés, de nouveaux Gardiens du Sang se sont envolés pour la France dès que nous avons appris la mort de leurs trois prédécesseurs.

Rozzero remet la photographie dans la chemise qu'il referme, et demande :

— Sommes-nous certains que les frères Premiers ne soupçonnent absolument pas qu'ils sont infiltrés ? N'avez-vous pas envisagé qu'ils pouvaient nous tendre un dernier traquenard ?

Monetti se fait rassurant :

— Non, ce sont eux qui sont tombés dans les filets que nous leur avons tendus. Nous les avons manipulés et dupés sur toute la ligne ; ils sont pris dans nos mailles. Je vous le répète, il nous suffit d'effacer les tout derniers témoins de cette comédie.

— Que de morts à venir, encore !, se lamente sincèrement Rozzero en hochant la tête et en soupirant.

— Nous ne pouvons agir autrement, c'est le prix à payer pour préserver la sainte Église, l'empêcher de s'effondrer en engloutissant toute la Chrétienté avec elle. Le Tombeau du Christ disparaîtra bientôt, mon ami. Très bientôt.

Il déplaît beaucoup à Rozzero que Monetti l'appelle son ami. Il est certain de n'avoir jamais éprouvé que du mépris pour ce potentat roublard, ce machiavel au petit pied, valet de Montespa. Il n'empêche qu'il doit composer avec lui ; c'est là d'ailleurs que s'exerce l'une de ses vertus : ne pas s'arrêter au dégoût que suscitent certains alliés, mais s'accommoder plutôt de leurs défauts.

— Au fait, interroge Rozzero, vous ne m'avez pas encore dit... ?

— À quel sujet ?

— Vous savez bien, nous en étions convenus lors de notre dernière Loggia...

— Vous faites allusion au danger qui nous menace de l'intérieur ?, avance Monetti, matois. Vous avez du mal à prononcer son nom ?

Rozzero restitue le dossier noir à Monetti, croise les mains, coudes sur les genoux, et pose son menton sur ses phalanges noueuses.

— En effet, admet-il. Peut-être parce qu'il fut des nôtres et que nous l'avons écarté de nos intérêts en lui arrachant les rênes des mains... Oui, je parle du cardinal de Guillio !

Une silhouette sort d'un épais bosquet.

C'est un homme vêtu d'un justaucorps noir, le visage dissimulé sous une cagoule et portant des lunettes à infrarouge.

Il traverse un jardinet en quelques pas souples, parvient au pied du haut mur d'un immeuble dont il évalue aussitôt les prises. Il est venu reconnaître les lieux par deux fois au cours des trois derniers jours. Il a mentalement programmé l'ascension et en connaît déjà les moindres saillies : la gouttière, les joints des pierres, les petits balcons. Il possède la façade en entier dans sa mémoire.

Il s'envole, poitrine collée au mur, un bras s'élançant vers le chéneau, les mains gantées attrapant la prise ; il grimpe en araignée, vivement, le regard dirigé vers le haut.

Il gravit ainsi quatre étages sans manifester le moindre soupçon de fatigue ou d'hésitation. Et parvient à se hisser sur l'un des balcons qu'il enjambe. Face aux volets clos, il fouille dans l'une des deux sacoches en cuir accrochées à sa ceinture pour en extraire une petite trousse à outils.

Sans bruit, patiemment, il s'attaque au système de fermeture des volets.

Un quart d'heure plus tard, il pénètre dans l'appartement du cardinal de Guillio. Ses lunettes à infrarouge lui offrent une vision parfaite dans l'ombre. Il se dirige comme un chat, empruntant un couloir qui dessert trois pièces, la dernière étant la chambre du cardinal.

Il y entre à pas feutrés, ses semelles de caoutchouc sur l'épaisse moquette ne le trahissant pas. Quelques pas et il se retrouve devant le lit. Le cardinal dort, couché sur le côté droit. Forme massive moulée dans les draps, respirant lentement, d'un souffle à peine audible.

Le visiteur plonge la main dans sa seconde sacoche pour en sortir une seringue hypodermique. Fait-il un léger bruit ? Un quelconque frottement, un son infime produit par l'ouverture de sa trousse ? Ou n'est-ce que l'approche du danger qui alerte le dormeur ? La prémonition que la mort vient de s'introduire dans sa chambre ?

Les paupières du cardinal s'ouvrent. Il se redresse à peine, voit la pointe de la seringue que tient un spectre noir. Voit les lunettes à infrarouge qui le fixent d'un regard aveugle.

Son esprit s'éveille alors, quitte le rêve pour se retrouver face à cette réalité effrayante, s'interroge : « Pourquoi ? »

L'homme plonge l'aiguille dans le cou de sa victime qui ouvre des yeux emplis de terreur. Des yeux élargis par la perspective d'une mort abominable qui lui gèle déjà le sang, le tétanise, l'étouffe.

Le tueur pousse à fond le piston de la seringue. Guillio se convulse. Ses mains, habituées à sinuer dans l'espace pour souligner ses propos, se jettent désespérément dans le vide, cherchant un objet ou un être auquel se raccrocher.

Sa conscience survit encore, un laps de temps infinitésimal, alors que son cœur a cessé de battre. Et, dans cet atome de vie, Guillio implore le pardon de son Créateur pour tous les méfaits qu'il a dû commettre au cours de son apostolat.

Cette fraction de temps dérobée à la mort est le plus effroyable des cauchemars : une question sans réponse.

Incongrue dans l'atmosphère confinée, pleine d'odeurs pharmaceutiques, de cette chambre où un pape dans l'attente d'être mis en bière donne l'impression de dormir, retentit la grêle sonnerie d'un téléphone portable.

Monetti porte aussitôt l'appareil à son oreille.

— Oui... Oui, dit-il seulement. Oui...

Après avoir refermé son portable, il se tourne vers Rozzero pour lui préciser :

— C'est fait, mon ami. Le Vatican nous est entièrement acquis ; le cardinal de Guillio vient de décéder d'une crise cardiaque dans son sommeil.

Rozzero se signe et incline la tête pour cacher son visage dans la coupe formée par ses deux mains. La voix étouffée, il murmure :

— Dieu ait son âme ! Dorénavant, c'est en France que se livrera l'ultime combat.

Monetti tourne les talons. Avant de quitter la chambre, il ajoute :

— L'Église est sauvée. Il est temps que je me rende auprès de Montespa pour être présent lors de la conclusion du dernier acte. Je décolle cette nuit même pour gagner la nonciature de Paris.

85

Éliminations

Samedi, sept heures quarante-cinq.

Mosèle n'est pas parvenu à fermer l'œil. Il a seulement somnolé à plusieurs reprises à son bureau, la tête dans les bras. Le temps de brèves plages de torpeur plus anxiogènes que reposantes, à cause de bribes de cauchemars sans cesse présents à la lisière de sa conscience.

Il s'est préparé un café en prenant grand soin de ne produire aucun bruit afin de ne pas réveiller Émylie. Puis il a pris sa décision.

Il a plié la combinaison de plongée neuve qu'il a achetée la veille dès son retour à Paris, l'a mise dans le havresac avec les bouteilles, la torche électrique, le masque, le détendeur, les palmes et l'anneau.

Ensuite il a rédigé une lettre destinée à Émylie, qu'il a posée bien en évidence sur la commode du vestibule.

Et il a refermé derrière lui la porte de son appartement, conscient qu'Émylie et Hertz lui reprocheront amèrement d'avoir pris cette initiative. Mais il ne veut plus attendre. Ne peut plus attendre.

Il emprunte l'escalier pour se dérouiller les jambes, traverse la cour, fait quelques dizaines de mètres sur l'avenue de la Porte-Brancion pour regagner sa voiture.

Deux hommes, à bord d'une Laguna grise, se préparent à le prendre en filature. L'un d'eux envoie immédiatement un message au cardinal Montespa.

Huit heures douze.

La sonnerie du téléphone sort Martin Hertz de son sommeil et insiste jusqu'à ce qu'il ait réalisé qu'il s'agit de son portable. Il se souvient avoir laissé l'appareil dans l'une des poches de son pantalon. Il extrait son énorme carcasse du lit.

— Allô ?, demande-t-il bientôt.

La voix du Premier au bout du fil. Chargée d'une tension inhabituelle.

— Orient-Origine… L'Anglais s'est tué, Martin ! Ce matin à sept heures… Je l'ai appris à l'instant.

Hertz a soudainement froid. Il se demande s'il a bien compris ce que vient de lui apprendre le Premier. Il le fait répéter.

— Réveillez-vous, bon Dieu, je vous dis que Coward est mort ! Il a eu un accident sur le périphérique en se rendant à son étude.

— Comment est-ce arrivé ?, demande Hertz. Un malaise ? Il avait déjà fait deux infarctus, je crois.

— Justement !, lance le Premier. Il ne fumait ni ne buvait plus depuis son triple pontage. Alors, pourquoi était-il ivre au volant ?

— Ivre, lui ?, s'étonne le vieil avocat. À cette heure ?

— Oui, vous avez bien entendu, il était ivre ! Du moins est-ce le premier constat dont nous disposons. Il y aura certainement une autopsie qui déterminera s'il n'a pas ingéré une autre substance.

— Vous pensez à un empoisonnement ? C'est absurde…

— Je suis sous le choc. Coward n'a pas pu se soûler. Je vous rappelle dès que j'aurai appris du nouveau. Je me fais peut-être des idées, après tout. Je l'espère…

Hertz demeure planté sur place durant de longues secondes après que le Premier a raccroché. Le froid qui l'a saisi plus tôt s'est répandu dans toutes ses veines, le moindre de ses vaisseaux. Pareil à un venin.

Forza-6 a effectué un rétablissement en souplesse sur la rambarde de la fenêtre. Il a pratiqué une ouverture dans la vitre à l'aide d'un diamant, a passé la main par l'orifice circulaire. Il a ouvert la fenêtre, s'est glissé dans la pièce, le plan de l'étage en mémoire. Toutes les informations nécessaires étaient mentionnées sur la fiche n° 2 des cibles.

Quand il entre dans le salon bleu, l'infirme est en train d'achever une conversation téléphonique. « *Je vous rappelle dès que j'aurai appris du nouveau. Je me fais peut-être des idées, après tout. Je l'espère…* »

La cible est de dos. Forza-6 l'atteint en quatre pas agiles et précis.

Une main gantée se plaque brutalement sur les lèvres du Premier pour l'empêcher d'appeler.

Puis tout se déroule à une vitesse telle que le Premier ne peut réaliser pleinement qu'il va mourir. Que tous les frères de la Loge Première vont mourir. Il le devine. Le devine seulement. Une pensée lui vient à l'esprit alors que son fauteuil roulant est violemment propulsé dans l'escalier. Une image : celle d'un corps momifié dans un tombeau immergé... « Jésus ! »

Dans sa chute, le fauteuil rebondit, éjectant le corps à demi paralysé dont les membres sans vie remuent en tous sens.

Le Premier se brise la nuque sur l'arête de la dernière marche, boule une dernière fois pour s'immobiliser enfin sur le carrelage du hall.

Plus haut, Forza-6 a déjà quitté le palier.

André, alerté par le bruit, a surgi. Le spectacle s'impose à lui par flashs. Une roue du fauteuil renversé qui tourne encore à vide en émettant un sifflement, une chaussure tournée la semelle en l'air sur une marche, le Premier gisant fracassé, la tête tournée vers le plafond, ses yeux agrandis par l'étonnement...

— Bon Dieu de merde, Marc !, hurle André en se précipitant sur le corps.

Le pouls ne bat plus. Le visage de la victime est figé en un masque dissymétrique.

— Mais qu'est-ce qui vous a pris ?

André s'effondre sur la poitrine du Premier, son ami.

Forza-6 a traversé le parc à larges foulées élastiques, il a atteint le mur d'enceinte exactement à l'endroit où il l'a franchi à peine un quart d'heure plus tôt. Il a sauté l'obstacle pour retomber sur un trottoir le long duquel attend une Peugeot 407, moteur tournant.

— Démarre ! Arrache-toi !

Forza-7 passe sa vitesse, la voiture bondit.

— Le vieux téléphonait quand je suis intervenu, dit Forza-6. Il savait déjà, pour la première cible. Je l'ai entendu prononcer le nom de son interlocuteur : Martin.

— Martin Hertz, l'avocat ! Le gros gibier.

— Il n'est plus avocat depuis longtemps.

— Je sais, mais c'est ainsi que l'appelle Son Éminence.

Dix heures trente-cinq.

Mosèle a enfilé sa nouvelle combinaison de plongée. Il tarde à mettre son masque. Assis sur la rive boueuse de l'étang, il contemple le monticule de terre et de roseaux qui en émerge. La terre d'Umbra.

Des mains il joue machinalement avec l'anneau, ses pensées errant en désordre, se recouvrant l'une l'autre. Francis, Norbert Souffir, Ernesto Pontiglione... Et l'abbé Jacques... Et la Loge Première... Les mensonges des uns et des autres. Ou leurs secrets. Ou leurs silences.

Une bruine grise enveloppe la forêt qui cerne l'étang, effrangeant des fumerolles blanches à la surface de l'eau.

Il goûte cet instant si paisible, appréciant sa solitude et le silence, respirant avec plaisir cet air embué dans lequel se mêlent des parfums de mousse, des odeurs de vase et des senteurs d'écorce macérée.

Il plongera, c'est certain. Mais il ignore quand. L'état d'engourdissement dans lequel il se complaît lui permet un recueillement inhabituel. Une méditation qui s'impose malgré lui à son esprit.

Une sérénité proche de l'assoupissement.

Il plongera, mais plus tard. Il a le temps. Tout son temps.

Dix heures quarante-six.

Léa peine à garder les yeux ouverts. Elle lutte contre une irrésistible envie de dormir. Elle sait que son état est la conséquence de son traitement, ces nombreux neuroleptiques et autres psychotropes qu'on lui administre depuis qu'elle a appris la mort de l'abbé Jacques et l'incendie de sa maison de campagne.

Ces drames lui ont arraché le cœur. Elle n'est plus qu'une vieille cosse vide.

Martin, assis près de son lit, la regarde se battre contre l'engourdissement, ses paupières s'alourdissant de plus en plus à chaque clignement. Il se demande si elle ne le déteste pas, maintenant.

Elle se force à parler, d'une voix épaisse.

— Tu as une sale mine.

Elle pense donc encore à lui, s'inquiétant même de sa santé.

— Tout va bien, je te jure... Pas vraiment dormi, c'est tout.

— Tes yeux mentent, Martin. Et je les connais bien, tes yeux d'hypocrite !

— Je ne suis pas venu te voir pour que nous parlions de moi, mais de toi. On va te laisser sortir bientôt, non ? Je pense que je ferai une excellente nounou à la maison.

Elle hausse les épaules.

— Toi en nurse ? Je me demande si je ne préfère pas rester à l'hôpital...

La sonnerie du téléphone de Hertz recouvre sa voix.

— Surtout si c'est pour être sans cesse dérangée par ton portable !, souligne-t-elle sèchement.

Hertz, son téléphone à l'oreille, pâlit, ouvre grand la bouche, cherchant sa respiration. Le coup qu'il vient de recevoir le tasse sur sa chaise comme un boxeur en fin de round.

— Oui, André... Marc est mort... Son fauteuil roulant... Oui. Dans l'escalier...

Léa le fixe ; il se décompose, replie son portable ; ses doigts tremblent.

— Que se passe-t-il ? Qui vient de décéder ? Tu as l'air anéanti.

— Un vieil ami... Tu ne le connaissais pas. Je ne crois pas t'en avoir jamais parlé. Excuse-moi, il faut que je te quitte. Je repasserai bientôt, c'est promis, ma chérie. Mais je dois y aller.

Il se lève, les jambes en coton, la gorge nouée.

— C'est cette affaire qui n'en finit plus, n'est-ce pas ?, s'enquiert-elle.

Il est déjà sur le seuil de la chambre. Il se retourne vers Léa qui lui semble encore plus frêle et fragile qu'à l'ordinaire.

— Plus tard, promet-il. Je te dirai tout plus tard.

Il se jette dans le couloir, se dirige vers les ascenseurs. Marc Masquet, le Premier... Mort peu de temps après l'Anglais. Ce n'est pas une coïncidence, pense-t-il. Les Gardiens du Sang ont enclenché un programme d'élimination. Les frères de la Loge Première sont tous en danger. Mosèle aussi. Mais comment ? « Comment les Gardiens du Sang connaissent-ils l'identité de tous mes frères ? »

Arrivé dans l'ascenseur, il compose le numéro du portable de Didier Mosèle. Il doit le prévenir au plus vite.

Dix heures quarante-huit.

La pluie fine picote la surface de l'étang. Sur la berge, dans le havresac, la sonnerie du téléphone portable de Mosèle égrène une mélodie métallique. Quatre fois.

« *Vous êtes bien au numéro de Didier Mosèle, indisponible actuellement. Laissez votre message et je vous rappellerai le plus rapidement possible.* »

Se frayant un chemin à la lumière de sa torche, Mosèle nage parmi de longues algues brunes, l'anneau dans sa main gauche. À sa ceinture, il porte un couteau dans un fourreau ainsi qu'un sac en plastique vide dans lequel il espère ardemment déposer bientôt l'Évangile de Jésus...

86

La découverte de Mosèle

Dix heures cinquante.

Une sonnerie. Celle du téléphone fixe. Émylie émerge de la chambre, l'esprit ankylosé par les somnifères qu'elle a pris la veille. Elle appelle Didier. N'obtenant aucune réponse, elle se dirige vers le vestibule, saisit le combiné sur la commode, marmonne un « allô » pâteux.

Elle reconnaît la voix de Hertz, le fait répéter, prend quelques secondes pour assimiler ce qu'il lui dit :

— Je cherche à joindre Didier de toute urgence. Est-il avec vous ou s'est-il rendu à la Fondation ? Son portable ne répond pas.

— Je crois qu'il doit dormir dans son bureau... Attendez ! Il y a une lettre, là. Oui, oui, c'est bien son écriture.

— Il vous a laissé un mot ?, s'étonne Hertz avec angoisse. Pourquoi ?

— Je la lis : « *Ma petite Émylie, je n'y tiens plus ; je retourne plonger dans l'étang d'Umbra. Savoir que la Vérité est si proche et rester à ne rien faire m'est insupportable. Préviens Martin ; qu'il me*

397

pardonne de n'avoir pas tenu ma promesse. Je serai prudent. Mais je veux voir. VOIR ! Bises. Didier. »

Un cri à l'autre bout de la ligne :

— Le fou !

— Que se passe-t-il, Martin ? Didier est-il en danger ? Je croyais que nous étions débarrassés des Gardiens du Sang...

— Il y en a d'autres, Émylie. Et tellement plus nombreux, cette fois ! Ils nous collent au train. J'ignore depuis combien de temps ils nous mènent en bateau... Je crois qu'ils attendaient que nous résolvions l'énigme pour nous tomber dessus. C'était cela, leur plan. Bien sûr ! Et maintenant ils font le ménage en ramassant la mise. Nous leur avons apporté le Secret sur un plateau. Merde ! Ils ont mis un fil au cou de Didier... Et je les ai aidés à faire le nœud en l'envoyant au casse-pipe ! Comme pour Francis Marlane... Je les ai condamnés tous les deux !

— Expliquez-vous, je ne comprends rien à ce que vous me dites, implore Émylie, la panique au cœur.

— Ils ont tué le Premier... Et un autre frère ! Nous allons tous nous faire descendre. Je passe vous prendre, on file chercher Didier dans la forêt d'Orient. Pas de nouvelles de votre beau-père ?

— Aucune.

Émylie raccroche. Celle de ses mains qui a tenu le combiné est moite. Elle tremble. Une peur sourde, pernicieuse, morbide, la frappe à l'estomac. « Didier ! », appelle-t-elle inutilement en se ruant dans le bureau. Vide.

Elle pense à l'eau noire et boueuse de l'étang. Et frissonne comme si elle venait d'y plonger nue.

Dix heures cinquante-sept.

En quelques brasses, Mosèle a atteint le fond du marais. Il examine l'encoche circulaire creusée dans la dalle blanche. Même circonférence que l'anneau. Une serrure...

Mosèle en imagine aisément le fonctionnement. La gorge doit recevoir l'anneau dans laquelle il est censé s'encastrer précisément pour glisser jusqu'à une sorte de clapet ou quelque autre instrument déclencheur d'une machinerie.

Le poids de l'anneau, son diamètre, la vitesse à laquelle il va tomber, tout a certainement été calculé par Hugues de Payns pour que l'objet – et uniquement cet objet – mette en marche un ingénieux mécanisme d'ouverture dans le mur.

Sans réellement en connaître la raison, les frères Premiers devaient se transmettre ce témoin de génération en génération. Seul l'anneau ouvrirait le Tombeau du Christ. Un rituel qui, s'il n'avait pas été respecté, aurait interdit à tout jamais l'espoir de pénétrer dans le sépulcre.

De Payns, héritier de la Tradition, avait conçu un dispositif complexe autour de ces quelques centaines de grammes de cuivre et d'étain.

Après un temps de réflexion, Mosèle place l'anneau dans la gorge de pierre.

Quelques secondes d'attente. L'inquiétude : et si, avec le temps, la mécanique des Templiers s'était enrayée… Quelques longues secondes avant qu'à la base du mur un pan de mœllons se mette à trembler, à s'ouvrir lentement, laborieusement, dégageant une entrée suffisamment large pour permettre à un homme de l'emprunter.

Mosèle s'y engouffre et s'étonne. Son chemin est bloqué par un second mur distant du premier d'un bon mètre. Il se met à le longer avec une certaine appréhension, son projecteur ne lui offrant dans ce lacis qu'une faible surface éclairée.

Ce mur tourne sur lui-même, épousant la courbe du premier, n'aménageant au plongeur qu'un étroit chemin dans lequel ses épaules ripent sur les épontes.

De visqueuses géloses lui collent au visage, aux poignets, aux chevilles en d'écœurantes étreintes.

C'est alors qu'après un long moment d'incompréhension, découvrant que pour suivre le chemin imposé par cette mystérieuse architecture, il descend progressivement, il réalise qu'il vient de pénétrer dans le labyrinthe dessiné par les deux frères copistes de Padoue. Un dédale vertical. Un puits composé d'un double hélix de pierre sectionné par de multiples paliers qui sont autant de sas ralentissant la progression de l'explorateur. Des cavités, pratiquées çà et là, sans ordre particulier, offrent des passages. Au hasard, Mosèle en choisit un qui le mène deux mètres plus bas à un palier en cul-de-sac. Il lui faut remonter, chercher une autre voie. Mais, auparavant, à l'aide de son poignard, en prévision du retour, il grave une flèche au-dessus de ce premier soupirail sans issue.

Il avise une deuxième embrasure et s'y glisse.

Un labyrinthe vertical ! « En rectifiant, tu trouveras le frère occulte ! » Jésus lui-même avait conçu le plan de Son Tombeau...

Onze heures douze.

Forza-8 et 9 ont remplacé Forza-4 et 5 et se sont postés en faction dans une camionnette de blanchisserie devant l'immeuble du 33, avenue de la Porte-Brancion. Ils voient la Citroën de Martin Hertz se garer en double file, ses feux de détresse allumés.

Le vieil avocat descend du véhicule, vêtu d'un épais blouson, d'un pantalon de velours, coiffé d'un feutre ridicule en forme de cloche, chaussé d'une paire de bottes.

Il traverse la cour en hâte malgré sa corpulence.

— Forza-8 à Central... Confirmation de l'appel de Forza-11 en planque rue Jacquard ! Martin Hertz vient de débarquer au domicile de Mosèle. Qu'en est-il de ce dernier ? Des nouvelles ?

Dans son oreillette, la réponse ne tarde pas. Elle émane de Forza-1 qui centralise toutes les informations et relaie les ordres du cardinal Montespa :

— Cela fait un peu plus d'une heure qu'il a plongé. Forza-4 et 5 ne quittent pas l'étang des yeux. D'après eux, à en juger par ses bouteilles, il bénéficierait d'une grande autonomie.

— Et en ce qui concerne les autres cibles ?

— La cible Granvel est *tombée* d'un quai de métro au passage d'une rame il y a moins d'un quart d'heure. Le type a été déchiqueté. L'opération sera définitivement terminée ce soir.

Onze heures dix-huit.

Après cinq tentatives infructueuses, Mosèle parvient enfin dans un sas au plafond bas et voûté. De l'un des murs jaillit un gros et large volant d'acier rouillé, rongé, roux et noir.

Juste au-dessus de cette commande, un poisson surmonté d'une croix a été tracé dans la pierre. Il ne fait aucun doute que ce volant actionne un nouveau mécanisme qui donnera accès au Tombeau. Il coince sa torche dans sa ceinture, donne deux coups de palmes et s'empare du volant. Il est obligé de se tenir accroupi, les pieds au sol, le bout des palmes arc-bouté contre la paroi pour prendre un solide appui afin de débloquer la roue que des siècles de corrosion ont figée dans la pierre.

Il a consulté sa montre pour évaluer la quantité de nitrox qui lui reste, le choix de ce mélange d'oxygène et d'azote enrichi en oxygène lui offrant un temps de plongée plus long que s'il utilisait de l'air comprimé.

Onze heures vingt-quatre.

— Forza-8 à Central… Les cibles Martin Hertz et Émylie Marlane sortent de l'immeuble. Elles montent dans la voiture de Hertz. Je répète : elles ont été distinctement identifiées. Je demande confirmation de les prendre en filature.

— Autorisation de Central. Aucune intervention physique avant accord. Son Éminence se rend sur les lieux.

— Le cardinal sera-t-il seul ?

— Non. Accompagné de Monseigneur Monetti. Forza-9 les conduit. Bonne chasse, Forza-8.

Forza-8 se tourne vers son compagnon.

— Je te parie que l'avocat et la femme vont nous conduire dans la forêt d'Orient.

— Facile, vu la dégaine du vieux ! Il s'est attifé pour la pêche aux grenouilles !

Onze heures trente-six.

La rouille se désagrège en particules qui volètent dans l'eau tout autour de Mosèle. Depuis quelques minutes, le volant bouge et branle sur son axe.

Et tourne enfin.

Son mouvement est aussitôt suivi d'un grondement et d'un bruit de chaînes, d'essieux métalliques, de roues dentées. Le sol est secoué, il perd de son assise et commence à s'incliner. Une trappe. Une trappe qui bascule soudain, entraînant Mosèle dans un violent torrent.

Le jeune homme chute dans une nouvelle salle. Il se retrouve étendu dans quelques centimètres d'eau. Son épaule gauche a heurté brutalement le sol. Il se relève péniblement sous la violente douche qui tombe de la première chambre. Il perçoit le grondement qu'accompagnent des grincements de ferraille en action… La trappe se referme, empêchant ainsi à cette nouvelle pièce d'être inondée.

Mosèle a de l'eau jusqu'à mi-mollets. Il braque le faisceau de sa torche devant lui et se rassure en découvrant un autre volant. « La commande de sortie ! » Il relève son masque sur son front et ôte le détendeur de sa bouche pour respirer à pleins poumons.

Les ténèbres. De chaque côté du cône de lumière, c'est la nuit. Il pivote sur lui-même, lentement, redoutant et espérant ce qu'il va voir. Ce qu'il doit voir. Là, un pilier trapu qui fait corps avec le mur. Ici, le doubleau d'une voûte à tiercerons. Là, au centre de cette crypte, un sarcophage de pierre. Un simple parallélépipède scellé d'une dalle, une épaisse feuille de marbre qu'irise la torche de Mosèle.

S'avancer de quelques pas malgré les muscles tétanisés, le cœur englué par la peur. Avancer jusqu'à ce modeste tombeau pour lire à sa surface la gravure parfaite d'un triangle.

Tomber à genoux comme un pèlerin parvenu harassé au terme du voyage. Pleurer sur soi, sur le monde et sa violence, sa haine et sa grandeur, sur les guerres inutiles et les courtes paix, sur l'intégrisme et ses hordes de fous, sur Dieu qui n'existe que dans l'amour que les hommes se portent, sur Dieu qui n'a pu se créer qu'enfanté par Dieu… Pleurer de joie et de peine. La joie de découvrir le plus improbable des mystères, la peine de devoir réduire en cendre la foi de millions d'êtres en le révélant.

Mosèle pose sa main droite sur le marbre du Tombeau de Jésus en guise de salut fraternel.

Sous cette pierre dort un vieil ami parti dans un voyage immobile au travers des siècles, gardant pour tout bagage son Évangile posé sur sa poitrine.

Mosèle entreprend de pousser la dalle fermant le Tombeau.

87

Le baiser du Christ

Onze heures quarante-trois.

Derrière la barrière de roseaux, Forza-4 et 5 gardent les yeux collés à leurs jumelles. Dans son oreillette, Forza-4 entend Central le prévenir que Martin Hertz et Émylie Marlane ont été pris en filature depuis Paris et qu'ils roulent à tombeau ouvert sur l'autoroute. Direction : Troyes.

Forza-4 demande une estimation de leur heure d'arrivée dans son micro-bracelet.

— S'ils ne se tuent pas eux-mêmes, ils seront là dans moins de deux heures. Forza-8 et 9 ont du mal à leur coller au train !

— Et Son Éminence ?

— Le cardinal est en chemin. Il nous donnera l'ordre d'intervenir dans peu de temps. Il reste sur ma fréquence. Mosèle ?

— Toujours pas remonté. Cela devient inquiétant.

Onze heures quarante-huit.

— Martin, vous voulez vraiment qu'on ait un accident ?

— Si je pouvais aller plus vite... Tentez d'appeler Didier encore une fois. N'arrêtez pas de le faire. Recommencez ! Sans cesse...

— Aucune réponse. Je tombe à chaque fois sur sa boîte vocale ; j'ai dû lui laisser une dizaine de messages. Vous pensez qu'il a plongé ?

Hertz donne un violent coup de volant pour doubler par la droite une voiture qui ne lui laissait pas le passage, malgré ses appels de phares réitérés. La Citroën chasse de l'arrière sur la chaussée trempée.

— Martin !, crie Émylie.

Hertz rétablit sa trajectoire en contrebraquant et redonne de la vitesse à son véhicule pour se remettre sur la voie de gauche. Il répond alors à la jeune femme :

— Oui, je suis persuadé que cet imbécile est dans l'eau de ce bon Dieu d'étang ! Car j'imagine qu'avec trente ans de moins et sa forme physique, je serais à sa place, actuellement.

— Sa forme ! Il fume au moins un paquet de blondes par jour, et je crois bien qu'avant-hier il n'avait pas pratiqué la plongée sous-marine depuis des années !

— Ce n'est qu'un marais, la rassure Hertz. Rien qu'un petit marécage de merde ! Un type comme lui, même avec les poumons encrassés, n'a rien à redouter d'un minable étang de cette sorte.

— Votre voix sonne rudement faux, Martin.

Douze heures quarante-deux.

Mosèle a livré un âpre combat contre la dalle de marbre. Centimètre après centimètre, de minuscule victoire en infime conquête, il a poussé la pierre de toutes ses forces, muscles des bras tendus à l'excès, à se rompre. Tendons douloureux, reins en feu, cuisses durcies par les crampes, il a triomphé.

Il a repris en main la torche qu'il avait remise dans sa ceinture. Il a éclairé l'intérieur du sarcophage et il a vu.

Les restes de Jésus. Le cadavre du Christ que les siècles ont momifié pour le transformer en une chose grise, fragile assemblage de peau séchée, d'os et de tissus parcheminés.

La lumière de la torche plonge dans les orbites et leur donne un semblant de regard. Une vie surnaturelle. La peau lissée sur les dents dessine un sourire crispé qui mange tout le bas du visage au nez disparu.

« La dépouille d'un vieillard. Un corps de poussière ! »

Sur la poitrine repose un paquet de cuir brun tavelé, recouvert d'une poudre de moisissure. Mosèle se retient de toucher ce témoignage de vérité, cette preuve d'une imposture religieuse.

Puis il se décide à s'en emparer, devant tirer fortement à lui cet objet dont les atomes se sont mariés à ceux du cadavre. Une déchirure. Comme si l'on arrachait un peu de sa chair au mort. Comme s'il refusait qu'on lui ravisse son secret.

À gestes méticuleux, Mosèle ouvre le paquet dont le cuir s'esquille et se brise.

Il dirige le pinceau de lumière sur un feuillet couvert d'une écriture fine, serrée, régulière, et pense à Norbert Souffir qui aurait nourri Largehead de cette calligraphie pour lui soutirer jusqu'à son ultime mystère...

Norbert, Francis, Pontiglione...

Mosèle dépose délicatement le manuscrit dans le sac hermétique dont il s'est muni.

Il remet son masque et son détendeur en place pour tourner le volant qui doit le libérer de cette chambre mortuaire. À sa vive surprise, cette seconde roue se manipule aisément, au contraire de la précédente. La cause en est certainement l'atmosphère sèche de cette partie de l'édifice.

Le plongeur s'attend à voir la trappe du plafond s'ouvrir et se prépare à recevoir des trombes d'eau sur lui. Il attendra que la crypte soit entièrement inondée pour se remettre à nager et refaire le chemin en sens inverse dans le labyrinthe vertical et hélicoïdal. Il se dirigera grâce aux marques qu'il a incisées précédemment dans la pierre.

Mais rien ne se passe.

Pourtant, un long bruit de chaînes en action articule une lointaine machinerie.

L'angoisse s'empare bientôt de Mosèle qui s'est raidi dans l'attente, tout son corps appelant la délivrance. La dalle doit s'abaisser ! Les flots doivent envahir cette chambre... Peu importe que la dépouille de Jésus soit noyée. Son corps ne représente rien, seul compte son Évangile !

Et c'est ce testament que Mosèle entend remonter à la surface.

Non, rien ne se passe. Rien ne se passe encore, hormis des chuintements, des frottements, des entrechoquements, dans les profondeurs du Tombeau, dans ses murs qui tremblent. De la poussière s'effrite par les jointures des pierres.

L'angoisse s'est muée en frayeur. Mosèle imagine le pire. Car c'est le Tombeau entier qui vibre à présent.

Puis, dans un grognement rugueux, un mœllon se détache du mur, projeté hors de sa cavité par une trombe d'eau. Un deuxième. Qui manque d'atteindre le jeune homme en pleine tête. Grondement des pierres, sifflement des jets d'eau.

Sept, huit grosses pierres sont chassées de leurs alvéoles pour libérer une eau boueuse qui remplit rapidement la crypte funéraire en bouillonnant. Le piège conçu par Hugues de Payns et ses frères se referme sur Mosèle qui réalise avec horreur qu'il lui manquait un élément dans sa quête : la clef pour sortir du Tombeau.

Treize heures onze.

Émylie consulte sa montre de manière compulsive. Les minutes défilent, hors du temps normal. En marge de la réalité. Car cette voiture lancée comme un obus sur une autoroute mouillée, ce vieil homme corpulent qui ne s'exprime plus que pour jurer grossièrement, ces messages vains dont elle abreuve la boîte vocale de Didier Mosèle forment le matériau d'un cauchemar éveillé. Une équation démente dans laquelle une multitude d'inconnues s'enchevêtrent.

Didier a plongé, c'est désormais une certitude. Émylie réalise un rapide calcul : à partir du départ de son domicile, le temps qu'il a mis pour gagner la terre d'Umbra, la quantité maximum d'air de ses bouteilles... Une arithmétique désespérée.

Dans la crypte, l'eau a atteint la dalle supérieure. Mosèle nage en longeant les murs pour les sonder, chercher à découvrir un passage. Il sait que sa réserve de nitrox ne suffira bientôt plus à alimenter ses poumons. Ce sépulcre est en train de devenir le sien.

Soudain, il se produit un phénomène effrayant. Et magnifique !

La dépouille de Jésus quitte son cercueil de pierre. Devenue trop légère dans cet espace aquatique, elle s'envole et décrit une étonnante chorégraphie mortuaire, s'animant de gestes lents, désordonnés.

Mosèle admire cette fascinante résurrection dans le faisceau de sa torche. Le spectre livide s'arrache de son linceul transparent comme s'il réalisait une mue tant attendue, espérée depuis vingt siècles.

Et Jésus, avec sa grimace de sourire, Jésus, poussé par le courant, tend à Mosèle ses bras maigres.

Dos collé au mur, le plongeur a beau se débattre, il ne parvient pas à repousser l'étreinte du Christ.

Mosèle se souvient alors du cauchemar dans lequel Francis l'attirait dans la terre détrempée de la forêt d'Orient pour lui offrir une obscène accolade...

88

L'ami

Treize heures cinquante-trois.

— Central à tous les Forza en opération dans la forêt. Martin Hertz et Émylie Mariane viennent de garer leur véhicule et s'approchent de l'étang. Forza-8 et 9 ne lâchent pas les deux cibles, mais Forza-4 et 5 se joignent à eux pour l'élimination finale. Ordre a été donné par Son Éminence. Qu'en est-il de Mosèle ?

Forza-4 répond :

— Il n'est pas sorti de l'eau. Il est maintenant évident qu'il a rencontré un problème insoupçonné. Probable qu'il soit mort.

— Nous devrons nous en assurer, précise Forza-1 depuis le Central. Les Templiers ont peut-être aménagé une chambre étanche dans le sépulcre.

Treize heures cinquante-huit.

Émylie court à travers les roseaux, ses pas s'enfoncent lourdement dans la boue. Hertz suit à quelques mètres, essoufflé, la poitrine en feu, son cœur tantôt manquant des battements, tantôt s'emballant.

Émylie appelle Didier. Appelle contre le vent qui s'est levé et rabat la pluie avec violence.

Elle parvient au bord de l'étang, trouve le havresac avec le téléphone portable posé sur les vêtements en boule de Mosèle, se retourne vers la terre d'Umbra entourée d'une eau noire qui crépite sous l'averse.

Hertz l'a rejointe, cassé en deux par l'effort, posant ses mains sur ses cuisses et donnant l'impression qu'il va vomir. Mais, quelques secondes plus tard, il se redresse et examine à son tour les lieux.

D'un geste machinal, il consulte sa montre.

— Il devrait être ressorti, dit Émylie. Il ne pouvait rester si longtemps dans l'eau…

Hertz ne trouve rien à répondre. Le désarroi de la jeune femme le déchire.

— Qu'a-t-il trouvé là-dessous ?, demande-t-elle.

Le vieil avocat se retourne vers la ligne de roseaux. Il vient d'entendre des froissements. Des voix.

— Donnez-moi la main, Émylie.

Elle fait volte-face à son tour.

— Les Gardiens du Sang ?, interroge-t-elle en voyant venir à eux quatre hommes vêtus de noir, cagoules et armés.

— Donnez-moi la main, répète Hertz.

Elle lui tend ses doigts glacés et tremblants. La moiteur de la paume de Hertz la réconforte un peu en lui transmettant un reste de vie.

Sa voix peine à sortir de sa gorge ; les mots sont articulés mécaniquement. Elle dit :

— Vous avez été trahi, Martin.

— Oui, Émylie. Je commence à comprendre. Seulement maintenant ! Mais il m'était impossible de savoir...

— Qui vous a trompé, vous et toute la Loge Première ?

Il attire Émylie contre lui, la serrant paternellement, et répond avec une incommensurable tristesse :

— Ce ne peut être que l'un de mes frères. Celui qui avait accès à la fois au Vatican et à la Loge Première... Ce ne peut être que lui. Mon ami... Un Judas !

Il enlace la jeune femme tel un père. Il la protégera quelques secondes de son corps. Il lui servira d'éphémère bouclier, puis elle sera fauchée alors qu'il sera déjà mort.

Elle regarde le visage du vieil homme, si proche du sien. Elle n'avait jamais noté comme il pouvait s'empreindre d'une telle douceur. Elle se demande à quoi ou à qui il peut penser en cette fraction de temps murée par la mort.

À Léa...

Et à elle, Émylie, qui pense à Francis et à Didier.

Ni Hertz ni Émylie ne pensent à Jésus.

Une salve de coups de feu effraie une nichée de canards qui s'envolent en caquetant de peur.

Quatorze heures dix-sept.

Une voiture noire aux flancs maculés de boue et aux pneus crottés s'arrête en bordure d'un chemin creusé d'ornières. Le conducteur laisse tourner le moteur.

Un homme en train de passer un blouson sort de la forêt de roseaux. Il se dirige vers la voiture. Parvenu à sa hauteur, il attend que la vitre arrière se soit baissée.

— *Dominus vobiscum*. C'est fini, Monseigneur, dit l'homme. Deux de nos hommes vont plonger. Il a dû arriver un accident à Mosèle, qui n'est pas réapparu.

— *Et cum spiritu tuo*. Dites-moi, Forza-4... Pour Martin Hertz et Madame Marlane...

La main baguée de Montespa se pose sur le rebord de la portière.

— L'avocat a fait un rempart de son corps. Ce n'est que lorsqu'il est tombé que nous avons...

— Oui ?

— Je voulais dire : nous avons éliminé la seconde cible alors que la première était à terre.

— Cela ne m'étonne pas de Martin. Lui et son côté chevaleresque !

Le cardinal s'est plus particulièrement adressé à son voisin qui, assis à son côté, occupe les trois quarts de la banquette : Monseigneur Monetti, reconnaissable à son odeur de sueur.

Reprenant à l'intention de Forza-4, Montespa dit :

— Allez, et faites en sorte que les cadavres soient dignes. Allongez-les dans une position convenable : je veux les voir.

— Monseigneur !, s'exclame Forza-4. Est-ce bien indiqué ? L'avocat a reçu une balle en pleine tête...

D'un ton sec, sans appel, Son Éminence reprend :

— Exécutez mon ordre, Forza-4. Je veux les voir ! Allez-y, je vous rejoins dans deux minutes.

Le Gardien du Sang s'en retourne vers l'épaisse masse de roseaux qu'agite le vent gorgé de pluie.

Montespa remonte la vitre de sa portière.

— Nous trouverons Mosèle, Monseigneur, affirme Monetti de sa voix aigrelette. Nous prendrons le temps, mais nous le retrouverons. Lui et...

— Et le Christ, oui ! « *Visite l'intérieur de la Terre et tu trouveras le* frère *occulte...* »

Monetti surprend des larmes dans les yeux de son voisin.

— Pourquoi pleurez-vous, Monseigneur Montespa ? Parce que nous vous appellerons bientôt Saint-Père ?

— Non, Monetti. Je pleure mon ami Martin Hertz, que j'ai trahi. Je pleure mon frère... Lui, Marlane, Pontiglione, Souffir, Mosèle, Guillio... Je les pleure tous, et mon règne de pape ne suffira pas à me consoler de les avoir sacrifiés. Je les aime et les hais parce qu'ils m'ont obligé à faire ce que j'ai accompli ! Protéger la sainte Église, préserver une civilisation, éviter un effroyable chaos... Et je pleure enfin ce Christ que nous avons dépouillé de sa Vérité.

Le cardinal Montespa ouvre la portière, ajuste son chapeau, relève le col de son manteau et se dirige vers les roseaux qui émettent une note monocorde dans le chahut du vent.

Il avance sans se soucier du sort de ses chaussures happées à chaque pas par la boue. Que ne fait-il pas ce chemin à genoux, en pénitent repentant !

Vingt-cinq minutes plus tôt, il a appris qu'un homme avait été retrouvé dans son véhicule sur une aire de stationnement de l'autoroute Troyes-Paris. Il était mort à son volant, exsangue, des suites d'une blessure par balle dans l'aine, au côté droit.

La singularité de ce fait divers tenait au patronyme de la victime. Il s'agissait de René Marlane, père du professeur Francis Marlane, qui s'était suicidé trois semaines plus tôt.

Le cardinal Montespa tend son visage à la pluie et en recueille la fraîcheur comme la marque d'un baptême.

Il sera pape. Et l'Église poursuivra son voyage missionnaire avec les Saintes Écritures pour guide.

La Vérité n'est que ce que l'on enseigne.

Ils flottent en apesanteur, soudés l'un à l'autre, tournoyant en un large et lent cercle dans la crypte enténébrée. Parfois ils accrochent la lumière de la lampe-torche tombée au sol. Ils apparaissent alors pareils à des frères jumeaux que le temps aurait séparés, puis enfin réunis.

Ils semblent se sourire.

89

L'épilogue de Jean

« Ainsi le Christ qui n'est pas mort sur la croix, vieillissant, se rend auprès de moi. Il m'annonce que ses écrits seront déformés, que la Vérité sera trahie. Moi, Jean, celui que l'on dit le plus éclairé des disciples, le "véritable rameau de l'Architecte", livrerai à la postérité un testament que l'on rapportera de fourbe manière. Et nous nous efforcerons de ne pas le trahir dans sa mort comme son jumeau le trahit de son vivant. »

— Un jumeau ?, demanda le jeune homme à Jean.

Le vieillard qui portait toujours le lourd anneau de bronze contre sa poitrine lui sourit.

— Oui. Né du même ventre, à la même heure. Il fut appelé Thomas.

Le jeune homme qui était un initié récent de la Loge Première ignorait beaucoup des secrets de ses aînés. Mais il était impatient de les connaître, curieux de mieux comprendre qui était réellement l'homme admirable que l'on venait de porter en terre.

Le vieillard lui dit :

— Les deux frères s'aimèrent tout au long de leur jeunesse, puis Thomas souffrit de la trop forte personnalité de Jésus, de son intelligence et de sa grande pureté, de son exigence. Jésus était un pèlerin infatigable qui se rendait régulièrement en Égypte auprès des Maîtres de la Grande Place, détenteurs de la science des architectes.

— À Deir el-Medineh ?, fit l'adolescent.

— En effet. Pour y apprendre les lois du Plan. Car c'est ainsi que l'on nommait l'antique enseignement qui impose à l'homme de restituer dans ses œuvres l'immuable équilibre de la Nature.

— Et Thomas ?, reprit le jeune homme.

— Lui, il devint jaloux et envieux de la lumière que son frère avait rapportée des temples de la connaissance. Il avait même tenté de prendre sa place dans le cœur de ses fidèles lors de ses absences. Il le singeait médiocrement, comme un double terne. N'y tenant plus, ayant accumulé trop de haine, il voulut assassiner Jésus. Il se rendit chez lui. Jésus, qui était en train d'écrire dans une pièce de sa maison, ne se méfia pas et le reçut amicalement. Thomas lui porta trois coups de poignard. À la gorge, au sein gauche et au front. Il le laissa pour mort, baignant dans son sang, et s'enfuit. C'était la nuit… Il traversa la ville tel un fou, hagard. Il erra durant des heures. Cependant, la femme et le fils de Jésus, qui avaient été alertés par les cris du blessé, s'étaient rendus dans son bureau et l'avaient trouvé gisant sur le sol. Ils l'avaient porté jusque dans sa chambre où ils le lavèrent et le recouvrirent d'un suaire, un simple drap blanc. La femme et l'enfant étaient persuadés que Jésus avait succombé à ses blessures.

Puis ils allèrent chercher Nicodème et Joseph d'Arimathie afin qu'ils les aident à préparer le corps. Ils pensaient que les Romains avaient dépêché un tueur pour éliminer le prophète, se débarrassant ainsi de lui sans devoir instruire un procès. Jésus était menacé depuis des mois.

— Je sais bien qu'il vivait encore !, s'exclama le jeune homme.

Jean reprit :

— Il vivait, en effet. C'était un homme robuste. Il se dressa sur sa couche et sortit de la maison en titubant. Il savait trouver Thomas à l'endroit où, souvent, il se rendait pour parler avec lui alors qu'ils étaient encore des frères. Le mont des Oliviers... Le mont qui domine la ville. Mais, avant de le rejoindre, Jésus précipita le destin. Voici comment cela se passa en réalité...

« ... Thomas tomba à genoux au pied d'un olivier. Il regarda la manche de son manteau couverte du sang de Jésus et se mit à pleurer. Il se releva soudain, attiré par un bruit de pas, plus bas.

Il y avait une forme qui gravissait le mont, chancelante, à demi nue. Alors Thomas se mit à fuir en implorant ce fantôme de retourner aux ténèbres. Il venait de reconnaître la silhouette de son frère dans un suaire.

Le fuyard courut comme un damné et butta contre une pierre. Il tomba et n'eut plus le courage de se relever. L'ombre du jeune homme au suaire approchait.

L'ombre lui dit :

— Tu as voulu prendre ma vie, Thomas. Je t'offre ma mort.

Thomas balbutia :

— Je t'ai tué ! J'ai plongé par trois fois mon poignard dans ton corps. Je te hais tant !

Jésus poursuivit :

— Mon pauvre frère, tes coups n'étaient pas assez assurés. Mais puisque tu as voulu jouer mon rôle, achève-le ici, cette nuit.

Thomas hurla :

— Je dirai aux Romains que c'est toi, le Messie ! C'est toi qu'ils arrêteront.

Jésus sourit :

— Tu te trompes, Thomas. Tu as cru que Judas trahirait pour toi et qu'il me désignerait comme étant le Fils de l'Homme. Mais Judas a œuvré selon ma volonté. Il t'a leurré. Écoute... La cohorte monte t'arrêter. Judas est à sa tête pour venir te reconnaître. Tu es le Messie, désormais. C'est bien ce que tu voulais, n'est-ce pas ?

Thomas s'effondra. Il entendait le cliquetis des armes, le pas des soldats de la cohorte, les voix...

— Jésus, je t'en prie... ne m'abandonne pas !

— Tu étais mon frère, Thomas. Je t'aimais et tu me jalousais. Tu seras jugé à ma place et tout sera fait pour que tu sois exécuté. Je dois vivre... Car je suis le porteur de la Parole.

Jésus abandonna Thomas. En s'enfonçant dans la nuit, le Christ ajouta :

— Ainsi mon histoire sera écrite, mon jumeau. Ce n'est pas dans la lumière qu'un initié doit travailler. C'est dans l'ombre et le silence. Dans l'humilité et le secret ! Dans le tombeau... »

L'adolescent avait écouté le récit de Jean. Devait-il le croire ? Certes, Jean avait été le plus fidèle ami de Jésus et partageait son savoir. Pourtant, les aventures concernant les deux hommes étaient nombreuses et différaient parfois selon celui qui les rapportait.

Fallait-il admettre cette Vérité ? Ou n'était-ce encore qu'une fable devant l'aider à réfléchir sur le sens de sa démarche initiatique ?

Le jeune homme connaissait les poèmes de Jean que les adeptes se récitaient parfois au cours des agapes, quand le vieillard s'en était allé dormir à cause de son grand âge :

> « *Moi Jean frère par les Douze*
> *À Patmos exilé pour l'amour de Jésus*
> *Le Secret j'ai conservé*
>
> « *Le frère Premier*
> *Fils de la Lumière et de l'Architecte*
> *À moi se présenta*
>
> « *Il était vivant et non mort*
> *Tel que le peuple l'avait pensé*
> *Trois baisers il me donna*

« *Blancs sa tête et ses cheveux*
Comme de la laine blanche
Comme de la neige

« *Il dit être le premier et le dernier*
Il était vivant après la mort
Il était le Porteur des clefs de la mort

« *Véritable rameau de l'Architecte*
À toi l'Aigle destitué
La vérité sera faussement prononcée »

Ainsi le Christ qui n'est pas mort sur la croix, vieillissant, se rend auprès de son ami Jean l'Évangéliste. Il lui annonce que ses écrits seront déformés, que la Vérité sera trahie. Lui, Jean, le plus éclairé des disciples, le « véritable rameau de l'Architecte », livrera à la postérité un testament que l'on rapportera de fourbe manière.

« *Le Fils de l'homme dit sa douleur*
Ce qu'il avait bâti était détruit
Ce qu'il avait aimé était perdu

« *Moi Jean son frère par les Douze*
Avec lui je pleurais nos frères morts
Et je pleurais sur la Veuve aux enfants séparés

« *Il me dit d'espérer encore*
Notre Loge nous élèverons
À l'ombre de l'Architecte

« *Il me dit de le suivre*
Car il était le frère de vie
Celui qu'on croyait mort

« *Les pierres seront ensemencées*
Le blé d'or poussera
Pour les Siècles des Siècles »

Le jeune homme demeura dans le silence de longues minutes, marchant au côté de son maître. Jean le regardait du coin de l'œil et devinait le cheminement de ses pensées. Il le devança en disant :

— Jésus trouva refuge à Qumrān avec sa famille, là où le Baptiste l'avait initié parmi les Esséniens, autrefois. Il poursuivit la rédaction de son Évangile. Enfin, il vint me trouver et me demanda de le suivre. Il me dit qu'il était mort pour tous. Il laissait sa femme pareille à une veuve et son fils adulte à son côté. Il lui restait une mission à accomplir avant de quitter cette Terre, et il avait besoin du frère que j'étais pour la mener à bien. Il me dit : « Les hommes ne vivent pas assez longtemps pour conserver certains secrets, mais les sociétés, les ordres initiatiques, les confréries préservent leurs traditions et leurs vérités. »

Le cortège qui venait d'enterrer Jésus dans la forêt arrivait maintenant dans un village de petites bâtisses aux toits de chaume. Le lieu de leur communauté.

Jean proposa au jeune homme de l'accompagner dans sa maison. Le vieillard déposa l'anneau de bronze sur une table. L'anneau qui avait refermé le Tombeau du Christ.

Jean s'assit et poursuivit :

— Nous avons quitté notre terre et avons voyagé encore, tous deux, en missionnaires, en apôtres. Nous cherchions ceux qui seraient dignes de partager la Parole Sacrée. Nous voulions former une Loge parfaite, équilibrée, harmonieuse. Une Loge dans laquelle les frères et sœurs accepteraient l'enseignement ancestral qu'ils distribueraient ensuite autour d'eux, semeurs d'avenir. La Loge Première ! Moi, j'étais le Gardien de la Parole. L'Orateur... Et mon ami, mon vieux frère Jésus, était la Parole.

Regardant avec tendresse l'adolescent, Jean dit :

— Et la Loge Première s'est installée ici, au bord de cette forêt, près de ce lac. Jésus et moi étions bien trop âgés pour poursuivre notre route. Avec nos frères, nous avons bâti un temple. Quelques planches, une porte, trois fenêtres... Nous y avons placé tous les symboles utiles à nos travaux. Ceux venus du fond des temps, comme la voûte étoilée des tombeaux égyptiens, comme les colonnes du Temple de Salomon, comme les grenades, les laies d'amour... Nous y avons dessiné la mémoire de l'Humanité. Et Jésus nous a montré l'Évangile qu'il avait mis une vie à écrire. Il n'a pas ouvert le parchemin. Il nous a juste présenté les rouleaux de ses feuillets. Il les a placés sur un petit autel pour que nous prêtions tous le serment de fraternité à l'homme et de respect à notre ordre. C'est ce que tu as fait lorsque tu as été initié, mon garçon. Tu n'as sans doute pas compris exactement le sens profond de tes gestes et tu t'es demandé pourquoi l'on te faisait traverser le temple comme une forêt dangereuse. Pourquoi l'on t'avait fait descendre dans la terre pour y jouer ta mort, comme le fit Lazare que Jésus releva du tombeau. Jésus lui-même t'a donné la lumière et t'a embrassé par trois fois, chassant à nouveau de sa mémoire les trois coups de poignard de son frère.

Le jeune homme interrompit le vieillard.

— Je me doute que j'aurai besoin d'une vie entière pour assimiler l'enseignement que Jésus et toi m'avez donné. Cependant, je ne suis pas dupe ; j'ai bien vu, tout à l'heure, quand nous avons déposé le Fils de l'Homme dans sa tombe, que tu plaçais un paquet sur sa poitrine. C'était son Évangile ! J'ai reconnu la forme des rouleaux. Et cela, je ne le comprends pas. Dans quel but avoir enterré la Parole du Christ avec lui ?

En guise de réponse, Jean récita le dernier poème qu'il n'avait pas encore dévoilé à ses frères :

« *Il dit que son heure venait*
Lui le Premier des Douze
Il dit qu'il allait mourir

« *Quand la Loge serait montée*
Quand elle abriterait son corps
Dans l'Ombre de l'Architecte il s'endormirait

« *Moi Jean je scellerai le Secret*
Je tracerai les lettres sur la tombe
Je marquerai la pierre du Premier Frère

« *Il me dit n'être pas celui de la croix*
Et je compris qu'il ne l'était pas
Il était le Premier et le Dernier

« *Il me dit que je serai l'Aigle*
Dans l'Ombre je demeurerai
Car le frère a trahi le frère

« *Moi Jean je fermerai ses yeux*
Je placerai le Livre entre ses mains
Et la Parole sera perdue »

Le jeune homme bondit :

— C'est absurde ! La Parole est perdue ! Nous serons dans les ténèbres à tout jamais !

— Tu te trompes, reprit Jean. La Parole est en toi. En toi, en tes frères, en l'Homme ! Là, dans la terre, dans une tombe maintenant anonyme, ne sont que des os, de la chair et du papier que le temps va composter et transformer en humus. Ce n'est pas au cœur d'une forêt que nous avons placé Jésus, mais au creux de notre esprit. Et nous disposons tous d'un anneau pour ouvrir à notre guise cette tombe secrète qui détient la Connaissance. Une clef ! Nous sommes tous frères de Jésus par notre initiation, donc frère de l'Homme. Il s'agit maintenant, en jumeaux, de ne pas imiter Thomas et de ne point trahir notre frère à nouveau. Que ce frère se nomme Jésus, Zacharie, Paul ou Pierre... À nous de racheter la faute de Dydime ! Devenons ce que Jésus voulait que nous soyons, c'est-à-dire des architectes. Séparons-nous et allons par les chemins. Nous bâtirons d'autres loges. Elles seront toutes à l'image de celle-ci, qu'un sage appela la Première.

Le jeune homme devait se pénétrer des propos de Jean. Il allait le quitter quand le vieillard le retint en lui disant :

— N'oublies-tu rien ?

L'adolescent se retourna, étonné. Jean prit l'anneau sur la table et le tendit au jeune initié.

— L'anneau de bronze, mon garçon. Tu es le plus jeune d'entre nous. Il te revient. Il sera moins lourd dans tes mains.

Puis Jean resta seul. Il pensait à son ami qui reposait dans la marne glaiseuse de la forêt, son Évangile entre ses bras raides et froids.

Jean ne pouvait pas imaginer que certains architectes élèveraient une Église sur un mensonge. Il ne pouvait voir si loin... Il n'aurait jamais pu deviner l'odeur effrayante des corps brûlant sur les bûchers, le hurlement des torturés dans les caves de l'Inquisition, le fracas des guerres autour d'un tombeau vide à Jérusalem, les dogmes, la politique, l'orgueil, le pouvoir...

Le temps passa. Jean ne pensait qu'à son ami, à son maître fidèle. Il ne se souvenait déjà plus s'il s'appelait réellement Jésus. À moins que ce ne fût Osiris, ou Hiram, ou Jean-Baptiste... ? Son esprit brouillé par l'usure de l'âge mélangeait les noms des frères de l'Humanité.

Il se rappelait juste avec réconfort qu'il avait eu un frère qu'il avait aimé et avec lequel il avait participé à l'édification d'une Loge. Un Temple au Plan en perpétuelle évolution.

Et lorsque Jean mourut, il vit venir, de l'ombre, des silhouettes amies qu'il croyait disparues depuis longtemps. Il reconnut l'une d'elles. C'était un homme qui portait un anneau de bronze.

L'homme dit :

— *Puisqu'il est l'heure et que nous avons l'âge, ouvrons nos travaux.*

Jean eut le sentiment que les silhouettes formaient une chaîne autour de lui pour dessiner un cercle et l'accueillir dans une chaleur et une lumière d'amour qui lui permettraient de quitter la vie avec joie.

En mourant, en traversant l'indicible frontière qui sépare deux des mondes de l'Unité, Jean comprit que les travaux initiés par le Premier Frère ne s'achèveraient jamais.

Jean abandonna les dimensions humaines pour accéder à la Suprême Initiation.

Aucune trahison, aucune guerre, aucun mensonge ne pourraient désormais éteindre l'écho de la Parole. Celle que Jean, l'Orateur de la Loge Première, avait tracée en un long poème lumineux.

Bibliographie succincte

Les Saints Évangiles, traduction annotée par l'abbé L. Cl. Fillion.

L'Histoire de l'Église, par F. G. M. (1899).

AMBELAIN (Robert), *Jésus et le mortel secret des Templiers*, Robert Laffont, 1970 (Les énigmes de l'univers).

AUGÉ (Claude) sous la dir. de, *Le Larousse universel*, Larousse, 1924.

AVRIL (François), *L'Enluminure à l'époque gothique, 1200-1420*, Bibliothèque de l'Image, 1998 (Éditions bibliographiques).

BENAZZI (Natale) et D'AMICO (Matteo), *Le Livre noir de l'Inquisition*, Bayard, 2000 (Questions en débat).

BORDONOVE (Georges), *La Vie quotidienne des Templiers au XIIIᵉ siècle*, Hachette, 1990 (La vie quotidienne).

BOUCHER (Jules), *La Symbolique maçonnique*, Dervy, 1990 (Bibliothèque de la Franc-Maçonnerie).

BRILLANT (M. Maurice) et NEDONCELLE (M. l'abbé Maurice), *Apologétique : nos raisons de croire, nos réponses aux objections*, Bloud & Gay, 1937.

COLINON (Maurice), *L'Église en face de la franc-maçonnerie*, Fayard, 1954 (Bibliothèque Ecclesia).

CZMARA (Jean-Claude), *Sur les traces des Templiers : circuit des possessions templières dans l'Aube*, Association Hugues de Payns, 1993.

DELORT (Robert), *Le Moyen Âge*, Seuil, 1983.

FEDOU (René) *et al.*, *Lexique historique du Moyen Âge*, Armand Colin, 1999 (Cursus).

FLEIG (Alain) et LAFILLE (Bruno), *Les Templiers et leur mystère*, 2 tomes, Genève, éditions Famot, 1981.

GOLB (Norman), *Qui a écrit les Manuscrits de la mer Morte ?*, Omnibus, 1999 (Feux croisés).

HÉRON DE VILLEFOSSE (René), *Les Grandes Heures de la Champagne*, Librairie académique Perrin, 1871.

LA CROIX (Arnaud de), *Les Templiers au cœur des Croisades*, éditions du Rocher, 2002 (Documents).

LEROY (Béatrice), *L'Espagne des Torquemada : catholiques, juifs et convertis au XVe siècle*, Maisonneuve et Larose, 1995.

NAUDON (Paul), *Histoire générale de la franc-maçonnerie*, Charles Moreau, 2004.

OLDENBOURG (Zoé), *Le Bûcher de Montségur*, Gallimard, 1959.

PRACHE (L.), *La Pétition contre la franc-maçonnerie à la 11e commission des pétitions de la Chambre des députés*, Hardy & Bernard, 1905.

THIERRY (Jean-Jacques), *La Vie quotidienne au Vatican au temps de Léon XIII à la fin du XIXe siècle*, Hachette, 1963.

LE TRIANGLE SECRET

Tome II

Les cinq templiers de Jésus

La vie est l'ensemble des fonctions qui résistent à la mort.

Xavier Bichat.

Première partie

Le voyage à Jérusalem

1

La première croix

Décembre onze cent sept.

La neige est venue avec la nuit, lourde, épaisse, recouvrant rapidement chaussées et toitures. Des cheminées s'élèvent de fines volutes de fumée que le vent tourmente. Au deuxième étage d'une haute bâtisse, une lueur filtre au travers des rainures d'un volet de bois.

Dans une petite pièce mansardée, un homme d'une quarantaine d'années écrit sur un parchemin, d'une plume lente et calme, s'appliquant à bien former ses lettres. Un brasero réchauffe la pièce emplie de rouleaux et de manuscrits ; une lampe à huile, posée sur un coffre, diffuse une lueur orangée que fait danser un léger vent coulis.

L'écrivain porte une robe épaisse et des mitaines. Il a le front dégarni ; les cheveux qui lui restent sont longs et lui tombent dans le cou, blonds et blancs. Ses pieds reposent sur un petit banc soigneusement ouvragé.

L'annulaire de sa main droite est orné d'une chevalière enserrant une pierre rouge que des éclats de lumière animent parfois de manière fugitive.

Concentré, serein, il ne cesse d'écrire sur le vélin épais. Ce sont ses mémoires qu'il rédige. L'histoire remarquable de cinq chevaliers partis trois ans plus tôt en quête du plus improbable des mystères... Cinq frères unis par un indicible Secret.

Il s'appelle Arcis de Brienne, compagnon d'Hugues de Champagne, d'Hugues de Payns, de Geoffroy de Saint-Omer et de Basile le Harnais.

Et il se remémore la terre ocre et brûlante de Jérusalem, son ciel étoilé, ses odeurs épicées... Le village des lépreux, le Tombeau.

Le Tombeau !

Sa main tremble un peu à cette évocation. À peine. Car il a appris à contrôler son émotion, contraignant son esprit et son cœur à ne pas se laisser envahir par des pensées qui l'ont ébranlé autrefois.

Désormais, il sait. Il a découvert la vérité, le mensonge de l'Église. L'imposture...

C'est pourquoi il écrit, penché sur son pupitre, ses yeux fatigués se plissant à chaque nouveau mot, son visage, aujourd'hui empâté, figé en un masque de cire.

Il fut maigre et anguleux. Le temps lui a recouvert les os d'une graisse qui lui donne l'allure d'un sénateur romain.

Derrière les volets, la neige étouffe le moindre bruit. Même le vent est muet. Ce silence engourdi convient à Arcis de Brienne qui s'abandonne à ses souvenirs. Ceux-ci s'imposent d'eux-mêmes, précis comme à leurs premiers jours.

Ses pensées ne peuvent se diriger vers Dieu, bien qu'il eût aimé le prier en cet instant. Son âme est désormais vide, écorce sèche ayant perdu sa sève lors de son expédition en Terre sainte. Une âme morte... La défroque d'une foi ancienne et fervente.

Aussi écrit-il, de peur qu'un jour sa mémoire défaillante n'oublie la dépouille d'un jeune homme aux poignets et aux pieds percés, au flanc blessé... Il s'écrit à lui-même. Cela le rassure un peu. Il écrit... Appliqué et méthodique, évoquant les quatre lettres que les Romains tracèrent sur un cartouche au-dessus de la croix de celui qui se fit passer pour le Christ :

I.N.R.I

Iesus Nazarenus Rex Iudaeorum... « Jésus de Nazareth, roi des Juifs. »

Mais Arcis de Brienne, tout comme ses quatre compagnons, sait maintenant que ce monogramme cache un message occulte dont la révélation mettrait à bas les fondements de la Sainte Église.

Là, dissimulée sous ce vocable, repose la Clef de la Connaissance. L'Équation de l'immortalité.

La silhouette progresse sur le faîte du toit de la demeure d'Arcis de Brienne, forme brouillée par la neige et le vent qu'une large cape transforme en un immense oiseau de proie. C'est en effet à cela que ressemble cette présence agile, défiant l'équilibre en se jouant des tuiles verglacées. Un capuchon dissimule son visage. Une hache est passée dans sa ceinture.

C'est un fantôme d'ombre qui vole d'un pan de toit à un autre, s'accroche à une cheminée, se laisse glisser le long d'un des gouttereaux de la façade donnant sur la cour intérieure du logis, se réceptionne sur le balconnet d'une large fenêtre close par un contrevent de bois.

À ce moment, il marque un temps, reprend rapidement son souffle et dégage un poignard d'un fourreau pendant à sa hanche gauche. Il entreprend alors de faire sauter la gâche du volet. En moins d'une minute il a forcé le pêne, qui cède sans bruit.

Il pénètre dans la maison, emprunte un corridor obscur traversé par un courant d'air glacial, escalade comme un chat un escalier et se dirige vers la porte du bureau d'Arcis de Brienne sous laquelle filtre un rai de lumière, libère sa hache de sa ceinture, la saisit fermement de la main droite et, doucement, très doucement, pousse la porte de la main gauche.

Il observe l'écrivain assis de dos, penché sur son pupitre, son crâne brillant à la lueur de la lampe à huile. Il reste un instant sans bouger, embrassant la scène dans son ensemble, en repérant le moindre détail...

Arcis de Brienne entend sans doute craquer une latte du parquet ; il se retourne, pensant que c'est sa femme qui vient le retrouver. Il ouvre grands les yeux pour la voir, car il doit s'habituer à la pénombre de la pièce.

— Hélène ?

Mais cette forme ample n'est pas Hélène. Il ne voit pas réellement que le visiteur qui s'avance vers lui en deux enjambées tient une hache. Il ne comprend que trop tard. En un temps figé où l'arme s'élève au-dessus de lui tandis qu'il est pris à la gorge par une serre implacable. En une fraction d'éternité... La lame de lumière déchire l'espace. Arcis de Brienne étouffe, regarde le tranchant de la hache, s'entend hurler un cri de bête affolée.

Le hurlement envahit la maison et saisit Hélène de Brienne dans son sommeil. La femme se redresse sur son lit, tentant de saisir la réalité qu'un songe interrompu embue encore.

— Arcis !

Le cri de son époux a cessé brutalement. Hélène cherche la lanterne, le briquet sur le coffre, près du lit, puis donne de la lumière dans la chambre, se dirige vers la porte.

Un nouveau cri, plus faible. Pareil à un râle, une plainte de mourant.

Hélène a peur. Elle fait quelques pas dans le couloir, sa lanterne tendue devant elle, éclairant à peine. Ses pieds nus sur le dallage la font frissonner. Elle doit monter à l'étage, au bureau d'Arcis. Gravir les marches de bois aux échardes mordantes.

— Arcis...

Le froid. Un courant d'air violent. « Une fenêtre a été ouverte ! » Monter... Gravir cet escalier avec une boule d'angoisse logée dans la poitrine, l'estomac noué, les jambes lourdes.

Le palier. La porte du bureau d'Arcis est béante. Hélène approche, s'interdisant d'accélérer le pas. Un peu de lumière émane de la pièce. Une lueur chancelante qui dessine un rectangle pâle sur le plancher du couloir.

Elle entre dans le bureau, le cou en avant, attentive, inquiète.

— Arcis, mon chéri !

Son mari a été jeté hors de son siège et gît sur le sol dans une mare de sang au milieu de manuscrits et de rouleaux renversés, piétinés, déchirés.

Elle avance, ne se souciant pas des documents épars qu'elle foule, tout son être attiré par le corps étendu d'Arcis. Par le sang qui s'étale en corolle autour de lui.

Il a les yeux ouverts, mais ne la regarde pas. Il ne la verra plus jamais. Il est mort avec une expression de terreur qui lui déforme le visage. Sur son front ont été tracés avec son propre sang le chiffre 1, ainsi qu'une croix :

$$1 +$$

Puis Hélène découvre que le poignet droit d'Arcis a été sectionné. La main qui portait la chevalière à la pierre rouge a disparu.

428

Prise de dégoût, la femme ne peut retenir une bile âcre qu'elle vomit, secouée de spasmes. Essoufflée, effrayée, elle pense que le tueur peut encore se trouver dans la maison et elle craint maintenant pour sa propre vie. Saisie de panique, elle scrute l'ombre de la pièce et n'y découvre aucune présence. À peine rassurée, elle quitte le bureau, sa lanterne ouvrant devant elle une voie circulaire réduite. La maison entière est devenue menace.

Il lui faut redescendre au premier étage, emprunter le corridor et le second escalier qui mène à l'extérieur ; l'assassin l'attend-il dans un recoin de cette trop grande bâtisse ? Quel assassin ? Pourquoi s'en est-il pris à son mari en lui arrachant la main droite ?

En larmes, Hélène s'engage dans l'escalier. Elle peine à respirer, les ténèbres versant du sable dans sa gorge. Chaque marche représente un effort, une douleur inouïe...

La nuit fouit les murs de chaux et s'anime d'effiloches macabres qui accompagnent la descente de la femme. Celle-ci atteint bientôt le palier du premier étage et, malgré l'angoisse qui lui broie le cœur, s'aventure dans le corridor.

Elle progresse à pas mesurés, le plus silencieusement possible. Elle se dit que, lorsqu'elle aura atteint le coude du couloir, elle se mettra à crier pour appeler au secours le voisinage. Il ne lui restera plus qu'à dévaler une volée de marches pour jaillir dans la rue. Mais, soudain, une porte s'ouvre brutalement et son battant la frappe à l'épaule, la projetant en arrière, lui faisant perdre l'équilibre...

Sa large cape happant quelques rapides lueurs de la lanterne d'Hélène, une silhouette noire bondit : une forme spectrale brandissant une hache ensanglantée dans sa main droite et le moignon d'Arcis dans sa main gauche.

Une fugitive flamme rouge s'allume à la chevalière du membre amputé.

Hélène évite le coup de hache. La lame blesse le mur juste au-dessus de sa tête, pratiquant une large saignée dans le plâtre. Le meurtrier se prépare à frapper une seconde fois, mais la femme, bien plus jeune que ne l'était son époux, se glisse en hâte dans le boyau du couloir, se jette dans l'escalier et dévale les marches en appelant à l'aide. Le tueur est sur ses talons, frappant autour de lui, détruisant la rampe, brisant les briques du mur, ahanant comme un bûcheron.

Hélène ne cesse de crier. Elle parvient aux dernières marches de l'escalier de bois. La tache de lumière de sa lampe danse une gigue folle. L'autre, le tueur, derrière elle, continue à fendre l'espace de sa hache.

Le vestibule. L'homme est presque sur Hélène. Encore trois ou quatre pas et il l'aura atteinte. Elle s'est légèrement retournée et comprend que son heure est venue si elle ne réagit pas.

Le tueur paraît ne faire qu'un avec l'ombre. Il semble que la nuit se matérialise en s'animant dans sa cape, dans son capulet, dans toute sa silhouette. La lame de la hache luit dans la lumière produite par la lampe à huile.

La lampe... Hélène la jette soudain sur son agresseur, qui la reçoit au bas de sa cape dont le tissu s'est collé à sa jambe droite. Tandis qu'il se débat contre les flammes, la femme parvient à sortir de chez elle pour déboucher dans la rue enneigée. La nuit grésille de flocons.

La jeune femme met de la distance entre elle et la porte de sa demeure. Des volets s'ouvrent aux alentours. La tête hirsute d'un gros homme bouffi de sommeil apparaît.

— C'est toi, Hélène, qui fais tout ce sabbat ? s'étonne-t-il.

De nouvelles têtes se penchent sur la rue où la fugitive, pieds nus dans la neige, tourne sur elle-même, poupée effarée qui cherche des yeux un salut.

— Arcis a été massacré dans son cabinet d'écriture ! lance-t-elle.

Le tueur sort de la maison. Il a défait sa houppelande en flammes, qu'il tient encore à la main et semble faire danser autour de lui, pareille à une aile de feu. Hélène recule par réflexe. Elle discerne vaguement le regard du démon sous son capuchon. Des yeux de chat qui semblent sourire.

L'homme brandit la main d'Arcis de Brienne comme un trophée et se débarrasse enfin de son manteau, qu'il abandonne sur la neige où, telle une flaque de sang noir, il achève de se consumer. Puis il prend la fuite, laissant Hélène transie de froid et de douleur, sanglotante et perdue. Car son vieil amour est mort. Son Arcis... Son si bon époux, qu'elle aimait plus qu'un père.

2

Le roi de Jérusalem

Jérusalem, trois ans plus tôt.

Une chaleur moite colle les vêtements à la peau. Le jeune Baudouin, roi de Jérusalem, frère de Godefroi de Bouillon, mort en l'an onze cent, consulte des plans en compagnie des chevaliers Bertrand et André. De grands feuillets ont été déroulés sur une table et le suzerain, à peine rasé, la sueur lui ruisselant dans le cou, laisse glisser un doigt paresseux sur les lignes tracées par l'un de ses meilleurs architectes.

La salle est vaste, et sur un côté de grandes ogives donnent sur une galerie extérieure ombrée qui conserve un peu de la fraîcheur de la nuit.

Fanions, oriflammes, bandières et gonfanons ont été tendus çà et là, signes orgueilleux de la présence des chevaliers croisés qui ont investi l'enceinte du Temple de Salomon, ainsi que ses dépendances où ils ont établi un retranchement solidement fortifié pour entreprendre des fouilles au pied de la maison chevêtaine et tout autour de la mosquée al-Aqsâ.

Depuis peu ont été mises au jour des ruines que les ingénieurs ont datées de l'époque israélite. Chaque jour, des centaines de terrassiers s'échinent à creuser une terre rouge et dure sous les ordres de contremaîtres vigilants, attentifs à ce que pioches et pelles ne brisent pas une jarre antique ni n'effritent une statuette en or...

Les hommes chantent pour se donner du courage, la peau nue de leur dos cuisant sous le soleil, leurs mains devenant calleuses à force de manier de lourds outils, la gorge emplie d'une poussière épaisse que l'eau fraîche absorbée en quantité ne parvient pas à étancher. Ils chantent cependant, mêlant leurs patois tels les ouvriers de Babel.

Le jeune Baudouin replie les plans et les abandonne sur un coin de la table, puis reprend une missive qu'il a déjà lue de nombreuses fois ces derniers jours.

— Avons-nous réellement besoin de l'appui des Champenois ? interroge-t-il en parcourant de nouveau le message. Leur comte

Hugues est trop riche pour s'intéresser à des soldats du Christ tels que nous !

— Il nous faudra pourtant lui faire bonne figure, Sire Baudouin, dit Bertrand en souriant.

Un quatrième homme se tient en retrait près d'une épaisse tenture et semble ne pas vouloir participer à la conversation. Il s'agit de l'évêque Bucelin, légat du pape Pascal. Le regard absent, il s'applique à éplucher une orange avec un soin presque féminin, une moue dédaigneuse accrochée à ses lèvres fines.

— Une délégation l'attend à Ascalon depuis plus d'une semaine, précise André.

Le roi soupire et hausse les épaules en ironisant :

— Je crains qu'Hugues et ses compagnons ne viennent à Jérusalem que pour satisfaire à la mode des gens qui s'avisent de plaire à Dieu.

— Il arrive flanqué du chevalier Hugues de Payns, dont j'ai parfois entendu parler, précise Bertrand.

Baudouin renchérit :

— Moi aussi ! Et l'on fait grand mystère de ce singulier personnage dont Hugues, à ce qu'il paraît, ne se sépare guère.

— Au point qu'on dit qu'ils seraient frères, ajoute Bertrand. Enfin, Payns serait un bâtard du comte Thibaud, qui n'aurait reconnu qu'Hugues, le comte actuel, pour héritier ! Une rumeur qui a la peau dure en Champagne, où il est de notoriété publique que Thibaud aurait fait quelques infidélités à Adèle de Valois !

Baudouin va se lever. Il prend appui sur la table et reste un moment ainsi, courbé, regardant distraitement la missive frappée du sceau du puissant Hugues de Champagne.

— Soit, fait-il. Nous composerons avec ces gens-là. Après tout, le comte de Champagne est l'époux de Constance, la fille du roi Philippe... Il nous sera peut-être utile !

André s'est emparé d'un carafon et se sert une grande coupe d'eau qu'il porte à ses lèvres. Après avoir bu d'un trait et s'être essuyé la bouche d'un revers de manche, il dit en riant :

— Ma foi, si nous parvenons à défendre notre cause, nous pourrions lui demander quelques bienfaits !

— Sûr, souligne Bertrand en passant une main dans sa tignasse rousse à la recherche de poux. Notre garnison subit d'incessants assauts de bandes sarrasines ; hommes, armes et vivres seraient les bienvenus.

— Naturellement, souligne le jeune roi, nous sommes l'armée de Dieu... Une telle armée se doit de n'être point miséreuse !

Mais il regarde les cernes bleuis sous les yeux de ses compagnons, leurs joues maigres, leur peau craquelée, prématurément vieillie... Il voit des gueux qui se prennent pour des maîtres, des guerriers à l'adolescence à peine mouchée. « Et ils sont tous ainsi, pense-t-il. Tous mes chevaliers, mes capitaines, mes preux. Tous mes croisés ! Une bande d'aventuriers que la fièvre décime. »

— Sire...

Baudouin se retourne sur l'évêque :

— Oui, Monseigneur ?

Le légat glisse quelques mots à l'oreille du jeune roi de Jérusalem, de manière à n'être pas entendu d'André et de Bertrand.

Baudouin s'excuse en souriant à ses amis :

— L'évêque, dont nous apprécions tous la discrétion, souhaite s'entretenir avec moi en privé. Continuez à consulter les derniers relevés de nos architectes en m'attendant.

Le légat et le souverain quittent la pièce pour emprunter la galerie extérieure. Ce péristyle court le long du bâtiment ; Baudouin en apprécie aussitôt la fraîcheur. Il a emboîté le pas au prélat et se distrait à le voir poser avec une attention ridicule un pied devant l'autre à la manière d'un funambule marchant sur une corde tendue au-dessus d'un abîme imaginaire.

Une odeur poivrée de sueur accompagne l'évêque.

— Vous ne vous départirez donc jamais de vos airs de conspirateur, Bucelin ? J'imagine de quel sujet vous allez encore m'entretenir.

— Notre mission, Sire...

Les chants des terrassiers parviennent jusqu'à eux. Une voix forte donne le ton et rythme la cadence. Les sifflets des contremaîtres achèvent de ponctuer ce branle envoûtant.

— Notre véritable mission ! reprend le légat. L'entreprise secrète que dissimule cette croisade...

— Je fais tout pour m'en acquitter, et vous pourrez en rendre compte au pape. J'ai repris avec zèle l'enquête de mon regretté frère Godefroi.

La galerie donne sur la cour des écuries. Un escalier se présente aux deux hommes, qui l'empruntent et marquent un arrêt à son sommet. De là ils entrevoient un peu du chantier. Une grue accrochée à un édifice élance ses montants de bois dans un ciel presque blanc. Le chant des ouvriers se fait plus présent, et l'on perçoit maintenant des respirations rauques qui le rendent douloureux.

— Je n'ai aucun reproche à vous adresser, Sire. Rien n'a transpiré de notre opération. Le Saint-Sépulcre délivré demeure un leurre idéal tandis que nous cherchons le tombeau de l'Imposteur.

— Je devine votre hâte à le trouver, mais nos ouvriers creusent sans cesse et...

Ils descendent l'escalier menant dans une cour où des palefreniers et de jeunes écuyers soignent les chevaux. L'odeur de crottin et de pissat prend Baudouin au ventre. Il s'en repaît un instant, se rappelant les remugles de la ferme où il aimait traîner lorsqu'il était enfant.

Son enfance... Elle ne lui apparaît plus qu'épisodiquement, s'étiolant en souvenirs déchirés, recouverte de sang, de cris et de pleurs. Recouverte par la guerre.

— Qu'alliez-vous me dire, Sire ?

— Oui..., reprend le roi. Je me demande parfois si le secret dont j'ai hérité n'est pas un mythe ! Vos clercs pourraient s'être trompés, avoir commis une erreur de traduction.

Bucelin s'emporte :

— Non, Baudouin, non ! L'Église doit impérativement découvrir le Tombeau et faire disparaître la dépouille qui s'y trouve. Voulez-vous que les fondements mêmes de la chrétienté soient réduits en poussière ? Là, quelque part dans Jérusalem, repose un cadavre portant les marques de la crucifixion : les restes de Thomas, qui a subi le supplice à la place de son frère Jésus !

Le jeune roi porte une main à son front.

— Comme j'aurais aimé ne jamais être initié à ce savoir ! se plaint-il.

— Je voulais vous dire... Ce sont sans doute les Champenois que nous attendons qui nous mèneront à la tombe maudite.

— Par mon âme ! Et comment ?

Le légat applique une main ferme sur l'épaule de son souverain et lui impose son pas en le poussant doucement. Ils traversent la cour des écuries et se dirigent vers le chantier.

— Je vais vous expliquer, dit Bucelin. Je demande à être informé de leurs moindres faits et gestes dès qu'ils seront dans la ville.

— Ah, c'est donc cela ! Ce seraient des espions, n'est-ce pas ? Que craint vraiment notre Sainte Mère l'Église si un inconnu découvre la tombe de Thomas ? Ne m'avez-vous pas tout dit, Monseigneur ?

— Vous devez savoir, en effet...

Ils traversent un jardin éventré. Des hommes charrient des paniers emplis de gravats ; ils portent leur charge au bout de cordes passées à leurs épaules, protégeant leur chair par des pièces de cuir. À la base d'une muraille, une galerie a été creusée. On en a étayé l'ouverture par un complexe assemblage de charpentes et d'empoutreries qui pourrait paraître rudimentaire et grossier au premier coup d'œil. Mais en y portant un peu d'attention, on remarquerait que les architectes ont accompli des prouesses avec une grande économie de moyens et d'empiriques connaissances.

Un ingénieur et un abbé consultent des relevés.

Bucelin poursuit :

— Thomas aurait partagé sa tombe avec... avec son frère Jésus, qui se serait caché des Romains pendant trois jours dans les ténèbres du sépulcre !

— Le Christ serait resté avec le mort ? réagit vivement Baudouin. Cela ne change rien à notre affaire ! À moins que...

— À moins que le Christ n'ait laissé une trace de son existence, scande le légat. Une chose qui, si elle était découverte, témoignerait d'une vérité qui mettrait l'Église en péril.

— Je comprends : une preuve supplémentaire qu'il nous faudra soustraire au regard des profanes !

— En effet, lance le prélat. Nous devons tout effacer ! Tout ! Et brûler les restes de Thomas. Pour le monde chrétien, Jésus est mort et ressuscité. Il est passé de l'ombre à la lumière parce qu'il était fils de Dieu, né d'une Immaculée Conception. Rien ne doit être écrit autrement !

Baudouin s'arrête de marcher. Le souffle lui manque. « Cette chaleur ! Cette maudite fournaise ! »

— Et les Champenois ? demande-t-il d'une voix sèche. Quel rôle jouent-ils ?

Bucelin regarde par-dessus son épaule. À droite puis à gauche. Ils sont loin de l'ingénieur et de l'abbé, qui relèvent des cotes. Il peut donc délivrer ce secret qui le hante et le taraude :

— Ils se disent héritiers d'une antique tradition, légataires du Christ ! Mes clercs affirment qu'ils sont en possession d'informations qui les mèneraient directement à la tombe maudite. Feu le pape Urbain II, originaire de Champagne, avait récolté auprès d'eux quelques indiscrétions et avait cru, en lançant sa croisade, qu'il trouverait sans peine le lieu où Thomas a été enseveli, éliminant de la sorte les indices qui déstabiliseraient la chrétienté. Nous pensions que c'était ici.

— Mes ingénieurs n'ont trouvé que quelques galeries effondrées, souligne Baudouin. Les vestiges de l'ancien Temple de Salomon.

Bucelin hoche sa tête d'oiseau et cligne des yeux. Un éclat de soleil provenant d'une pioche vient de le gifler.

— Le comte Hugues de Champagne et le chevalier Payns travailleront pour nous ! dit-il. Ils viennent en Terre sainte pour nous empêcher de mettre la main sur ce que le Christ a laissé dans la tombe de Thomas.

— De quoi s'agit-il, Monseigneur ? s'impatiente Baudouin.

L'évêque détache chaque syllabe de sa réponse :

— Cela a rapport au suaire de l'Imposteur !

— Son suaire ? lance le jeune roi. Un vulgaire morceau de tissu dans lequel Thomas a pourri !

— Il n'y a pas que cela, Sire, articule Bucelin. Il y a bien pire ! Ce suaire contient un mystère innommable !

3

Les cinq chevaliers

La nuit.

Une énorme kogge au ventre pesant et au bordage lisse, arborant ses fanions marqués d'une croix, ses six voiles carrées gonflées prenant le meilleur vent, cingle à bonne vitesse sur une mer houleuse dont elle fend les vagues en les tranchant de plein front. À ses haubans se balancent quelques fanaux cerclés de halos jaunes, lucioles fragiles dansant entre ciel et mer comme des étoiles basses.

Geoffroy de Saint-Omer quitte le pont, où il vient de vomir. Il dévale lourdement les quelques marches qui mènent à la coursive aux parois trop fortement inclinées, en s'essuyant les lèvres avec un pan de son manteau.

Il fulmine, le teint vert, les yeux révulsés. « Houle, roulis, tangage… Comment peut-on supporter un tel traitement sans recracher tous ses boyaux ? »

L'homme a dépassé la trentaine depuis peu, mais un fort embonpoint gonfle sa chemise. De taille moyenne, il est bâti comme un ours. De solides épaules, des mains vigoureuses, un cou épais. Il a de petits yeux fendus, un nez marqué qu'une ancienne rixe a cassé, des cheveux châtains rejetés en arrière.

Le plancher semble se dérober sous lui à chacun de ses pas. Il ne cesse de jurer en cherchant à reprendre son équilibre, battant des bras en de grotesques moulinets.

— Tu es ridicule, Geoffroy ! lui lance une voix.

Une porte vient de s'ouvrir et Basile le Harnais, tenant une lanterne en main droite, ne peut s'empêcher de rire au spectacle que lui offre son ami.

— Ridicule ? reprend Geoffroy. C'est donc ainsi que je mourrai ! Il a fallu que je libère mon estomac par-dessus le bastingage. Si je poursuis ce régime, je n'aurai bientôt plus que la peau sur les os !

— Mon pauvre ami ; tu n'as pas cessé de cracher ta bile à la mer depuis que nous sommes montés sur ce navire.

Basile s'est approché et a pris le bras du malade en ajoutant :

— On n'attend plus que toi ! Le comte s'impatiente.

— Par Dieu, comment faites-vous pour ne point souffrir du mal de mer ?

— Sans doute choisissons-nous une nourriture légère qui ne nous pèse pas sur le cœur. Je t'ai conseillé mille fois de ne prendre que de la soupe ; un bon bouillon de légumes. Vois-tu ce qui arrive à t'empiffrer de lard et de poissons gorgés de saumure ? Sans compter les chopes d'hydromel que tu ingurgites du matin au soir !

— Sage Basile et ses conseils avisés !

Basile le Harnais peine à soutenir Geoffroy, quoiqu'il soit solide et sec comme du vieux bois. Le cheveu rare, la barbe poivre et sel, le visage long, pareil à une lame, il a conservé d'une mauvaise fièvre des tavelures sur sa peau parcheminée malgré ses trente-neuf ans.

Après maints efforts, les deux chevaliers parviennent enfin à pénétrer dans le carré où les attendent Hugues de Champagne, Payns et Arcis de Brienne.

Arcis est occupé à étendre soigneusement une étoffe blanche sur un coffre de bois qu'il orne ensuite de trois petits candélabres portant chacun une chandelle de suif de bœuf allumée.

Dès que Basile a refermé la porte, le comte lui demande :

— T'es-tu assuré qu'il n'y a personne dans la coursive ?

— La plupart des pèlerins dorment, et les marins de veille sont aux manœuvres, le rassure Basile alors que Geoffroy se laisse tomber sur un banc qui craque à se fendre.

Le comte a vingt-sept ans. Il est de grande taille et solidement charpenté, avec un visage carré et jovial qu'illumine un regard clair, très gai. Avant son départ, il s'est fait raser entièrement la tête ; un duvet blond repousse maintenant en brosse sur son crâne.

Se tournant vers Payns, il propose :

— Commençons-nous, frère ?

Payns ne répond pas immédiatement. Il porte son regard sur Geoffroy et hoche la tête, une moue réprobatrice étirant ses lèvres minces.

— Si notre malade peut tenir debout, nous pourrons en effet procéder à la cérémonie, reproche-t-il.

Geoffroy émet un grognement de chat et, désireux de prouver aux siens qu'il ne manque pas de courage, se dresse de son banc pour tenter de conserver une station verticale et digne en dépit des mouvements contrariants du navire.

Payns vient à lui, pose une main sur son front et constate :

— Tu es brûlant.

— Pourtant, dit Geoffroy, je sens de la glace couler dans mes veines. Regarde, j'ai la tremblote !

— Ferme les yeux un instant, lui commande Payns d'une voix soudainement douce et grave. Ferme les yeux comme si tu avais l'intention de t'endormir !

Les trois autres chevaliers se sont tus pour observer la scène.

Payns est long, sec, musclé. Son corps entier indique une hygiène de vie rigoureuse faite d'exercices physiques, de méditation et de jeûne. Ses yeux sont si bleus, si pâles, que parfois son regard semble être celui d'un mort. Intense, cependant, ce regard profond dans lequel brûlent, fugitives, des flammes blanches.

Sa chevelure épaisse est taillée haut sur sa nuque et brille d'éclats d'or.

Geoffroy a clos ses paupières. Payns lui enserre le front de ses doigts fins et dit :

— C'est ainsi que pratiquait ma sœur aînée… Elle posait ses doigts sur mon front quand mon estomac souffrait d'embarras. Puis elle faisait descendre ses doigts le long de mon visage, de ma gorge, de ma poitrine, pour les poser sur mon ventre.

Tandis qu'il parle, Payns répète les gestes d'une sœur tant aimée et morte trop jeune. Clotilde…

Le vaisseau geint dans tous ses bordages ; c'est le seul bruit qui emplit désormais le carré. Payns presse l'estomac de son ami et le masse lentement en décrivant de petits cercles. Puis il se met à murmurer des phrases que nul ne saisit tant elles sont dites à voix basse. Elles sont cependant scandées en une étrange mélopée gutturale, et les chevaliers pensent tous qu'elles appartiennent à une langue qui leur est inconnue.

— Rouvre les yeux, ordonne Payns à Geoffroy.

— Par Dieu, que m'as-tu fait ? Je vais nettement mieux… As-tu remis toute ma boyasse en place ? Tu es un véritable sorcier, Payns. Je n'ai plus cet affreux goût de bile dans le gosier ni cette colique qui me tiraillait la panse !

Payns se force à sourire. Son visage sévère se crispe. Mais si vivement que cela n'a paru qu'un mirage.

— Nous pouvons commencer, Hugues, dit-il.

De l'un de ses bagages, le comte sort alors un coffret de bois ferré à ses coins et fermé par une serrure grossière. Il dépose l'objet sur l'autel improvisé.

Les chevaliers forment un demi-cercle dans cette cabine devenue laraire, uniquement éclairée par les trois chandelles et une lanterne déposée au bas de la porte.

— Unissons-nous, frères, énonce le comte Hugues avec solennité en plaçant ses mains sur le coffret. *Puisqu'il est l'heure et que nous avons l'âge, ouvrons nos travaux...*

Les quatre autres chevaliers portent la main droite à leur poitrine, paume posée sur le cœur, et inclinent la tête tandis que Payns ajoute :

— À la gloire du Premier. Pour la lumière de sa Parole. Qu'I.N.R.I. nous illumine !

Hugues se prépare à ouvrir le coffret. Il a glissé une clef dans la serrure.

Les chevaliers laissent leur main droite retomber le long de leur corps.

Le couvercle du coffret ouvert, Hugues prononce ces mots :

— *Igne Natura Renovatur Integra.*

Aussitôt, Payns ajoute :

— Par le Triangle, l'Hexagramme, l'Omega, la Croix et le Tau...

— L'heure est venue de prêter serment et de faire alliance avec la Tradition, dit Hugues. Êtes-vous prêts, frères ? Vous engagez-vous à offrir votre vie à l'Œuvre ?

D'une même voix, les chevaliers répondent :

— Nous nous y engageons !

Le coffret contient cinq bagues dans un écrin de velours, toutes ornées d'une pierre rouge. Religieusement, avec des gestes empreints de gravité, le comte de Champagne dépose chaque bague sur le drap blanc. La flamme des bougies avive soudainement leur éclat.

— Puisqu'il en est ainsi, dit Hugues, passons ces chevalières à notre doigt et prononçons le serment...

Rituellement, en silence, il distribue quatre des bijoux à ses amis et glisse le cinquième à son annulaire.

Tous les hommes élèvent ensuite le bras droit tendu vers les trois candélabres.

— Moi, Hugues de Champagne...

— Moi, Hugues de Payns...

— Moi, Basile le Harnais...

— Moi, Arcis de Brienne...

— Moi, Geoffroy de Saint-Omer...

Un temps. Le comte regarde ses compagnons tour à tour avec une tendre amitié et dit :

— Je jure solennellement de préserver le Secret du Fils de la Lumière et d'empêcher quiconque de s'en emparer pour le détourner au profit de funestes intentions… De combattre les adversaires de la Tradition. Et, si cela doit être, de renaître de la mort pour chasser éternellement mes ennemis par-delà les siècles. Je le jure !

Quatre voix mêlées répètent :

— Je le jure !

L'écho de leur serment s'est à peine estompé que Payns se retourne vivement.

— N'avez-vous pas entendu ? Il y a quelqu'un derrière cette porte !

Il a traversé la cabine en dégainant son épée et ouvre la porte sur l'ombre de la coursive, dans laquelle il plonge comme un fauve.

Dans ses pas, Arcis, qui a pris la lanterne pour lui donner de la lumière, s'étonne :

— En es-tu certain ? Ce n'était peut-être qu'un rat comme il en grouille tant dans ces cales !

Mais Payns a le temps d'apercevoir le bas d'une cape qui s'envole dans l'escalier menant au pont. Une forme vague, pareille à une aile noire.

— Un gros rat, dans ce cas ! raille-t-il en gravissant quatre à quatre les marches à son tour.

Le pont. La nuit s'y étend, épaisse. Seule une lumière provient du château avant.

— Allons, dit Arcis essoufflé, il n'y a personne.

— Tu l'as vu dans l'escalier, n'est-ce pas ? Une cape noire…

— Non, je n'ai rien vu. Nous étions tous très émus et sans doute ton imagination t'aura-t-elle joué un vilain tour. Nous manquons de sommeil, peu habitués que nous sommes à vivre sur un navire qui danse trop à notre goût.

— Cependant, poursuit Payns, je suis persuadé de l'avoir entendu. Ses bottes sur les marches de bois…

D'un bastingage à l'autre, rien ne bouge. Payns rengaine à regret son épée. Arcis lui prend le poignet et le rassure :

— Nous serons rapidement à Ascalon et nous aurons bientôt rejoint Jérusalem pour y accomplir promptement notre mission.

— Tu nous as accompagnés sans élan, mon ami.

— Au contraire ! Mais j'avoue qu'Hélène, ma jeune épouse, me manque. Plus vite nous en aurons terminé, plus vite je serai dans ses bras.

Il sait bien qu'Hélène sera patiente. Elle lui a offert son amour et son adolescence. Elle lui a fait don de ses seize ans pour l'accueillir en sa chair et en son cœur comme un amant paternel.

— Viens, Payns, redescendons.

Payns ne peut s'empêcher de scruter une dernière fois le pont, certain de ne pas avoir été le jouet d'un mirage. Il y avait réellement une présence derrière la porte de la cabine. Quelqu'un qui a certainement entendu leur serment.

Payns suit Arcis qui éclaire l'escalier de sa lanterne. « Une présence néfaste... »

Le chevalier s'interdit d'avouer à son compagnon qu'il est souvent capable de percevoir ce que tous ses semblables ignorent. Son esprit parvient à fouiller l'invisible maillage des âmes qui l'entourent. Dans l'impalpable tissu du présent, il isole parfois une impression extérieure, un sentiment lointain...

Et là, cette nuit, il a senti le Mal l'effleurer.

Neuf jours plus tard, sur le pont de la kogge, la plupart des pèlerins se pressent au bastingage du côté est pour voir Ascalon émerger d'une brume de chaleur qui la rend presque irréelle.

— On dit que les Francs de Godefroi de Bouillon ont massacré plus de dix mille personnes lors de la première attaque de la ville, déclare Arcis de Brienne, qui a rejoint Geoffroy de Saint-Omer près du château avant d'où le capitaine du navire commande la manœuvre d'approche.

— Oui, j'en ai entendu parler, dit Geoffroy que les nausées ont repris, cependant moins embarrassantes depuis que Payns le soigne en lui massant le ventre et en psalmodiant de mystérieuses formules.

— La cité est actuellement gouvernée par un certain Chams al-Khilafa qui ne la tient en main qu'avec le secours de Baudouin. Un équilibre précaire qui risque de se briser d'un jour à l'autre.

Le comte Hugues intervient :

— Le roi de Jérusalem a installé une garnison de trois cents hommes afin de soutenir Chams al-Khilafa, qui s'est vendu pour sept cents dinars. La population ne lui a jamais pardonné cette trahison. Il a d'ailleurs échappé à de nombreuses tentatives d'assassinat et se terre désormais dans son palais.

Arcis reprend :

— Cette ville est prête à s'embraser ; nous ne nous y attarderons pas. Les Égyptiens y sont encore nombreux, et c'est parmi eux que les Fatimides forment des groupes armés prêts à investir le refuge de leur gouverneur.

— La politique ! soupire Geoffroy. Je n'y entends pas grand-chose.

— Ascalon constitue un point stratégique d'importance, mon ami, précise Hugues.

— Elle représente surtout la terre ferme ! s'exclame Geoffroy en observant les brumes se dissiper sur le port.

Payns et Basile sont montés à leur tour sur le pont. Plus bas, dans la cale, les écuyers des cinq chevaliers achèvent de réunir les bagages de leurs maîtres : besaces en grosse toile, bissacs en peau de mouton, sacoches en cuir...

Payns ouvre grands les bras et aspire longuement l'air tiède et salé, dont il emplit généreusement ses poumons.

— Comme cela sent bon ! dit-il. Comme cela nous change de notre froide Champagne !

Arcis le tempère aussitôt :

— Quant à moi, je trouve que cela sent plutôt le sang ! Celui des Arabes, des Juifs et des Francs.

— Sans doute, mon ami, poursuit Payns, mais c'est dans le sang que s'écrit l'Histoire. Je veux parler de celle qui est vérité à prendre comme religion. Nous devons nous en accommoder si nous tenons à déjouer le mensonge de l'Église.

Puis Payns laisse retomber ses bras. Il se tourne vers les pèlerins impatients d'atteindre le port pour descendre du navire et fouler la Terre sainte.

« Il est parmi eux... le Mal ! Il se dissimule dans cette foule ! »

4

Fiat voluntas tua

À l'ombre de l'une des tentes adossées aux murs d'un entrepôt, deux chevaliers achèvent leur toilette. L'un, âgé d'une trentaine d'années, le cheveu blond, les joues creuses et mal rasées, les oreilles légèrement décollées, inspire immédiatement la sympathie. Il s'asperge joyeusement le torse avec l'eau puisée à grosses et généreuses brassées dans un baquet. Le second, plus âgé, plus sombre, de taille imposante, la peau recuite par le soleil, un bouc noir agressant son menton pointu, enfile sa broigne faite d'une grosse toile bardée de cuir. Il désigne le vaisseau qui vient de s'amarrer à quai, et ne dissimule pas une certaine hostilité pour annoncer :

— Voici tes amis, Sylbert. Les avons-nous assez attendus ! J'ai hâte de regagner Jérusalem.

Le premier, s'ébrouant, regarde à son tour en direction de la kogge et souligne :

— Tu ne portes pas les Champenois dans ton cœur, Longmaur. Cela se devine rien qu'au ton de ta voix.

— Ma foi, je ne te cache pas que j'aurais préféré les avoir avec leur armée auprès de nous lors de la prise de la Ville sainte. Nous aurions sans doute perdu moins de bons compagnons.

Sylbert s'habille en hâte, pressé d'aller accueillir leurs hôtes. Longmaur prend manifestement tout son temps pour nouer sa ceinture, harnacher le fourreau de son épée et enfiler ses chausses.

De la passerelle jetée du navire descendent par petits groupes pèlerins, abbés, moines et chevaliers.

— Je vois mon cousin Sylbert, dit Payns en pointant du doigt l'échassier qui vient à eux en courant, tignasse en brousse et bras battant l'air pour être distingué par les nouveaux arrivants.

— Je le reconnais. Une bien maigre ambassade ! remarque sèchement le comte.

— Baudouin doit être déçu de ne recevoir que cinq pèlerins accompagnés d'une poignée d'écuyers, souligne Payns ; sans doute aurait-il préféré que le comte de Champagne voyage à la tête d'une troupe importante !

— Pour tous, nous venons ici à titre privé. Et c'est mieux ainsi.

Les cinq chevaliers sont accompagnés chacun d'un écuyer. À peine posent-ils le pied sur le quai que Sylbert se précipite sur le comte, auquel il tend les bras en un geste amical.

— Messire Hugues, je suis bien aise de vous serrer contre moi.

— Il en est de même pour moi, frère. Un visage ami est un réconfort pour qui débarque sur cette terre inconnue. D'autant que je ne suis guère habitué aux voyages.

Puis Sylbert, le chaleureux Sylbert se jette littéralement sur Payns pour l'embrasser, lui dévorant les joues tant il y met de cœur.

— Mon cousin ! Mon bon cousin ! Quel beau jour que celui-ci, n'est-ce pas ? Cela fait bien trois ans… Non, quatre… Oui, quatre ans que nous ne nous sommes vus ! Et tu n'as guère grossi. Te nourris-tu toujours de châtaignes, d'eau de pluie et de pain sec ?

Payns a pris Sylbert par le cou et se laisse étreindre par cet homme de bonté, si exubérant soit-il.

Arcis, Geoffroy et Basile, légèrement en retrait, s'amusent au spectacle de cette scène et sourient malgré leurs mines brouillées, fatiguées par la traversée. Quant aux écuyers, ils ont déposé leurs lourds bagages sur le sol pour attendre sans s'épuiser en vain que cessent ces interminables effusions.

Sylbert conduit alors le groupe vers les tentes des croisés venus les attendre. Certains commencent à apprêter les chevaux. Longmaur n'a pas bougé et regarde avec mépris les Champenois approcher.

Payns et le comte Hugues marchent au pas de Sylbert. À voix basse, de manière que les valets ne l'entendent pas, Payns interroge son cousin :

— Les recherches de Baudouin progressent-elles ?

Sylbert hausse les épaules.

— Ses ingénieurs et ses terrassiers ne cessent de fouiller le Temple, persuadés qu'ils sont employés à chercher les trésors de Salomon… Ils ont récolté quelques bibelots en or. Des urnes et des vases. Pour tous, le Tombeau du Christ a été libéré. Mais Bucelin, le légat du pape, ne cesse de presser le roi afin que soit mis au jour le caveau de l'Imposteur.

— Le pape Pascal meurt d'envie de nous prendre de vitesse, souligne Hugues.

— Il est évident que Bucelin connaît la raison de votre venue, précise Sylbert.

— Nous devrons agir avec beaucoup de discrétion et nous méfier des croisés, recommande Payns.

À contrecœur, Longmaur se décide à quitter sa tente pour témoigner un peu de politesse aux Champenois.

Aussitôt Sylbert chuchote :

— Plus un mot, voici le chevalier Longmaur, un fidèle de Baudouin. Un brave soldat aussi subtil qu'une huître ! J'étais à ses côtés lors de la prise de la Ville sainte ; cet homme est un véritable boucher... Il a débité ses adversaires mieux que ne l'aurait fait un équarrisseur. Ah, il fallait le voir patauger dans le sang, éventrant et tranchant hommes, femmes et enfants ! Infatigable et besogneux ! Et satisfait de son ouvrage...

Parvenu à leur hauteur, Longmaur salue les voyageurs :

— Soyez les bienvenus, messires. Vos chevaux sont prêts ; nous partons immédiatement. Aucune raison de nous attarder dans ce nid infesté d'Égyptiens.

Basile soupire et porte une main à son front. Geoffroy s'en inquiète :

— Tu ne te sens pas bien ?

— J'aurais aimé me reposer un peu avant de monter à cheval. J'ignore ce qui m'arrive... Je me sens las, en effet.

— Donne-moi le bras, lui dit Geoffroy, le lui prenant d'office.

Les hommes pénètrent dans l'enclos aux chevaux. Arcis, qui observe Payns depuis quelques minutes, lui demande :

— Tu n'arrêtes pas de regarder par-dessus ton épaule comme si tu avais un fantôme à tes trousses !

— C'est le cas ! L'homme de l'autre nuit a dû débarquer avec nous, et...

— Allons, Payns ! le sermonne Arcis. Tu es le seul à l'avoir entendu. Tu n'es même pas certain de l'avoir aperçu.

Les écuyers arriment les bagages de leurs maîtres aux bâts de trois mules dociles.

Plus loin, lovée dans l'ombre du porche d'une maison lépreuse, une silhouette encapuchonnée regarde les cinq chevaliers monter en selle. Cette forme a posé sa main droite sur le manche d'une hache passée dans sa ceinture et prononce :

— *Fiat voluntas tua*[1] !

Puis la main droite gantée de noir abandonne le manche de la cognée. L'inconnu se signe lentement, dessinant une croix imaginaire en partant de son front. Quatre points marqués avec précision, appuyés, nets.

— *Fiat voluntas tua* ! répète la silhouette.

5

Le cauchemar de Sylbert

La troupe a quitté Ascalon pour prendre la direction de Beth Guvrin, où il a été prévu qu'elle ferait une courte halte avant de repartir pour Jérusalem.

Les cinq chevaliers champenois chevauchent en groupe, Payns s'en détachant légèrement pour parler avec son cousin Sylbert sans cesser de jeter de furtifs coups d'œil à Basile le Harnais qui semble souffrir le martyre sur sa monture, dodelinant de la tête, s'épongeant le front de sa manche et tentant malgré tout de faire bonne figure en grimaçant des sourires torturés.

— Cousin, j'ai remarqué ta chevalière, dit Sylbert, tout comme je l'ai vue à la main de nos amis ; elles seront bientôt dotées toutes les cinq d'un redoutable pouvoir.

— Plus bas, mon ami, le reprend aussitôt Payns. Oui, oui... Un pouvoir que nous avons juré de préserver au risque de nos vies. Trop de mouches sont déjà attirées par l'éclat de ces rubis et tournent autour avec avidité.

— Pardi ! L'enjeu est de taille. Avec cette force, le Premier, notre maître, aurait pu tenir le monde dans sa paume ! Je dois t'avouer quelque chose... Il m'arrive de me réveiller en sursaut, la nuit, pris par un épouvantable cauchemar qui me déchire les tripes à m'en faire vomir.

---

1. Que ta volonté soit faite !

447

Sylbert est pâle, soudain.

C'est d'une voix légèrement tremblante qu'il poursuit :

— Et cela, depuis que j'ai été mis dans la confidence ! Le jour de mon initiation. Un cauchemar qui semble si vrai que je dois à chaque fois allumer une chandelle et m'assurer que je suis bien sur ma paillasse, que je respire et que tous mes membres sont en état de fonctionner comme la Nature leur en a donné le pouvoir.

Payns dissimule son impatience. Il aime trop son cousin pour lui reprocher la longueur de ses récits et leurs redondances souvent comiques.

Sylbert reprend après avoir aspiré une longue goulée d'air :

— C'est un songe bien étrange, en vérité. Je suis seul... Seul dans un cimetière boueux battu par une pluie glacée. Les tombes s'enfoncent dans une vase détrempée, leurs croix se brisant toutes sous les assauts de la tempête. Moi, je marche avec peine dans le limon noir et spongieux qui retient chacun de mes pas, me forçant à produire de gros efforts pour progresser jusqu'à une fosse béante. Une puissance invisible me contraint à me rendre devant cette sépulture dans les hurlements de la tourmente qui charrie des cris, des lamentations et des prières psalmodiées dans une langue inconnue. Mais je te le répète, Payns, je suis seul. Les vociférations, plaintes et braillements sont gueulés par les morts que la boue avale !

Le jeune homme marque un temps. Ses lèvres se pincent, une larme coule sur sa joue. Payns feint de ne pas l'avoir vue. Il a détourné vivement le regard pour examiner Basile le Harnais, en souffrance sur son cheval qu'il maîtrise avec peine.

Sylbert poursuit :

— Lorsque je suis parvenu au bord de la tombe, je me baisse lentement, déjà effrayé à l'idée de ce que je vais y découvrir. Et je vois ! Je vois le cadavre pourrissant de l'Imposteur qui me regarde de ses yeux d'encre. Et me sourit ! Puis se redresse, les os saillant de sa chair qui tombe en lambeaux. Ses mains et ses pieds sont percés ; des asticots grouillent dans leurs plaies. Je voudrais hurler, appeler au secours, fuir... Cependant, je demeure là, immobile. Le mort se dresse maintenant face à moi, me présente ses membres torturés et me murmure : « Je suis celui qui détient le Secret de son frère ! », et il pose une main froide sur mon front pour y tracer un signe de croix.

— Tu as l'esprit bien encombré dans ton sommeil, cousin ! sourit Payns en donnant à sa voix un ton rassurant.

— Tu te moques ! Ne penses-tu jamais que notre mission peut attirer sur nous une quelconque malédiction ?

— Au contraire ; nous cherchons à préserver les hommes d'un pouvoir qu'ils utiliseraient comme une arme effrayante. Notre maître, le Premier, a préféré sceller cette connaissance dans la glaise et il a agi avec intelligence. Qui se servirait de sa science par cupidité ouvrirait les portes de l'enfer.

— Sans doute... Oui, sans doute, par ma foi ! souffle Sylbert.

Payns approche son cheval tout près de celui de son cousin et se penche en avant pour dire très bas :

— Ne te torture pas ainsi. Cela fait plus de dix siècles que notre confrérie veille.

— Bien sûr ; n'empêche, cette fois, la menace est chaude !

— Oui, le pape ! admet Payns en tournant la tête par-dessus son épaule. La menace viendra de lui... si elle n'est déjà là !

Le Champenois scrute la route, plissant les paupières à cause de la poussière de sable soulevée par la caravane.

Le comte Hugues lui lance :

— Tu vas te dévisser le cou à jouer ainsi au dindon ! Tu cherches encore le fantôme de la kogge ?

— Notre ami Payns n'a point pour habitude d'abandonner une idée qui lui trotte dans la tête, renchérit Geoffroy de Saint-Omer.

Payns hausse les épaules et laisse glisser sur lui la vague de railleries de ses compagnons, qui joutent entre eux en rivalisant d'humour. Même Basile le Harnais, malgré la fièvre, s'est lancé dans le jeu. Sa langue est agile dans ce genre d'exercice.

Au bout de quelque temps, Sylbert intervient, venant à l'aide de Payns et s'étonnant :

— Tu ne leur réponds rien, cousin ? Ils sont en train de te fariner le museau et tu ne bronches pas !

— Que veux-tu que je leur dise ! lui répond le Champenois. Que, malgré leurs grands airs et leur embonpoint pour certains, ils ne sont que de fragiles donzelles ? Tiens, prends Geoffroy, par exemple ; ce gros ours courtaud a vomi tout le long de notre voyage, son estomac chamboulé du matin au soir. Tu l'aurais vu se lamenter et pleurnicher ! Et Arcis : ce docte et grave scribe, qui se targue d'être le plus intelligent d'entre nous, s'est plaint tous les soirs d'avoir laissé sa jeune épouse au village. Tu ne croirais jamais qu'il se conduise en amoureux éploré ! Vois Basile : ce solide chevalier que le célibat a asséché comme une vieille branche, trop habitué aux terres humides de Champagne, souffre de malaises au premier soleil un peu fort. Tu l'aurais pris pour un roc ; il n'est que gravier ! Quant à Hugues : ce dignitaire qui pourrait faire ployer le roi rien qu'en frappant dans ses mains, ce comte éminent, influent, craint et respecté, a tout comme moi le cul douloureux sur la selle d'un cheval et ressemble à n'importe quel pèlerin. Tu le prenais pour un géant ; il grince et geint, pareil au plus vulgaire des voyageurs !

— Par saint Jean-Baptiste, s'exclame Sylbert, je ne peux acquiescer à ces moqueries ! Ce serait manquer de respect aux chevaliers qui m'ont initié et accepté dans leur confrérie. Quand je te demandais de réagir, je ne pensais pas que tu forcerais ainsi le trait !

Geoffroy de Saint-Omer éclate d'un bon gros rire joyeux qui se transforme rapidement en une cascade de hoquets, et reprend son souffle avant de dire à l'intention de Sylbert :

— Tu peux plaisanter à loisir sur nous, frère ! Tu fais partie de notre famille. Nous sommes de simples humains, et Payns n'a énoncé que des vérités.

Le comte Hugues ajoute :

— Nous ne sommes que des hommes. Tel l'Imposteur de tes cauchemars.

— Ah, vous avez entendu, messire ? s'étonne Sylbert.

Payns souligne :

— Il n'a pas eu besoin de le faire ; Hugues lit sur les lèvres. Ce qui, dans certaines affaires de fine politique, peut se révéler d'une importance capitale !

6

L'éclat de lumière

La caravane s'est arrêtée aux portes de Beth Guvrin.

Longmaur a donné l'ordre aux hommes de mettre pied à terre et d'emplir leurs gourdes aux trois puits creusés dans la roche de chaux solide, le *nari*, au pied de la muraille occidentale de la ville. L'écuyer de Basile le Harnais s'est précipité pour aider son maître à descendre de sa monture. Le chevalier peine à respirer, se plaignant de la poitrine ; un poids semble peser sur son thorax.

— Doucement, messire, dit le jeune laquais en tendant ses bras grêles, appuyez-vous sur moi...

Geoffroy de Saint-Omer et Arcis de Brienne accourent aider le garçon que la masse de Basile risque d'écraser.

Légèrement à l'écart, le comte Hugues et Payns assistent à la scène en se retenant de rire. C'est que leur ami, malgré sa mauvaise mine, donne à se moquer. Il met tellement de courage à demeurer digne et hautain qu'il en est pitoyable et grotesque.

— Il lui faut accomplir de rudes efforts pour ne point se couvrir de honte ! souffle Payns à l'oreille du comte.

— J'avoue qu'il est peu charitable de notre part de nous divertir aux dépens du sévère Basile, mais je reconnais qu'il m'inspire plus l'hilarité que la compassion, dans une telle situation.

Sylbert s'est approché pour s'indigner :

— Je ne lis pas sur les lèvres, moi ! Cependant, mon ouïe est assez fine pour entendre gloser sur un compagnon qui souffre !

— Aimable et gentil cousin, fait Payns en posant une main sur l'épaule du jeune homme. C'est aussi – et surtout – de nous cinq que nous nous divertissons.

— Je ne comprends pas, dit Sylbert.

— Regarde donc le bel équipage d'apôtres que nous formons, ajoute Payns. Ne te l'ai-je pas décrit tout à l'heure ? Et je me compte dans le lot ! La voici, la compagnie du Premier... Un comte sans armée, quatre chevaliers sans gonfanons, cinq écuyers venant à peine de quitter l'enfance, et un brave garçon du nom de ce saint fort discret qu'était Sylbert ! Allons, disons-nous que c'est mieux ainsi et que nous tromperons plus aisément notre monde sur notre mise. Il est préférable que Baudouin et sa cour nous prennent pour d'humbles pèlerins...

— Ne considère pas Baudouin comme un sot, l'interrompt Sylbert. Je peux parier qu'il se méfie déjà de vous cinq. Gageons que ce pisse-vinaigre de Bucelin l'aura renseigné. Vous, comte Hugues, votre réputation est fort grande et votre figure inspire le respect à beaucoup de nos preux. Toi, Payns, tu intrigues par le mystère qui t'entoure et dont tu t'es fait avec malice une solide carapace ! Pour ce qui est de Basile, Geoffroy et Arcis, leur renommée, quoique discrète, attise néanmoins bon nombre de remarques. Tu l'as dit en raillant, Payns : le savoir d'Arcis est imposant et son esprit s'y entend pour aborder les sciences et la philosophie ; certains de ses travaux sont d'ailleurs commentés par les abbés qui se sont croisés. J'ai parfois écouté, à la veillée, ces derniers disserter sur les paroles de notre frère. Je reconnais que les débats me sont passés au-dessus la tête en faisant plus de vent qu'un vol de pigeons !

Sylbert a parlé d'un trait, vite et sans reprendre souffle. Il doit respirer. Il se hâte avant que Payns ou Hugues ne le coupent. Il revient donc à son discours de la voix haletante qu'ont souvent les bavards :

— Prenez maintenant Geoffroy ; certes, je conviens que son allure n'est guère élancée et donne à penser que l'homme apprécie la bonne chère et le vin, pourtant il n'y a pas meilleur jouteur en Champagne ! De sa lance il a brisé plus d'un bouclier et estropié une bonne dizaine d'adversaires. On se déplace de loin pour venir applaudir ses exploits aux tournois ! Il apparaît alors comme un colosse et fait tourner la tête des femmes mieux que s'il était le plus gracieux des hommes. Ajoutons à cet « équipage » – puisque c'est ainsi que tu l'appelles, cousin –, le respectable Basile. Oui, respectable ! Qui manie les prières comme l'épée. Qui a voué sa vie à la méditation et aux armes. Qui se tait souvent, mais réfléchit sans cesse et...

— C'est bon, Sylbert, parvient à lancer Payns. Tu nous as tressé de belles couronnes de laurier en chatouillant notre vanité là où cela fait du bien.

— Tu nous vois avec les yeux du respect, mon ami, dit Hugues.

— Sans doute parce que vous êtes de respectables personnes, précise Sylbert. Vous serez bientôt détenteurs de la plus merveilleuse des connaissances de ce bas monde…

Longmaur approche, obligeant le jeune homme à se taire et, pour se donner une contenance, à détacher une des deux outres pendant à la selle de son cheval.

Mais Longmaur le retient alors qu'il s'apprête à se rendre à l'un des trois puits.

— Vous aviez l'air de conspirateurs, toi et les deux Champenois, camarade !

— Nous évoquions justement notre pays.

— À votre place, je me serais plutôt apitoyé sur l'état de ce malheureux chevalier qui ne semble pas supporter l'air de cette contrée.

— Je m'en vais chercher de l'eau ; il a besoin de boire. Cela ira certainement mieux lorsque nous lui aurons offert un lit pour se reposer, à Jérusalem.

Longmaur regarde Sylbert se diriger vers le puits, rejoint rapidement par trois écuyers de la troupe des Champenois portant des gourdes.

Payns et le comte Hugues, que les reproches de Sylbert ont toutefois troublés, rejoignent leurs amis. Basile est assis sur le sol et laisse Geoffroy ouvrir sa broigne et retrousser son bas-de-chausses, tandis qu'Arcis lui dispense de la fraîcheur en se servant d'un linge comme éventail.

— Tu es trop vêtu, le sermonne Geoffroy. À tant vouloir protéger ta vertu, tu empêches ta peau de respirer.

— Je ne te ressemble pas, c'est juste, articule le malade. Je ne saurais déambuler comme tu le fais, dépoitraillé, toute ta fourrure sortie !

— Dieu, dans sa belle et grande sagesse, a couvert l'homme de poils en pensant que celui-ci n'aurait jamais à s'accoutrer, rétorque Geoffroy. Et il a offert à la femme une belle chevelure pour toute parure. Si Adam et Ève n'avaient pas fauté, nous irions aujourd'hui nus par les chemins et nous en tirerions un bel enseignement sur l'égalité établie entre hommes et femmes.

Basile hausse les épaules et esquisse un petit sourire crispé.

Payns vient s'agenouiller devant lui.

— Ferme les yeux et détends-toi, lui demande-t-il en lui posant la main droite sur le front.

— Ah, tu vas exercer ta magie sur moi, cette fois ?

— Ce n'est pas de la magie.

— Cela y ressemble, pourtant.

— Ne parle plus.

La main de Payns est fraîche sur le front brûlant de Basile. Son contact, déjà, apaise le chevalier.

De sa main gauche, Payns cherche le pouls du malade à la gorge. L'ayant immédiatement trouvé, il se met à compter :

— 1... 2... 3... 4...

La main gauche abandonne la veine, glisse sur la poitrine, s'arrête à l'emplacement du cœur. Basile est secoué d'un vif sursaut. Une pointe froide, un fin et long clou d'acier, une flèche rapide lui a traversé le cœur. Une douleur. À peine. Une douleur soudaine, aussitôt disparue. Rien qu'une courte algie.

— ... 5... 6... 7... 8...

Payns a fermé les yeux lui aussi. Tandis qu'il accomplit les gestes que sa sœur lui enseigna, il sent une sourde tristesse l'envahir, enfler dans sa gorge, s'emparer de sa chair. Les larmes lui viennent. Car il voit le visage aimé de Clotilde lui sourire dans les ténèbres. De ce si joli sourire aux contours vagues, entre bonheur et chagrin.

— ... 9... 10... 11... 12...

La main droite de Payns quitte le front de Basile, la main gauche se retire de sa poitrine.

— Ouvre les yeux et regarde-moi.

Les paupières de Basile se relèvent lentement, lourdes d'un court et anormal sommeil.

— Je confirme ce que je t'ai dit : tu es un sorcier ! souffle le malade. J'ai le sentiment que mon malaise s'éloigne. Certes, je n'affirme pas que je suis totalement guéri, mais je crois que je pourrai m'en accommoder et remonter plus facilement à cheval.

Après un temps, Payns se redresse ; ses compagnons remarquent combien il paraît fatigué, soudain. Ils le voient s'éloigner les épaules basses, le front lourd. Hugues le rejoint, le prend par le bras et lui demande :

— Qu'as-tu, Payns ? Tu devrais être satisfait de toi, or te voici plus pâle qu'un spectre...

— Excuse-moi. Ne leur dis rien, surtout... Je dois te faire un aveu. Le don que m'a légué ma sœur peut se révéler un fardeau. Rebouter de la sorte ceux qui sont en souffrance, fouiller en eux, attraper le mal et l'extraire en partie de leur chair ou de leur esprit... c'est une tâche épuisante qui amenuise mon énergie, semblable à une créature qui se nourrirait de mon sang.

— Mon ami, mon bon ami... si généreux !

Hugues resserre son étreinte sur le poignet de Payns.

— Je vais marcher un peu. Accompagne-moi.

Ils font quelques pas en silence, croisant Sylbert et les écuyers de retour des puits. Ils longent la muraille qui défend la ville dans laquelle ils n'entreront pas, qui restera à tout jamais en leur souvenir comme une cité morte, brûlée par le soleil.

Puis Payns dit :

— Je pense chaque jour à ma femme, à ma fille et à mon fils. Ils me manquent tant !

— Oui. Ma famille me manque aussi. Je comprends le sacrifice que tu as fait en te joignant à moi pour accomplir ce voyage.

— Avais-je le choix ? Ni moi ni toi. Ni nos frères. Notre devoir est de préserver l'avenir. Le Secret que le Premier a enseveli dans la tombe de l'Imposteur risque d'être découvert par Baudouin.

— Il ne sait pas où fouiller.

— Il cherchera...

— Certes, mais nous bénéficions de temps par rapport à lui. Nous le devancerons sans difficulté.

— Je m'inquiète pourtant, dit Payns en s'arrêtant de marcher.

— L'ombre de la kogge ?

— Tu ne crois pas que je l'aie vue, n'est-ce pas ?

— Au contraire, je suis certain que tu l'as vue, souligne le comte.

— Eh bien, pourquoi m'avoir raillé à ce propos, tantôt ?

Hugues prend son ami par les épaules et lui répond en souriant :

— Je l'ai fait pour ne pas alerter nos frères. Ils portent un poids déjà suffisamment lourd sur les épaules ; je souhaite retarder l'instant où je devrai les lancer dans la bataille... Ce moment viendra assez tôt. Dès que nous aurons pénétré dans Jérusalem ! Oui, dès que nous serons dans la ville, nous devrons craindre à chaque pas pour notre vie.

Le comte retire ses mains des épaules de Payns. Son geste est accompagné d'un éclat rouge. Une flamme vive, subite. Qui laisse son empreinte dans l'espace. C'est le reflet du soleil sur la pierre de sa chevalière.

De sa place, Longmaur a eu le regard accroché par cette brillance. Il se demande si celui qui suit la caravane a aperçu la lueur. Il tourne la tête de gauche et de droite, ne voit rien. Pas la moindre silhouette dans la brume de chaleur. Il sait pourtant avec certitude que l'envoyé du pape Pascal est sur les talons des chevaliers champenois.

Il sait qu'il a pour mission de les tuer tous les cinq.

7

L'envoyé du pape

Jérusalem.

Arcis de Brienne, d'un ample geste circulaire du bras droit, étreint la cité en donnant l'impression qu'il se l'approprie tout entière, l'embrassant avec une passion que ses amis ne lui ont jamais connue.

— La ville des Juifs ! commence-t-il de sa voix grave et lente. Titus les massacra ou les exila en l'année soixante-dix et mit à bas remparts, temples et demeures. Le peuple hébreu se dilua dans tout l'Empire, ses racines tranchées. C'est l'empereur Hadrien qui imposa que l'on reconstruise la ville à l'intention des Romains. Des temples païens s'élevèrent alors à l'emplacement des Lieux saints. Les Juifs se révoltèrent une seconde fois et subirent une nouvelle répression.

— N'est-ce pas la mère de Constantin qui tenta de retrouver les vestiges sacrés ? demande le comte Hugues.

— En effet, dit Arcis. Bien plus tard, il y a six siècles... Je précise cela pour cet ignare de Geoffroy, qui a toujours clamé que l'histoire des hommes n'était qu'un galimatias indigeste composé de tant de mensonges et d'erreurs que la vérité n'y trouve pas son lit !

— Et tu ne me feras pas changer d'avis, rétorque Geoffroy. Non, je campe sur mes positions malgré ton érudition et l'habile manière dont tu l'utilises pour la distiller.

Arcis poursuit :

— Tu n'es qu'un vulgaire béotien. Jérusalem mérite que l'on connaisse son passé, car c'est le moyen de la respecter. Elle a souffert mille fois, elle a été violée, déchirée, pillée. Par les Romains, les Perses et les Arabes. Puis par nous, aujourd'hui. Nous, les croisés, qui avons fait couler des flots de sang dans ses ruelles, sans distinction de sexe. Femmes et hommes ont été massacrés ; Sylbert pourrait nous conter les carnages et les actes de boucherie auxquels se sont livrés les chevaliers bénis par le pape.

À ces mots, Sylbert baisse la tête. Il prend une longue inspiration avant de se redresser. Les Champenois remarquent l'ombre humide qui noie son regard. Le jeune homme dit :

— J'ai vu dans les batailles l'expression de la nature effrayante que manifestent parfois les enfants de Dieu !

— Cela, précise Geoffroy, je l'imagine aisément.

Sylbert poursuit :

— La ville a été prise alors que le soleil était à son midi. Il faisait une grosse chaleur et nous cuisions sous nos brigandines. Nous avions tous le souffle court. En ce qui me concerne, j'avais bu plus que de raison pour étouffer ma peur. Longmaur et moi étions du groupe qui devait passer par le rempart nord. Les sapeurs y avaient creusé une faille qui nous permit de nous répandre dans la cité. Dieu, quel carnage ! Longmaur prenait un fort malsain plaisir à décapiter la population, traquant femmes et enfants jusque dans les maisons. Je le vis même démembrer plusieurs nouveau-nés en hurlant d'une joie obscène. Moi, je me contentais de me frayer un passage en ne tuant que les hommes ; on prend aisément le rythme d'une telle besogne ! Bientôt les croisés pénétrèrent en masse dans la cité. Nous pataugeâmes rapidement dans le sang, dans les tripes. Une bande de brutes plus ivres que moi s'acharnèrent sur les cadavres auxquels ils tranchèrent la tête et les mains pour en faire de petites pyramides. Et nous tuâmes. Nous tuâmes sans relâche, méthodiquement, comme si l'affaire était devenue naturelle. Nous étions des bêtes. Des loups stupides qui étripaient sans distinction musulmans et Juifs, brûlant mosquées et synagogues. Les rues ruisselaient d'un épais fleuve rouge que le soleil rendait visqueux. Ma cotte et ma robe étaient trempées... rouges... Les mains aussi... rouges ! Rouges du sang d'innocents. Du sang de femmes et d'enfants.

Sylbert marque un temps, la gorge soudainement serrée, les yeux emplis de larmes. Il renifle et ajoute :

— On dit que la population de Jérusalem comptait près de trente mille âmes avant que nous l'investissions. Un recensement récent commandé par Baudouin en dénombre à peine quatre mille !

Sylbert s'essuie les yeux d'un revers de manche. Puis il donne le sentiment de vouloir poursuivre son récit, mais se tait.

Les Champenois chevauchent alors en silence jusqu'à ce qu'Arcis pointe l'index en avant et s'exclame, forçant la voix pour paraître jovial :

— Regardez cette merveille ! Le Dôme du Rocher, que les musulmans édifièrent sous le cinquième calife de la dynastie des Omeyyades dont l'ancêtre, Omayya, était le grand-oncle du prophète Mahomet ! Voyez comme la lumière qui s'y réfléchit peut être aveuglante. N'est-ce pas là un ouvrage sublime ? Je vous le dis, mes amis, nous avons beaucoup à apprendre des architectes arabes. Il faut être un Occidental bien sot et vaniteux pour considérer ces gens comme des barbares.

Hugues, Basile et Payns acquiescent d'un signe de tête ou d'un sourire entendu. Geoffroy se renfrogne, évitant de donner son avis pour ne pas essuyer de critique ; son esprit de guerrier ne possède pas la finesse requise pour apprécier l'architecture, et il n'entend rien aux arts. S'il avait délivré Jérusalem, il aurait certainement trucidé les musulmans jusqu'aux limites de ses forces. Non par haine envers eux. Après tout, que connaît-il de ces indigènes ? Non, pas par haine... Juste avec le souci de respecter et d'honorer le métier des armes.

Après avoir passé la porte de Jaffa, solidement gardée par des croisés hirsutes et crasseux, la caravane se fraie un chemin parmi une population dense, bruyante et animée. On s'écarte sur son passage. Longmaur a poussé son cheval et paraît éprouver du plaisir à bousculer commerçants, badauds, paysans et pèlerins.

La troupe pénètre alors dans l'enceinte chevêtaine où s'élèvent la tour de David et la mosquée al-Aqsâ. Les hommes descendent de leurs montures qu'ils abandonnent à des écuyers chargés de les conduire aux écuries.

Un jeune homme maigrichon, flottant dans ses vêtements, les joues creuses et mal rasées, vient à la rencontre des Champenois. Un abbé le suit à quelques pas. Et, encore plus loin, deux chevaliers.

— Voici Baudouin, roi de Jérusalem, annonce Sylbert. Tiens, Bucelin ne l'accompagne pas... J'aurais pensé que le légat du pape aurait la délicatesse de se présenter à vous, comte ! Au lieu de cela, il dépêche une vulgaire soutane à la gueule couverte d'acné !

— Je ne suis pas orgueilleux au point d'en être offusqué, le rassure le comte Hugues.

Geoffroy aide Basile à se défaire de ses étriers, et Baudouin, qui s'est approché du groupe, découvre l'état du chevalier. Il s'en émeut avec sincérité :

— Cet homme a bien triste aspect !

— Il est ainsi depuis quelques heures, Sire, dit Payns. Il lui faudrait une bonne médication.

Le roi se retourne vers les chevaliers Bertrand et André qui l'ont rejoint :

— Bertrand, fais dépêcher en hâte un docteur auprès de nos hôtes, qu'André va conduire dans leur maison où ils pourront se reposer et se restaurer !

— En ma qualité, je vous remercie, Sire. Je suis Hugues, du comté de Champagne, honoré de fouler le sol de la Sainte Terre que votre frère a conquise au prix du sang.

Baudouin a noté une pointe de raillerie dans la voix courtoise du Champenois, mais feint de l'ignorer :

— Je vous reçois dans le modeste confort de ma garnison, messire. Je souhaite néanmoins qu'avec les vôtres vous partagiez ma table ce soir, après que nous nous serons recueillis devant le Tombeau de Notre-Seigneur Jésus-Christ.

— Nous sommes pressés de prier dans ce saint lieu, affirme le comte.

« Une seconde pointe ! pense Baudouin. Bucelin m'a prévenu : il me faudra compter avec la rouerie de ces pèlerins. »

Le roi de Jérusalem regarde ceux-ci se diriger vers leur dortoir, emmenés par André. Leurs écuyers, harassés, portent des bagages bien trop lourds pour leur maigre stature.

Baudouin se tourne sur l'abbé au visage gravelé :

—Étonnant équipage ! Le comte de Champagne est le plus important feudataire de France ; sa fortune est double, sinon triple de celle de son roi, et le voici à Jérusalem comme un miséreux !

—On le proclame très pieux… Sans doute est-ce vrai !

—Pieux ? Oui, sans doute. Mais quel dieu invoque-t-il ?

Le légat Bucelin ouvre la porte du modeste oratoire que ses abbés ont aménagé dans une pièce sombre, chichement éclairée par une étroite meurtrière.

Il s'écarte pour laisser entrer l'envoyé du pape, qui laisse tomber son barda à ses pieds sur le dallage grossier.

—*Dominus vobiscum*[1], prononce le légat.

—*Et cum spiritu tuo*[2], lui répond l'homme en capuchon.

Avec une appréhension incontrôlable qu'il aurait aimé ne pas trahir, Bucelin fait :

—Ainsi, c'est vous… C'est à vous que nous devons d'être si bien renseignés. Et vous êtes venu en personne !

—Une besogne qui me convient, Monseigneur. Je prends quelque satisfaction à servir à ma manière la cause de Dieu.

—C'est grâce à l'épouse d'Arcis de Brienne que vous êtes ici, n'est-ce pas ?

—La péronnelle m'a permis d'apprendre que les Champenois possédaient une carte précisant l'emplacement du tombeau de l'Imposteur. Et surtout qu'ils passeraient une bague à leur main droite au cours du voyage.

—Quel intérêt peuvent bien présenter ces bagues ?

—Allons, vous ne devinez pas, Monseigneur ?

—Ma foi, j'ai beau réfléchir…

—Les Champenois ont l'intention de dissimuler dans les bagues ce qu'ils comptent arracher au tombeau de Thomas !

---

1. Dieu soit avec vous.
2. Et avec votre esprit.

D'autre part, en les espionnant sur le navire, je les ai entendus prononcer *INRI*... Puis cette phrase : *Igne Natura Renovatur Integra.*

Bucelin regarde la croix de bois suspendue au mur oriental de la chapelle, au-dessus de l'autel.

— I.N.R.I. ! s'exclame-t-il. Le monogramme tracé par les Romains au-dessus de la tête du « crucifié » !

— On m'a toujours enseigné que ces lettres signifiaient : *Iesus Nazarenus Rex Iudaeorum* !

— C'est en effet ce que rapportent les Saintes Écritures. Par cette phrase, les Romains se moquaient de celui qui se proclamait le Messie ! Ils venaient de le coiffer d'une couronne d'épines pour l'humilier publiquement.

— Pourtant, j'ai nettement distingué ces mots. Je n'ai pas pu me tromper...

Bucelin a fait quelques pas vers l'étroite fenêtre.

— Non, dit-il après un temps, cela a bien un sens... *Igne Natura Renovatur Integra* : « Par le feu, la Nature est intégralement renouvelée ! » Que veulent exprimer ces sorciers de Champenois par cette maxime ?

— Il est temps de les empêcher de nuire, Monseigneur.

L'homme n'a pas bougé depuis son entrée. Il demeure près de la porte, immobile, parlant d'une voix très douce, privée d'intonation.

Bucelin se retourne vers lui, cherche à deviner son visage dans l'ombre du coqueluchon. Seule une fine ligne de lumière a emprunté la forme de son menton glabre.

— Je vais tenter de me procurer leur carte au plus vite, annonce-t-il. Nous nous emparerons de leurs prétendues preuves, et l'affaire sera rapidement réglée.

— Oui, oui... Car cette phrase énigmatique a sans aucun doute un rapport avec le secret du sépulcre de l'Imposteur ! Avec ce que nous cherchons : le Secret de Jésus !

Cette fois, l'homme réagit. Il porte une main à son cœur. Puis se signe en hâte.

— Tout cela est faux, n'est-ce pas ? Ce n'est qu'une légende que nous devons étouffer dans l'œuf !

Bucelin fait deux pas, se plante face à l'inconnu, tentant encore de deviner ses traits, et dit :

461

— Il y a, certes, une part de fable dans cette affaire, mais elle repose malheureusement sur un solide socle de vérité.

L'homme se signe à nouveau. Bucelin ajoute :

— À Rome, beaucoup y croient. Le pape en premier lieu !

Au loin résonnent les voix du chantier, les chants rythmés par les sifflets des contremaîtres, les longues notes marquant les efforts des ouvriers.

— Où vais-je loger ? interroge l'homme.

— Ici, répond l'évêque en désignant l'autel.

— Ici ?

Bucelin passe derrière l'autel :

— Venez. Ce lieu sera certainement le plus sûr de tout Jérusa-lem. Les terrassiers ont découvert une cave sous cette bâtisse. Une sorte d'entrepôt. J'ai moi-même placé une échelle pour y descendre. Voyez, il suffit d'ouvrir cette trappe. Et, comme cette chapelle m'est réservée, vous y serez en sécurité. Seul un abbé risque de venir de temps à autre dire quelques prières...

L'homme s'est avancé. L'évêque s'est penché et a empoigné un anneau de bronze pour soulever la trappe.

— Un tombeau, murmure l'homme. Vous m'offrez un tom-beau pour foyer...

— Je suis désolé, ment Bucelin.

— Ne le soyez pas, Monseigneur. Cela me convient parfaite-ment. Je pratique en abondance les mortifications, privations et pénitences. J'ai appris à mon corps la douleur, le froid et la faim. On sert mieux Dieu lorsqu'on souffre.

Bucelin frissonne. La voix de l'homme est si monotone, si calme, dénuée de vie. Si lasse et pourtant si jeune.

— J'y ai disposé quelques effets, annonce l'évêque. Un seau d'aisances, une cuvette, un broc d'eau, une paillasse, une bougie...

— Je vous remercie, Monseigneur.

— Pour vos repas...

— Je vous l'ai dit, je mange peu.

— Je vous les apporterai cependant moi-même.

— Un morceau de pain et des fruits secs le matin. Une pièce de couenne, un bol de lait de chèvre et un fruit frais le soir.

— Soit, il sera fait ainsi.

L'homme s'apprête à descendre dans son caveau. Il retrousse sa cape pour emprunter l'échelle ; son geste laisse apparaître la hache passée à sa ceinture.

Bucelin a sursauté en voyant l'arme.

— Cette cognée, mon fils...

— Elle me sert à briser les légendes ! À les hacher menu comme du vilain bois de chauffe !

L'homme s'enfonce ensuite dans les ténèbres et referme la trappe sur lui. Le légat attend quelques instants que ses mains cessent de trembler pour ressortir de la petite chapelle.

C'est avec réconfort qu'il traverse la cour inondée de soleil, ses semelles foulant le pavé brûlant, tout son corps appelant la lumière.

Le chantier, plus loin, pousse sa clameur. La vie.

L'évêque Bucelin, légat du pape, est pleinement conscient qu'il vient de faire entrer la Mort dans l'enceinte du petit royaume de Jérusalem.

8

Une lettre d'Arcis de Brienne

Mon amour, ma tendre Hélène, nous sommes arrivés à Jérusalem. Un étrange sentiment m'oppresse et je peine à lutter contre l'inquiétude qui m'envahit. Mes compagnons ressentent sans doute la même chose, mais aucun d'eux ne s'abandonne à le manifester.

Notre frère Basile, que tu apprécies tant pour sa sagesse, est mal. Sa santé fragile n'a pas résisté au long et inconfortable voyage. La fièvre qui le ronge n'est-elle pas déjà le signe d'une malédiction posée sur nous cinq ? Ne nous sommes-nous pas damnés en venant chercher les clefs de l'indicible Secret ?

Le médecin dépêché par le jeune roi Baudouin nous a cependant rassurés sur l'état de Basile, n'ayant pas diagnostiqué de profonde attaque. Il nous a même affirmé que notre ami serait rapidement sur pied et lui a prescrit une drogue de son invention. Je me suis permis de lui demander de m'indiquer les ingrédients entrant dans sa composition ; *tu connais ma méfiance pour ce qui concerne les médications !* Les apothicaires sont souvent de braves gens soigneusement instruits, mais il s'en trouve parmi eux qui vous envoient au cimetière avec une tisane mal dosée.

Nous avons installé nos quartiers dans une grande pièce dont j'ignore quelle fonction elle avait avant que les croisés n'investissent les lieux. Cela ressemble à des écuries aux murs grossièrement passés à la chaux. Seules deux minuscules fenêtres grillagées donnant sur une cour laissent passer un peu de lumière. Je t'écris d'ailleurs à la lueur d'une chandelle, le soir venant. Tout cela est fort rustique et me rappelle combien notre propre demeure est chaleureuse, confortable et plaisante. Imagine des paillasses à même le sol recouvert de coûteux tapis provenant du « trésor de guerre » de Baudouin. Imagine une maie, deux tabourets, des vases de nuit, des brocs et des gobelets. Imagine ton époux écrivant sur ses genoux une lettre qu'il te remettra en main propre dès qu'il te reverra. Car j'espère ne pas avoir à confier mon courrier à l'un de mes compagnons. Cela signifierait que je ne suis plus en état de faire le voyage du retour.

Actuellement, Payns soigne notre malade. Il vient de lui faire boire le traitement du médecin et lui masse la poitrine avec beaucoup de douceur et de bonté. Ses gestes sont lents, répétitifs, circulaires. Des gestes qu'un amant aurait pour sa bien-aimée. Comme il est étonnant d'assister à ces tendres caresses prodiguées par un homme à un autre homme ! Payns me surprend un peu plus chaque jour. Alors que nous nous plaignons souvent, les uns d'avoir laissé notre famille au pays, les autres de devoir supporter les misères imposées par notre aventure, lui, ce bon ami, ne se lamente jamais ni ne s'apitoie sur son sort, bien que sa femme et ses deux enfants lui manquent certainement.

Aux étrangers, Payns montre un visage austère qui inspire plus le respect et la crainte que la sympathie. Pour nous, ses « frères », il n'est que compassion et générosité. Il aime aussi – cela m'a d'ailleurs surpris – rire et plaisanter, et n'a pas son pareil pour manier la raillerie, le verbe agile, la leste caricature ! Il fut un excellent compagnon de route durant la traversée.

À ce propos, loin de moi la volonté de t'inquiéter, ma mie, mais Payns est persuadé qu'un espion s'est collé à nos basques. Il a d'ailleurs cru le poursuivre sur le navire. Je tente de me persuader qu'il s'est mépris et qu'il a été le jouet des bruits de la mâture et des ombres de la nuit. Néanmoins, Payns n'est pas homme à se laisser berner par des mirages. Il est souvent le premier à voir des choses qui ne nous apparaissent que bien plus tard. L'homme a l'esprit prompt ; il est le plus souvent avisé de le croire.

Je le sens inquiet. Il ne cesse de regarder autour de lui, jetant un œil aux fenêtres, ouvrant souvent la porte qui donne sur un sombre corridor qu'il fouille de son regard blanc, écoutant le moindre bruit. Il conserve son épée en permanence à la hanche.

Ah, ma tendre Hélène, je n'ai guère l'âme d'un guerrier ! La seule arme que je me reconnaisse est celle de l'esprit. Payns, encore lui, a voulu m'enseigner quelques-unes de ses feintes et deux ou trois passes ; je reste malgré tout persuadé que ma lame est fort gourde et maladroite. J'envie parfois Geoffroy, qui ne s'encombre pas de tortueuses réflexions et manie le fer comme je fais la langue. C'est pourtant de soldats que le comte a besoin.

Je me suis confié à toi, mon amour. Je t'ai dit ce que nous sommes venus chercher à Jérusalem. Je me souviens de t'avoir troublée en ébranlant cette foi pure qui t'anime et te rend aussi innocente. Il m'arrive de regretter de t'avoir révélé le but de notre mission. Était-il nécessaire de planter en ton âme ce poison ?

Je pense que tout sera bientôt accompli. Nous détenons le plan qui nous permettra de nous rendre au tombeau de l'Imposteur. Nous y pénétrerons et nous agirons selon notre serment.

Me crois-tu ? Ne me prends-tu pas pour un fou ? Tu es en droit de douter de nous cinq, et je ne t'en blâmerai pas. Nous obtiendrons prochainement la preuve de cette magnifique et redoutable vérité. Lorsque je reviendrai, ma chérie, je serai un autre homme. J'aurai approché, avec mes amis, cet ineffable mystère qui viole les lois de la Nature !

Oui, Hélène, je porterai alors l'un des cinq Signes du Christ. Je serai l'un des cinq doigts de la main droite de Jésus !

Je vais interrompre là ma lettre ; j'y reviendrai plus tard. Hugues nous demande de nous préparer pour nous rendre à une messe. Il propose que Basile reste alité, le trouvant encore bien pâle. Payns partage l'avis du comte. J'assiste à une scène pittoresque, et je ne résiste pas au plaisir de te la conter. Basile veut prouver sa fierté et son courage en tentant de se lever. Ai-je besoin de te décrire l'expression du malade ? Sache seulement que c'est un mélange de douleur et d'orgueil, et, comme tu le connais bien, tu n'auras aucune peine à te représenter la situation périlleuse dans laquelle il vient de se mettre. Il titube, pareil à un homme saoul, doit se retenir à la chemise de Payns, obligeant le comte et Geoffroy à se précipiter pour le soutenir. Hugues lui impose de se recoucher, mettant dans sa voix la fermeté dont un père use à l'égard d'un enfant indocile.

Je ne peux m'empêcher de rire en partageant avec toi ce moment. Basile beugle comme un veau à l'abattoir et s'exclame : « Je ne me recoucherai point ! Champenois jamais ne faiblit ! Jamais ne meurt au lit ! »

Sans l'aide amicale que lui offrent ses amis, le malheureux se briserait la nuque par terre. On le couche de force, lui disant que le roi comprendra qu'il ne soit pas en mesure de se déplacer.

Je crains que notre bon Basile n'ait pas entendu les dernières syllabes. Il me semble qu'il dort déjà !

Cette fois, ma douce épouse, mon amour, je dois refermer mon pupitre et ranger ma plume et mon encrier.

Baudouin nous attend devant le Tombeau vide de Jésus.

9

L'homme à la hache

Les chevaliers se sont regroupés en arc de cercle dans la rotonde qui abrite le Saint-Sépulcre. Ils sont une trentaine à porter un des cierges que de jeunes abbés leur ont distribués. Comprenant et regrettant l'absence de Basile le Harnais, le roi Baudouin a souhaité que les quatre Champenois se placent à ses côtés, le comte Hugues à son épaule droite. Ce dernier, appréciant l'hommage qui lui est rendu, a chaleureusement remercié le souverain.

On attend Bucelin, le légat du pape, qui doit officier. Pour meubler le temps et se rendre poli, Baudouin s'adresse à ses hôtes :

— Comme vous le savez, nous devons la découverte de la tombe de Notre-Seigneur à la mère de l'empereur Constantin, il y a près de sept siècles... Il s'élevait là un temple romain que le monarque fit raser. Constantin a été le premier empereur romain à se convertir au christianisme, qu'il imposa d'ailleurs comme religion officielle à tout l'Empire. En l'an 326, il convia un aréopage d'évêques pour leur demander de démêler les fils d'une singulière polémique ecclésiastique. Macarius, l'évêque de Elia Capitolina – comme on appelait alors Jérusalem –, décrivit à cette occasion l'état de délabrement dans lequel étaient tombés les lieux que Notre-Seigneur Jésus-Christ avait foulés. Cela contraria fortement Hélène, sa mère, qui entreprit de se rendre en Palestine où elle reconnut le Golgotha ainsi que le Tombeau de notre Sauveur. Elle n'eut aucune peine à convaincre son fils d'ériger la superbe église du Saint-Sépulcre... Je ne me lasse pas de relire l'*Histoire ecclésiastique* de l'évêque Eusèbe de Césarée, qui relate cet événement...

Arcis de Brienne intervient :

— Cette église, le calife Hakim, au siècle dernier, l'a bien détruite ? Comment se fait-il que la sépulture ait été préservée ?

Le roi sourit et dit :

— Vous êtes remarquablement savant, chevalier ! En effet, la tombe a toujours suscité un indéfectible respect chez les occupants de cette cité. De la superstition, sans doute.

Un mouvement dans la foule. Payns et ses amis se retournent sur l'évêque Bucelin qui fait son entrée, accompagné de trois prêtres. Les chevaliers s'écartent pour permettre au légat de s'approcher du Tombeau. Au passage, il jette un vif coup d'œil aux Champenois qu'il dénombre mentalement. « Ils devraient être cinq ! »

L'ecclésiastique paraît soudain contrarié ; il pense à l'envoyé du pape, à la mission qu'il va bientôt exécuter...

Sylbert, qui se tient juste derrière son cousin, souffle à l'oreille de ce dernier :

— Voici notre ennemi ! L'homme est retors, sournois et manipulateur, mais il est remarquablement intelligent. Il a l'oreille de Baudouin, lequel est bien jeune pour peser à leur juste poids les paroles qui sortent de sa bouche en forme de cul.

— Nous nous méfierons de lui, répond Payns, très bas.

Hugues, lisant sur les lèvres de ses amis, leur adresse un rapide signe de tête pour leur montrer qu'il partage leur défiance à l'égard du prélat.

L'un des prêtres, grosse outre courtaude, le visage rouge et vergeté, le crin gris, élève une grande croix au-dessus de la foule.

Baudouin pose un genou en terre, aussitôt imité par tous les chevaliers.

La voix mielleuse et doucereuse de Bucelin peine à s'imposer dans l'édifice :

— *In domum Domini ibimus*[1].

— *Amen*, lance le chœur de l'assistance.

L'homme a attendu dans l'ombre du caveau de l'oratoire. Il a senti la fraîcheur du soir descendre sur ses épaules, glisser le long de sa nuque, atteindre le bas de sa colonne vertébrale... Comme la caresse de Dieu. Ce Dieu intransigeant et redoutable qu'il sert avec une dévotion d'esclave. La caresse de Dieu ! Un baiser de glace au creux de son échine.

Et, cette fois encore, l'homme a joui. Un orgasme bref, intense, violent. Semblable à une déchirure.

« *Pater noster...* »

Puis il s'est redressé, le ventre mouillé, poisseux. Il a passé le manche de sa hache dans sa ceinture, grimpé à l'échelle, soulevé la trappe.

Il traverse une cour ombrée, vide. Quelques pas souples, sa cape faisant un bruit d'ailes. Quelques pas pour descendre une volée de marches et atteindre une seconde cour en contrebas.

Bucelin lui a dit que tous les chevaliers seraient en prière devant le Tombeau du Christ, aussi se dirige-t-il en confiance vers le bâtiment abritant les dortoirs.

Un corridor. L'homme progresse sans bruit, rapide, déterminé. « La troisième porte ! » Il allonge le bras, pose sa main gantée sur le pommeau d'acier, le tourne en le tirant vers lui afin qu'il ne grince pas. Puis entrouvre la porte. Attend trois secondes sur le seuil, s'interrogeant sur l'odeur âcre et mentholée qui le saisit.

« Il y a un malade là-dedans ! » Et, retirant sa cognée de sa ceinture, pénètre de deux pas dans la pièce. « Origan, verveine, valériane et menthe... », énumère-t-il, reconnaissant tous les composants de la tisane que Basile a bue quelques instants plus tôt.

Ses yeux s'habituent à l'ombre qu'une unique bougie perce au fond de la chambre. Il découvre alors le corps allongé sur le côté,

----

1. Nous irons dans la maison du Seigneur.

face au mur. « Respiration lourde et syncopée... Mais le bonhomme dort. »

Il entreprend de fouiller les lieux, agissant méticuleusement, silencieux et précis. Il soulève le couvercle de la maie, ouvre les besaces et les musettes, déplace bliauds, broignes et tabards.

Aucun bruit autre que les longues et douloureuses inspirations suivies des courtes et brutales expirations de Basile le Harnais. Aucun bruit jusqu'à ce qu'une voix appelle doucement à la porte :

— Maître Basile, êtes-vous endormi ? Je vous apporte votre bouillon maigre. Ordre m'a été donné par messire le comte de vous forcer à le boire jusqu'à la dernière goutte.

C'est une voix frêle de très jeune garçon qui n'a pas encore mué. L'homme s'est plaqué contre le mur en un saut de chat. Basile a remué dans son lit en maugréant.

L'écuyer entre, un large sourire découvrant ses dents gâtées.

— Il est tout fumant, maître.

Les yeux de l'adolescent s'écarquillent alors comme des calots en voyant la haute silhouette se déployer devant lui telle une chauve-souris géante.

Le bol échappe à ses mains tremblantes pour se briser sur le sol en un son bref qui achève cependant de réveiller le malade.

Basile découvre la scène au travers d'un voile flou. L'homme élève sa hache, l'écuyer croise les mains sur sa poitrine en sanglotant... Et la hache, la hache qui s'abat ! Qui fend le crâne de sa victime, faisant éclater les os avec le même bruit que le bol fracassé. La hache qui se retire d'un amas glaireux et carmin, se dresse à nouveau à l'approche d'un second écuyer qui a jailli, dague en main et hurlant :

— À moi, les Champagne, on a massacré Dents-Sales !

Basile s'est redressé, a cherché son épée. Il entend rire et s'en étonne. C'est le tueur. Un ricanement animal, pointu, hystérique. Une petite musique grinçante qui accompagne la hache s'abattant une seconde fois. Ce bruit, encore. Os fracturés. Succion du cerveau lacéré.

Basile a empoigné son arme. Il se jette hors de son lit tandis que l'inconnu se retourne sur lui, son visage d'ombre dans le capuchon riant encore et psalmodiant les premières phrases du Pater noster :

— *Pater noster, qui es in caelis, sanctificetur nomen tuum*..

Mais il s'arrête dans son élan ; on crie dans le corridor. On appelle à l'aide, réveillant les dortoirs des écuyers, des valets et des oblats. Le tueur abandonne la pièce à regret. Il marque néanmoins un temps avant de sortir, fixant Basile debout au pied de sa paillasse, une épée trop lourde dans ses mains fébriles.

— *Adveniat regnum tuum, Fiat voluntas tua...*

Il enjambe les deux corps qui répandent leur sang sur le dallage et se retrouve face à une poignée de gamins plus effrayés les uns que les autres, braillant pour se donner du courage, le menaçant de leurs bâtons ou de leurs dagues.

— *Sicut in caelo et in terra...*

— Nous sommes en nombre, compagnons, lance l'un.

— Allons ! prenons ce démon au cou et massacrons-le comme il a massacré deux des nôtres ! jette un autre.

Ils se précipitent tous en une mêlée désordonnée, frappant l'air en une attaque brouillonne dans laquelle ils lancent leur jeunesse et leur colère.

— Non ! Fuyez ! rugit Basile qui redoute un carnage. Fuyez ! Cet homme est un dément ; il va vous tailler en pièces !

La voix du tueur s'élève au-dessus des cris, étrangement douce, monocorde et paisible, presque chantante.

— *Panem nostrum quotidianum da nobis hodie...*

L'homme s'ouvre un chemin dans la masse, arrachant des lambeaux de chair comme un fauve se frayant un passage. Il éventre, étripe, écharpe, casse, sa hache sifflant à chaque coup. Il tue par plaisir plus que pour se défendre. Il tue en psalmodiant sa prière sur un ton de comptine syncopée.

— *Et dimitte nobis debita nostra...*

Basile s'est approché dans son dos en titubant et se prépare à lui transpercer le corps de sa lame, quand il heurte du genou un tabouret qu'il renverse. L'homme a entendu, s'est retourné.

— *Sicut et nos dimittimus debitoribus nostris...*

Le Champenois esquive la hache en une feinte de biais, abusant ainsi son adversaire qui ouvre sa garde. Basile s'y engouffre ; la pointe de son épée atteint l'homme au visage. Celui-ci grogne. Un jappement étonné, à peine douloureux. Puis, évitant les coups des écuyers, donnant encore de la cognée, il se dégage de la meute.

La nuit. À l'extérieur, la nuit le happe. Il disparaît aux yeux des jeunes gens persuadés d'avoir combattu le Diable en personne.

— Il s'est envolé ! Avez-vous vu ? Il a sauté par-dessus ce muret...

— Non, c'est bien trop haut !

— Il s'est envolé, vous dis-je !

La cérémonie devant le Tombeau du Christ est brutalement interrompue par un écuyer champenois qui vient d'assister au massacre. Le gamin, un roussiot efflanqué, les joues rouges d'émotion, la chemise trempée de sueur et de sang, fend la foule des chevaliers pour atteindre le comte et ses compagnons.

Parvenu à leur hauteur, tout tremblant, ignorant le roi Baudouin, il lance :

— Messires ! Venez vite, il y a eu grand malheur au dortoir !

Payns, inquiet, demande :

— C'est Basile, n'est-ce pas, son état s'est aggravé ?

L'écuyer secoue la tête.

— Non, au contraire ! bafouille-t-il. Le chevalier nous a aidés à mettre en fuite un homme qui nous a attaqués...

C'est alors que le comte Hugues, s'approchant, remarque la chemise souillée de l'écuyer.

— Par ma foi, tu es couvert de sang ! s'exclame-t-il.

— Ce n'est pas le mien, répond le gamin. Dents-Sales est mort... Ainsi que Robert-Azur ! Et les oblats qui sont venus nous prêter main-forte ont perdu deux ou trois de leurs frères. Sans compter les membres arrachés de quelques valets !

— Reprends ton souffle et explique-nous, propose le roi.

— Jamais vu une telle violence ! Dieu me garde, j'ai vu l'ange du Mal monté sur terre pour nous occire tous ! À la hache, qu'il se bat ! Un véritable boucher...

Le roi tire son épée de son fourreau et lance :

— Le Seigneur nous pardonnera, mes amis : épée en main ! Allons voir.

Puis, se tournant vers ses deux amis fidèles :

— Bertrand, André, prenez dix hommes munis de torchères ; je veux que vous inspectiez les environs proches. Longmaur, avec

471

une quinzaine de chevaliers, vous demeurez au Saint-Sépulcre. Passez par les armes le premier qui fera mine d'y pénétrer.

Baudouin entraîne ensuite la petite troupe composée des Champenois, de Sylbert et de Bucelin. L'écuyer n'a plus le courage de marcher. Il s'est effondré en pleurs dans les bras d'un abbé qui tente de le réconforter.

Le gamin ne cesse de répéter :

— Un démon ! Un démon...

En chemin, Baudouin s'adresse au comte :

— Il est improbable que ce soit une incursion de Sarrasins... Vous êtes mes hôtes, et je saurai réparer ce méfait ! Une enquête sera diligentée ; nous trouverons rapidement le coupable, je vous le promets, comte !

— J'en suis persuadé, Sire. Mais s'il ne s'agit pas de l'ennemi, qui est responsable ? Avez-vous déjà rencontré un tel problème ?

— Non, c'est la première fois que le sang coule entre ces murs. Nous avons eu à déplorer quelques larcins, deux ou trois rixes. Rien de plus normal, dans une population confinée. Ces affaires ont été réglées par une bonne volée de coups de fouet sur la couenne des fautifs.

— Il semble que, cette fois, l'adversaire soit plus dangereux. Je ne peux m'empêcher de noter qu'il apparaît la nuit même de notre arrivée.

Le roi regarde Bucelin à la dérobée et, d'une voix qui se veut affirmée, dit :

— Ce n'est qu'une coïncidence, comte.

— Je l'espère sincèrement, Sire.

L'homme s'est glissé dans son réduit. La nuit en rafraîchit la pierre, l'imprégnant d'une odeur de caveau.

Il s'est mis nu et s'est assis à même le sol, dos contre le mur. Le contact des mœllons râpeux lui procure un intense réconfort. Chaque aspérité piquant sa chair lui prodigue une petite morsure de plaisir.

Les ténèbres l'apaisent. Le rythme de son cœur ralentit, se calme. Dans sa poitrine, les battements sourds qui le brûlaient quelques minutes auparavant ont maintenant totalement disparu.

Il sait que du sang glisse sur sa joue. Il provient de la blessure que le Champenois lui a infligée. Est-ce profond ? L'os est-il touché ? Si la pointe de l'épée était sale, la plaie risque de s'infecter rapidement. Il va devoir la faire soigner et recoudre…

Il attendra que la fièvre qui s'est emparée du camp retombe, puis il se rendra chez le légat.

Dans quelques heures. Le temps de prier, d'absorber le froid des pierres par tous les pores de sa peau, de ne plus faire qu'un avec ce caveau, en une osmose parfaite qui engourdira ses muscles et tétanisera le moindre de ses tendons.

« Et ne nos inducas in tentationem : sed libera nos a malo. »

À son sang se mêlent des larmes. L'homme pleure.

Il pleure de joie, son âme sereine déposée dans les bras glacés de Dieu.

L'évêque Bucelin est pris de nausée à la vue des trois corps gisant dans un bouillon de sang, ainsi que des jeunes garçons mutilés ou estropiés que leurs camarades soutiennent ou pansent grossièrement, parant au plus pressé dans l'attente des médecins.

Basile a regagné son lit pour s'y asseoir, le souffle court, la vue toujours brouillée.

— Je ne suis parvenu qu'à le blesser d'un coup d'estoc au visage, sans même être certain de lui avoir fait grand mal ! apprend-il avec regret à ses amis.

— As-tu vu de qui il s'agissait, au moins ? demande le comte.

— Non, je n'ai pas vu ses traits. Rien d'autre que son regard lorsque je l'ai touché. Ce charognard gardait son capuchon sur la tête et prenait soin de dissimuler son visage. Mais ses yeux…

— Quoi, ses yeux ? tonne Geoffroy.

— Ils étaient emplis d'une tristesse infinie, précise Basile après un temps. Semblables aux yeux d'un enfant venant de perdre père et mère.

Arcis pose une main sur l'épaule de Payns en lui soufflant à l'oreille :

— Tes craintes étaient fondées, l'ami. Pardonne-moi d'avoir mis ta parole en doute. Tu as en effet poursuivi un homme de chair et de sang sur le navire ! Mais, par les deux Jean, nos saints patrons, qui a pu apprendre que nous nous rendions à Jérusalem ? Nous avions pris soin de nous entourer du plus grand secret…

— Tais-toi, Geoffroy, l'arrête Payns. Le roi ne doit pas se douter… Nous parlerons plus tard. Pour l'heure, occupons-nous de ces malheureux gamins.

À ces mots, Arcis fouille dans l'une de ses musettes pour en ressortir quelques ustensiles de chirurgie et deux pots d'onguent. Il demande que l'on étende les blessés sur le dos, que l'on fasse bouillir de grosses bassinées d'eau et que l'on confectionne de la charpie avec des linges propres.

Maîtres Hotemaux, Virgile et Manuel, respectivement médecins et chirurgien, qui viennent d'arriver, voient d'un fort mauvais œil qu'un étranger, tout champenois qu'il soit, se permette de dispenser des soins dans l'enceinte du camp.

Accompagnés chacun de leur assistant personnel qu'ils prennent à témoin, ils manifestent haut et fort leur réprobation, usant de leur plus beau latin pour prouver à la cantonade combien leur science est grande. Ils piaillent ainsi durant de longues minutes. Un temps qu'Arcis met à profit pour juguler l'hémorragie d'un patient.

— Vous êtes d'une rare habileté, chevalier, remarque Baudouin en articulant très distinctement, de manière que les praticiens entendent.

— En effet, souligne Hugues. La modestie d'Arcis est telle qu'il se refuse à arborer son titre de docteur en médecine. Tout comme il dit n'être ni astrologue ni mathématicien, quoiqu'il soit l'un et l'autre.

— Et philosophe ! appuie Geoffroy.

Maîtres Hotemaux, Virgile et Manuel se sont tus. Ils ont apprécié à contrecœur la précision des gestes d'Arcis, qui vient de sauver la vie d'un adolescent au poignet droit sectionné. Baudouin se retourne vers eux et, sèchement, leur dit :

— Qu'attendez-vous pour intervenir ? Ne voyez-vous pas que quatre garçons attendent sur ces paillasses ?

— Oui, oui, Sire, bredouille maître Hotemaux.

Bucelin est sorti précipitamment dans la cour pour vomir contre un mur. « Mon Dieu, pense-t-il, comme il est difficile de défendre Votre cause ! Combien de vies devrons-nous faucher avant d'étouffer le Secret ? Combien de sacrifices serons-nous obligés de perpétrer en Votre nom ? »

Après avoir repris son souffle, le prélat retourne dans le dortoir. Les chevaliers et le roi en personne s'affairent auprès des blessés. Un jeune homme râle et se plaint qu'il ne veut pas mourir. Il a pris la main de Baudouin entre les siennes.

— Priez pour moi, Sire ! Je vous en prie, Dieu saura vous entendre… Vous êtes le roi de Jérusalem et veillez sur le Tombeau de son fils… Priez pour moi !

Et le roi lui obéit. Il se met à prier, tandis que maître Hotemaux ligature deux tendons du genou gauche de l'adolescent.

Bucelin s'est forcé à approcher malgré sa répugnance. La rotule du blessé est sortie des chairs ; le légat porte la main à ses lèvres pour refouler un haut-le-cœur.

Arcis en a terminé avec son deuxième patient et se redresse, le front en sueur. Payns lui tend un bol d'eau fraîche qu'il boit d'un trait. Puis, après s'être essuyé les lèvres d'un revers de manche, il dit :

— Une tâche de viandard ! Le tueur a frappé volontairement sur les jointures des membres. Les survivants du massacre seront infirmes pour le restant de leurs jours. Je n'ai jamais connu plus ignoble besogne !

Sylbert intervient :

— C'est que vous n'avez pas vu Longmaur à l'ouvrage ! Cet homme-là fait montre d'une aussi cruelle nature.

Arcis soupire et hoche la tête.

— La nature humaine ! dit-il. *Il n'y a pas de signe certain de la vertu : tout est confusion dans la nature humaine* !

Sylbert hausse les sourcils.

— Pardon ?

Payns vient à son secours :

— C'est ainsi, cousin ; Arcis ne peut s'empêcher d'évoquer l'esprit de beaux penseurs qui l'aident à ponctuer les actes exemplaires de sa docte et généreuse existence ! Là, il vient de réveiller la mémoire d'un poète grec… As-tu déjà entendu parler d'Euripide ?

— En aucune sorte, répond Sylbert. Aurais-je dû ?

— Cela ne t'aurait pas servi à grand-chose dans l'exercice de ton métier. Tu as mieux fait d'apprendre à manier l'épée et à te tenir convenablement en selle.

— Il n'empêche que je me trouve bien sot au milieu de vous cinq, soupire Sylbert en esquissant une moue qui fronce tout son visage en un museau de fouine.

— Ne crois pas cela, cousin ! Tu es frère tout autant que chacun d'entre nous…

Puis, l'entraînant à l'écart de manière à ne pas être entendu du roi, Payns ajoute :

— Tu es la cheville de notre projet, Sylbert. Nous t'avons demandé de quitter ta famille pour participer à l'expédition des croisés, et tu as accepté sans rechigner. Il nous fallait un homme de confiance dans Jérusalem ; tu es devenu cet homme !

— Ma foi, en cela je ne peux te contredire. Ma dévotion est aussi forte que mon amitié pour toi, Payns.

— Mon bon ami ! La voici, ton intelligence : c'est celle du cœur. De ce bon gros cœur chaleureux qui bat dans ta poitrine. Une intelligence simple et réconfortante qui donne tort à Euripide : la nature humaine peut parfois être équilibrée et sage. Tu en es le vivant témoignage.

— Ton compliment a le goût du miel. Mais j'ai conscience que ce n'est pas avec des gens comme moi que l'on remporte les batailles. Tu l'as dit, Payns, je ne suis pas un guerrier, alors qu'il vous aurait fallu, à toi et à tes amis, un véritable soldat ! Un de ces géants qui ne s'embarrassent pas de pitié pour occire et trucider.

— La bataille que nous livrerons à nos ennemis réclamera plus d'habileté que de force, mon bon cousin. Nous luttons contre des ombres que le pape anime comme des pantins.

10

Le tombeau de l'Imposteur

La nuit est très avancée quand les chevaliers champenois se retrouvent enfin seuls dans leur dortoir.

Basile s'interdit de dormir et doit accomplir de redoutables efforts pour repousser le sommeil. Il lui arrive de chanceler, ses fesses glissant sur le bord du lit, mais Arcis, qui s'est assis à côté de lui, le retient à chaque fois qu'il manque de tomber.

L'épais Geoffroy arpente la pièce, cou rentré dans les épaules, œil d'ours et front plissé.

— Comment ? ne cesse-t-il de répéter. Comment ont-ils pu être informés de nos intentions ?

Sylbert se risque :

— Vous parlez de cette secte occulte, messire ?

— Pardi ! fulmine Geoffroy. Vous entendez bien : je pense à cette satanée coterie dont les membres trahissent, mentent et tuent avec la bénédiction du pape ! Oui, pour sûr, je parle d'elle... Car il ne peut s'agir que d'elle ! Rusée, sournoise, maligne ! Une hydre qui cherche la même chose que nous sans avoir jamais cessé de nous épier !

— Moins fort ! impose Payns en se rendant vers la porte, qu'il entrouvre pour s'assurer que le corridor est vide.

Geoffroy baisse à peine la voix pour poursuivre, sans cesser de marcher en cercles de plus en plus étroits :

— Nous partageons tous la même réflexion, mais n'osons pas prononcer le nom de nos rivaux, comme si nous n'étions que des pleutres superstitieux.

— Tu as raison, Geoffroy, dit le comte. L'homme à la hache, qui s'est introduit ici, fouinait dans nos affaires pour trouver notre carte. Bien sûr, cet estafier appartient aux Gardiens du Sang !

Geoffroy reprend :

— Par quelle magie a-t-il appris que nous détenions cette carte ? Qui le lui a dit ? Nous sommes six dans cette pièce, et nous six uniquement possédons cette information ! Comment les Gardiens du Sang en ont-ils eu vent ?

Le silence s'impose alors. Les hommes se regardent. Ils se connaissent tous depuis longtemps. Depuis l'enfance pour le comte Hugues et Payns. Depuis plus de dix ans pour les autres. Ils ont prononcé leur serment lors de leur initiation dans la Loge Première et se sont engagés à servir corps et âme la Tradition. Ils se sondent pourtant en se posant tous une question qu'ils n'auraient jamais cru pouvoir se poser un jour.

Enfin Payns rompt le silence d'une voix dans laquelle point la colère :

— Inutile de jeter le trouble entre nous, Geoffroy ! Nous ne pouvons pas nous permettre de laisser naître la suspicion. C'est un poison qui nous tuerait plus vite que ne le feraient les Gardiens du Sang ! Nous sommes des apôtres, mais nous ne comptons pas de Judas parmi nous.

Geoffroy s'arrête net de marcher. Il s'empourpre et bredouille :

— Non... Non... Il n'était pas dans mes intentions de vous vexer, mes frères. Je réfléchissais tout haut, et vous savez bien que la réflexion n'est pas la discipline dans laquelle j'excelle le plus. Si je vous ai froissés, je vous demande humblement de me pardonner. Oui... Oui... Quel butor je fais, n'est-ce pas ?

— Allons, le rassure Hugues, nous t'aimons tel que tu es ! Il n'empêche que ton raisonnement sonne juste. Par je ne sais quel moyen, le pape et ses sbires ont appris que nous détenions le plan devant nous conduire au tombeau de l'Imposteur.

— Il nous fait sans doute espionner depuis des mois, marmotte Basile.

Le comte Hugues plonge la main droite dans sa chemise pour en ressortir une petite sacoche en cuir qu'il ouvre aussitôt. Elle contient une feuille de parchemin qu'il déplie avec soin. La peau craque un peu sous ses doigts.

— Frères, commence-t-il, il me paraît sage de ne pas nous attarder à Jérusalem. Utilisons cette carte dès maintenant.

— Cette nuit même ? s'étonne Arcis.

— Je n'aurai l'esprit en repos que lorsque nous aurons honoré notre engagement en prenant possession des Saints Signes ! répond le comte.

— Bien parlé, lance Geoffroy en jetant son épais tabard de laine sur ses épaules. J'apprécie ce genre de décision. De l'action, enfin ! Nous ne sommes pas venus jusqu'ici pour nous endormir en récitant des patenôtres devant un tombeau vide !

Basile entreprend de se lever de sa paillasse. Il s'appuie sur le bras que lui tend Arcis.

— Je suis des vôtres, ânonne-t-il.

— Faudrait-il que tu tiennes debout ! objecte Payns.

Basile riposte en se redressant et en bombant le torse dans un geste crâne.

— Je vais mieux ! Cet assassin m'a réveillé les sangs... N'oubliez pas que je suis parvenu à le mettre en fuite.

Il fait quelques pas d'abord mal assurés puis, à force de volonté, recouvre bientôt son maintien droit et quelque peu rogue.

— Voyez, poursuit-il, je tiens parfaitement sur mes jambes et je ne souffre plus d'aucun vertige. Tes passes de magicien ont fait des merveilles, Payns !

Payns lève les yeux au ciel et hausse les épaules.

— Incorrigible âne bâté ! réplique-t-il.

L'évêque Bucelin a pris soin d'obturer toutes les fenêtres de la pièce en tirant les tentures afin que de l'extérieur nul ne puisse voir qu'il ne dort pas.

Le prélat tient un chandelier au-dessus du visage de l'homme à la hache. Un jeune abbé recoud les lèvres de la blessure infligée par l'épée du chevalier Basile le Harnais.

— Vous tremblez, Monseigneur ! remarque l'homme de sa voix morne et douceâtre.

— C'est que je me demande… Enfin, je pensais que vous aviez manqué de prudence en vous rendant dans mes appartements.

Mais ce n'est qu'une des raisons qui troublent le légat du pape, la principale étant le visage du tueur. Ce dernier a tout juste vingt ans et ressemble à l'ange auquel il rêve parfois. Cet ange au sexe indéterminé, les yeux pâlis par un regard de détresse, les lèvres ébauchant un sourire ennuyé et dédaigneux… Cet ange, tantôt femme, tantôt homme, auquel il confie ses péchés en espérant que ceux-ci lui seront pardonnés au jour du Jugement.

— Tout était désert, le rassure le tueur.

Le suif des chandelles coule sur le poignet de Bucelin et s'y dépose en fines couches brûlantes. Mais l'évêque n'ose se plaindre pour si peu alors que le blessé ne manifeste aucune douleur sous l'aiguille et le fil du jeune abbé.

— Pourquoi vous refusez-vous à absorber quelques cuillerées de cette drogue hypnotique qui atténuerait la souffrance ? interroge Bucelin en désignant un flacon sur une table.

— Un bien faible martyre, en vérité, par comparaison avec celui des premiers chrétiens persécutés.

— Vous ne ressentez vraiment rien ?

— Les mortifications, pénitences et abstinences que je me suis imposées ont eu raison de cette faiblesse. Mon corps et mon esprit apprécient la douleur ! Ils s'en repaissent avec extase.

— Votre impassibilité semble effrayer mon jeune abbé. Une telle insensibilité n'est pas humaine !

— Au contraire ! L'ascèse devrait conduire tous les hommes à se détacher des afflictions de la chair. Je ne suis qu'une arme, Monseigneur ! L'outil qui protégera les intérêts supérieurs de l'Église. L'Histoire est mensongère ; il nous appartient de la récrire de manière à préserver la foi en Dieu… La foi est l'indispensable ciment de la société qui doit préserver l'humanité contre les hérétiques.

— Voilà, annonce le jeune abbé. J'en ai terminé. Sans doute faudra-t-il appliquer régulièrement un emplâtre d'*Anthyllis vulneraria* sur la cicatrice.

— De l'eau bénite, plutôt ! C'est la lame d'un renégat qui m'a fait cette blessure !

Le tueur quitte sa chaise et se saisit d'un grand plat rond en cuivre qu'il utilise comme miroir. Dans son dos, le jeune abbé, qui range ses instruments de chirurgie dans une musette, ne le quitte pas des yeux, appréhendant son jugement.

— Bel ouvrage de couture ! s'exclame enfin l'homme.

Puis il repose le plat, se tourne vers l'abbé qu'il saisit au cou comme s'il ne s'agissait que d'un vulgaire poulet, et lui ordonne très bas :

— Vous ne parlerez de cela à personne, ou je vous fends la tête comme une bûche, moinillon !

— Je vous le jure, messire ! Vous pouvez avoir confiance en moi.

Bucelin intervient en affirmant, avec un geste d'apaisement :

— N'ayez crainte, il a prononcé le serment d'allégeance aux Gardiens du Sang, et je réponds de son silence.

Le tueur desserre son étreinte sur le cou de sa victime, qui commençait à pâlir et à tousser.

Bucelin poursuit en se servant une coupe de vin :

— Je peux aussi compter sur quelques chevaliers qui adhèrent à notre cause, ainsi que certains de leurs écuyers. J'ai fait surveiller le dortoir des Champenois et l'on me préviendra dès qu'ils bougeront.

L'évêque marque un temps : « Vais-je le lui dire ? »

L'homme à la hache remet son capuchon et dissimule son visage.

Bucelin avance :

— Tout à l'heure, dans le dortoir…

— Oui ?

— Étiez-vous obligé de causer une telle désolation ? Vous avez tué cinq malheureux enfants ! Et en avez laissé quatre autres estropiés à tout jamais...

— Vous m'aviez dit que je ne rencontrerais aucune résistance, Monseigneur !

Bucelin se ressert une deuxième coupe. Le vin lui picote les joues et échauffe son esprit, le libérant un peu de cette angoisse qu'il ressent en présence du tueur. Il réplique :

— J'ignorais que le chevalier Basile le Harnais était souffrant et garderait la chambre. En découvrant cela, vous auriez dû remettre la fouille à plus tard.

— Votre conscience se serait-elle alourdie, cette nuit ? Qu'imaginiez-vous ? Que la bataille que je suis venu livrer en ces terres ne causerait pas de victimes ?

— Mais... des innocents !

— Ils portaient des bâtons et des dagues pour se ruer sur moi comme un hourraillis d'aboyeurs ! Je vous l'ai dit, Monseigneur, j'éprouve une certaine complaisance à servir Dieu. Le pape m'a donné son absolution ; je suis le serviteur de l'Église. Ceux qui se mettent en travers de mon chemin prennent le risque d'être rappelés prématurément auprès du Père éternel. Que leur âme me soit redevable : je leur offre la félicité et la béatitude !

Le jeune abbé paraît embarrassé d'être le témoin de cette conversation. Il lui semble que chaque seconde passée dans cette pièce à peine éclairée le rapproche de l'enfer. Cet homme, ce tueur qui garde une hache passée dans sa ceinture, ce garçon à peine plus vieux que lui, est un démon incarné. Et il l'a touché ! Il a recousu une vilaine entaille sur sa joue droite sans qu'il bronche ni se plaigne. Il a enfoncé par dix fois son aiguille dans la chair et tiré fortement sur le fil pour refermer la plaie sans faire naître le moindre cri, le plus petit tressaillement.

Maintenant l'abbé se tient près de la porte, faisant passer le poids de son corps d'un pied sur l'autre en une danse impatiente. Bucelin et l'envoyé du pape l'ignorent.

Les cimes des cyprès bruissent dans la nuit encrée de grandes ombres étales. Sylbert porte une lanterne et devance les cinq chevaliers, qu'il conduit hors de l'enceinte de la maison chevêtaine.

Une poterne dérobée non gardée. Un rapide coup d'œil par-dessus son épaule, puis Sylbert fait signe à ses compagnons de franchir la porte, qu'il referme rapidement derrière eux en deux tours de clef.

Basile a donné le bras à Geoffroy qui le soutient fermement.

Un aboiement de chien au loin. Un long jappement qui s'éteint en une note rauque auquel aucun autre chien ne répond. Le silence, juste troublé par le chuchotis des santolines.

Arcis hume avec gourmandise le parfum complexe, riche et lourd, composé d'une infinité d'arômes, que la chaleur du soleil a révélés toute la journée et que la nuit a figés dans sa fraîcheur.

— J'aime ce pays ! murmure-t-il à Payns qui chemine à sa hauteur.

— Déjà ?

— En effet, déjà. Ne trouves-tu pas que cette ville sent bon ?

— Ma foi, je n'ai rien remarqué de tel. J'avoue que mon esprit n'est plus guère enclin à la contemplation. Je pense plutôt à ce qui nous attend…

— Justement, tu devras retenir à tout jamais ces moments particuliers, car ta mémoire aura besoin de guides pour ne point les oublier. Moi, je me souviendrai des effluves de cette ruelle, de ce léger courant d'air sur mes chevilles, du sable où affleurent ces gros pavés irréguliers sur lesquels je me tords les pieds, de la fragile boule de clarté produite par la lanterne de ton cousin… Autant de détails que la peau, les os et les yeux absorbent afin d'aider la tête à se remémorer.

— J'apprécie la poésie de ton âme, mon ami. Elle te permet de voir le beau côté de chaque chose, quand la plupart des hommes n'en regardent que la mauvaise face.

Le comte marche maintenant en tête. À son côté, Sylbert lui donne de la lumière.

— C'est une sainte nuit, dit-il, la voix sèche.

— En vérité, elle le sera lorsque nous aurons trouvé le Tombeau et fait ce que nous avons à y faire, souligne le comte Hugues en sortant de sa chemise la pochette en cuir. Une sainte ou une maudite nuit ! ajoute-t-il.

Deux hommes se détachent de la masse noire d'un haut mur.

— Tu as vu qui les a conduits par la poterne, Longmaur ?

— Mon vieux compagnon Sylbert ! Pardi, n'est-il pas né en Champagne ? Ce traître mourait d'impatience de retrouver son cousin Payns. Hâte-toi de prévenir le légat, Euric ; qu'il réunisse ses hommes. Je ne les perds pas de vue…

Euric s'en retourne en courant. Longmaur s'approche de la poterne pour en examiner la serrure : « Le bougre a prévu son affaire depuis bien longtemps ; il s'est forgé une clef ! »

Puis il sort son poignard, avec lequel il entreprend de forcer le pêne en tentant de le dégager de sa gâche. Cela lui prend plus de temps qu'il n'a prévu, et il enrage. Il parvient enfin à faire glisser l'ardillon lorsque l'évêque, l'homme à la hache, Euric et trois hommes le rejoignent. Il les entraîne aussitôt à l'extérieur en leur recommandant de ne pas fermer entièrement la porte, car ils devront la repasser rapidement après leur expédition.

— Quelle direction prendre ? demande Bucelin.

— Ils ont laissé des empreintes dans le sable, regardez.

— Il y a très peu de vent, poursuit Euric, nous allons pouvoir les suivre à la trace.

— De plus, reprend Longmaur, ils doivent étudier leur plan et chercher leur chemin.

Ils font quelques pas. Longmaur s'étonne alors en désignant le tueur encapuchonné :

— Qui est cet homme qui nous accompagne, Monseigneur ?

— Allons, vous le savez bien !

— Je m'en doute ; cependant, il eût été aimable que vous nous le présentiez ! À moins qu'il ne désire le faire lui-même ?

Mais l'homme à la hache demeure coi.

Bucelin est obligé de répondre :

— Pour sa sécurité, il ne donnera pas son nom. Sachez simplement qu'il est envoyé par le pape et qu'il nous épaulera dans notre opération.

— C'est à lui que nous devons le massacre perpétré dans les dortoirs ? ironise Longmaur.

C'est d'une voix mal affirmée que l'évêque précise, embarrassé :

— L'un des Champenois ne s'est pas rendu à l'office au Tombeau. Il lui a fallu réagir.

— Et quelle réaction ! Je connais des tueurs plus subtils.

Sous le capuchon d'ombre, une voix douce et presque féminine répond :

— J'ignore la subtilité lorsqu'il s'agit de tuer. Fasse le Ciel que je n'aie jamais à me retourner contre vous, chevalier !

— Nous sommes du même bord, l'ami.

— Je n'ai aucun ami.

Les Champenois se sont regroupés auprès du comte Hugues. Sylbert tient sa lanterne très haut de manière que tous puissent voir le plan.

— Parviendrons-nous à lire cette carte ? La ville a sans doute beaucoup changé en dix siècles, s'inquiète Arcis.

— Joseph d'Arimathie, l'oncle de Jésus, a dessiné ce plan en prenant le Temple de Salomon comme point de départ du trajet à effectuer pour atteindre le tombeau de l'Imposteur, dit Hugues.

— Et le Dôme du Rocher a été construit à l'emplacement même du Temple que Joseph d'Arimathie fait figurer sur la carte comme étant l'étoile Alkaïd, précise Payns en montrant un astre avant d'ajouter : Alkaïd, généralement représentée sous la forme d'un êta, la septième lettre de l'alphabet grec, est la première étoile de la queue de la constellation d'Ursa major. Il nous suffit de calquer notre route au degré près sur cette figure céleste. L'idée de Joseph d'Arimathie est ingénieuse : il a imaginé Jérusalem comme étant une partie du ciel, notre parcours devenant la reproduction de la Grande Ourse à l'échelle de la ville.

Hugues sourit.

— Payns est suffisamment savant en astronomie et en mathématique pour nous conduire jusqu'à la dernière étoile d'Ursa major : Dubhe ! C'est là que devrait se trouver la tombe de Thomas.

— D'autant plus que Joseph dit avoir laissé des indices dans la pierre de certains murs, souligne Payns. Peut-être aurons-nous la bonne fortune d'en trouver quelques-uns que le temps aura préservés ?

Les Champenois reprennent leur marche. Moins d'un quart d'heure plus tard, ils arrivent sur une petite place pavée au centre de laquelle se trouve un puits laissé à l'abandon, recouvert d'un gros lierre torturé et d'une épaisse mousse griffue.

C'est maintenant Payns qui tient le plan, le consultant à chaque pas, avançant parfois le nez au ciel, comptant les étoiles pour se référer au schéma tracé par l'oncle du Christ et effectuer de tête des calculs compliqués.

— Alors ? s'impatiente Arcis.

— Alors, si j'interprète convenablement ce tracé et si mon évaluation est correcte, nous devrions découvrir un signe sur cette place. Ce qui devrait confirmer que nous sommes sur la bonne voie.

Basile soupire :

— Si vous le permettez, je vous laisse chercher. Je vais m'asseoir sur le rebord de ce puits et me reposer un peu.

Geoffroy l'aide à se jucher sur la margelle.

— Voilà, tu seras bien ainsi.

— Tu prends soin de moi avec beaucoup d'attention. Tu as donc peur que je rende mon âme à Dieu dès cette nuit ?

Geoffroy hausse les épaules et dit :

— Ni cette nuit ni la prochaine... Ni aucune de celles à venir avant que je ne sois enterré moi-même !

— C'est bien aimable, mais pourquoi souhaites-tu mourir avant moi ?

— Eh bien, tu es meilleur que moi dans l'art de la parole ; je suis certain que tu sauras tourner de jolies phrases au-dessus de ma tombe : un magnifique panégyrique qui fera pleurer d'abondance l'assistance. Ainsi, chacun se souviendra longtemps de mes funérailles !

— Mon brave Geoffroy, dès notre retour je te promets de réfléchir aux vers que je trousserai pour tes obsèques, car je gage que tu t'inscriras à de nouveaux tournois où tu joueras ta vie, n'est-ce pas ?

— On ne se refait pas, Basile. Il me faudra bien succomber en héros !

Geoffroy va pour rejoindre ses amis lorsqu'il est retenu par ce qu'il voit sur un moellon du puits.

— Qu'on me donne de la lumière ! crie-t-il.

Sylbert accourt, brandissant sa lanterne à bout de bras.

— Là ! désigne Geoffroy.

Payns s'est approché, Hugues et Basile sur ses talons. Tous se penchent sur le muret. Ils y voient une marque creusée jadis par un ciseau.

— Ce signe est un zêta, la sixième lettre de l'alphabet grec, annonce Payns. Il correspond à la seconde étoile d'Ursa major, à laquelle on a donné le nom de Mizar. Poursuivons, nous tomberons bientôt sur Alioth, qui devrait être désignée par un epsilon.

Payns examine de nouveau le plan et indique une ruelle qui descend en contrebas.

Basile reprend le bras de Geoffroy et les chevaliers s'enfoncent dans la venelle. Quelques minutes plus tard, Payns avise la façade d'une demeure de deux étages en partie recouverte par une vigne vierge. Payns doit en écarter les rameaux de manière à dénuder la base du mur en torchis.

Il lui faut peu de temps pour découvrir la cinquième lettre de l'alphabet grec, l'epsilon.

— C'est à croire que tu es déjà venu défricher le chemin ! lui dit le comte.

— Mille fois en rêve, en effet !

Ils poursuivent leur progression. À deux reprises, Basile est pris de vertiges, les obligeant à s'arrêter pour lui permettre de recouvrer son souffle.

La plupart des pierres marquées par Joseph d'Arimathie ont été effacées, mais Payns parvient à trouver sans difficulté les points correspondant au delta de Mégrez, au gamma de Phecda, au bêta de Mérak...

— Tu nous as conduits en enfer ! s'exclame Arcis.

— C'est le quartier des lépreux, précise Sylbert. Il n'y a que des malheureux comme eux, presque morts, pour investir une ancienne nécropole.

Les Champenois ont atteint la lisière sud de Jérusalem. C'est un lieu désolé où de sinistres bâtisses s'accrochent aux pans d'une roche noire ; y poussent des herbes folles dans de la vilaine terre ocre sur laquelle plane une odeur fétide, âcre et pernicieuse.

Payns et Sylbert se détachent du groupe pour fouiller les ronciers qui gangrènent les rochers.

— On nous regarde, souffle Geoffroy.

— Derrière ces volets, montre Arcis d'un coup de menton. Là... et là...

— Cette odeur de pourriture, fait Basile, toute la nuit en est emboucanée ! J'ai connu dans ma vie des tâches plus plaisantes. Plus vite nous serons revenus dans notre fraîche contrée, mieux je me porterai !

— Ton vœu sera bientôt exaucé, lance Payns qui vient de faire apparaître sous des branchages un alpha grand comme la paume d'une main.

— Qu'I.N.R.I. nous illumine ! s'émerveille le comte.

Ils accourent tous, formant un demi-cercle devant la paroi de pierre.

— Voyez, dit Payns, ces interstices... Ils délimitent la porte ronde qui a muré l'entrée du sépulcre. Hâtons-nous de la dégager de son lierre et de ses halliers ; nos épées devraient y suffire.

Basile s'apprête à sortir son arme de son fourreau quand Geoffroy retient son geste.

— Je travaillerai pour deux, lui dit-il. Repose-toi encore ; tu devras descendre dans le Tombeau lorsque ce sera fini.

— Merci, frère.

Car Basile sait ce qu'ils vont devoir accomplir tous les cinq. Eux seuls : les CINQ... Ceux qui ont fait le serment de préserver le Secret du Christ.

Les lames sont utilisées comme des cisoires. Elles s'attaquent au ciment de poussière et de mousse que le temps a déposé dans l'anfractuosité du mur. Les lames râpent et raclent. Les chevaliers se consacrent à cet ouvrage en y mettant toutes leurs forces, ne se souciant guère des silhouettes brisées qui apparaissent sur le seuil des misérables demeures. Bancroches, éclopés, boiteux, femmes et homme déchirés, couverts de loques et de hardes, monstres abandonnés par les vivants, ils sortent de leurs antres, approchent à peine, regardent ces intrus en s'étonnant.

Certains murmurent. Ils commentent dans leur langue cette scène étrange. Voix de rocaille, écorchées et curieuses.

— Par saint Jean, dépêchez-vous ! jette Basile à ses amis. Les lépreux se demandent ce que nous faisons là. Imaginez que notre ouvrage les indispose...

— Ces pauvres bougres ne tiennent pas sur leurs jambes, répond Sylbert. Il ne leur viendrait jamais à l'esprit de s'attaquer à nous. Nous les réduirions en miettes en trois coups d'épée.

— Tout de même, poursuit Basile, ils sont nombreux...

Enfin, au terme de maints efforts, Payns, Hugues, Geoffroy, Arcis et Sylbert parviennent à déchausser la lourde porte ronde qu'ils font rouler avec d'infinies précautions afin d'éviter qu'elle ne se couche et n'écrase l'un d'eux.

Cette besogne achevée, Payns s'adresse à son cousin :

— Tu garderas la place pendant que nous accomplirons notre devoir, Sylbert.

— Bien sûr, cousin. La tâche ne me sera pas coûteuse. Mais pressez-vous, cependant : je risque de m'inquiéter si vous tardez. Qui nous dit que le plafond de ce tombeau ne s'effondrera pas ? Est-il bien raisonnable que vous descendiez tous ?

— Le rituel nous impose d'être présents tous les cinq, précise Payns.

— Oui, oui… Vos bagues !

— Allons, ne te fais pas de souci. Tout se passera pour le mieux.

— Puisque tu le dis ! se moque Sylbert. N'es-tu pas sorcier ?

— Balivernes !

Puis Payns prend la lanterne :

— Descendons !

Basile abandonne le petit rocher sur lequel il se reposait et rejoint ses amis. Geoffroy lui offre son avant-bras et l'aide à enjamber le monticule de pierraille tombée sur le seuil du caveau. Payns s'est déjà introduit dans l'excavation.

— Faites attention, conseille-t-il, il y a une volée de marches à descendre qui ne sont guère pratiques !

Les cinq hommes s'enfoncent ensuite dans les ténèbres du Tombeau. La flamme de la lanterne est couchée par l'air qui s'est engouffré avec eux.

— Fouillons tous les arcosoliums, propose Payns ; nous ne cherchons pas un ossuaire, mais un corps décomposé, le seul squelette que contienne ce caveau.

Les chevaliers examinent les niches successives qui se présentent à eux. Elles abritent chacune une urne de grès comportant les restes d'un membre de la famille de Joseph d'Arimathie.

Soudain, Payns s'arrête devant l'une des alcôves. Il élève sa lampe au-dessus d'une forme grise allongée : une malheureuse dépouille dont les os saillent sous le suaire poussiéreux, élimé, à demi rongé par la vermine.

— Habituellement, commence-t-il, afin de préparer la résurrection, après que la chair avait quitté les os, on plaçait ceux-ci dans une urne. Ce qui fut interdit pour l'Imposteur !

L'Imposteur : Thomas, le frère jumeau du Christ. Celui qui a pris sa place sur la croix. Mort cloué à sa potence comme un vulgaire porc que l'on saigne. Mort nu, les cuisses couvertes d'urine, de sang et de boue, le dos lacéré par le fouet, le front déchiré par une couronne d'épines. Mort en pleurant tel un enfant, douleur et honte mêlées. Dans les cris de la foule, les invectives, les jurons, les railleries. Mort le visage couvert des crachats reçus tout le long de son calvaire, de sa montée au Golgotha. Bousculé, frappé.

— À quoi penses-tu, Payns ? demande Hugues.

Payns regarde le mur qui fait face au caveau où gît le squelette de Thomas.

— Là... C'est là que Jésus se serait tenu assis, selon la Tradition. Il se serait adressé à son frère, certain que la Mort n'avait pas encore obturé toutes les portes de son esprit... Il l'interrogeait !

— Jésus avait trouvé refuge dans ce tombeau, précise Arcis. Les Romains le cherchaient à son tour, ayant découvert qu'ils avaient torturé un usurpateur.

— Oui, dit Basile, Pilate en fut informé par le Sanhédrin. Il fit visiter toutes les maisons appartenant à la famille du Christ. Il n'a jamais pu imaginer que celui qu'il cherchait s'était fait enfermer auprès de son frère, dans cette fosse.

— Thomas était son jumeau, reprend Payns. Leurs deux âmes étaient liées. À moins qu'ils n'en aient possédé qu'une ? Une âme unique qui les faisait souffrir en les obligeant à la partager entre ombre et lumière, à se la disputer sans cesse...

Payns semble épouser ce souvenir. Il s'est adossé au mur où s'est reposé Jésus.

— Ce que tentait de découvrir le Christ depuis qu'il avait été initié par les docteurs égyptiens, poursuit Payns, ce que sa science lui avait fait effleurer à maintes reprises sans lui offrir de victoire, il le découvrit ici, dans une extase ! Alors qu'il questionnait son frère, il fut pris d'une illumination. La douleur qui brûlait son esprit et sa chair, les drogues qu'il avait absorbées comme il avait pris l'habitude de le faire, la présence de la Mort accomplissant son œuvre sur Thomas, tout cela le mit en transes...

Payns abandonne le mur et revient vers la dépouille de Thomas, que la lueur de la lanterne soustrait en partie à l'ombre gluante du tombeau. La forme à peine humaine, aux angles cassés, paraît s'animer sous le suaire, mue par la flamme qu'un souffle léger fait danser.

— Jésus avait approché le Grand Arcane, poursuit Hugues, il ne lui restait plus qu'à symboliser l'Œuvre ultime par cinq figures. Celles-ci lui apparurent alors... Comme si Thomas, venant de les dérober à la Mort, les lui avait dictées.

Geoffroy intervient :

— Et il s'empressa de les esquisser de la pointe du doigt sur le suaire de son frère. Avec le sang et les glaires de ce dernier !

Tous les cinq connaissent avec précision cet épisode que les clercs de l'Église ont soustrait des Saintes Écritures. Ils le répètent cette nuit en un chœur uni, retardant volontairement le moment où il leur faudra enfin découper une partie du linge gris qui enveloppe la dépouille de Thomas.

— Jésus dessina l'ordre dans le chaos, ajoute Payns. Il traça les Saints Signes ! Le Secret de l'immortalité pour l'initié qui saurait les traduire...

Alors, gravement, d'un geste lent, Payns abaisse la lanterne pour scruter le suaire taché. Ses amis se penchent, parcourent des yeux le lin souillé. Le premier, Arcis découvre les cinq Signes de couleur brune dessinés par Jésus. Ils ressortent distinctement parmi les nombreuses tavelures du linge.

— Voici le Savoir ! s'écrie Payns. Voici la Connaissance qui oppose la Vie à la Mort. Voici la lumineuse Équation alchimique de notre maître Jésus !

Hugues s'incline, porte la main droite à sa poitrine et dit :

— Nous, frères de la Loge Première, nous en devenons, en cette nuit de grâce, les dépositaires pour les siècles à venir !

— *Igne Natura Renovatur Integra*, scande Payns.

— Par le Triangle, l'Hexagramme, l'Omega, la Croix et le Tau..., prononcent ensuite les cinq chevaliers.

Payns dépose la lanterne sur le rebord du lit de craie de Thomas et sort sa dague de sa gaine. Il entreprend de découper le suaire, qu'il entaille bientôt franchement à la hauteur des cinq figures.

— Communions dans la véritable eucharistie ! murmure-t-il. La chair de la Vie...

Sous le regard grave de ses compagnons, il partage la pièce d'étoffe en cinq morceaux, isolant les figures les unes des autres, qu'il distribue ensuite.

— Ceci est la Lumière de Jésus que nous séparons en cinq éclats. Prenons-en chacun un...

Les chevaliers plient soigneusement leur petit morceau de tissu avant de le glisser dans le minuscule tabernacle de leur bague.

— Devenons les cinq doigts de la main droite du Christ !

Ils referment leur bague.

Surprenant ses amis, Basile se saisit du linceul. Vif, fiévreux, bien que Geoffroy tente de l'en empêcher, il arrache le linge du squelette.

— Je veux voir, dit-il. Les marques !

Des lambeaux de chair momifiés, tannés par le temps, s'accrochent encore aux os.

— Les poignets et les pieds troués ! lance Basile. Je vois enfin le crucifié... L'Imposteur a tellement hanté mes nuits de cauchemar !

Hugues intervient, saisit son ami par les épaules pour l'arracher à cette vision morbide et sacrilège. Extatique, Basile se laisse entraîner. Son menton est tombé sur sa poitrine ; il s'est voûté d'un coup.

— Il n'est pas bon de porter les yeux sur lui, mon ami, le sermonne le comte.

— Mille fois je l'ai vu se dresser dans l'ombre... me tendre ses bras morts et m'attirer à lui. Le maudit !

Payns replace le linceul sur la dépouille de Thomas tandis que Basile poursuit :

— Il m'enlaçait dans la puanteur de sa chair en décomposition et me baisait les lèvres...

— Tais-toi ! fait sèchement Arcis.

— Remontons, notre tâche est accomplie, conclut Payns en se saisissant de la lanterne.

Mais Basile ne peut s'empêcher de se retourner. La forme qui repose dans sa niche s'efface dans l'ombre qui l'enveloppe. Une dernière lueur danse un court instant sur le linceul.

11

Le combat dans la nuit

À peine les Champenois sont-ils sortis du tombeau que Sylbert vient à leur rencontre pour leur dire :

— Il nous faut déguerpir ; j'ai vu quelques silhouettes et des lames briller.

— Des lépreux ? interroge Payns.

— Par mon âme, les marauds se tenaient bien roides pour des éclopés ! Avez-vous réalisé ce que vous aviez à faire ?

— Nous avons en effet accompli notre mission. Peu importe que d'autres pénètrent dans cette tombe, désormais. Nul ne saura jamais ce que nous emportons.

— Ce quartier est un véritable labyrinthe, précise Sylbert. Restons groupés et fuyons sans plus tarder.

— Éteignons la lanterne, propose Hugues.

L'homme à la hache se retourne sur Longmaur pour lui ordonner :

— Chevalier, prenez vos hommes et donnez la chasse à ces rats !

Longmaur n'a guère l'habitude d'être commandé, mais Bucelin lui décoche un regard qui lui intime l'ordre de se soumettre. Il s'y résout :

— Bien, suivez-moi ! lance-t-il aux quatre hommes qui l'accompagnent.

Seuls dans la nuit, l'homme à la hache et le légat restent un instant sans rien dire, regardant dans la direction du sépulcre. Puis, après avoir allumé une torche, le tueur annonce :

— Il était préférable d'éloigner tout ce monde de la sépulture, n'est-ce pas, Monseigneur ? Il eût été fâcheux que vos croisés découvrissent ce que nous allons y voir.

— Certe. Je crains cependant que les Champenois n'aient eu le temps de toucher au suaire !

— Je sais ! Je sais aussi que nos hommes ne parviendront pas à les prendre.

— Comment pouvez-vous en être certain ?

— Vos agents de Champagne n'ont donc pas colporté jusqu'à vous la réputation de ce maudit Payns, Éminence ?

— Ma foi, il court en effet certains bruits sur lui. Des ragots qui se donnent des airs de légende. Faut-il prêter l'oreille à ce genre de rumeur ?

— C'est un sorcier engendré par le Diable ! Et c'est le Malin en personne qui lui a enseigné la maîtrise des armes. Qui se trouve à portée de son épée est condamné !

Bucelin hausse les épaules, désireux de clore là cette conversation. Certes, on lui a souvent parlé du chevalier Hugues de Payns. On lui a rapporté maints propos suggérant que le Champenois pratiquait la sorcellerie.

Le prélat du pape ne peut avouer au tueur qu'il a peur. Peur de cette nuit silencieuse, de ces ombres tourmentées qui sont apparues sur le seuil de leurs masures. Peur de ce qu'il va découvrir dans le caveau. Cette vérité endormie dans la terre depuis près de dix siècles. Cette vérité !

Peur. Et froid.

Son sang frappe à ses tempes à grands coups glacés.

— Vous tremblez, remarque l'homme à la hache.

— Ce n'est rien, articule difficilement Bucelin. Finissons-en !

Quelques lépreux ont allumé à leur tour des torches ou des lanternes et se sont avancés à quelque distance de l'ouverture du tombeau.

Bucelin a porté la main à sa bouche, pris d'une nausée soudaine. Il ignore comment se propage la lèpre. Suffit-il de respirer l'air vicié qui entoure les malades pour être contaminé ?

— Venez ! commande le tueur qui s'enfonce déjà dans le caveau.

— Encore un effort, Basile, je t'en supplie…

— Damnées jambes qui ne portent plus ma carcasse !

Payns, l'épée en main, tout en ne quittant pas des yeux les cinq silhouettes de croisés qui ont débouché de derrière un mur, à moins de vingt mètres, impose :

— Qu'Arcis et Geoffroy ramènent notre frère Basile au dortoir ! Hugues et Sylbert avec moi…

— Hé, cousin, s'exclame Sylbert, nous ne nous retrouvons plus qu'à trois pour nous mesurer à ces canailles !

— C'est largement suffisant, lui répond Payns en s'esclaffant. Pour la gloire de Jésus !

— Par fidélité à sa Parole ! ajoute Hugues.

Les croisés approchent. Lorsqu'ils ne sont plus qu'à quelques pas des Champenois, Sylbert, reconnaissant l'un d'eux, s'écrie :

— Ah, c'est toi, Longmaur ! Toi, un frère d'armes ?

— Je ne compte pas les renégats parmi mes compagnons !

— Tu ignores pourquoi il t'est demandé de nous tuer, et tu obéis aveuglément ?

— Je ne possède pas une intelligence avisée ; je sais simplement que Monseigneur, en qui j'ai la plus grande confiance, m'a certifié que j'œuvrais pour une juste cause.

Payns intervient :

— Vous avez encore le temps de vous retirer avec vos hommes, chevalier. Nous éviterons ainsi de verser inutilement le sang.

Se tournant vers les croisés, et prenant plus précisément l'un d'eux à partie, Longmaur, dans un éclat de rire, lance :

— Le beau conseil que nous donne là ce triste sire ! Bien sûr que le sang va couler, et ce ne sera pas le nôtre ! Qu'en penses-tu, Euric ?

Ce dernier ne partage pas l'hilarité de son compagnon. Il ignore pour quelle raison une sourde appréhension contrarie sa respiration et lui noue la gorge. Il ne craint pas Sylbert qui, s'il est habile bretteur, ne représente cependant pas un grand danger. Mais les deux autres ? Ces deux-là qui attendent, impassibles, solidement campés sur leurs jambes, les deux mains empoignant le pommeau de leur épée...

— Eh bien, qu'en penses-tu, Euric ? répète Longmaur.

Euric finit par répondre sans grand courage :

— Je me range à ton avis.

Alors, d'un geste, Longmaur jette ses croisés contre les Champenois.

Chocs métalliques. Ahans, cris, jurons...

— Voyez ! lance Bucelin en se penchant sur le linceul sous lequel pointent les os de Thomas. Ils ont découpé le suaire. Ce n'était donc pas une légende. Vous comprenez, maintenant ? C'était vrai ! Ils ont emporté la formule révélée par le Christ !

Puis, voyant que le tueur ne manifeste aucune émotion, qu'il se contente de demeurer impassible devant la dépouille de l'Imposteur, l'évêque ajoute d'une voix sèche :

— Cela ne vous fait donc rien ? L'Église que nous servons corps et âme a cherché ce corps depuis les origines, et vous ne semblez pas en être affecté !

— Simple péripétie... Un temps pour chaque chose.

La voix est douce, enfantine.

— Une péripétie ! tonne Bucelin. Vous ne pouvez pas ignorer l'importance magistrale de cette découverte ! C'est le miracle de l'immortalité ! Jésus ne possédait pas de pouvoir divin... C'était un alchimiste qui a transgressé les lois de la Nature !

La voix de miel, sous le capuchon, se durcit un peu :

— Blasphème !

— Je l'ai nié longtemps, moi aussi. Je me suis résigné à défendre la cause mensongère de l'Église. Défendre le dogme... car le dogme est plus important que la vérité !

— Non, vous êtes dans l'erreur, Monseigneur. Moi, je défends la Vérité. Celle qui dit que le Christ a été fils de Dieu. Quoi que je voie, quoi que j'entende qui aille là-contre, je ne cesserai d'y croire.

— Mais c'est folie que de ne pas admettre l'usurpation d'identité de Jésus par son jumeau ! Voyez ! Voyez !

Bucelin retire le drap gris tacheté de moisissures des restes de Thomas.

— Voyez ! crie-t-il à nouveau. Les poignets et les chevilles ! Tous quatre percés par les clous qui ont maintenu sur la croix cet imposteur. Il n'y a jamais eu de résurrection dans ce caveau. Jamais ! Le Nazaréen y a séjourné trois jours, certes. Oui, cela, je le concède : les Saintes Écritures font allusion à ce temps passé sous la terre. Mais Jésus est ressorti avec sa chair et ses os pour prendre la fuite.

La voix douceâtre reprend :

— Sainte Menehould a écrit que, *le premier jour de la semaine, les femmes qui étaient venues de Galilée avec Jésus se rendirent au sépulcre, tôt matin, les bras chargés d'aromates qu'elles avaient préparés durant la nuit. Elles trouvèrent que la pierre avait été roulée de devant le sépulcre ; et, étant entrées, elles ne découvrirent pas le corps du Seigneur Jésus. Comme elles ne savaient qu'en penser, voici que deux hommes leur apparurent, revêtus d'habits resplendissants. Effrayées, elles baissèrent le visage contre terre, mais les deux hommes leur dirent : « Pourquoi cherchez-vous parmi les morts celui qui est vivant ? Il n'est point ici, mais il est ressuscité. Souvenez-vous comme il vous a parlé, lorsqu'il était encore en Galilée et qu'il disait : "Il faut que le Fils de l'homme soit livré entre les mains des pécheurs, qu'il soit crucifié et qu'il ressuscite le troisième jour." »*

Ne pouvant plus dissimuler son irritation, Bucelin lance :

— Êtes-vous aveugle ou sot ? Comment refuser cette preuve ? Comment ne pas voir ? Là, devant vos yeux, gît le squelette de celui qui a été flagellé, torturé et mis en croix !

— Je vois ce que je dois voir, Monseigneur. Oui, en effet, je distingue les marques du supplice sur ce drap. À Rome, d'habiles artisans sauront rapiécer ce suaire et, pour la chrétienté entière, il deviendra la plus sacrée des reliques ! La preuve de l'existence du Christ ! De son passage par les ténèbres de la mort avant sa résurrection.

— Vous voulez faire honorer le linceul de Thomas par les croyants ? Le linceul d'un mystificateur ?

La voix calme, toujours, et lente :

— Qui pourra affirmer que ce linge ne fut pas celui de Jésus ? Où sera la supercherie ? Je suis ici pour écrire l'Histoire !

Payns s'aide du pied pour retirer son épée de la poitrine d'Euric qu'il vient de terrasser. Le blessé hurle de douleur et de terreur en voyant la lame rougie de sang s'extraire de sa chair, entraînant avec elle peau et muscle.

Il implore le chevalier de l'achever afin de le libérer de ce martyre. Mais Payns l'abandonne déjà pour courir à l'aide de Sylbert que Longmaur malmène, le faisant reculer pas à pas sous de violents assauts.

De son côté, le comte Hugues pare avec agilité les coups de deux croisés, les retenant le temps que Payns libère son cousin et vienne ensuite l'épauler.

— Tes muscles se sont rouillés depuis la bataille de Jérusalem, Sylbert ! raille le croisé.

Attaque au fer. Parade de la pointe. Quinte. Le Champenois recule, se défendant de son mieux sans pouvoir mettre Longmaur en difficulté.

Et le croisé d'en rajouter en riant :

— Mon pauvre ami, j'ai grand-pitié de toi. Il m'est aisé de te tuer maintenant que je t'ai bien fatigué. Et, pour ce geste, le légat Bucelin m'octroiera au moins deux siècles d'indulgences !

Payns a entendu. Au nom de Bucelin, sa colère est telle qu'il attaque le croisé dans le dos pour lui traverser le torse d'un coup brutal et franc.

Longmaur ne saisit pas immédiatement. Il ignore pour quelle raison il a soudainement froid. Pourquoi il sent ses jambes fléchir, leurs muscles vidés de toute énergie.

Il voit cette pointe d'acier dépasser de sa chemise, rouge. Et il comprend qu'il a été transpercé de part en part.

Peut-il parler encore ? Car il souhaiterait maudire ce boucher de l'avoir assassiné par traîtrise. Ce Payns que l'on dit proche de Satan et faisant commerce avec toute la coterie de l'enfer. Ce Payns qui lui vole sa vie comme l'aurait fait n'importe quel brigand !

— Ce n'est guère chevaleresque, articule-t-il d'une voix stupide et déjà noyée de sang.

Puis ses jambes ne le soutiennent plus ; il s'effondre sur les genoux.

— C'est là une bonne position pour prier, entend-il dans le martèlement de son sang qui frappe à ses tempes.

Payns, comme il l'a fait à sa première victime, pose sa botte droite bien à plat sur le dos de Longmaur pour reprendre son épée. En la dégageant ainsi, il arrache au croisé une plainte de bête blessée.

Longmaur tombe alors sur les mains, secoué de spasmes et de hoquets, vomissant un sang d'encre aux pieds de Sylbert qui n'a plus esquissé le moindre geste depuis l'attaque de Payns.

— Vite, cousin, prêtons main-forte à Hugues !

Le tueur a soigneusement plié le suaire de Thomas.

— Tenez, Monseigneur, je vous le confie un instant.

Puis il précise :

— Ma mission consiste aussi à effacer les mensonges.

Il élève sa hache au-dessus du squelette de Thomas. Bucelin s'écarte, tenant le linge et la torche. Il recule de trois pas, se colle à la paroi humide du tombeau. Et murmure tout bas :

— *Magnificat anima mea Dominum. Et exsultavit spiritus meus in Deo salutari meo*[1].

Le tueur abat son arme. Les os sont fracassés et volent en esquilles qui scintillent un instant dans la lumière de la torche.

— Mon Dieu ! souffle le légat du pape.

L'homme s'acharne alors sur les restes de l'Imposteur. Sa cognée frappe et brise cette malheureuse chose blanche qui se démembre, se désintègre. Les os claquent et cassent comme du bois sec.

En bûcheron damné, ivre de folie, le tueur réduit en poussière cette affligeante dépouille qui se disperse bientôt en atomes d'or dans la nuit du sépulcre.

Bucelin ne cesse de prier. Il marmonne maintenant une litanie inintelligible tant il a peur. Le massacre du squelette lui paraît durer une éternité. La hache du jeune bourreau crisse quand elle heurte la pierre. Ce bruit déchire les tympans de l'ecclésiastique.

— Mon Dieu ! répète-t-il alors distinctement.

— Quoi, mon père ? demande soudain l'homme à la hache en se retournant.

Une odeur de sueur et d'urine. La sueur du tueur. La pisse de Bucelin, qui s'aperçoit qu'il a les cuisses trempées.

— Quoi, mon père ? est-il de nouveau demandé avec les mêmes intonations que la première fois.

« Cette voix, pense l'évêque, si délicate, si féminine… Après tout, ai-je distinctement observé ses traits ? Suis-je certain qu'il s'agit bien d'un homme ? Lorsque l'abbé lui a recousu joue et pommette, une pensée m'a traversé l'esprit. Je me suis dit que son visage était presque trop parfait : la ligne de son menton glabre, la douceur de son regard… »

— Veuillez me rendre le suaire, Monseigneur.

— Oui. Prenez.

— Il y a autre chose.

— Quoi ?

— Vous et votre jeune abbé avez vu mon visage. Sachez que je le regrette fort…

---

1. Mon âme glorifie le Seigneur. Et mon esprit exulte de joie en Dieu, mon Sauveur.

Bucelin soupire longuement. Il n'a plus de voix pour défendre sa cause, promettre qu'il ne parlera jamais. À personne. Jurer qu'il sera capable d'oublier le visage de cet androgyne. Pour toujours.

Il se contente de fermer les yeux. Les ténèbres s'imposent à lui dans toute leur horreur. Elles sont vides. Nul ne lui tend la main.

Il le sait. Le Christ n'était pas le fils de Dieu.

Il meurt ainsi, la tête éclatant sous un violent coup de cognée. Il meurt avant que son corps ne se soit affaissé.

Son assassin ramasse la torche tombée à terre et enflamme les vêtements de sa victime avant de quitter la sépulture.

La nuit le saisit de sa fraîcheur parfumée ; il en aspire l'air sucré. Cherchant des yeux les croisés qui l'ont accompagné, il hausse les épaules, certain que les Champenois les ont tous tués. Aussi décide-t-il de reprendre son chemin et de retourner au Temple. Il remet sa hache à sa ceinture.

Des formes sont sorties de leurs cahutes et encerclent bientôt l'étranger en parlant bas. Certaines s'approchent plus près de lui. D'autres préfèrent se tenir en retrait, étonnées, craintives.

L'un de ces fantômes désigne la tombe d'où l'homme est sorti. Une lueur en jaillit.

Le tueur tourne lentement sur lui-même pour découvrir l'un après l'autre tous ces lépreux, momies défigurées, créatures de glaise difformes. Il attend que ces pantins désarticulés forment un large cercle autour de lui pour abaisser son capuchon. Ses yeux transparents sont ceux d'un saint extatique. Ils illuminent son visage d'androgyne.

— Soyez bénis, car cette nuit est celle de la Lumière ! s'écrie-t-il. Celle de la foi rayonnante ! *Père, l'heure est venue, glorifie Ton fils afin que Ton fils Te glorifie et que, selon le pouvoir sur toute chair que Tu lui as donné, il offre la vie éternelle à tous ceux que Tu lui as donnés. Or la vie éternelle, c'est qu'ils Te connaissent, Toi le seul vrai Dieu, et celui que Tu as envoyé, Jésus-Christ. Je T'ai glorifié sur la terre, j'ai achevé l'œuvre que Tu m'as donnée à faire. Et maintenant, Père, glorifie-moi auprès de Toi de cette gloire que j'avais auprès de Toi avant que le monde fût.*

Puis, de sa main droite, il trace dans l'espace un large signe de croix avant de réajuster sur sa tête la cagoule de sa broigne, replongeant son visage dans l'ombre.

Il s'en retourne, traversant les lignes des lépreux sans éprouver le moindre dégoût.

Le voici seul dans une ruelle, marchant d'un pas rapide, le suaire de Thomas sur l'épaule.

« Il ne me reste plus qu'à me charger de ce jeune abbé. Quant au secret des Champenois, Hélène de Brienne finira bien par me le livrer un jour ! Je saurai être patient. »

12

Le second serment

Les cinq chevaliers champenois ont regagné leur dortoir. Basile, que la marche dans Jérusalem a épuisé, repose sur sa couche de paille, un linge mouillé d'eau fraîche couvrant son front.

Arcis s'est assis à côté de lui et a pris sa main gauche dans les siennes.

— Je suis désolé, murmure Basile dans une plainte. Je suis devenu bien encombrant. J'ai mis votre vie à tous en péril, tout à l'heure.

— De quoi parles-tu ? demande Arcis.

— En laissant Payns, le comte et Sylbert se battre contre les hommes de l'évêque.

— Eh bien, intervient Payns, nous nous en sommes sortis sans trop de difficulté, vois-tu ! J'ai même éprouvé un certain plaisir à planter mon épée dans le dos de ce Longmaur. Le brigand s'attendait sans doute à un combat obéissant aux règles de la chevalerie, et en a été pour ses frais.

Sylbert, qui s'apprêtait à sortir de la pièce, s'arrête sur le seuil pour dire :

— Par ma foi, cousin, j'avoue que moi aussi tu m'as bel et bien étonné. Je ne regrette certes pas ton geste, qui m'a sorti d'une périlleuse situation, mais je ne t'imaginais pas aussi brutal.

Payns éclate de rire et réplique :

— Je ne connais qu'une seule et unique règle dans une bataille, cousin. Un principe dont je ne me dépars jamais : il faut vaincre ! J'ai jugé que nos assaillants ne méritaient pas d'être traités honorablement, et c'eût été une grande perte de temps que de mieux les considérer. Vaincre, te dis-je !

— Je m'en souviendrai, affirme Sylbert en se retirant.

Quelques minutes plus tard, le comte Hugues s'enquiert si Basile se sent suffisamment solide pour se lever.

— Oui, oui, fait le malade en ôtant de son front le linge humide.

Arcis l'aide à se redresser, puis à sortir du lit.

— Joignons nos mains, frères, dit alors Hugues.

— Tu as raison, comte, ajoute Payns, ne tardons pas ; formons la Chaîne d'union pour prononcer notre second serment.

Les chevaliers lèvent leur bras droit tendu. Les mains s'unissent. Les hommes dessinent ainsi une étoile à cinq branches.

— Par Salem, la ville de la Paix qui devint Jérusalem, commence Hugues, la cité de toutes les confrontations entre les mains des souverains omeyyades, des Abbassides, des Fatimides chiites et des Seldjoukides sunnites...

Payns poursuit :

— Par l'indicible Secret scellé dans ses pierres cimentées par le sang de ses victimes...

— Par le cristal de son eau...

— Par l'eau de ses roches...

— Par son or spirituel !

— Puisqu'il sera toujours l'heure et que nous aurons toujours l'âge, selon l'enseignement de notre maître le frère Premier, jurons de poursuivre nos travaux dans l'Unité recouvrée.

— Que jamais nous n'enlevions de notre main cette chevalière qui rattache la mort à notre vie et notre vie à la mort selon un cycle irréversible.

— Jurons de nous unir en ouvrant la main droite du Christ dès qu'un danger menacera notre ordre et notre science. Jurons-nous une éternelle fidélité pour que progresse l'humanité. Tant que le soleil se lèvera à l'est et qu'il se couchera à l'ouest au-delà de la mort, nous répondrons présents à l'appel de nos frères. Jurons !

Les cinq Champenois reprennent en chœur :

— Jurons !

Les bras s'abaissent à l'unisson ; seul Payns porte ensuite la main droite à sa poitrine et récite :

— *Au commencement était le Verbe, et le Verbe était tourné vers la Connaissance, et le Verbe était la Connaissance. Il était au commencement tourné vers la Connaissance. Tout fut par elle, et rien de ce qui fut ne fut sans elle. En elle était la vie et la vie était la lumière des hommes, et la lumière brille dans les ténèbres et les ténèbres ne l'ont point comprise. Il y eut un homme, envoyé de la Connaissance, son nom était Jean. Il vint en témoin pour rendre témoignage à la lumière, afin que tous croient par lui. Il n'était pas la lumière, mais il devait rendre témoignage à la lumière. La Connaissance était la vraie lumière qui, en venant dans le monde, illumine tout homme. Il était dans le monde, et le monde fut par lui, et le monde ne l'a pas reconnu. Il est venu dans son propre bien, les siens ne l'ont pas accueilli. Mais à ceux qui l'ont reçu, à ceux qui croient en son nom, il a donné le pouvoir de devenir enfants de la Connaissance. Ceux-là ne sont pas nés du sang, ni d'un vouloir de chair ni d'un vouloir d'homme, mais de la Connaissance. Et le Verbe fut chair et il a habité parmi nous et nous avons vu Sa gloire, cette gloire que, Fils unique plein de grâce et de vérité, il tient de la Connaissance. Jean lui rend témoignage et proclame : « Voici celui dont j'ai dit : après moi vient un homme qui m'a devancé, parce que avant moi il était. De sa plénitude en effet, tous, nous avons reçu, et grâce sur grâce. Si la Loi fut donnée par Moïse, la grâce et la vérité sont venues par Jésus. Personne n'a jamais regardé l'œil de la Connaissance ; le Fils unique, qui est dans le sein du Savoir, nous l'a dévoilé. »*

Après un temps, Payns ajoute :

— Ainsi a été prononcée la véritable parole. Celle de l'Évangile de vérité. Celle que les docteurs de l'Église ont altérée et répandue, dissimulée derrière de nombreux mensonges. Notre maître Jésus, le frère Premier, n'a pas souffert sur la croix, n'est pas monté aux cieux, ne s'est pas assis à la droite du Père. Nous sommes fils de la Lumière, enfants de la Connaissance, et sommes initiés aux arcanes subtils reliant les vivants aux morts.

Le silence, maintenant. Payns regarde ses amis, leur sourit et, de la pointe du pied gauche, fait mine de tracer une croix sur le sol. Il est le premier à cracher sur cette croix invisible, aussitôt suivi par les quatre autres chevaliers.

Le comte Hugues conclut la cérémonie par ces mots :

— Maudite soit la croix ! Par I.N.R.I., Jésus s'est endormi dans l'attente de recouvrer la Vie, et nous veillerons sur son sommeil dans les siècles à venir.

Il ne parvient pas à trouver le sommeil. Il est rare qu'il s'endorme aisément. Cela, depuis son arrivée à Jérusalem. Il ne cesse de se remémorer les plaintes des mourants, les cris des femmes et des enfants... Tous ces malheureux que les croisés ont massacrés, marchant dans leur sang, hurlant leur folie tels des damnés. Et frappant sans cesse malgré la fatigue. Brisant les crânes, sectionnant les membres, déchirant les chairs.

Il supporte ses insomnies en priant, agenouillé au pied de son lit, le visage levé vers la grossière croix de bois clouée sur le mur de chaux.

Ses genoux saillants souffrent sur la pierre fraîche, des crampes tétanisent souvent ses muscles et ses reins le font souffrir, mais il se force à ne pas bouger.

Il prie.

— Tu es bien jeune, l'abbé ! Bien trop jeune pour avoir des péchés à te faire pardonner !

La voix posée, angélique. La voix de l'homme à qui il a recousu tantôt le visage.

L'abbé se retourne, étonné de n'avoir entendu aucun craquement. Pourtant, la porte de sa cellule a été ouverte en grand et l'envoyé du pape se tient sur le seuil.

— Ah, c'est vous ! s'exclame l'abbé. Tout s'est-il bien passé ? Monseigneur Bucelin est-il couché ?

L'homme tient sa hache de la main droite. De la gauche il abaisse son capuchon, et fait trois pas.

— Relève-toi et regarde-moi bien, l'abbé.

Ce dernier obéit, tremblant comme un chat mouillé, un incontrôlable sanglot montant dans sa gorge. Une boule de terreur et de tristesse.

— Je vous ai demandé si Monseigneur Bucelin était revenu avec vous de votre expédition, parvient-il à articuler.

Le tueur ne répond pas, il se contente de sourire en approchant son visage tout près du sien. Si près qu'il donne l'impression de vouloir l'embrasser.

L'abbé sent l'haleine de l'homme tiédir ses lèvres.

La voix, la voix suave s'insinue en lui en un murmure :

— Judas a embrassé Jésus pour le désigner aux Romains et le livrer ainsi à la mort. *Alors l'un des Douze, qui s'appelait Judas Iscariote, se rendit chez les grands prêtres et leur dit : « Que voulez-*

vous me donner, et je vous le livrerai ? » Ceux-ci lui fixèrent trente pièces d'argent. Dès lors, il cherchait une occasion favorable pour le livrer. C'est écrit ! C'est ce qui sera vrai pour les siècles à venir.

— Le légat ? Où est-il ? Qu'en avez-vous fait ?

— Embrasse-moi et meurs avec le baiser fraternel de ceux qui se sacrifient pour préserver le dogme de la Sainte Église. *Celui qui le livrait leur avait donné un signe : « Celui à qui je donnerai un baiser, avait-il dit, c'est lui, arrêtez-le ! » Aussitôt il s'avança vers Jésus et dit : « Salut, rabbi ! » Et il lui donna un baiser. Jésus lui dit : « Judas, mon ami, fais ta besogne ! »*

Le jeune abbé recule d'un pas. Ses jambes froides et raides lui interdisent de bouger davantage.

— Par pitié, messire... Je suis des vôtres ! balbutie-t-il. Que Dieu me vienne en aide ; j'ai juré allégeance aux Gardiens du Sang !

— Oui. Mais tu as vu mon visage. Et celui qui croise le regard de l'ange exterminateur est condamné à mort !

— Vierge Marie, vous êtes fou !

La voix de l'assassin se fait crécelle, aigre et acide. Pointue comme un stylet. Un rire acide, hoqueté.

Et c'est cette musique hystérique qui accompagne le mouvement de la hache dans l'espace de la cellule. Un ample demi-cercle conduisant la lourde lame à la tête du jeune abbé.

Le meurtrier s'écarte pour laisser tomber sa victime.

— Le fou de Dieu ! lance-t-il dans un dernier rire. Son bras de justice !

À peine le jour s'est-il levé sur Jérusalem que le roi Baudouin se présente au dortoir des Champenois sous le prétexte de s'enquérir de la santé du chevalier Basile le Harnais.

— Je suis heureux de constater que votre santé n'a pas empiré avec la nuit... Bien que celle-ci ait été nuit de chaos !

Se redressant sur un coude, Basile demande innocemment :

— Que voulez-vous dire ? Avez-vous dû repousser quelque combat que nous n'ayons pas entendu ?

Payns s'est approché. Le roi poursuit :

— Certes non ! Il ne s'agit pas de l'enceinte qui nous abrite ; je parle plutôt d'événements qui se sont produits dans les faubourgs.

— Un soulèvement de la populace ? demande Payns.

— Ce n'est pas cela non plus, dit le roi tandis que les Champenois font cercle autour de lui.

— Vous aiguisez notre curiosité, Sire, fait Geoffroy sans même dissimuler l'ironie de sa voix.

Baudouin accepte la joute et joue l'ingénu en précisant :

— Très tôt ce matin, des lépreux sont venus nous rapporter ce à quoi ils avaient assisté, et nous avons dépêché une escouade dans leur quartier. Nous y avons trouvé le cadavre du chevalier Longmaur ainsi que ceux de quatre croisés. Poursuivant nos investigations, nous avons aussi découvert quelque chose de bien surprenant...

— Oui ? lance Payns.

— Une tombe antique avait été incendiée. Elle s'est effondrée alors que nos hommes allaient pénétrer à l'intérieur, nous interdisant de la fouiller. Mais il y a autre chose encore...

— Oui ? répète Payns

— Monseigneur Bucelin, le légat du pape, a disparu ! Et l'un des abbés attachés à sa suite a été trouvé tout à l'heure dans sa cellule, le crâne fracassé !

Ces révélations surprennent les Champenois. Jusqu'à présent, les propos de Baudouin étaient tous prévisibles. Ces deux dernières informations les désarçonnent.

Le roi fait mine de n'avoir rien remarqué et poursuit :

— Mes chevaliers et moi-même avons immédiatement fait le rapport avec l'inconnu qui a massacré écuyers et pages hier, et que le chevalier Basile a mis en fuite. Nous pouvons affirmer qu'il est encore entre nos murs.

— C'est à craindre, en effet, souligne Basile. La blessure que je lui ai infligée n'était guère profonde et ne l'aura certainement pas handicapé.

— Ce serait lui qui aurait tué l'abbé ? interroge Arcis.

— À n'en pas douter, affirme le roi. Seule une hache a pu lui fendre le crâne de la sorte.

Puis, après un temps, il ajoute :

— J'ai cru tout d'abord que les visiteurs de la tombe du village des lépreux étaient des pillards. Ces derniers causent souvent de grands dommages et je regrette de devoir vous avouer que nombre d'entre eux viennent de nos propres rangs. La tentation est grande pour eux d'amasser une petite fortune qu'ils dissimulent dans leurs bagages pour la rapporter chez eux plus tard.

— Vous n'avez pas retenu cette éventualité ? demande Payns.

— Que peut-on vouloir marauder dans un ancien cimetière hébreu ? On n'y trouve aucune parure de prix, ni or ni argent. Rien que des urnes funéraires. Et puis, je ne peux admettre que le chevalier Longmaur ait été un brigand. L'homme n'était pas pétri d'une grande finesse, mais il était loyal. Je crains de ne jamais connaître la clef de cette énigme. De ne jamais savoir qui est ce boucher qui me tue de braves garçons en leur fendant la tête comme de vulgaires bûches.

Le roi se dirige vers la porte. Il se retourne vers Basile, maintenant assis dans son lit, et lui dit :

— Je suis fort aise de vous trouver vaillant, chevalier. Votre fièvre aura disparu dans peu de temps, à en juger par votre teint qui reprend un peu de couleurs.

— Votre sollicitude me touche, Sire.

Le jeune roi esquisse un soupçon de sourire qui lui creuse une menue fossette dans chaque joue, et quitte la pièce.

Le comte Hugues lui emboîte le pas et l'accompagne dans le couloir.

— Oui, comte ?

— Sire, je voulais vous dire…

— Quoi ? Que les lépreux qui ont été réveillés par des combats dans leurs rues ont vu trois chevaliers en fuite et trois autres aux prises avec cinq croisés ? Qu'ils ont particulièrement remarqué l'un d'eux ? Un bretteur émérite qui manie l'épée comme un forcené ? C'est de cela que vous vouliez me parler, comte ?

— Non, Sire, je désirais demander votre protection. Mes compagnons et moi avons l'intention de voyager à travers la Palestine ; nous souhaitons retrouver tous les lieux que Notre-Seigneur Jésus-Christ a marqués de son empreinte.

— Je vois… Comment refuser au puissant comte de Champagne et à ses chevaliers une escorte pour un si pieux pèlerinage ? Vous aurez ce que vous demandez, Hugues.

Hugues s'incline pour dire :

— Soyez-en loué, Baudouin. Vous pourrez dès lors me considérer comme l'un de vos plus fidèles vassaux. Je vous assure que les gens de Champagne viendront bientôt en grand nombre vous soutenir à Jérusalem et vous aider à défendre la sécurité des croyants.

— Ce jour-là, je serai votre débiteur, comte.

Le roi a parlé sèchement. Il abandonne le comte et regagne la cour, où il rejoint les chevaliers Bertrand et André qui l'attendent.

Hugues tourne les talons et se retrouve nez à nez avec Payns.

— Ah, tu as entendu ? C'est bien ce que tu désirais, mon frère ? Que nous nous engagions en Terre sainte ?

— C'est ce que nous ferons tant qu'il nous faudra préserver le Secret. Nous y investirons toutes nos forces et tout notre or ! Car nous savons que nous ne manquerons jamais d'or, n'est-ce pas, frère ?

13

Le Confiteor

Nous sommes remontés sur Bethléem où naquirent les deux frères, Jésus et Thomas, dont la légende dit qu'ils sortirent enlacés du ventre de Marie.

Puis nous avons poussé jusqu'à la patrie de Joseph, Arimathea, où nous sommes demeurés un long temps à la recherche d'écrits de celui qui ensevelit Thomas.

Nous avons ensuite traversé la Samarie pour atteindre enfin la Galilée... Je pense sans cesse à Hélène qui m'attend ; je ne pourrai m'empêcher de lui raconter notre aventure. À elle je ne saurais rien cacher...

Le vent hurle aux volets, qui claquent contre la brique, et se glisse par les interstices du bois pour venir mordre les chevilles d'Hélène. Celle-ci achève de lire le dernier feuillet des mémoires de son mari, qu'un inconnu a tué l'avant-veille en lui volant sa main droite.

On frappe doucement à la porte. On l'appelle. Reconnaissant la voix grave et sévère de Payns, elle court lui ouvrir.

— Comme je suis heureuse que vous ayez pu venir aussi vite, lui dit-elle en se jetant dans ses bras pour y pleurer comme une petite fille.

— J'ai accouru pour enterrer un ami et réconforter son épouse, murmure le chevalier dans les cheveux de la jeune femme.

Il referme la porte derrière lui et repousse doucement Hélène, embarrassé, peu habitué à manifester ainsi sa compassion.

La jeune femme se frotte les yeux du coin de son châle et se rend à la cheminée pour y tisonner de grosses braises rouges, presque translucides. Elle désigne ensuite les feuilles de vélin sur la table.

— Je lisais le journal d'Arcis. Je m'aperçois que j'aimais un hérétique. Je l'aimais au-delà de tout ! Mais, par ma foi, je n'ai jamais partagé sa croyance.

— Alors, vous savez…

— Ne craignez rien, j'ai conservé le silence sur ses… sur vos convictions ! Mais c'est l'« homme à la hache » qu'il décrit dans son journal qui l'a tué, n'est-ce pas ? Celui qui s'est introduit dans votre dortoir à Jérusalem ?

— En effet, Hélène. Lorsque j'ai lu le message que vous m'avez fait porter, j'ai compris d'emblée qu'il s'agissait du même assassin.

— Arcis repose dans notre chambre ; désirez-vous le voir ?

— Oui, mais avant, je dois brûler son journal. Il n'aurait jamais dû écrire ces mots, ni vous mettre dans la confidence. Certains secrets, lorsqu'ils sont tracés, cheminent avec les mauvais vents.

— J'étais sa femme bien-aimée, Payns.

— Justement ! Il eût été préférable de vous laisser en dehors de cette affaire.

Payns s'est approché de la cheminée, les feuillets de vélin à la main. Il regarde un instant les braises, semblant réfléchir au geste qu'il s'apprête à faire.

— Vous avez raison, Payns, lui dit Hélène. Brûlez ce manuscrit. Brûlez-le !

Le chevalier se décide enfin. Il jette les feuilles dans l'âtre ; elles s'embrasent aussitôt en crépitant. En se repliant sur elles-mêmes sous l'effet de la chaleur, elles paraissent vouloir protéger leur contenu des flammes.

— Maintenant, dit Payns, conduisez-moi auprès de lui.

Hélène s'est emparée d'une lampe à huile pour emprunter le corridor empli d'ombre.

— Suivez-moi.

Les grossières lattes de parquet craquent sous leurs pas. La jeune femme ouvre une porte et s'efface pour laisser entrer Payns.

— Je reste sur le seuil, souffle-t-elle. J'éprouve trop de peine à le voir ainsi.

Quatre cierges ont été placés aux coins du lit. Leurs petites flammes vacillent sous le vent qui traverse la maison en couinant.

— Les voisins m'ont aidée, dit Hélène. Pour sa toilette… Pour le porter jusque dans cette pièce. Pour…

Elle ne peut finir. Sa voix s'étouffe dans les larmes.

Payns observe le visage cireux de son ami. Le front à la peau blanche froncée. Les joues et les orbites creusées par la mort. Les lèvres tendues en une grimace de douleur, laissant apparaître les dents inférieures jaunies.

Le bras droit a été dissimulé sous le drap qui en a épousé la forme, montrant nettement qu'il a été sectionné à hauteur du poignet.

« L'Église possède une première bague, pense Payns. Elle nous a condamnés… Tous les cinq ! Et c'est le tueur du pape qui a été chargé de cette fauchaison. »

Hélène voit Payns se pencher sur le visage d'Arcis pour déposer un baiser sur son front, là où le meurtrier avait tracé une croix et le chiffre 1 avec le sang de sa victime.

Pleurer. Pleurer encore. Hélène sanglote, la poitrine en feu, la gorge nouée.

Payns la rejoint, l'attire dans le couloir et referme la porte de la chambre derrière eux.

Ils retournent près de la cheminée. Pour attendre.

— Geoffroy, Basile et Hugues ne tarderont pas, annonce Payns.

— Le comte va se déplacer ? s'étonne Hélène.

— Bien sûr ! Vous avez lu le journal d'Arcis. Vous savez donc quel lien nous unit tous au-delà de la mort. Au-delà du temps.

— Oui, sans doute, soupire la jeune femme. Néanmoins, ces choses qui vous lient – tous ces mystères – me troublent tant que j'éprouve le besoin de demander pardon à Dieu de les avoir approchées.

— Conservez votre foi telle qu'elle vous a été enseignée, si celle-ci vous procure chaleur et réconfort.

— Vous êtes un homme étrange, Payns. Vous me confortez dans une croyance que votre âme refuse !

— Je ne repousse pas Dieu, explique Payns d'une voix calme. Je lui attribue seulement un autre nom. Je le reconnais dans un principe créateur qui a insufflé l'ordre dans le chaos de l'Univers. Qui a imposé des lois immuables à la Nature. Qui a permis à cette dernière d'engendrer la Vie.

— Vous me donnez le vertige, mon ami !

Trois cavaliers entrent dans le village alors que le jour s'amenuise dans une brume ocre. Leurs montures aux sabots lourds doivent se dégager à chaque pas d'une croûte de neige collante.

Geoffroy de Saint-Omer, Basile le Harnais et le comte Hugues de Champagne se rendent à la maison de leur défunt frère Arcis de Brienne.

Hélène est quelque peu intimidée par la présence du comte, bien que ce dernier use de toute sa bonté pour la mettre à l'aise.

Arcis est bientôt mis en bière. Son cercueil, porté par deux fossoyeurs, quitte la demeure. Le glas résonne alors dans le village et les habitants se rendent à l'église. Sur le parvis, un abbé attend, ses mains bleuies de froid croisées sur sa poitrine.

La chapelle est bientôt pleine ; un gamin vêtu d'une aube blanche trop grande pour lui repousse la porte, brisant net l'élan d'un vent glacial.

L'abbé bénit le cercueil et entame le Confiteor, repris en chœur par les paroissiens :

Confiteor Deo omnipotenti,
beatae Mariae semper Virgini,
beato Michaeli Archangelo,
beato Joanni Baptistae,
sanctis apostolis Petra et Paulo,
omnibus Sanctis,
et tibi, pater,
quia peccavi nimis cogitatione, verbo et opere :
mea culpa, mea culpa, mea maxima culpa.

— Vengeance ! souffle Basile à l'oreille de Payns. Vengeance pour Arcis !

— Nous le vengerons.

> *Ideo precor beatam Mariam semper Virginem,*
> *beatum Michaelem Archangelum,*
> *beatum Joannem Baptistam,*
> *sanctos apostolos Petrum et Paulum,*
> *omnes Sanctos,*
> *et te, pater,*
> *orare pro me ad Dominum Deum nostrum.*

Ayant suivi l'échange entre ses deux amis en lisant sur leurs lèvres, le comte Hugues se penche vers eux pour murmurer :

— Mais comment combattre une ombre ? L'homme à la hache lit dans nos propres pensées ; il connaît notre serment comme s'il l'avait prononcé avec nous. De plus, sommes-nous certains qu'il agit bien pour les Gardiens du Sang, et non pour son compte personnel ?

> *Misereatur nostri omnipotens Deus,*
> *et, dimissis peccatis nostris,*
> *perducat nos ad vitam aeternam.*
> *Amen.*

— Il avait l'appui de Bucelin à Jérusalem, poursuit Payns à voix très basse. N'est-ce pas une preuve de l'implication des membres les plus importants de l'Église ?

— Tu as certainement raison, admet Hugues.

> *Indulgentiam, absolutionem et remissionem*
> *peccatorum nostrorum*
> *tribuat nobis omnipotens*
> *et misericors Dominas.*
> *Amen.*

— *Igne Natura Renovatur Integra*, souffle Payns.

— Qu'I.N.R.I. nous illumine et accueille notre frère Arcis dans la lumière du Premier, poursuit Hugues.

— La mort n'est pas la mort, reprend Payns.

— Et la terre n'est pas la tombe !

14

La confession

Le cimetière jouxte l'église. Les tombes collées les unes aux autres semblent se chevaucher tant la neige qui les recouvre en abolit les contours.

La cérémonie s'achève. À grands coups de pelle, les fossoyeurs enfouissent déjà le cercueil d'Arcis sous la terre. Hélène demeure un instant à les regarder. L'abbé, après avoir longuement recommandé l'âme du défunt à Dieu, s'en retourne. Le jeune diacre le suit, portant devant lui une haute et lourde croix de bois avec laquelle il lutte contre le vent.

Les villageois sont tous venus embrasser Hélène avant de regagner rapidement la chaleur de leurs foyers.

— Venez, Hélène… Rentrons.

La jeune femme se tourne vers Payns et ses amis.

— Allez vous réchauffer à la maison, je vous rejoindrai un peu plus tard. J'aimerais me rendre à nouveau dans la chapelle pour prier.

Les quatre Champenois quittent le cimetière à leur tour après avoir discrètement salué une dernière fois leur compagnon en portant leur main droite à la poitrine, à hauteur du cœur.

Geoffroy traîne un peu les pieds et renifle comme un vieux chien au poil trempé. « Après tout, il n'est guère déshonorant de pleurer un tendre ami ! Les larmes seraient-elles réservées aux femmes ? Homme et femme souffrent chacun de même manière. La douleur n'a point de sexe. »

— Allons, Geoffroy, donne-moi le bras, dit Payns en l'attendant.

— Avec plaisir, car ce vent me saoule et je vais de guingois.

— Oui, oui, fait Payns. Le vent nous abrutit et nous brûle les yeux, j'en conviens.

— C'est cela, confirme Geoffroy. Il nous jette sa neige glacée en pleine figure.

Bras dessus, bras dessous, les deux amis rejoignent Basile et Hugues. Geoffroy ne cherche plus à dissimuler son chagrin. Des larmes coulent sur ses grosses joues picotées de poils drus.

Les quatre chevaliers font le chemin en silence. Ce n'est que lorsqu'ils pénètrent dans la maison des Brienne que le comte Hugues annonce :

— Il nous faudra bientôt prendre les dispositions que nous avons déjà évoquées au sujet du Tombeau de Jésus. Les Gardiens du Sang ne se contenteront pas de chercher à nous reprendre les Saints Signes.

— Ils voudront s'assurer que le miracle s'est bien produit ! ajoute Payns.

— Oui, la seule et unique fois où le miracle a été tenté et réalisé. Par Jésus, notre frère d'entre les morts !

— Confessez-moi, mon père, car j'éprouve un grand besoin de contrition et de repentance en ce jour de deuil.

— Une pure intention que celle qui aspire à la légèreté de l'âme en de pareils moments.

L'abbé fait entrer Hélène dans l'unique confessionnal de l'église. C'est plutôt un étroit cagibi dont les lattes de bois ont été disjointes par l'humidité.

L'abbé a pris place derrière la grille contre laquelle la jeune femme a posé son front.

— Je me sens toujours mieux après m'être confessée, dit-elle. Vous m'avez tant soutenue dans ma foi ! Mon cœur aurait éclaté depuis longtemps si je n'avais pu vous parler dans le secret inviolable de ce sacrement.

— Je comprends, Hélène. Seul Dieu écoute ce qui est prononcé ici. Parlez... Confiez-vous à Lui et vous serez délivrée.

Hélène déglutit avec difficulté. Elle éprouve la sensation d'être étranglée en permanence, une cordelette imaginaire lui enserrant le cou.

Elle respire longuement, lentement, pleinement. Elle respire cette atmosphère où s'agrègent l'odeur mielleuse des cierges avec celle, plus rêche, des pierres, la senteur pâle et discrète du bois et l'haleine proche de l'abbé, chaude et âcre.

Elle parle...

L'abbé a attendu quelques instants après le départ d'Hélène pour sortir à son tour de l'église.

Il dépasse les dernières maisons du village, penché en avant, butant contre le vent chargé de neige qui le frappe de plein fouet. Il gravit un talus pour retrouver à son sommet un homme qui attend près de son cheval.

L'inconnu, le visage dissimulé sous un capuchon, porte une hache à sa ceinture.

— Avez-vous appris du nouveau des lèvres de la veuve ? demande-t-il.

— Non, messire. Rien de plus que lors de sa dernière confession.

— Alors je reviendrai... Mais je sais le principal. Et cela, grâce à vous. Les Gardiens du Sang possèdent maintenant un doigt de la main droite du Christ !

— Tout de même, se plaint l'abbé, Dieu ne me pardonnera pas d'avoir enfreint le secret de la confession. J'ai violé ce sacrement à maintes reprises pour vous satisfaire, et j'en souffre beaucoup.

Le tueur porte une main à sa hache et caresse le fil de la lame. L'abbé fait un pas en arrière, au risque de tomber à la renverse dans le fossé.

La voix doucereuse le rassure :

— Ne me craignez pas. Je ne vous ferai aucun mal tant que vous m'obéirez.

— Vous me l'avez dit souvent, messire. Il n'empêche que votre allure me cause bien des frayeurs.

— Nous sommes alliés et travaillons à la même entreprise.

— Oui, cela aussi, vous me l'avez répété. Cependant, je commets d'impardonnables sacrilèges qui pèseront lourdement sur mon âme au jour du Jugement dernier.

— Considérez-vous comme un soldat de Dieu. Pour cela, l'absolution vous sera donnée.

L'homme à la hache remonte en selle. Avant d'éperonner sa monture, il lance à l'abbé :

— Qu'il ne vous prenne jamais l'idée de vous confier à l'un de vos supérieurs. Ni d'avouer à la dame de Brienne que vous trahissez sa confiance...

— Certes non !

— Vous êtes un bon soldat, l'abbé.

Le cavalier lance son cheval et disparaît bientôt au milieu des flocons tourbillonnant dans le vent.

Deuxième partie

La liste rouge

1

La visite du pape

En janvier onze cent huit, le pape Pascal II prend pour prétexte la tenue d'un vague séminaire avec l'évêque de Reims pour
se rendre secrètement dans un petit monastère reculé de Champagne. La guerre qu'il a déclarée aux cinq chevaliers héritiers de
la Loge Première a débuté à Jérusalem quatre ans plus tôt ; elle
n'aura de fin que lorsqu'il aura réuni toutes les bagues contenant
les Saints Signes tracés par Jésus-Christ sur le suaire de son frère.

Il a cessé de neiger depuis deux jours, mais les routes restent
difficilement praticables, obligeant les voyageurs à la prudence.

Un convoi composé de six cavaliers armés et d'un chariot
bâché tiré par deux chevaux passe la porte charretière du monastère de Sainte-Menehould. Un homme corpulent, couvert d'une
épaisse fourrure, descend de la voiture en maugréant :

— Sinistre pays de froidure

Le cocher, qui a quitté son banc, vient aider le gros ours.

— Prenez mon bras, Saint-Père.

— Merci, c'est inutile, voici le père supérieur.

Un petit moine encapuchonné se hâte en effet, sautillant dans
la neige comme un échassier pressé. Parvenu à la hauteur du
pape, il s'incline respectueusement et prononce :

— *Dominus vobiscum.*

— *Et cum spiritu tuo !*

— Très Saint-Père, béni soyez-vous…

— Nous prierons plus tard. Conduisez-moi auprès de lui.

Visage fermé, lèvres étroites, regard sévère, le pape Pascal n'éprouve manifestement aucun plaisir à cette visite.

Le père supérieur l'invite à emprunter un déambulatoire dont la majeure partie, à claire-voie, est parcourue par un vent sifflant et coupant.

— Je dois vous prévenir, commence le père supérieur en bredouillant, à cette heure il...

— Eh bien, est-il là, oui ou non ? s'impatiente le souverain pontife. Il était prévu que je vienne ce jour, n'est-ce pas ?

— Il est bien là, effectivement. Dans l'arrière-cour, derrière ce bâtiment...

Le père supérieur a désigné un cellier à son visiteur. Celui-ci réagit aussitôt :

— Je n'entends rien à ce que vous dites ! Que ferait-il à l'extérieur par un tel froid de tombeau ?

— Justement...

Ils traversent le cellier, qui donne sur un espace carré entièrement recouvert de neige.

Le pape marque un temps d'arrêt.

— Mon Dieu ! s'exclame-t-il. Je n'ai jamais vu plus fol esprit de ma vie ! Cherche-t-il à attraper la mort ?

L'homme à la hache est quasiment nu. Il ne porte qu'une capuche pour dissimuler son visage et un linge blanc noué sur le ventre. Bras écartés et tendus, jambes jointes, crucifié au vent qui le frappe et le mord, il psalmodie le Pater :

> *Panem nostrum quotidianum da nobis hodie.*
> *Et dimitte nobis debita nostra,*
> *sicut et nos dimittimus debitoribus nostris.*
> *Et ne nos inducas in tentationem :*
> *sed libera nos a malo.*

— Ce sont ses exercices, comme il dit, précise le moine. Il les pratique ainsi chaque jour depuis qu'il est arrivé... Pour s'endurcir. Une terrible mortification ! Je dois vous avouer qu'il me fait grand-peur, ainsi qu'à tous mes frères.

— Laissez-nous.

Le père supérieur, dont la curiosité est brutalement frustrée, se retire à contrecœur. Le pape s'approche du tueur. Celui-ci n'abandonne pas sa posture de Christ pour dire :

— *Coram Sanctissimo*[1] Vous voici enfin, Père. Que ma nudité ne vous offusque point ; ma chair et mes os appellent cette souffrance que mon âme étouffe de ses prières.

— Est-ce pour expier vos crimes que vous vous infligez ce genre de châtiment ?

— Je ne tue que sur les ordres de la Sainte Église. Je suis votre arme, Père. Je défends une juste cause ; Dieu me pardonnera pour cela.

— Et j'intercéderai en votre faveur auprès de Lui.

Un vol de corbeaux au croassement grave et monocorde. Puis, de nouveau, la voix presque féminine et atone de l'assassin :

— Sans doute préféreriez-vous que nous regagnions ma cellule ?

— En effet, je ne possède malheureusement pas vos vertus, et mes pieds, quoique chaussés, souffrent de ce grand froid.

Le pénitent abaisse les bras.

— Venez, invite-t-il, j'oublie mon devoir d'hôte ; vous devez être las du long voyage que vous avez fait. Sachez que je suis honoré que vous vous soyez déplacé en personne.

Gêné de suivre cet homme nu, le pape Pascal accélère le pas. Il est pressé d'en finir. Pressé aussi de recevoir des mains de ce dément la première bague soustraite aux chevaliers champenois.

Ils entrent dans une pièce sombre à l'écart du dortoir des moines : une cellule aux murs lézardés et au sol de terre battue dont le mobilier n'est composé que d'un lit, d'un tabouret et d'un coffre sur lequel ont été posés la hache et les effets du tueur.

Dans une cheminée étroite, une bûche achève de se consumer.

À la vue de la cognée, le pape ne peut s'empêcher de frissonner en pensant aux membres qu'elle a tranchés, aux crânes qu'elle a brisés.

— Les bons moines de cette abbaye n'ont guère posé de questions lorsqu'ils ont dû m'héberger, précise le jeune homme tout en se rhabillant. Mais sans doute votre recommandation ne souffrait-elle pas le refus ?

— Nous pouvons avoir toute confiance en cette congrégation. Il convenait de vous trouver un abri dans le comté de Champagne.

---

1. En présence du pape.

Puis, d'un ton irrité, le pape s'écrie presque :

— Alors, cette bague ? Je me suis brisé les reins sur les routes pour la voir ! J'ai pris un gros risque en quittant mon palais toutes affaires cessantes, cela pourrait intriguer la Curie !

— Vous vous souvenez de notre accord, Père ?

— Je vous ai donné ma parole et ne reviendrai point dessus. Le morceau du suaire de Thomas restera la propriété des Gardiens du Sang. J'en ferai juste une copie, comme nous en sommes convenus.

— Soit.

Le pape Pascal s'assied sur le tabouret et demande :

— Avez-vous de quoi écrire ?

— J'ai ce qu'il faut, Père.

Le tueur sort un petit paquet de sa sacoche de voyage.

— Prenez déjà ceci.

Le pape délie la cordelette qui maintient le grossier tissu enveloppant le mystérieux objet.

— Mon Dieu ! s'exclame-t-il en découvrant ce que renferme le ballotin. Mon Dieu ! répète-t-il d'une voix pointue et horrifiée en regardant la main droite mutilée d'Arcis de Brienne, la bague rouge brillant à son annulaire.

Le membre glacé est verdâtre, marbré de brun, parsemé d'hématomes violacés.

— Mais pourquoi avoir conservé cette... cette chose ?

Un rire bref sous le capuchon.

— J'ai considéré qu'il vous revenait de retirer la bague de la main d'Arcis de Brienne.

— Je comprends : je dois être votre complice jusque dans l'horreur ! C'est là le moyen que vous avez choisi pour m'impliquer corps et âme dans cette effroyable entreprise !

— Tout n'est que rituel, Père. Je veux que ce soit vous qui me remettiez le contenu de cette bague.

Et l'homme à la hache tend une feuille de vélin, une plume et un encrier au souverain pontife.

Avec dégoût, le pape ôte la bague du doigt, se louant de n'avoir pas retiré ses gants de daim. La chair est putride et s'arrache des phalanges.

— Qu'attendez-vous pour soulever cette pierre ? demande le tueur.

Pascal se décide enfin à extraire du bijou la pièce de tissu qu'il défroisse aussitôt pour examiner le dessin tracé jadis par le Christ.

— Est-ce tout ? interroge-t-il avec une déception non dissimulée.

Le motif est composé d'un triangle au contour noir épais, tête en bas, entrelacé avec un second triangle au contour maigre, tête en haut. Les deux figures unies forment, en croisant leurs côtés, un hexagone enserrant un trait vertical surmonté d'un appendice crochu pointant vers la droite.

— Ainsi, poursuit le pape, ceci est l'un des Saints Signes ! L'une des cinq figures…

— Oui, les quatre chevaliers survivants revenus de Jérusalem possèdent les autres dessins.

— Une fois réunis, ils formeraient la clef de l'*Ars magna*, reprend Pascal. La Voie royale ! Le chemin de l'immortalité ! Mais notre réussite ne sera complète que lorsque nous aurons trouvé le véritable tombeau du Christ. Toutes les enquêtes successives que nous avons diligentées nous conduisent invariablement… en Champagne.

— Je sais où chercher, Père. Je le découvrirai ! Et tout sera accompli afin que l'Histoire ne retienne que la vérité de l'Église. Je dispose de nombreux agents, d'espions et de tueurs pour y parvenir.

Le pape reproduit le dessin du Christ sur la feuille de vélin. La plume d'oie mal taillée gratte le parchemin, qu'elle constelle de minuscules éclaboussures.

Lorsqu'il a achevé sa copie, il souffle sur l'encre fraîche et attend quelques secondes avant de replier le document, qu'il glisse dans sa tunique.

Il a hâte de partir, de quitter ce jeune assassin auquel les Gardiens du Sang ont confié la plus criminelle des missions.

— Nous nous reverrons bientôt, Père.

— Je le crains.

— Demeurerez-vous à Reims ?

— En effet, le temps que durera le mandat qui vous a été assigné. À ce propos, je vous saurais gré de ne point trop tarder.

Il se reproche intérieurement d'avoir prononcé ces mots. Il est face à un mercenaire de l'Église, un *condottiere* ! « Comme s'il s'inquiétait de mes volontés ! Il prendra le temps qu'il jugera nécessaire pour s'emparer des quatre autres Signes et découvrir le Tombeau du Christ venu mourir en Champagne. »

Pascal se dirige vers la porte de la cellule. L'homme à la hache s'empresse de la lui ouvrir en s'effaçant respectueusement pour le laisser franchir le seuil.

— Père...

— Oui ?

— *Jube, domne benedicere*[1]

Le tueur incline la tête en soulevant son capuchon. Le pape est saisi par les yeux transparents qui confèrent à son regard une profonde tristesse.

— Au nom du Père, du Fils et du Saint-Esprit, articule le souverain pontife en faisant du pouce droit le signe de la croix sur son front. Soyez béni, mon fils, et allez en paix.

— *Amen*, murmure la voix sans timbre.

La neige s'est remise à tomber. Le pape Pascal presse le pas pour rejoindre le chariot, dont la bâche est déjà couverte d'une fine et granuleuse pellicule blanche.

Le cocher présente un petit escabeau à son passager, qui l'utilise pour grimper dans la voiture où il retrouve, dans l'ombre, un ecclésiastique corpulent engoncé dans un épais manteau qui se réchauffe les os en tendant ses épaisses mains au-dessus d'une bassinoire emplie de braises.

— Sa Sainteté est-elle satisfaite ?

— Ce tueur me glace le sang ; son âme est une pierre. Mais c'est le seul à pouvoir mener cette mission jusqu'à son terme. Lui et sa Loggia !

Pascal s'installe sur la banquette et montre à son voisin le parchemin sur lequel il a tracé le premier des cinq motifs, dérobé aux Champenois.

— J'ai recopié le Saint Signe sur cette feuille de vélin. Je n'ose imaginer de quelle manière cet homme entrera en possession des autres bagues.

---

1. Mon père, donnez-moi votre bénédiction.

— Avons-nous choisi la meilleure alliance en plaçant l'avenir de l'Église entre les mains des Gardiens du Sang ? N'aurait-il pas été moins dangereux de nous rapprocher du comte de Champagne ainsi que de ses chevaliers ? Nous aurions pu concilier nos intérêts respectifs...

Le convoi se met en marche. Le chariot branle de gauche et de droite sous l'indécision des chevaux qui le halent.

Le pape poursuit :

— Le Secret de Jésus doit être la propriété de l'Église, dom Mestrany. Il ne peut être partagé ! Si je devais vendre mon propre frère pour cela, je le ferais ! Nous préservons le monde du chaos. Il est bon que le message d'amour du Christ soit retransmis aux générations futures dans toute la beauté de son enseignement. Nous ne serons que quelques-uns à savoir que les Écritures ont effacé le rôle de Thomas.

— Je vous comprends. Votre combat est louable.

— Mais il coûte à ma conscience, que j'ai jetée ainsi aux orties. C'est un bien lourd sacrifice que la religion m'a demandé.

— La religion, Saint-Père ? Ne vouliez-vous pas plutôt parler de votre foi ?

— La foi, mon ami, je ne sais plus de quelle vertu la vêtir. La foi est un principe qui vous est transmis par la grâce de Dieu et qui vous sublime. La religion est constituée d'un ensemble de règles : nous pouvons y souscrire sans la foi !

— Ces mots ! Dans votre bouche !

— Eh bien ?

— Ils sont le témoignage d'une telle affliction !

— Considérez-moi comme un ministre de l'Église qui exécute son travail avec sincérité et humilité, et qui ne se consacre qu'à cette tâche.

— N'êtes-vous pas plutôt un ministre de Dieu ? C'est de Lui que vous tenez les pouvoirs sacrés de votre charge.

— Mes pouvoirs ne sont pas sacrés, ils m'ont été donnés par les hommes, dom Mestrany. Par les hommes ! Par ceux qui m'ont placé à la tête de la Sainte Église catholique.

Il a rabaissé son capulet. Son visage est sans expression. La blessure que Basile le Harnais lui a infligée à Jérusalem a imprimé à tout jamais dans sa chair un trait brun légèrement boursouflé.

Il regarde la main d'Arcis de Brienne que le pape a laissée sur la table. Il reste ainsi de longues minutes à contempler cette chose morte, hideuse, recroquevillée comme une araignée géante.

Puis, se décidant enfin, il s'en empare et la jette dans la cheminée sur la bûche rougeoyante.

— Ce qui est mort doit le demeurer !

Bientôt une odeur âcre emplit la cellule.

Il sourit. « Le parfum de l'enfer ! » pense-t-il.

Avec satisfaction, il prend la bague pour la glisser dans un sachet de cuir qu'il enfourne dans sa sacoche.

Dans la cheminée, le feu s'est réveillé. Il dévore la chair et les os qui lui ont été donnés. Un crépitement obscène accompagne son œuvre.

2

Le puits

Le ciel déploie ses pâleurs sur le village de Brienne, se confondant avec la ligne de crête des collines avoisinantes.

Hélène s'est rendue à l'église. Agenouillée dans le confessionnal, elle fait machinalement le signe de croix avant de parler d'une voix lente et posée, très faible. Presque un murmure.

— Depuis l'assassinat de mon époux, depuis qu'on lui a volé sa main droite, je ne cesse d'être hantée par d'épouvantables cauchemars. Sans cesse je crains de voir resurgir cet homme – ce démon ! – avec sa hache…

— Implorez la Vierge mieux que vous ne le faites, Hélène. Elle vous sera d'un grand secours. C'est une femme qui a beaucoup souffert ; elle sera sensible à votre désarroi.

— Je vous ai tout révélé, car vous êtes le seul à pouvoir recueillir les terribles doutes qui me persécutent. Je vous ai parlé du chevalier de Payns, du comte Hugues, et…

— Je me souviens ; il y a aussi Basile le Harnais et Geoffroy de Saint-Omer. Vous m'avez dit quel effroyable secret ils ont rapporté de Terre sainte et je vous ai adjurée de n'y point croire sous peine de perdre votre âme.

— Néanmoins, vers qui tourner mes prières depuis que je sais que le Christ n'est pas mort en croix ?

— Par la grâce de Dieu, plus un mot sur cette fable, ma fille ! Souhaitez-vous finir sur le bûcher ?

— Tout ce que je vous dis est scellé par le sacrement de la confession. J'attends de vous aide et réconfort, non des réprimandes. Je ne suis responsable que d'avoir été la confidente de mon époux.

— Certes, souffle l'abbé. Pardonnez mon emportement. C'est que je suis aussi troublé que vous. Comment croire de telles choses ? Ce ne sont que blasphèmes dirigés contre Notre-Seigneur Jésus-Christ, qui a vécu le martyre pour délivrer l'humanité de ses péchés.

— J'ai cependant lu le journal de mon mari. Il était écrit avec les accents de la sincérité. Arcis était un homme droit et honnête ; jamais il n'aurait trahi la vérité !

L'abbé soupire.

— Il aura été trompé par ce Payns, reprend-il. Car j'ai le sentiment que c'est celui-ci qui fut à l'origine de l'expédition en Terre sainte.

— Croyez-vous que Payns se serait joué de lui et de ses amis ? Dans quel dessein ?

— Vous m'avez bien fait comprendre que Payns paraissait être le responsable de cette secte qu'il nomme Loge Première, n'est-ce pas ?

— Je ne suis pas certaine qu'il y ait jamais eu un chef au sein de leur société.

— Néanmoins, Payns paraît la diriger et insuffler sa volonté à ses membres qu'il appelle « frères ». N'ai-je pas raison ?

— Arcis m'a confié certaine chose, peu de temps après son retour de Terre sainte. Un bien curieux propos, en vérité.

— Je vous écoute, fait l'abbé en se penchant plus près du grillage contre lequel Hélène chuchote.

La jeune femme souffre toujours de ce malaise qui la prend à la gorge et lui donne l'impression de s'étrangler avec sa propre salive.

La voix rauque, elle dit :

— Mon époux écrivait dans son cabinet et, comme il se faisait tard, je suis montée lui apporter un bol de soupe chaude et un verre de vin sucré ; je me souviens de ce soir-là avec tant de précision ! J'ai ouvert la porte ; il ne m'a pas entendue. J'ai marché jusqu'à lui et, désirant lui faire une surprise, je suis restée sans bruit dans son dos. J'ai jeté un coup d'œil aux parchemins qu'il avait étalés sur son pupitre et qui accaparaient toute son attention, au point qu'il ne remarquait même pas la présence de sa femme. J'ai vu alors des dessins compliqués qui m'ont paru être des plans. Ils étaient couverts de cotes, d'opérations mathématiques et de mots en latin. J'ai toussé pour attirer son attention ; il a été fort surpris de me découvrir là, et je fus étonnée de constater qu'il en était contrarié. Cependant, il s'est détendu lorsqu'il m'a vue déposer sur sa table la collation que je lui avais préparée. Il m'a chaleureusement remerciée, louant le destin d'avoir voulu que nous nous aimions, et m'a dit qu'il appréciait la sollicitude et l'affection que je lui témoignais. Je ne pus m'empêcher de l'interroger au sujet des plans. Légèrement embarrassé, il m'a répondu qu'il s'agissait d'un puits qui devait être creusé sur les terres de Payns, dans un bois auquel il a donné le nom de forêt d'Orient à son retour de Jérusalem : une grande étendue de terre non loin du diocèse de Larrivour, aux portes de Troyes ; un lieu infesté et inculte, à ce qu'on dit. Je ne suis guère experte en architecture, néanmoins je trouvai sa réponse étrange. Car s'il s'agissait bien d'un puits, celui-ci, au vu des épures, me semblait d'une architecture fort complexe. J'en fis la remarque à Arcis, qui répondit qu'en effet, le forage et l'agencement de l'appareillage de pierres nécessiteraient une série d'opérations extrêmement minutieuses, réalisées par des maîtres terrassiers, charpentiers et maçons. Il précisa qu'au fond de ce puits serait enterré un trésor que nul curieux n'était censé devoir jamais trouver. Je le pressai alors de questions. De quel trésor s'agissait-il ? Ses amis et lui avaient-ils rapporté des richesses de Palestine ? Évoquait-il les bagues aux pierres rouges ? Je revois encore mon époux sourire et me prendre sur ses genoux comme il aimait à le faire souvent. Là, je redevenais une toute petite fille soumise à son amour. Il me murmura à l'oreille que le trésor qui serait dissimulé dans les entrailles de sa chère marne de Champagne ne s'évaluait ni en or ni en diamants. Il ajouta cette phrase énigmatique : « Payns, le comte

Hugues, Saint-Omer, Le Harnais et moi enterrerons bientôt la Connaissance qui est morte et vivante à la fois, la preuve du savoir sacré de Jésus-Christ ! Ce qui est chair et sang pour les siècles des siècles » Le puits faisait partie d'un vaste projet. Les chevaliers, pour le mener à bien, avaient fait appel à un architecte et à deux docteurs hébreux fort instruits de kabbale, de géométrie et d'alchimie.

— N'en a-t-il pas dit plus long ? s'enquiert l'abbé après qu'Hélène s'est tue.

— Je souhaitais en apprendre davantage, mais il a préféré rester sur ces quelques phrases sibyllines et changer de sujet. Il était manifeste qu'il se reprochait d'avoir évoqué ce puits et ce qu'il renfermerait.

L'abbé émet un long soupir.

— Il vous faudra prier quotidiennement pour le salut de l'âme de votre époux, Hélène. Prier avec ardeur... Car il est évident que le chevalier Arcis et ses quatre amis ont évoqué des forces obscures. Ils se sont livrés à des pratiques sacrilèges et blasphématoires.

— Voulez-vous dire que ces hommes si respectables, si justes, sont des sorciers ? Accusez-vous le comte Hugues de commercer avec le démon ?

— Laissons à Dieu le soin de les juger. Mais n'oubliez pas d'implorer Sa compassion et Sa mansuétude pour l'âme de votre époux.

3

Pater noster

Une fois seul, l'abbé passe une cape sur ses épaules, met une cuculle sur sa tête et quitte l'église.

Il est saisi par les flocons de neige qui s'abattent violemment sur le village.

Pressant le pas, il se rend à l'écurie attenante au presbytère et détache sa jument, un gros animal lourd au ventre large, à l'encolure épaisse. Il lui jette sur les reins une couverture pour toute selle, et enfourche l'animal.

« Dieu, me pardonnerez-vous ? »

Les rues sont désertes. L'abbé flatte l'échine de sa jument et la conduit à la voix, empruntant bientôt un chemin qui gravit une colline en serpentant entre des rochers aux arêtes tranchantes.

La route se fait escarpée, accrochée qu'elle est au flanc d'un à-pic qui devient de plus en plus profond et dicte la prudence à chaque pas.

Le visage trempé, ses doigts gourds accrochés à la crinière de l'animal, l'abbé aperçoit au sommet de la colline la silhouette de l'homme à la hache. Ce dernier attend, immobile dans la neige et le vent qui font tournoyer sa houppelande noire. Son cheval se tient un peu plus loin, docile et patient.

Parvenu à la hauteur du jeune tueur, l'abbé descend de sa jument.

— Nous sommes lundi, la veuve s'est-elle confessée ?

— Oui, répond l'abbé, comme elle en a pris l'usage tous les lundis à matines sonnantes.

— Alors, délivrez-moi vite ce qu'elle vous a confié.

— C'est la dernière fois, messire. Je ne veux plus violer mon ministère, même au nom de notre sainte cause... La dernière fois !

— Eh bien, que cette dernière fois me soit instructive ! A-t-elle évoqué les amis d'Arcis de Brienne ?

L'ecclésiastique répète à l'espion ce que lui a révélé la veuve. Doué d'une excellente mémoire, il lui livre le récit pratiquement mot pour mot.

— Ah, fait le tueur quand il en a terminé, elle a mentionné deux hommes de science, des Juifs ! Et un architecte... Oui, cela confirme ce que j'ai pu déduire grâce à ma propre enquête.

— Je n'ose imaginer de quoi il s'agit ! s'écrie l'abbé.

— Ne jouez pas l'hypocrite ; vous savez très bien quelle est la nature de l'entreprise initiée par les Champenois.

— Je préfère ne plus jouer aucun rôle dans cette affaire. Je crois vous avoir servi suffisamment, avec dévotion et sincérité. Je me permets de répéter que je vous vois pour la dernière fois.

Le tueur est secoué d'un rire saccadé, bref et pointu. Puis il ouvre vivement son manteau, se saisit de la hache passée dans sa ceinture et la brandit au-dessus de la tête de l'abbé en disant :

— Vous avez raison, l'abbé. La dernière fois !

L'abbé a levé son visage mouillé de neige pour suivre, hypnotisé, la trajectoire de la lame.

— Avec ma permission ! lance l'assassin.

La cognée dessine un large demi-cercle pour venir frapper sa victime à la taille.

— Et ma bénédiction !

Le sang jaillit immédiatement à grands flots de la blessure dont s'extrait le fer.

L'abbé demeure quelques secondes plié en deux sous la douleur qui lui broie le corps. Une bile de sang lui remonte à la gorge. Il vomit d'épais caillots noirs sur la neige, à ses pieds.

Puis, les yeux fixés sur le ciel blanc, il vacille, tourne sur lui-même en une danse grotesque. Et chavire.

Il bascule dans le vide et boule dans le profond fossé.

Le tueur prend une poignée de neige pour laver la lame souillée avant de remonter en selle et de s'en retourner.

Le mouvement tranquille de sa monture, sa houle rythmée achèvent de le mener à un orgasme apaisant.

Le creux de ses cuisses trempées d'une lénifiante tiédeur, il adresse à Dieu la prière qu'il aime le plus :

— *Pater noster, qui es in caelis, sanctificetur nomen tuum...*

4

Le scriptorium

Maurin a pris l'habitude de se rendre dans le scriptorium de son père dès qu'il a bu son bol de lait chaud et dévoré une bonne tranche de pain de seigle recouverte de saindoux. Il enfile à la hâte une grosse chemise bien chaude par-dessus laquelle il passe une pelisse de fourrure et, chaussé de bottes, il traverse la cour de la grande ferme.

Il aime entendre craquer la neige glacée de la nuit à chacun de ses pas. Sa mère, sur le seuil de la vaste salle de séjour, le regarde en souriant puis, comme tous les matins, le réprimande :

— Maurin, tu ne vas pas encore déranger ton père ? Laisse-le travailler en paix !

Le garçon se retourne alors pour dire :

— Il m'avait promis de m'apprendre de nouveaux coups d'épée !

Il poursuit son chemin dans le caquetage des poules qu'il croise, s'amusant à en poursuivre une ou deux durant quelques secondes, sachant que cela amuse Émeline, sa petite sœur, qui le regarde par la fenêtre de sa chambre.

C'est à ce moment que la gamine descend retrouver sa mère pour boire son lait et grignoter des fruits secs.

— Que font papa et ces mystérieux hommes que nous hébergeons, maman ?

— Ah, ça... Ton père s'est attelé à un gros ouvrage, Émeline. Quant à ses hôtes, ce sont de doctes personnages qui l'aident à résoudre de savants calculs !

— Tu me réponds toujours la même chose, mais cela fait plus de trois semaines qu'ils s'enferment dans le scriptorium. Maurin a le droit d'y aller, lui !

— C'est un garçon ! Et il aura bientôt dix ans.

La fillette s'attable avec une moue boudeuse et plonge le nez dans son bol. Au bout de quelques secondes, elle marmonne :

— Maurin ne veut pas me parler de ce que font papa et ses amis. Il dit que je ne comprendrais pas !

— Je crois plutôt qu'il n'a pas appris grand-chose et qu'il aime se donner de l'importance. Les hommes sont souvent ainsi : ils éprouvent le besoin de s'entourer de mystère.

— Je regrette d'être née fille !

— Allons, tu t'apercevras bien assez tôt que les femmes possèdent aussi leurs secrets. Mais elles sont certainement plus habiles que les hommes en n'en faisant point état !

Maurin passe devant le behour, un mannequin de bois et de paille tenu à la verticale sur un pieu fiché en terre, bras étendus, confectionné par son père pour l'entraîner à porter de solides et habiles coups d'épée.

— Voici notre petit visiteur matinal ! lance un vieil homme qui vient d'ouvrir la porte du scriptorium.

— Bonjour, maître Eliphas. Je ne me ferai jamais à ces verres que vous portez sur le bout du nez !

— Bonjour, Maurin. Prie pour que tes yeux n'aient pas un jour besoin de loupes, mon garçon. Entre, ton père, qui a une excellente vue, t'a aperçu traverser la cour. Viens vite au chaud.

Il règne une bonne odeur dans la grande pièce ; Maurin l'apprécie plus subtilement chaque nouveau jour. Elle est composée de senteurs épicées d'aromates et de plantes que maître Ferrer, l'un des invités de son père, fait bouillir pour obtenir de désaltérantes décoctions, au parfum entêtant de cire, de résine et de goudron, utilisées pour fabriquer d'habiles maquettes, véritables œuvres d'art représentant des écluses, des barrages, des treuils, des poulies ou un double puits hélicoïdal.

Sans compter les parchemins de peau d'agneau, dont les empyreumes prennent à la gorge mais que l'odeur de l'encre adoucit et rend presque agréables !

L'enfant aime cette pièce. Il en aime les livres nombreux sur les étagères en bois, les pots d'onguent, les fioles, les ampoules, les dessins compliqués tracés sur de grandes ardoises.

Il apprécie Eliphas avec ses ronds de verre aux yeux, Ferrer et ses longs cheveux gris, ses vêtements chamarrés composés d'étoffes soyeuses, Schelomet et sa petite taille, sec comme une bique, un éternel sourire aux lèvres.

Et son père, Hugues de Payns. Son père qu'il embrasse en lui claquant un « bonjour » sur chaque joue. Son père qui ne semble jamais dormir, mais que les longues veilles ne marquent pas.

— Je présume que ta mère t'a encore fait la morale et que tu ne l'as pas écoutée, dit Payns. Quelle est la chose qui t'intrigue le plus dans cette pièce ?

— Ce grand rideau, répond l'enfant en désignant une lourde tenture interdisant la vue sur une seconde salle.

— Une curiosité naturelle : on cherche toujours à découvrir ce que d'autres dissimulent avec soin. N'y a-t-il rien d'autre ici qui t'intéresse ?

L'enfant s'approche de la table où sont posées les maquettes de quelques édifices. L'une d'elles retient en particulier son attention.

— Certes, je me demande comment et pourquoi tu veux construire un tel puits. Il en faudra, des pierres, pour bâtir une chose semblable ! Et du bois, pour charpenter l'ensemble !

— Les pierres et le bois ne manquent pas en forêt d'Orient, précise Eliphas de sa voix de rocaille.

— Sans doute, poursuit Maurin, mais où trouver assez d'or pour payer tous les ouvriers et tâcherons que vous devrez employer ?

— Tu es décidément trop malin ! remarque Payns en riant. N'es-tu venu que pour inspecter notre travail ?

— Dieu m'en garde ! Je suis venu te chercher, car tu m'avais dit que nous nous entraînerions sur le behour et que tu me montrerais comment le mettre en charpie, ainsi que tu l'as fait des incroyants à Jérusalem.

— Tu me prêtes des exploits que je n'ai pas accomplis. Je ne suis pas le géant que tu crois !

— Si, si ! insiste Maurin. C'est ce qu'on dit partout aux alentours, papa...

— Donne-moi encore un peu de temps pour étudier une épure, et je te rejoins.

— Je cours enfiler ma cotte.

Sitôt que Maurin a quitté la pièce, Eliphas dit à Payns :

— Ton fils est malin ; sa question au sujet de l'or n'était pas anodine ! Il a compris que nous en aurions besoin d'une grande quantité pour mener à bien notre entreprise.

— Ce n'est qu'un enfant ; il est loin d'imaginer quel pouvoir nous détenons. Typhaine, ma femme, l'ignore elle-même. Je lui ai juste parlé de digues et d'écluses que j'avais l'intention d'édifier sur mes terres. Quant à Geoffroy de Saint-Omer, à Basile le Harnais et au comte Hugues, elle les considère comme mes fidèles amis, mes compagnons de voyage en Terre sainte, rien de plus. Je l'ai tenue à l'écart de notre découverte. Elle ne se doute de rien et me prendrait pour le pire des hérétiques si elle savait...

— C'est très sage ainsi, en effet.

Schelomet intervient :

— Mais cette bague, frère... Elle ne t'a pas interrogé à son sujet ?

— Bien sûr. Elle a aussi appris qu'un tueur a arraché la main droite d'Arcis de Brienne qui en portait une semblable. Mon épouse se doute certainement que cette pierre contient une relique rapportée de Jérusalem... Néanmoins, elle n'a pas cherché à en apprendre davantage et je loue sa discrétion !

Emplissant quatre tasses d'un liquide aromatisé et brûlant, Ferrer dit :

— Cependant, mes frères, le lourd secret que nous défendons dans la Loge Première risque à tout moment d'être découvert par nos ennemis.

— Tu as raison, reprend Payns, c'est pourquoi nous devons rapidement protéger la dépouille de notre maître, de manière que nul ne puisse l'atteindre.

— Lorsque nous aurons déposé le Premier dans la crypte, au fond de ce double labyrinthe vertical, le Secret dormira en toute sécurité pour les siècles à venir, précise Eliphas.

Payns pose une main sur l'épaule du vieil architecte et lui dit :

— Seul un esprit aussi habile que le tien, Eliphas, pouvait concevoir un tel prodige architectural. Un sanctuaire inviolable !

— Je te remercie. Néanmoins, notre regretté frère Arcis m'a bien aidé en me communiquant ses schémas. Je pense à lui chaque fois que je reprends mes travaux... Maintenant, va rejoindre ton fils, mon ami, et enseigne-lui ton art. Notre compagnie réclame autant de valeureux chevaliers que de savants esprits. Quant à nous, nous allons nous remettre à l'ouvrage ; le temps risque de nous manquer !

5

Le mourant

— Revenons à I.N.R.I., dit Schelomet en dépliant un parchemin sur lequel Payns a dessiné les Saints Signes. *Igne Natura Renovatur Integra !* scande-t-il.

— « Par le feu, la Nature est intégralement renouvelée », traduit Ferrer.

— Par la Lumière, le Christ recouvre la Vie ! articule lentement Eliphas.

— Mais l'heure n'est pas venue, mes frères, reprend Schelomet. Nous devons faire en sorte que le Grand Arcane ne tombe pas entre les mains de nos ennemis. Jésus nous a légué son pouvoir afin que nous veillions sur lui et le transmettions à l'humanité lorsque nous jugerons celle-ci apte à le recevoir.

— Les hommes seront-ils un jour suffisamment sages ? demande Eliphas. I.N.R.I. ne devra-t-il pas reposer éternellement dans le Tombeau que je lui construis ? Qui sera juge ? Qui saura apprécier le moment où les frères Premiers devront divulguer la Connaissance ?

— Je l'ignore, admet Schelomet. Tout ce que je sais, c'est que l'or et la vie éternelle causeraient actuellement les pires maux ! Félicité et immortalité deviendraient des instruments infernaux si elles étaient dévoyées. I.N.R.I. est un miracle qui n'aura peut-être été produit qu'une unique fois lorsque sonnera l'heure de la fin du monde.

— Crois-tu que la Tradition traversera les époques ? interroge Ferrer. Crois-tu que la chaîne ne se brisera jamais ?

Schelomet ne répond pas ; il se rend à l'une des trois fenêtres donnant sur la cour spacieuse où Payns a retrouvé son fils, qui achève de nouer les cordons de sa cotte. Ferrer et Eliphas le rejoignent.

— Je devine à quoi tu penses, dit ce dernier de sa voix grave et légèrement voilée.

— Moi aussi, souligne Ferrer. Payns et Maurin sont l'avenir.

— À condition que nous parvenions à déjouer les pièges que nous tendront les Gardiens du Sang, précise Eliphas. Ils nous ont volé l'un des Saints Signes ; ils feront tout pour s'emparer des quatre autres.

— Mais si c'était le cas, les clercs et les docteurs de l'Église en découvriraient-ils le sens ? s'inquiète Ferrer.

— Sans la Tradition initiée par Jésus et transmise oralement depuis onze siècles aux frères Premiers, il leur faudra du temps, beaucoup de temps ! Mais l'Église est patiente... Son combat lui semble légitime et l'absout des meurtres qu'elle doit perpétrer pour parvenir à ses fins.

— Regardez ! dit Schelomet. Payns apprend l'une de ses plus belles bottes à Maurin.

Payns a empoigné les avant-bras de son fils, qui tient entre ses mains le pommeau de l'épée. Le chevalier le soulage ainsi d'une partie du poids de l'arme et le guide dans ses mouvements.

Le père et le fils sont unis l'un à l'autre, ne faisant plus qu'un. Payns est derrière Maurin pour impulser à son corps le moindre déplacement, le plus discret déhanchement, la plus imperceptible des esquives, lui imposant une chorégraphie rigoureuse et précise.

Et le behour reçoit les coups portés par la lame du chevalier tenue à quatre mains. Une attaque sans cesse répétée à l'identique, de manière que l'enfant la mémorise parfaitement.

— Pointe à l'aine ! crie Payns à chacun des assauts. Fente sur la droite de l'adversaire, et tu estoques vivement en plongeant ton épée dans le creux de sa cuisse gauche.

— Est-ce de la sorte que tu t'es débarrassé des ennemis en Terre sainte ?

— Je n'ai guère combattu. De plus, ce que je t'enseigne là obéit à la règle chevaleresque. Il arrive le plus souvent que l'on doive se conduire en brute pour se défaire de son rival.

Puis Payns relâche son étreinte sur les avant-bras de son fils et lui dit :

— À toi de combattre seul, Maurin !

— Mais… d'habitude, je le fais avec mon épée de bois. Celle-ci est bien trop lourde !

— Si tu accomplis un mouvement parfait, la lame perd de son poids. Elle s'envole et siffle avant de frapper. Essaie…

Fronçant le front sous l'effort, l'enfant se jette à l'assaut du mannequin, qu'il frappe comme son père vient de le lui enseigner.

— Recommence !

Il s'élance à nouveau. La pesante épée déchire la paille.

« Payns… »

Maurin laisse retomber l'arme au sol.

— Tu as entendu, père ?

— Oui. Cela venait de derrière l'écurie.

« Payns… »

Un appel plaintif et douloureux. L'homme et l'enfant se sont retournés. Ne discernent rien.

— Rends-moi mon épée et allons voir.

La voix, derechef : « À l'aide… Payns ! »

Ils se dirigent vers l'écurie.

— Reste en arrière, garçon.

537

— Un râle... C'est toi qu'on appelle, papa !

Une dizaine de pas encore. Une dizaine de pas pour atteindre l'angle du bâtiment abritant les écuries.

Une silhouette titubante apparaît, une main ensanglantée se tenant au mur. Cape et robe noires. Une jument, plus loin. Des empreintes dans la neige. Marques de chute de l'homme, puis traces de pas venant jusqu'aux écuries ; le blessé est tombé de sa monture et a parcouru les derniers mètres de son calvaire à pied.

— Par saint Jean, je connais cet homme ! s'exclame Payns en courant à la rencontre du visiteur qui vient de s'effondrer.

— Il porte des vêtements d'abbé, remarque Maurin.

— Car c'en est un. Avec une vilaine blessure au flanc.

Payns a mis un genou en terre pour retourner l'abbé sur le dos.

— Payns ? Est-ce bien vous ?

— Oui, c'est moi. Vous êtes le vicaire de la paroisse d'Arcis de Brienne, n'est-ce pas ? Vous avez inhumé mon ami ; je me souviens parfaitement de vous.

— Messire... Je devais vous parler... Vous prévenir...

— Maurin, cours chercher de l'aide, ordonne Payns, il nous faut prodiguer sans tarder des soins à cet homme. Préviens ta mère : qu'elle prépare une tisane sédative !

Le garçon détale.

— Je vais mourir, balbutie l'abbé. Maudit ! Je suis... maudit !

— Pourquoi dites-vous cela, l'abbé ? demande le chevalier. Vous êtes homme de Dieu et serez tenu pour saint si ce dernier doit vous juger prochainement.

— Dieu me tourmentera... Vous êtes condamné... vous et tous les vôtres... à cause de moi...

Le blessé s'est accroché au col de Payns de ses mains tremblantes. Il semble vouloir se redresser, mais sa grande faiblesse le cloue au sol. Son visage déformé par la douleur est déjà blanc. Payns sait que la mort a pris possession de cette carcasse déchirée.

— La liste rouge..., ânonne l'abbé. La liste rouge !

Les yeux se révulsent, les lèvres se tendent sur les dents en un rictus d'effroi, puis le mourant s'évanouit.

Payns examine la blessure béante, les chairs fendues net, l'os brisé.

« Un coup de hache ! »

Maurin est de retour avec deux garçons de ferme, suivis plus loin de Schelomet, Ferrer et Eliphas, qui peine à allonger le pas.

Payns s'adresse aux valets :

— Portons-le au chaud dans la maison, bien que je ne sois pas certain qu'il reste en vie jusque-là.

Puis, se tournant vers Eliphas, il ajoute :

— J'aimerais pourtant qu'il ne meure pas trop vite. Du moins pas avant d'avoir achevé ce qu'il a commencé à me dire.

— C'est pour cette raison qu'il est venu trépasser chez toi ? Ses propos étaient-ils d'une grande importance ?

— Il divaguait à cause de la fièvre et de la douleur... Il m'a cependant parlé d'une certaine liste, me faisant comprendre que mon entourage et moi étions en danger par sa faute. Une « liste rouge » !

Les deux garçons de ferme se hâtent. Sur le seuil de la maison, Typhaine se prépare à les recevoir, des linges dans les bras.

Payns poursuit à l'intention de ses trois amis :

— Seule une hache a pu l'entailler de cette manière.

— Je comprends, Ferrer. Cette blessure lui aurait été infligée par le tueur de Jérusalem ?

— Dans ce cas, réagit Eliphas, quel rapport y a-t-il entre cet abbé et l'assassin qui a massacré Arcis ?

Typhaine se précipite alors qu'on pénètre dans la maison avec le blessé.

— Hors de nos pattes, les enfants ; ce n'est guère un spectacle pour vous !

Maurin et Émeline s'écartent. On couche l'abbé sur la grande table pour le dénuder et appliquer sur sa blessure les linges pliés en compresses.

— Ta décoction est-elle prête, chérie ? s'enquiert Payns auprès de Typhaine.

— Oui, oui... Houblon et millefeuille en doses égales.

— *Humulus* et *Millefolium*, dit Schelomet. C'est parfait, dame Typhaine. Cela devrait calmer la douleur et contenir l'hémorragie.

La mère attire ses enfants dans ses jupes.

— Viens, petite, cela sent trop la mort, ici ! Viens aussi, Maurin.

On tente de faire boire à l'abbé la tisane sédative.

— Voyez, dit Schelomet, ses lèvres sont livides. Cet homme est au bord du trépas. Je crains que nous ne puissions rien tenter.

— Qu'il ne parte pas avant de m'avoir parlé, insiste Payns. Je veux connaître la raison qui l'a conduit jusqu'ici.

— Le pouls est très bas. Aucun espoir, Payns.

— Fais un miracle, Schelomet ! N'es-tu pas homme de science ?

— Soit, je peux faire remonter sa température quelque temps. Qu'on m'apporte une couverture et de l'eau chaude !

En quelques minutes, le mourant est emmailloté dans une épaisse couverture mouillée d'eau très chaude. Il rouvre les yeux, voit briller la bague rouge au doigt de Payns.

— Cette bague...

— Parle, l'abbé, commande Payns tout près de son oreille. Parle ! Tu as évoqué une menace nous concernant, moi et les miens. De quoi s'agit-il ?

L'abbé grelotte malgré la chaleur de la couverture qui l'enveloppe dans un cocon humide. Un froid de glace coule dans ses veines et se répand dans ses poumons, dans son cœur qui le fait souffrir à chaque battement.

Il doit cependant parler au chevalier... Il a accompli un effort surhumain pour se dégager du fossé, ramper jusqu'à sa jument, remonter sur son dos, la conduire de la voix... Et braver la mort, la repousser. Prier Dieu, Lui demander de lui offrir un répit. Encore un peu de vie pour se confier à Payns. Racheter son âme au prix de ce sacrifice.

Puiser loin en lui cette toute dernière once de courage...

— L'agent du pape, le Gardien du Sang... Il cherche toutes les bagues. Il sait tout. Car je lui ai dit... cette épouvantable vérité ! Le tombeau de l'Imposteur à Jérusalem... Son suaire...

— Comment as-tu appris cela ? s'écrie Payns. Comment ?

Maintenant, l'ombre envahit son regard. Une ombre qui estompe le visage de Payns penché sur lui. Un voile opaque rougi de sang.

— Comment as-tu appris cela ? résonne comme un écho à ses tempes.

— Le tueur... Il sait tout... Tout ce qu'Hélène de Brienne m'a avoué...

Sa voix sort-elle de sa gorge ? Est-il entendu ?

Payns frappe la table de son poing, tout près du visage de l'abbé. Un coup qui tonne dans la pièce.

Le chevalier hurle presque :

— Tu mens ! Hélène n'a pu nous trahir ! Jamais, tu m'entends, jamais Hélène n'aurait trompé son époux ni ne nous aurait vendus !

— Ce n'est pas elle, bredouille l'abbé. C'est moi qui ai répété au tueur ce que la dame de Brienne m'a révélé en confession... Les Gardiens du Sang sont informés depuis des années de la nature de vos recherches... de votre volonté de découvrir le tombeau de l'Imposteur et de découper les Saints Signes dans son suaire...

Soudain l'abbé s'aperçoit qu'il ne ressent plus aucune douleur. Il a même perdu conscience de son corps. Il n'est plus qu'un esprit tendu vers une proche rédemption. Dans les bras de Dieu, la sérénité éternelle.

Cet état lui est plus plaisant que la vie. Car il a compris qu'il est entre deux mondes. Là où la conscience s'efface doucement, progressivement. Pour libérer l'âme de sa prison corporelle.

« *Credo in Deum, Patrem omnipotentem...*[1] »

Sa voix chante dans une cathédrale de lumière. Elle s'élève, pareille à une flamme qui cherche le vent.

Il demeure cependant une dernière question :

— Payns, je voudrais savoir, avant de mourir...

— Quoi ?

— Le Christ... S'il n'a pas péri en croix... s'il a survécu... Qu'est-il devenu ? Était-il de chair et de sang comme n'importe quel homme ? Seulement cela ?

Que lui importe ! L'intense clarté qui a chassé l'ombre s'est emparée de son esprit.

— Je vais te répondre, dit Payns.

La main de Schelomet s'est posée sur l'épaule de Payns pour l'inviter à se redresser.

— Inutile, il a rendu l'âme.

— Il est préférable qu'il n'ait rien su de plus. À quoi bon s'alourdir d'une vérité aussi encombrante pour trépasser ? Mais son cadavre nous embarrasse. Que dire à la prévôté à son sujet ?

---

1. Je crois en Dieu, le Père tout-puissant...

Ferrer propose :

— Rien qui puisse l'alerter sur nos affaires. Cet abbé a été attaqué par un détrousseur de grand chemin et il est venu mourir chez toi par hasard : c'est la meilleure version à donner.

— Tu as raison, Ferrer, accepte Payns. Je m'en tiendrai à cette assertion, en espérant que l'évêché ne réclamera pas d'enquête particulière.

— Nos gras prélats ont d'autres chats à fouetter que de s'occuper du petit abbé d'un diocèse perdu !

Payns désigne les deux valets qui sont restés dans la pièce le temps qu'a duré l'agonie de l'abbé :

— Mes gens sont acquis à notre cause et je réponds de leur silence. Quant à mon épouse et à mes enfants, ils noueront leur langue si je le leur demande.

Puis, s'adressant à l'un des deux employés en particulier, il ajoute :

— Émeric, après avoir transporté le corps dans le cellier, tu nous rejoindras aussitôt dans le scriptorium.

— Bien, maître.

Les deux garçons de ferme s'emparent des jambes et des bras du cadavre, le soulèvent de la table et quittent la pièce.

Typhaine et ses enfants descendent de l'étage. Émeline pousse un petit cri pointu à la vue du sang que Payns et Ferrer sont en train de sécher avec des linges.

— Laissez, dit la femme, je vais m'en occuper. Je présume que vous avez plus important à faire. Maurin va m'aider.

Payns surprend son épouse en l'embrassant soudainement sur la joue avant de se retirer sans un mot, le visage sombre.

Peu après, Émeric, qui vient de transporter dans le cellier le cadavre de l'abbé, retrouve les quatre hommes dans le scriptorium.

Payns lui tend trois lettres en lui disant :

— Tu remettras ces plis en main propre à nos frères après leur avoir donné les mots de reconnaissance.

— « Orient-Origine », je sais, maître.

— Hugues de Champagne, Geoffroy de Saint-Omer et Basile le Harnais brûleront chacun leur message devant toi après l'avoir lu, recommande Payns. Tu iras ensuite chercher le prévôt, que tu ramèneras pour qu'il vienne constater le décès de l'abbé.

— Ce sera fait.

Émeric s'en retourne.

— Tu comptes donc réunir notre Loge, Payns ? demande Ferrer.

— En effet, et le plus vite possible. Mais, auparavant, nous devons nous rendre auprès d'Hélène de Brienne et l'interroger. Il faut que nous sachions exactement ce qu'elle a dit en confession qui pourrait nous nuire.

— Notre frère Arcis a été bien imprudent de dévoiler nos secrets à sa femme, avance Eliphas. Crois-tu qu'il lui aura avoué où repose le corps du Christ ?

Payns lui répond sans grande conviction :

— Je ne pense pas... Du moins, je prie pour qu'il ne l'ait pas fait. Pas cela !

— N'empêche, poursuit Eliphas, le moindre détail qu'il aura donné peut aider les Gardiens du Sang dans leurs recherches. Ils ont resserré leur étau sur nous en nous prenant de vitesse.

— C'est pour cette raison que nous ne courrons pas le risque de laisser le corps du Premier là où il se trouve actuellement. Nous le déplacerons pour le garder en lieu sûr, le temps que son Tombeau définitif soit creusé en forêt d'Orient, selon tes plans, Eliphas. L'heure est venue de ressortir l'Anneau...

Payns a parlé très bas. Il se tient près d'une des fenêtres, d'où il peut voir Maurin revenu se battre contre le behour avec son épée de bois.

Eliphas se place auprès de son ami.

— Penses-tu que le pape puisse se douter que c'est toi qui détiens l'Anneau parce qu'il t'a été transmis au travers de ta lignée ? Par le père de ton père, par le père de ce dernier, et ce, depuis Jean, le fidèle ami de Jésus ?

Schelomet ajoute :

— Lequel l'a donné au fils aîné du Christ !

— Et qui te revient ainsi de droit, souligne Eliphas.

Payns se tourne vers ses amis.

— À moi... puis à Maurin, un jour, dit-il.

6

El-kimya

Reims... Sa cathédrale s'élève dans le ciel étouffé de neige. Ses formes robustes, brutes, parfois massives et pourtant élégantes, solides et élancées à la fois, dispensent à l'édifice sagesse et sérénité.

À son flanc sud s'adosse le palais épiscopal, composé de bâtiments dessinant un T. C'est dans l'une de ses ailes que l'évêque héberge le pape Pascal et sa suite.

Le souverain pontife aime à passer les premières heures de la matinée dans une bibliothèque regorgeant d'ouvrages qu'il consulte parfois, se faisant aider dans leur traduction par dom Mestrany, qui manie avec aisance plus de six langues. Il s'intéresse aux manuscrits les plus divers, prenant même plaisir à parcourir les longues listes de tenures paysannes consignées dans d'austères et antiques polyptyques.

La pièce est de grandes proportions, parfaitement chauffée par une imposante cheminée sans cesse alimentée d'énormes bûches, éclairée de chandelles et de candélabres aux flammes protégées par des manchons grillagés.

Ce matin, le pape, assis dans une confortable chaise à haut dossier, les reins convenablement calés par d'épais coussins, s'entretient avec dom Mestrany, comme à son habitude, et avec un homme menu, vêtu d'une bure brune, grossièrement tonsuré et dansant d'un pied sur l'autre.

Cet hôte est en train d'examiner le Saint Signe que le souverain pontife a recopié.

— Alors, l'abbé ? demande le pape Pascal. Vous faites autorité dans les sciences hermétiques, n'est-ce pas ? J'attends que vous m'instruisiez au sujet de cette figure.

— Sa Sainteté me prête un grand savoir, dit le petit homme en se mordant la lèvre inférieure et en clignant plusieurs fois des yeux comme une chouette.

— Un savoir que votre modestie vous interdit de reconnaître, Denis, ajoute dom Mestrany.

L'abbé reprend :

— C'est plutôt que j'aurais honte de vous induire en erreur. Certes, je suis très fier et grandement honoré que Sa Sainteté m'ait fait chercher pour l'éclairer de mes humbles lumières. Je reconnais posséder une certaine réputation dans le pays et j'ai même donné mon conseil lors d'un procès en sorcellerie. Grâce à mon intervention, la suspecte – c'était une jeune fille de quinze ans – a évité le bûcher. J'ai pu prouver que la malheureuse n'entretenait aucun commerce avec le Malin, mais souffrait d'une tumeur dans la tête qui lui comprimait le siège de la raison.

— Qu'est-il advenu de cette enfant ? interroge le pape avec intérêt.

— Un chirurgien lui a ouvert le crâne pour en extraire cette tubérosité qui la faisait sombrer dans la folie et prononcer des injures par chapelets !

— Bien, bien, fait le pape. Et ensuite ?

— Ensuite, poursuit l'abbé Denis, on lui a remis le crâne en place et on a recousu les chairs selon les règles de l'art en priant pour que les os se ressoudent. Ce qui s'est réalisé.

— Parfait ! Cette petite a donc été sauvée !

L'abbé se mord à nouveau la lèvre inférieure et saute deux fois d'un pied sur l'autre avant d'ajouter :

— Je ne sais si je dois considérer mon intervention dans cette histoire comme positive, Saint-Père. J'ai permis à l'infortunée jeune fille de ne pas finir sa courte vie brûlée vive, et c'est là le bon côté de l'affaire, mais, depuis son opération, la pauvre enfant ne bouge ni ne parle, elle fait sous elle et ne s'alimente que si on la gave avec un entonnoir comme on pratique avec les oies.

Le pape Pascal dissimule un sourire derrière sa main et dit :

— Vous me semblez être un homme de bon sens, l'abbé. Vous avez agi en accord avec votre conscience et n'avez donc pas de remords à avoir. Revenons au dessin que vous avez entre les mains. Cela vous parle-t-il, au moins ?

— Ma foi, commence Denis, j'ai déjà rencontré cette singulière étoile de David dans le *Livre secret* du philosophe arabe Artéphius que j'ai pu consulter à la collégiale de Sens et dont j'ai appris quelques passages... Cette étoile est faite d'un triangle blanc et d'un triangle noir qu'Artéphius nomme aussi « clef de l'Univers ». Au centre, ce signe hébraïque, cette lettre, évoque l'esprit de Dieu, le souffle de la Création venu des sphères les plus élevées pour organiser les choses les plus infimes... les particules mêmes de la terre ! La terre noire !

— Je vois, fait le pape, vous parlez d'alchimie !

Denis confirme :

— Le mot alchimie est d'ailleurs issu du vocable *el-kimya* qui découle du *kème* égyptien : la terre noire ! Dans son traité, Artéphius dit ceci : *Celui qui sait blanchir la terre noire possède le secret du magistère ; il peut ressusciter le mort.*

Le souverain pontife se penche en avant, ses deux mains enserrant les accoudoirs de sa chaise, et dit tout bas en articulant nettement chaque syllabe :

— Les triangles blanc et noir entrelacés... La Vie et la Mort mêlées. L'alpha et l'oméga imbriqués !

L'abbé Denis ne peut contenir sa curiosité :

— Puis-je demander à Sa Sainteté où elle a trouvé ce symbole ? Dans quel grimoire ?

Le pape répond sèchement :

— Il ne vous appartient pas de le savoir. Par contre, je vous demanderai peut-être bientôt d'en lire d'autres qui me parviendront. Et de les associer les uns aux autres.

L'abbé sourit.

— Comme il vous plaira, Saint-Père. Je suis à votre disposition. Je m'efforcerai de vous faire part de mes humbles lumières. J'avais d'ailleurs compris que cette figure ne pouvait se suffire à elle seule.

— Ah ?

— C'est comme un simple mot que l'on isole d'une phrase. Quel sens lui donner véritablement sans l'éclairage de tous les autres ? Une équation incomplète...

Le souverain pontife plonge son regard dans celui du petit homme au visage malicieux.

— On ne m'avait pas trompé, l'abbé : vous avez l'esprit fin et adroit.

Dom Mestrany intervient :

— Vous vous êtes engagé à ne rien révéler de cette entrevue à quiconque, ne l'oubliez pas !

— Je vous l'ai promis, confirme l'abbé. Vous saurez me trouver, si jamais... si jamais d'autres dessins de ce genre apparaissent ! Sa Sainteté me fera alors demander, et j'accourrai.

L'abbé Denis rend la feuille de parchemin au pape et se retire. Dom Mestrany referme la porte sur lui.

Dans le corridor qui mène à un large escalier, Denis fait un bond en arrière en voyant surgir de derrière un pilier une grande silhouette décharnée.

— Monseigneur l'évêque ! s'exclame-t-il. Vous avez failli me faire peur en surgissant ainsi de l'ombre. Voyez, j'en ai le souffle coupé !

— J'en suis désolé, Denis. Je vous ai surpris dans vos réflexions ; vous me paraissiez si absorbé ! Le pape vous a reçu en audience privée et je me demandais… enfin, je me disais qu'il souffrait peut-être d'un mal caché pour avoir fait venir un apothicaire aussi compétent que vous.

L'abbé n'a jamais apprécié cet évêque hautain et vaniteux, versant plus dans la politique que dans la religion. Il lui répond avec une pointe de raillerie :

— Rassurez-vous, notre souverain pontife n'est atteint d'aucune affection.

— Ah, j'en suis fort aise. Sans doute cherchait-il à s'instruire auprès de vous sur quelque obscur sujet dont vous faites votre quotidien ?

— Votre tentative pour me faire parler est vaine, Monseigneur ; le Saint-Père m'a donné ordre de garder secrète la teneur de notre entretien.

Puis le petit abbé, d'un geste effronté, repousse l'évêque qui lui barre le passage.

— Excusez-moi, Monseigneur.

— Soit ! Me voici mis à l'écart dans ma propre maison par un pape qui intrigue avec un abbé pourvu d'une réputation de sorcier et qui serait plus à sa place sur un bûcher !

Denis entend à peine. L'évêque a marmonné d'une voix coléreuse. Il ajoute entre ses dents :

— À qui fera-t-on croire que Sa Sainteté ne s'est rendue à Reims que pour consulter en personne les poussiéreuses archives religieuses de la région, et m'entretenir d'insignifiants sujets de protocole concernant le sacre des rois de France ?

La générosité de Payns

Le comte Hugues de Champagne, Geoffroy de Saint-Omer et Basile le Harnais sont arrivés tour à tour dans la ferme de Payns, qui les a informés des derniers événements.

Ils se sont réunis dans le cellier et font cercle autour de la dépouille du vicaire de la paroisse de Brienne. Le corps a été allongé sur une planche de bois reposant sur deux tréteaux.

Hugues, qui a attentivement écouté Payns sans l'interrompre, dit enfin :

— Ainsi, l'homme à la hache a éliminé l'espion dont il n'avait plus besoin. Cela signifie que ce tueur en sait suffisamment sur nous, désormais. Je comprends mieux pourquoi le pape est venu en Champagne.

— Le pape Pascal est ici ? s'étonne Geoffroy.

— Un voyage discret qu'en ma qualité de comte je ne pouvais ignorer, explique Hugues. Le Saint-Père m'a même informé qu'il me rendrait une visite de courtoisie à la fin du mois.

— Belle hypocrisie ! jette Payns.

— Naturellement ! Je présume que je suis sur la « liste rouge » des Gardiens du Sang au même titre que vous, dit le comte. Sa Sainteté espère sans doute que je serai mort avant peu.

— Un renard que cet apôtre-là ! s'exclame Basile. Il est bien capable de te demander une grosse somme avant de te faire trucider.

— Tu as raison, frère Basile, reprend Payns. Mais l'or peut aussi nous sauver.

— En finançant les croisés de Baudouin à Jérusalem ? avance Geoffroy.

— Je comprends : nous pourrions noyer l'Église sous un flot d'or et acheter de la sorte notre sécurité, précise Basile.

Payns se tourne vers le comte Hugues pour lui dire :

— Tu es le plus puissant des feudataires de France et ton pouvoir s'étend bien au-delà de la Champagne ; tu parviendrais vite à rendre indispensable ta contribution aux croisades.

— Mais l'Église ne serait pas dupe quant à la provenance de notre or, Payns, remarque Geoffroy. C'est aussi le secret de sa fabrication qu'elle convoite.

— Bien sûr, frère Basile, dit Hugues. Bien sûr… Néanmoins, tant qu'elle n'aura pas atteint le magistère, nous demeurerons ses maîtres.

— Et tu crois que ce pape renoncerait à ses plans si l'on se donnait les moyens de le corrompre ? demande Geoffroy.

— Celui-ci ou le suivant, répond Payns. Toute âme à un prix ! Nous avons les moyens de répondre aux enchères les plus élevées et de passer n'importe quel marché !

Puis, voyant par la porte entrouverte venir deux cavaliers, il annonce :

— Ah, voici le prévôt ! Attendez-moi dans le scriptorium, le temps que je règle mon affaire.

Ses trois amis le laissent et traversent la cour, passant devant le behour aux épaules blanchies d'une jeune neige.

Le prévôt semble transi sur son cheval, le dos cassé, le nez en avant sur la nuque de sa monture, soudé à elle. Son clerc, plus jeune, est à peine plus fringant.

Les deux hommes mettent pied à terre tandis qu'un garçon de ferme saisit les bridons des bêtes. Le clerc passe à son cou des bretelles, puis y suspend un minuscule lutrin sur lequel il rédigera bientôt le rapport que lui dictera son supérieur.

Payns les accueille avec une feinte bonhomie :

— Prévôt, entrez vite dans le cellier. Soyez remercié d'avoir fait aussi vite.

— Une affaire de meurtre ne doit pas souffrir de retard, énonce l'homme de justice d'un ton sentencieux. Votre commis, à ma demande, m'a expliqué de quoi il retournait. Vous dites donc, seigneur Payns, que ce malheureux est parvenu à se traîner jusque chez vous. Dans cet état !

— Sa jument l'aura conduit ici au hasard de sa course.

Le prévôt fait un signe de la main à l'intention du clerc, qui ne cesse de trembler et de claquer des dents.

— Notez, Besan… L'abbé a été frappé pour être dépouillé… Il n'a pas succombé à sa blessure… Il est remonté sur sa jument qui l'a porté jusque chez le seigneur Payns…

Le prévôt se penche sur le corps pour examiner la profonde blessure et constate :

— Notez, Besan… Un seul coup a suffi pour occire l'individu. Un seul et unique coup, donc. Mais de quelle force ! Asséné par une lame très large, à en juger par la profondeur de l'entaille.

Payns se garde d'intervenir ; que le prévôt n'ait pas déduit que la blessure avait été occasionnée par une hache lui convient plutôt. Inutile d'évoquer le tueur.

À pas lents, dos courbé, l'officier tourne autour du cadavre. Il le flaire presque comme ferait un chien d'une charogne.

— Bien, bien, dit-il. Notez, Besan… Résumons : la victime a été attaquée non loin du domaine du chevalier Payns où elle est venue mourir… Que dire de plus ? L'enquête s'arrête là et j'en informerai l'évêché. Je connaissais un peu ce prêtre ; il n'avait plus de famille… Décimée par la dernière épidémie de peste…

Puis, frappant dans ses mains avant de se les frotter avec vigueur, il conclut :

— J'aime les enquêtes rondement menées, moi !

— Je me chargerai de ses obsèques, annonce Payns, c'est bien le moins que je puisse faire pour lui. Tout sera à mes frais.

— Notez, Besan… Notez que le seigneur Payns prend en charge les funérailles et que ce geste lui vaudra la gratitude de la communauté.

— Je ferai dire des prières chaque année pour le repos de son âme, poursuit le chevalier.

— Votre bonté est grande, mon ami. Vous me déchargez d'une corvée. Si vous connaissiez le nombre d'agressions que l'on déplore actuellement !

— Comme tous les hivers ; les pauvres ont faim et se comportent comme des loups.

— C'est cela… Oui, oui, des loups ! Mais tout de même, s'en prendre à un prêtre ! Des loups, c'est bien vrai. Et celui qui a attaqué cet abbé avait une terrible mâchoire ! D'où il se trouve maintenant – près du Père éternel, je présume ce malheureux prêtre se félicite d'avoir rendu son dernier souffle dans votre maison, chevalier. Il ne pouvait trouver meilleure âme, ni plus charitable personne.

Jetant un dernier coup d'œil au corps, il ajoute :

— Vraiment, si l'on se met à assassiner les gens d'Église, où allons-nous ?

Il remonte son col de fourrure sur son menton et prend congé de Payns :

— Je vous salue, chevalier.

— Moi de même. Portez-vous bien.

Typhaine rejoint son époux qui, sur le seuil du cellier, s'attarde à regarder s'éloigner le prévôt et son clerc.

— Ils n'emportent pas le corps ? s'étonne-t-elle.

— J'ai décidé de pourvoir à son enterrement. L'abbé est venu mourir chez nous ; il mérite notre générosité. Cela ne te contrarie pas, chérie ?

— Si quelque chose devait me contrarier, mon amour, ce serait l'épais mystère qui entoure le moindre de tes gestes. Secret, sibyllin, énigmatique : tu as toujours été ainsi ! Mais tellement plus depuis que tu es revenu de Jérusalem ! Et tes amis sont pareils !

— Pardonne-moi, Typhaine, demande Payns en prenant les mains de sa femme dans les siennes.

— Te pardonner, mon amour ? Mais que te pardonner ? J'ignore ce que tu me caches. Je ne te reproche rien, car tu me prouves chaque jour combien tu m'aimes.

— Il est vrai que je te chéris, mon ange. Tous mes silences ne servent qu'à te protéger. Je dois me rendre bientôt chez Hélène de Brienne pour m'assurer de... Je t'expliquerai plus tard, chérie.

Payns embrasse les doigts de sa femme. Maints baisers brefs. Petites empreintes chaudes sur sa peau fraîche.

— C'est sans doute en rapport avec le meurtre de son mari ? propose Typhaine. Les amis qui t'ont accompagné à Jérusalem sont menacés, n'est-ce pas ? Et toi aussi, tu es en danger ! Quelle malédiction as-tu rapportée de Terre sainte ?

— Sois patiente, Typhaine... Je te dirai tout le temps venu.

— J'attendrai donc. Sache que je prie chaque jour pour qu'il ne t'arrive pas malheur. Que deviendrais-je sans toi ?

Il va se séparer d'elle quand elle le retient par la main droite.

— Cette bague est fort belle, dit-elle.

Il esquisse un sourire. En vain. Ce n'est qu'une expression d'impuissance. Il ne peut rien lui avouer.

Elle lui lâche la main et il sort du cellier pour se rendre dans le scriptorium, où il retrouve les trois chevaliers en discussion avec Eliphas, Schelomet et Ferrer. Il s'adresse aussitôt à eux :

— Ne perdons pas de temps et partons sur-le-champ trouver Hélène.

— Si tu le permets, Payns, je préfère rester ici, indique Basile, légèrement embarrassé. Je me remets difficilement de ce mal sarrasin qui me tracasse toujours les reins et me brûle boyaux et vessie.

— Comme tu voudras, Basile. Quant à nous, en route !

Ils sortent tous. Maurin, qui les voit, accourt vers son père.

— Désolé, s'excuse Basile, j'ai beau ingurgiter rigoureusement tous les remèdes que me concocte mon apothicaire sur ordonnance de Payns, je me sens encore flageolant.

— Ne t'excuse pas, frère, raille Geoffroy en lui tapotant le dos. Ce sont les misères de l'âge !

— Tout de même ! Ai-je l'air si vieux ? Je suis encore capable de vous prendre tous à l'épée et de vous faire mordre la poussière, Payns compris, tout excellent bretteur qu'il soit !

— C'est cela, assène Geoffroy. Un fol esprit vantard dans une carcasse de souffreteux !

Maurin se tient près du behour et semble déçu.

— Tu pars, papa ?

— Je ne serai pas long, garçon. Trois heures tout au plus. Tu n'as qu'à poursuivre ton entraînement.

Mais Basile se penche sur l'enfant pour lui murmurer à l'oreille :

— Je vais te montrer, moi ! Je vais t'apprendre des passes et des feintes qui feront de toi un rude ferrailleur. Il ne sera pas dit que le brave Basile le Harnais est fini !

— C'est un grand honneur pour moi que d'être votre élève, chevalier Basile, répond Maurin avec joie.

Geoffroy, se tournant vers Basile, lui lance :

— Tu ferais mieux de te servir d'une épée en bois, frère ! Je tiens à te retrouver en un seul morceau à notre retour !

8

L'attaque

Des bourrasques de neige frappent les trois chevaliers en pleine face alors qu'ils se rendent à Brienne par une route que longe un canal figé dans la glace, vers lequel plongent en vain des corbeaux affamés.

Geoffroy ne cesse de pester et de jurer sur les hivers de Champagne, plus rigoureux chaque année.

Lorsqu'ils pénètrent dans le village, s'attendant à y trouver peu de vie à cause du mauvais temps, ils sont surpris de constater qu'il y règne au contraire une grande animation.

Plus ils avancent, plus la masse des villageois grossit, se concentrant vers la demeure d'Hélène.

Inquiets, Payns et ses amis brusquent leurs montures pour fendre la foule compacte.

— Laissez passer ! Laissez passer !

Ils mettent pied à terre quand, de la maison de la veuve, deux hommes sortent un corps dans un linge blanc déjà souillé de sang.

La terreur pousse Payns à bousculer sans ménagement les badauds agglutinés devant la charrette dans laquelle on s'apprête à déposer le cadavre.

Et, d'une voix blanche, nouée par l'angoisse :

— Attendez, je veux voir !

Il arrache le drap malgré les protestations des deux porteurs.

— Ce n'est pas Hélène de Brienne…

La femme est plus âgée. Les cheveux gris. Une profonde blessure entre les seins. Une seconde au ventre.

— Non point, messire, dit un homme. Il s'agit de sa tante, venue l'aider à supporter son veuvage. Voyez ce que des soudards en ont fait !

Payns accroche un villageois par sa tunique et le presse de questions :

— Qu'est-il arrivé ? Qui a commis ce crime ? Et qu'est-il advenu de dame Brienne ?

Son interlocuteur, se dégageant :

— Inutile de me secouer de la sorte : tournez la tête et vous serez rassuré.

— Payns, mon ami...

Soutenue par un gros homme, Hélène apparaît parmi l'assistance qui s'écarte sur son passage. Payns se précipite, la prend dans ses bras, la serre fortement contre lui, riant presque de la trouver vivante.

Sa voix a recouvré son timbre :

— J'ai cru un instant...

— Ils ont tué Nanthilde... Ils me cherchaient et... et c'est elle qu'ils ont massacrée !

Le comte Hugues et Geoffroy se sont approchés.

— Qui ? Racontez-nous !

— Ils étaient trois, je crois. Ils ont pénétré de force dans la maison ; Nanthilde a tenté de les retenir en me criant de me cacher. J'étais alors dans le cellier...

— C'est après vous qu'ils en avaient ? En êtes-vous certaine ? s'enquiert Hugues.

— Oui, oui... Je me suis dissimulée dans une maie emplie de grain où je me suis entièrement enfouie. Deux hommes sont venus fouiller le cellier et je les ai entendus parler avant que des villageois accourent, alertés par les cris de ma tante qui se faisait occire.

— Ces hommes, qu'ont-ils dit ? demande Payns.

— Je n'ai pas bien saisi... J'ai cependant compris qu'il était question d'une liste établie par leur chef, sur laquelle j'avais mon nom... Je devais mourir comme mon malheureux Arcis.

— Est-ce tout ?

— Non, ils ont parlé de votre domaine, Payns... D'une attaque prochaine... Puis ils ont déguerpi par les champs. Votre chevalière... Arcis portait la même et on lui a tranché la main droite pour la lui voler ! Je sais ce que ces pierres rouges contiennent, et...

Payns l'interrompt :

— Plus tard, Hélène ! Nous parlerons en chemin. Basile et ma famille sont en danger. Les Gardiens du Sang sont en train d'effacer de ce monde tous ceux qui figurent sur la liste rouge de l'homme à la hache ! En selle, vite !

Payns a enfourché son cheval et se penche sur Hélène pour lui tendre la main droite.

— Montez avec moi, Hélène.

Il la soulève du sol d'un coup : elle est si légère, si jeune. Dans son dos, il sent son corps tremblant d'adolescente.

— Prenez-moi par la taille.

Elle l'enlace. Il éperonne son cheval. Hugues et Geoffroy font de même, manquant de renverser des badauds, et sortent du village à grande vitesse.

La neige s'abat maintenant sur leur dos, le vent trempé, glacial, les pousse sur la route qu'accompagne le long miroir blanc du canal où se reflète leur cavalcade.

— Votre confesseur était à la solde de nos ennemis, Hélène, dit Payns en forçant le ton. Il leur a rapporté tout ce que vous lui avez appris. Tout ce que vous a confié Arcis, les Gardiens du Sang l'ont su !

Les mains d'Hélène se crispent sur la poitrine du chevalier. La jeune femme sanglote en disant :

— Mon Dieu, cela veut dire que je suis responsable de la mort de mon époux ! C'est comme si je l'avais tué moi-même, lui que je chérissais tant ! Mais comment avez-vous su ?

— L'assassin n'avait certainement plus besoin des services de votre confesseur. Il l'a frappé grièvement ; l'abbé est venu mourir chez moi pour soulager son âme. C'est par lui que nous avons compris que les Gardiens vous avaient utilisée à votre insu pour nous espionner.

L'homme à la hache et sept hommes ont attaché les rênes de leurs chevaux aux branches basses d'un chêne et progressent maintenant, courbés en deux, souples et rapides, à l'abri d'un talus.

De la place où ils se tenaient plus tôt, ils ont pu voir entrer et sortir les chevaliers champenois ainsi que le prévôt et son clerc.

Après avoir parcouru une trentaine de pas à couvert, ils grimpent sur le flanc de l'ados pour traverser un grand champ creusé de longues et profondes fondrières. Leurs semelles brisent la croûte épaisse d'une neige dure.

Ils vont droit sur le domaine de Payns. Ils distinguent ses lourds bâtiments solidement fichés en terre, leurs toits empesés de blanc, leurs hautes cheminées fumantes ; sa demeure principale avec ses fenêtres où jouent les reflets de quelques lampes ; son scriptorium fermant la vaste cour carrée où trône le behour sur lequel frappent en riant Basile et Maurin. Leur rire porté par le vent parvient jusqu'aux hommes, qui viennent de sortir épées et poignards de leurs fourreaux.

Le rire clair, effilé et joyeux, de l'enfant ; celui, bien plus rond et grave, de l'adulte.

Une ligne d'arbres cristallins. La troupe s'y arrête un instant et reprend son souffle. L'homme à la hache désigne un muret et repart, aussitôt suivi par ses spadassins.

Il escalade vivement le muretin, qu'il franchit avec agilité pour se retrouver dans la petite cour des écuries. En silence, derrière lui, ses hommes en font autant.

— Cette neige contrarie nos chevaux ; ils ralentissent leur pas, se lamente Payns.

Par-dessus son épaule, le comte tente de rassurer son ami :

— Nous serons bientôt arrivés. Je t'en prie, ne sois pas aussi sombre.

Mais Payns ne parvient pas à chasser l'appréhension qui l'a saisi lorsque Hélène lui a appris que les tueurs avaient projeté de se rendre à sa ferme. Une vision morbide s'est alors emparée de lui. Une image de feu et de sang, d'appels apeurés, de cris de douleur. D'horreur.

Il a beau frapper son cheval de ses éperons, à l'en faire saigner, celui-ci rechigne et renâcle. Ses sabots dérapent souvent dans les ornières.

Là-bas, tout au bout de cette route trop droite, Typhaine, Émeline, Maurin et ses amis sont en danger. Là-bas, derrière cet horizon flou que la brume ne cesse de faire reculer…

L'esprit de Payns possède une mystérieuse faculté ; il est parfois capable de se projeter dans un futur proche, comme s'il pouvait abolir les règles du temps. Il saisit alors des bribes d'événements pareilles à des chimères.

Le chevalier s'est toujours efforcé d'étouffer cette singulière aptitude, la considérant comme une malédiction plutôt que comme une chance. Cependant, elle s'est fréquemment imposée à lui dans toute sa brutalité, lui faisant effleurer plus de malheurs que d'agréments.

Toute son âme tendue vers sa famille et ses proches, il est la proie d'un pressentiment oppressant.

On lance son nom au travers du temps. Là-bas, on hurle son nom. Est-ce maintenant ? Sera-ce plus tard ?

— Je suis fier de toi, Maurin, dit Basile. Je vois que ton père veut faire de toi un chevalier à son image.

— Est-ce vrai qu'il n'y a pas meilleur bretteur que lui dans toute la Champagne ?

— C'est ce que disent ceux qui ne m'ont pas vu combattre !

Puis, constatant que le jeune garçon est trempé et imaginant la réprobation de dame Typhaine :

— Nous ferions mieux d'arrêter le cours. Je te recommande un bon bain chaud dans lequel auront macéré quelques feuilles de laurier. Je serais malheureux d'être responsable d'une fluxion de poitrine qui te clouerait au lit !

— Je suis plus résistant qu'il n'y paraît, affirme crânement Maurin.

— Il est conseillé de prévenir plutôt que de fanfaronner. Et puis, j'avoue que je commence à ressentir quelques douleurs dans les jointures de mes membres.

Soudain, un cri les saisit. Un cri déchirant. Maurin a reconnu la voix de sa mère.

Il se retourne. Il lui semble agir rapidement, mais son corps se meut dans un espace soudain différent. Épais, gluant.

Il voit sa mère qui a jailli de la maison, battant étrangement des bras, criant encore, criant toujours, alors qu'il n'entend plus rien.

Un homme sort à son tour, dans son dos. Il tient une hache ensanglantée qu'il élève au-dessus de la tête de sa mère. Et la lame s'abat. Et la lame brise le crâne, s'enfonce dans la chair qui éclate en grumeaux rougeâtres.

D'autres hommes dans la cour.

Sa mère s'effondrant doucement, si doucement. Basile l'arrachant de terre, le jetant en arrière.

— Recule, petit ! C'est ce démon, l'homme à la hache de Jérusalem !

Basile, épée en garde, lui fait un rempart de son corps. Le tueur qui retire sa hache de la tête de Typhaine. Qui se redresse, prend son temps pour adresser un geste à ses hommes.

Schelomet sur le pas de la porte du scriptorium. Basile qui lui crie :

— Une attaque des Gardiens du Sang ! Nous devons sauver ce qui doit l'être et agir en conséquence.

Une main attrape Maurin, l'attire dans la bibliothèque. Les commis de ferme surgissent, épées et fourches empoignées.

— J'ai l'enfant, Basile ! s'écrie Schelomet.

Puis la voix de Ferrer :

— À toi, maintenant !

— Impossible, il en vient de partout. Fermez la porte et agissez. Ne vous souciez plus de moi. Seul Maurin compte !

Dans le scriptorium, les odeurs : cire, goudron, parchemins, encre...

Maurin poussé, happé, protégé.

Eliphas réunit en hâte certains documents tandis que Ferrer, qui a empoigné une masse, s'impatiente près de deux jarres qu'il vient de placer devant la porte.

Schelomet a fait basculer une table, libérant ainsi une trappe dans le plancher. Il en soulève le vantail. Une volée de marches.

— Hâtez-vous !

— Que Maurin descende le premier.

Les yeux de l'enfant sont mouillés de larmes.

— Mais les autres ? Ma sœur, Basile, Émeric ?

Schelomet, le pressant :

— Ne pose pas tant de questions et descends dans cette cave.

— Je veux savoir... Pourquoi me sauver, moi ?

Une bourrade de Schelomet.

— Parce que tu es un garçon... De *son* sang ! Le sang des Payns !

Ferrer, à la porte :

— Êtes-vous prêts ?

— Donnons encore un peu de temps à notre frère Basile, dit Eliphas.

Comme s'il les avait entendus, Basile leur crie :

— Brisez les jarres, par saint Joseph ! Qu'attendez-vous ?

Un premier commis a été égorgé et gît à terre. Ses compagnons reculent malgré les injonctions d'Émeric et sa volonté de venger la mort abominable de sa maîtresse.

Trois hommes ferraillent avec Basile, qui peine à repousser leur assaut, ses forces ayant déjà été entamées par la leçon qu'il a donnée à Maurin et dans laquelle, pour paraître au mieux de sa condition, il s'est engagé plus que de raison.

L'homme à la hache semble se distraire du pathétique combat que livre le chevalier, faiblissant à chaque nouveau coup, parant avec une force amoindrie les attaques répétées, sans cesse plus précises, plus puissantes.

Basile fléchit, titube ; son épée se fait lourde entre ses mains tremblantes.

Une lame lui traverse le torse en un trait de feu. Ses jambes se dérobent ; il tombe sur les genoux, lâchant son arme. La respiration lui manque. Son sang trempe sa vareuse, lui tiédissant la peau.

Il ferme un instant les paupières sur des ténèbres hurlantes et carminées. Il cherche un point lointain où reposer son esprit. Un souvenir clair et serein où il pourrait éteindre sa terreur. Rien qu'une image de sa jeunesse. Une femme, un ami...

Un havre où mourir en paix.

Mais il entend une voix monocorde et lasse le rappeler dans cet enfer qu'est encore la vie si proche du trépas :

— Ceci pour la cicatrice que tu m'as faite à Jérusalem, chevalier Basile !

Il rouvre les yeux pour soutenir, dans un dernier élan de courage, le regard de son assassin.

Il comprend en une ultime fraction de seconde, peiné de finir ainsi, qu'il est mis à mort comme un vulgaire porc, l'échine fendue d'un effroyable coup de hache.

Lui, Basile le Harnais, frère de la Loge Première, héritier de la Tradition, est cloué au sol, agenouillé, le visage dans la neige. Humilié.

Dans le scriptorium, Ferrer a brisé les deux jarres et répandu ainsi sur le dallage un épais liquide noir et huileux. Il vide ensuite à ses pieds le contenu d'une petite poche en cuir : une poudre grise, lourde et dense.

— Prudence, Ferrer ! lui lance Eliphas en passant la tête par la trappe ouverte. Pas plus d'un quarteron de poudre pour un tel mélange d'huile, ou nous serions soufflés nous aussi comme des fétus de paille !

— Ne t'inquiète pas, frère Eliphas ; j'ai maintes fois expérimenté mon sable de salpêtre !

L'opération achevée, Ferrer se saisit d'une torche.

— Tu n'auras que très peu de temps pour te glisser dans la cave, lui rappelle Eliphas.

— Je sais. C'est pourquoi je te prie de t'éloigner et de me laisser le passage.

Ferrer s'apprête à jeter sa torche sur la poudre grise, tandis qu'à l'extérieur l'homme à la hache réunit ses hommes devant la porte et leur demande de la dégonder à l'aide de quelques solides coups d'épée.

Deux hommes s'y emploient en riant, déjà certains qu'ils vont bientôt se livrer à un nouveau massacre, pendant que trois de leurs compagnons mettent en fuite les commis de la ferme.

Soudain, une fulgurante déflagration projette alentours bouts de bois, éclats de pierre, bris de vases et manuscrits en charpie, déchirant les deux hommes occupés à forcer la porte, jetant à terre les autres dont certains sont blessés par une pluie d'esquilles.

L'homme à la hache a été arraché du sol et renversé sur le dos plus durement que si un bœuf l'avait chargé. Il se relève rapidement, les tympans voilés, les yeux en feu.

— Par notre Dieu tout-puissant, s'exclame un survivant, était-ce là l'œuvre du Diable, qui a dégueulé une partie de l'enfer pour occire deux des nôtres ?

L'homme à la hache, regardant ses deux compagnons démembrés et brûlés, presque entièrement dévêtus par le souffle de l'explosion, répond :

— Un sortilège ! Ce prodige maléfique prouve que nous avons bien affaire à des sorciers. La magie des Juifs !

Et, s'avisant seulement alors que le scriptorium n'est plus qu'un brasier :

— Ils ont préféré se détruire…

Un homme désigne une troupe de cavaliers au loin :

— On vient, messire !

— Payns et les deux autres chevaliers… À vos chevaux ! Je vous rejoins dès que j'en aurai terminé avec cet hérétique.

Le tueur met un genou en terre, dégage le bras droit de sa victime, l'étend sur la neige et prononce :

— *Res indigna atque intoleranda*[1] !

Il abat sa hache sur le poignet, qui se brise dans un bruit de bois sec, s'empare de la main sectionnée et redresse le corps de Basile.

Sur le front de ce dernier, il trace avec le propre doigt du chevalier qu'il vient de colorer de sang :

$$2 +$$

— *In hoc signo vinces*[2] ! Bonne moisson, qui me rapporte le deuxième doigt de la main droite du Christ !

9

La douleur

Dès le départ des assaillants, Émeric a organisé une chaîne pour tenter de circonscrire l'incendie du scriptorium, devinant cependant que rien ne pourrait en être sauvé. L'eau est tirée d'un puits ; femmes et hommes sortis des bâtiments se passent les seaux de main en main. Gestes dérisoires et vains contre la violence des flammes que le vent attise.

Les chevaliers ont mis pied à terre. Et Payns a couru vers le corps de sa femme, sur lequel il s'est laissé tomber pour pleurer, mêlant ses larmes au sang de la victime.

Il se lamente. Il geint. Il pleure son amour.

Émeric abandonne ses compagnons pour rejoindre son maître.

— Je n'ai rien pu faire, messire. Ronan a été tué alors que nous entreprenions d'aider le chevalier Basile.

Payns se redresse, le visage rougi. Il aperçoit le cadavre de son ami.

---

1. Chose indigne et intolérable !
2. Par ce signe tu vaincras !

— Basile aussi ! murmure-t-il.

— Il s'est défendu avec un grand courage, mais les forcenés étaient trois contre lui.

— Et Maurin ? Et Émeline ?

Payns a bondi, saisi d'une sourde angoisse qui lui broie la poitrine.

— Maurin est parvenu à trouver refuge dans le scriptorium, le rassure Émeric. Il est sans aucun doute en sécurité dans la cave avec messires Schelomet, Eliphas et Ferrer. Par contre, je n'ai pas revu Émeline.

Le chevalier se tourne vers sa maison. La porte de l'office est restée grande ouverte. Il fait quelques pas, ses jambes raides répondant à peine à sa volonté.

Le comte Hugues, le retenant :

— Non, laisse-moi y aller !

Et Geoffroy, lui prenant le bras :

— Reste avec moi, mon frère. Je suis trop sot pour te dire les mots qui te réconforteraient. Mon esprit n'est pas aussi délié que le tien, mais je peux t'assurer de ma peine et de ma compassion.

— As-tu vu ce que ce boucher a fait de Typhaine ?

À ces mots, Geoffroy dénoue sa cape, qu'il dépose avec douceur sur le cadavre de la jeune femme. Il revient prendre le bras de Payns, serre son ami contre lui et lui déclare tout bas à l'oreille :

— Comme je te l'ai dit, je ne possède pas une fine intelligence. Cependant je suis maître dans l'art de la guerre, et je ne crains pas de trucider mon prochain si ce dernier a la malchance de mériter son sort. Je serai toujours à tes côtés pour chasser ce monstre ! Je te jure que je donnerai ma vie si l'entreprise m'impose ce sacrifice.

Payns, s'essuyant les yeux d'un revers de manche :

— Tu es sans doute le plus fidèle de mes amis, Geoffroy. Et le plus affectueux aussi, car ta bienveillance est sans calcul. Elle est pure comme celle d'un enfant. Ta miséricorde, ta prodigalité et ton innocence valent bien mieux que la plus grande des intelligences.

Hélène de Brienne s'est approchée des deux hommes. Elle n'ose parler. Pourtant, elle partage la souffrance de Payns pour vivre avec celle que la mort d'Arcis lui a causée : un chagrin désormais chevillé à son âme pour le restant de son existence.

Un cri retentit dans la cour, long et poignant. Payns vient de voir le comte Hugues passer le seuil de sa maison, portant dans ses bras le corps sans vie et maculé de sang d'Émeline.

Sans le support de Geoffroy, Payns se serait affalé sur le sol. Toute son énergie l'a brutalement abandonné pour ne laisser en lui qu'un vide glacé. Une béance vertigineuse qui engloutit sa raison.

Secoué de spasmes, il vomit dans la neige à s'en déchirer la gorge.

— Aide-moi ! implore-t-il en levant les yeux vers Geoffroy.

Ce dernier le soutient, le soulève presque pour le faire avancer et rejoindre Hugues.

Hélène, demeurée à sa place, joint les mains et s'efforce de prier. Des paroles brouillées sortent de ses lèvres sans qu'elle soit vraiment consciente de leur signification. C'est seulement sa mémoire qui retrouve quelques-unes de ces insipides formules qu'un abbé lui a apprises dans son enfance, lui certifiant qu'elles étaient un excellent recours en période de deuil.

Payns a pris sa fille contre son torse pour la bercer, sa petite tête dans son cou, ses lèvres sans souffle sur sa peau.

Geoffroy lance à Hugues un regard plein de désarroi. Il est tout aussi malheureux que ce père anéanti. Malheureux de ne plus savoir qui pleurer. Car Basile gît seul, plus loin, et nul n'est encore venu l'allonger décemment.

— Viens, dit Hugues à Geoffroy.

Les deux hommes passant devant Hélène, Hugues demande à celle-ci :

— Ayez la bonté de vous rendre auprès de Payns. Je crois que seule une femme saura le réconforter en un tel instant. Prenez la petite ; il n'est pas souhaitable qu'il la garde longtemps ainsi. Vous l'allongerez sur son lit et lui ferez sa toilette.

— Oui, messire comte.

Parvenus auprès du cadavre de leur frère Basile, les deux chevaliers l'étendent sur le dos pour effacer de son front le chiffre et la croix que l'homme à la hache y a dessinés.

— Ne penses-tu pas que nous devrions nous séparer de nos bagues, Hugues ?

— Impossible ! Nous avons fait le serment de les conserver à nos doigts, car leur place ne saurait être ailleurs. Il nous revient de mieux les protéger. D'autre part, le tueur des Gardiens du Sang cherchera à nous assassiner, que nous portions ou non ces bagues !

— Tu sais que je ne suis pas un couard ; cette fois, pourtant, je dois avouer que ce viandard me fait peur. Il nous livre une authentique guerre. Une guerre à laquelle nous ne sommes pas habitués. Il y a quelque chose d'irrationnel dans le comportement de ce démon.

— Au contraire ! le reprend le comte en continuant de laver le visage de Basile avec de la neige. Il agit avec froideur et méthode, ne se souciant ni d'éthique ni de morale. Déterminé, implacable, il exécute sa mission en fanatique de Dieu, avec une effroyable rigueur. Il est certainement persuadé de mériter son salut éternel au terme de ce combat. C'est en cela qu'il est dangereux. Parce qu'il croit trop fort en Dieu !

— Le Secret de Jésus nous coûte beaucoup de sang, frère, lance Geoffroy en caressant le poignet sectionné de Basile.

— Le conflit ne fait pourtant que commencer.

Et, se relevant :

— Occupons-nous maintenant des vivants, le temps ne nous manquera malheureusement pas pour chérir la mémoire de nos morts.

Les deux chevaliers rejoignent la chaîne des commis et valets qui jettent de l'eau à grands seaux sur les flammes, qui commencent à perdre de leur ardeur.

Émeric est allé chercher une pelle dont il se sert avec une solide énergie pour lancer de gros paquets de neige dans l'incendie.

À force d'acharnement, le brasier est vaincu et, n'attendant pas que les fumées soient retombées, Hugues et Geoffroy pénètrent dans les ruines du scriptorium.

Ils enjambent tables, coffres et lutrins calcinés.

Geoffroy passe la lame de son épée en travers de l'anneau de la trappe afin d'en relever le vantail sans se brûler les mains.

Le premier à sortir de la cave est Maurin, les yeux gonflés de larmes, les joues cramoisies sous l'effet de la chaleur.

Le comte Hugues l'attire à lui pour le porter rapidement hors du bâtiment, dont la toiture risque de s'écrouler à chaque instant.

— Émeline ? demande l'enfant. Émeline ? Ma petite sœur, où est-elle ?

10

La deuxième bague

Le soir tombe sur Reims.

Le pape a manifesté l'intention d'être seul pour prier dans la petite chapelle consacrée à la Vierge Marie. Aussi éprouve-t-il quelque mauvaise humeur en voyant un abbé se diriger vers lui.

— Que voulez-vous ? demande-t-il sèchement.

— Je sollicite une entrevue de votre part, Père.

Pascal a reconnu la voix lente et asexuée de l'homme à la hache.

— Êtes-vous fou, pour venir ici ? Si quelqu'un vous avait croisé !

— Nul ne m'a remarqué. Je sais traverser les murs comme une ombre. Voyez, vous m'avez pris vous-même pour un humble prêtre...

Dans un soupir, le pape abandonne son prie-Dieu et dit :

— Suivez-moi, je vais vous conduire dans mes appartements. Qu'avez-vous à me dire ?

La voix, encore plus suave :

— J'ai plutôt quelque chose à vous offrir.

— Vous avez donc fait une nouvelle victime... ?

Les deux hommes sortent de la chapelle, traversent le transept de la cathédrale et passent une porte basse pour emprunter un corridor qui les mène au palais épiscopal.

Le souverain pontife fait entrer son visiteur dans un cabinet jouxtant sa chambre. Il sait que nul ne viendra les déranger ici.

Le Gardien du Sang retrousse son surplis, qui dissimule une sacoche dont il extrait un paquet de toile, qu'il pose sur une table.

— Voici la main droite du chevalier Basile le Harnais !

Un réflexe de dégoût oblige Pascal à faire un pas en arrière.

— Je vous en prie, Père, hâtez-vous de recopier le dessin que vous allez trouver dans cette nouvelle bague ; je dois regagner Sainte-Menehould avant que les routes ne soient impraticables en raison de la neige qui tombe dru.

Le pape déplie le chiffon et enlève aussitôt la chevalière de l'annulaire. Il relève la pierre rouge et retire de son petit réceptacle la pièce d'étoffe, qu'il défroisse et pose à plat sur la table.

Il examine le motif. L'alpha et l'epsilon encadrent un P coupé en son milieu par une barre horizontale.

Il ouvre son écritoire, y prend une plume taillée en biseau et de l'encre, puis entreprend de recopier la figure dessinée sur le morceau de tissu volé au suaire de Thomas.

Tout en s'appliquant à respecter soigneusement le modèle, il dit :

— Je devrais vous louer pour les services considérables que vous rendez à l'Église. Néanmoins, je ne peux m'empêcher de penser que vous tirez du plaisir à vous acquitter de votre mission.

— La satisfaction que je ressens est celle qu'un homme de foi doit éprouver en défendant le dogme de la Sainte Église. Oui, c'est avec un indicible bonheur que je me bats pour préserver le règne de Dieu !

— Seriez-vous plus croyant que moi, mon fils ? N'êtes-vous pas ébranlé dans vos certitudes ? Le Christ n'est pas mort en croix et il a eu une descendance que nous craignons...

— Peu m'importe ! J'ai fait une vérité du mensonge de l'Histoire et je m'en accommode. Sa Sainteté sait pertinemment que Jésus n'est pas réellement mort. Il appartient aux Gardiens du Sang de le retrouver afin de préserver la gloire de l'Église. N'est-ce pas votre but, Père ?

— Sans doute, fait le souverain pontife avec lassitude. Oui, cette chose impensable est malheureusement une certitude, bien que mon esprit soit incapable de l'admettre raisonnablement : le Christ a expérimenté sur lui l'Équation alchimique !

Le bruit de la plume qui accroche le parchemin. Le craquement des bûches dans la cheminée. Le vent qui se brise sur les volets de bois.

— Vous savez aussi que nous devrons nous débarrasser du corps du Nazaréen, poursuit le tueur.

— En effet, cette preuve, comme toutes les autres, doit disparaître. L'humanité ne peut apprendre qu'un homme a vaincu la mort avec l'aide de la science et non avec celle de Dieu. Il est inconcevable qu'un tel homme demeure dans son tombeau dans un état qui ne se situe ni dans la vie ni dans la mort. Qui pourrait admettre ce prodige sans douter de la toute-puissance de notre Créateur ? Qui pourrait envisager qu'un corps corrompu par le trépas, décomposé et putréfié, puisse un jour recouvrer sa chair, son sang et sa conscience sous l'effet d'un traitement alchimique ?

— Certes, Père... L'humanité est sotte, et sa foi en Dieu n'est pas suffisamment établie ! Si elle apprenait l'existence de ce cadavre, elle sombrerait dans les ténèbres. Pour ce qui me concerne, connaître cette chose ignoble n'ébranle en rien mon credo. Une fable est souvent plus exemplaire que la réalité quand elle sert à étayer notre croyance. La légende de Jésus mourant en croix et ressuscitant restera à tout jamais l'un des principes les plus édifiants des Saintes Écritures !

— Vous jouez sur les mots, lance le pape en achevant sa copie. Ce n'est pas Dieu que vous défendez, mais la religion édifiée en Son nom !

Puis, repliant la feuille de vélin :

— Vous pouvez reprendre cette bague et sa relique.

Le tueur accepte la chevalière, mais refuse la main :

— Jetez-la au feu comme j'ai fait pour la première.

Il quitte la pièce. Le pape s'empare de la main avec répugnance pour la lancer dans les flammes, tout en ne pouvant s'empêcher de la regarder se contracter comme si elle était encore vivante. Il ne s'écoule que peu de temps avant que sa peau ne se mette à cloquer et à se déchirer.

L'odeur de chair grillée qui emplit le cabinet devient si écœurante qu'il regagne sa chambre.

Cette nuit encore, son sommeil sera agité de cauchemars morbides, et au matin il se lèvera avec le sentiment d'avoir dormi en enfer.

C'est à ce prix pourtant que l'Église sera sauvée.

11

La tombe du Premier

Dans la plus grande pièce de la maison de Payns, des planches ont été posées sur des tréteaux ; on y a placé les corps de Typhaine, Émeline et Basile, que l'on a recouverts de draps blancs, ne laissant apparaître que les visages. La tête et le front de Typhaine ont été emmaillotés de linges pour dissimuler l'ignoble blessure infligée par le tueur à la hache.

Payns, ses frères de la Loge Première et Maurin se tiennent par la main en une chaîne formant cercle autour des dépouilles.

Aux murs brûlent des chandelles dont les flammes sont rabattues par un léger souffle de vent qui passe par les interstices des volets clos.

Intimidé, Maurin observe tour à tour ces hommes graves aux traits accusés par des ombres sévères. Constatant la présence d'Émeric, il se demande pourquoi Hélène n'a pas été conviée à cette assemblée, mais se retient d'en demander la raison.

Il les regarde tous. Il lui semble qu'il les voit pour la première fois. Qu'il les voit réellement ! Immobiles, silencieux. Statues hiératiques auxquelles seuls leurs yeux brillants donnent vie.

Plus que du chagrin, ils expriment de la colère. De la haine.

Maurin se tient entre son père et le comte de Champagne ; les deux hommes serrent ses mains avec force, à lui faire mal. Il y a dans cette étreinte la volonté de lui manifester leur affection et leur protection. Aussi n'a-t-il aucune intention de se plaindre.

Soudain, Payns, lâchant la main de son fils, dit :

— Il est temps !

Arrachant d'un mur l'une des torches, il ajoute à l'adresse de Maurin :

— Tu peux m'accompagner. Tu en as désormais le droit. Un droit que tu as payé tout aussi cher que moi, avec la mort de ta mère et d'Émeline.

Ils se rendent dans la cour et Payns se dirige droit sur le behour.

— Que devons-nous faire ? interroge l'enfant.

— Récupérer certain objet que j'ai caché… Quelque chose de sacré ! Et qui était à la portée de tous, sous le nez même des tueurs !

Tendant la torche à son fils :

— Éclaire-moi.

Le chevalier dégaine son épée et, à la surprise de l'enfant, se met à tailler à grands coups rageurs dans le mannequin de paille.

— Père !

Payns frappe. Frappe encore. Frappe de toutes ses forces, à gauche, à droite, éventrant le behour, le transformant en charpie tout en poussant des râles dus à l'effort.

— Père !

L'éteule vole en poussière, ses grains éclatant dans la lumière comme de minuscules flocons.

Enfin le poteau apparaît, dénudé. Payns s'en approche et demande à Maurin d'élever sa torche. Accroché au sommet du pieu, un anneau de bronze a été encastré entre deux encoches.

— Un anneau ?

— Oui, Maurin… Mais cet anneau est une clef qui ouvre une tombe sur laquelle nous allons nous rendre cette nuit.

— Tu me fais peur, père !

— Je te parlerai en chemin, mon fils… Je te communiquerai un merveilleux secret. À travers toi je parlerai aussi à ta mère et à Émeline. Je leur livrerai la cause du mystère pour lequel elles sont tombées. Lorsque je t'aurai tout dit, tu accepteras peut-être leur sacrifice avec plus de sérénité. Viens, allons chercher nos amis, et partons.

Le chevalier rengaine son épée et reprend la main de son fils.

— Papa…

— Oui ?

— Tu pleures !

— En effet, je pleure, faute de prier.

Les sept hommes et l'enfant vont à pied, de crainte que des chevaux ne s'embourbent dans les marécages de la forêt d'Orient. Geoffroy et Émeric portent un brancard sur lequel, comme Payns l'a expliqué à son fils, ils placeront bientôt la dépouille de Jésus.

Jésus !

Maurin a retenu des Évangiles que le Christ avait ressuscité à Jérusalem. C'était d'ailleurs pour délivrer son Tombeau que les croisés s'étaient rendus en Terre sainte.

— Non, dit Payns. Jésus, qui avait été initié par les Égyptiens de Deir el-Medineh, puis plus tard par les prêtres esséniens de Qumrān, s'était consacré à l'alchimie. L'enseignement d'amour qu'il prodiguait à ses semblables, l'exemple de générosité et de fraternité qu'il leur adressait, étaient le fruit de ses études. Il avait réussi à assimiler les immuables lois de la Nature dans leur complexe organisation et leur ordre intangible pour en appliquer les règles à l'espèce humaine. Il affirmait que la Nature n'était qu'amour ! L'énergie qui la régentait devait obligatoirement se retrouver dans l'âme de l'homme... Dans sa conscience, plutôt.

— Père, je ne saisis pas tout ce que tu me dis.

Ferrer intervient :

— Cela ne m'étonne pas, Maurin. Payns oublie qu'il ne parle pas à un adulte.

— Je suis désolé, s'excuse Payns. Je vais trop vite en besogne, effectivement. Je prenais un chemin bien trop tortueux pour t'amener à admettre que Jésus n'a pas été crucifié. Thomas, son frère jumeau, a été arrêté à sa place, et c'est lui qui a subi le supplice.

— Comment être certain de cela ? interroge l'enfant.

— Après avoir quitté la Palestine, Jésus et ses disciples ont longuement voyagé avant de s'installer sur la terre de Champagne où, dans le secret, ils ont commencé à initier de nouveaux adeptes.

— Pourquoi en secret ?

— Parce que le Christ était détenteur du plus grand des mystères... Un mystère qui devait être protégé tout au long des siècles. C'est pourquoi il fonda une compagnie qu'il appela la Loge Première, qu'il chargea de veiller sur son propre corps.

— Son corps ? s'étonne Maurin.

— Oui, le mystère est le corps de Jésus ! Le seul, le véritable miracle jamais accompli à la surface de cette terre... Le miracle d'I.N.R.I. : *Igne Natura Renovatur Integra*.

Tandis que les hommes s'enfoncent dans l'un des endroits les plus boueux de la forêt, Payns poursuit son récit, oubliant encore qu'il s'adresse à un garçon de dix ans seulement.

Il lui parle du message occulte de Jésus, de l'expérience faite sur lui-même avant qu'il ne rende son dernier soupir, de ce cadavre pourrissant lentement dans son tombeau, mais conservant une infime particule de vie éternelle qui lui permettra un jour de renaître de la mort, de cet atome de conscience demeuré dans le cerveau en partie putréfié, de cette once d'âme à laquelle il est interdit de se dissoudre définitivement dans le néant. De cette âme retenue par une dépouille capable de traverser des temps infinis dans l'attente d'une résurrection. Un mort patient, se nourrissant de l'énergie terrestre et absorbant les fluides de la Nature.

— Tu veux me faire croire que Jésus pourrait se relever de sa tombe ? Parviendrait-il à le faire seul ?

— Non, pas vraiment. S'il s'est appliqué le magistère, s'il possède dans la moindre de ses fibres la potentialité requise pour vaincre définitivement la mort et se reconstituer à partir de vestiges de chair et d'os, s'il peut régénérer son sang et ses organes, il a néanmoins besoin d'être accompagné dans l'aboutissement de ce miracle. La décision de lui permettre de revenir à la vie ne peut être prise que par ses disciples, qui devront prodiguer une certaine science à ses restes. Un grand savoir est nécessaire, Maurin.

— Tu es l'un de ses disciples, père ?

— Tout comme les amis qui nous entourent cette nuit. Oui, nous sommes les disciples de Jésus par-delà le temps. Son secret nous a été transmis de génération en génération ; il en sera ainsi dans les siècles à venir. Cela s'appelle la Tradition. Le Christ lui-même était l'un des maillons de la Tradition. Je te l'ai dit plus tôt, Jésus avait reçu l'enseignement occulte des sages égyptiens et des docteurs esséniens, qui avaient eux-mêmes hérité d'un enseignement empirique remontant à l'aube de l'humanité. Remontant aux enfants de Dieu, Adam et Ève !

Le comte Hugues interrompt Payns :

— N'est-ce pas la borne dont tu nous as parlé, celle qui doit nous indiquer le nouveau cours du chemin ?

Payns écarte une brassée de joncs et examine attentivement la pierre qui émerge de la vase.

— C'est celle-ci. Deux cents pieds à partir d'elle. Voyez, elle forme une flèche et nous indique la direction : plein est !

— Tu me surprends décidément beaucoup, dit Maurin à son père. Comment as-tu appris que cette pierre nous indiquerait la voie à emprunter ?

— Tout comme tu viens de l'apprendre, fils ! C'est mon père qui me l'a dit.

La procession se remet en route. Il faut désormais traverser une vaste étendue de roseaux aux feuilles coupantes, progresser dans une boue lourde et collante.

Enfin le cortège débouche dans une sommière plus sèche plantée de saules aux larges frondaisons alourdies de neige. Légèrement à l'écart se dresse un chêne géant au tronc large et noir et aux branches torturées.

— La clairière ! lance Payns. Comptons sept pas en allant plein est à partir du chêne.

— Il repose là ? demande Maurin.

— Oui, lui répond Payns. Dans une fosse que Jean a fait creuser alors que Jésus allait atteindre nonante ans.

Les hommes ont rapidement atteint un tertre peu haut, petite excroissance moussue et herbeuse autour de laquelle ils forment un cercle en se tenant par la main.

— Unissons-nous, frères, annonce Payns. *Puisqu'il est l'heure et que nous avons l'âge, ouvrons nos travaux.* Entrons dans la voie qui nous a été tracée par notre maître, le Premier. Par la lumière de sa Parole, par la force de sa Connaissance, qu'I.N.R.I. nous illumine !

Le comte poursuit :

— Par les Saints Signes. Par les figures respectées, le Triangle, l'Hexagramme, l'Omega, la Croix et le Tau, œuvrons cette nuit aux fins de préserver la Tradition !

Puis Geoffroy :

— Par les lois éternelles, par ce qui a été et sera, comme le soleil se lève à l'est et se couche à l'ouest, parce qu'un cycle irréversible rattache la vie à la mort, par l'amour qui régit l'Univers, accueillons en nous la chair et le sang de notre frère sans âge.

Payns, de nouveau :

— En ce temps-là, Jésus dit à ses disciples assemblés devant lui : *Ma chair est véritablement une nourriture, et mon sang est véritablement un breuvage. Celui qui mange ma chair et qui boit mon sang demeure en moi, et moi en lui par-delà les siècles. Celui qui par-*

tage mon pouvoir est enfant de la Connaissance. Il sait que ma chair ne sera jamais putride et que mon sang ne sera jamais vicié. La Connaissance est en moi comme elle est en lui. En vérité, en vérité je vous le dis : Un homme neuf né de la Mort reviendra, appelé par ses frères. Il sera le berger apportant l'Amour à son troupeau. Mais certains chercheront à le renvoyer dans les ténèbres et ses frères devront se battre pour sauver sa chair et son sang. En vérité, en vérité je vous le dis : Malheur et douleur attendent mes frères dans les temps à venir !

Maurin a écouté avec émotion la voix de son père qu'un sanglot a brisée au terme de son homélie. Lui-même ne peut retenir ses larmes et il les laisse jaillir de ses yeux, piquantes et brûlantes. Il pense à sa petite sœur. À sa mère. Il revoit celle-ci tournoyer sur elle-même, le crâne éclaté, les bras tendus vers lui qui ne pouvait plus bouger. Qui, bien trop jeune, n'était qu'un témoin horrifié. Qui aurait aimé alors posséder la force de son père pour se précipiter sur le criminel et le traverser de part en part d'un violent coup d'estoc.

Mais son arme était de bois.

La main de son père serre plus fort la sienne.

— Brisons la Chaîne pour recevoir le Premier parmi nous...

Les hommes élèvent et abaissent leurs bras par trois fois avant de se désunir.

Payns s'agenouille sur le tumulus. Il fouille sous son manteau pour en sortir l'anneau de bronze, qu'il dépose sur le sol. Il écarte les herbes que le gel a rendues cassantes, gratte et déchire la mousse blanche, se souciant peu de se blesser les doigts.

Les hommes se sont approchés. Le comte a posé une main sur l'épaule de Maurin. Présence chaude et amicale.

Payns a dégagé une manille en pierre qui affleure d'une dalle en partie dénudée. Il reprend l'anneau pour le passer dans le crochet qui l'enserre parfaitement.

S'apprêtant à tirer, il dit :

— C'est la première fois que cette tombe est descellée.

Et, se tournant vers Geoffroy :

— Aide-moi à soulever la dalle ; je vais avoir besoin de tes muscles.

— C'est là bien trop d'honneur, Payns !

— Cesse donc de te faire passer pour un rustre et tire avec moi. Tire sur cet anneau !

Les deux hommes ont beau s'échiner, rien n'y fait. La trappe ne bouge pas.

Eliphas intervient :

— Sans doute faudrait-il passer une lame dans les jointures des pierres ; le temps est le pire des ciments !

Émeric a dégainé son épée et s'agenouille à son tour près des deux hommes. Il fouille la mousse pour trouver le contour de la dalle et passer l'acier de son arme dans ses charnières.

Peu après, Payns et Geoffroy se saisissent à nouveau de l'anneau. Cette fois, ils parviennent à dégager la dalle de son logement. Grincement des pierres frottées, respiration hachée des hommes.

Bientôt, tous s'y mettent.

Ils libèrent la tombe, se redressent, n'osent pas encore regarder à l'intérieur…

Payns reprend la torche qu'il avait fichée en terre et l'élève au-dessus de la fosse. La lumière dansante de la flamme accroche le suaire enveloppant la dépouille.

— Qu'y a-t-il sur sa poitrine ? interroge Maurin en montrant un paquet de cuir moucheté de moisissures.

— C'est son Évangile, répond Payns. Ses disciples l'ont déposé là au cours de la modeste cérémonie des funérailles. Jésus avait demandé à être enterré avec ses mémoires. L'Église, qui en connaît l'existence, les recherche depuis l'origine. Elle les mentionne sous le nom de Testament du Fou.

Le comte, faisant un pas pour se pencher sur les restes du Christ :

— Outre le récit de sa vie, Jésus a confié au Saint Livre le traité initiatique de son magistère. Nous, frères Premiers, avons été chargés de veiller sur cet Évangile et d'empêcher à tout prix nos ennemis de s'en emparer.

— Nos ennemis… ? articule Maurin.

— Les Gardiens du Sang ! jette Ferrer. Ce sont eux qui nous traquent.

Schelomet poursuit :

— Ils se sont juré de récrire l'Histoire de manière à imposer leur apologétique en dépit de la vérité. Nous pensons même que le pape est leur vassal, quoiqu'il s'imagine les contrôler. Ils appartiennent à une secte aussi vieille que la Loge Première, ayant découvert très tôt que le crucifié était Thomas, le frère jumeau de Jésus.

— Je m'y perds, avoue Maurin. J'ai l'esprit bien lourd et trop triste pour comprendre ces choses troublantes. De plus, ce matin, Schelomet, en me poussant dans la cave du scriptorium, m'a dit une phrase qui me revient et me donne à penser.

— Que t'ai-je dit ? Le moment était dramatique et je reconnais que je ne me souviens pas de ce que j'ai pu te confier alors.

L'enfant précise :

— Vous avez dit que je devais être sauvé parce que j'étais de *son* sang ! Que j'étais un Payns ! J'ai conscience d'être trop jeune pour apprécier certaines finesses des adultes, néanmoins j'ai su que je devais vivre parce que j'étais un mâle...

— Oui, en effet, admet Schelomet, j'ai prononcé ces mots et je le regrette maintenant ; il appartient à ton père de t'éclairer à ce propos.

— Je ne t'en tiens pas rigueur, assure Payns avant de se retourner vers Maurin pour lui expliquer : Sans les drames de cette épouvantable journée, j'aurais assurément attendu que tu sois plus vieux pour te révéler un secret qui nous concerne toi et moi. Nous sommes marqués par un destin auquel nous ne pouvons nous soustraire. Vois-tu, cet homme qui gît dans cette tombe, cet homme qui a imprimé sa marque à l'humanité par son message d'amour, cet homme est notre ancêtre, mon fils ! Nous sommes de son sang !

Des gestes lents. Religieux.

Le corps du Christ est déposé sur le brancard. Le suaire gris accuse la maigreur de la dépouille, mais en souligne cependant quelques lignes pleines, informant que les membres sont solidaires les uns des autres, que des chairs existent encore.

Maurin ne parvient pas à détacher son regard de ce cadavre, auquel il invente un visage très proche de celui de son père. L'arête d'un nez marqué, l'os dur et saillant. Les pommettes relativement hautes, anguleuses. Les lèvres fines, pâles.

Maurin n'a plus prononcé le moindre mot depuis la révélation que lui a faite Payns. Épuisé, bouleversé et fiévreux, il est devenu un lointain témoin des événements, qu'il suit avec un détachement qui le surprend. Dans une torpeur presque glacée, il reste là, atone, à regarder le corps du Christ, son aïeul.

Il perçoit la voix de son père, éloignée :

— Refermons la tombe. Je mettrai l'anneau en lieu sûr.

Et la voix du comte :

— Tu as l'air épuisé, Maurin.

C'est donc à lui que l'on parle. Il doit faire effort pour recouvrer le sens des réalités, revenir à cette nuit étrange qui ressemble à une hallucination.

— J'ai froid, s'entend-il dire. Je voudrais rentrer.

Il aimerait retrouver sa condition d'enfant, avec ses joies insouciantes, ses joutes contre le behour, ses courses derrière les poules, ses jeux avec Émeline, ses moments d'affection entre les seins de sa mère. Être de nouveau, tout simplement, cet enfant qu'il était encore ce matin. Non ce gosse mort-vivant planté dans la cour de la ferme avec les cris de désespoir et de douleur de sa mère qui lui déchirent les tympans.

Le cortège se remet en route. La main de Payns prend celle de son fils.

— Je te préparerai une tisane de menthe et de thym que je te porterai dans ta chambre.

— Où comptes-tu cacher la dépouille, papa ?

— La forêt d'Orient entière deviendra le Tombeau du Premier. La terre, l'eau et le vent seront les éléments dans lesquels il puisera ses forces pour régénérer le feu de la Vie qu'il maintient en léthargie dans son sang. Eliphas et nos frères vont construire une sépulture inviolable dans cette forêt. Elle contiendra plus tard le corps de Jésus que nul ne pourra jamais profaner. En attendant, il convient de lui trouver un abri provisoire qui le soustraira aux recherches des Gardiens du Sang. Un endroit que nous pourrons surveiller en permanence.

12

Un écrit de Payns

Ce matin nous avons célébré les obsèques de Typhaine, Émeline et Basile le Harnais. La cérémonie s'est déroulée dans la plus stricte intimité et je n'ai pas souhaité le concours d'un prêtre.

Il était primordial qu'aucun témoin étranger ne surprenne la manipulation que j'ai organisée avec l'aide de mes frères. L'abbé qui a trahi dame Hélène a été discrètement inhumé en bordure d'un champ avant l'aube ; nous avons marqué sa sépulture d'une simple pierre blanche. À sa place, dans le cimetière de ma famille, nous avons enseveli les restes de Jésus en attendant de lui creuser un sépulcre inviolable dans la forêt d'Orient.

À ses côtés dorment maintenant ma femme bien-aimée, ma fille chérie et mon ami Basile. Je pourrai ainsi venir me recueillir et méditer à mon gré sur leurs tombes.

De ma chambre, de la fenêtre orientée au nord, je vois les trois sépultures. Je devrai désormais m'habituer à leur présence, sachant que la première chose que je ferai chaque matin sera de les regarder.

Je ne pourrai cependant pas oublier que Typhaine et Émeline se décomposent dans la glaise, dans cette terre noire de Champagne, alors que le Christ se maintient dans un état sublime, une catharsis hors du temps humain. Un miracle dont l'origine se situe il y a plus de mille ans. Un prodige issu de l'expérience qu'il a réalisée sur lui-même et que nul autre alchimiste n'a jamais répétée depuis lors.

Jésus a révélé le Grand Œuvre de la science hermétique en conjurant le phénomène naturel de la putrescence.

Je sais que Maurin ne parvient pas à concevoir pleinement tout ce que je lui ai appris en si peu de temps. Il est si jeune ! Il souffre tant de la perte de sa mère et de sa sœur !

Durant les obsèques, il s'est placé à côté de dame Hélène, recherchant naturellement la douce présence d'une femme. Que celle-ci soit louée ! Elle a su témoigner compassion et pitié à mon fils, refoulant le désagrément que lui causait la surprenante cérémonie à laquelle elle avait été conviée. J'ai vite compris qu'elle était fort mal à l'aise au sein d'une assistance qui pleurait ses morts sans l'appui d'un représentant de l'Église.

Mais elle a néanmoins prodigué une telle sympathie à Maurin que ce dernier en a été réconforté pendant la célébration de notre rite.

Étonnante et mystérieuse liturgie pour qui découvre notre cérémonial ! Nous avions tous revêtu un manteau blanc, ce qui surprit d'emblée dame Hélène, pour qui le deuil ne se conçoit qu'en noir.

Nous avons porté nos morts sur des brancards et les avons allongés près des fosses creusées la veille. Émeric a allumé trois torches qu'il a plantées en terre à leur tête.

J'ai prononcé cette phrase :

— Puisqu'il est l'heure et que nous avons l'âge, ouvrons nos travaux !

Nous nous sommes donné la main. Hélène a consenti à prendre la mienne. Elle a regardé Maurin, lui a souri avec une pointe d'étonnement, et a saisi la sienne.

J'ai ensuite récité les mots enseignés par mon père et les maîtres qui m'ont reçu autrefois dans la Loge Première.

Le vent venu de la forêt soufflait fort ; il charriait des odeurs d'humus, de tourbe et d'écorce. Un ciel laiteux retenait sa neige. Des corbeaux criaient dans le lointain.

Lorsque j'eus fini de parler, nous plaçâmes les corps dans les fosses et Émeric moucha les torches à la première pelletée de terre jetée.

Le comte Hugues dit :

— La Connaissance est notre chemin. Elle se situe entre la Mort et la Vie. Elle est mère de l'Univers. En elle tout a été et tout sera. Par elle et ses mystères, nous trouvons la force d'accepter la corruption du corps. Qu'I.N.R.I. nous illumine et accueille nos frères et sœurs dans la lumière du Premier !

J'ajoutai :

— La mort n'est pas la mort.

Geoffroy conclut :

— Et la terre n'est pas la tombe !

Maurin se mit à sangloter ; le spectacle de sa mère et de sa sœur que la terre commençait à recouvrir lui était insupportable. Il abandonna la main d'Hélène et tourna les talons pour s'enfuir du cimetière.

— Je vais le rejoindre, me rassura la jeune veuve en courant vers lui.

J'ignore pourquoi j'éprouvai alors un sombre pressentiment. Mon cœur fut pris dans une tenaille et je perdis la respiration. Le comte

Hugues, qui s'aperçut de mon malaise, me donna le bras et me conseilla de regagner ma maison, mais je refusai. Je voulais assister à la cérémonie jusqu'à son terme.

Épaulé par mon ami, je regardai Émeric, Geoffroy et Ferrer combler les tombes. C'est lorsqu'ils eurent achevé leur besogne, seulement à ce moment, que je me résolus à quitter le cimetière pour retrouver Maurin.

J'avais le souffle court et mon esprit était encombré d'une vision effroyable que je ne parvenais pas à chasser. L'image de Maurin sans vie dans mes bras, la poitrine rougie de sang.

Je me retins de hurler. Mais toute mon âme était déchirée d'une douleur intolérable. Une détresse pire que celle qu'aurait pu m'infliger le Diable en personne.

Payns suspend sa plume, réfléchit, s'apprête à reprendre son récit, mais se ravise et referme son encrier.

Il est pâle. De la sueur lui coule sur le visage et dans le cou. Ses yeux sont rouges et gonflés d'avoir tant pleuré.

La nuit grince aux volets de la chambre. Une chouette entêtée ne cesse de hululer d'une voix sourde et sinistre.

Payns replie la feuille de parchemin, quitte sa table, se rend dans le fond de la pièce pour y déplacer une maie. Il libère ainsi un endroit du plancher dont deux lattes sont amovibles. Il les retire pour déposer le vélin dans une cavité d'ombre. Là où il a caché le Testament du Fou. Puis il remet les lattes en place.

Troisième partie

Le tombeau d'Orient

1

Maître Rogemourd

Mars onze cent huit.

Le bourg de Gierry est situé à moins d'une heure de cheval de Troyes. Ses quelques habitations se massent autour d'une chapelle peu élégante, lourde et courtaude.

En cet hiver qui s'attarde sur la Champagne, le hameau s'est engoncé dans un froid persistant et une neige obstinée. Seul l'atelier de charpenterie de maître Rogemourd résonne de vie.

L'homme est robuste, le muscle noueux, les épaules larges. La peau très pâle, le cheveu roux, il a fait l'objet de quolibets durant ses études de menuiserie et a dû distribuer quelques cinglantes raclées à ceux qui le traitaient de sac de son.

Il s'est ainsi forgé une vigoureuse réputation, autant par la force de ses coups que par son talent à réaliser des pièces compliquées, car il rivalise d'habileté avec les meilleurs artisans dans la confection de lioubes, adents et autres abouts, dents à pivot et tenons.

Son autorité et son renom dépassent maintenant les limites de sa paroisse, et l'on vient de fort loin pour lui proposer du travail, sachant qu'il honore chaque contrat avec un égal savoir-faire.

Ce matin-là, il s'est levé fort tôt et a attendu d'avoir redonné vie à la cheminée de la cuisine pour réveiller Nizier, son fils, qui aime paresser au lit, bien au chaud sous son édredon de plumes d'oie.

Nizier va sur ses douze ans. Tout aussi roux que son père, il tient également de ce dernier ses traits ronds, sa chair épaisse, sa force naturelle.

Dans son regard vert d'eau flotte en permanence un soupçon de tristesse depuis le décès de sa mère, survenu trois ans plus tôt.

Maître Rogemourd se vante d'imposer au moindre de ses actes une grande simplicité, vertu dont il a fait le principe fondateur de son existence. Ainsi, c'est en toute logique qu'il a pris Nizier comme apprenti, assuré que le noble métier de charpentier apporte son lot de satisfactions, qu'elles soient d'ordre artistique ou pécuniaire.

Il est un excellent enseignant, ne se mettant que très rarement en colère, usant plutôt de la patience que savent montrer les gens intelligents.

Tout en commençant sa journée, maître Rogemourd se félicite d'être heureux et remercie Dieu de l'avoir aidé à surmonter la perte de son épouse, qu'il chérit quotidiennement en pensée, et de lui apporter de quoi emplir avec harmonie une vie sereine, son fils grandissant à ses côtés. Les mains de celui-ci deviennent jour après jour plus expertes, maniant avec vivacité et adresse varlope, marteau, égoïne et passe-partout.

Ce matin-là, donc, maître Rogemourd chantonne en ravivant les braises et en leur donnant de quoi enflammer une bonne bûche taillée dans l'ancien poirier de son clos.

Il ignore que quatre hommes surveillent sa maison. L'un d'eux porte une hache passée dans sa ceinture.

L'homme à la hache et ses trois compagnons pénètrent dans l'atelier de menuiserie, qui reste toujours ouvert sur la rue.

— Messires ? fait maître Rogemourd.

— Est-ce bien toi qui t'appelles Landéric, de la famille Rogemourd ? demande la voix douce du tueur. Et voici ton fils Nizier, n'est-ce pas ?

— Par ma foi, je n'ai point l'avantage de vous connaître autant que vous paraissez me connaître !

— Tu m'intéresses, sans doute ; je sais que le chevalier de Payns t'a contacté pour participer à un chantier sur ses terres.

— Vous n'avez guère la mise d'un ouvrier en demande de travail, remarque Rogemourd en cherchant à découvrir les traits de son interlocuteur sous le capulet.

— Cela dépend de l'ouvrage. Je sais que Payns a battu toute la région pour enrôler les meilleurs charpentiers, ferronniers ou tailleurs de pierre… Et qu'il fait assécher les marécages en sa forêt d'Orient. Dans quel dessein ?

Le charpentier n'apprécie guère le ton de l'inconnu, tout comme il lui déplaît que les trois hommes qui l'accompagnent les encerclent, lui et son fils. C'est pourquoi il dit avec une sévérité non dissimulée :

— Hé ! Que faites-vous du secret professionnel que tout honorable membre d'une guilde doit respecter ? J'ai prêté serment et suis tenu à la discrétion. Si je passais outre, je perdrais vite de mon crédit. Maintenant, ayez l'amabilité et la politesse de me laisser. Je vous souhaite le bonjour, messire.

L'inconnu, riant :

— Il n'est pas dans mon intention de repartir sans avoir obtenu ce que je suis venu chercher.

Puis, soudainement, il se saisit de la main droite de Nizier qui pousse un cri de surprise.

— Ton fils a de belles mains, lance le tueur. Robustes, mais fines ! Solides et élégantes. Des mains qui deviendront sans aucun doute celles d'un artiste à ton image… s'il ne leur arrive pas malheur !

Rogemourd veut libérer Nizier de cette étreinte, mais deux hommes le retiennent et l'immobilisent.

Le tueur force l'enfant à poser la main sur un établi et lui écarte les doigts brutalement avant de dégager la hache de sa ceinture en demandant :

— Quel doigt préfères-tu que je lui coupe ?

— Père…, implore Nizier.

— Juste un doigt… pour commencer !

Rogemourd n'a pas le temps de répondre que la hache décrit un demi-cercle dans l'espace et s'abat sur l'établi. Un claquement sec. Un temps de silence. Nizier regarde sa main avec effroi avant de hurler.

Son index a été sectionné à la première phalange.

Le tueur retient l'enfant qui s'affaisse sur lui-même, le redresse, plaque de nouveau sa main mutilée sur l'établi et lève son arme.

— Parle, ou j'abaisse de nouveau ma hache ! commande-t-il au charpentier.

— Par Dieu, vous êtes fou !

— Je suis sûr que c'est un bon apprenti. Ne crois-tu pas qu'il ait besoin de tous ses doigts pour tenir la varlope ou manier le ciseau ? Parle donc, l'ami. Son avenir de charpentier dépend de ce que tu vas m'apprendre.

Maître Rogemourd n'y tient plus ; il ne supportera pas de voir Nizier subir une autre mutilation.

— Je vais vous livrer ce que je sais, se résout-il à dire. Je vous en prie, épargnez-le.

— Je t'écoute.

Très bas, le souffle court, le charpentier explique :

— Il s'agit probablement d'une tâche immense. Tous les corps de métiers seront mis à contribution, mais chacun de ses représentants ignore vraiment à quel ouvrage il se consacrera. Payns maintient l'ensemble de son monde dans l'ignorance. Certains hommes venus tout droit de la maison du comte de Champagne – des terrassiers – travaillent même déjà en secret derrière un enclos, et nul ne peut approcher de leur chantier. Ils sont sous les ordres d'un architecte juif, un certain Eliphas que je n'ai pas encore eu le loisir de rencontrer.

— C'est tout ?

— Je vous en prie, épargnez mon fils, messire ! implore Rogemourd, le cœur déchiré par les sanglots de Nizier.

Le tueur a gardé sa hache au-dessus de la main de ce dernier.

Le charpentier ajoute alors vivement :

— Je dois retrouver le chevalier Hugues de Payns demain afin qu'il me confie des plans que j'exécuterai ensuite à la lettre...

— C'est en forêt d'Orient que tu as rendez-vous avec lui ?

— En effet, dans une petite chapelle... Laquelle sert de loge de contremaîtres, où se réunissent Payns et ses proches. C'est là que j'ai aperçu une première fois Sa Seigneurie le comte Hugues de Champagne.

Une longue expiration sous le capuchon. Comme un soulagement.

Le tueur lâche l'enfant, et les deux hommes qui immobilisaient Rogemourd desserrent leur prise. Le charpentier se précipite sur son fils, lui prend la main droite pour examiner la blessure d'où jaillit le sang.

— C'est bon, annonce l'homme à la hache. Désormais, tu m'appartiens. Tu seras mes yeux et mes oreilles sur le chantier du chevalier Payns. Si tu te plains à lui, j'amputerai de nouveau ton fils. Ou le tuerai ! Où qu'il aille, où que tu le caches, si c'est ton intention, je le trouverai. Tu as compris, l'ami ?

— Je me conformerai à votre volonté, messire, articule le charpentier, vaincu.

Les Gardiens du Sang sortent de l'atelier et rejoignent leurs montures. Ils s'éloignent bientôt du bourg de Gierry en empruntant une route verglacée sur laquelle ils avancent avec prudence.

L'un des hommes, chevauchant au côté du tueur, dit avec une évidente satisfaction :

— Nous tenons Payns et sa clique dans notre paume. Déjà la maison de Geoffroy de Saint-Omer est sous surveillance, comme convenu. J'ignore néanmoins comment vous comptez procéder, maître.

— J'en ferai mon affaire. Saint-Omer est le prochain sur ma liste et je suis attentif à maintenir mes comptes en règle. Il ne fait aucun doute que ces damnés apostats sont en train de construire un tombeau pour accueillir les restes de Jésus-Christ qu'ils ont dû provisoirement cacher. Leur entreprise semble bien avancée, à en juger par ce que nous a dit le charpentier.

— Un tombeau inviolable conçu par ce Juif, cet Eliphas…

— Nous les prendrons de vitesse ! Nous leur ferons cracher tous leurs secrets !… Je leur arracherai la main droite comme je l'ai déjà fait à leurs deux compagnons. Le pape Pascal retarde son départ de Reims dans l'espoir que nous en aurons bientôt fini avec eux. Mais il ne pourra demeurer éternellement l'hôte de l'évêque. Le pape est certes un allié et nous sommes actuellement sa milice, mais il doit ignorer que notre volonté est d'instaurer *notre* Église, celle des Gardiens du Sang ! Peu importe le temps qu'il nous faudra pour imposer un ordre nouveau ! Notre combat est juste et traversera les siècles. *Cum fortis armatus custodit atrium suum, in pace sunt ea quae possidet*[1].

— *Salvum fac populum tuum, Domine, et benedic hereditati tua*[2]. Et tous ensemble, d'une voix unique et forte :

— *Amen.*

---

1. Lorsqu'un homme fort et bien armé garde sa maison, tout ce qu'il possède est en sûreté.

2. Sauvez votre peuple, Seigneur, et bénissez votre héritage !

2

En forêt d'Orient

La brume matinale s'est accrochée aux premières branches des arbres de la forêt d'Orient, s'étendant, laiteuse et épaisse, à la surface d'un marais asséché qui forme une large cuvette. Au centre de celle-ci s'élève, sur une petite île, une haute palissade dessinant un cercle parfait.

Cette clôture, faite de rondins de bois fichés en terre que des pieux étayent çà et là, dissimule le chantier dirigé par maître Eliphas pour le compte de la Loge Première.

Pour accéder au périmètre défendu, il faut emprunter une passerelle montée sur pilotis et franchir une porte à double vantail soigneusement gardée par des hommes armés appartenant à la maison du comte de Champagne.

D'autres soldats campent sur les rives de l'étang. Ils s'abritent sous des huttes de chaume et de bois, ou se réchauffent aux brandons de leurs braseros.

Plus loin au nord ont été creusées de nombreuses retenues d'eau que contiennent des digues et des barrages faits de terre, de pierres et de planches que des terrassiers continuent de consolider.

Un réseau d'étroits canaux a été excavé de manière à ce qu'une partie de l'eau des bassins artificiels s'écoule vers l'extérieur du chantier, en direction de plus lointains paluds.

Derrière la palissade, une grue s'élance au-dessus d'un puits récemment creusé. De massifs contre-boutants renforcent les parois de la fosse qui plonge dans les ténèbres.

À la palanque s'adosse une cabane à claire-voie, une petite loge sous laquelle peuvent s'abriter les contremaîtres. C'est là que se tiennent pour l'heure Geoffroy de Saint-Omer et un maître mineur qui regardent deux ouvriers manœuvrer la roue de la grue, actionnant lentement une poulie qui déroule sa corde dans le puits.

Plus bas, Payns et Eliphas poursuivent leur descente dans une nacelle d'osier. L'architecte tient une lanterne qui éclaire à peine les murs de la large cheminée aux solides soutènements.

— Tout cet ouvrage réalisé en si peu de temps ! s'émerveille Payns. Tu es un magicien, Eliphas. Un maître d'œuvre hors pair !

— Allons, nous devons plutôt remercier notre frère Hugues. Ses équipes de terrassiers n'ont pas rechigné à la besogne ; elles ont travaillé jour et nuit. Par chance, nous n'avons eu à déplorer aucun accident, malgré la difficulté de l'entreprise.

La nacelle touche le fond du puits. Les deux hommes en descendent ; une galerie se présente à eux. Élevant sa lanterne, Eliphas engage Payns à le suivre en lui expliquant :

— J'ai imposé un appareillage de chevêtres pour retenir la terre ; cette dernière est meuble et me cause bien du souci. Je pensais qu'elle serait constituée d'une plus grande proportion de craie. Il n'empêche que c'est à partir de ce puits que les charpentiers et les maçons interviendront.

— J'ai tes plans en tête, souligne Payns. Le labyrinthe vertical en double cheminée que tu as imaginé est une merveille d'ingéniosité.

Après avoir progressé de quelques dizaines de pas dans la galerie boueuse, les deux amis parviennent à une salle forée au cœur de la glaise. De son plafond consolidé par d'importants madriers suinte une eau noire et glacée qui mouille têtes et épaules.

Eliphas dessine au sol un cercle de lumière avec sa lampe et dit :

— C'est ici... C'est ici qu'il reposera pendant les siècles des siècles jusqu'à ce qu'il revienne parmi les vivants. Nous cacherons le corps de Jésus dans cette salle. Dans ce tombeau ! Nous aurons besoin d'un habile charpentier pour confectionner les structures sur lesquelles les maçons poseront leurs pierres.

— J'ai l'homme qu'il nous faut, le rassure Payns, je l'ai rencontré à deux reprises avec Hugues. Je dois d'ailleurs le revoir ce matin pour te le présenter et lui confier sa mission.

Resté à la surface, Geoffroy ne parvient pas à calmer son impatience :

— Par saint Jean, je n'aime pas les savoir au fond de ce puits ! C'est sans doute un bel ouvrage, mais il lui manque des murs solides pour être rassurant !

— Il n'y a rien à craindre, affirme le responsable des mineurs. Ce n'est pas la première fosse que je creuse, maître Geoffroy ; vous pouvez me faire confiance.

— Rien à craindre ? Plonger dans les entrailles d'une terre gorgée d'eau ! S'enfoncer entre ces mâchoires de vase... Rien à craindre, dis-tu ? Pardonne-moi de ne pas partager ton avis, l'ami. Et ne prends pas mal que ta renommée ne suffise pas à me rassurer pleinement. Vraiment, rien à craindre ?

— Pensez-vous que maître Eliphas serait descendu dans le puits et y aurait entraîné votre ami s'il y avait un danger à redouter ?

— Pardi, la confiance en soi est souvent source de grand aveuglement !

— Par mon âme, avec tout le respect que je vous dois, messire, je ne puis cependant m'interdire de vous considérer comme un homme de peu de foi !

Soudain, l'un des deux ouvriers affectés à la manœuvre de la grue, penché sur le vide, s'exclame :

— Ah, ils viennent de faire signe avec la lanterne ! Ils demandent à être remontés.

— Enfin ! souffle Geoffroy avec soulagement. Eh bien, hâtez-vous et sortez-les céans !

La nacelle est hissée. Geoffroy retrouve ses amis avec force démonstrations d'amitié, les serrant tour à tour contre lui et leur claquant le dos de ses grosses paumes.

— Je ne vivais plus ! Vous savoir là-dessous me tiraillait le ventre à m'en donner la colique !

— C'est certain, tu ne veux pas descendre à ton tour ? demande innocemment Eliphas.

— Tu me railles, maître Eliphas, car tu sais bien que j'ai le vertige... Sans compter le sentiment d'oppression que j'éprouverais à me trouver dans cette gueule d'enfer !

— Dommage, renchérit Payns, tu aurais pu admirer la tâche qui a déjà été accomplie.

— Je te crois sur parole. Je me contenterai de ton rapport.

Payns, se dirigeant vers la porte de l'enclos :

— Il est grand temps de nous rendre à la chapelle ; ne faisons pas attendre notre charpentier.

Avant de le rejoindre avec Geoffroy, Eliphas se rend sous l'appentis pour empoigner une musette de cuir posée sur une table.

— Je prends les épures qui le concernent, dit-il. Je leur ai donné des cotes si précises qu'il n'aura qu'à les suivre au trait près.

Les trois hommes empruntent la longue passerelle montée sur pilotis qui les conduit sur la berge, où ils prennent un sentier bordé d'épineux aux griffes acérées.

Payns note que Geoffroy traîne un peu les pieds, tout en jouant sombrement avec la chevalière rouge glissée à sa main droite.

— Tu sembles fatigué, frère. Peut-être n'aurais-tu pas dû nous accompagner mais rester au chaud chez toi.

— Cet hiver… Cet hiver qui n'en finit pas ! Ce n'est que cela. Il faut bien tuer les heures. Repousser l'ennui, l'ombre et le froid. Et les souvenirs !

— Il y a autre chose, mon ami, insiste Payns. J'ai remarqué que tu ne cessais de te gratter le doigt comme si l'anneau de ta bague te brûlait.

— Payns et ses yeux de renard ! Je le confesse, cette chevalière me ronge l'os. Je ne fais que penser à ce qu'elle contient… À celles qui ont été arrachées à nos deux regrettés frères. Les Gardiens du Sang ont jeté leur malédiction sur nous et ce damné tueur à la hache ne nous lâchera pas avant de nous avoir tous massacrés. Je pense aussi à Typhaine et à Émeline… Ton épouse m'a toujours témoigné beaucoup d'affection et s'est montrée fort patiente à mon égard ; combien de fois ne l'ai-je pas étourdie en lui contant mes exploits dans les tournois ? Quant à ta charmante fille, je ne peux oublier que je la faisais encore sauter sur mon gros ventre il y a peu.

— Il ne s'agit pas de malédiction, le reprend Payns. Une menace n'est pas une damnation inéluctable.

— Regarde, un rhumatisme a fait enfler la jointure de mes phalanges, et je serais bien en peine de retirer cet annelet si je le voulais.

— Nous avons fait vœu de ne jamais nous en séparer, quel que soit le danger.

Geoffroy s'arrête net et, en proie à une violente colère qui explose par tous les traits de son visage, par la rougeur soudaine de sa peau, il tonne :

— Payns l'inébranlable ! Payns le vertueux ! Tes amis et ta famille sont hachés menu comme du vilain bois et tu restes là, droit dans la tempête, habité par tes certitudes, tes convictions ! Combien de temps devrons-nous attendre avant que le tueur à la hache ne nous abatte à notre tour ? Cet homme est l'incarnation du Mal !

Ne montrant pas qu'il a été touché par la charge, Payns dit :

— Il n'est rien d'autre qu'un assassin habile auquel je voue une haine sans borne.

Puis, reprenant sa marche, il ajoute :

— Un temps viendra où je lui passerai mon épée au travers du cœur.

Soudainement conscient de l'écart qu'il vient de commettre, Geoffroy allonge le pas et se place au côté de son ami pour lui dire :

— Pardonne-moi, Payns… Je m'apitoie sur mon sort alors que je devrais te plaindre et te réconforter. Je n'ai pas ta force de caractère, mon vieux compagnon. La mort qui nous entoure m'empêche de dormir en paix et me harcèle comme une louve affamée. Comment t'aider à porter cette effroyable douleur ?

— Nous vaincrons ! scande Payns. D'une manière ou d'une autre, nous vaincrons… Par n'importe quel moyen !

Maître Rogemourd et son fils attendent devant une chapelle que l'on pourrait croire abandonnée si elle n'était gardée par trois hommes qui tuent le temps en jouant aux dés sur une large pierre plate.

Payns et ses deux amis sortent des joncs, les chausses boueuses, le bas de leur manteau trempé.

— Bonjour, maître Rogemourd. Je suis heureux de vous revoir.

— Moi aussi, messire. Je suis venu me mettre sous vos ordres ainsi que nous en étions convenus et suis impatient de découvrir ce que sera ma tâche.

— Je ne connais pas ce garçon : est-ce l'un de vos apprentis ?

— En quelque sorte, répond le charpentier en souriant. C'est Nizier, mon fils. Il m'accompagne désormais pour apprendre le métier. Il est en âge de s'instruire, et il n'est pas de meilleur enseignement que l'observation.

— Je suis certain que vous lui dispenserez une excellente éducation ; on dit grand bien de vous par la contrée.

Payns s'est approché de l'enfant ; il lui prend la main pour examiner son épais pansement rougi de sang, et ajoute :

— Il faudra cependant attendre pour qu'il vous soit d'une aide précieuse. Que s'est-il fait à la main ?

Maître Rogemourd marque un temps avant de répondre. Il se racle la gorge et se décide, d'une voix qui se veut claire :

— La lame d'une plane lui a emporté un morceau de doigt. Ce sont des choses qui arrivent quand on ne maîtrise pas parfaitement son outil, n'est-ce pas ?

— Sans doute. C'est grand dommage, cependant. La blessure est fraîche, à en juger par la pâleur de son visage et le sang du bandage. J'espère que le nécessaire a été fait pour éviter toute infection.

— Oui, seigneur…, commence Nizier, je vous assure que je me remettrai rapidement. C'est peu de chose, en vérité.

Maître Rogemourd se hâte de poursuivre :

— Voilà, c'est exactement ce qu'il vous dit. Il se remettra. C'est cela…

Payns a remarqué de l'inquiétude dans la voix du charpentier. L'homme a-t-il certaine chose à se reprocher ? Est-il responsable de l'accident ?

— Entrons dans la chapelle, les invite Eliphas.

Le charpentier se tourne vers son fils :

— Attends-moi, Nizier ; tu n'es pas encore apte à recevoir des ordres de nos commanditaires.

— Oui, père.

Passant la porte, Payns dit à maître Rogemourd :

— Votre fils semble être un bon garçon… J'en ai moi-même un qui doit avoir à peu près son âge.

— Nizier n'a plus de mère. Celle-ci est morte en couches avec notre second enfant.

— Mon fils a lui aussi perdu sa mère…

— Alors, vous devez comprendre l'amour que je lui porte. Je dois compenser l'absence de ma femme tout en me comportant en père.

Eliphas se dirige vers l'autel, qui a été transformé en plan de travail. Il fait de la place parmi rouleaux et maquettes en volume pour y étendre les planches de trait qu'il sort de sa musette.

Une lumière brisée venue des vitraux colorés réchauffe les pierres grises de cet oratoire dénué d'ornementation auquel une unique croix de bois confère une note de sacré.

Eliphas convie maître Rogemourd à s'approcher de l'autel.

— La besogne que nous vous confions impose que vous recrutiez valets et compagnons au sein de votre confrérie, lui dit-il.

— Cela me sera aisé ; j'ai été désigné prud'homme de notre guilde et puis compter sur dix à vingt menuisiers dans les paroisses voisines, de bons sergents qui répondront à l'appel. L'ouvrage se fait rare, actuellement ; les bras ne manquent pas !

Eliphas tapote ses épures de l'index droit en précisant :

— J'ai dessiné tous les éléments qui formeront les lambourdes, bastaings et chevrons devant soutenir des appareillages en pierre et en maçonnerie. Vous devrez respecter avec une parfaite exactitude les proportions des pannes, parements et paumes, car la réussite de notre entreprise dépend beaucoup de vous. Vous nous livrerez les pièces, qui seront ensuite assemblées et mises en place par d'autres ouvriers…

— Ce travail incombera aux hommes appartenant à la maison du comte de Champagne, précise Payns. Je vous avais prévenu de cette procédure. Vous convient-elle toujours ?

— Ces plans sont très précis, seigneur. Je m'y conformerai sans chercher à quel édifice ils sont attribués, bien que ma curiosité naturelle en souffre déjà !

— Vous êtes un brave homme, et nous nous entendrons donc ainsi, dit Payns. Cependant, avant de parler de votre salaire, nous allons vous demander de prêter serment ; ce n'est point par hasard que nous avons choisi ce lieu.

Maître Rogemourd s'étonne :

— De quel serment s'agit-il ?

— Vous allez jurer sur la Sainte Bible que vous ne révélerez à personne la teneur de ces plans ni ne divulguerez la moindre de nos conversations.

— Ah ! Puisque c'est là votre volonté…

Payns présente sa propre Bible au charpentier, qui pâlit légèrement mais étend cependant le bras droit.

— Répétez après moi, lui demande Payns. *Moi, maître Landéric Rogemourd, je m'engage à garder le secret sur tout ce qui me sera dit dans cette chapelle, sur les plans qui me seront confiés, sur ce que je pourrais découvrir...*

Une sueur glacée coule dans le dos du charpentier, qui impose de toute sa volonté à sa main droite de ne pas trembler. Lui, si pieux, si respectueux des commandements de Dieu et des principes de la Sainte Église, lui, maître Rogemourd, va devoir se parjurer !

Le charpentier sort de la chapelle et retrouve son fils qui danse d'un pied sur l'autre sur le parvis pour combattre le froid.

— Tu es resté bien longtemps dans la chapelle, père. J'ai cru que j'allais geler sur place.

— Il me fallait conclure le marché avec ces chevaliers, Nizier. C'est fait, repartons.

Le père et l'enfant rejoignent le puissant percheron qui leur sert de monture. Maître Rogemourd soulève Nizier du sol comme s'il ne pesait rien et l'installe à califourchon sur l'animal.

Payns, regardant s'éloigner le modeste équipage :

— Cet enfant...

— Tu penses à ton fils, dit Geoffroy.

— En effet. Les mêmes yeux. Le regard triste, un peu vide.

— Eh bien, qu'attends-tu pour le retrouver ? Ne devions-nous pas aller le visiter, ainsi que dame Hélène ? Ils sont l'un et l'autre en sécurité chez Hugues.

— En effet, renchérit Eliphas, je vois mal les Gardiens du Sang s'infiltrer dans le palais de notre illustre frère. Imagines-tu des tueurs assez fous pour s'attaquer au comte de Champagne, gendre du roi ?

— Justement, reprend Payns. Un seul suffit ! L'homme à la hache... J'ignorais qu'un jour j'éprouverais autant de haine ! Et, par le Christ, cette haine me conduira au pire pour venger mon épouse, ma fille et nos deux frères !

— Le pire ? fait Geoffroy. Ne l'avons-nous pas commis en rapportant de Jérusalem les cinq Signes de Jésus ?

— Ce qui doit venir sera bien plus terrible, précise Payns. J'irai porter le malheur au sein même de la papauté !

Il demeure quelques secondes silencieux, puis lance :

— Tu as raison, Geoffroy, il est grand temps de rejoindre notre frère Hugues en son comté.

— Vous le saluerez de ma part, ainsi que maîtres Schelomet et Ferrer, dit Eliphas. Et n'oublie pas d'embrasser ton fils pour moi et de donner le bonjour à dame Hélène.

— Je leur ferai part de ton affection. Veille bien sur le chantier. Le Tombeau doit être bâti au plus vite, car nous avons tout à craindre des Gardiens du Sang.

— Certes, nous respecterons le délai que nous nous sommes imposé. Jésus reposera bientôt dans un sanctuaire que nul ne pourra jamais profaner.

Eliphas embrasse ses deux compagnons et s'en retourne vers l'enclos de sa démarche lente d'homme âgé. Il disparaît derrière le rideau de joncs.

— Allons, en route, Geoffroy ! s'écrie Payns en se voulant enjoué. Une bonne chevauchée te fouettera le sang et te rendra peut-être quelques couleurs.

— Il m'en faudrait bien plus pour huiler mes articulations ! Cela faisait longtemps que nous n'avions pas souffert d'un tel hiver.

Les deux hommes montent en selle. Lançant sa monture, Payns annonce :

— Hugues m'a dit que son frère Philippe, l'évêque de Châlons, nous rendrait visite aujourd'hui ; il semblerait qu'il ait des renseignements d'importance à nous communiquer. J'ai cru comprendre qu'il s'agissait de l'homme à la hache !

— Ce démon !

— Un tueur, Geoffroy. Il n'est que cela. Habile et pervers... Un tueur qui se terre quelque part et que nous délogerons de sa tanière !

Le percheron avance de son pas pesant dans la neige meuble du chemin. Il respire fort, à longs renâclements, l'échine basse, mais c'est moins la charge qu'il porte sur le dos que les ans accumulés qui lui donnent cette allure paresseuse.

Nizier se retient à la taille de son père, une joue posée contre son dos.

— J'ai fait un serment aux chevaliers, dit le charpentier. La promesse de ne rien révéler au sujet de cet ouvrage, qui fera vivre

de nombreux compagnons de la guilde. Mais je ne peux m'empêcher de penser à l'homme qui t'a tranché le doigt...

— Tu aurais dû en parler au seigneur de Payns et à ses amis.

— Je ne suis pas certain qu'ils puissent nous protéger de ce fou,
Nizier. Il s'est juré de s'en prendre à toi et nous tient par cette
menace.

— Mais tu es un prud'homme, père ! Ton engagement auprès
de tes commanditaires est sacré !

— Tu comptes plus pour moi qu'une parole donnée, mon fils.
Dussé-je y laisser mon âme !

3

L'évêque Philippe

Le palais du comte Hugues de Champagne s'élève au nord-
ouest de Troyes. Le suzerain y vit la plupart du temps, délaissant
sans remords son austère demeure de Provins.

Hugues a su donner à sa ville, qu'il chérit, un élan commercial qui
en a fait le carrefour de toutes les voies marchandes. Se tiennent
entre les murs de sa cité les « foires chaudes » et « froides » qui
ont lieu respectivement à la Saint-Jean et à la Saint-Rémi.

Ces rassemblements géants, qui lancent sur les chemins dra-
piers, ferronniers, bijoutiers, parcheminiers ou tanneurs, obligent
le comte à protéger les routes, à aménager des hostelleries, à
maintenir la paix et la sécurité dans le plus petit des quartiers, la
moindre des ruelles, car les brigands, maraudeurs et coupe-jarrets
se répandent en nombre dans la ville...

Toutes les monnaies de l'Occident circulent de main en
main ; les maîtres du change, comme les Florentins ou les Véni-
tiens, imposent leurs taux lors des transactions calculées sur leurs
abaques.

Et Troyes se gorge de richesses. Elle grouille, marchande,
échange, chicane, bibelote, brocante. Elle vit de bruits, de cris et
de chahuts. Elle se prépare entre deux foires, s'agrandissant,

repavant ses chaussées, creusant de nouveaux puits, élargissant ses places.

— C'est bon, fait le comte Hugues d'une voix lasse. Nous allouerons le quartier Sainte-Hélène aux Levantins et leur promettrons de les protéger mieux que l'année dernière.

— Certes, dit le petit homme maigre et barbu qui replie les documents qu'il avait étalés sur la table. Certes, la requête de ces braves gens est fort justifiée, messire ; n'oublions pas que l'an passé ils ont perdu deux des leurs sous des coups de poignard, et que trois de leurs femmes ont été violées.

— Je sais, soupire Hugues. Le prévôt et les baillis m'ont tenu informé de leur enquête et, s'ils n'ont pu arrêter personne, ils sont assurés que ces crimes furent l'œuvre de quelques Flamands avinés. Je vous le répète, sénéchal, informez le représentant des plaignants que la ville s'engage à les prémunir contre toute nouvelle agression. Et sans leur demander d'en partager les frais !

— Ils apprécieront cette marque de bonté et de compassion, opine le sénéchal en souriant.

Le petit homme s'en retourne, ses documents sous un bras, glissant comme une souris jusqu'à la porte, sa robe brune balayant le dallage.

Dès qu'il est seul, Hugues se laisse tomber sur sa chaise. Il pose les coudes sur la table et prend son front entre ses mains. Habituellement, il aurait été enjoué à l'idée de préparer la nouvelle foire. Le moindre des problèmes à régler l'aurait exalté, l'obligeant à chercher une solution susceptible de servir au mieux les intérêts de chaque partie. Mais, cette fois, le sénéchal l'a ennuyé. Sa voix pointue lui a vrillé les tympans, à lui faire mal. Il en conserve un écho métallique dans les oreilles.

Son esprit traditionnellement léger et alerte lui semble désormais lourd et encombré. La mort de ses amis, celle de la femme et de la fille de Payns, y ont déposé une tumeur noire qui exhale la nuit d'épouvantables cauchemars.

Arcis et Basile lui manquent tant...

Tous les jours, du lever au coucher, leurs fantômes creusent en son âme un vide de désespoir qu'aucune prière ne peut réconforter.

Ils lui manquent comme de véritables frères. Les mains longues et osseuses d'Arcis qui prenaient les siennes avec tendresse, le regard de Basile, toujours lointain et rêveur...

Hugues se lève, se rend à une fenêtre et colle son front contre le verre froid. Il aimerait s'endormir ainsi, debout, pareil à une statue de pierre. Dormir en ne pensant plus à rien.

Un bruit de porte derrière lui. Des pas lents et lourds. Ceux de son frère Philippe.

Hugues se retourne sur l'évêque, ce géant bienveillant aux yeux d'enfant et au sourire d'ange. Tout auréolé de la lumière qui entre dans la pièce, il s'approche sans hâte, ouvre les bras en un geste d'accueil et prononce :

— Embrassons-nous, mon frère.

Le comte vient à lui, accepte l'accolade avec reconnaissance, embrasse une joue piquante et demande :

— As-tu fait bon voyage ? La neige ne t'a point trop gêné ?

— Ma roulotte a failli verser plus d'une fois dans les ornières, mais mon cocher est un homme d'expérience qui met un point d'honneur à ne pas jeter son évêque cul par-dessus tête ! Chose que je lui aurais sévèrement reprochée et jamais absoute, même s'il avait manifesté une sincère contrition !

Hugues aime la voix de son frère. Elle lui rappelle celle de leur père.

Se dégageant de leur étreinte, l'évêque remarque :

— Tu as mauvaise mine ! Ton teint est pâle et tu as maigri.

— J'ai quelques sujets de contrariété.

— Oui, je sais.

L'ecclésiastique se défait de la fourrure qui lui couvrait les épaules.

Hugues pousse un siège et propose :

— Assieds-toi, tu dois être moulu.

Philippe se laisse tomber sur le petit banc qui craque sous lui et dit :

— Le pape te livre une guerre sans merci. Il a libéré les Gardiens du Sang de leurs laisses et les a lancés à tes mollets ainsi qu'à ceux de tes amis. À ce propos, tu as agi avec légèreté en me faisant parvenir le récit de ton voyage à Jérusalem, puis la lettre m'informant de l'assassinat des chevaliers Arcis de Brienne et Basile le Harnais.

— Je pouvais répondre du messager à qui j'ai confié ces plis. Il s'agit d'Émeric, de la maison de Payns. Un homme qui appartient à notre confrérie.

— Il aurait pu être intercepté !

La voix est forte.

— Tu as raison, admet le comte. Cependant, je souhaitais que tu sois mis au courant de la politique du pape à notre égard. Éméric avait mission de brûler ou de déchirer les messages s'il avait été pris dans une embuscade.

— Je n'entends pas grand-chose à ces affaires d'espionnage ; néanmoins, je pense que la prudence est certainement une vertu indispensable pour mener à bien ce genre d'entreprise.

— Es-tu venu jusqu'ici pour m'agonir de remontrances ainsi que tu le faisais lorsque nous étions enfants ?

L'évêque éclate d'un grand rire qui lui secoue la poitrine. Les larmes aux yeux, il répond :

— Tu as toujours pris mes conseils pour des reproches, Hugues ! Gamin, tu n'étais que nerfs en mouvement, battant des jambes et des bras à en mouliner l'espace des heures durant en d'imaginaires combats. Malgré ma force et ma taille, je consacrais la plupart de mon temps à lire, écrire et compter. Te souviens-tu de nos maîtres qui te forçaient à rester en place pour écouter leurs leçons ? Combien de fois t'ai-je soufflé les réponses à tes problèmes, les rimes de tes poésies ?

À cette évocation, Hugues sourit.

— J'avoue que tu m'as souvent été d'un grand secours, concède-t-il. Je n'ai oublié ni ta sagesse, ni ta bonté envers moi. Tu m'as réconforté à de nombreuses reprises et, aujourd'hui encore, te savoir à mon côté me soulage. Et m'inquiète aussi ! Ton messager m'a dit que tu avais une nouvelle d'importance à me communiquer...

— En effet. Cette information devrait plutôt vous satisfaire, toi et tes compagnons.

— Veux-tu attendre que nous soyons tous réunis pour nous la délivrer ? J'abrite nos amis depuis l'attaque du domaine de Payns par les Gardiens du Sang, et j'ai mis à la disposition de maîtres Ferrer, Schelomet et Eliphas une grange qu'ils ont transformée en laboratoire, Eliphas demeurant cependant le plus souvent en forêt d'Orient.

— Tu demanderas aussi au fils de Payns de participer à notre conférence. Je meurs d'impatience de m'incliner devant lui.

— Je comprends, dit le comte. Je comprends...

4

La bénédiction de Maurin

Les chevaliers se sont réunis et boivent du vin chaud coupé d'eau et sucré au miel devant la cheminée géante qu'un valet a alimentée en grosses bûches avant de s'éclipser, intimidé par tous ces personnages graves, austères et silencieux.

Certes, le valet s'est demandé pourquoi un enfant, le fils de Payns, avait été convié à participer à cette assemblée. Il ne connaîtra sans doute jamais la raison ; ce sera l'objet d'interminables discussions et de longues supputations avec les autres domestiques...

Le comte Hugues repose sa coupe sur la grande table de chêne et, donnant une petite tape dans le dos de son frère, dit :

— Voici mon frère Philippe, qui a fait le voyage depuis son évêché de Châlons pour venir nous communiquer une chose d'importance.

— Acceptez nos respects, Monseigneur, fait Payns.

L'évêque sourit et, s'approchant de Payns, précise :

— C'est plutôt à moi de mériter les vôtres, chevalier. Je sais qui vous êtes ; Hugues m'a instruit à votre propos. Je connais tout de vous... Tout ! Votre pèlerinage à Jérusalem, où vous avez pu pénétrer dans la tombe de Thomas. La découverte du suaire avec les cinq Signes que vous vous êtes partagés. Le combat que vous livrent le pape et les Gardiens du Sang. Les décès qui vous ont frappé...

Hugues intervient :

— Philippe est notre allié au cœur de l'Église.

— Je sais aussi ce que vous avez entrepris sur vos terres, reprend l'évêque. Hugues m'a appris que vous creusiez un tombeau pour... pour recevoir les restes de Notre-Seigneur Jésus-Christ. L'ouvrage est-il bien avancé ?

— Vous m'étonnez, Monseigneur ! s'exclame Payns.

Philippe semble amusé, et c'est presque en riant qu'il ajoute :

— En quoi puis-je vous surprendre ? Parce que je parle de la dépouille du Messie ? N'est-il pas vrai qu'il n'est pas mort sur la croix, qu'il a vécu une longue vie et laissé une descendance ?

601

— Justement ! réagit Payns. Sur quelle base peut reposer votre foi si vous acceptez le fait que le miracle de la résurrection ne s'est pas produit ?

— Que Jésus n'ait pas été crucifié ne lui interdit pas d'avoir reçu la grâce divine. La sainteté n'est-elle subordonnée qu'au martyre ? Je crois sincèrement que Notre-Seigneur était Fils de Dieu... *Gratias agamus Domino Deo nostro. Dignum et justum est*[1].

— *Amen !* lance Geoffroy sur un ton maussade que l'évêque feint de ne pas avoir décelé.

Philippe ajoute :

— Comme tous les hommes... Oui, tous les hommes sont enfants de Dieu !

Geoffroy élève la voix pour réagir :

— Les tueurs du pape appartiennent-ils à cette famille, Monseigneur ?

— Geoffroy ! le retient Payns qui a remarqué que son ami avait déjà bu trois coupes de vin sans même respirer.

— Laissez, dit Philippe avec douceur. Ce chevalier me demande de nuancer le degré de fraternité qui lie les hommes. Il ne me tend pas un piège en me posant cette question. Du moins n'est-ce pas ainsi que je la considère. Je sais malheureusement que le genre humain a engendré de malfaisants personnages qui ne craignent pas le courroux de Dieu en mentant, tuant, pillant... Certains massacrent même en se réclamant de leur Créateur. N'oubliez pas qu'à l'origine des temps, selon la Bible, les frères se déchiraient déjà...

— Vous parlez des fils d'Adam et Ève, l'interrompt Geoffroy. Caïn tua Abel, qu'il jalousait. Et Dieu marqua Caïn au front, comme fait l'homme à la hache sur ses victimes !

Philippe pose une main sur l'épaule de Geoffroy.

— Je ne suis point venu soutenir une thèse théologique devant vous, quoique celle-ci mériterait qu'on s'y attarde, articule-t-il à voix basse. Je voulais vous parler de notre Saint-Père.

Les hommes referment leur cercle autour de l'évêque. Payns attire son fils pour l'intégrer au groupe.

Philippe reprend :

---

1. Rendons grâce au Seigneur notre Dieu. C'est digne et juste.

— Le pape poursuit son séjour à Reims. Il tarde à regagner son palais, où les affaires de l'Église sont actuellement dirigées par son fidèle camerlingue. Mais ce qui peut vous intéresser au plus haut point, c'est qu'il s'est rendu à deux reprises dans un modeste monastère de mon diocèse, non loin de Châlons. Deux visites très discrètes qui me sont néanmoins venues aux oreilles.

Le comte Hugues précise :

— Mon frère a l'ouïe fine lorsqu'il s'agit des petits secrets du clergé !

— Surtout quand ces mystères entourent la personne du souverain pontife et que ce dernier s'évertue à dissimuler ses allées et venues sur les terres chrétiennes de Champagne !

Puis, sortant un parchemin de sous son manteau, l'évêque Philippe ajoute :

— J'ai dessiné moi-même une carte de la région afin de vous montrer où se situe le monastère de Sainte-Menehould dont je vous parle.

Il étend le vélin sur la table, entre les coupes de vin. Les hommes se penchent avec lui sur le plan qu'il décrit :

— Voyez… C'est là, à quatre lieues à peine au nord du hameau de Cormeux. Le pape y aurait rencontré un inconnu hébergé par les moines. Un homme étrange, à ce que j'ai ouï dire. Silencieux et sombre comme la nuit !

Geoffroy frappe un grand coup de poing sur la table, ébranlant coupes et aiguière.

— Serait-il possible que… ?

— L'homme à la hache se cacherait là ? se demande Payns à voix haute.

— Je n'ai pas dit cela, chevalier, précise l'évêque en se redressant. J'ai seulement parlé de deux rendez-vous fort discrets du Saint-Père en ces murs.

— Allons, Philippe, le raille Hugues, la nuance n'est pas ton fort ; tu nous as délivré une information capitale. Avoue que tu penses comme nous !

L'évêque hoche sa lourde tête de gauche à droite, les sourcils arqués. Une expression de gros chien contrarié.

— Sans doute, oui… Sans doute, convient-il. Mais… j'aurais tant souhaité ne pas avoir à trahir le Saint-Père. Vous rendez-vous compte de ma position ? Je ne me sens guère à l'aise avec le fessier entre deux bancs ! D'une part, je ne puis cautionner les agissements du souverain pontife ; d'autre part, je demeure sous sa tutelle. Non, décidément, je me sens écartelé et souffre grandement de cette inconfortable situation.

— Nous le comprenons, annonce Payns. C'est pourquoi nous vous remercions d'avoir fait cette démarche.

Philippe hoche derechef la tête, paupières closes. Et dit :

— Je pourrais me tromper... Après tout, le pape Pascal connaît peut-être quelqu'un dans ce monastère. Un frère auquel il aime à se confesser. Une âme qui sache écouter...

— Que fais-tu de l'inconnu qu'abritent les moines ? rétorque le comte.

— Nous devrions vérifier que ce mystérieux personnage est bien le criminel avant de porter un jugement, précise l'évêque.

— Nous le ferons, articule Payns avec fermeté. Je vous assure que nous le ferons sans tarder, Monseigneur. Votre nom ne sera jamais cité ; le pape ne saura pas d'où nous est venue l'information.

— Je vous en sais gré, chevalier.

Puis l'évêque se tourne vers Maurin et, à la grande surprise de celui-ci, s'agenouille devant lui en disant :

— Je dois me retirer, mais, auparavant, j'aimerais obtenir une faveur de ce jeune garçon : Maurin, n'est-ce pas ?

— Moi ? lâche l'enfant. Que puis-je pour vous ?

— Pose ta main sur ma tête, mon garçon. Et bénis-moi.

— Vous bénir ? Mais je ne suis pas habitué à ce genre de chose, Monseigneur. C'est là une affaire à laquelle je n'entends rien...

— Obéis, mon fils, ordonne doucement Payns. Bénis Monseigneur Philippe comme il t'en prie.

Maurin avance la main droite. Il tremble un peu. Et met sa paume sur le front de l'ecclésiastique, se demandant combien de temps il doit l'y laisser.

L'évêque dit alors :

— Tu es le dernier-né du sang de Jésus. Tu es Fils de l'homme par ton père, par tes ancêtres, par Dieu. Et par le sang du Christ, un jour viendra où le frère cessera de tuer son frère. Où l'homme aimera l'homme... *Deo gratias*[1].

---

1. Rendons grâce à Dieu.

Philippe se redresse et sourit à l'enfant.

— Merci, Maurin. Tu viens de me faire un merveilleux présent.

Et le prélat, après avoir donné l'accolade à chacun des hommes réunis dans la pièce, se retire de sa pesante démarche, légèrement voûté, les bras ballants, pareil à un ours fatigué.

Le silence… Un long silence au cours duquel les chevaliers échangent des regards que Maurin cherche à expliquer. Il comprend que c'est lui – l'enfant qui a béni un évêque – qui est au centre des pensées des trois hommes.

La voix de Geoffroy tonne soudainement, mal assurée, le ton forcé :

— Eh bien, allons-nous achever la journée dans ce silence de mort ? Pardi, buvons en compagnons. À moi, frères de Champagne ! Buvons à tous ceux que nous aimons et qui nous manquent !

Hugues et Payns se joignent au toast avec réticence et s'obligent à boire encore un peu de vin tandis que Geoffroy vide sa quatrième coupe d'une seule goulée. Un rot retentissant et un claquement de langue soulignent tout le plaisir qu'il vient de tirer de cette nouvelle rasade.

Le comte n'a pas le cœur à sourire de son ami. En tout autre moment, il l'aurait certainement moqué, raillant généreusement ses pommettes rouges, les vaisseaux écarlates qui strient le blanc de ses yeux, la sueur de son front…

Hugues repense à ce que son frère leur a appris.

— Je suis partisan que nous nous rendions au monastère dont nous a parlé Philippe, annonce-t-il. J'userai de ma qualité de comte, feudataire du roi, pour y pénétrer et y mener une enquête.

— Bien dit ! éructe Geoffroy en s'emparant de l'aiguière pour la cinquième fois. Buvons à cela aussi !

Mais Payns arrête son bras et enserre son poignet dans le puissant étau de sa main.

— Hé ! réagit Geoffroy. Tu me brises les os, l'ami !

— Je te casserai la tête s'il le faut, ivrogne ! Ne vois-tu pas que tu donnes un vilain exemple à Maurin ? Penses-tu qu'il soit digne de se comporter de la sorte en pareil instant ?

— Quoi ? Depuis quand Payns est-il donneur de leçons de morale ?

— Depuis que j'ai compris que tu te tuais lentement, mon frère. J'ai remarqué que tu buvais plus qu'à ton habitude. Cela a commencé à notre retour de Jérusalem. N'ai-je pas raison ?

Geoffroy baisse le nez comme un gamin pris en faute.

— C'est vrai, admet-il. Et je bois encore bien plus depuis la première mort qui nous a tous endeuillés. J'ignore par quelle magie tu parviens à accepter la vie, Payns. Tu as perdu deux frères, ta femme et ta fille… Cependant, tu es toujours animé de la même fougue, de cette foi déconcertante qui te pousse sans cesse en avant… Comment fais-tu ? Moi, tous les matins, dès que je me lève après une mauvaise nuit de cauchemars, je me plains de mon existence qu'un tueur évide comme un fruit blet ! Comment fais-tu ? Ce boucher nous a arraché nos amis et a exterminé la majeure partie de ta famille ! Il nous a déchiré l'âme en tuant nos proches ! Moi, je trouve que la vie est de plus en plus aride sans Basile, Arcis, Typhaine et Émeline…

Les derniers mots de Geoffroy ont été prononcés dans un sanglot.

C'est la seconde fois que Maurin voit un homme pleurer. Il y a eu son père… et Geoffroy, aujourd'hui. Le solide Geoffroy qui a bousculé tant d'adversaires au cours des nombreuses joutes où il s'est vaillamment illustré. Le fort et inébranlable Geoffroy, capable de ferrailler jusqu'à épuisement contre les plus célèbres compétiteurs de Champagne.

Il pleure. Ses épaules sont secouées par des spasmes brefs, presque ridicules.

Payns soupire.

— Cours te passer un linge mouillé d'eau fraîche sur le visage, lui commande-t-il. Et force-toi à vomir tout le vin qui t'encombre l'estomac avant de nous revenir. Tu m'as entendu ?

Geoffroy relève le nez. De grosses larmes coulent sur ses joues rebondies.

— Oui, tu as raison, Payns, pleurniche-t-il. Tu as d'ailleurs le plus souvent raison.

— Avec toi, ce n'est guère un exploit !

Geoffroy se retire, le pas mal assuré, l'équilibre précaire. Payns attend un peu avant de dire :

— Sait-il combien nous l'aimons, cet animal ?

5

La visite

Maître Landéric Rogemourd et son fils Nizier descendent de leur monture. Ils ont mis beaucoup de temps pour revenir de la forêt d'Orient. Le vent charriant sa neige les a cinglés de face tout au long du chemin, les abrutissant de ses hurlements et de son froid.

— Je ne sens plus mes jambes ! s'exclame le charpentier en s'ébrouant pour faire tomber la neige de la fourrure de son col. Nous allons nous préparer une bonne tisane : thym, aubépine, sureau et aspérule odorante. Et, ma foi, je crois même qu'une bonne dose de vin doux en plus ne sera pas pour nous déplaire. Qu'en penses-tu, Nizier ?

— J'y compte bien, père.

— Ta main ? Souffres-tu encore beaucoup ? Dans ce cas, j'ajouterai des graines de *Papaver somniferum* plutôt que du vin.

— Je ne vois pas d'inconvénient à ce que tu mettes les deux ! À moins que tu ne souhaites que nous retournions au travail séance tenante ?

— Non point. Je dois d'abord étudier les plans que maître Eliphas m'a confiés. Je partirai ensuite à la recherche de bons ouvriers qui ne demanderont pas mieux que de se mettre à l'ouvrage. Cela ne manque pas, parmi tous les membres de la guilde. Je saurai être exigeant et n'engager que les meilleurs. C'est que j'ai une réputation à soutenir, moi !

Rogemourd a repris les brides du percheron, qui n'a pas relevé l'échine depuis qu'il s'est remis en route.

— Viens donc, lui crie le charpentier. Viens, le Gris… Je vais te bichonner comme tu le mérites !

Soudain, un sifflement violent, rapide. Un objet qui passe entre Rogemourd et Nizier. Puis un choc dans le bois de la porte de l'atelier.

— Gravelle du Diable ! jette Rogemourd. Quel est le merdailleux qui s'amuse à nous faire peur ?

— Regarde, père.

De sa main blessée, Nizier désigne l'huis sur lequel s'est fichée une hache.

Un grand rire pointu éclate alors. Le père et le fils se retournent. Reconnaissant la silhouette de l'homme qui a amputé Nizier, Rogemourd prend ce dernier contre lui dans un geste de protection dérisoire.

Le tueur saute à bas de son cheval et, lentement, de son pas de chat, vient récupérer son arme.

— Tu vois, Landéric, prononce-t-il, à un pouce près la tête de ton fils éclatait comme une courge ! Mais ce n'était pas son heure. As-tu quelque chose à m'apprendre ?

— Bien peu en vérité, articule le charpentier en faisant disparaître Nizier sous un pan de son large manteau.

— La vérité, justement… Elle est garante de la vie de ton fils. Je n'ose pas imaginer que tu prendrais le risque de me mentir.

— Ce n'est pas mon intention ! J'ai reçu mission de mon travail dans la petite chapelle dont je vous ai déjà parlé. Il y avait là le seigneur Hugues de Payns, le chevalier Geoffroy de Saint-Omer et l'architecte Eliphas que l'on m'a enfin présenté. Je dois réunir une compagnie de charpentiers dans la semaine et commencer à tailler le bois selon les plans d'Eliphas. Au jugé, j'en aurai pour deux bons mois d'ouvrage. Il a également été convenu que je livre au fur et à mesure les pièces abouties qui sortiront de mon atelier.

— C'est bien ; reste-moi fidèle, et ce garçon vivra. N'oublie pas que j'éprouve un certain plaisir à tuer ceux qui trahissent ma confiance. J'ai déjà fauché de nombreuses âmes pour le compte de Dieu.

— Vous pouvez vous reposer sur ma sincère dévotion, seigneur, dit maître Rogemourd d'une voix blanche. Je vous transmettrai avec une grande franchise toutes les informations que je recueillerai en forêt d'Orient. Vous n'aurez pas à vous plaindre de moi. Mais vous devez comprendre que je ne suis qu'un simple charpentier et que les chevaliers ne me mettront pas dans la confidence. Comme je vous l'ai déjà dit, l'ouvrage dirigé par maître Eliphas a été soigneusement compartimenté ; les corps de métiers, à ce que j'ai compris, travailleront sans aucune concertation.

— Ces maudits Champenois sont malins ! Il leur faudra néanmoins des compagnons expérimentés pour unifier à un moment donné toutes les parties de leur chantier.

— Ils feront sans aucun doute appel aux hommes du comte Hugues, messire. Il y en a déjà de nombreux sur le terrain. Terrassiers et gardes…

— As-tu une idée de ce qu'ils bâtissent ? demande le tueur en retenant son camail que le vent a failli défaire.

— Impossible ! Ils ont élevé une très haute palissade sur un îlot et protègent ainsi leur entreprise. Je pourrai deviner la nature de celle-ci lorsque j'aurai étudié les plans de maître Eliphas.

— Le Tombeau…, murmure le tueur.

— Pardon, messire ?

— Non, rien.

L'homme tourne les talons, s'apprête à rejoindre sa monture quand il marque un temps d'arrêt et lance par-dessus son épaule :

— Tu auras bientôt une nouvelle visite de ma part, Rogemourd. Bientôt ! N'oublie pas que le fil qui retient la vie de ton fils est ténu. Je pourrai le trancher sans remords lorsque je le désirerai. Conserve toujours à l'esprit cette menace et tu seras un fidèle serviteur de la cause que je défends.

Puis il enfourche son cheval et le pousse à avancer d'un coup sec de ses talons dans les flancs.

Une fois le tueur disparu, Nizier s'écarte de son père pour lui dire :

— Tu t'es rendu parjure pour me protéger !

— Oui, je suis un renégat… Mais cet homme est Satan en personne ! Et j'ai fait un pacte avec lui. Je lui ai vendu mon âme !

— Ne crois-tu pas que tu te sentirais plus libre si je m'éloignais de toi pendant une certaine période ? Je pourrais aller habiter chez ta sœur, à Louvoy…

— Il te retrouverait, fils. Je suis certain qu'il te retrouverait. C'est de moi et de moi seul qu'il a besoin. Tu n'es qu'une monnaie avec laquelle il joue pour m'asservir. Cet homme éprouve manifestement un malsain plaisir à faire souffrir son prochain ; nous gagnerons à ne pas le contrarier !

Rogemourd ouvre la porte donnant sur une petite cour. La neige, qui a redoublé, recouvre désormais tout le sol.

Maussade, le cœur battant douloureusement dans sa poitrine, le charpentier conduit le percheron à son écurie.

— Va faire chauffer de l'eau, demande-t-il à Nizier. Je frotte le Gris à la paille et je te rejoins.

L'enfant entre dans la maison.

Rogemourd ramasse une petite brassée de chaume et commence à frotter le percheron, dont la peau est toute fumante.

« Un tombeau, pense-t-il. Qu'a-t-il voulu dire ? Quelle sépulture nécessiterait autant de mystères ? Tant d'hommes au travail pour un tombeau ? »

— *Sanctus, sanctus, sanctus, Dominus Deus Saboth*[1]...

Il hurle dans le vent.

— *Sanctus, sanctus, sanctus, Dominus Deus Saboth* !

Il hurle et chante, son capuchon baissé pour que le froid lui gifle le visage, prenant chacune de ses morsures pour une caresse de Dieu.

— *Sanctus, sanctus, sanctus, Dominus Deus Saboth* !

Il est seul au monde. Seul avec son Dieu de colère qu'il servira jusqu'à son dernier souffle.

Pour Lui, il fauchera encore et encore. Sa hache tranchera la main droite des derniers chevaliers champenois. Et il récoltera cette moisson de secrets que le tombeau de Thomas l'Imposteur a exhalée.

Puis il démembrera et réduira en poudre la dépouille du Christ dont il jettera les poussières au vent.

Ainsi, tout ce qui a été écrit sera la Vérité.

La Vérité intangible qui se répandra dans les siècles à venir.

— *Memento, homo, quia pulvis es, et in pulverem reverteris*[2].

L'homme à la hache passe un doigt sur la cicatrice que la blessure infligée par Basile le Harnais a laissée sur sa joue.

Il sourit.

Il sourit en se remémorant la mort grotesque du chevalier. « Le croupion en l'air, le nez dans la neige, le dos fendu, pissant tout son sang ! »

---

1. Saint, saint, saint, le Seigneur Dieu des armées...

2. Souviens-toi, ô homme, que tu es poussière et que tu retourneras en poussière.

610

6

La Chaîne d'union

Hugues de Payns a convié Hélène à se rendre dans la grange transformée en laboratoire pour participer à une réunion en présence des chevaliers champenois, de Maurin et de maîtres Ferrer et Schelomet.

Pour Maurin, la pièce ressemble à l'identique à celle où les hôtes de son père restaient enfermés des jours entiers avant l'attaque des Gardiens du Sang : les mêmes cornues, fioles, flacons et vases, les lutrins supportant de grosses liasses de parchemins, les tableaux d'ardoise recouverts de signes, de lettres, de nombres, ainsi que les maquettes à l'architecture compliquée…

Et aussi le grand rideau qui scinde la salle en deux et cache, comme dans la précédente, un mystère qui intrigue l'enfant.

Payns s'écarte devant dame Hélène, qui pénètre dans ce cabinet pour la première fois.

— Entrez, madame, lance Schelomet de son ton enjoué. Entrez et ne faites pas attention au désordre.

Ferrer débarrasse un petit banc des vélins qui le recouvrent et invite la jeune femme à s'asseoir.

— J'ai préparé un excellent apozème revigorant, ajoute Ferrer en se rendant à un fourneau. Il faut bien admettre que la Champagne nous a habitués à ses rudes hivers, mais en avons-nous déjà vécu de si longs ? La nature parviendra-t-elle à bourgeonner un jour ?

— Vous avez raison, répond poliment Hélène en acceptant le bol fumant qui lui est présenté.

— Dame Hélène n'est point venue pour discourir sur les tracas causés par cette damnée saison, grogne Payns avec impatience. Nous l'avons invitée pour l'instruire au sujet d'I.N.R.I.

— Certes, ce n'était qu'une entrée en matière, Payns ! dit Ferrer avec une pointe de contrariété.

Changeant volontairement le timbre de sa voix pour paraître plus aimable, Payns se reprend :

— Excuse-moi, mon ami. J'admets qu'il m'arrive d'être un compagnon peu charitable, ces jours-ci. Les deuils m'ont aigri le caractère.

— Tu es pardonné, le rassure Ferrer.

— Soit, poursuit Payns. Vous connaissez une partie du sens de ces quatre lettres, Hélène. I.N.R.I... Vous les avez découvertes dans le journal d'Arcis.

— Oui, répond Hélène, vous êtes descendus dans le tombeau de Thomas, à Jérusalem. Jésus y avait séjourné trois jours et trois nuits. Pris d'une illumination, il avait tracé cinq Signes sur le suaire de son frère.

— I.N.R.I. *Igne Natura Renovatur Integra.* Ce n'est que l'un des sens de la formule du Christ... « Par le feu, la Nature est intégralement renouvelée. » Mais I.N.R.I. se traduit aussi par *Ineffabile Nomen Rerum Initium*, qui signifie : « Le Nom ineffable est le commencement des choses. » Le nom de Dieu !

— Dans la Tradition, le nom de Dieu ne se prononce pas, ajoute Schelomet, et il ne s'écrit que sous la forme d'un nombre.

— C'est ce nombre qui est la Clef de l'immortalité, précise le comte. Et il est là, dans ces cinq Signes... Il est la somme de tout ce qui a été, de tout ce qui est et de tout ce qui sera !

— Ce nombre est la Clef de la transmutation, scande Payns.

Tout en suivant avec intérêt ces propos, Maurin s'est approché de la tenture scindant la pièce en deux. Malgré l'opacité de la toile, l'enfant devine là-derrière une lueur. Une singulière lumière jaune qui parvient à traverser la grossière étoffe par quelques mailles distendues.

L'enfant aimerait tirer ce rideau. Il lui suffirait d'étendre le bras. Et, d'un coup rapide, il apprendrait... Il saurait enfin ce que son père et ses amis dissimulent dans cette seconde salle.

Cette nitescence... cette chaleur, ces légers bruits de bouillonnement...

Dans son dos, Payns parle :

— La Mort... Jésus a vaincu la Mort en mêlant à son sang la solution alchimique dont il eut la révélation dans le tombeau de son frère. Un sang éternel ! Un sang qui se régénère de lui-même dans le feu de Dieu ! Iod, le principe créateur... Naïn, la substance initiale... Rasit, la continuelle mutation de la Création... Iod, de nouveau, le principe créateur auquel tout revient... I.N.R.I...

Et Schelomet de préciser :

— Les docteurs hébreux employaient ces autres mots : Jamaïn pour l'eau, Nor pour le feu, Rouach pour l'esprit et Jabashah pour la terre. Soit le sel, le soufre, le mercure et l'azoth, l'élixir de vie !

Tous marquent alors un long silence que dame Hélène se résout à rompre :

— Cela signifie que Jésus, dont vous avez caché le corps, est… en attente de… ? en attente de ressusciter ?

— C'est cela, affirme le comte Hugues.

— Mais vous, Payns ?

— Oui ?

— Vous êtes de sa lignée ! Car je me souviens maintenant d'une phrase énigmatique des mémoires de mon regretté Arcis : *Béni soit le sang de Payns et de son fils Maurin ; par eux le sang de Jésus poursuivra de traverser les siècles !*

Maurin s'est retourné. Il regarde son père. Celui-ci lui lance un sourire et dit :

— Cependant, Maurin et moi ne sommes que de simples mortels. Mon aïeul expérimenta sur lui-même le principe d'I.N.R.I. longtemps après avoir enfanté. Et il fonda ensuite l'ordre des Frères Premiers, auquel il confia la charge de préserver le Secret et de veiller sur sa dépouille.

— Nous sommes les héritiers de son savoir alchimique, souligne le comte.

Un geste… Maurin n'aurait qu'à le faire promptement tandis que ses aînés entourent dame Hélène, qui paraît d'ailleurs fort troublée par ce qu'elle apprend.

Écarter un pan du rideau et jeter un coup d'œil. Quelques secondes dérobées à l'attention de son père… juste quelques secondes.

Maurin agit vivement. Il voit. De lourdes et massives cornues de fonte, des athanors dans lesquels cloque du métal en fusion. Une matière dorée…

Une main rabat brutalement la tenture.

— Décidément, que nous soyons dans ce laboratoire ou dans celui de ton père, tu te comportes comme un incorrigible curieux ! le rabroue Ferrer. Chaque leçon vient à point, et il n'est pas bon de brûler les étapes !

— Ce que j'ai vu, là…, bredouille l'enfant.

— Tu as vu des marmites, des chaudrons et des cornues, c'est tout !

— Et un étrange liquide en ébullition, affirme Maurin avec assurance. Cela ressemblait à s'y méprendre à de l'or.

— Viens, Maurin, lui ordonne Payns. Tu sauras bien un jour !

L'enfant rejoint son père à regret. Ce dernier lui prend la main droite en disant :

— Formons un instant la Chaîne d'union. Si vous le souhaitez, dame Hélène, vous pouvez vous associer à nous en mémoire de notre frère Arcis. Néanmoins, je comprendrai que vos convictions et votre foi vous incitent à refuser.

Hélène tend ses mains et, souriant :

— Non point, mon ami. Acceptez-moi dans votre chaîne ; vous parlez de fraternité et d'amour, cela me convient. Et ce sera un honneur que de tenir la main d'un descendant de Notre-Seigneur Jésus-Christ...

Payns l'invite alors à se placer entre lui et le comte. Puis, lorsque tous se sont liés, il explique :

— Jésus et ses disciples agissaient déjà ainsi. Les frères, au cours des siècles, ont répété le cérémonial institué par le Premier Maître. C'est de cette manière que perdure la Tradition. Que nous la transmettons afin de ne jamais la perdre...

Le comte Hugues poursuit :

— Nous nous unissons aux morts de notre cause pour poursuivre leur œuvre...

Payns, plus fort :

— *Igne Natura Renovatur Integra.* Par le Triangle, l'Hexagramme, l'Omega, la Croix et le Tau... Par la chair et l'esprit immortels du Christ, nous jurons de préserver éternellement le savant mystère du Grand Œuvre. Et la conscience viendra du mariage de l'étoile avec le triangle en son cercle. Et la vie renaîtra de l'Unité fractionnée formant le Tau. L'Unique sera multiplié et recouvrera l'esprit.

Tous les hommes, en chœur :

— Par I.N.R.I. !

— Rompons la Chaîne, mais gardons-la intacte en notre âme.

Ils lèvent et baissent leurs bras par trois fois. Hélène et Maurin font de même. La jeune femme se détourne pour dissimuler les larmes qui lui coulent sur le visage.

Payns, qui s'en est rendu compte, la prend par les épaules et l'attire à lui.

— Qu'y a-t-il, dame Hélène ?

— Cette phrase... « Nous nous unissons aux morts de notre cause pour poursuivre leur œuvre » ! Je n'ai pu m'empêcher de penser à la mort d'Arcis, à son bras mutilé... Et votre main serrant la mienne... j'ai imaginé un instant que c'était la sienne ! Oui, j'ai eu fugitivement le sentiment qu'il s'était imposé dans cette chaîne. Qu'il était venu me faire comprendre qu'il me protégerait... Est-il raisonnable de concevoir de pareilles chimères, Payns ?

— C'est au contraire très sain. Nous ignorons tous de quelle manière se comportent les âmes au-delà de la vie ; peut-être certaines d'entre elles, plus affectueuses, plus fidèles que les autres, trouvent-elles le chemin pour venir nous visiter ?

— Je croyais que les âmes des défunts n'avaient le choix qu'entre quatre voies : le purgatoire, le paradis, l'enfer, et les limbes pour les malheureux enfants non baptisés...

— Allons, dame Hélène, ceci n'est que patois d'église ! Que faites-vous de la mémoire et des rêves des vivants ? Là aussi, nos morts trouvent de chaleureux abris.

Un voile obscurcit un moment le regard de Payns qui reprend :

— Typhaine et Émeline ont pris place dans ma mémoire. Elles y reposent mieux que dans la plus belle des chapelles. Elles me parlent souvent, profitant de la nuit, alors que mon esprit est moins encombré des affaires du jour. Après chacune de leurs visites, le matin venu, je me sens plus serein et mon amour à leur égard s'en trouve plus affirmé.

— N'avez-vous point de haine envers celui qui vous les a ravies ? interroge Hélène en s'essuyant le visage sur sa manche.

— Ma haine reste intacte, je vous l'assure. Une haine qui fera sans doute de moi un ignoble boucher quand je serai face à ce tueur ! Je le massacrerai sans une once de pitié. Je le réduirai à l'état de loque sanglante ! Et, si je dois le dépecer, l'éviscérer, le démembrer pour étouffer ma haine, je le ferai, dame Hélène. Je jure que je le ferai !

Maurin a entendu. Il s'est tourné vers son père. Et se surprend à frissonner en découvrant un autre homme : visage blême, vieilli subitement, yeux élargis brillant comme ceux d'un loup, mâchoires dures, lèvres livides.

Un court instant, l'enfant vient de voir un démon. Puis Payns, immédiatement, a effacé de son visage ce masque terrible.

Mais Maurin tremble sans pouvoir s'arrêter. Il tremble d'une haine qui ressemble à celle décrite par son père. Un sentiment immonde qui apaise cependant sa volonté de vengeance. Une émotion noire et glaciale qui lui procure un plaisir jusqu'alors inconnu.

S'il le pouvait, s'il était plus vieux, il mettrait tout en œuvre pour tuer l'homme à la hache…

Sa mère n'en finit plus de lancer un hurlement de terreur en courant, éperdue, dans les ténèbres de ses cauchemars.

7

Constance

Les chevaliers champenois ont décidé de se rendre le lendemain matin au monastère que le pape a visité discrètement à deux reprises. Payns a conseillé à Geoffroy de Saint-Omer de regagner son domaine, l'expédition pouvant très bien être menée par une poignée d'hommes armés de la maison du comte.

Sans renâcler, Geoffroy a accepté l'offre et quitte le palais d'Hugues dès midi, soulageant ses amis.

— Je préfère le savoir à l'abri en sa bastide que dans le combat, dit Payns. Il a été très affecté par tous les décès qui nous ont endeuillés. De plus, le vin, qu'il boit en abondance sans le couper d'au moins quelques gouttes d'eau, amoindrit ses réflexes.

Après le départ de Geoffroy, la journée s'étire dans l'aula du palais, devant l'imposante cheminée. Le comte lit de la poésie, Ferrer et Schelomet parlent des vertus de certaines plantes médicinales, Hélène évoque les nombreux moments de bonheur passés avec Arcis, Payns explique comment repousser la douleur par un simple contrôle de sa respiration… Et Maurin écoute. Il s'émerveille de tout. Des jolies rimes scandées par la voix du comte, des noms savants de plantes poussant en de lointaines contrées : *Aesculus hippocastanum, Carduus marianus, Galega officinalis, Rhamnus frangula*...

Le feu craque, emplissant l'atmosphère de sa chaleur capiteuse. Une suave indolence s'est emparée de l'assistance lorsque Constance, la femme du comte, vient saluer avec beaucoup de cordialité chacun des invités. Elle est de retour d'un long séjour à Provins où elle a veillé une tante à l'agonie.

Maurin a rarement vu une femme aussi douce et calme, parlant d'une voix chantante et lente, dessinant de ses longues mains pâles de belles figures dans l'espace, souriant des yeux et des lèvres.

— Tu te nommes Maurin, lui dit-elle. C'est bien toi, n'est-ce pas ?

— Oui, madame.

Elle le regarde longuement avec tendresse.

— Maurin, répète-t-elle. Mon mari m'a parlé de toi et m'a expliqué pourquoi nous vous hébergeons, toi et tes amis. Il t'a sans doute dit que tu pourrais rester chez nous autant que tu le désirerais. Tu partagerais l'enseignement et les jeux de nos enfants...

— Je vous remercie, madame, répond le garçon. J'ignore encore ce que mon père a décidé.

Constance se tourne vers Payns :

— Nous nous sommes vus quelquefois, chevalier ; nous nous sommes bien entendus et j'ai pu apprécier votre âme charitable et noble. Je suis certaine que vous vous occupez de votre fils avec beaucoup d'intelligence, mais je renouvelle mon offre ; s'il le souhaite, il pourra séjourner en ce palais.

— Vous êtes une femme de cœur, lui répond Payns. Je vais réfléchir à votre proposition. Il est évident que Maurin, en demeurant à mes côtés, souffrira parfois de solitude. Je suis le plus souvent un homme austère, et mes manières abruptes ne conviennent pas toujours à un enfant de son âge. Sa mère et sa sœur lui apportaient une bienveillance qui lui fera défaut sous ma seule tutelle. Toutefois, un lien nouveau nous unit l'un à l'autre : le chagrin ! Oui, dame Constance, le chagrin est un étrange ciment qui soude ceux qui ont perdu les mêmes parents aimés.

Constance hoche la tête, signifiant qu'elle comprend, et ajoute :

— Soit, vous verrez, Payns. Vous verrez avec le temps. Sachez seulement que notre porte sera toujours ouverte à Maurin. À n'importe quel moment !

Payns, s'inclinant :

— C'est là une belle et généreuse attention.

Constance invite ensuite les hôtes de son mari à l'accompagner dans la salle des banquets.

Payns s'arrange pour rester légèrement en arrière avec le comte, de manière à l'interroger discrètement :

— Quand tu as parlé de Maurin à ta femme, lui as-tu appris de quel sang il était issu ?

— Non, Payns. J'ai pensé qu'il était inutile de lui en parler. Il suffit bien que dame Hélène le sache.

— Cette dernière nous a juré de ne révéler ce secret à personne, et je gage qu'elle tiendra son serment après la trahison de son confesseur. Cette mésaventure l'a suffisamment ébranlée pour qu'elle ne la renouvelle pas.

— Il n'empêche que je me sentirai plus à l'aise quand nous aurons déposé le corps du Premier dans son tombeau et que nous nous serons débarrassés de l'homme à la hache.

— Nous retournerons le monastère de Sainte-Menehould de fond en comble s'il le faut. Nous le trouverons !

Hugues soupire et prend le bras de son ami.

— Je ne suis pas un magicien comme toi, animé d'une telle détermination, Payns. Ces dernières semaines, il m'est souvent arrivé de douter. Je préférerais livrer bataille contre une armée de barbares plutôt que de devoir traquer cet ennemi. Cette ombre…

— Non, pas toi, Hugues ! Tu ne vas tout de même pas courber l'échine devant l'obstacle ! Que restera-t-il bientôt de notre confrérie ? Deux de nos frères gisant sous terre, Geoffroy s'abîmant dans l'alcool, et toi qui confonds un vulgaire assassin avec un fantôme !

Les deux hommes pénètrent dans la salle des banquets. Constance apostrophe son mari d'une voix légèrement réprobatrice :

— Il existe un temps pour chaque chose, Hugues : un temps pour les conciliabules, un autre pour honorer ses hôtes en les conduisant à la table de l'amitié.

— Je te demande pardon, ma mie.

Le comte, se forçant à sourire, frappe par trois fois dans ses mains et prie que l'on prenne place.

Constance ne le quitte pas des yeux. L'expression qu'elle lit sur son visage la désole intérieurement. Nul, en la voyant, ne pourrait toutefois imaginer qu'elle a la gorge nouée et le cœur serré.

« Son voyage à Jérusalem l'a vieilli de dix ans ! Où est passé mon Hugues ? Qui me l'a volé ? »

Elle aimerait pleurer.

Mais elle sourit. À tous. Elle sourit, conversant à droite, à gauche, s'intéressant, questionnant, réagissant. Elle incline la tête, tend une oreille attentive, ouvre grands les yeux, admet, consent, accepte. Ne réfute jamais.

Puis, par hasard, elle croise le regard de Maurin, posé sur elle si fortement qu'elle le ressent presque physiquement.

L'enfant semble lui dire qu'il a compris. Qu'il a deviné sa peine. Et qu'il sait qu'elle la tait, l'enfermant derrière un masque de civilité qui la brûle plus violemment qu'une jeune braise.

8

Le réveil de Geoffroy

Le lendemain, dès matines sonnantes, Payns et le comte Hugues, à la tête d'une troupe de six hommes, quittent le palais pour prendre la route malgré une forte tempête de neige.

Au même moment, Geoffroy de Saint-Omer se réveille dans sa chambre, une vaste pièce située au dernier étage de l'unique tour de sa claustrale bastide.

Le chevalier peine à quitter son lit que la nuit a rafraîchi. Ses reins le font souffrir, son foie lui rappelle que la veille, à son retour de Troyes, il a vidé trois ou quatre pichets du vin de ses propres vignes. Un vin aigrelet qu'il affectionne particulièrement, y retrouvant l'acidité de sa terre, la force de la craie, le parfum de bois humide.

Il s'assied, première étape avant de parvenir à la station verticale. Il demeure un long instant au bord de son lit, creusant de son poids le gros édredon de plumes.

Là, le souffle court d'avoir fait ce simple effort, il reprend contact avec la réalité. Lentement. Très lentement, il parcourt des yeux la chambre, la reconstruisant mentalement pour en imposer la matérialité à son esprit brouillé. La cheminée avec un baquet suspendu à sa crémaillère. Les braises moribondes posées comme des diamants sur un écrin de cendre grise. Une maie ventrue, décorée par un subtil artisan ébéniste, ferrée à ses coins. Deux tabourets à trois pieds. Une tablette accrochée à un mur et qui supporte une assiette contenant une pièce de viande figée dans sa sauce et un quignon de pain. Des étagères se cintrant sous des liasses de parchemins, des livres et des rouleaux. Un écu accroché non loin de la fenêtre : deux bandes verticales rouge et bleu passant sous un pélican blanc. Un évier en pierre. Un broc empli d'eau. Des habits à une patère. De la paille et des herbes sèches sur le sol fait de planches...

Il se lève. Le bois craque sous ses pieds. Il sait alors que l'on frappera bientôt à la porte. Gérard, qui dort juste au-dessous, n'attend que ce signal pour monter préparer la toilette de son maître.

Geoffroy soupire, regrettant de n'être pas déjà au printemps. Il s'inscrirait à quelque tournoi qui libérerait son esprit désormais confus et tourmenté.

Les armes à la main, on ne pense pas à ces choses qui encombrent l'âme et s'y accrochent comme les tiques à la chair des chiens !

On frappe doucement à la porte. Coups de griffes d'une souris.

— Entre, Gérard ! crie Geoffroy en tirant sur le bas de sa chemise.

Le vieil homme qui pénètre dans la chambre est maigre et sec, noueux, fait de peau tannée, de tendons durcis, d'os tors. Mains tavelées de minuscules fleurs brunes, cou décharné, cheveux rares en effiloches tombant sur les épaules, yeux ronds dans leurs trous d'ombre.

Petits pas. Frottis à peine perceptibles dans la jonchée de paille et d'herbe.

Il désigne l'assiette et le pain.

— Vous n'avez pas touché à votre souper, messire ! Mangerez-vous au moins ce matin ? Ce n'est pas le ventre creux que l'on commence une journée de froidure !

— Je n'ai pas faim, Gérard. Seulement soif !

Réellement désolé par l'état de son maître, le valet hoche sa tête de corbeau en faisant une grimace et en se lamentant :

— Vous n'êtes pas raisonnable. Vous êtes-vous regardé ? Vous avez le blanc de l'œil plus jaune qu'un poussin, des taches rouges sur les pommettes et de vilaines veines noires aux tempes !

— Comme tu y vas, l'ami ! s'exclame Geoffroy en riant. Jamais tu ne te serais permis de parler de la sorte à mon père.

— C'est que votre père ne buvait pas comme vous. Je me souviens même que, lorsqu'il a perdu votre mère, il a préféré soigner son chagrin par l'abstinence et les prières ! Un an, que cela a duré ! Un an, messire ! Il n'attendait pas les matines pour se rendre à la chapelle et communier. Oui, un bel exemple que cet homme-là ! Une foi à fleur d'âme, solide et parfaitement arrimée au corps !

— Je sais, Gérard. Je n'étais qu'un enfant, mais je n'ai rien oublié. Toi, par contre, tu sembles omettre que nous avons aussi perdu ma petite sœur à la même époque... Toute la population de Champagne a enterré le tiers de ses familles. On brûlait aussi les cadavres, parfois. Pour que la maladie ne se répande point.

— C'était sans doute la peste. Quant à votre sœur, je ne l'ai pas effacée de ma mémoire, mais elle n'avait pas atteint ses deux ans et elle s'en est allée au ciel sans péché, toute pure, pareille à un oisillon. Les adultes n'ont pas cette chance, messire... Lorsque Dieu les rappelle à Lui, ils ont pour la plupart leur besace pleine de minuscules fautes ou de gros péchés. Et cela les alourdit pour voler ! Nombreux sont ceux qui tombent comme des pierres dans la gueule de l'enfer.

Geoffroy hausse les épaules et dit :

— Tu n'es qu'un sot, Gérard ! Rien qu'une vieille tige qui radote !

— C'est ainsi ! Néanmoins, je ne mourrai pas dans la peau d'un ivrogne, moi !

— Tu mourras dans celle d'un animal sentencieux, toujours à piquer du bec tes semblables !

— C'est vrai, ma foi. Je picote en effet vos points faibles. Et Dieu m'en est témoin, vous en avez une multitude, messire !

Geoffroy ouvre les volets de bois, faisant grincer leurs pentures. Un peu de la fraîcheur des vitres épaisses entre dans la pièce et le dégrise. Puis, se retournant vers son valet :

— Ne me donne pas du « messire » à toutes les sauces alors que tu as remplacé mon père quand il s'est pendu...

— Ne parlez pas de cet affreux événement. Je vous ai demandé de ne jamais le faire, avez-vous oublié ? Je vous avais dit que je ne resterais à votre service qu'à la seule condition que nous nous interdisions d'évoquer ce drame. J'aimais votre père comme un fils et ne me suis jamais remis de son décès.

— Excuse-moi, Gérard. Ce doit être l'air du moment qui me pousse à la mélancolie. Mais avoue que, pour un homme pétri de principes religieux, se donner la mort n'est guère conforme à l'enseignement distribué par nos savants abbés. Où crois-tu que l'âme de mon père s'en soit allée ?

En grognant, le valet verse le contenu du broc d'eau dans le baquet de la cheminée.

— Vous allez faire une bonne toilette, recommande-t-il, puis vous vous vêtirez, vous descendrez à l'office réclamer une pleine assiette de gruau chaud à Éloïse, et vous avalerez une miche de pain de seigle avec un peu de miel... Ensuite, *messire*, il serait bon que vous enfourchiez votre cheval le plus rétif pour lui apprendre à vous obéir au cours d'une vivifiante promenade autour de l'étang ; l'exercice vous sera autant profitable qu'à lui.

— Je te remercie pour ta sollicitude, mais il me faudrait une énergie que je n'ai plus pour t'obéir, se plaint Geoffroy en jouant avec sa chevalière.

— Eh bien, vous vous forcerez, par saint Jean !

Se dénudant le coude gauche pour le plonger dans le baquet afin de juger de la température de l'eau, le vieil homme ajoute :

— Je préconise une toilette à l'eau tiède, ce matin ! Ni trop froide, ni trop chaude... Votre sang a besoin d'être tonifié.

Geoffroy est revenu à la fenêtre. Il regarde l'étang gelé qui s'étend au pied de la tour. Une barque enchâssée dans la glace. Les saules courbés par des dizaines d'années de vent venu du nord...

La barque, il l'utilisait autrefois pour pêcher. Elle pourrit désormais, été comme hiver, mourant lentement comme la jeunesse du chevalier.

La troupe du comte de Champagne a laissé le village de Cormeux dans son dos : quelques maisons et une grosse ferme écrasées par la neige. Pour parvenir au monastère de Sainte-Menehould, les huit hommes ont ensuite emprunté une route encaissée entre deux hauts talus traversant une forêt de pins.

Les cavaliers mettent pied à terre. Hugues va tirer la chaîne actionnant la cloche d'alarme, qui égrène quelques notes grêles.

Bientôt l'huis est tiré, et apparaît derrière son grillage le visage émacié d'un moine à la peau grise auquel le visiteur commande immédiatement :

— Qu'on aille chercher le père supérieur et qu'on le prévienne que le comte de Troyes et de Champagne le demande sur-le-champ.

— Certes, certes…, bredouille le portier. J'y vais de ce pas.

Il se passe peu de temps avant que ne s'ouvre la porte. Un petit moine au visage inquiet accompagne le portier et considère les hommes armés en joignant les mains sur sa poitrine.

— Messire, que me vaut cet honneur ?

La réponse d'Hugues est sèche et cinglante :

— Mon temps est compté ; hébergez-vous un visiteur dans ce monastère ?

— Ma foi, certains pèlerins s'arrêtent en effet pour…

— Je ne vous parle pas de pèlerins, mais d'un hôte en particulier qui aurait tout intérêt à se cacher. Faut-il que je fasse fouiller le prieuré du sol aux charpentes ?

Le père supérieur se tord les lèvres et lance :

— Inutile, messire… Inutile ! Veuillez me suivre.

Deux gardes restent avec les chevaux ; les autres, dans les pas du comte et de Payns, pénètrent dans le monastère. Le père supérieur leur fait traverser une cour et les conduit à un cellier.

— J'ignore tout de cet homme, expose-t-il d'une voix mal assurée. Sauf qu'il se mortifie nu en plein froid en s'appliquant de bien douloureuses pénitences. Jamais je n'ai vu croyant se martyriser de la sorte… Il me semble que la torture ne vous confère pas le statut de saint, et qu'il est plutôt recommandé de se comporter généreusement avec son prochain pour accéder à la pureté.

Puis, devant une porte :

— Voici sa cellule. Nous avons transformé cette petite grange en chambre pour y accueillir les pèlerins qui demandent le gîte et le couvert. Si vous voulez y jeter un coup d'œil... L'homme s'en est allé tout à l'heure.

— Quand est-il parti ? demande Payns.

— Trois cavaliers sont venus le chercher peu avant votre arrivée.

Hugues et Payns pénètrent dans une pièce sans confort. Des murs grossièrement chaulés, une étroite cheminée où dorment des braises falotes, une table et un tabouret, un coffre, un crucifix au mur.

Le sol a été recouvert d'une paille ocre qui exhale une affreuse odeur d'humidité semblable à celle de l'urine.

Payns soulève le couvercle de la maie :

— Juste un baluchon et une sacoche... Seulement du linge !

Manifestement mal à l'aise, le père supérieur est resté sur le seuil et observe les deux hommes. Intimidé par la présence du comte, qui retourne lui-même la literie comme ferait un vulgaire valet.

— Rien ! dit Payns à regret. Nous nous trompons peut-être...

— Non, le coupe Hugues. Regarde ce que j'ai trouvé dans un étui caché dans son lit.

À l'extérieur, les gardes se sont approchés de la porte.

— Seigneur ! s'exclame Payns en parcourant le parchemin que le comte vient de lui tendre.

Sur la feuille de vélin ont été inscrits en rouge les noms d'Arcis de Brienne, Basile le Harnais, Geoffroy de Saint-Omer, Hugues de Champagne, Hugues de Payns et Hélène de Brienne. À chaque nom sont associés un chiffre et une croix : 1 pour Arcis, 2 pour Basile, 3 pour Geoffroy...

— La liste rouge ! souffle Payns. La liste qu'a évoquée le confesseur d'Hélène avant de mourir.

— Les noms de nos frères Arcis et Basile ont été biffés, marmonne le comte. L'homme à la hache tient ses comptes comme un épicier !

— La canaille a décidé de nous tuer suivant un ordre précis, dit Payns. Et notre frère Geoffroy figure en troisième place !

Les deux hommes sortent de la cellule. Passant devant le père supérieur, le comte s'arrête, le prend au col et lui lance :

— Vous logez un criminel !

Le moine tente de se disculper derrière de nerveux claquements de dents :

— Je ne comprends pas... Cet homme m'était recommandé et... enfin, je...

— Ne parle pas trop, l'abbé ! Ta voix m'insupporte. Je sais qui a patronné ton hôte, mais il t'en cuira tout de même s'il arrive un nouveau malheur à l'un de nos amis.

Le père supérieur est au bord des larmes. Sa voix n'est plus que plainte et gémissements.

— Je vous l'ai dit... Je ne comprends rien à toutes ces affaires !

Peu de temps après, les huit cavaliers reprennent la route. Tandis qu'il mène sa monture au galop entre les ornières emplies de neige, véritables pièges pour les jarrets des chevaux, Payns tente de voir...

Voir. Deviner. Les événements que tisse déjà l'avenir...

Il projette son esprit loin en avant. Vers une bastide aux formes massives, une tour dominant un étang gelé, une barque prisonnière de la glace...

Vers Geoffroy de Saint-Omer, son ami.

9

L'ascension

L'homme, Robert le Roué, saute d'un pied sur l'autre, pestant contre le froid qui lui est entré dans la moelle, contre la neige mouillée qui lui a trempé les épaules et le dos.

Il se frappe les flancs, s'appliquant de grandes claques pour redonner de la vie à son corps qu'une longue attente a engourdi.

Certes, il s'est abrité sous la ramure d'un saule centenaire, coupé du vent, bien emmitouflé dans une grosse fourrure, mais cela n'a pas suffi à le protéger vraiment.

Maintenant il tremble comme une vieille carne brûlante de fièvre. Il ne cesse de se dire qu'il mourra bientôt. « C'est sûr, pardi ! J'ai la couenne dure comme du bois. Et toute gelée ! »

Il en est à se demander s'il ne devrait pas recommander son âme à Dieu, tout mécréant qu'il soit depuis son plus jeune âge, quand il perçoit un hennissement.

Il ravale les premiers mots d'une pauvre petite prière qui lui était venue aux lèvres, et offre une oreille attentive à la brise. Il entend un deuxième hennissement porté par le vent sifflant sur sa droite.

« Eh bien, les voici enfin ! J'ai tout de même cru que je m'étais caillé le sang pour rien. Jusqu'à la merde que j'ai chiée, tout en moi n'est que glaçon ! »

Il voit venir quatre cavaliers aux montures fumantes. Il reconnaît, chevauchant en tête, la silhouette du maître qui les emploie et que l'on ne nomme pas.

« C'est à se croire que le bougre n'a pas été baptisé ! Plus vite nous aurons achevé notre besogne et plus vite ce larron sortira de notre vie. Je ne le regretterai pas, c'est certain. »

L'homme à la hache saute à bas de son cheval.

— Je t'écoute, Robert.

— Le chevalier a l'habitude de rester dans ses appartements, au sommet de la tour. Ça bouge à peine, dans cette maisonnée ! Il a juste un vieux serviteur et une cuisinière à son service. Je suis venu tous les jours pendant une semaine, comme vous me l'aviez ordonné, messire... Et j'ai aussi interrogé les gens du bourg. Geoffroy de Saint-Omer n'est guère argenté, n'a point d'épouse et vit comme un ermite depuis son retour de Jérusalem. Il ne quitte que rarement sa bastide...

Les trois autres cavaliers descendent à leur tour de leur monture et s'approchent des deux hommes.

— C'est un véritable nid d'aigle ! s'exclame l'un des Gardiens du Sang. Comment pénétrer dans cette tour ?

— Par cette fenêtre, là-haut, répond l'homme à la hache. Je crois pouvoir l'atteindre sans trop de difficulté. J'ai exécuté de plus périlleuses acrobaties.

— Messire, dit le Roué, cette tour est bien haute !

Le tueur ne répond pas ; il s'engage déjà sur l'étang gelé où il progresse à son aise, lentement, avec assurance.

— Après tout, remarque le Roué, ce n'est pas mon affaire, notre maître a sans doute été mâtiné avec un chat dans le ventre de sa sorcière de mère, mais il s'attaque là à un rude morceau ! Il risque de se casser l'échine, ce qui serait grand dommage pour nous, car il n'a pas fini de régler notre solde.

— Veux-tu parier, Robert ? lui propose l'un de ses compagnons.

— Non pas ! Il suffirait que je mise contre lui pour que le Diable le pousse au cul et le propulse là-haut plus vite qu'un pet !

L'homme à la hache a atteint la rive opposée. Il est au pied de la tour. Il en a évalué la hauteur avec précision tout le temps qu'a duré sa traversée de l'étang, répétant mentalement l'ascension qu'il doit maintenant effectuer.

De gros moellons saillants lui serviront de points d'appui et, lorsqu'ils manqueront, il pratiquera des encoches dans le mortier à l'aide de sa hache ou de sa coutille.

C'est avec une grande confiance en lui-même qu'il entame son ascension.

La pierre est glacée, glissante ; ses gants en peau de chevreau s'y accrochent cependant sans trop de difficulté.

Geoffroy de Saint-Omer est seul dans sa chambre. Il n'est pas descendu déjeuner comme le lui avait conseillé Gérard. Il a préféré se servir une coupe de vin qu'il est en train de boire à petites lampées et qui lui cuit la gorge et l'estomac.

Il repense au puits qu'Eliphas fait creuser au cœur de la forêt d'Orient, sur les terres de Payns. Ce gouffre dans lequel il n'a pas osé descendre de peur qu'il ne se referme sur lui. Ce trou d'ombre...

Il lui faudra néanmoins puiser suffisamment de courage en lui pour y accompagner la dépouille du Premier lorsque les frères allongeront celui-ci dans son tombeau définitif.

Bientôt, sans doute. Aux beaux jours, comme se plaît à le dire Eliphas que l'organisation des travaux satisfait. Le chantier avance bon train !

L'architecte est de bonne nature. Les malheurs semblent glisser sur sa vieille écorce comme l'eau sur une pierre. Non qu'il n'éprouve pas de sentiments, bien au contraire. Il n'a pas son pareil pour consoler et réconforter de sa voix de rocaille l'ami dans l'affliction. Il ne s'apitoie jamais sur lui-même, affirmant que l'exercice n'en vaut pas la peine. C'est pourquoi il oublie aisément son âge, les douleurs qui l'accompagnent, la mort qui pointe son groin, les nuits d'insomnie.

Geoffroy déplore de ne pas posséder le millième de la philosophie d'Eliphas, que les nombreux deuils n'ont pas su détruire. Une femme morte dans sa vingt-septième année d'une méchante toux qui lui a fait cracher du sang tous les matins durant plus de six mois. Une fille emportée à quinze ans par une fièvre contre laquelle la science de Ferrer et de Schelomet – qu'il fréquentait déjà – resta impuissante. Un garçon de neuf ans renversé par une carriole et qui mit près de deux semaines à trépasser, la plupart des os brisés... Des voisins dirent à l'époque qu'Eliphas, ne supportant plus de voir son enfant souffrir le martyre, l'aida à rendre l'âme en l'étouffant avec un linge mouillé enfoncé dans la gorge.

« Le malheur, répète-t-il souvent, est du vilain sable noir que l'homme utilise comme ingrédient premier pour accomplir sa propre transmutation. Certes, il ne deviendra jamais un bel or pur ; toutefois, il participe à l'œuvre qui conduit à la Lumière ! Notre esprit est un caveau où nous conservons nos morts. Notre mémoire est un cimetière fleuri et serein ! »

Lui, Geoffroy, grosse brute courtaude, ours sans subtilité, mais cœur chaud et âme généreuse, n'est jamais parvenu à discipliner les fantômes qui le hantent.

Il a estropié, assommé, tué. Comme le font avec une saine conviction tous les guerriers. Les soldats, marauds et autres canailles qu'il a passés au fil de son épée ont tous rejoint le terreau de ses souvenirs et n'encombrent jamais ses nuits.

Pas eux. Mais les autres... Les frères, les amis. Typhaine, Émeline... Oui, ceux-là, les victimes innocentes, alourdissent son cœur. Ceux-là...

Il a achevé sa coupe. Veut s'en servir une nouvelle. La tête lui tourne un peu. Il se lève pourtant, les jambes lourdes et tremblantes.

— Vois-tu, Robert, tu aurais perdu ton pari !
— Pour sûr ! Il ne manque plus à messire que quelques malheureuses coudées pour atteindre l'allège de la fenêtre de l'appartement de Saint-Omer.

— Il ne lui restera plus qu'à réaliser un savant rétablissement et il prendra pied sur sa margelle.

— Ouais... N'empêche que l'entreprise ne sera pas terminée pour autant ; il va devoir s'accrocher à la chambranie, à la manière d'une araignée s'il ne veut pas glisser sur le paquet de neige déposé sur le rebord.

Puis un autre :

— C'est miracle à voir ! Regardez-le... Il se hisse à la seule force des bras pour atteindre les meneaux. Et voilà ! Le fauve va bondir dans l'appartement du Champenois et lui arracher la main droite d'un coup de griffe !

10

La chute

Geoffroy voit la grande et sombre silhouette se dresser derrière les vitres et ne comprend pas. Son esprit embrumé par l'alcool tarde à lui faire prendre conscience de ce dont il retourne.

Ce n'est que lorsque verre et bois volent en éclats sous un violent coup de hache qu'il saisit. Il en éprouve même presque du plaisir...

— Par saint Jean, la face d'ombre ! Le boucher du pape...

L'homme a jailli dans la pièce, se réceptionnant à trois pas du chevalier. En un bond il est sur lui, son arme à bout de bras, prêt à frapper.

Geoffroy pare le coup avec un tabouret que la hache disloque. Il s'engage d'emblée dans le combat, se jetant contre son adversaire de tous ses muscles courts et épais, pareil à un lutteur.

Le tueur plie sous le choc, décontenancé par cette réaction inattendue.

— C'est au corps-à-corps qu'il faut te vaincre, charognard ! Loin de ton merlin...

Le Champenois empêche son ennemi de se servir de sa cognée en lui saisissant le poignet, l'enserrant dans l'étau de sa main droite, tandis que de la gauche il tente d'abaisser son capuchon.

— Fais-moi voir ton visage, que je sache qui cherche à me tuer !

Et, dans ce pugilat quasi immobile, cette épreuve de force que se livrent les deux athlètes, Geoffroy parvient à dénuder le visage de son ennemi.

Un regard d'ange, transparent. Un regard empli d'une tristesse profonde et brûlante. Que dément un sourire allongeant des lèvres trop sensuelles pour être celles d'un homme.

Néanmoins Geoffroy ne peut en douter : il se bat bel et bien contre un garçon.

— Comme tu es jeune ! Cette cicatrice... C'est mon frère Basile qui te l'a faite. S'il avait pu te trancher la tête !

— Tu le rejoindras bientôt, lui répond la voix douce, efféminée et lasse. Lui et Arcis de Brienne, qui pourrissent en enfer où ils ont trouvé la place des apostats !

Ils se sont étreints, leurs visages tout proches l'un de l'autre, à se toucher en une caricature de baiser. L'homme à la hache ne cesse de sourire. Ce combat, qu'il prend maintenant pour un jeu, le divertit.

Le chevalier ne cède pas. Il maintient élevée au-dessus de lui la cognée, qui ne peut s'abattre.

— Tu es déjà mort, Geoffroy de Saint-Omer ! Payns, le comte et la veuve de Brienne le sont aussi ; vous êtes sur ma liste !

La force de Geoffroy est celle d'un taureau. Le Gardien du Sang recule lentement sous la poussée.

— As-tu pensé que nous pourrions mourir ensemble, tous les deux enlacés ? lance le chevalier.

Un voile assombrit soudain le regard d'eau de l'assassin, qui cesse de sourire. Il vient de sentir une arête de pierre dans ses reins. La fenêtre...

Ils s'étreignent toujours. Aucun ne lâchera l'autre.

La fenêtre. Le vide...

— Je t'assure, Éloïse... Un grand fracas et des cris !

— Le maître était encore saoul et il aura brisé de la vaisselle ! Me faire monter toutes ces marches pour si peu !

Gérard se retourne vers la grosse femme et la rudoie.

— Dépêche-toi ! C'est moi qui suis vieux et c'est toi qui traînes...

Éloïse cherche sa respiration, pose une main sur son opulente poitrine, roule des yeux.

— C'est que tu es sec et que je suis grasse, voilà ! C'est grande honte que de forcer une personne de mon poids à pratiquer une telle gymnastique de si bon matin.

— Te hâteras-tu, à la fin ?

— Pour l'amour de Dieu, que crois-tu qu'il puisse arriver à notre maître dans ce pigeonnier, sinon des hallucinations ? J'ai entendu dire que l'oncle Gaétan, dont je t'ai parlé quelquefois et qui ne crachait jamais sur une coupe de vin, voyait à la fin de sa vie de grosses araignées et des rats géants lui courir sur le ventre ! N'est-ce pas une chose singulière ?

— Monte et tais-toi !

— Tu es aussi aimable qu'un seau d'aisances, Gérard... Décidément, je comprends pourquoi tu n'as jamais eu d'épouse !

Geoffroy a conscience qu'il ne parviendra pas à retenir le bras du tueur beaucoup plus longtemps, et s'étonne que ce dernier, malgré sa jeunesse et sa minceur, puisse autant lui résister.

Les forces du chevalier déclinent ; le vin qu'il a bu à profusion ces derniers jours a raison de sa vigueur.

Le Gardien du Sang tire profit de la faiblesse du Champenois et le prend à la gorge.

— Perdu pour perdu..., râle Geoffroy. Plongeons ensemble !

Il pense à Hugues et à Payns. Il peut les sauver par son sacrifice en entraînant l'assassin avec lui dans la mort.

« Il me reste juste assez d'énergie pour cela. Le pousser, faire poids de toute ma masse sur lui, et nous envoler ! »

Le tueur semble avoir compris ce que son adversaire veut tenter. Il redouble d'énergie pour lui résister. En vain. Geoffroy, se donnant un dernier courage en hurlant à s'en déchirer les poumons, se propulse dans le vide avec le jeune homme.

La cape du Gardien du Sang se gonfle dans la chute en une aile noire qui claque au vent.

Les deux corps embrassés frappent la surface de l'étang gelé qui se brise sous eux en éclats de verre. Ils disparaissent dans une gerbe d'eau qui retombe en mousse bouillonnante.

Gérard a surgi dans la chambre, Éloïse râlant sur ses talons.

— On s'est battu là-dedans ! Mais avec qui ? Geoffroy ! Où êtes-vous, chevalier ?

— Je te l'ai dit, ahane la femme, le malheureux a certainement fait une crise de démence, et il est passé par la fenêtre !

Gérard se précipite. Il se penche à la croisée. Là, plus bas, l'étang a été crevé, sa glace éclatée sur une eau noire qui se ride de derniers remous.

« Geoffroy, mon garçon ! »

Le vieux valet n'a plus de voix. C'est son âme qui hurle en lui.

Le Champenois ne reparaît pas. Gérard le pleure déjà.

— Ils étaient bien deux, n'est-ce pas ? criaille le Roué. Il y avait deux corps ? Vous avez vu comme moi ?

— Je peux en jurer. J'ai nettement vu briller la lame de la hache de notre maître !

— Amène les chevaux plus près, Robert, et garde-les. Les autres avec moi !

— Tu comptes t'avancer sur l'étang ? Cela me semble risqué, maintenant que la surface a été fragilisée.

— Laissons de l'écart entre nous et cherchons messire. La glace est transparente ; nous la percerons de nos épées...

Les trois hommes s'élancent.

Bientôt :

— Je les aperçois !

Un Gardien du Sang désigne des formes floues sous ses pieds.

Le tueur fracasse la glace à coups de hache pour tâcher de sortir de cette souricière. Rage et violence. Le froid lui mord la chair, l'eau colle ses vêtements gelés à sa peau.

Il frappe, frénétique, furieux. Il entame la croûte opaque, au travers de laquelle il discerne cependant la silhouette de ses hommes.

Le chevalier, lui, a perdu connaissance ; le Gardien du Sang le retient par la main et c'est un poids mort qui le tire vers le fond. Il ne doit pourtant pas le lâcher. Frapper encore ! Briser le plafond de cette prison liquide. Retenir son souffle. Frapper !

632

Le comte Hugues, Payns et leurs six coutiliers chevauchent sur une route bordée de saules qui traverse une prairie d'où s'égaille à leur approche un vol de corbeaux.

— Le donjon de Saint-Omer ! s'écrie Payns avec soulagement. Nous y sommes. Enfin !

— Ne dirait-on pas qu'il y a du monde sur l'étang gelé ? s'étonne Hugues.

— En effet, ça semble grouiller de toute part !

L'homme à la hache est parvenu à pratiquer une brèche dans la croûte de glace, sur laquelle ses nervis se sont couchés pour le haler par ses vêtements.

— Nous vous tenons, maître. Lâchez le chevalier, et nous vous remonterons !

— Hors de question ! Hissez-nous tous les deux. Je veux sa bague ! Je suis venu pour cela !

Prenant d'infinies précautions pour ne pas fragiliser davantage la surface craquante de l'étang, les hommes hissent le corps inerte de Geoffroy.

— Maudite engeance qui a bien failli me noyer ! se plaint le tueur en tremblant de tous ses membres.

— Là-bas, une troupe ! s'exclame l'un des comparses. Regagnons les chevaux, vite !

— Nous avons le temps, assure l'assassin. C'est un moment que je dois déguster ; qu'on ne me le gâche point !

Geoffroy de Saint-Omer a rouvert les yeux. Malgré sa vue troublée, il voit la hache s'élever dans le ciel.

— Nous sommes vivants... J'ai échoué !

La voix de miel aux accents enfantins lui répond :

— Oui, Geoffroy de Saint-Omer, je t'ai vaincu... Pour la sainte et unique vérité de l'Église !

Puis le Champenois entend un craquement de bois brisé. Le froid qui a transi sa chair et paralysé ses nerfs lui évite de ressentir la douleur.

Aucune souffrance.

Un flot de sang inonde son visage. Son propre sang.

L'homme à la hache vient de lui arracher la main droite. « *In hoc signo vinces !* » entend-il prononcer au-dessus de lui.

Le rire de son bourreau. Sa propre main à la chair blanche lui est brandie sous les yeux... La marque qui lui est faite au front... La marque qu'il devine... Le chiffre 3 et une croix...

— Maintenant, en route ! lance la voix suave.

Bruit de bottes qui décroît. Puis le silence. Une paix de tombeau qu'accompagne une grande ombre algide qui recouvre le chevalier.

Geoffroy perçoit un battement lent, lointain. Est-ce son cœur qui vit encore un peu ? Est-ce la mort qui approche à pas tranquilles, assurée que le blessé lui appartient déjà ?

« Est-ce ma mort ? »

Ce n'est que son sang qui jaillit en pulsations syncopées des artères de son bras sectionné.

Geoffroy attend. Il se sait robuste et se donne un répit. Il entendra peut-être sonner tierce au clocher du bourg.

« Geoffroy, nous sommes là ! Nous arrivons, frère ! »

La voix de Payns. Mais le chevalier ne peut le voir. L'ombre le recouvre désormais entièrement.

« Il se vide de son sang... Qu'on me donne une ceinture, je vais le garrotter. »

Le mourant a conscience qu'on s'affaire autour de lui. On lui ligature certainement le bras. À quoi bon ?

« Il faut le dévêtir et le couvrir de nos manteaux. Aide-moi, Hugues. Et qu'on lui lave le front ! »

Geoffroy s'entend dire :

— Allons, Payns, tu sais parfaitement que c'en est fini pour moi... Ne cherche pas à te leurrer...

— Non, Geoffroy. Nous voulons te garder avec nous. Reste, mon frère. Reste !

Et le blessé de répondre dans un murmure :

— Embrassez-moi plutôt, car j'ai tellement peur... J'ai une requête à vous faire...

— Nous t'écoutons.

— Vous... vous m'enterrerez dans le Tombeau de la forêt d'Orient... Dans la terre où s'allongera le Premier... Je partagerai son sommeil...

— Nous te le jurons, frère !

La voix n'est plus qu'un râle :

— Et vous tuerez ce fantôme... L'homme à la hache...

L'ombre lui clôt les yeux.

11

Gratias agamus Domino Deo nostro.
Dignum et justum est

L'homme à la hache est transi, mais il ne s'est pas plaint depuis qu'il a quitté les terres de Saint-Omer à la tête de sa troupe.

Les cavaliers débouchent d'un bois et gravissent une colline, coupant à travers des vignes pelées aux ceps torturés et fuligineux. Au sommet, ils marquent un arrêt. Deux routes se présentent à eux. L'une redescend vers un hameau, l'autre s'enfonce dans une épaisse forêt.

— Séparons-nous ici, ordonne le jeune tueur. Retournez chez vous et prenez quelque repos avant que je ne vous rappelle pour que nous nous chargions du comte et de Payns. Cette fois, le gibier sera plus difficile à atteindre.

— Le chevalier Payns a la réputation d'être un bretteur invincible et le comte est solidement défendu.

— En effet, j'ai vu Payns à l'œuvre à Jérusalem. Ce n'est pas le genre d'animal que l'on attaque de front. J'ai décimé sa nichée ; il ne lui reste plus qu'un fils. C'est là sa faiblesse. *Dominus vobiscum.*

— *Et cum spiritu tuo,* répondent ses quatre hommes, qui le regardent partir alors qu'il lance sa monture au galop.

— C'est à croire qu'il prend un sournois plaisir à s'attaquer aux enfants, remarque le Roué. Le maître me glace l'échine par son manque de compassion.

— Je ne vois pas la différence entre un jeune mort et un vieux ! réagit un deuxième. Notre métier est de tuer sur ordre. Eh bien, tuons enfants, femmes et hommes ! Puisque la cause est sacrée.

— Je crains cependant que Dieu la fasse, la différence ! riposte le Roué avec une grimace de dégoût.

Quand l'homme à la hache met pied à terre dans la cour du monastère de Sainte-Menehould, le père supérieur sort de la chapelle et vient à lui en sautillant et en se tordant les mains sur la poitrine.

— Messire ! Ah messire, vous voici… Le comte Hugues de Champagne est venu en personne vous réclamer.

— Le comte, ici ? Qui lui a appris ?

— Je n'ai pu faire autrement que de lui avouer que vous… Enfin, comprenez-moi, il me menaçait ! Je l'ai laissé visiter votre cellule.

Le tueur s'est approché du moine et le soulève presque du sol en le prenant au collet. Il lui lance :

— Pauvre petit roquet en soutane ! As-tu parlé du pape ?

— Non ! Non ! Mais le comte est puissant et sans doute bien renseigné. Il est gendre du roi et son frère est évêque de Châlons. J'ignore ce qu'il a contre vous ; cependant, sa colère était fort importante !

— Était-il seul ?

Quelques moines sont sortis à leur tour de la chapelle et assistent de loin à l'altercation. Aucun n'ose venir au secours de son supérieur, quoique certains craignent qu'il ne se fasse étrangler par l'inconnu.

— Était-il seul ? t'ai-je demandé.

— Je vous répondrais plus aisément si vous ne me serriez pas aussi fort le cou, messire… Non, il n'était pas seul. Un autre chevalier l'accompagnait ainsi que des hommes solidement armés.

— Le chevalier… As-tu entendu son nom ?

— Certes, répond le père supérieur dans une quinte de toux. Le comte l'a appelé Payns.

— Alors ce sont eux qui ont failli me surprendre sur l'étang…

— Pardon ?

L'homme à la hache relâche le moine dont le visage devenait exsangue et, se dirigeant vers la remise qui abrite sa cellule :

— Le monastère n'est plus un refuge sûr, je serai parti dans peu de temps. Tu ne me reverras plus ; je pense que tu en seras satisfait.

Les moines sortis de la chapelle attendent que le tueur soit hors de vue pour rejoindre leur supérieur qui peine à reprendre son souffle, cassé en deux, ne cessant de tousser.

— Je n'avais jamais croisé pareille créature avant d'héberger cet homme, halète-t-il. Il vous sourit comme un ange et vous regarde comme un démon. Je n'ose imaginer quel commerce il entretient avec notre Saint-Père !

— Ses vêtements étaient trempés et il ne semblait pas en souffrir malgré le froid.

— C'est à se demander s'il a déjà souffert au moins une fois dans sa vie !

Il s'est entièrement dénudé.

Puis il s'est allongé sur la jonchée de paille humide recouvrant le sol de sa cellule, ventre au sol, bras en croix face au mur où pend un crucifix.

Sa chair mortifiée par le bain glacial dans l'étang lui rappelle sa malheureuse condition d'humain, que Dieu a voulu fragile, et il en ressent une intense satisfaction.

Les brins de paille lui griffent la peau et lui apportent une délectation aiguë, bénigne mortification qui attise son plaisir.

Dans sa main droite il tient une cordelette à laquelle il a fait une dizaine de nœuds.

— Je crois en Toi, mon Dieu, commence-t-il. Je crois en Ta sainte gloire, en Ton avènement sur cette terre, en Ta vérité...

Ange extatique au regard révulsé, il sourit singulièrement, tel un enfant.

— Et je suis le bras qui défend cette vérité contre tous les ennemis de Ton nom. Je T'implore de me donner la force de mener mon juste combat jusqu'à son terme. Je T'adjure de m'aider à vaincre les adversaires de Ton nom. Endurcis mon cœur et ma chair...

Moulinant l'air de son bras droit, il abat la corde sur son dos. Il crie, entre douleur et jouissance.

— *Gratias agamus Domino Deo nostro. Dignum et justum est.*

Il fait pleuvoir les coups frénétiquement. Sa peau cinglée se déchire et saigne. Il en rit. Il en pleure.

— *Gratias agamus Domino Deo nostro. Dignum et justum est.*

Au terme de longues minutes de supplice, il se redresse et, du pouce, trace un signe de croix sur son front, un autre sur son cœur.

Il enroule la cordelette qu'il remet dans sa sacoche de cuir, et se dirige vers son lit. Avant de s'y allonger pour se reposer, il regarde sous le matelas.

— Bien sûr, pense-t-il. Les Champenois ont trouvé ma liste !
Il se jette sur sa couche. Ferme les yeux. Et s'endort aussitôt.

12

La troisième bague

Le corps de Geoffroy a été porté jusqu'au palais du comte de Champagne et déposé dans sa chapelle. Il a été étendu sur un autel dressé pour la circonstance. Une grande planche sur des tréteaux, recouverte d'un drap blanc.

Aux quatre coins du reposoir ont été disposés des candélabres.

Les frères de la Loge Première ainsi que dame Hélène, la comtesse Constance et Maurin sont venus s'incliner et se recueillir devant la dépouille.

Le bon gros visage de Saint-Omer semble endormi. Aucun stigmate de douleur ne l'affecte. Seule la peau des pommettes s'est légèrement tendue sur les os, et les commissures des lèvres se sont un peu affaissées.

— Nous sommes arrivés trop tard, ma chérie, dit Hugues à sa femme qu'il tient dans ses bras. Le tueur qui nous pourchasse depuis notre retour de Jérusalem avait déjà fait son œuvre. Le chevalier Geoffroy est mort dans nos bras, à Payns et à moi.

— Je redoute de te perdre aussi, mon époux. Toutes mes prières resteront vaines devant un tel assassin.

— Nous devons trouver le moyen de tendre un piège à ce loup !

— Si nous ne parvenons pas à atteindre la bête, grommelle Payns entre ses dents, peut-être faudra-t-il que nous nous attaquions à son maître !

Le comte se sépare doucement de Constance et entraîne Payns vers le fond de la chapelle.

— Quand tu parles de son maître, tu penses réellement au pape ?

— Oui. N'est-ce pas lui son commanditaire ? C'est lui qui tient la laisse de ce chien ! Le pape Pascal demeure en retrait, mais profite de la curée. Nous irons le trouver...

Très bas, le comte demande :

— Comment comptes-tu que nous nous y prenions ? Le pape ne nous écoutera pas ; il niera être l'instigateur de cette guerre secrète.

— Je soumettrai ce soir un plan à la Loge. Qu'on fasse revenir Eliphas de la forêt d'Orient pour qu'il soit témoin de ce que nous entreprendrons. Je n'enterrerai notre frère Geoffroy que lorsque j'aurai puni ce pape assassin ! Quand je l'aurai mis à genoux ! Tu verras, Hugues, il nous implorera bientôt et devra se retourner contre les Gardiens du Sang s'il veut continuer à vivre.

Hugues prend son ami par les épaules et, plus bas encore :

— As-tu la volonté de t'attaquer physiquement à lui ?

— Nous aurions dû le faire plus tôt ; nous en avions les moyens. Ce fut une faiblesse de notre part que de nous comporter humainement et de considérer que l'Église nous épargnerait.

Puis, après un temps, Payns chuchote, sachant que le comte peut déchiffrer les mots d'après le mouvement de ses lèvres :

— Je jure sur la dépouille de Geoffroy, ainsi que sur la mémoire d'Arcis, de Basile, de Typhaine et d'Émeline, que je forcerai l'Église à reconnaître notre confrérie ! Je fais le serment par le Christ que l'Église deviendra notre vassale et que nous la soumettrons à notre volonté. Par I.N.R.I. !

Reims. Le repas s'achève à la table de l'évêque. Les mets ont été nombreux, mais servis en petites portions afin de ne point offenser l'humilité du pape. Ce dernier et dom Mestrany ont néanmoins apprécié les galettes de fèves bien poivrées, l'anguille cuite au vin avec de gros oignons rouges, l'agneau de lait braisé présenté sur un lit de tendres feuilles de choux bouillies à point et encore craquantes, les pilons de poulet grillés accompagnés de châtaignes et de raisins secs. Et l'hydromel au miel blanc aromatisé de cannelle, le lait caillé épais, les noix amères.

Dans la vaste aula parfaitement chauffée par ses deux cheminées, les trois hommes ont mangé en silence ou n'ont échangé que de rares paroles convenues sur la saveur des plats ou au sujet de cet hiver obstiné qui ne semble pas vouloir s'achever.

Le souverain pontife s'est plu à observer du coin de l'œil l'évêque qui mourait d'envie d'entamer une conversation plus en rapport avec leur position.

Jamais il ne l'y a aidé, souriant intérieurement de cette facétie. Pascal n'aime pas ce prélat austère, faussement modeste, ouvertement curieux.

Mais l'évêque n'y tient plus ; il s'arme de courage et lance sur un ton cauteleux :

— Je comprends, Saint-Père, que vous ayez vos raisons de me tenir à l'écart des affaires qui vous retiennent en Champagne ; cependant, admettez que je m'interroge. Naturellement, je vous dis cela avec tout le respect que doit un fils à son père.

— Je ne l'entendais pas autrement, répond le pape sans dissimuler l'ironie. N'éprouvez aucune rancœur, Monseigneur. Je suis votre hôte et j'en apprécie les avantages. Malgré tout, je ne puis rien vous apprendre. Je vous dis cela avec toute l'affection qu'un père se doit d'éprouver pour son fils.

Dos rond, l'évêque fait mine de ne pas avoir été touché par le coup de griffe et reprend :

— Je n'en attendais pas moins du prince de l'Église, auquel je porte un sincère respect.

— Que vous révéler, d'ailleurs ? Certains problèmes imposent une grande discrétion et ne trouvent leur résolution que dans le secret le plus absolu.

— Pourtant, un simple abbé vous rend souvent visite et partage de longs moments avec vous, alors que les rares conversations que vous me consentez sont bien banales. Se pourrait-il que vous ne me jugiez point digne de recevoir quelques-unes de vos lumières ? Je vous assure que mon esprit est suffisamment ouvert et s'enrichirait sans aucun doute du savoir que vous daigneriez lui apporter.

— Vous me prêtez bien des qualités, dit le pape. C'est m'habiller de vêtements trop amples !

Dom Mestrany assiste à la joute en décortiquant quelques noix dont il épluche avec soin les cerneaux.

— Je parle de l'abbé Denis, apothicaire et savant en science hébraïque, poursuit l'évêque. Un homme dont le grand savoir est certes reconnu, mais qu'on dit adepte de disciplines occultes dangereuses pour l'âme.

Le pape élève une main lasse.

— On raconte tant de choses au sujet des brillants esprits ! Je puis vous affirmer que je suis apte à reconnaître une âme en perdition qui serait assaillie par des forces maléfiques. Soyez rassuré, Monseigneur : l'abbé Denis n'est pas la proie de puissances délétères. Ce brave homme a la raison plutôt finement tournée, et s'il peut paraître original à un observateur peu attentif, c'est à cause des grandes connaissances dont il est familier.

L'évêque s'apprête à croiser de nouveau le fer quand dom Mestrany le devance :

— Saint-Père, n'est-il pas l'heure de faire votre sieste ?

Le pape, se levant déjà en souriant :

— Vous avez raison, dom Mestrany. Veuillez m'excuser, Monseigneur ; je me retire dans mes appartements. À ce propos, je tenais à vous remercier encore une fois pour la qualité de votre accueil. Et pour votre discrétion !

— Je suis à votre disposition, mon père, ronchonne le prélat.

Une fois que dom Mestrany et lui sont sortis de la salle, le pape se tourne vers son compagnon pour reconnaître :

— Vous avez interrompu cette discussion avec beaucoup de talent, mon ami.

— Moi ? Allons, je me souciais seulement de la santé du souverain pontife !

Puis Sa Sainteté regagne ses appartements. En y pénétrant, il frissonne et, voyant qu'une fenêtre a été ouverte :

— Mais c'est glacial, ici ! Ah, le vent a poussé la fenêtre…

Allant la refermer, il remarque avec inquiétude des empreintes neigeuses sur le sol.

— Des marques de pas !

Il a deviné…

L'homme à la hache est assis sur un petit banc où il a pris ses aises. Sa sacoche de cuir est posée sur ses genoux.

— Mes respects, Saint-Père.

— Quelle fâcheuse habitude vous avez prise de vous introduire dans ce palais à la manière d'une ombre !

Le tueur jette la sacoche aux pieds du pape.

— Une ombre ! Naturellement, puisque je n'existe pas !

— M'humilier vous satisfait donc tant ? Vous me balanstiquez cette chose comme on jette un os à un chien !

— Je tue pour vous, Père. Je considère que vous pouvez bien vous baisser pour ramasser votre dû.

Pascal s'empare de la musette en disant :

— Croyez que si je pouvais me passer de vos services, si l'Église n'était pas en péril, je vous ferais monter sur le bûcher.

— Je sais. Vous avez choisi de me haïr plutôt que de vous détester. Nous sommes liés l'un à l'autre par notre contrat. Je suis une part de vous-même.

— De qui s'agit-il, cette fois ?

— Geoffroy de Saint-Omer. Le chevalier s'est battu héroïquement. Il a bien failli m'emporter avec lui dans la mort. Il s'est comporté en homme courageux. Un rude adversaire !

À gestes lents, le Saint-Père prend la main du Champenois et vient la déposer sur la table, près de la cheminée.

— Notre contrat, Père…

— Oui, je dois défaire la bague et reproduire le dessin du Saint Signe afin de laisser l'original aux Gardiens du Sang… Partager la Vérité et la Connaissance avec vous ! Tout cela est bien symbolique, ne trouvez-vous pas ?

— Je ne vous apprendrai pas que le mot « symbole » provient du grec *sumbolon*, sourit le tueur.

— *Symbolum* en latin…, ajoute le pape en dégageant de la pierre rouge le morceau de suaire de Thomas.

— Latin ou grec ! raille le tueur. Dans les deux cas, un objet que deux hôtes partageaient dans l'Antiquité en deux morceaux. Ils conservaient chacun le leur, pour le transmettre à leurs descendants, ce qui permettait aux familles de se reconnaître plus tard et de se réunir. Ainsi, l'Église et les Gardiens du Sang resteront mariés pour les siècles, tenus tous deux de respecter leur engagement.

Tout en s'appliquant à recopier au plus précis le nouveau motif, Pascal jette brutalement :

— Il arrive que certaines épousailles se brisent.

— Ce serait fatal à l'une ou l'autre des parties, Père. Ne le souhaitons surtout pas !

L'homme à la hache se lève de son banc et vient se placer dans le dos du pape pour regarder par-dessus son épaule le dessin qu'il est en train de reproduire.

— Ce motif est composé des quatre lettres I, N, R et I, dit Pascal. N'est-il pas étonnant que Jésus ait emprunté l'alphabet romain pour dissimuler son Secret ?

— Peu m'importe actuellement la signification de ces Signes. Il vous appartient d'en découvrir le sens, alors que ma tâche consiste à les voler.

— Ne me prenez pas pour un naïf, je me doute que vous êtes aussi impatient que moi de percer le secret de Jésus.

— Ou de le faire disparaître !

Le pape rend le bijou et la pièce de linceul au jeune homme. Ce dernier lui annonce :

— Il me faudrait une autre cachette ; le comte Hugues et Payns ont découvert le monastère, et, pour des raisons de sécurité, je ne peux partager le repaire de l'un de mes hommes.

— Naturellement ! Nous allons remédier à cet inconvénient. Mais comment les chevaliers sont-ils parvenus jusqu'à vous ?

— Je l'ignore. Le comte possède de solides appuis. Son frère Philippe, peut-être ?

— L'évêque, admet Pascal. Oui, c'est possible. Très probable... Je devrai me méfier de cet homme. Je vous écris une lettre pour le prieur de l'abbaye d'Hautvillers. De Reims, deux heures à cheval suffisent pour s'y rendre. Vous y serez à l'abri.

— Je l'espère. Je croyais être assuré de n'être jamais découvert jusqu'à aujourd'hui. Nous avons sous-estimé nos ennemis.

— Nous péchons souvent par orgueil, mon fils. Surtout lorsque nous nous pensons invincibles.

Le ton du pontife a été cinglant. Le tueur y répond, tout sucre :

— Ce n'est point l'orgueil qui m'anime. Je laisse cela aux politiques et à vos prélats. La cause que je défends est celle de Dieu ; l'auriez-vous oublié, Père ?

— Non, bien sûr... Dieu ! Pour Dieu, évidemment. Comme la croisade que nous faisons en Palestine, qui n'est qu'une mascarade dans laquelle se précipitent des roitelets avides d'aventure et d'or.

L'assassin retourne à la fenêtre, qu'il s'apprête à enjamber. Il retient son geste. Le pape lui recommande :

— Méfiez-vous, cependant ; vous avez attisé la haine dans le cœur des derniers chevaliers. Payns et le comte vont chercher à vous faire payer très cher la mort de leurs trois frères.

— Ils ne peuvent se douter que j'ai un homme dans la place. Un charpentier...

Il pose le pied sur la margelle et, avant de disparaître, lance ces derniers mots :

— Nous nous reverrons donc bientôt, Père.

— Je le crains, en effet.

Pascal gagne la croisée en deux enjambées. Il n'a que le temps d'apercevoir sur sa droite un pan de la cape de l'homme à la hache qui flotte au sommet d'une corniche soutenue par deux modillons grimaçant de manière grotesque.

— *In gloriam et laudem Dei*[1] !

13

L'or

Schelomet a tiré la tenture noire.

— Approchez, dame Hélène. Toi aussi, Maurin, puisque tu brûlais d'envie de savoir ce que nous dissimulions dans cette pièce.

Le jeune garçon, qui a déjà eu une rapide vision de cette officine, regarde cette fois avec une grande attention, étonné de trouver la salle plus exiguë qu'il ne l'avait imaginée.

— Je ne m'étais pas trompé, remarque-t-il. Ce que j'ai vu hier était bien de l'or, n'est-ce pas ? Tout comme ce qui bouillonne là !

— En effet, Maurin, répond Payns. C'est de l'or.

— Voyez-vous, dit Schelomet en prenant d'un récipient une poignée de sable qu'il égrène devant la jeune femme et l'enfant. Comme l'on peut faire du verre à partir de ce vulgaire sable siliceux que l'on soumet à la fusion avec de la potasse et de la soude, nous sommes en mesure d'obtenir de l'or par un procédé similaire... Nous versons une quantité précise de ce sable dans ce premier athanor, que nous portons à une forte chaleur sur ce fourneau, et qui, devenu pâteux, subit différent traitements dans

_____

1. Pour la gloire et la louange de Dieu !

cette série de vases reliés entre eux par ces tubes de plomb. Nous faisons subir à ce singulier mortier différents traitements et décantations dans des bacs, puis nous le portons une nouvelle fois à une température élevée que nous appelons l'« exaltation » avant de le filtrer au travers de ces trois tamis coniques. Nous en réceptionnons une pure quintessence dans ce second athanor, où il devient cette soupe jaune que nous portons à ébullition durant près de trois jours et trois nuits.

— C'est alors par le mercure et le soufre que nous amalgamons la matière et la figeons en or, précise Ferrer.

— De la sorcellerie ! s'exclame Hélène en se signant.

— Non, Hélène, la reprend le comte en souriant. Seulement une tradition scientifique qui nous vient de Jésus. Le Christ a été instruit de ce savoir par les docteurs égyptiens qui l'initièrent dans la mystérieuse société des bâtisseurs et savants de Deir el-Medineh...

— Jésus consacra toute son énergie et son intelligence à ces recherches, ajoute Payns. Les Égyptiens, eux, approchaient la transmutation sans jamais y atteindre. Vous savez que Jésus eut la révélation de la formule dans la tombe de Thomas. Il consacra ensuite sa vie entière à mettre cette équation en pratique. Il fut le seul alchimiste à réaliser le Grand Œuvre.

— I.N.R.I. s'applique à la matière minérale comme à la manière organique, souligne Schelomet.

Et Payns de reprendre :

— Vous comprenez maintenant pourquoi l'Église nous traque. Nous, héritiers de la confrérie de Jésus, nous détenons le pouvoir suprême sur la Mort et la Nature !

— Et nous considérons que le temps n'est pas venu de distribuer aux hommes cette connaissance, scande Hugues. Peut-être, d'ailleurs, ce savoir ne devra-t-il jamais être révélé.

Une voix grave et forte, légèrement éraillée, les surprend tous :

— *Insignia Natures Ratio Illustrat*[1] !

Ils se retournent. Eliphas leur sourit, les yeux brillants derrière leurs loupes. Il y a encore de la neige sur les épaules de son manteau, à cause du chemin qu'il vient de parcourir depuis la forêt

---

1. La raison dévoile les merveilles de la Nature

d'Orient. Il salue dame Hélène, puis Maurin, à qui il passe une main dans les cheveux.

— Tu en fais une tête, garçon !

— Ma foi, maître Eliphas, comment en serait-il autrement ?

— Quoi ? Tout cela parce que nous faisons ici un peu d'or ? Tout ce que produit la Nature peut être imité par l'homme si celui-ci est un juste observateur de ses mystères.

— Vous me raillez ! se plaint Maurin. La Nature est prodigue en phénomènes qui resteront à tout jamais de profondes énigmes.

— Je crois en Dieu et cela me trouble, fait Hélène.

— Mais tous nous croyons aussi en Dieu, poursuit Eliphas sans se départir de son sourire. Cette science est d'essence divine. Elle tire ses origines de la nuit des temps, de Dieu lui-même ! Dieu existait avant les hommes ! Bien avant que ceux-ci inventent des religions dévoyées pour le mettre en cage !

— Nous vous avons parlé des sages de la confrérie de Deir el-Medineh, dit Payns. C'est à la lumière de leur Tradition que Jésus s'est instruit. Il y a bu comme on boit à la source originelle de la Connaissance. Cette communauté de bâtisseurs et de clercs s'est certainement constituée sous la dix-huitième dynastie. Elle jouxtait Louxor, au nord d'Edfou. Dans cette société, les hommes étaient appelés « serviteurs dans la place d'Harmonie » ou « serviteurs de la Grande Place », et obéissaient à une règle particulière qui plaçait leur travail en relation directe avec le divin. Pour un serviteur de la Grande Place, l'art, l'équilibre et l'harmonie étaient d'origine divine. L'homme – l'artisan – recevait des dieux l'inspiration qu'il concrétisait par son travail. Il s'interdisait donc de revendiquer la paternité de son œuvre, miroir terrestre d'une euphonie cosmique. Il s'appliquait, par des gestes traditionnels, par un comportement irréprochable, par une éthique monacale, à devenir le catalyseur d'une force universelle, d'un plan déjà tracé et qu'il s'efforçait de reconstituer par un enseignement permanent, éveillé lors de son initiation au sein d'une communauté fraternelle et structurée ; une communauté hiérarchisée possédant ses maîtres et ses apprentis. L'artisan, par son initiation, se devait de progresser, de gravir les marche conduisant à la Connaissance. Là se situe le véritable mystère de l'initiation, phénomène à la fois sacré et matériel qui unit l'esprit au geste, qui consacre le travail, insufflant à l'homme le sentiment d'un devoir à accomplir. L'initiation égyptienne ouvrait l'esprit de l'homme sur l'idée qu'un plan existe, qu'il a toujours existé, et qu'il est du devoir de l'artisan d'en déchiffrer les contours. C'est d'ailleurs en lisant le plan universel qui nous apparaît parfois, que nous nous approchons de l'harmonie, de la force, de la sagesse et de la beauté. L'architecte égyptien savait qu'il n'atteindrait jamais l'ultime équilibre ni la perfection de son art. *Les limites de l'art ne sauraient être atteintes par un individu.* C'est pour cette raison, parce qu'une vie humaine est trop courte, que les Égyptiens avaient instauré ce genre de communauté initiatique de bâtisseurs. Les aînés transmettaient leur savoir aux jeunes adeptes, perpétuant la Tradition, leur enseignant la règle de la confrérie, calquée sur le cycle solaire...

— Je crois comprendre..., l'interrompt Hélène. Vous me décrivez votre confrérie en évoquant celle de ces Égyptiens. Et si je n'entends pas tout à votre discours, mon ami, j'en retiens cependant que la Loge Première, dont mon regretté Arcis faisait partie à vos côtés, est sœur de cette société de bâtisseurs.

— Vous êtes femme d'esprit, Hélène, la rassure Payns. Et vous saisissez fort clairement ce que je vous explique. Oui, oui, la Loge Première que Jésus fonda pour que ne meure pas la Tradition était effectivement née de ce qui lui avait été enseigné à Deir el-Medineh.

— Néanmoins, ajoute Hélène, j'ai cru percevoir que le Christ n'avait pas laissé son savoir à ses frères en un unique élément. Ne l'a-t-il pas fragmenté ? N'avez-vous pas dû aller en récolter quelques-unes des pièces à Jérusalem à partir d'un manuscrit de Joseph d'Arimathie ?

— En effet, reprend Payns, Jésus a segmenté son savoir et en a laissé des traces en latin, en grec et en hébreu. À ce propos, il n'est pas anecdotique de préciser le fonctionnement de la confrérie de Deir el-Medineh, composée de membres dont le nombre pouvait varier en fonction des ouvrages à édifier. Les serviteurs de la Grande Place étaient les « hommes d'équipage ». Ils étaient divisés en deux côtés : droit et gauche, comme sur un navire égyptien. L'impétrant qui demandait à être admis dans la confrérie était reçu sur le chantier et les deux surveillants lui posaient de nombreuses questions à la fois profanes et sacrées. L'examen ayant été réussi, une dernière épreuve attendait la jeune recrue. On lui présentait une barque en pièces détachées dont il devait assembler les pièces en bon ordre. Cet exercice expliquait une nouvelle fois qu'un plan existait, et que, même brisé ou déchiré, ce plan divin demeurerait toujours prêt à éclairer l'esprit et la main de l'homme. L'inspiration et la technique maîtrisée devaient permettre à l'initié égyptien de retrouver le sens universel de l'harmonie divine. C'est par le travail que l'homme acquiert le savoir ; c'est par l'initiation qu'il atteint au sacré. L'initiation nous inscrit dans le plan du travail – sur nous-mêmes, avec les autres et pour les autres. Elle nous ouvre les yeux sur une voie nouvelle, véritable religion de la fraternité qui nous propose un langage universel fait de symboles...

Payns marque un temps. Il regarde ses amis tour à tour puis s'attarde sur Maurin que ses mots, que la fièvre avec laquelle il les a prononcés ont surpris. Jamais le fils n'avait entendu son père parler autant, d'une voix aussi ferme, aussi chaude, aux accents inhabituellement soutenus.

L'enfant prend conscience que son père est double, qu'il appartient et à sa famille et à cette confrérie... Cette Loge Première ! Et que là, dans cette société secrète, il est cet homme disert que ses amis écoutent en silence. Avec tant de respect ! Et que là, même le comte de Champagne lui témoigne une considération et une déférence étonnantes.

Payns poursuit :

— Nous sommes les héritiers de la Tradition, les enfants du souffle initial. Nous faisons partie d'un tout fragmenté, dispersé à travers l'espace et le temps. Nous contemplons, émerveillés, les étoiles qui tapissent le ciel du temple de la Nature et qui nous invitent à élever sans cesse notre esprit, à rêver, à la fois nostalgiques et enthousiastes, à ce mystère d'où nous venons, où nous retournerons. À cette vérité absolue, mais inaccessible, que la science devrait tenter de percer, repoussant ses frontières à chaque nouvelle découverte. Car il est une région de l'Univers – de notre univers – que la science ne peut atteindre et qui se situe dans le domaine spirituel. Dans ce que certains appelleraient l'âme. L'Univers est un symbole tout entier contenu en lui-même, plan énigmatique qui offre le cosmos comme champ d'exploration. Notre quête est alors nourrie d'innombrables questions qui n'appellent pas forcément de réponses, puisque beaucoup se situent hors du champ de notre compréhension. Cependant, interrogateurs parfois inquiets, investigateurs frustrés, nous nous inscrivons aussi dans la Tradition par notre entêtement à traquer la Vérité. Les questions que nous lançons aujourd'hui seront reprises par d'autres qui, enrichis d'un nouveau savoir, d'une science plus précise, trouveront peut-être l'esquisse d'une réponse. La main tachée de boue qui marqua jadis la paroi d'une grotte, premier symbole pictural d'une conscience intelligente, n'a jamais quitté la mémoire de l'humanité. Cet être humain à peine éveillé a signé là son appartenance à une communauté. Il a imprimé de manière indélébile cette image d'une main tendue à ses semblables à travers les siècles. Comme une poignée de mains dans une Chaîne d'union reliant les vivants aux morts. Qui unit ceux qui ont bâti et ceux qui reprennent le chantier... Car il est un enseignement particulièrement évident que nous délivre l'initiation : notre existence est fugace, mais notre travail est immortel. Nous sauvons les trésors préservés par nos frères aînés. Nous percevons déjà dans l'initiation que le savoir est temporel et humain, alors que la Connaissance est de l'ordre du divin. La Connaissance est unique et englobe tous les savoirs. Tout est toujours contenu dans cette infinitésimale particule originelle, cet œuf premier où se côtoient l'infiniment petit et l'infiniment grand, la vie et la mort, tout et son contraire, Dieu et le néant. Tout est dans ce Verbe, l'énigme indicible qui broie la raison et impose à l'homme de tendre sans cesse la main vers Dieu, cherchant un guide, un soutien, une ébauche de réponse qui le consolera de n'être qu'un simple mortel. Qui lui interdira de sombrer dans la folie d'une inacceptable fatalité. La mort et la vie sont liées comme le sable l'est à l'or !

Tous les hommes font alors le même geste à l'unisson, en une parfaite chorégraphie qui impressionne Hélène et Maurin : ils portent leur main droite, paume ouverte, à hauteur de leur cœur, et s'inclinent. Puis, tout bas, très lentement, ils prononcent ces mots :

— Par la chair et le sang du Christ, par le sable et l'or, que demeure la Tradition pour la gloire de la Connaissance !

Ils se redressent. Payns voit que dame Hélène est pâle et frissonne ; il s'approche d'elle, lui prend les poignets et lui demande :

— Je crains que vous n'ayez pris certains de mes propos pour une catilinaire, n'est-ce pas ?

— En vérité, vous m'avez chaviré l'âme plus d'une fois, Payns. Vous rendez-vous compte que si un représentant du clergé entendait le millième de ce que vous énoncez, il vous livrerait pieds et poings liés au tribunal, lequel vous condamnerait au bûcher ?

Maurin intervient, les joues rougies d'être longtemps demeuré près d'un fourneau :

— L'Église ferait mieux de juger et de brûler l'homme à la hache et ses gens, ce serait plus saine et raisonnable justice, dame Hélène !

Eliphas repasse sa main osseuse dans les cheveux du garçon et lui frictionne le crâne en disant :

— Tu es une bonne graine, mon enfant ! Mais dame Hélène réagit selon ses croyances, us et habitudes. Il ne serait point intelligent de notre part de l'en blâmer. Je suis par contre certain qu'elle respecte notre philosophie comme nous respectons la sienne. Même si sa conscience est quelque peu ébranlée ! Elle a sans aucun doute compris que nous sommes les dépositaires de la véritable religion d'amour que le Christ nous a transmise. Nous luttons contre l'Église qui a trahi Jésus...

— Vous êtes un homme excellent, maître Eliphas, dit Hélène. Vous êtes d'ailleurs tous, ici, des amis de qualité auxquels je dois beaucoup. Vous aimiez mon Arcis autant qu'un frère, bien que vous donniez à ce vocable de nombreux sens. Toute cette bonté, tout cet amour me réchauffent le cœur et m'aident à supporter mon veuvage. Je vous sais gré aussi de m'instruire de vos secrets ; je prends cela comme un témoignage de votre respect à mon égard. Aussi, bien que ce que j'ai appris ce soir risque de m'interdire le sommeil pendant de longues nuits, je vous jure de n'en parler à personne.

À ces mots, Payns la serre contre sa poitrine et l'embrasse sur le front en lui murmurant :

— Je vous appellerai désormais *sœur*, ma mie. Et sachez que je donnerai toujours à ce mot le sens de l'amitié !

Elle lui sourit, le regard voilé de larmes.

Plus tard dans la nuit, alors que Maurin et Hélène sont allés se coucher, les hommes se réunissent dans la première salle du laboratoire à la demande de Payns, qui leur soumet son intention de rencontrer le pape à Reims. Et qui leur expose le piège qu'il a décidé de lui tendre.

— Le pape sera perdu par l'or ! Par notre or !

14

La punition

La neige qui n'a cessé de tomber durant la nuit s'est transformée à l'aube en une pluie lourde qui s'est installée sur Reims.

À none sonnante, il pleut toujours. Le pape Pacal et dom Mestrany se sont retranchés dans la bibliothèque du palais épiscopal.

Le souverain pontife ne parvient pas à dissimuler sa mauvaise humeur ; il ne cesse de se plaindre du temps exécrable de cette Champagne froide et lugubre.

Il croyait que l'examen de magnifiques antiphonaires le distrairait, mais ce n'est pas le cas. Il en tourne les pages machinalement, soupirant à chaque fois que le vent rabat la pluie contre les volets.

Dom Mestrany a tenté à plusieurs reprises d'entreprendre une conversation. En vain. Aussi s'est-il muré dans un silence complet, aux lisières de l'engourdissement.

La porte s'ouvre soudain sur l'évêque.

— Saint-Père ! Sa seigneurie le comte de Champagne en personne... Il a forcé le passage et sollicite sur-le-champ une audience auprès de vous !

— Le comte, ici ? s'étonne Pascal. Sans avoir présenté préalablement de requête ?

— J'en ai été le premier surpris. Il a dû quitter son palais de Troyes de fort bonne heure et chevaucher sans souffler ! Il n'est accompagné que d'un seul chevalier.

— Aucune troupe ?

— Non, Saint-Père, aucune !

Pascal, se tournant vers dom Mestrany qui vient de se lever de son siège :

— Entrez dans ce réduit, mon ami, tandis que je reçois ce singulier visiteur.

Dom Mestrany s'enferme dans une minuscule pièce servant de remise à l'archiviste. À peine s'est-il dissimulé que le comte Hugues et Payns pénètrent dans la bibliothèque.

— Pardonnez cette intrusion, Saint-Père. Ignorant combien de temps vous séjourneriez à Reims, je me suis permis de bousculer le protocole afin d'être certain de vous voir.

— Enfin, comte ! bafouille le pape. Je... Laissez-nous, Monseigneur.

L'évêque se retire à regret et referme la porte derrière lui.

— Voici le chevalier Payns, qui m'accompagna avec trois autres compagnons à Jérusalem où, vous le savez sans doute, nous avons séjourné au Temple.

— Oui, oui... Je... J'ai eu quelques échos de l'intérêt que vous portiez à notre croisade en Terre sainte sous l'hospitalité du roi Baudouin.

Payns porte en bandoulière une musette de cuir. Il y plonge une main gantée.

— Allons sans détour, poursuit Hugues. Le chevalier Payns, qui est mon plus fidèle ami, m'a soufflé un projet auquel j'ai immédiatement souscrit. Il m'a convaincu de financer une part de la pieuse mais coûteuse entreprise qui retient l'Église en Palestine.

— Ah, comte... C'est... Si je m'attendais à une telle proposition !

Payns sort de sa musette une brique en or qu'il tend au pape. Celui-ci, d'abord interloqué, se résout à accepter le présent.

— Agréez ce gage de ma résolution, dit Hugues. Je peux mettre mille fois ce poids d'or dans vos saintes campagnes.

— Que comptez-vous recevoir en échange d'un tel investissement, comte ?

Pascal regarde la brique qu'il tient dans la main droite.

— Nous en reparlerons plus tard, conclut le comte. Lorsque nous arrangerons les termes de notre marché. Réfléchissez... Je suis en mesure de couvrir l'Église d'or ! Vous me ferez parvenir votre réponse. Adieu, Saint-Père.

Puis les deux hommes se retirent, laissant Pascal abasourdi.

— Avez-vous entendu ? demande-t-il à dom Mestrany qui vient de quitter son réduit. À quel jeu le comte joue-t-il ? Et il y avait ce chevalier... Payns ! Ont-ils l'intention de m'acheter comme une vulgaire marchandise ?

— Il s'agit certainement d'autre chose, Saint-Père... Cela cache forcément une fourberie. Je ne peux concevoir un tel revirement !

— Il n'empêche que cet or est bien réel et pèse son poids. Prenez et jaugez-le !

Mais dom Mestrany fait un pas en arrière, refusant de se saisir du lingot, et s'écrie :

— Mon Dieu, votre poignet, Saint-Père !

Le pape baisse les yeux.

— Eh bien quoi, mon poignet ? Oui... il est fort rouge ! Et... des cloques apparaissent sur mes doigts. Cela commence à me brûler ! Que m'arrive-t-il ?

— C'est cet or, Père ! Jetez-le, vite !

Le pape lâche aussitôt le présent empoisonné qui tombe à ses pieds.

Des bouffissures enflent sur sa chair. La paume de sa main et son poignet se couvrent de seconde en seconde de phlyctènes purulentes.

— Les maudits ! Ils ont corrompu l'or avec leur magie de sorciers ! Ils sont venus m'infester avec un épouvantable toxique...

Payns et le comte se sont hâtés de regagner leurs chevaux. Avant de monter en selle, Payns, à l'aide de sa main gauche, et fort soigneusement, retire de sa main droite le gant qu'il dépose dans sa musette.

— Je jetterai au feu cette manicle contaminée à notre retour. À cette minute même, le pape constate l'état ignoble de sa main.

— Une punition machiavélique, Payns !

Puis, sortant de la cour du palais épiscopal, Payns ajoute :

— Le mal va se répandre lentement dans tout son bras. S'il ne veut pas être obligé de le faire trancher comme il a fait couper la main droite de nos frères, le pape devra se résoudre à implorer qu'on lui administre le contrepoison.

— Et nous sommes les seuls à posséder le remède ! ponctue Hugues en s'esclaffant.

Le pontife s'est laissé tomber sur son siège et a retroussé la manche droite de sa tunique.

— Ma main est une véritable braise !

— Demandons à l'abbé Denis de venir au plus tôt, propose dom Mestrany. Ainsi qu'à d'autres apothicaires, les meilleurs de la région.

Le mal empire à vue d'œil. Les apostumes, de plus en plus nombreux, dessinent cloques et pustules rougeâtres.

— La douleur est insupportable... Cette lèpre me dévore la peau. Courez, dom Mestrany !... Rappelez ces damnés chevaliers. Il est peut-être encore temps de les rattraper.

— J'y vais...

Dom Mestrany sort précipitamment et manque de renverser l'évêque que les cris ont alerté.

— Au secours ! Qu'on se rende auprès du Saint-Père... Des médecins, vite ! Faites venir des médecins...

— Le pape se sent-il mal ? s'inquiète l'évêque.

— Ne cherchez pas à savoir et allez quérir vos docteurs. Le comte, l'avez-vous vu ?

— Certes, je l'ai croisé à l'instant, ainsi que l'homme qui l'accompagnait.

Malgré son âge et son poids, dom Mestrany se jette dans l'escalier, qu'il dévale au risque de glisser à chaque marche.

Lorsqu'il arrive dans la cour, il interroge abruptement le portier :

— Deux hommes... Les avez-vous fait sortir ?

— Certes, Monseigneur. L'un d'eux m'a dit être le comte Hugues. Il est parti à bride abattue avec son compagnon.

— Mon Dieu, mon Dieu ! se lamente l'ecclésiastique qui revient sur ses pas en courant.

Haletant, la poitrine en feu, il regagne la bibliothèque et retrouve le pape en compagnie de l'évêque, encadré de deux abbés.

— Comment avez-vous fait pour vous brûler de la sorte, Saint-Père ? interroge l'évêque.

— Je vous en prie, souffle Pascal en grimaçant. Qu'on m'ôte cette souffrance ! Des onguents, des pommades ! Apportez-moi des baumes ! Faites quelque chose !

— Voyez, tente de le rassurer l'évêque. Je vous ai amené deux clercs qui possèdent certains talents en médecine et qui vont vous examiner.

— Je n'ai nul besoin de néophytes ! J'exige que l'on m'amène des hommes de science !

Il tourne un regard implorant vers dom Mestrany. Un regard empli de larmes, tout chaviré de douleur et d'épouvante. Il serre les dents, laisse tomber son menton sur sa poitrine et demeure un long moment ainsi, tandis que l'évêque et ses deux abbés ne savent quelle contenance adopter.

Il relève le visage, soupire et, les yeux mouillés, murmure :

— *Flammis ne urar succensus, per te, Virgo, sim defensus*[1] !

15

Les mots de Jésus

Les frères de la Loge Première ainsi que Maurin et dame Hélène se sont rendus tôt le lendemain matin en forêt d'Orient afin d'enterrer Geoffroy de Saint-Omer.

Ils ont pénétré dans l'enceinte protégée par la haute palissade que gardent les hommes du comte. Ce dernier est descendu dans le puits avec Payns pour creuser la tombe de leur compagnon.

Leur tâche achevée, Payns fait tinter une cloche afin de prévenir leurs amis. Ceux-ci placent le corps de Geoffroy sur une planche à laquelle ils le ligotent. Ferrer et Schelomet actionnent ensuite le volant de la grue.

La dépouille du chevalier disparaît dans la fosse.

Payns et Hugues l'accueillent avec d'infinies précautions. Deux torches fichées en terre les éclairent et projettent leurs ombres dansantes sur les parois de la grotte.

---

1. Et pour que j'échappe aux tourments du feu, ô Vierge, soyez ma défense !

Puis ils portent le corps jusque dans la cavité pratiquée par les terrassiers et étayée d'épais madriers. Là où une crypte sera excavée pour abriter la tombe de Jésus.

Geoffroy est allongé dans la marne humide.

Avant de jeter la première pelletée de terre sur le linceul, Payns dit :

— Adieu, frère Geoffroy. Selon ta volonté, tes os se mêleront à la glaise dans laquelle nous porterons bientôt notre frère Premier...

Leur besogne terminée, Payns et le comte se font hisser jusqu'à la surface où ils retrouvent leurs amis trempés, transis. Une pluie oblique perce manteaux et robes, ruisselle sur les visages en grosses larmes brillantes.

Maurin vient se presser contre son père, passant un bras à sa taille.

Hélène esquisse un signe de croix.

Eliphas ôte les loupes de ses yeux pour les essuyer contre sa tunique et les rajuste avec une moue de mécontentement.

Ferrer l'a regardé faire en souriant.

— Parle-nous, Payns, demande Hugues.

Payns, qui fixait les ténèbres du trou béant, tousse et se racle la gorge comme pour en chasser un sanglot. Et prononce ces mots :

— Jésus dit : *Je ne meurs pas. Je me couche pour un long sommeil. Je suis l'Amour qui s'endort paisiblement. Je pénètre dans le cœur des hommes. Dans le terreau de l'Avenir. Je suis la graine qui germera dans la paume des sages et des saints. Car je vous le dis, à vous, mes frères : l'eau est mon sang, le feu est mon âme, l'air est mon souffle et la terre est ma chair. Jamaïn, Nor, Rouach, Jabashah. Par I.N.R.I., je ne meurs pas. Vous serez mes disciples pour les siècles à venir. Vous formerez la longue Chaîne d'union entre les vivants et les morts et nul n'approchera la Connaissance pour en faire une arme de pouvoir. Un temps viendra, celui du Jugement dernier, qui décidera de mon réveil. J'apporterai alors la Vie éternelle à l'humanité. Il n'y aura plus ni mendiant ni malade, ni roi ni vassal.*

Tous demeurent ensuite un long moment en silence, frappés par la pluie, l'esprit empli des phrases que le Christ a confiées à la Tradition et que celle-ci a portées au travers des siècles.

Il n'y aura plus ni mendiant ni malade, ni roi ni vassal.

Hélène pleure doucement, presque timidement, en retrait. Et ce n'est plus de chagrin. La jeune femme pleure devant tant d'amour exprimé, comprenant en une soudaine illumination le message de cet homme qui, s'il n'était point le fils unique de Dieu, était cependant l'un de ses nombreux enfants. L'un parmi cette innombrable descendance humaine dont Dieu a embrasé l'âme pour des temps immémoriaux.

Hélène pleure, se surprenant à éprouver une sérénité qui ressemble à du bonheur.

Une main ferme et douce à la fois, rugueuse et pourtant sensible, prend la sienne.

C'est Payns.

— Pleurez, ma sœur. Je sais pourquoi, et je vous envie.

Quatrième partie

Pour la vie éternelle...

1

L'initiation de Maurin

Le printemps peine à chasser l'interminable hiver. Si les fragiles lumières du ciel de Champagne sont enfin revenues éveiller les jeunes pousses, soutenir l'éclosion des bourgeons soyeux et sucrés, le pâle et lointain soleil retient sa chaleur.

Les froides soirées écourtent les journées et le vent se lève chaque nuit, encore humide, apportant du fleuve et de ses canaux des odeurs de vase grasse.

Tard cette nuit-là, une pièce demeure allumée au premier étage du presbytère de Châlons, adossé à la cathédrale. Les épais carreaux de verre maintenus par leurs croisées de plomb interdisent de discerner nettement de l'extérieur les silhouettes en présence dans le cabinet de l'évêque Philippe.

Un homme est assis et écrit à un bureau. Ses larges épaules, sa nuque épaisse et sa tonsure indiquent qu'il s'agit de Philippe. Un deuxième se tient debout sur le côté gauche, tout proche du premier. Un troisième, enfin, reste immobile dans l'ombre, plus loin.

La main de l'évêque tremble et sa plume accroche le vélin tandis que l'homme qui se tient debout près de lui, d'une voix douce et enfantine, lui dicte :

— *Mon cher et bien-aimé frère Hugues, par le présent message que t'apporte un clerc en qui j'ai toute confiance, je te demande de bien vouloir me rejoindre au plus tôt en mon évêché à Châlons. Je dois sans tarder te faire une importante communication relative au pape, qui séjourne actuellement à Reims…*

L'homme poursuit sa dictée. Celle-ci terminée, il se penche sur le bureau, plie la lettre en quatre et s'empare d'un bâton de cire qu'il fait chauffer à la flamme de la chandelle pour sceller le pli.

— Apposez votre sceau, Monseigneur, fait la voix calme.

Puis, dès que l'évêque s'est exécuté à gestes fébriles, l'homme tend la lettre au troisième personnage qui sort de l'ombre pour s'en emparer.

— Tu remets ce pli en main propre au comte, puis tu agis comme convenu.

— Je reviens avec Hugues et le conduis immédiatement à cet appartement.

— C'est cela. Pars maintenant pour ne pas être vu et rassure les autres ; qu'ils m'attendent avec les chevaux sous la fenêtre. Nous aurons très peu de temps pour agir... Ah, un détail !

— Oui, lequel ?

— Tu as du sang sur ta manche gauche. Nettoie-la avant de te présenter au comte.

Ils sont tous présents : le comte Hugues, Payns, Schelomet, Ferrer, Eliphas et Émeric. Ils entourent Maurin dans la chapelle éclairée de torchères.

Sur l'autel, près d'un gros cierge éteint, ont été placés un calice empli de vin et un morceau de pain.

Maurin a revêtu une robe blanche. Il est pieds nus.

Payns se tient devant lui, la main droite posée sur son front. Et dit :

— Par les quatre forces... Jamaïn, Nor, Rouach et Jabashah... Par l'ordre retrouvé dans le feu, le sel, le soufre, le mercure et l'azoth... Au nom de Jésus, nous t'accueillons dans notre Chaîne d'union, Maurin, mon fils. Nous t'acceptons dans la Loge Première.

Payns retire sa main du front de l'enfant et poursuit :

— Par le Triangle, l'Hexagramme, l'Omega, la Croix et le Tau, tu rejoins aujourd'hui la grande communauté des morts et des vivants qui ont consacré et consacreront leur vie à la préservation de la Vérité et de la Parole secrète du Christ.

Et tous :

— Par I.N.R.I. !

Payns s'approche de l'autel, se saisit du calice et du pain en disant :

— Mangeons ce pain et buvons ce vin, la chair et l'esprit immortels de Jésus !

— Par I.N.R.I. ! Par la chair et le sang du Christ, par le sable et l'or, que demeure la Tradition pour la gloire de la Connaissance !

Payns tend le pain à son fils, lequel en détache un morceau qu'il mange aussitôt.

— Le pain de la terre est la chair de la vie.

Le chevalier offre ensuite le calice à l'enfant.

— Le vin de la terre est le sang de la vie.

Payns se sert ensuite d'une bougie pour allumer le gros cierge en prononçant :

— Maurin, mon fils, tu as reçu la véritable eucharistie qui t'unit aux frères de la Loge Première. Par ce sacrement, tu as épousé leur cause et tu t'es engagé à respecter le serment qu'ils ont fait jadis à ton ancêtre Jésus, fondateur de leur ordre.

Hugues a pris la coupe et le pain. Il boit et mange. Puis c'est au tour de tous les frères.

Payns élève le cierge au-dessus de la tête du jeune impétrant.

— *Igne Natura Renovatur Integra.* Par le feu, la Nature est intégralement renouvelée... Que la Lumière de Jésus nous guide jusqu'à la fin des temps dans la fraternité et la Connaissance !

— Par I.N.R.I. !

Payns abaisse et élève le cierge par trois fois avant de le remettre sur l'autel.

Revenu auprès de son fils, il fait un geste qui surprend ce dernier. Il lui dénude la poitrine. Maurin recule d'un pas. Il prend soudainement conscience de la fraîcheur qui règne dans la chapelle : les dalles sous ses pieds... l'ombre qui ternit les vitraux.

Il frissonne.

Payns s'agenouille devant lui en souriant et dépose un baiser sur son sein gauche. Une longue caresse tendrement appliquée, lèvres collées au mamelon. Dès que Payns s'est redressé, Hugues s'agenouille à son tour et agit de même.

Comme tous les frères.

Cette singulière cérémonie achevée, Payns rajuste la robe de son fils et dit :

— Le sang de Jésus est dans notre poitrine, Maurin. Tu es le dernier de sa descendance qui procréera. Les frères à venir embrasseront le cœur de tes fils... Et tes fils procréeront ; les frères à venir embrasseront leur cœur, avant qu'un jour les frères à venir embrassent le cœur même de Jésus. Tu es le Saint Cœur de l'avenir et nous respectons notre frère Premier en t'honorant. Car ta sœur n'est plus pour enfanter. Toi et moi, enfant, sommes les derniers maillons du lignage du Christ.

— Mais si nous disparaissons tous les deux, père ?

— La Tradition ne conservera plus que la Parole de notre frère Premier et sa dépouille en forêt d'Orient.

— J'aimerais savoir...

— Oui ?

— Si Jésus revenait à la vie...

— Oui ?

Les yeux de Maurin se sont agrandis. La flamme du gros cierge brille en eux.

— Si Jésus revenait à la vie, aurait-il les moyens de procréer de nouveau ? Transmettrait-il son don à sa descendance ? Femmes et hommes de son sang deviendraient-ils immortels ?

Payns réfléchit un instant et se tourne vers ses amis, cherchant en eux un appui. Revenant à Maurin, il dit :

— Nous l'ignorons. Nous ignorons d'ailleurs tout à propos d'une possible résurrection de notre ancêtre. Nous sommes certains que la mort ne l'a point corrompu comme elle le fait traditionnellement de tout corps organique. Nous t'avons dit que la vie – du moins une forme léthargique de vie – se maintient en lui grâce au procédé alchimique qu'il s'est appliqué. La Tradition nous laisse espérer que Jésus, si des frères lui prodiguaient la médecine d'I.N.R.I. selon les règles, recouvrerait progressivement la vie. Ses os se durciraient à nouveau, la moelle les irriguerait, les tissus se régénéreraient, les veines et les artères se reformeraient, l'eau, le sel et le sang y couleraient. Mais seule l'expérience peut vérifier cette hypothèse.

— Nous y croyons, intervient Eliphas, mais il nous arrive de douter. Toute science impose le doute, Maurin. La certitude n'appartient pas au monde des hommes.

— Nous l'espérons, ajoute Schelomet. La pratique d'I.N.R.I. a permis de défier la mort... La vaincra-t-elle définitivement ?

— Tu dois te pénétrer de l'enseignement de la Tradition, reprend Payns. Cet enseignement est double, comme tu as pu l'entrevoir. Il est d'ordre scientifique en ce qui concerne le corps de Jésus, et d'essence symbolique par le message que nous devons en tirer.

— Je comprends, se hasarde Maurin, le Christ était Amour et Connaissance ; il nous appartient de prodiguer l'un et d'approfondir l'autre pour qu'il vive perpétuellement par nos actions...

— Je te l'ai déjà dit, intervient Eliphas avec un large sourire, tu es réellement une bonne graine, mon jeune frère ! Qui ne demande qu'à germer dans l'excellent terreau de ton intelligence.

— Vous êtes trop bon, maître Eliphas. Mon initiation dans votre Loge me confère-t-elle tout à trac savant raisonnement et docte conscience ?

La raillerie de l'enfant déclenche l'hilarité.

— Une bonne graine ! répète Eliphas.

2

Le piège

Payns est entré dans la chambre de Maurin pour ouvrir les volets dans un joyeux fracas. Avec un grognement, l'enfant tire le drap sur son visage afin de se protéger de la clarté d'un jour blême.

— L'heure du coq ! lance Payns en riant. La meilleure pour se lever !

— Tu veux me faire mourir de froid, papa !

— Nous avons une lourde journée à remplir, fils. Saute de ton lit, respire une longue goulée de ce bel air frais et lave-toi vigoureusement du museau au cul !

Maurin s'assied à regret en faisant une grimace de chat contrarié.

— Dois-je faire tout cela de si bonne heure ? s'étonne-t-il. Tu ne m'as pas habitué à être si matinal.

— Pardi, les temps ont changé ! Maintenant que tu es frère de la Loge Première, tu dois en adopter aussi la discipline. Chaque heure du jour est une bénédiction de la vie. J'ai prévu de t'emmener visiter le chantier en forêt d'Orient. Maître Eliphas a presque achevé le Tombeau. Et lui, il y est retourné dès vigiles sonnées !

— Grand bien lui fasse ! Je commence à regretter ma condition d'enfant... Je trouve le changement de statut un peu brutal ! Toute la maisonnée dort encore à poings fermés.

— Ne crois pas cela : un cavalier vient de passer la poterne, le contredit Payns en se penchant par la fenêtre.

Dans la cour, en effet, un voyageur engoncé dans une épaisse pelisse de fourrure fauve met pied à terre et s'adresse à l'un des gardes qui viennent de lui ouvrir la porte :

— Je dois remettre un message urgent de l'évêque de Châlons à messire le comte.

— Je vais chercher mon maître.

L'estafette n'attend guère. Hugues ne tarde pas, accompagné de Constance qui a passé un châle de laine sur ses épaules et s'est coiffée d'un bonnet.

Intrigué, Hugues s'empare du pli qu'il décachette vivement. Il s'écarte du messager et lit à haute voix pour son épouse :

— *Mon cher et bien-aimé frère Hugues, par le présent message que t'apporte un clerc en qui j'ai toute confiance, je te demande de bien vouloir me rejoindre au plus tôt en mon évêché à Châlons. Je dois sans tarder te faire une importante communication relative au pape, qui séjourne actuellement à Reims. Je te demande la plus grande des discrétions. L'affaire étant fort grave, je souhaite que tu sois seul à en recueillir le secret. Tu jugeras ensuite si tu dois le partager. Ton dévoué Philippe.*

Hugues s'en retourne aussitôt vers la maison pour se préparer.

— Je pars sur-le-champ ! Philippe est notre allié au sein de l'Église ; c'est un homme sage qui ne m'appellerait pas sans raison. Le pape lui aurait-il fait savoir que nous l'avions empoisonné ?

Payns, qui vient de le rejoindre, dit :

— Je t'accompagne. Prenons quelques hommes avec nous par prudence, au cas où le palais serait surveillé par les Gardiens du Sang. Ne courons aucun risque sur les chemins.

Le comte, souriant :

— Mon fidèle et précautionneux chevalier Payns qui me garde comme une nourrice ! Que pourrait-il m'arriver de fâcheux avec un tel compagnon ?

— Ne te moque pas, Hugues. Nous avons déjà perdu tant des nôtres que je n'ai pas su protéger ! Je m'en fais l'attrapade chaque jour… Et c'est un si lourd fardeau !

Maurin est sorti de sa chambre. Débraillé, le visage encore chiffonné de sommeil, il descend l'escalier et retrouve son père qui attend à la porte de l'appartement du comte.

— Remettons à demain notre visite au chantier, annonce Payns.

— C'était bien la peine de me faire quitter un bon lit chaud ! Que se passe-t-il ?

— Hugues et moi devons nous rendre à Châlons.

— Ah ! Eh bien, je remonte…

Le garçon tourne les talons et grimpe l'escalier en chantonnant.

— Clampin ! lui lance son père en riant.

Le comte Hugues, Payns, le messager de Philippe et trois hommes armés se présentent à l'évêché de Châlons peu après midi.

Les portes leur sont ouvertes et le comte se fait reconnaître par un abbé qui vient à leur rencontre :

— Je suis Hugues, comte de Champagne, feudataire du roi et frère de l'évêque que je viens voir à sa demande.

— Ah, répond l'abbé, j'ignorais que Monseigneur attendait votre visite, messire. Il n'en a point informé ses secrétaires. Soyez cependant le bienvenu en ces murs.

— Où puis-je le trouver ?

— Dans ses appartements, sans aucun doute. Il n'en est pas sorti depuis hier soir ; je crains qu'il ne s'use encore les yeux sur d'anciens parchemins embrouillés de latin ou de grec ! Son valet s'est même fait refouler ce matin quand il a frappé à sa porte. Monseigneur n'a certainement avalé aucune nourriture, trop occupé qu'il était à son ouvrage.

— Il n'est pas dans ses habitudes de sauter un repas, s'étonne Hugues en descendant de cheval. Mon saint homme de frère pèche au contraire souvent par gourmandise. Je vais de ce pas lui faire la leçon. Attends-moi, Payns ; je te demanderai de monter si Philippe le permet. Apprenons ce qu'il a de si grave à me communiquer.

— Si tu tardes trop, je me fais inviter à la table de ces bons pasteurs, répond Payns en souriant.

— Ma foi, dit l'abbé, si vous aimez la soupe au chou avec du pain trempé, du fromage aigre et des noix séchées…

Le messager invite Hugues à le suivre.

Payns met pied à terre et se dérouille les jambes en exécutant quelques flexions. L'abbé, un grand gaillard au cuir tanné et au regard pétillant, ne manifeste pas l'intention de retourner à ses affaires. Au contraire, profitant de l'opportunité qui lui est donnée de se distraire un peu, il engage la conversation avec le chevalier :

— Il est vrai que notre évêque n'a jamais manqué de bénir le déjeuner du matin. C'est un moment qu'il apprécie fort, manifestant à chaque fois la satisfaction de célébrer une nouvelle journée. Puis il en profite pour saluer chacun avec la chaleur qui le caractérise. La tâche qui le retient dans son bureau doit être bien accaparante !

Pendant ce temps, le messager conduit Hugues à l'intérieur de l'austère bâtiment. Les deux hommes empruntent un escalier aux marches noires qui craquent sous leurs pas.

Parvenus dans un étroit vestibule, ils s'engagent ensuite dans un couloir pavé de tommettes brunes. L'appartement de l'évêque se situe au fond du corridor. Sans même frapper, ce qui surprend quelque peu le comte, l'estafette en ouvre la porte et s'efface pour le laisser entrer.

Philippe est assis à son bureau. Immobile. Il ne réagit pas à l'arrivée de son frère.

Hugues s'approche.

— Philippe ! Pourquoi cette pénombre ? Il fait une si belle lumière dehors…

Le messager est demeuré près de la porte.

— Philippe…

— Hugues, commence la voix plaintive de l'évêque, c'est toi ? Me pardonneras-tu ?

— Que te pardonner, mon frère ?

Hugues fait de nouveau quelques pas.

— Je... J'ai écrit parce que j'avais trop mal... Il m'a dicté... pour te tendre un piège !

Le comte découvre que son frère a les bras attachés dans le dos. Il se précipite. Voit le visage tuméfié, la lèvre supérieure éclatée, le sang sur le front...

— Tu as été battu ! Mon pauvre frère, que t'est-il arrivé ?

Le regard suppliant de Philippe, sa voix douloureuse :

— Fuis ! Il est là ! Fuis, Hugues...

Hugues se tourne vivement vers la porte qui donne sur une seconde pièce. L'ombre. Mais une silhouette se détache cependant sur le seuil.

— J'ai trouvé cette ruse pour vous faire venir à moi, comte. J'étais certain que vous mordriez à l'hameçon. Il suffisait de vous parler du pape.

La silhouette : capuchon, ample manteau et hache en main droite.

L'abbé ne cesse de parler, trop heureux de converser avec cet aimable chevalier, ami du comte de Champagne, qui s'est rendu à Jérusalem et s'est incliné sur le Tombeau de Jésus-Christ.

— Avez-vous fait bonne route ? Troyes est à bonne distance de Châlons.

— Le temps nous était clément, et le message apporté par votre clerc exigeait que nous nous hâtions.

— Notre clerc ? Vous parlez de cet homme qui est monté avec le comte ?

— En effet, je parle bien de lui. Il est arrivé à matines au comté et nous avons aussitôt sauté en selle.

Puis, en proie à une soudaine inquiétude :

— Quoi ? Ce messager n'appartient pas à la maison de l'évêque ?

— Nullement, seigneur ! Je pensais qu'il faisait partie de vos gens...

Une angoisse glace le sang de Payns, qui lance aux hommes armés :

— Un guet-apens ! Avec moi, vous trois, vite ! Épée en main, le comte est en danger de mort !

Ils s'élancent vers le lourd bâtiment.

Hugues a esquissé un pas, cherchant à se replier vers la porte qui donne sur le corridor mais que défend le messager. L'homme à la hache est dans la pièce.

— Aucune retraite possible, Hugues. Votre heure est venue, je dois prendre la bague que vous portez à la main droite. Vous voyez, je moissonne pour préserver les intérêts de la Sainte Église.

— Mes hommes sont en bas...

— Je sais ; ils n'auront pas le temps de vous sauver. Il me suffit de quelques secondes pour faucher...

Le tueur a gagné le bureau ; l'évêque le regarde, cherchant à deviner quelques traits du visage que dissimule la cagoule. Il s'interroge, puis la terreur envahit ses traits. Car l'homme à la hache, comme accomplissant un geste ordinaire, sans importance, élève son arme en disant :

— D'abord le témoin !

La cognée s'abat sur la nuque de Philippe. La tête de ce dernier, à demi détachée du tronc, s'affaisse en un angle incongru sur la poitrine, qui aussitôt se rougit de sang.

Hugues a hurlé. Les yeux de son frère, même dans la mort, même dans ce visage oblique et grotesque, lui sourient encore tendrement derrière leur voile d'épouvante.

Le chevalier a dégainé son épée. Il se rue sur l'assassin.

— Monstre ! Il était inutile de tuer cet innocent.

— Allons, aucune âme n'est totalement vierge ! Votre frère connaissait le Secret et vous l'avez condamné en le lui confiant.

Hugues est jeté au sol d'un puissant coup porté au front avec le manche du merlin. Le tueur a frappé comme un bûcheron, violemment, sans que son adversaire ait le temps de soupçonner l'attaque.

— Votre bague, comte...

À la porte, le messager s'écrie :

— Finissons-en, ses hommes montent l'escalier ! Ils vont faire sauter la porte et...

— Comme tu es pressé, Robert ! Tu sais que j'aime goûter ces instants... Il faut savoir trouver du plaisir dans son métier. Surtout quand celui-ci est un art subtil...

Au sol, désormais prisonnier du tueur qui le maîtrise, Hugues lance :

— Tu n'es qu'un vulgaire viandard !

La voix de miel, sans aucune aménité, se faisant basse et lente :

— Non, comte. Je suis le bras de la Vérité. L'arme de Dieu ! Et c'est offenser Dieu que d'injurier Son guerrier.

— Maître, s'impatiente le messager, ils sont dans le couloir !

— Oui, oui...

Voix d'enfant à peine irritée.

— Oui, oui... Puisqu'il faut se hâter...

Le tueur tranche d'un coup sec le poignet droit du comte et trace une croix ainsi que le chiffre 4 sur le front de celui-ci avec son propre sang.

— *In hoc signo vinces !*

La porte vole en éclats. Le messager est bousculé ; il tente néanmoins de défendre son maître.

— Christ Roi, nous arrivons trop tard ! se lamente l'un des trois gardes voyant le comte évanoui et baignant dans son sang, qui ne cesse de jaillir de la blessure hideuse.

Le bras, pareil à un animal blessé, est parcouru de soubresauts, comme affranchi de son corps inerte.

— Place ! crie Payns en plongeant la lame de son épée dans la gorge de l'estafette, la traversant de part en part.

S'agenouillant au-dessus de son ami, il ordonne :

— Pour l'amour du comte, ne laissez pas s'enfuir le tueur !

Les trois hommes se précipitent dans la seconde pièce tandis que Payns tire le corps du blessé jusqu'à la cheminée où vivotent encore quelques grosses braises, vestiges de la flambée nocturne.

Hugues a rouvert les yeux.

— Je vais devoir te faire souffrir encore, frère, le prévient Payns... Mais il faut absolument cautériser ta plaie, ou tu vas te vider entièrement de ton sang.

— J'ai compris ! Crois-tu que cela suffira ?

L'abbé entre à son tour dans l'appartement de l'évêque, découvre l'effroyable spectacle. Le sang. Le sang sur le sol, sur la robe de Philippe. La tête de ce dernier, à peine retenue par de fragiles tendons et ligaments, la joue droite posée de manière obscène sur la poitrine. Le chevalier assis sur le plancher, le comte geignant contre lui...

— Mon Dieu, s'exclame l'abbé, vous n'allez tout de même pas lui brûler le bras ?

— C'est le seul moyen, rétorque sèchement Payns. Lui plonger le poignet dans les braises… Lui griller les chairs pour arrêter le saignement ! Vous vous pâmerez plus tard. Courez chercher du secours !

Grésillement. Odeur écœurante de la peau et des muscles que les braises calcinent. Suintement et bouillonnement du sang dans la chaleur.

Le comte n'a pas crié. Il s'est évanoui de nouveau et Payns en est satisfait ; il peut ainsi maintenir plus longuement son poignet dans les brandons ravivés.

L'homme à la hache est parvenu à fuir. Il a sauté d'une fenêtre. Après s'être réceptionné dans une courette aussi aisément qu'un chat, il enfourche l'un des deux chevaux que trois Gardiens du Sang, qui attendaient, avaient préparés pour lui et Robert le Roué.

Au moment où la troupe va s'élancer, l'un des Gardiens du Sang s'inquiète :

— Nous n'attendons pas le Roué, maître ?

— Son sacrifice m'a permis de m'échapper. Voyez, j'ai la main droite du comte. Il ne nous reste plus désormais que deux noms à rayer de notre liste : Payns et la veuve de Brienne.

— Ah, Payns…

— Eh bien quoi, *Payns* ?

— Un magicien et sorcier !

— Vous n'êtes que des ânes superstitieux tout juste bons à gober des contes pour enfants, dit le tueur en éperonnant son cheval. Payns tombera comme ses quatre « frères », et j'aurai alors rempli mon contrat. *Dominus vobiscum.*

— *Et cum spiritu tuo*, répondent en chœur les trois Gardiens du Sang.

Après une courte chevauchée, la troupe doit se séparer.

— Retrouvons-nous cette nuit à l'endroit habituel, commande l'homme à la hache. Nous formerons la Loggia pour entendre notre espion. Je crois que le pape me cache certaines choses.

— L'odeur du sang indispose peut-être le Saint-Père ? émet l'un des trois Gardiens.

— À moins qu'il ne s'impatiente ? avance un deuxième. Il s'imaginait certainement que nous récupérerions les cinq bagues plus promptement.

— Notre mission sera bientôt achevée, et il pourra regagner son douillet palais l'esprit apaisé. Ainsi, l'Histoire sera écrite ! Les pèlerins iront par milliers se recueillir sur le Tombeau du crucifié à Jérusalem. Pour les siècles à venir, ils respecteront cette croyance. *Amen* !

— *Amen*, font les trois Gardiens.

3

Maître Guillemet

Payns vient d'essuyer le front du comte, faisant disparaître la croix et le chiffre qui le souillaient.

— Le criminel nous a échappé, seigneur Payns ! Trois hommes l'attendaient au pied du mur. Ils ont pris la fuite à grand train et je crois inutile de partir à leur poursuite ; on ne les rattrapera pas.

— Aidez-moi à porter Hugues dans la chambre de Philippe ; j'ai envoyé l'abbé chercher un médecin.

Le blessé a repris connaissance. Livide, il jette un coup d'œil à son bras mutilé dont l'extrémité noirâtre est boursouflée. Puis il lance un regard affligé au corps de son frère, toujours assis à son bureau, quasi décapité.

— Il a sectionné le cou de Philippe en riant, Payns. Il riait ! Tu entends, il riait !

— Je t'assure que je lui ferai ravaler son rire. Je tuerai cette vipère en mémoire de tous ceux qu'il a massacrés.

Tandis qu'on l'allonge sur le lit de l'évêque, Hugues poursuit :

— Mais les jours passent et il ne cesse de tuer. Nous sommes en train de perdre notre combat... Tu m'avais dit que le pape nous ferait appeler... qu'il nous implorerait...

— Patience. La maladie que nous lui avons transmise ne peut être guérie sans notre aide. Nous sommes les seuls à posséder l'antidote.

Avec des gestes empreints de douceur et d'amour, Payns soulève délicatement la nuque de son ami pour glisser un coussin sous sa tête, et s'assied à son côté sur le bord du lit.

— Donne l'ordre de me ramener, demande le comte. Nous prendrons un chariot... Et puis, maîtres Ferrer et Schelomet pourront exercer leur science sur moi.

— Je ferai ce que tu demandes. Nous partirons dès que le médecin t'aura fait un emplâtre. Mais cesse de parler. Repose-toi. Garde tes forces pour le voyage.

— J'aimerais tant vivre encore, mon ami... Pour Constance et mes enfants. Je suis si jeune !

— Tu vivras, Hugues. J'ai pu enrayer à temps l'hémorragie, évitant que tu ne perdes tout ton sang.

Un homme âgé et de petite taille entre dans la chambre.

— Je suis maître Guillemet, messires, annonce-t-il en ouvrant une grosse sacoche. J'ai fait au plus vite lorsqu'on m'a dit qu'il s'agissait d'un membre tranché et carbonisé.

Des abbés ont investi le cabinet de l'évêque en poussant de grands cris. De la chambre, on les entend ensuite s'affairer autour de la dépouille. Certains se sont mis à prier. D'autres pleurent en reniflant comme des enfants effarés.

Maître Guillemet examine le bras sectionné du comte.

— Oui, je vois, note-t-il, on lui a administré un remède sévère !

— J'en suis l'auteur, dit Payns.

— Je ne vous blâme pas. Bien au contraire ! Vous lui avez sans aucun doute sauvé la vie. Ma foi, je ne peux guère accomplir d'autres soins que soulager la douleur et appliquer un onguent qui raffermira les chairs tout en interdisant l'infection.

Le médecin fouille dans sa sacoche ; il en sort pots, bocaux, linges et sachets de poudres.

— Qu'on fasse chauffer un baquet d'eau, commande-t-il, et que l'on m'apporte du vinaigre afin que je désinfecte la plaie.

Il se penche plus près des larges phlyctènes, semblant les renifler tel un vieux chien et les fouillant longuement des yeux pour les évaluer. Se redressant, il constate :

— Il est inutile de ligaturer les artères. Elles ont été durement brûlées et ne nécessitent aucune autre intervention. Quant aux os, ils ont été brisés net. Un rude coup... Alors, cette eau chaude !

Il s'est retourné, impatient.

— Ça vient, lui est-il répondu du cabinet de l'évêque. Il a fallu rallumer le feu, maître !

— Et ce vinaigre !

— Voici, le rassure un abbé en lui tendant un flacon brun.

Maître Guillemet, s'il est réputé pour la qualité des soins qu'il dispense depuis plus de quarante ans à ses semblables, n'est guère apprécié pour son amabilité, qualité qui lui est le plus souvent étrangère et qu'il considère comme une perte de temps.

Il entretient avec ses condisciples des rapports froids et austères, refusant avec constance toutes les effusions de reconnaissance lorsqu'il sauve une vie ou guérit simplement d'une vulgaire angine.

Mais le grand nombre d'années passées à exercer son ministère lui ont permis d'acquérir une pratique magistrale, et il enseigne son art avec un profond dédain et une orgueilleuse hauteur à des étudiants admiratifs.

Désinfectant la blessure épouvantablement tuméfiée avec des gestes quasi féminins, il marmotte dans sa barbe :

— Certes, cela ne me regarde pas... Ce qui s'est passé ici n'est pas mon affaire. Néanmoins, ma vue a beau avoir beaucoup baissé avec l'âge, je n'ai pas pu m'empêcher de voir que Monseigneur l'évêque a eu le col tranché ! Et que pour lui ma science ne sera d'aucun secours... Quelle affreuse époque, où les saints hommes se font trucider dans leur propre appartement et où l'on sectionne des poignets pour faire bon poids ! Je n'ai jamais beaucoup aimé mes semblables, qui sont généralement de quelconques porcelets marchant sur leurs pattes postérieures, ce qui leur confère – s'imaginent-ils – la raison et la religion ! Mais je dois admettre que mon jugement ne fait que se durcir au soir de ma vie... Cette eau est-elle enfin chaude ?

La dernière phrase a été prononcée sur un ton pointu, excédé.

L'un des hommes d'armes revient enfin avec un baquet fumant.

— Posez-le ici, empoté !

Payns regarde le vieillard agir, appréciant son doigté précis et attentionné. Alors qu'il nettoie l'avant-bras de son patient, il surprend par la prévenance de son toucher, appliquant avec une grande précaution les linges mouillés sur la peau, frottant celle-ci sans hâte, la caressant plutôt, pour lui ôter les croûtes de sang, tout en poursuivant ses litanies sur un ton de colère à peine contenue :

— Un triste monde et une vilaine époque, pour sûr ! Dire que j'ai usé ma belle jeunesse à emplir jusqu'à la douleur mon esprit de ce maudit trivium... Grammaire au lever hiver comme été, à m'en gaver ! Rhétorique au midi en guise de souper, chaque jour que Dieu fit ! Astronomie le soir venu, le nez à s'enrhumer dans les étoiles et leurs courses infinies ! Dire que mon père – qu'il repose dans la paix du paradis – voulait que je sois plus savant que lui ! La médecine ? Bien sûr, mais pas avant d'avoir appris à maîtriser par le petit bout de leurs queues les arts libéraux ! S'endormir d'abord en compagnie de ces chers et doctes Euclide, Ptolémée, Aristote, Cicéron ou Pythagore, et s'abreuver comme eux à la fontaine de la sagesse ! Et pourquoi, messires ? Pour quel résultat ? Hippocrate ne m'a-t-il parrainé que pour raccommoder des hommes qu'estropient et déchirent d'autres hommes ?

Il rejette les linges rougis dans le seillon et entreprend de composer une pâte dans un mortier à partir d'une huile et d'une poudre jaune.

La respiration du comte s'est apaisée. Payns est demeuré près de lui et a posé une main sur son front. Une seconde, prenant conscience de ce geste d'amitié, le vieux médecin a esquissé un sourire. Juste une seconde.

Maintenant qu'il semble satisfait de l'onctuosité de son onguent, le praticien, à l'aide d'une spatule, en enduit la plaie de son patient.

— Je vous donnerai de ce liniment, seigneur, dit-il à Payns, et vous pourrez ainsi répéter chaque jour au matin ce que vous m'avez vu faire. Car je crois qu'un lien fidèle vous unit à ce blessé...

— En effet, maître Guillemet. Je vous ai regardé faire attentivement et j'ai remarqué que vous nourrissiez abondamment les chairs de cette graisse en débordant loin sur les parties saines.

— Vous êtes très observateur. Pratiquez-vous un peu la médecine ?

— Mon art n'est rien à côté du vôtre, sourit le chevalier. Mes amis m'utilisent plutôt comme rebouteux. Je sais remettre les os en place, recoudre une blessure, soigner quelques douleurs... Un enseignement empirique qui me vient de mes aînés... Et d'une sœur en particulier.

La voix de maître Guillemet a imperceptiblement changé. Elle s'est débarrassée de ses accents pointus et aigres pour dire :

— La science de nos ancêtres n'est pas à railler. Elle a souvent été frappée au coin du bon sens et il est communément admis qu'elle fut le résultat d'observations précises du monde. Voyez cette pommade, par exemple, celle-là même avec laquelle j'enduis si généreusement le bras de votre ami, eh bien, il entre un peu de magie en elle !

Hugues oublie sa douleur et s'étonne :

— De la magie ? Qu'entendez-vous par là ?

Maître Guillemet s'explique :

— De tout temps, les brûlures ont été les maux les plus malaisés à soigner, les douleurs les plus difficiles à apaiser ! Peau, muscles et tendons suppurent. La chair pourrit. Les os se gangrènent... La cicatrisation se fait laborieusement et il est courant que des escarres se forment et occasionnent d'ardentes souffrances. Le feu est le pire ennemi du corps, car il nous vient de l'enfer. Il mord et laisse son poison dans la plaie à vif. Une poussière, une goutte d'eau souillée, et la blessure s'infecte ! Vous ne pouvez savoir combien d'heures j'ai passées à étudier le moyen de remédier à cette calamité... En vain ! J'ai interrogé nombre de confrères illustres et me suis penché sur des traités qui faisaient autorité en la matière. Qu'ils fussent latins ou grecs, je n'y ai trouvé que piètres remèdes : solutions d'huile et d'eau de chaux, balnéations chaudes...

— Mais la magie ? s'impatiente le comte.

— J'y viens, messire... Une très vieille femme du nom de Pervenche me fit venir un jour dans sa chaumière où elle se mourait entre un fils attardé et une fille qui s'était dévouée à elle corps et âme. La dame Pervenche avait une réputation de guérisseuse dans la région, et j'avoue que j'avais parfois entendu parler d'elle sans y prêter attention. Ses recettes de bonne femme étaient sans effet sur le mal qui la rongeait et l'emportait, aussi souhaitait-elle que je l'aide à trépasser en douceur. Ayant diagnostiqué une fort vilaine infection de ses intestins – elle avait des selles rouges de sang –, je lui composai des emplâtres à absorber et des tisanes analgésiques. Je vins la voir tous les soirs pour lui prodiguer mes soins ; la vieille ne souffrait plus et s'en allait lentement, le sourire aux lèvres. La veille de son décès, devinant sans doute son heure proche, elle m'interrogea sur mon apostolat et me demanda quel mal me résistait. Je fus surpris qu'elle me posât cette question, mais j'y répondis néanmoins : je lui parlai des brûlures, que je ne parvenais pas à soulager. Elle me dit alors : « Vous ne connaissez donc pas la pâte jaune ? » Elle me désigna une étagère couverte de petits sacs et de pots. « Prenez cette poudre ! Le sac marqué d'une mandragore », m'ordonna-t-elle. J'allai à l'étagère et pris la poche sur laquelle figurait une grossière représentation de mandragore. Je la lui portai dans son lit. Elle l'ouvrit et m'en fit sentir le contenu. « Savez-vous ce que c'est ? » Comme je répondais par la négative, elle poursuivit en riant : « Eh bien, moi non plus ! Je la confectionne depuis que je suis enfant selon la recette de ma mère, qui faisait comme sa mère le lui avait enseigné. Je compte les mesures exactes d'herbes choisies avec précision, que je concasse et mélange en y associant un nombre précis de certains insectes broyés... Ensuite, la poudre ayant séché durant une semaine d'été, les jours en plein soleil, les nuits sous une bonne grosse lune bien ronde, elle est prête à l'emploi. Pour l'exalter, il suffit de la mouiller de cette huile... Là, sur cette autre étagère... » Elle me fit chercher le flacon d'huile et recommença une ritournelle semblable. Puis elle me dit : « Voulez-vous que je vous indique la nature des ingrédients qui entrent dans la composition de la pâte jaune, maître Guillemet ? » J'étais un peu las de son bavardage, que des râles rendaient parfois inaudible. Avec agacement, je lui demandai : « Faudrait-il au moins que je sache à quoi sert votre fameuse panacée ! » Je me souviens encore du petit rire qu'elle eut en me répondant : « Ah, c'est vrai, je ne vous l'ai pas dit... Je pensais que vous aviez compris. Cette pâte soigne les brûlures, maître Guillemet ! »

Le médecin, déchirant une bande de linge pour confectionner un pansement, ajoute :

— Cela fait maintenant plus de vingt ans que je confectionne cette poudre et cette huile, messires. J'utilise pour cela la recette que me confia dame Pervenche, au grain près ! Je fais sécher la poudre pendant une semaine d'été à l'époque de la pleine lune… N'y a-t-il pas là tout de même un peu de magie ?

Hugues parvient à sourire pour dire :

— Je prierai pour le repos de l'âme de dame Pervenche dès que j'en aurai le courage !

— Vous ferez bien, souligne le médecin, elle le mérite grandement. Vous verrez que votre bras ne vous fera plus souffrir d'ici deux à trois jours et que la brûlure séchera sans s'infecter.

— Maître Guillemet ! l'interpelle Payns.

— Oui ?

— Vous êtes un brave homme.

— Je le regrette fort. J'aurais tant aimé détester mon prochain comme il le mérite dans son insigne bêtise et son incurable désir de faire le mal partout où il pose sa patte ! Voyez-vous, il y avait dans cette ville un personnage de valeur et de grande bonté… Des barbares l'ont tué en lui coupant la tête !

— L'évêque Philippe…, articule Hugues dans un sanglot.

— En effet, éructe le vieillard. Lui-même ! Un saint qui ne radotait pas les Écritures à la moindre occasion et qui parlait plutôt une langue que le pire des ânes pouvait comprendre.

— C'était mon frère…, lance Hugues dans un souffle.

— Mon Dieu ! s'écrie le médecin. Mais, dans ce cas, vous êtes le comte… Notre comte !

Tremblant soudain, se relevant du bord du lit où il s'était assis, il bégaye :

— Et moi qui vous ai saoulé avec mes péroraisons de vieillard gâteux !

Puis, se tournant vers Payns :

— Prenez de quoi écrire, messire ! Notez avec précision la recette de dame Pervenche…

L'intuition de l'abbé Denis

Le visage traversé de tics, le front brillant de sueur, dom Mestrany accueille l'abbé Denis avec affolement et le tire brutalement par la manche.

— Ah, Denis ! Nous vous attendions avec impatience. Venez... Vite !

— Eh bien, je ne vous ai jamais vu dans un état pareil ! C'est à croire que vous êtes le malade, Monseigneur !

— Ne plaisantez pas avec cela. Sait-on si l'infection du Saint-Père est contagieuse ?

— Je vous l'ai déjà répété cent fois ; il n'y a pas lieu de s'inquiéter à ce propos. Justement, comment se porte le pape, ce matin ?

Halant littéralement le petit abbé vers l'appartement du pontife, dom Mestrany répond :

— Mal. Il a souffert toute la nuit d'une forte fièvre, c'est pourquoi j'avais hâte que vous arriviez.

— Il devrait pourtant se porter mieux, avec mon traitement !

Dans la chambre du pape règne une animation inhabituelle. Deux clercs préparent onguents et cataplasmes sur une table placée devant une fenêtre par laquelle pénètre un jour radieux. À l'aide d'une plume d'oie, un abbé tente d'adoucir les brûlures du malade par d'imperceptibles caresses.

Assis sur le bord de son lit, le pape est torse nu, son gras bedon reposant sur ses cuisses. Il geint, se lamente, pleurniche sans crainte de paraître ridicule. La douleur et l'épuisement lui ont ôté une grande partie de sa dignité. Il n'est plus qu'une malheureuse chose apeurée qui souffre le martyre.

Il se tourne vers l'abbé Denis qu'il apostrophe en râlant :

— Je brûle ! Je ne cesse de me consumer de l'intérieur, maître Denis ! Voyez dans quel état je me trouve malgré les remèdes que vous m'infligez ! Rien n'y fait ! Les pommades dont on m'enduit, les décoctions que l'on me force à avaler... Inutiles les unes comme les autres !

— Pourtant, Saint-Père, se justifie Denis en s'approchant de son patient, soyez assuré que je mets tout mon savoir dans ces prescriptions.

— Ces sorciers... Payns et le comte Hugues m'ont empoisonné le sang ; le mal gagne chaque jour un peu plus. Voyez par vous-même, des cloques apparaissent sur ma poitrine et ma gorge ; je dois me retenir pour ne point m'arracher la peau !

Denis a sorti une loupe de sa musette et entreprend un examen minutieux des furoncles purulents, lesquels lui arrachent une grimace de contrariété.

— Je ne comprends pas, admet-il, les emplâtres d'*Alliara* et d'*Asteraceae* devraient apaiser votre douleur. Quant à l'*Echinacea purpurea* que je vous administre matin et soir, elle aurait dû vous purger les veines. Je me demande si l'*Uncaria tomentosa* ne serait pas mieux appropriée dans cette infection qui...

— Pour l'amour du Ciel, Denis, cessez de bavasser comme une pie savante, guérissez-moi plutôt !

— Oui, oui, Saint-Père... Je m'y emploie. Néanmoins, ce mal est bien mystérieux. Je n'en ai jamais vu de semblable. Ce n'est pas une lèpre habituelle, Saint-Père. Euh... Si je connaissais la nature du poison qui vous a infecté, je pourrais sans doute m'acquitter de ma tâche avec plus de discernement.

Le ton de l'abbé s'est voulu ironique et dom Mestrany le tance sèchement :

— Nous vous avons expliqué comment notre souverain pontife a été contaminé par ces damnés Champenois !

— Certes, Monseigneur, je sais cela. Cependant, avec quel venin ont-ils commis leur crime ? Car c'est là une fort étrange maladie !

Le pape soupire.

— Devrais-je me résoudre à implorer Payns et le comte de Champagne de me délivrer un antidote, dom Mestrany ?

— À quel prix ? s'interroge l'ecclésiastique.

L'abbé sourit.

— Vous m'avez fait l'honneur de me demander récemment de commenter trois dessins, Saint-Père... Seul un alchimiste a pu tracer ces figures.

— Où voulez-vous en venir ? lui demande brutalement le pontife.

— Bien des rumeurs circulent depuis le retour de Jérusalem du comte de Champagne. Trois des quatre chevaliers qui l'accompagnaient ont été victimes de crimes épouvantables...

— Poursuivez, jette le pape.

— L'assassin les aurait mutilés en leur tranchant la main droite d'un coup de hache. Les langues s'agitent et disent que le tueur leur a dérobé un secret rapporté de Terre sainte. Un secret lié au Grand Œuvre...

— Des ragots, naturellement ! fait le Saint-Père en balayant l'espace du revers de la main.

— Persiflages et clabaudages, bien sûr ! reprend l'abbé. Cela ne peut avoir de rapport avec les dessins que vous m'avez invité à déchiffrer, ni avec votre empoisonnement, Saint-Père. Bien sûr !

— Du moins est-ce ainsi que nous devons l'entendre, Denis.

— Naturellement, puisque c'est la vérité... Il y aurait vraiment malice à ne pas l'admettre de votre bouche.

Après avoir désinfecté les plaies du pape et houspillé les clercs pour leur manque de savoir-faire dans la confection d'un pansement convenable, l'abbé Denis s'éclipse avec dom Mestrany pour l'entretenir en privé. Les deux hommes font quelques pas dans le couloir.

— J'avoue que la santé du pape me contrarie fort, Monseigneur.

— Il n'empêche que vous devez trouver un moyen de le guérir. Et le plus rapidement possible, afin que nous retournions en son palais. Le Saint-Père ne peut se permettre de laisser son siège vacant trop longtemps.

— Si j'ai clairement compris, les deux derniers survivants de l'expédition en Terre sainte sont le chevalier Payns et le comte Hugues ? Et ce sont eux qui auraient empoisonné Sa Sainteté... Pour quelle raison ?

— De la basse politique qui ne vous regarde pas, tranche dom Mestrany, embarrassé. Contentez-vous de répondre aveuglément à nos volontés.

— Tout de même, s'entête l'abbé, l'affaire est d'importance ! Le comte de Champagne a attenté à la vie du souverain pontife ; cet acte imposerait que l'on se plaigne au roi et que l'on ouvre un procès sans tarder... À moins que...

— Oui ?

— Trois crimes, trois dessins hermétiques... N'est-ce point là une curieuse coïncidence, dom Mestrany ? Le roi devrait-il être tenu à l'écart ?

— Apprenez donc à obéir à vos supérieurs sans poser de questions ! rétorque l'ecclésiastique, excédé.

— Excusez-moi ; je pensais tout haut. C'est un défaut dont je ne parviens pas à me corriger.

— Vous êtes roué comme un renard, l'abbé. N'oubliez pas que vous vous êtes engagé à ne rien dévoiler de tout ce que vous avez appris entre ces murs.

— Soyez assuré de mon silence. Je vais réfléchir de nouveau au mal qui affecte le Saint-Père et reviendrai demain à la même heure. Si la fièvre empirait entre-temps, faites-moi appeler.

— Je n'y manquerai pas.

L'abbé Denis salue dom Mestrany d'une rapide inclinaison du buste et s'en retourne, sa musette en bandoulière.

L'évêque, qui les surveillait depuis quelques minutes dans l'encoignure d'une porte, profite de l'instant pour interpeller dom Mestrany :

— Je vous cherchais justement. Je tenais à saluer Sa Sainteté. Je m'inquiète beaucoup à son sujet et ne cesse de prier pour son prompt rétablissement !

— Que Dieu vous entende. Nous vous sommes reconnaissants de votre chaleureuse hospitalité et craignons de devoir en abuser encore un peu.

— Restez en Champagne autant qu'il vous plaira. Le temps qu'il faudra au pape pour guérir et régler son entreprise.

— De quelle entreprise parlez-vous ?

— Oh, rien... Je pensais au comte Hugues et à son pieux cousin Hugues de Payns qui sont venus l'autre fois rendre visite au souverain pontife ! Juste avant qu'il ne soit atteint par cette soudaine maladie. J'imagine qu'un discret commerce s'est engagé entre eux.

Dom Mestrany tourne les talons. L'évêque le suit pour demander à nouveau :

— Puis-je voir le pape et lui présenter mes civilités ?

— Plus tard, Monseigneur. Plus tard. Il souhaite se reposer.

— Partagerez-vous mon souper ?

— Je vous le ferai savoir.

L'évêque abandonne. Il regarde s'éloigner l'imposante silhouette de son hôte en hochant la tête, se disant que, décidément, il déteste cet homme et ses mystères. Tout comme il exècre ce pape aux allures affectées qui se conduit pourtant comme le plus vulgaire des rustres.

L'abbé Denis apprécie les longues déambulations à travers Reims. Du palais épiscopal, il lui faut beaucoup marcher pour regagner sa modeste cure. Traverser la place de la Cathédrale encombrée de marchands et de rebouteux, emprunter les rues étroites et sombres aux échoppes minuscules, aux auberges louches, longer le fleuve et regarder passer les barques plates chargées de ballots, s'attarder auprès de pêcheurs patients qui revendront plus tard leur poisson aux tavernes, écouter les cris des enfants qui se baignent malgré la fraîcheur de l'eau... Parvenir enfin à son église, de guingois d'avoir été mal construite, son cimetière aux tombes moussues, sa cure avec son poulailler et sa porcherie. Et son laboratoire d'apothicaire, modeste édifice qu'un épais toit de chaume semble écraser.

Morve, son gros chien à demi aveugle, lui fait fête chaque fois qu'il passe le portail en bois. Il se précipite dans ses jambes en manquant de le faire tomber et jappe, gueule baveuse en l'air, à s'en époumoner.

— C'est bon, stupide et affectueux animal !

Morve n'a jamais compris le langage des hommes, bien qu'il ait sans doute fait de louables efforts pour saisir le sens de quelques mots. Il aboie du bonheur de retrouver son maître comme s'il l'avait perdu depuis des années, et s'emmêle dans ses chevilles.

— Comme tu es sot !

Tout ce qui sort de la bouche de ce petit homme en robe n'est que douceur et gentillesse. Aussi Morve braille-t-il de plus belle.

Un battant de l'une des fenêtres du laboratoire est poussé. Une tête toute ronde et tonsurée de jeune abbé apparaît.

— Ah, tu es rentré, Denis.

— Je ne croyais plus te trouver au travail, Mathieu. Ne devais-tu pas visiter le couple Champloit et prier en leur compagnie ? Leur petit risque de passer de vie à trépas d'un moment à l'autre.

— J'irai plus tard. J'avais hâte d'achever cette décoction à base d'*Aconitum carmichaeli*. Mais le pape, dis-moi… Quelle mine avait-il aujourd'hui ?

Denis pénètre dans le laboratoire encombré de pots et de vases étiquetés, de grimoires et de rouleaux entassés sur des étagères bombées, de coffrets, de paniers emplis d'herbes séchées, de sachets plombés, de mortiers, de pilons, de hachoirs…

Il règne dans la pièce une chaleur étouffante et moite ; deux chaudrons chantent sur leurs fourneaux. Dans l'un, le jeune Mathieu s'est remis à agiter un liquide rougeâtre à l'aide d'une longue cuiller en bois. Gestes appliqués, rythmés.

— Alors, le pape ? s'impatiente-t-il.

— Je passe pour un piètre docteur à ses yeux ; le vieil ours n'est que cloques, abcès et bubons sur tout le côté droit. Cependant, son esprit reste vif et il a su esquiver habilement les questions que je lui ai posées au sujet de ses empoisonneurs. À chacune de mes visites, nous jouons au chat et à la souris et il profite de son auguste fonction pour endosser la peau du gros matou, m'obligeant à me replier la queue entre les jambes ! Je me fais rabrouer vertement, je t'assure…

Ne cessant de remuer sa préparation, Mathieu propose :

— Peut-être pourrais-je t'accompagner ? Deux souris valent souvent mieux qu'une.

— Il nous croquerait l'un et l'autre. Cet homme est un ogre. Fort diminué actuellement, mais un ogre tout de même !

Tout en parlant, Denis s'est mis à fouiller dans un amoncellement de notes jetées en vrac sur une table entre livres et grimoires.

— Ah, voici ! s'exclame-t-il en extrayant d'un épais portfolio une bande de parchemin sur laquelle il a recopié de mémoire les figures que le pape lui a demandé d'étudier.

Il revient vers Mathieu et lui agite la feuille sous le nez en disant :

— Que je sois damné si je n'ai pas deviné juste ! Le comte Hugues et ses chevaliers ont certainement rapporté ces symboles de Jérusalem et je puis t'assurer que ceux-ci ne sont pas au complet.

— Comment peux-tu l'affirmer ?

Denis paraît déçu.

— Tu ne comprends pas ? Ces trois signes font partie d'une équation alchimique que la Tradition hermétique mentionne parfois comme étant la base même du grand magistère !

— La transmutation ?

Cette fois, le jeune préparateur s'est arrêté de touiller sa décoction.

— La transmutation de l'ombre en lumière, articule Denis, du sable en or, du mort en vivant ! La formule de l'Élixir spagirique.

— Non, c'est impossible, Denis ! Impossible Un seul homme s'est relevé de la mort et a quitté son tombeau Jésus ! *Dixit ei Jesus : Ego sum resurrectio et vita*[1].

— Et si Jésus n'avait été qu'un simple mortel ? assène Denis. S'il avait été réellement instruit par les Égyptiens, comme le disent certaines légendes ? S'il avait été le premier et le seul à posséder les arcanes d'un savoir ancestral ? Ce que le pape me demande de traduire, c'est certainement cela : le secret de Jésus ! L'antique mystère de la résurrection...

Horrifié, Mathieu fait un bond en arrière, lâchant sa cuiller qui plonge dans la solution bouillonnante.

— Sacrilège ! Je crois au Christ fils de Dieu ! Je crois que c'est par Dieu que Jésus a transgressé la mort. *Ex Deo nascimur, in Jesu morimur, per Spiritum sanctum reviviscimus*[2] !

Puis, arrachant sa cape d'une patère, Mathieu sort de la pièce en criant :

— Non, je ne veux pas en entendre plus ! Je file chez les époux Champloit prier pour le salut de leur fils !

La porte claque derrière lui.

---

1. Jésus dit : Je suis la résurrection et la vie.

2. De Dieu nous naissons, en Jésus nous mourons, par l'Esprit-Saint nous revivons !

5

Le retour du comte

Le convoi ramenant le comte Hugues met tout le reste de la journée pour atteindre Troyes, roulant lentement, évitant la moindre ornière.

Constance et Hélène sortent du palais lorsque la roulotte s'arrête dans la cour.

L'épouse du comte s'est précipitée sur Payns qui met pied à terre, le visage grave, les joues creusées de fatigue.

— Payns, je ne vois pas Hugues. Est-il resté à Châlons ? Et que transportez-vous dans cette roulotte ?

— Soyez courageuse, dame Constance...

La femme porte les mains à ses lèvres pour y étouffer un cri. Elle a compris. Hélène s'approche d'elle, lui enlace la taille, la soutient.

— Mon Dieu, Hugues a subi le sort de ses chevaliers, n'est-ce pas ?

— Il vit. Il vivra... Mais le tueur du pape lui a tranché la main droite.

— Je veux le voir !

Les hommes d'armes descendent déjà le comte sur un brancard. Constance, que les bras d'Hélène maintiennent, s'approche du blessé inconscient.

— Un médecin lui a administré des soins de grande qualité, explique Payns tandis qu'on porte la civière vers le palais. Il s'est endormi sous les effets d'un puissant narcotique. Je vous propose de l'installer au rez-de-chaussée, où maîtres Ferrer et Schelomet pourront l'examiner.

— Ne conviendrait-il pas mieux de le porter dans sa chambre ? propose Hélène.

— Il nous faudrait monter l'escalier. Non, préparons une salle en bas.

On met immédiatement au courant les valets, des ordres sont donnés ; toute la maison du comte est alors bouleversée.

— Heureusement que nos enfants sont actuellement chez l'un de nos oncles, dit Constance.

— C'est heureux, en effet, affirme Payns. Lorsqu'ils reviendront, ils retrouveront leur père sur pied. Vous verrez, Hugues sera vite remis. Je vous l'ai dit, on s'est fort bien occupé de lui à Châlons. L'hémorragie a été jugulée à temps.

— Vous ne m'avez pas parlé de l'évêque, remarque Constance.

Maîtres Ferrer et Schelomet, qui viennent de faire leur entrée dans la salle où l'on a couché le comte, ont entendu. Ferrer reprend :

— Oui, Payns... Qu'est-il advenu de Philippe ? Que s'est-il passé ?

— Nous sommes tombés dans un piège des Gardiens du Sang. Je vous expliquerai plus tard.

— Mais l'évêque ? insiste Constance.

Payns soupire. Il aurait préféré épargner les femmes, leur éviter l'évocation de la tuerie.

— Philippe a été assassiné sous les yeux de son frère... Le message qu'il lui a fait parvenir ce matin lui avait été dicté par le tueur à la hache, qui le maintenait prisonnier dans ses propres appartements.

Hélène, qui tient toujours Constance contre elle, empêche celle-ci de s'effondrer. La jeune femme s'est évanouie dans ses bras.

— Qu'on la porte dans sa chambre ! ordonne Payns à deux valets. Et vous, Hélène, restez auprès d'elle.

— Bassinez-lui le front avec un linge mouillé d'eau fraîche, recommande Schelomet. Et ouvrez sa chemise pour lui libérer la poitrine et l'aider à respirer.

Payns commande ensuite aux valets restés dans la pièce de se retirer.

— Et moi ? demande Maurin qui passe la tête par l'entrebâillement de la porte.

— Entre, lui dit Payns. Tu fais partie de notre Loge, tu peux donc rester. Referme bien la porte derrière toi.

Schelomet entreprend de défaire le pansement du comte tandis que Payns lui résume brièvement l'intervention de maître Guillemet, lui parlant de la pâte jaune.

— Comment se fait-il que le tueur n'ait pas achevé Hugues ? s'étonne Ferrer.

— Il n'en a pas eu le temps. J'ai surgi dans la pièce alors qu'il venait juste de sectionner la main de notre frère. Il restait des braises dans la cheminée, aussi y ai-je plongé le bras d'Hugues.

— Tu as bien fait de lui brûler le poignet, le félicite Schelomet, le nez sur la plaie ; c'est ce qui lui a sauvé la vie. Le sang a coagulé dans l'artère radiale. Et je constate que les soins qui lui ont été donnés ont déjà raffermi les chairs. Ce maître Guillemet est sans aucun doute un excellent praticien.

— Qu'en est-il des os ? s'inquiète Ferrer.

— Aucune esquille, note Schelomet après un long temps d'observation. Ce bougre de sadique sait affûter sa lame !

— J'ai promis à Constance qu'il vivrait, dit Payns. Rassure-moi, Schelomet.

Celui-ci lui répond par un murmure :

— *Medicus curat, natura sanat*[1].

Puis Schelomet remet le pansement en place, manifestement satisfait du travail qui a été accompli sur le bras de leur ami.

Dans son sommeil, Hugues, le visage tranquille bien que fort pâle, respire calmement, sa poitrine se soulevant avec régularité.

Maurin et les trois hommes le regardent un long moment en silence, puis Ferrer dit :

— Les Gardiens du Sang ont fait preuve d'une incroyable audace en s'infiltrant dans la maison de l'évêque. C'était une énorme prise de risques !

— Bien sûr, approuve Payns, cela montre leur acharnement. Ils ne nous lâcheront jamais. Ils n'ont plus que ma bague à récupérer et mettront tout en œuvre pour l'obtenir. Je crois même qu'ils ne se contenteront pas de cette dernière besogne. Ils voudront assassiner tous ceux qui partagent le Secret. L'homme à la hache n'abandonnera son travail de boucher que lorsque nous aurons tous péri.

— Se doute-t-il que Maurin et toi êtes les descendants de Jésus ?

— Je l'ignore, reconnaît Payns, mais notre Loge ne doit pas s'éteindre. Le Tombeau aura toujours besoin de veilleurs... Des sentinelles qui protégeront éternellement le corps du Christ. Jusqu'au jour de sa résurrection, s'il doit en être ainsi !

---

1. Le médecin soigne, la nature guérit

6

La Loggia

Une nuit noire et pure où ne luisent que de rares étoiles. Quelques fenêtres demeurent éclairées dans le palais épiscopal de Reims. Leurs lumières filtrent au travers des minces ajours des épais volets de bois.

La silhouette a franchi sans difficulté le mur d'enceinte nord et s'est réceptionnée dans une arrière-cour pavée. Elle s'y repose un instant, tendant l'oreille en quête du moindre bruit, puis, rassurée, s'élance en direction d'un préau qu'elle sait devoir traverser pour gagner le bâtiment où loge le pape.

Ce dernier somnole, assis dans son lit, le dos maintenu par des coussins, une épaisse pelisse passée sur ses épaules nues. Son mal l'empêche désormais de porter des vêtements, qui irritent sa peau tuméfiée, et l'abbé Denis lui a conseillé de faire respirer celle-ci la nuit.

La chambre est emplie d'une odeur âcre, mélange de sueur et de médecines.

La flamme d'une chandelle flotte dans l'ombre et une médiocre flambée grignote une bûche humide qui exhale sa fumée en sifflant.

Un bruit à la fenêtre. Un volet qui couine... Le pape, paupières lourdes et lèvres humides de bave, se réveille.

— Maudit traitement qui me brouille les esprits et m'endort comme un vieillard !

Il lui faut s'habituer à l'ombre pour se rendre compte que s'ouvre la fenêtre et qu'apparaît une forme sur son rebord.

Un battement de cœur lui manque, retenu par sa peur.

L'homme à la hache se détache de l'ombre comme d'une glu noire.

— C'est à croire que la nuit vous vous transformez en chat pour vous accrocher ainsi aux murs ! s'exclame le Saint-Père avec colère en tirant la pelisse sur son bras droit et sa poitrine pour dissimuler ses plaies. Avez-vous décidé de me faire mourir d'angoisse en surgissant ainsi ?

— Préféreriez-vous qu'un vicaire ou un diacre me croisent et me demandent ce que je cache dans cette sacoche ? ironise la voix douce et féminine. Je devrais répondre : « Ce n'est rien d'autre, ma foi, que la main droite du comte Hugues ! »

Les épaules du pape s'affaissent.

— Ah, le comte ! Vous l'avez donc tué aussi, bien sûr !

Le tueur s'approche du lit.

— Je ne suis pas certain de l'avoir laissé pour mort. J'ai été surpris par le chevalier Payns alors que je venais de lui couper la main après avoir occis l'évêque.

Le pontife s'effondre, glisse sur les coussins, cherche un appui en tremblant.

— Qu'avez-vous dit ? Vous avez parlé de l'évêque ! Vous ne voulez pas dire que… ? De quel évêque s'agit-il, malheureux ? Qu'avez-vous osé faire ?

— J'avais tendu un piège à Hugues, poursuit le tueur d'un ton anodin. Son frère Philippe en était l'appât, comprenez-vous ?

— Vous êtes un dément et un fanatique ! Et le sort a voulu que je sois condamné à partager votre folie jusqu'au terme de vos carnages !

Le tueur dépose sa sacoche sur les draps.

— J'appelle cela une alliance de raison. L'Église et les Gardiens du Sang y trouvent chacun leur compte. Une association satisfaisante jusqu'à présent, ne croyez-vous pas ? Tenez ! Voici le quatrième des Saints Signes. Retirez le morceau de suaire de la chevalière et, si votre conscience ne vous torture pas trop, recopiez-le comme vous avez fait avec les précédents.

Le pape a recouvré un peu de sa volonté et se redresse, cherchant une assise confortable.

— Apportez-moi l'écritoire, la plume et l'encrier qui se trouvent sur cette table, commande-t-il à son visiteur.

Puis, combattant son dégoût, il ouvre la musette.

Il en sort la main du comte. Cireuse, les doigts raidis en une douleur griffue.

— Nous avons frappé dans la propre famille du roi ! articule le Saint-Père. Et, avec l'évêque, dans celle de l'Église !

Déposant l'écritoire sur les genoux de son hôte, le tueur avance :

— Le roi ne bougera pas, car les Champenois le tiendront à l'écart de leurs affaires. Quant à l'Église, vous en êtes le maître.

Ne pouvant réprimer le tremblement de ses doigts, Pascal déchausse la pierre de la chevalière d'Hugues pour en extraire le morceau du suaire de Thomas, qu'il défroisse et approche de ses yeux afin de le lire.

— Apportez cette chandelle et tenez-la près de moi !

— Je ferai tout ce que vous désirez, Père.

— Le quatrième des Saints Signes…, balbutie le pape. Un triangle en enfermant un second plus petit avec cet étrange symbole en leur centre… Ne serait-ce pas un « U » renversé ?

Il soulève le couvercle de l'écritoire et en sort la feuille de vélin sur laquelle il a déjà tracé les trois premiers Signes.

— Plus près, la lumière ! s'irrite-t-il.

— Oui, Père.

Il se met à l'ouvrage. Sa main est maladroite ; la plume déchire le parchemin à deux reprises et crisse sous la pression mal maîtrisée des doigts.

— Souffrez-vous, Saint-Père ? s'étonne l'assassin. Votre main tremble et votre bras semble gourd.

— Ce n'est rien… Un simple embarras dû au froid ; les murs de ce palais suintent d'humidité. Ce n'est que cela. Rien qu'un rhumatisme, je vous assure.

Le jeune homme désigne les nombreux pots et flacons sur la table.

— Vos médecins sont gens fort prévoyants, à en juger par la quantité de remèdes et d'onguents qu'ils vous ont prescrits pour un vulgaire rhumatisme.

— Ne vous souciez pas tant de ma santé ; dites-moi plutôt si vous avez enquêté sur les travaux que Payns a engagés dans son domaine en forêt d'Orient.

— J'exerce un chantage sur son charpentier, maître Rogemourd. Celui-ci me tient régulièrement informé de l'avancement du chantier. Il n'y a plus de doute : les Champenois creusent un profond tombeau au cœur des marécages.

— Le Tombeau du Christ ! Ils exhumeront sa dépouille de l'endroit qu'ils gardent secret et la transféreront dans ce nouveau sépulcre.

Le pape a achevé la copie du quatrième des Saints Signes. Il replace le morceau de suaire dans le logement de la chevalière, qu'il restitue au tueur. Ce dernier remet la chandelle en place, reprend sa gibecière et néglige la main du comte recroquevillée sur le drap.

Il se dirige de nouveau vers la fenêtre restée entrouverte et en écarte les battants. Avant d'enjamber la margelle, il se retourne, certain d'avoir perçu un sanglot. Mais il discerne à peine le souverain pontife dans l'ombre.

— Soignez-vous, Père, recommande-t-il seulement en disparaissant.

La fraîcheur de la nuit a pénétré dans la chambre et le pape doit se lever pour refermer les volets. Il avance à petits pas fatigués, courbé sous un poids qui lui brise l'échine.

Il se rend ensuite à la cheminée et actionne le soufflet pour redonner de la flamme à la bûche. Et, quand cette dernière s'est embrasée, il dépose dessus la main d'Hugues de Champagne.

Cette fois, malgré l'exécrable odeur de chair grillée, il la regarde brûler en pleurant, tel le plus misérable des humains.

Aucune prière ne lui monte aux lèvres. Un froid de mort lui a enserré le cœur, le fait frissonner et claquer des dents. Un froid noir, profond, infini.

Les trois Gardiens du Sang attendent au centre d'un cimetière à la sortie est de Reims. La nuit s'est figée. Pas le moindre souffle de vent. Pas le plus faible bruit.

Les chevaux eux-mêmes, patientant non loin, ne bronchent pas.

Soudain :

— Le voici !

— Je n'avais pas entendu son cheval.

— Ni même vu sa silhouette approcher, et je fixais pourtant l'entrée du cimetière !

— C'est à croire que notre maître n'est rien d'autre qu'un fantôme, reprend le premier.

— Ou plutôt une personne fort discrète !

L'homme à la hache avance lentement entre les tombes. Parvenu à la hauteur des trois Gardiens, il met pied à terre en disant :

— J'apprécie cet endroit. C'est le lieu idéal pour ouvrir notre Loggia... La nuit, les étoiles, le froid et le calme de la mort !

Il noue les rênes de sa monture au montant transversal d'une croix.

— Vous ne nous avez pas dit qui nous attendions, messire.

— L'un de mes plus fidèles agents. Un clerc qui accompagne le pape depuis Rome et qui le suit comme son ombre. Quelqu'un de médiocre, transparent, insignifiant, et que nul ne remarque !

— Le traître idéal !

— Et ponctuel ! note le tueur en montrant un homme qui vient vers eux.

Le clerc s'incline profondément devant l'homme à la hache, marque de respect rendue ridicule par l'insistance qu'il met à demeurer courbé.

— *Dominus vobiscum*, dit-il enfin. J'ai appris au palais épiscopal des choses fort intéressantes dont j'ai hâte de vous rendre compte.

— *Et cum spiritu tuo*, répond l'assassin. Ouvrons d'abord la Loggia.

Aussitôt, tous forment un cercle et étendent devant eux le bras droit à l'horizontale, leurs doigts se touchant presque, formant de la sorte une étoile à cinq branches.

L'homme à la hache prononce :

— C'est pour la Maison de Dieu et son Royaume que nous combattons et offrons nos vies. *Cum fortis armatus custodit atrium suum, in pace sunt ea quae possidet.*

Le clerc et les Gardiens ajoutent :

— *Salvum fac populum tuum, Domine, et benedic hereditati tua.*

Ils abaissent alors leurs bras et le tueur précise :

— La Loggia est délimitée dans l'espace et le temps selon ses règles et coutumes. Nous t'écoutons, compagnon.

Le clerc commence :

— Le pape souffre d'un mal mystérieux qui infecte son sang et lui brûle tout le côté droit...

D'une voix monotone et sans vie, il leur livre toutes les informations qu'il a recueillies dans l'entourage du pontife ; il a souvent participé aux soins, tendant une oreille curieuse aux murmures échangés entre Pascal et dom Mestrany. C'est ainsi qu'il a été témoin de l'ire et de l'exaspération que l'évêque ne se gêne plus pour montrer à ses vicaires ou secrétaires.

Il leur parle de cet étrange et savant abbé Denis qui tente de déchiffrer des dessins que lui confie le Saint-Père, de la visite du comte Hugues de Champagne et du chevalier Payns au palais... Certes, avoue-t-il, les renseignements qu'il leur donne cette nuit n'ont peut-être pas de rapport entre eux et peuvent paraître décousus, mais peut-il en faire le tri en toute intelligence ?

— C'est très bien, le rassure l'homme à la hache. Tu m'as dit que le pape était malade, et cela m'intéresse fort.

— L'abbé Denis, dont la réputation est grande en matière de médecine, ignore la nature de l'infection. J'ai cru cependant comprendre qu'elle était due à un empoisonnement par la peau.

— Fais un effort, l'ami... Réfléchis et dis-moi si le mal qui a atteint le pape s'est déclaré avant ou après la venue au palais du comte de Champagne.

De manière grotesque, le clerc se gratte le menton, qu'il a pointu et imberbe, et, après une interminable méditation, révèle :

— Ma foi, messire, je puis affirmer – maintenant que j'y porte attention – que le Saint-Père a réclamé des médecins après l'audience qu'il a consentie au comte. Le jour même ! Que dis-je ? Dans l'heure même qui a suivi l'audience !

— Je te remercie. La Loggia est fière de compter parmi ses frères un élément de ta qualité.

Malgré la nuit, il est visible que le petit clerc au visage de fouine rougit de la racine des cheveux à sa pomme d'Adam, qui monte et descend dans sa gorge comme un œuf qui ne veut pas passer.

— Marquons de nouveau le cercle, dit le tueur.

Les cinq hommes se remettent en place, étendent le bras droit.

De sa voix suave, l'homme à la hache se met à réciter un passage de la commémoration des défunts, comme l'impose la clôture du rituel de la Loggia :

— *Mes frères, voici un mystère que je vais vous révéler : nous ressusciterons tous, mais nous ne serons pas tous changés. En un moment, en un clin d'œil, au son de la dernière trompette, car la trompette sonnera, les morts ressusciteront dans un état incorruptible, et alors nous serons changés. Car il faut que ce corps corruptible soit* revêtu d'incorruptibilité, et que ce corps mortel soit revêtu d'immortalité. Et quand cela sera fait, alors cette parole de l'Écriture sera accomplie : la mort a été ensevelie dans la victoire. Ô mort, où est maintenant ta victoire ? Ô mort, où est ton aiguillon ? Or l'aiguillon de la mort, c'est le péché, et la force du péché, c'est la loi. Mais grâces soient rendues à Dieu qui nous a donné la victoire par Jésus-Christ Notre-Seigneur. In memoria aeterna erit justus : ab auditione mala non timebit[1].

À ces derniers mots, les hommes frappent par trois fois le sol du talon gauche et abaissent leurs bras.

7

L'Élixir

Vigiles ont été sonnées depuis longtemps déjà lorsque, à la demande de maîtres Ferrer et Schelomet, Payns se rend dans leur laboratoire, qu'il a déserté ces dernières semaines, préférant superviser le chantier de la forêt d'Orient en compagnie d'Eliphas.

Il trouve l'officine entièrement transformée. On n'y circule plus qu'avec difficulté entre d'innombrables cornues, alambics et vases dans lesquels réduisent diverses compositions qui, par de longs tubes en verre torsadé, sont ensuite dirigées en filets bouillonnants vers des récipients de plomb.

Les murs sont encombrés d'ardoises recouvertes de symboles et de formules qui se chevauchent à l'infini.

Les joues rouges, le front luisant de sueur, Schelomet, qui porte d'épaisses manicles et un large tablier de cuir, saute d'un vase à un autre, se penche sur un athanor rougeoyant, examine des éprouvettes de décantation tandis que Ferrer, plus calme, poursuit de complexes calculs sur un tableau.

---

1. La mémoire du juste sera éternelle ; il ne craindra pas les mauvais discours des hommes.

— Ah, te voici, fait-il en voyant Payns entrer. Approche, frère, nous devons te montrer quelque chose ; nous avons beaucoup progressé dans notre travail.

— Tu veux parler de l'Élixir ? demande Payns avec fièvre.

Schelomet abandonne l'attentive observation qui l'accaparait.

— Nous pensons avoir réussi à réunir les principes des Saints Signes de Jésus et à extraire la quintessence de la Solution primordiale, explique-t-il d'une voix nerveuse.

— Si je te suis bien, lance Payns, tout aussi nerveux, vous avez pratiqué avec succès la stabilisation des trois essences primaires et la distillation alcaline de l'Opus Major ?

Schelomet désigne un vase rond dans lequel s'égoutte un épais liquide qui a suivi un long trajet entre tubes et alambics.

— La Tradition nous avait laissé le nombre des ingrédients naturels ainsi que leurs dosages précis, mais nous ignorions dans quel ordre et selon quelle méthode nous devions procéder...

— Et les Saints Signes vous ont éclairés !

Ferrer, qui les a rejoints, ajoute :

— En effet, si faire de l'or à partir de sable et de métaux vulgaires nous a été possible rapidement, résoudre l'Équation alchimique du frère Premier a nécessité de notre part un travail opiniâtre. Nous avons dû recommencer sans arrêt la sublimation originelle, sans jamais cesser de douter.

— Et... ? fait Payns, impatient.

— Eh bien, dans quelques semaines, nous aurons certainement atteint notre but, et ce que tu vois là – cette liqueur – possédera de puissantes propriétés régénératrices. Nous en sommes ardemment convaincus.

Payns se penche sur le vase rond où, toutes les secondes, cloque une goutte lourde et noire tombant du bec d'un tube effilé.

— Un remède contre la maladie et la mort ! murmure-t-il. Nos anciens appelaient cette huile le Sang du Christ...

— En effet. On lui donne aussi le nom de Saint Graalf Car c'est cela : une savante chimie à bonne température pour une exacte calcination, de patientes décoctions, de précises macérations, de parfaites exaltations...

— Ne pourrions-nous pas donner de cet élixir de vie à notre frère Hugues ? demande Payns.

— Surtout pas ! réagit violemment Ferrer. Tant que le procédé n'aura pas atteint son terme, cette liqueur constituera un véritable poison, bien plus terrible que celui avec lequel tu as infecté le pape. Tu sais pertinemment que Jésus a dit lui-même dans son testament oral, transmis par la Loge, que la distillation devait durer trente-trois jours.

— Rappelle-toi le verset concernant l'Élixir, ajoute Schelomet. *Et la conscience viendra du mariage de l'étoile avec le triangle en son cercle. Et la vie renaîtra de l'Unité fractionnée formant le Tau. L'Unique sera multiplié et deviendra esprit. Trente-trois jours et trente-trois nuits seront nécessaires pour que le sang soit vie.*

Ferrer dit :

— Tu me surprends, Payns !

— Pourquoi, frère ?

— Nous devions composer l'Élixir de manière à préciser les éléments le constituant, leurs dosages, leurs réactions, afin d'en consigner le protocole d'élaboration...

— Certes.

— Ceci dans le but de transmettre la recette à nos successeurs...

— En effet.

— Nos légataires seraient ainsi en mesure d'appliquer le remède de régénération au frère Premier si ce choix était fait par la Loge.

— Je te suis toujours. Et je ne vois pas en quoi je t'ai surpris, Ferrer.

— Lorsque tu as évoqué la possibilité d'utiliser le Sang du Christ sur l'un d'entre nous, pardi ! Nous n'avons pas vocation à devenir immortels, Payns ! Pas nous ! Nous nous servirons sans doute de la science qui découlera de nos travaux actuels pour soigner des maux aujourd'hui incurables, mais nous ne devons pas nous appliquer le procédé dans sa complétude ! Toi, mon ami, surtout toi, tu sais cela !

Schelomet est venu poser un bras autour du cou de Payns pour lui demander tout bas :

— Avais-tu un projet que nous ignorions, frère ? Nous aurais-tu dissimulé une partie de tes intentions pour l'avenir ? Un avenir proche ?

Payns leur sourit à tous deux.

— Pardonnez-moi. Devant un tel prodige, je me suis égaré un moment. J'ai cru entrevoir un instant tout l'intérêt qu'il y aurait pour notre Loge à être servie par des frères éternels. Tout le bien qu'elle serait alors en mesure de prodiguer à ses semblables... Mais vous avez raison de me remettre une bonne mesure de raison dans la tête ; cette mission incombe à notre frère Premier. Seulement à lui !

Payns sourit encore plus largement, plus clairement, et ajoute :

— Il n'empêche que notre guide gît actuellement dans la terre ! Et, bien que nous pensions qu'il soit en mesure de s'en relever si, grâce à l'Élixir, nous lui insufflons le supplément de vie qui lui sera nécessaire, nous nous contentons d'attendre... Attendre quoi, mes frères ?

— Tu nous embrouilles ! s'exclame Ferrer.

— J'en suis désolé, répond Payns sans grande conviction. Je rêvais simplement devant ce petit vase qui contient le plus indicible des miracles de la Nature.

— Tu rêvais ?

— Oui, mes bons amis. Oui... Je rêvais d'un monde d'amour.

Schelomet accuse la pression de son bras sur les épaules de Payns et dit :

— J'allais me méprendre sur ton rêve.

— Lui aurais-tu imaginé une autre signification ? interroge Payns.

— Certes. L'immortalité peut engendrer les plus grandes passions, et si l'amour de son prochain en est une, exemplaire et bénéfique, il en est une autre qui t'irait comme une seconde peau.

— Laquelle ?

— La vengeance, Payns ! Avoir l'éternité pour se venger est aussi un rêve ! Te venger de l'Église, des Gardiens du Sang...

Payns prend la main de Schelomet qu'il presse fortement et, détachant nettement chaque syllabe comme s'il prononçait un engagement solennel, il déclare :

— Je me vengerai en effet de ceux qui le méritent. Puis je ferai la paix avec l'Église, car nous avons un unique message de fraternité à partager. La Loge Première servira secrètement sa sœur l'Église tant que cette dernière respectera les préceptes de notre maître à tous, Jésus-Christ !

— C'est ainsi que nous aimons t'entendre, conclut Schelomet. Fasse le Ciel que tu puisses tenir ton engagement !

8

Le départ de Maurin

Comme à leur habitude, les abbés Denis et Mathieu se sont levés tôt. Après avoir dit leurs premières prières de la journée et rendu grâce à Dieu de les avoir gardés en vie durant la nuit, ils déjeunent d'un bon bol de lait caillé, de grosses tartines de pain inondées de miel, et d'amandes sèches. Ensuite ils s'occupent de leurs quelques bêtes, Morve dans leurs jambes à aboyer contre les poules ou à se cogner contre les murs sous les moqueries affectueuses de Denis.

Une fois toutes ces tâches expédiées, ils se rendent dans leur officine, ravivent le feu dans la cheminée et se mettent à l'ouvrage.

Denis s'est installé à sa table pour se plonger dans ses grimoires et poursuivre ses recherches concernant les trois figures que le pape lui a demandé d'étudier.

Mathieu est retourné à ses préparations : il est chargé de confectionner emplâtres, onguents, tisanes et vermifuges.

Les bruits familiers qui leur sont si chers emplissent ainsi la pièce qui se réchauffe lentement.

Une fine pluie s'est mise à battre aux peaux tendues des fenêtres, y crépitant par rafales.

Soudain, Mathieu demande :

— Tu attendais quelqu'un ? Un cavalier vient d'entrer dans la cour. N'as-tu pas entendu claquer ses sabots ?

— Ma foi, je suis bien trop accaparé par ma lecture. C'est sans doute quelqu'un de la maison du pape qui me demande à son chevet.

On frappe bientôt à la porte. Denis s'est levé pour ouvrir.

L'homme qui se tient sur le seuil dissimule son visage sous un capuchon, ce qui déplaît d'emblée à l'abbé. Une hache est passée dans sa ceinture.

— Suis-je bien chez l'abbé Denis, l'apothicaire ?

— Vous l'avez en face de vous, étranger. En quoi puis-je vous être utile ?

L'homme fait un pas en avant. Mathieu lève le nez de son chaudron.

— Vous pouvez me rendre un grand service en mourant ! jette l'inconnu.

— Pardon ?

— En cela, je peux vous aider !

La hache a été vivement dégagée de sa ceinture et a sifflé avant d'atteindre Denis en pleine poitrine. Elle y pénètre profondément, déchirant la chair et brisant les os pour se retirer tout aussi rapidement, abandonnant le corps de l'abbé qui se replie sur lui-même, s'affaisse lentement et s'immobilise mollement, le ventre au sol.

Mathieu a hurlé d'une voix pointue qui lui a lacéré la gorge en se jetant sur le cadavre de son ami.

— Par le Ciel, pourquoi ? Pourquoi l'avoir tué ? Qui êtes-vous ?

— Je suis celui qui efface l'hérésie, moinillon !

Et dans un nouveau geste, ample, vif et brutal, il arrache la tête de sa seconde victime.

— Aucune trace, aucune preuve ne doit demeurer derrière mon passage. Je suis celui qui baptise par la mort et le feu. *Viam veritatis elegi*[1] !

Il s'empare alors d'une lampe à huile qu'il jette sur le monceau de parchemins et de livres recouvrant la table. Il attend que naissent de hautes flammes pour s'assurer que celles-ci se propageront bientôt à l'ensemble du laboratoire, aspirées par l'air qui traverse le chaume, puis il sort, remonte en selle, traverse la cour sous les aboiements inquiets de Morve et retrouve plus loin, dans une ruelle, ses trois compagnons auxquels il annonce en riant :

— Cette journée mérite la grâce de Dieu ! Elle s'achèvera pour Sa gloire. Nous aurons accompli notre mission ce soir, mes amis. Le charpentier Rogemourd m'a dit qu'il devait livrer cet après-midi le dernier chargement de madriers en forêt d'Orient. Et Payns sera présent comme de coutume ces derniers jours. Avec

---

1. J'ai choisi la voie de la vérité !

son fils... Oui, une belle journée en vérité ! Loué soit Dieu à qui nous offrons nos vies et nos âmes, mes amis !

La troupe se remet en chemin sous la pluie. Déjà des cris retentissent dans son dos. L'incendie de l'officine de l'abbé Denis a alerté les voisins, qui sonnent la cloche appelant à former une chaîne avec seaux et baquets.

Plus tard, lorsque Payns se souviendra de cette journée, il se maudira d'avoir chassé un pressentiment qui, dès son lever, lui avait assombri l'esprit.

La nuit avait été plus douce qu'à l'ordinaire et Maurin avait dormi la fenêtre de sa chambre entrouverte. Un corbeau était entré alors que l'enfant dormait ; c'est Payns, venu réveiller son fils, qui avait dérangé l'oiseau. Ce dernier avait pris un vol éperdu, ne trouvant pas immédiatement un passage, se heurtant aux poutres et aux murs dans d'épouvantables froissements d'ailes, avant de parvenir à s'enfuir.

Payns s'était souvenu de ce que disait sa mère, jadis : « Un corbeau dans une maison est signe de grand malheur ! »

Mais le chevalier s'était ébroué et avait rejeté cette affreuse sentence comme un chien mouillé se débarrasse de l'eau glacée qui lui trempe le poil.

Le chantier de la forêt d'Orient l'attendait, lui et aussi Maurin, auquel il était fier de faire découvrir la progression des travaux... Il avait donné de la gaieté à sa voix pour rassurer l'enfant que le volatile avait effrayé.

Puis il avait oublié le corbeau.

Payns et Maurin retrouvent Eliphas devant la petite chapelle. Une table de travail a été dressée sur des tréteaux. Un grand dais de grosse toile abrite l'architecte de la pluie.

Derrière ses loupes épaisses, le vieil homme consulte des épures qu'il examine pour la énième fois, doutant encore de ses calculs ou révisant ceux laissés par Arcis de Brienne.

— Que crains-tu ? lui demande Payns selon un rituel quotidien. Les travaux seront bientôt terminés et tu ne cesses pourtant d'étudier ces plans !

— Tu me connais… Je me lève même la nuit pour refaire certaines opérations. C'est le phénomène des poussées qui me tracasse encore. Imagine qu'Arcis et moi n'ayons pas pris en compte certaines forces, ou ayons mal évalué la quantité d'eau que nous allons devoir déverser pour immerger le Tombeau ! Les poussées, te dis-je… Un flot trop dynamique, mal contrôlé, insuffisamment démultiplié par les vannes, risquerait d'exercer une pression trop importante sur les doubles parois du puits et les ferait exploser.

— Je n'entends pas grand-chose en ce domaine, Eliphas. Je me contente de te faire confiance comme je l'ai fait pour Arcis. Je ne doute pas que votre intelligence ait su repousser tous les pièges de la physique.

Eliphas se tourne vers Maurin :

— Vois-tu, mon jeune frère, ton père est parfois sujet à des excès de confiance ! Surtout lorsqu'il juge ses amis… Il leur accorde un crédit aveugle.

Et Maurin de répondre en souriant :

— Il vient de vous le dire, maître Eliphas, il se comporte ainsi car il s'agit là d'un domaine où il n'est pas expert. Dans le cas contraire – et vous devez le savoir autant que moi –, il a plutôt tendance à exercer une autorité un peu trop insistante !

— Tu grandis bien vite, réagit Payns avec une évidente bonne humeur. Te voici en train de me railler comme si tu étais mon semblable en âge !

— Je suis ton frère, n'est-ce pas, père ?

Eliphas pouffe dans ses mains. « Décidément, pense-t-il, ce garçon me plaît beaucoup. Son esprit est vif et délié, toujours prompt à soutenir de solides joutes oratoires avec humour… Oui, plaisant compagnon et cependant bien triste ! Toujours des larmes au bord des yeux… »

Reprenant son sérieux, essuyant ses verres sur sa manche, Eliphas demande à Payns :

— Le pape s'est-il manifesté ?

— Pas encore. Sans doute est-il trop orgueilleux pour s'abaisser à nous demander le remède à son mal ! Ou bien n'est-il pas suffisamment atteint ? Attendons, il nous appellera.

L'architecte remonte le col de fourrure de sa robe, ajuste son bonnet.

— Venez, en attendant maître Rogemourd, je vais vous montrer l'avancement des travaux. Voyez, nous avons fini de creuser tous les canaux, dans lesquels nous avons recueilli l'eau des marais avoisinants les plus importants.

— Et les digues ont toutes été montées, dit Payns à Maurin.

— Nous terminons de placer les vannes grâce auxquelles nous inonderons le Tombeau… Ces fameuses vannes qui m'empêchent de dormir ! La poussée ! Cette maudite poussée…

Quatre cavaliers, dans leurs amples manteaux, la tête et le visage protégés de la pluie sous des capuchons, approchent de l'atelier du maître charpentier Rogemourd.

Ce dernier, aidé de six compagnons et de son fils Nizier, charge sur un grand chariot les dernières pièces commandées par Eliphas.

La voix frémissante, Nizier s'exclame :

— Ils sont revenus, père !

— Qui sont ces cavaliers ? interroge l'un des menuisiers.

— Ne vous en souciez pas, dit Rogemourd. Achevez le chargement.

Les quatre cavaliers sont parvenus à la hauteur des ouvriers. L'homme à la hache saute à bas de sa monture et s'adresse à Rogemourd en le prenant par le bras :

— Suis-moi à l'écart dans ton atelier, Landéric ; j'ai un service à te demander et je suis certain que tu ne pourras pas me le refuser. Tu es homme de bon sens, à ce que je sais.

— Cela dépend du service, se force à répondre le charpentier en suivant à regret le tueur.

— Tu accepteras ! Car tu es surtout un père soucieux du bien-être de son fils. Je vois d'ailleurs que Nizier s'est remis de sa blessure ; il serait fâcheux qu'il soit de nouveau affligé.

Les compagnons n'ont pas cessé leur travail, mais ne peuvent s'empêcher de s'interroger.

— Avez-vous remarqué ? Notre maître a paru effrayé à la vue de ces inconnus.

— Et Nizier encore bien plus ! Voyez comme il tremble…

Dans l'atelier, ayant appris ce que veut lui imposer l'homme à la hache, Rogemourd, soudain livide, se rebelle :

— Non, messire ! Je ne pourrai jamais faire cela au chevalier Payns… Non, pour l'amour de Dieu ! Je ne puis le trahir plus que je ne l'ai déjà fait. Les termes de notre marché exigeaient que je vous informe de l'avancée du chantier, et je m'y suis conformé. Là, vous me forcez à lui tendre un piège et vous me faites complice d'une affaire criminelle.

— Tu agiras pourtant comme je te l'ordonne, et tu joueras ton rôle avec naturel afin qu'il ne se rende compte de rien. Ton fils demeurera ici avec l'un de mes hommes. Il sera le gage de ton obéissance. Je te jure que tu le retrouveras en vie si tu t'acquittes de ta tâche selon mon plan.

Vaincu, le charpentier hoche sa grosse tête rousse, les larmes aux yeux.

— Vous n'avez donc aucune pitié ?

— Si c'était le cas, j'aurais déjà tranché la tête de Nizier. Alors, ta réponse ?

— Oui… J'obéirai… Pour Nizier. Mais que Dieu me pardonne !

— J'en étais certain !

Les deux hommes ressortent alors de l'atelier et rejoignent les compagnons. Nizier lance un regard inquiet à son père. Celui-ci lui répond par un sourire malheureux.

Peu après, maître Rogemourd conduit le chariot à travers le village et prend la route qui le mènera en forêt d'Orient, lui et trois cavaliers qui passeront pour des compagnons charpentiers : ce sont l'homme à la hache et deux de ses Gardiens du Sang.

Dès qu'ils arrivent à la petite chapelle, Eliphas donne l'ordre à quelques-uns de ses ouvriers d'aider à décharger le chariot et de porter immédiatement les dernières pièces de charpente sur l'île ceinturée par la haute palissade.

Payns a chaleureusement salué le charpentier, le félicitant encore d'avoir respecté si scrupuleusement les délais qui lui avaient été impartis. Maître Rogemourd s'efforce de paraître aimable, mais ne parvient pas à dissimuler tout à fait son embarras.

— Je vais vous régler ce que nous vous devons, lui annonce Payns. Vous l'avez amplement mérité.

Maurin, s'étonnant de ne pas voir Nizier, en fait la remarque :

— Nizier n'est pas avec vous ? Il m'avait pourtant promis de vous accompagner.

Le charpentier jette un coup d'œil par-dessus son épaule en direction des trois Gardiens du Sang qui participent au déchargement du chariot.

— Il est désolé, Maurin... Vraiment ! Il souffre de la gorge à cause d'un mauvais courant d'air qui traverse notre atelier. J'ai... j'ai préféré qu'il reste au chaud.

— Qu'il se soigne bien, dit Payns. Approchez, maître Rogemourd, votre argent vous attend. Vous paierez vos compagnons en les remerciant pour la qualité de leur ouvrage.

— Je ne manquerai pas de leur transmettre le compliment, messire. Ils toucheront leur solde selon les justes principes de notre profession...

L'homme à la hache s'est glissé derrière Maurin qui se tient maintenant légèrement à l'écart, regardant vers l'enclos. L'enfant ne s'est aperçu de rien. Les deux autres Gardiens du Sang ont abandonné le chariot et s'approchent de leur maître.

Payns, qui a ouvert un coffret, en sort une bourse rebondie qu'il tend à Rogemourd, puis demande à celui-ci de signer un document certifiant qu'il a été payé selon les termes de leur contrat.

— Vos commis n'ont-ils point trop manifesté de curiosité quant à la nature des tâches que vous leur demandiez d'effectuer ? s'inquiète Payns.

— Je leur ai vite fait comprendre qu'il ne servait à rien de me questionner à ce propos. Ils ont respecté ma volonté et nous avons tous travaillé en bonne intelligence.

— Je me loue de vous avoir associé à notre chantier, mon ami.

— Merci, seigneur Payns.

« Au secours, père ! »

Le chevalier et Eliphas se retournent. Un froissement d'ailes de corbeau déchire l'esprit de Payns. Une ombre noire lui voile un instant les yeux.

Et il voit.

L'un des compagnons a abaissé sa cagoule. Il tient Maurin contre lui, un poignard posé sur sa gorge. Payns a immédiatement reconnu le tueur avec sa cicatrice et ses yeux transparents. Landéric joint les mains en un geste ridicule et pitoyable.

— L'homme à la hache ! hurle Payns. Vous l'avez fait entrer dans le chantier, Rogemourd ! Vous, le prud'homme de votre guilde ! Et votre serment ?

— Seigneur..., bafouille le charpentier en se tordant les doigts. Mon fils est gardé en otage. Mon Nizier ! Il a promis de lui laisser la vie sauve si je vous trahissais et... J'implore votre clémence...

Payns fait quelques pas en direction de l'assassin qui sourit comme un enfant las. Deux hommes, juste derrière lui, ont sorti leurs épées.

— Tu ne fais donc la guerre qu'en utilisant des femmes et des enfants ? s'écrie le chevalier. Es-tu trop lâche pour affronter tes ennemis face à face ?

— La terreur est l'une de mes armes, messire. Peu m'importe le sexe et l'âge de mes victimes si je parviens à mes fins. J'ai un devoir à accomplir ; je m'y emploie avec détermination. Pour Dieu !

— Laisse aller mon fils et mesurons-nous l'un à l'autre.

— Tu ne sembles pas avoir compris : je repartirai d'ici avec ta bague. La dernière des cinq. Une confrontation entre nous pourrait tourner à mon désavantage et je n'aurais pas honoré mon contrat. Ce qui serait fort dommage, après toute la peine que je me suis donnée.

— Il a amputé Nizier, gémit Rogemourd. Ce démon est capable du pire... J'ignore pour quelle raison il demande votre bague, mais obéissez-lui et votre fils, tout comme le mien, aura la vie sauve...

— Taisez-vous ! lui lance Payns. Je ne veux plus jamais vous entendre geindre !

L'homme à la hache exerce une pression de sa dague sur la gorge de Maurin qui grimace. Un filet de sang coule sur la peau de l'enfant.

— J'ai fauché tant de vies que celle de ton fils ne pèsera pas plus sur ma conscience que toutes les autres. Veux-tu faire le compte ? Tes amis... Arcis de Brienne, Basile le Harnais, Geoffroy de Saint-Omer... Ta femme, ta fille, l'évêque de Châlons... Et peut-être le comte Hugues ! Une longue litanie, n'est-ce pas ? Tous morts à cause d'un pouvoir que tu détiens avec ceux que tu nommes tes frères.

Eliphas s'est rapproché de Payns pour lui prendre le poignet.

— Ta bague, Payns, poursuit le tueur. J'attends ! La pointe de mon poignard commence à se faire lourde sur la gorge de ce petit.

— Obéis, mon ami, implore l'architecte à l'oreille de Payns. Les Gardiens du Sang ne disposent pas de notre enseignement oral ; ils ne parviendront pas à percer le Secret.

— Aujourd'hui... demain, ils n'y arriveront pas. Mais d'ici des années, des siècles ?

Le chevalier fait glisser la bague de son doigt. Un Gardien du Sang vient la récupérer pour la remettre aussitôt à son maître qui l'empoche vivement.

— Je garde ton fils. Il sera mon sauf-conduit pour sortir de ce chantier. Je le laisserai plus loin sur le chemin, à condition que nul ne nous suive. Vous ne bougerez pas d'ici avant le temps d'un Pater et deux Credo prononcés lentement.

Des ouvriers et des soldats du comté s'interrogent. Certains ont dégainé leurs armes. Eliphas leur adresse un signe leur interdisant d'intervenir.

Et à Payns, qui porte la main au pommeau de son épée :

— Non, ce serait trop dangereux ! Il y va de la vie de Maurin.

— Il faudra bien que je tue un jour cette charogne. Il ne s'abritera pas toujours derrière un enfant ! Si jamais il ne respecte pas sa parole... s'il faisait du mal à Maurin...

— Il a dit qu'il le relâcherait. Il possède maintenant la dernière bague ; c'est tout ce qu'il était venu chercher. Soyons patients : dès que les Gardiens se sentiront en sécurité, ils abandonneront Maurin et nous verrons celui-ci réapparaître sur le chemin. Confiance, mon ami !

L'enfant est hissé sur le col du cheval de l'homme à la hache, qui monte en selle.

Maurin ne quitte pas son père des yeux. Il donne l'impression de vouloir le retenir dans son esprit ainsi : debout sous la pluie, l'épaule contre l'épaule d'Eliphas dont le regard est rendu énorme par ses épaisses loupes.

Le corbeau, ce matin...

Les trois Gardiens du Sang quittent le chantier, s'enfoncent dans la forêt brouillée par l'ondée, disparaissent.

Eliphas, mon vieil ami, pressa très fortement ma main. Il tremblait tout autant que moi tandis que nous attendions le retour de Maurin. Les ouvriers s'étaient arrêtés de travailler. Ils attendaient avec nous. La forêt n'était plus que silence et froid...

— Je n'y tiens plus/s'écrie soudain Payns en s'élançant sur le chemin emprunté plus tôt par les tueurs. Maurin aurait dû revenir depuis longtemps...

Il court, brûlant de haine et d'angoisse. Chaque pas est une douleur. Chaque inspiration, une déchirure. Son cœur aux battements désordonnés frappe brutalement sa poitrine, à se rompre.

À la chapelle, Eliphas s'adresse aux soldats du comte :

— Que cinq hommes viennent avec moi. Rejoignons-le !

« Le corbeau, ce matin... »

Le chemin grimpe entre les chênes ruisselants. À la crête du léger promontoire brillant de pluie, une jambe se détache sur le gris du ciel. Un corps est allongé là-haut. Payns devine déjà et appelle son fils, sachant cependant, dans une horreur infinie, qu'il ne lui répondra pas.

Plus bas, un garde s'exclame, le visage défait :

— Vous avez entendu ce hurlement ?

— Celui d'un père déchiré..., murmure Eliphas.

Le vieil architecte accélère le pas bien que le souffle commence à lui manquer. Il aperçoit plus loin son ami cassé en deux sur le chemin, tenant contre lui le corps sans vie de Maurin.

Les soldats, eux, ralentissent leur course, embarrassés par tant de tristesse.

Eliphas est parvenu à la hauteur du chevalier agenouillé dans la boue, berçant l'enfant qui s'est vidé de son sang par une profonde entaille à la poitrine.

— Payns, mon frère, laisse-moi voir. Laisse-moi partager ton chagrin.

Le père relève le visage, tend son regard de spectre vers l'architecte.

— Il avait juré qu'il l'épargnerait ! Il l'avait dit... Je savais que c'était le Diable, Eliphas. C'est l'incarnation du Mal absolu !

Eliphas tombe à genoux, brisé à son tour. Il passe une main dans les cheveux de son « petit frère », qui n'aura vécu que le temps de découvrir le malheur.

« Une bonne graine... »

— Ne dirait-on pas qu'il dort ? s'étonne Payns. Il semble si calme.

— Il l'est en effet. Il dormira ainsi dans tes bras jusqu'à la fin des temps.

9

L'intention du pape

Reims n'a pas été épargné par la pluie qui semble avoir recouvert toute la Champagne et s'y être installée pour longtemps.

Le soir venu, au palais épiscopal, dom Mestrany entre sans frapper dans l'appartement du pape qui se fait soigner par un clerc. Le pontife, essentiellement tourné vers sa douleur, ne semble pas contrarié par cette brutale irruption.

— Ah, dom Mestrany, voyez comme les ulcères progressent. Et l'abbé Denis qui n'est pas venu m'examiner !

— Il ne viendra plus jamais, Saint-Père.

— Pourquoi cela ?

— L'abbé a été tué à coups de hache, ainsi que son aide. Leur boutique d'apothicaire a été détruite par le feu. Ce double meurtre est signé !

D'un geste impatient et violent, le pape congédie le clerc. Celui-ci parti, dom Mestrany ajoute :

— Et il y a pire ! Un charpentier de Troyes a fait courir la nouvelle que le fils de Payns a été tué en forêt d'Orient. L'assassin aurait tracé une croix sur le front de sa jeune victime.

— Le tueur des Gardiens du Sang ! Il s'en est pris à l'enfant pour atteindre le père. Mais quelle sorte de monstre est cet homme ? L'Église ne peut tolérer autant d'horreur !

Le pape se lève soudainement, repoussant dom Mestrany venu l'aider, le faisant presque trébucher.

— Je suis coupable autant que cet assassin, martèle Pascal. J'ai fermé les yeux sur ses crimes car je pensais me battre pour la foi chrétienne, pour le maintien du dogme...

— Sans doute les Gardiens possèdent-ils maintenant la cinquième et dernière bague. La guerre est terminée...

Le pape s'est planté devant un miroir et s'examine à la lueur d'une chandelle. Toute la partie droite de son corps est boursouflée, nécrosée.

— Je mérite le mal dont je souffre, dit-il avec dégoût. Regardez, ma chair est à l'image de mon âme, aussi immonde, vérolée, pourrie !

— Commençons à préparer notre retour. Dès que le tueur vous aura permis de recopier le dernier des Saints Signes, nous nous mettrons en route.

— Ce n'est pas en mon palais que je veux aller pour l'heure. Faites apprêter ma roulotte et retenez six soldats : nous partons sur-le-champ pour Troyes.

— Pour Troyes ? s'étonne dom Mestrany. Vous voulez dire que... ?

— Ne discutez pas, dom Mestrany, nous avons du chemin à faire jusqu'au palais du comte Hugues de Champagne.

10

Le baiser

Je veillais Maurin dans la chapelle Saint-Jean du palais d'Hugues. Mon cœur et mon esprit n'étaient que pierres gelées...

Dans la cour, Ferrer, Schelomet et Eliphas, plantés sous la pluie, sont tournés vers la chapelle. Derrière ses vitraux naïfs, d'instables chandelles diffusent une lueur incertaine.

— Cela fait des heures qu'il est seul avec la dépouille de Maurin, se lamente l'architecte.

— Je n'ose pas aller le déranger, dit Ferrer, mais je crains qu'il ne perde la raison sous le poids d'une telle peine.

— Pourquoi le tueur a-t-il épargné le fils de maître Rogemourd et non celui de notre ami ? demande Eliphas.

— Les Gardiens du Sang ont sans doute compris que Maurin était un descendant de la lignée des « Païens », avance Schelomet. Leurs clercs ont dû déchiffrer les quelques légendes qui évoquent la branche directe de Jésus ainsi nommée. C'est pourquoi il a été tué.

Un cri dans leur dos. Une plainte douloureuse.

Les trois hommes se retournent.

Titubant, le comte Hugues est sorti de ses appartements, une fourrure passée sur son torse nu, les pieds chaussés à la diable, hagard, titubant. Constance tente de le retenir, en vain. Le chevalier avance, avance sans rien voir...

— Tu tiens à peine debout, mon chéri. Et tu n'as rien sur le corps. Retourne te coucher, je t'en prie...

Hugues continue d'avancer comme un automate, manquant de s'écrouler à chaque pas, se dirigeant vers la chapelle. Impuissante, Constance s'accroche inutilement à lui.

— Je veux le voir... l'embrasser...

Nul ne peut arrêter le comte qui bouscule ses trois amis, obligés de s'écarter pour le laisser passer. Constance s'est arrêtée, consciente qu'elle ne parviendrait pas à le retenir.

— J'ai eu grand tort de lui apprendre l'affreuse nouvelle quand il s'est réveillé, explique-t-elle. J'aurais dû attendre le petit matin. Il s'est évanoui quand je le lui ai dit, puis, à peine avait-il repris connaissance, il a bondi hors de son lit comme un dément.

Parvenu à la porte de la chapelle, Hugues y tambourine de son bras valide, tel un ivrogne, frappant du poing à tout rompre.

— Payns, ouvre-moi... Ouvre ! C'est moi, Hugues !

Au bout d'un certain temps, la porte s'entrouvre sur le visage blême et creusé de Payns.

— Hugues... Comment peut-on survivre à tant de malheurs ?

— En laissant ses amis en prendre une part à leur compte.

Le comte se glisse dans la chapelle. La porte est refermée derrière lui.

S'habituer à l'ombre... Discerner le corps de Maurin allongé sur l'autel, l'épée de son père posée sur son ventre...

Avancer... les pieds s'enfonçant dans la pierre gelée des dalles aussi mollement que dans un sable boueux. Avancer et regarder cet enfant qui dort, les joues rondes, les paupières transparentes, l'or un peu roux de ses cheveux se mouvant dans le faible éclat des chandelles.

— Je lui ai joint les mains sur mon épée, comme un chevalier... Je lui avais promis de lui apprendre de nouveaux coups, des esquives... Il était las de s'entraîner sur son mannequin de paille.

— Mon ami, mon tendre ami... Que te dire avec des mots ?

Hugues prend Payns dans ses bras, le serre contre lui, son moignon passé autour de son cou. Et ce sont deux noyés qui s'accrochent l'un à l'autre, leurs poitrines se pressant, mêlant les battements de leurs cœurs.

Ils demeurent longuement ainsi, dans leur chaleur.

— Embrassons-nous, mon frère, dit Hugues.

Ils joignent leurs lèvres.

Puis, alors qu'ils se désunissent, le comte ajoute :

— Et pleurons.

— Je ne veux plus pleurer, Hugues. Je veux me battre ! Tuer... Tuer à en être couvert de sang !

— Nous avons échoué, Payns... Les Gardiens nous ont arraché ceux que nous aimions et nous ont volé les Saints Signes. Notre combat est fini.

— Non ! Il ne fait que commencer. Cette épée a été consacrée par le sang de mon fils. C'est avec elle que je percerai le flanc de l'homme à la hache.

Payns retire délicatement l'épée des mains de son fils et l'élève au-dessus de lui en disant :

— La Loge Première possède le corps de Jésus et Eliphas ne pense pas que le secret d'I.N.R.I. puisse être découvert aisément. Nos ennemis sont loin de détenir les connaissances que la Tradition nous a léguées. Mais si tel ne devait pas être le cas, si les Gardiens du Sang s'emparaient un jour du Christ ou approchaient son Secret, cette épée les massacrerait.

— Tu me fais peur, Payns... Tu divagues. Nous ne sommes que d'humbles mortels et nous ignorons comment se comporteront dans l'avenir les frères de la Loge Première. La Tradition disparaîtra peut-être avec le temps.

À l'aube, je poursuivais toujours ma veille avec Hugues qui somno-
lait parfois, épuisé par les drogues lénifiantes qu'il avait absorbées...

11

Trois croix de sang

Ma méditation fut interrompue par des coups frappés à la porte...

— Messires Hugues et Payns, il y a là un voyageur inconnu qui souhaite s'entretenir avec le comte. Il a un message à lui remettre, et dit qu'en le voyant le comte comprendra.

Payns entrouvre la porte de la chapelle. Un garde lui tend un pli.

— Pardonnez-moi de vous déranger, seigneur Payns. Mais le voyageur insiste en affirmant que sa visite est de la plus haute importance. Tenez.

Le comte a quitté son banc, il s'approche de son ami en titubant, les yeux bouffis d'un mauvais sommeil.

— Excuse-moi ; je devais dormir. Que se passe-t-il ?

Payns lui tend la dépêche.

Sur la feuille de vélin pliée en deux ont été tracés quatre des Saints Signes.

— Par saint Jean, s'exclame Hugues, as-tu remarqué ?

— Oui, il s'agit du pape, naturellement. Ouvre vite son billet...

Le comte s'exécute vivement et maladroitement, puis lit tout haut :

— *Je viens vers vous en pénitent, messire. Je me présente en pécheur face à vous et me soumets ce jour à votre jugement en toute humilité. Pascal.*

Les deux hommes sortent de la chapelle. Le souverain pontife est dans la cour, vêtu d'une robe noire et d'un vulgaire manteau de toile écrue. Il est chaussé de sandales ; la fraîcheur matinale a violacé ses gros orteils nus.

Les deux chevaliers remarquent aussitôt que l'homme a maigri. Ses flasques bajoues se sont affaissées et pendent comme des bourses vides. Ses orbites sont creusées, sombres ; des yeux fiévreux y brillent. Les mains jointes sur sa poitrine tremblent. La droite est couverte d'une lèpre hideuse.

Pascal n'aurait jamais cru possible que deux hommes puissent exprimer autant de haine par leurs regards. Une aversion dirigée contre lui, l'atteignant en plein cœur, soulevant en lui un remords brûlant. Un ardent désir de résipiscence.

Il tombe à genoux aux pieds de ses victimes et incline la tête.

— Je m'agenouille devant vous tel un pénitent, messires. Je renonce à m'opposer à vous. Je fais acte d'allégeance et de contrition. Désormais, je m'engage à ce que l'Église ne vous tourmente plus...

Il frappe par trois fois sa poitrine et dit :

— *Miserere mei*[1].

Payns a fait un pas. Il gifle le souverain pontife. Une gifle violente, surprenante, brutale. Qui le déséquilibre, l'obligeant à poser une main au sol pour ne pas tomber de côté.

Les larmes aux yeux, le pape se redresse, relève le menton.

— Je mérite votre haine et votre châtiment, seigneur Payns. Vous avez perdu votre famille dans cette guerre alors que j'y ai perdu mon âme, ce qui est bien peu ! Mais je vous assure que je suis venu parler de paix.

— De paix ? réagit Payns d'une voix dure. Je vous croirai si vous consentez à me donner un gage de votre bonne foi.

— Demandez, et je vous le donnerai.

— Nous allons entrer dans cette chapelle où repose la dépouille de mon fils. Je vous ferai étendre la main droite au-dessus de son cœur et vous nous direz ce que nous voulons savoir.

— Je vous suis...

Arrivé devant l'autel sur lequel est allongé l'enfant qui paraît dormir, Pascal est pris d'un malaise, mais se ressaisit aussitôt. Livide, il obéit à l'injonction de Payns et pose sa main droite sur le cœur de Maurin.

Hugues s'est adossé à un pilier.

---

1. Ayez pitié de moi.

— Nous voulons que vous nous livriez le Gardien du Sang, dit Payns, ce tueur qui brise ses victimes à coups de hache.

Peu après, nous ressortîmes de la chapelle et le pape attendit près de sa roulotte que je lui apporte le remède devant le guérir de son empoisonnement. Nous avions conclu un accord sacré.

Puis je partis à mon tour, seul. Je laissai Maurin sur l'autel de la chapelle. Je demandai qu'on le veille pendant mon absence.

Hélène et Constance pensaient que j'étais devenu fou pour abandonner ainsi mon fils. Et c'est ce que j'étais ce matin-là : fou ! Fou de haine et de vengeance à assouvir.

J'avais volontairement choisi une robe et un manteau blancs, car je savais que je les tacherais du sang de l'homme à la hache.

De retour au palais épiscopal, le pape monte aussitôt dans ses appartements, dom Mestrany sur ses talons, silencieux.

Une fenêtre est ouverte. Pascal soupire, devinant et redoutant à la fois la présence du tueur dans sa chambre.

— Il s'est introduit chez moi, comme à l'ordinaire. Pareil au damné chat de sabbat qu'il est !

Mais l'homme à la hache n'est ni dans la chambre ni dans le cabinet de travail.

— Regardez, Saint-Père !

Sur une table, on a planté un poignard pour retenir une feuille de vélin. Pascal s'en approche.

— Il ne m'a pas attendu. Voyez, dom Mestrany... Il a recopié lui-même le dernier Signe. Et il a ajouté une phrase... *Ad vitam aeternam.* Pour la vie éternelle... Ce démon ne manque pas de cynisme !

Il froisse rageusement le message, dont il fait une boule qu'il jette au feu.

— Vous renoncez donc ? fait mine de s'étonner dom Mestrany.

— Je me suis accordé avec les Champenois. Ils ne révéleront pas le Secret de Jésus tant que l'Église les laissera en paix. J'espère que mes successeurs maintiendront cette alliance et n'écouteront plus trop les Gardiens du Sang. Notre monde ne tiendra que par ce fragile équilibre. Les hommes ont besoin de croire. Ils n'accepteraient pas l'épouvantable fatalité de la mort s'il n'y avait pas de Dieu. S'il n'y avait plus d'espoir !

— L'enseignement du Christ ressuscité, notre foi en lui, notre culture, tout cela est ce qui nous rend civilisés…

— J'envie votre foi, dom Mestrany. Une belle foi chevillée au corps, simple et évidente. Bien loin de la mienne, corrompue par les calculs, les plans, la politique !

Tout en parlant, le pape a sorti de sous son manteau un petit flacon de verre bouchonné d'un liège que muselle une mince ficelle.

— Cette fiole, Saint-Père !

Pascal répond presque évasivement en élevant le flacon à hauteur de ses lèvres :

— Ah, cela ? C'est l'antidote que m'a remis le chevalier Payns. Je devrais être guéri en moins d'une semaine.

— Et vous, que lui avez-vous offert en échange ?

Pascal esquisse un mince sourire.

— Je lui ai livré celui qui a détruit sa vie. Et l'assurance d'un avenir où la Loge Première et l'Église apprendront à cohabiter.

Tandis que je chevauchais en direction de l'abbaye d'Hautvillers, où je savais trouver le tueur, je repensais au pape qui, après m'avoir appris ce que je désirais et s'être engagé à ce que l'Église cesse de harceler les frères de la Loge Première, avait longuement pleuré sur le cadavre de Maurin avant de s'agenouiller à nouveau et de me baiser la main droite. Ses larmes avaient coulé entre mes doigts. Et il s'était mis à prier, tout bas.

C'était à Dieu qu'il demandait pardon. C'est Dieu qui le jugerait.

L'abbaye est située au cœur même du village, bâti sur le flanc d'une colline dominant la Marne. Quelques vignes grusinent une terre crayeuse et se heurtent souvent à d'épais et sombres bosquets.

La pluie a raviné le sol, dans lequel elle a creusé de profonds sillons. Au loin, dans la brume qui s'appesantit au creux de la vallée, retentissent des aboiements et quelques cris d'oiseaux.

Payns a sauté à bas de son cheval et en a attaché les rênes à un anneau ancré dans un gros mur de pierre. Puis il frappe à la lourde porte de bois noir.

Il n'attend guère avant qu'un moine vienne ouvrir le judas et montrer une tête craquelée comme une vieille pomme blette.

— Oui, messire ?

Le chevalier lui fourre sous le nez un document.

— Reconnaissez-vous ce sceau ? C'est celui du pape Pascal. Lisez le message et obéissez à son ordre.

— Ma foi, c'est beaucoup d'honneur pour un modeste moine que de lire une lettre du pape !

L'homme plisse les yeux et déchiffre le message en faisant bouger ses lèvres à la manière d'un lapin.

— Oui, oui… Je comprends.

La porte est ouverte. S'effaçant pour laisser entrer Payns, le capucin ajoute :

— Vous le trouverez dans la chapelle. Il a pris son bagage et se prépare à nous quitter. Il nous a dit qu'avant il souhaitait qu'on le laisse prier. Et qu'il s'en aille, ma foi, ne nous coûtera guère ! C'est une figure bien peu aimable…

Payns ne l'écoute déjà plus. Sous le regard de quelques moines qui s'interrogent, le voyant traverser le jardin l'épée à la main, il avance à grandes enjambées, courant presque, le corps et l'esprit tendus par la haine.

Son manteau blanc s'anime autour de lui en claquant, lourd de pluie et de la boue des chemins.

Dans la chapelle, l'homme à la hache est allongé face contre terre, bras en croix. Ses bagages ont été déposés, ainsi que son arme, au pied d'un grand crucifix de bois, non loin de l'autel.

— *Sanguis Domini nostri Jesu Christi custodiat animam meam in vitam aeternam. Amen*[1].

Ses lèvres murmurent dans la poussière fraîche du grossier dallage, sur lequel sa langue vient bientôt se poser pour le lécher longuement, s'écorchant à son grain.

Cette caresse l'échauffe, et le goût de sang qui est apparu dans sa bouche appelle le plaisir.

Yeux clos, il accentue la force de son baiser, se plaisant à s'entendre soupirer tandis qu'une pointe de jouissance lui fouille les reins.

---

1. Que le Sang de Notre-Seigneur Jésus-Christ garde mon âme pour la vie éternelle. Ainsi soit-il.

— *Praesta meae menti de te vivere, et te illi semper dulce sapere*[1]

Comme il aime cette pierre que les semelles des moines ont tannée ! Cette pierre contre laquelle il se presse mieux qu'il ne le ferait contre le corps d'une femme. Une femme...

— *Me immundum munda tuo Sanguine : cujus una stilla salvum facere totum mundum quit ab amni scelere*[2].

Quelle femme aurait pu lui apporter autant de volupté ? Les rares qu'il a enlacées ne lui ont laissé que des souvenirs de cendre et d'humiliation.

Son sexe, capable de se soulever à l'écoute d'une prière ou d'un chant intense, sous les coups de fouet, la morsure du froid et le jeûne, ne s'est que piteusement conduit en présence d'une chair tiède en demande.

Il les entend encore, ces gueuses rougeaudes. Il les entend railler la dague consternante qui pendait entre ses cuisses !

Alors il les battait. Il réprimait leurs brocards en les étouffant dans leurs gorges blanches. Il les rouait de coups, quand il ne les tuait pas. Quand il ne les éventrait pas.

Il se souvient de celle dont la trop grande beauté l'avait empêché d'espérer la moindre manifestation de virilité. Il avait pleuré devant sa propre impuissance et ses larmes avaient redoublé le dédain de la donzelle, dont les seins nus s'agitaient en d'interminables éclats de rire.

Il lui avait ouvert le ventre d'un coup de hache et avait assisté à son lent trépas, ses boyaux palpitants s'étalant sur ses cuisses souillées de sang.

Les grands yeux bleus de la fille, d'abord horrifiés, s'étaient lentement noyés dans une acceptation de son sort, rivés sur les siens. Et c'est ce regard qu'il avait apprécié. Cette plongée en son âme qui s'éloignait doucement, pareille à un vent d'été à la fin d'une journée trop chaude.

La vie quittait la femme immolée, assise sur la terre battue de sa demeure.

Là, il avait joui.

---

1. Faites que mon cœur vive de vous, et qu'en vous toujours il trouve ses délices.

2. Que votre Sang, dont une seule goutte peut effacer tous les péchés du monde, lave les souillures de mon âme.

Dieu, pourquoi sa mémoire lui rappelle-t-elle aujourd'hui toutes ces images ?

Pourquoi la porte de la chapelle s'ouvre-t-elle avec une telle violence pour laisser apparaître une haute et maigre silhouette blanche que la lumière, dans son dos, transforme un instant en ange ?

Il se redresse, s'agenouille, plisse les yeux.

— Payns ? Le pape m'a donc trahi !

Il se relève, recule. Il lui faut empoigner sa hache.

Payns avance.

— En effet, le pape t'a donné. C'est ce qu'il aura fait de meilleur dans sa vie ! Il a réalisé toute l'horreur de son alliance avec les Gardiens du Sang... Avec un monstre tel que toi.

— Tu es venu me tuer ! Et me reprendre les Saints Signes. Tu arrives trop tard, je les ai confiés à l'un de mes hommes qui est déjà en route pour Rome.

Puis, saisissant le manche de sa cognée :

— Décidément, tu auras été bien malchanceux dans cette affaire, chevalier. Quelle pitié ! Je penserai et prierai pour toi lorsque je t'aurai tué.

Payns avance encore. La pointe de son épée griffe le sol en émettant un feulement acide.

— J'ai fait une promesse à mon fils : celle de te transpercer la poitrine de mon épée et de tremper mes vêtements dans ton sang. Son âme ne sera en paix que lorsque tu auras quitté cette terre.

— Infortuné enfant qui ne sera jamais soulagé...

Il se jette sur le chevalier, hache tournoyant au-dessus de sa tête. D'une seconde à l'autre, son visage est passé de l'innocence à la cruauté, déformant ses lèvres sensuelles en grimace obscène, embrasant ses yeux pâles d'une flamme malveillante.

Payns a anticipé l'assaut et préparé son esquive. Il se fend en souplesse, évitant la lourde lame, qui s'abat sur l'autel pour y fracasser le tabernacle, dont marqueteries et dorures volent en éclats.

L'épée du Champenois a jailli pour atteindre le tueur à la taille, mais ce dernier élude l'attaque d'un pas de côté vif et souple.

Un temps. Les deux hommes se défient du regard. De la sueur commence à couler sur le front de l'assassin.

— À qui penses-tu, Payns ? gabe-t-il. À tes frères, à ton fils ? Ou bien à ta femme et à ta fille ? Pour qui éprouves-tu le plus de douleur ?

Payns est trop fin bretteur pour se laisser déstabiliser par de telles pointes. La voix de miel n'atteint pas son but. Elle n'attise pas sa colère.

C'est de haine, uniquement de haine, que le chevalier doit se nourrir pour massacrer son adversaire.

L'homme à la hache a compris que ses sarcasmes étaient vains. Il se précipite dans un nouvel assaut encore plus violent, plus brutal. En hurlant.

Payns courbe l'échine, la hache passe juste au sommet de son crâne ; il la sent lui frôler les cheveux. Alors que le tueur s'apprête à frapper de plus belle, l'épée du chevalier, sans qu'il l'ait vue surgir, le touche à l'épaule gauche.

— Juste un peu de sang, remarque-t-il en jetant un coup d'œil à sa blessure.

— Ce n'est que le début, dit Payns. C'est tout ton sang que je suis venu chercher. Je vais te saigner comme un porc. Te vider !

La voix du Champenois s'est transformée. L'homme à la hache a fait un pas en arrière comme s'il avait été frappé. La voix...

— Je repartirai d'ici avec la sereine satisfaction d'avoir accompli mon devoir, poursuit Payns de sa voix dont les intonations gutturales semblent se parer de sourdes résonances.

« Mais est-ce réellement sa voix ? » se demande le tueur qui ne parvient pas à dominer sa frayeur, les muscles de ses cuisses se tétanisant, ses mains s'alourdissant.

« Il me paralyse par sa voix ! Il m'empoisonne l'esprit ! Que dit-il maintenant ? Je l'entends mais ne le comprends plus. Quelle langue emploie-t-il ? »

Les lèvres de Payns articulent des syllabes graves qui se succèdent en interminables échos.

L'homme à la hache cherche à se ressaisir, aspire une longue et abondante goulée d'air, crispe ses doigts sur le manche de sa cognée, toute sa volonté contraignant ses sens à se délier du piège qu'a tissé ce sorcier de Champenois autour de lui...

Pourtant, cette voix...

— Mon Dieu… Ce n'en est pas une ! Ce n'en est pas deux ! Mon Dieu !

Une terreur hideuse, poisseuse, se répand dans ses veines et enserre son cœur.

— Combien ?

Car le tueur vient de comprendre pourquoi il ne saisissait pas ce que psalmodiait Payns. Il connaît maintenant la raison des divers accents de ses litanies…

Par sa bouche parlent les morts ! Par sa bouche s'expriment ses morts !

Arcis de Brienne, Basile le Harnais, Geoffroy de Saint-Omer, Typhaine, Émeline, Maurin… Ils l'ont accompagné et le soutiennent dans sa mission de vengeance.

« Ce qu'on disait du chevalier était donc vrai ! Un enchanteur et un nécromancien… Mon Dieu ! Le descendant du Christ ! »

L'homme à la hache sent la lame de l'épée pénétrer dans son flanc droit, l'entend briser des os, déchirer des chairs, s'extraire et replonger aussitôt dans sa poitrine, puis dans sa gorge qui bouillonne aussitôt.

— Au nom de mes frères ! dit Payns de sa propre voix revenue. Au nom de ma famille ! Au nom du véritable Christ !

Le jeune tueur est cloué au crucifix. L'acier l'a percé de part en part. Il n'est que plaies et sang.

Un sifflement. Un choc à son poignet droit. Sa main tranchée s'en détache et tombe entre ses pieds. La hache claque sur le dallage.

Son corps mutilé crache tout son sang comme une gargouille. La douleur ne parvient pas à submerger sa stupeur. Hébété, il se laisse glisser le long du crucifix. Pantin brisé, estropié, anéanti, il est devenu lourd, grotesque. Il ne cesse de tomber, son dos s'arrachant aux échardes de la croix. Une chute sans fin durant laquelle, déjà, une épouvantable angoisse l'agrippe comme les serres d'un oiseau de proie, l'attirant dans un gouffre où résonnent les voix de ses victimes.

Il ne cesse de tomber…

Hurlements, criailleries, malédictions.

Encore un sursaut. Un geste ridicule de son bras sectionné qui pisse le sang en direction de la hache. Un réflexe. Le dernier d'un guerrier vaincu.

Payns le domine, le regarde un long moment hoqueter et vomir une bile rouge avant de lui transpercer le cœur d'un geste bref en prononçant :

— Au nom de la Vérité !

La loque sanguinolente s'affale sur elle-même, fœtus géant retournant à l'enfer qui l'enfanta.

Le chevalier met un genou en terre et, de son index trempé dans le sang de sa victime, trace un triangle sur son front.

— Enfin en mon nom ! Te voici à ton tour marqué au front... du signe de la Loge Première !

Ensuite, les mains entièrement trempées de sang, Payns dessine une première croix sur sa poitrine, une deuxième et une troisième sur chacune de ses épaules.

Il se redresse, épuisé et satisfait, l'esprit enfin libéré de cette boule de haine qui le tuméfiait.

« Désormais, les frères de la Loge Première porteront ces croix sur des robes blanches en souvenir de leurs trois frères sacrifiés : Arcis de Brienne, Basile le Harnais et Geoffroy de Saint-Omer. Et en mémoire de mon combat victorieux contre le fanatisme ! »

Typhaine, Émeline et Maurin, quant à eux, demeureront dans son cœur.

Éternellement...

12

L'avenir

Le soir, nous enterrâmes Maurin dans le cimetière de mon domaine, auprès de sa mère et de sa sœur, à quelques pas de la tombe provisoire de Jésus.

Nous n'étions que cinq : Eliphas, Schelomet, Ferrer, Hugues et moi, vêtus de robes blanches sur lesquelles nous avions tracé des croix rouges aux épaules et sur la poitrine.

Émeric était parti plus tôt en forêt d'Orient afin que le chantier demeure sous la surveillance d'un frère de la Loge Première.

Nous formâmes la Loge pour célébrer la cérémonie et je prononçai la phrase rituelle :

— Puisqu'il est l'heure et que nous avons l'âge, ouvrons nos travaux...

Je ne pus poursuivre, tant mon chagrin était grand. Hugues officia à ma place alors que nous nous tenions en cercle autour de la dépouille de Maurin, nos mains unies.

La pluie avait cessé depuis longtemps et une fin de journée ensoleillée avait réveillé de douces exhalaisons d'herbe et de terre : une bonne odeur sucrée que la nuit approchant piquait de fraîcheur.

Le parfum de ma propriété...

L'été viendrait. Émeric se chargerait des travaux des champs avec les saisonniers que j'employais habituellement. Je demanderais à une femme du village de venir préparer les repas pour mes gens...

Je savais déjà que ma famille me manquerait douloureusement, que chaque geste que je ferais me la rappellerait. Ces gestes du quotidien que je dessinerais dans l'espace vide de ma solitude.

Et Maurin ne courrait plus derrière le cul des poules pour amuser Émeline. Typhaine ne m'accompagnerait plus au clos de Grouin, aux vendanges. Ma petite fille ne m'interrogerait plus à tout propos, toujours curieuse, sans cesse insatisfaite de mes réponses.

Hugues parlait ; je ne l'entendais pas. J'écoutais les innombrables bruits du soir. Minuscules pour la plupart. Persistants comme ceux des sauterelles, monocordes et essoufflés comme ceux des crapauds de la mare vaseuse qui s'étendait derrière les écuries. Puis les brefs appels d'un hibou grand duc que j'avais parfois vu perché sur une branche basse du vieux pommier. Quelques aboiements de mes chiens, les derniers caquetages des poules, les grognements las des porcs...

Je laissais bercer ma peine par cette musique désordonnée. Mais j'émergeai de ma mélancolique rêverie quand Hugues me dit qu'il était temps déplacer la dépouille de Maurin dans la tombe.

Je m'y employai avec l'aide de Ferrer.

Schelomet empoigna ensuite une pelle et commença à combler la fosse.

Lorsque mon ami en eut terminé, Eliphas prononça :

— Par I.N.R.I. Igne Natura Renovatur Integra.

Je repensai à la liqueur noire qui reposait dans un vase du laboratoire de Troyes. Le Sang du Christ ! Je regrettai qu'il n'eût pas encore atteint sa sublimation...

Eût-il été actif je l'eusse introduit dans l'organisme de Maurin ! Car Schelomet m'avait expliqué par quel procédé on devait l'infiltrer dans les veines. Une canule, un tube... La liqueur aurait envahi tout le système sanguin de mon fils pour lui redonner vie.

— Nous allons rester avec toi, me dit Hugues.

— Votre présence me sera effectivement un tendre réconfort, répondis-je avec reconnaissance.

Nous passâmes toute la nuit à veiller, évoquant le souvenir de nos défunts. Nous bûmes beaucoup, et c'est sans doute à cause de l'état d'ébriété dans lequel je me trouvais à l'aube que je pris la plus impensable des décisions.

L'avenir... Je me projetais dans l'avenir, promettant à mes quatre frères que la Loge Première ne s'effacerait jamais de la surface de la Terre, leur prédisant qu'elle bénéficierait d'une existence éternelle.

Certes, comment aurais-je pu me douter alors qu'à ma demande un concile se tiendrait à Troyes dix-sept ans plus tard ? Et qu'à cette occasion le pape Honorius II reconnaîtrait officiellement l'ordre du Temple, dont je serais le premier grand maître... ?

Plus tard !

Que je deviendrais cette figure légendaire, initiatrice de l'une des plus prodigieuses épopées humaines...

Le pape s'en était retourné. Juin s'achevait dans une claire lumière d'été. Il ne pleuvait plus depuis mai, et la terre commençait à se craqueler autour des marais de la forêt d'Orient.

Eliphas avait fait abattre la palissade qui encerclait l'île ; il avait fait creuser le puits menant à l'hypogée où nous allions inhumer les restes de Jésus, le frère Premier.

Nous avions congédié tous les ouvriers ; le comte avait chargé une poignée d'hommes de confiance de garder les lieux. Ainsi étions-nous rassurés, des patrouilles arpentant les digues et surveillant les abords du chantier.

Le pape n'ignorait pas que Jésus reposerait dans cette forêt, mais il m'avait fait le serment qu'il ne tenterait rien pour retrouver son Tombeau. Je l'avais cru. Il ne chercherait pas à entreprendre des fouilles, mais je redoutais que les Gardiens du Sang ne s'affranchissent de la tutelle de l'Église et ne veuillent poursuivre leur combat...

Nous avions choisi la date du vingt-quatre juin pour ensevelir le Christ : le jour de la fête de saint Jean-Baptiste, qui baptisa Jésus après avoir annoncé sa venue à ses proches.

Le soir, un cortège constitué d'Émeric, Hugues, Eliphas, Ferrer, Schelomet et moi emprunta un étroit chemin qui sinuait à travers la forêt. Nous avions placé le corps du Christ dans une charrette bâchée.

Eliphas avait accompli des prouesses ; il avait fait réaliser en très peu de temps l'escalier hélicoïdal – dont Arcis avait conçu une partie des plans – permettant d'atteindre la niche funéraire dans laquelle nous descendîmes le frère Premier ; nous le couchâmes dans un cercueil de pierre qui, une fois refermé par une épaisse dalle, serait totalement hermétique.

Nous restâmes longuement devant le Tombeau, méditant sur l'aventure qui trouvait ici sa conclusion.

Comme la présence de Maurin à mes côtés me manquait !

Nous formâmes la Chaîne d'union et je prononçai :

— Quod est inferius est sicum quod est superius[1]...

Hugues ajouta :

— Quod est superius est sicut quod est inferius ad perpetranda miracula rei unius[2].

Deux phrases du rituel de la Loge Première...

Avant de sceller le cercueil de pierre, je déposai sur la poitrine du Christ son testament, protégé dans un sac de cuir.

Émeric dit :

— Qui pourrait découvrir ce tombeau lorsque nous aurons immergé cette partie de la forêt ?

— Les Gardiens du Sang ne s'avoueront pas vaincus, remarquai-je. Il est à craindre qu'ils ne le recherchent inlassablement.

Eliphas nous rassura :

— Ceux qui violeraient cet endroit seraient pris au piège que je leur ai tendu. Un mécanisme a été conçu pour que la voûte de la crypte se referme peu après son ouverture. De plus, pour parvenir à pénétrer dans cet endroit, le visiteur devrait utiliser l'Anneau...

---

1. *Ce qui est en bas est comme ce qui est en haut.*
2. *Ce qui est en haut est comme ce qui est en bas, pour accomplir les miracles d'une seule chose.*

Eliphas nous expliqua qu'il avait conçu un dispositif qu'il mettrait en fonction dès que nous aurions quitté la crypte après en avoir condamné l'accès.

Il s'agissait d'un système d'engrenages très précis que seul le poids de l'Anneau pourrait actionner. Il suffisait de le placer dans une gorge circulaire de diamètre identique. L'Anneau serait reçu par un plateau de bronze qui réagirait sous son poids – et seulement sous son poids. Le plateau s'abaisserait jusqu'au cran d'une roue qui enclencherait alors l'ingénieuse machinerie créée par Eliphas.

— Il nous reste une dernière tâche à accomplir, dis-je.

Nous remontâmes à la surface et j'entraînai Ferrer et Schelomet vers les digues après que nous nous fûmes munis de masses. Nous prîmes chacun position devant une vanne.

Nos autres frères regagnèrent la berge.

— Nous aurons très peu de temps pour nous mettre à l'abri dès que nous aurons ouvert les écluses, fis-je à Ferrer et Schelomet. Êtes-vous prêts ?

—Donne le signal, Payns.

Nous étions tous trois espacés de trente bons pas.

— Allez ! lançai-je.

Et je frappai de toutes mes forces sur la cheville qui maintenait la vanne fermée. La pièce de bois sauta ; l'empellement s'ouvrit brutalement.

Mes compagnons firent de même. L'eau contenue dans les étangs servant de réservoirs s'écoula aussitôt à grands flots dans le bassin où nous avions creusé le puits.

Ferrer, Schelomet et moi courûmes rejoindre nos amis sur la berge. Dans peu de temps, les digues seraient recouvertes.

L'eau des marais, longtemps retenue par les estacades, envahit le chantier, s'engouffra dans le Tombeau, plongea dans le puits...

Bientôt il n'y eut plus qu'un grand lac étale ; à sa surface miroitaient les derniers feux du soleil, que nous regardâmes s'effacer lentement en silence.

J'eus la vision de Jésus reposant désormais dans son sépulcre auprès de notre frère Geoffroy, protégé par l'eau de la forêt d'Orient. Jésus entre la vie et la mort, dans cet état miraculeux qui préservait un peu de sa chair et de sa conscience. De son âme.

Dormait-il ? Vivait-il ?

Je savais seulement qu'il attendait...

Cela se passa il y a longtemps. Si longtemps que je ne suis plus certain de me souvenir avec précision des événements. Il m'arrive parfois de confondre quelques faits ou de ne plus savoir les situer dans leur ordre chronologique.

C'est pourquoi j'ai pris l'habitude d'écrire mon journal. Certes, je ne le publierai jamais, car je suis conscient que l'on me prendrait pour un imposteur ou pour un dément.

Je vis toujours dans mon domaine, près de Troyes. Ma demeure ne ressemble plus guère à l'originelle. Mais j'ai conservé le petit cimetière et sa chapelle, et me rends quotidiennement sur les tombes de Typhaine, Émeline et Maurin.

Mes promenades me conduisent souvent en forêt d'Orient, dont je ne suis plus le propriétaire ; je passe des heures devant le petit lac où, l'été, viennent parfois se baigner des enfants. J'aime les entendre et les regarder, car ils me rappellent ma fille et mon fils. S'étonnent-ils de ma présence triste et silencieuse ? S'interrogent-ils au sujet de cet homme sombre qui se plaît à les voir jouer ?

Après leur départ, je reste encore longtemps sur la berge du lac, tentant de me remémorer les images du chantier... J'apprécie que le soir m'engourdisse de sa fraîcheur en apaisant ma peine.

La forêt est devenue ma thébaïde ; j'en connais le moindre bruissement, le plus infime souffle. Elle est en moi, pareille à une seconde âme, plongeant sa multitude de racines dans ma chair.

Mon sang la nourrit. Mes rêves l'animent. Elle me parle.

Voix de vent, de feuillage, de clapotis et de craquements. Voix des morts qui la hantent et que je suis seul à percevoir.

J'ai perdu le sommeil. Mes nuits sont devenues de longues dérélictions où s'égare ma raison.

Ferrer, Schelomet, Eliphas, Hugues et moi avons changé de nom. Je m'appelle aujourd'hui Henri Payens. Je suis historien et écrivain. Après avoir exercé d'innombrables métiers ! Avant d'en exercer une multitude d'autres...

Mon fidèle Émeric n'est plus. Il a refusé le pacte que nous lui avions proposé ; il a préféré vivre selon la loi de la Nature. Et mourir.

Nous ne sommes donc plus que cinq.

Hugues a sacrifié son amour et, jadis, a enterré Constance avec un chagrin que je n'ai jamais plus vu chez aucun homme. Une peine inhumaine.

Dame Hélène est morte dans sa soixante-dix-septième année et nous l'avons pleurée longtemps avant qu'elle ne prenne doucement sa place parmi tous les fantômes de notre mémoire.

Je me dois d'avouer que j'ai oublié le son de sa voix, la forme de son visage, l'éclat de ses yeux... Alors qu'après quelques années de veuvage je m'étais épris d'elle !

Notre vie ressemble à un long automne. Une éternelle attente. Car nous sommes devenus ces cinq hommes sans âge qu'une indolente patience a mûris.

Nous assistons en témoins immobiles aux sursauts de ce monde brouillon où le frère ne cesse de s'opposer au frère. Las d'avoir trop longtemps rêvé d'amour et de fraternité, nous avons fait de notre désillusion notre dernière compagne. Cette maîtresse sèche et stérile a enveloppé notre cœur dans une gangue.

Nous ne pleurons plus jamais.

Nous ne sommes plus que cinq.

Cinq veilleurs. Les cinq derniers Templiers, gardiens du Tombeau de Jésus.

Et dans nos veines coule un sang éternel. Le « Sang du Christ ».

Henri Payens, le 20 décembre 2007.

Excuses

Certains faits historiques ont été volontairement tronqués ou librement interprétés au profit de la trame romanesque.

Certains personnages ayant existé ont vu leur destin transformé pour jouer des rôles imposés par l'Auteur.

Il y a deux histoires : l'histoire officielle, menteuse, puis l'histoire secrète, où sont les véritables causes des événements... (Honoré de Balzac.)

D.C.

Table

TOME II

Première partie – Le voyage à Jérusalem

Quatrième partie – Pour la vie éternelle

Composé par Nord Compo Multimédia
7, rue de Fives, 59650 Villeneuve-d'Ascq

Achevé d'imprimer par N.I.I.A.G.
en mars 2009
pour le compte de France Loisirs, Paris

N° d'éditeur : 55026
Dépôt légal : mars 2009
Imprimé en Italie